HERMANN GOERING

Du même auteur

Les Jeux de la Guerre et du Hasard, Hachette, Paris, 1977.

Churchill and De Gaulle, Collins, Londres, 1981.

De Gaulle et Churchill, Perrin, Paris, 2002 (traduction française par l'auteur).

La Guerre du Fer, Tallandier, Paris, 1987 (réédition 2002 : *Churchill contre Hitler*).

Norway 1940, Collins, Londres, 1990 (traduction anglaise par l'auteur).

Vi Stoler på England 1939-1949, Cappelen, Oslo, 1991 (en norvégien seulement).

Winston Churchill, le pouvoir de l'imagination, Tallandier, Paris, 2000.

Churchill et Monaco, Editions du Rocher, Paris, 2002.

Staline; Roosevelt; Churchill, collection « 2 Euros », Mémorial de Caen.

MacArthur, collection « 2 Euros », Mémorial de Caen (en anglais seulement).

De Gaulle et Roosevelt, le duel au sommet, Perrin, Paris, 2004.

L'Affaire Cicéron, Perrin, Paris, 2005.

Lord Mountbatten, l'étoffe des héros, Payot, Paris, 2006.

Le Monde selon Churchill, Alvik, Paris, 2007.

Winston Churchill, Tallandier, Paris, 2009 (édition revue et augmentée).

Pour en savoir plus
sur les Editions Perrin
(catalogue, auteurs, titres,
extraits, salons, actualité...),
vous pouvez consulter notre site internet :
www.editions-perrin.fr

FRANÇOIS KERSAUDY

HERMANN GOERING

Le deuxième homme du IIIe Reich

PERRIN

www.editions-perrin.fr

A la mémoire de Peter S. Squire,
professeur à Churchill College, Cambridge,
officier de Sa Majesté et slavisant émérite,
qui a contribué discrètement mais efficacement
à la chute du Grand Reich millénaire

Sommaire

Liste des cartes

(Les biographies de Goering parues à ce jour dans le monde ne comportent pas *une seule* carte — phénomène stupéfiant, si l'on considère que le personnage a participé à une vingtaine de campagnes militaires pendant deux guerres mondiales.)

Introduction

En France, l'intérêt pour l'Allemagne national-socialiste semble se limiter à la personne d'Adolf Hitler, à l'ordre des SS et au bourreau nazi d'un roman bienveillant. Pourquoi alors une biographie de Hermann Goering ? Pour quatre raisons au moins : parce que c'est le deuxième homme du Troisième Reich, parce qu'il apparaît à l'époque comme le personnage le plus populaire et le moins inhumain de toutes les sinistres figures entourant Hitler, parce qu'il a joué un rôle déterminant dans l'ascension comme dans la chute de l'Allemagne nazie, et enfin parce que, malgré tout cela, il n'existe *aucune* biographie française de ce personnage démesuré – à tous les sens du terme.

La prédestination n'existe pas, mais le destin est sans doute la règle qui voyage incognito. Au début des années vingt, le capitaine Goering est un authentique héros de guerre, abondamment décoré, patriote, romantique, chevaleresque, entreprenant, doté d'une grande intelligence et d'un charisme indéniable. Il va chercher fortune en Suède, où il trouvera un emploi de pilote de ligne et l'amour de sa vie. Le début d'un conte de fées ? Non : le commencement d'un long cauchemar, car ce glorieux vétéran, orgueilleux, ambitieux, influençable et cyclothymique, est attiré par la politique et impatient d'y jouer un rôle. Or, à l'automne de 1922, il rencontre à Munich Adolf Hitler, qui le fascinera pour la vie. Dans l'ombre du Führer, Hermann Goering va désormais cumuler les distinctions : comploteur de taverne, putschiste improvisé, militant errant, chômeur morphinomane, homme d'affaires talentueux, dandy corpulent, orateur

tonitruant, député mercenaire, président du Reichstag conquérant, ministre de l'Intérieur sans scrupule, président du Conseil
arriviste, truand confirmé, criminel d'occasion, ministre de l'Air
étincelant, parvenu millionnaire, diplomate officieux, chasseur
d'élite, stratège de salon, économiste amateur, écologiste avant
l'heure, collectionneur d'art compulsif, successeur désigné du
Führer et complice de tous ses crimes. Mais c'est en tant que
commandant en chef de l'aviation allemande que le maréchal
Goering va entrer dans la grande tourmente de la Seconde
Guerre mondiale, et bien des choses s'en trouveront changées...

Grand sentimental qui n'hésite pas à éliminer ceux qui lui
font de l'ombre, antisémite vociférant qui s'adjoint un secrétaire
d'Etat juif, guerrier fanfaron qui tente l'impossible pour sauver
la paix, touche-à-tout hyperactif rongé par l'indolence – autant
de facettes d'une personnalité aux multiples contradictions. Il
est vrai que Hermann Goering, acteur frustré ayant assumé
d'innombrables rôles, reste à bien des égards une énigme pour
l'historien. A cela s'ajoute qu'en l'occurrence, le minimum
d'empathie si nécessaire au biographe est souvent difficile à
convoquer, même si l'on reste très éloigné de bouchers industriels tels que Hitler, Himmler, Heydrich, Staline, Pol Pot ou
Mao Zedong.

Mais la difficulté de réussir ne fait qu'ajouter à la nécessité
d'entreprendre ; on assistera donc, avec l'aide d'abondantes
sources allemandes, anglaises, américaines, suédoises, canadiennes, françaises et italiennes, à la représentation d'un personnage shakespearien, tenant à la fois de Falstaff et de Macbeth. Si
la pièce finit très mal, ses péripéties demeurent fascinantes ; car
en suivant pas à pas ce dangereux comédien, on peut revisiter le
Troisième Reich sous un angle inattendu – et saisir en chemin
l'inexorable assemblage des fils qui tissent la trame du destin.

F. K.

I

Féodalité

Le 12 janvier 1893, au sanatorium « Marienbad », près de la ville bavaroise de Rosenheim, Franziska Goering donne naissance à un bébé robuste aux grands yeux bleus, qu'elle prénomme Hermann en l'honneur de son parrain et Wilhelm en hommage à l'empereur Guillaume II. A première vue, il n'y a rien là qui soit digne d'attirer l'attention, si ce n'est peut-être l'absence du père aux côtés de l'heureuse parturiente... Pour expliquer cette absence, il faut voyager assez loin dans l'espace et dans le temps : Heinrich Ernst Goering, un officier prussien qui a participé à la campagne de 1866 contre l'Autriche et à celle de 1870 contre la France, est ensuite devenu juge dans diverses petites villes de province, jusqu'à ce qu'il soit remarqué par le chancelier Bismarck et nommé en 1885 ministre résident en Afrique du Sud-Ouest. Ce n'est un honneur qu'en apparence : Bismarck s'intéresse très peu aux colonies et l'implantation allemande en Afrique est des plus fragiles ; mais la tâche de Heinrich Goering sera précisément de l'élargir et de la consolider. A quarante-sept ans, le nouveau ministre résident n'est plus tout jeune, il n'a aucune expérience diplomatique et n'a jamais vu le continent africain... Son succès n'en sera que plus méritoire : en moins de cinq ans, avec des moyens limités à l'extrême, il réussit à pacifier les tribus locales et à étendre considérablement l'influence allemande dans la région, tout en se liant d'amitié avec Cecil Rhodes, le grand colonisateur britannique de l'Afrique australe.

Lorsque Heinrich Goering est parti pour l'Afrique, il était déjà veuf et père de cinq enfants ; mais en chemin, il s'est arrêté à Londres, où il a convolé en secondes noces avec sa compagne munichoise Franziska Tiefenbrunn, de vingt ans sa cadette. Au cours des quatre années suivantes, le couple aura en Afrique un garçon et deux filles, et les déplorables conditions d'hygiène sous ces latitudes auraient sans doute fait passer la mère de vie à trépas dès la première naissance, s'il ne s'était trouvé à Windhoek un médecin à la fois aventurier, rentier, célibataire, séducteur, passablement dilettante et manifestement compétent, Hermann Epenstein. Il deviendra très logiquement l'ami de la famille, et lorsqu'en 1892, alors que son époux est devenu consul général à Haïti, Franziska se trouve à nouveau enceinte, elle rentre en Allemagne sur les conseils du bon docteur pour accoucher de son quatrième enfant. Ainsi s'explique la naissance au sanatorium bavarois de Marienbad le 12 janvier 1893 de Hermann Wilhelm Goering, dont le parrain n'est autre que Hermann Epenstein. On s'explique déjà moins que la mère du nouveau-né soit repartie pour Haïti au bout de six semaines seulement, laissant pour trois longues années le jeune Hermann Goering à la garde de Frau Graf, une amie de la famille. Le docteur Freud, qui commence justement à exercer à Vienne cette année-là, aurait sans doute vu tout cela d'un très mauvais œil, et de fait, lorsque Franziska Goering rentrera au pays en 1896 et prendra son jeune fils Hermann dans ses bras, elle recevra une retentissante paire de claques [1]...

« C'était un beau garçon, et il était entêté [2] », se souviendront les filles de Frau Graf, spectatrices de ses premiers exploits. Elles ne trouveront guère de contradicteurs par la suite, car dans le quartier berlinois de Friedenau, où la famille Goering s'installe à son retour en Allemagne, Hermann est un petit garçon capricieux et tyrannique, qui veut très tôt jouer les héros et exerce un ascendant certain sur son frère et ses deux sœurs. Leur père, devenu fonctionnaire au ministère des Affaires étrangères, se montre extrêmement indulgent envers son fils préféré ; il lui offre pour ses cinq ans un uniforme de hussard, et l'emmène chaque dimanche voir les défilés militaires de la garnison de Potsdam. L'effet produit sur l'enfant est manifestement considérable : « Je n'ai jamais douté un instant, dira-t-il plus tard, que je deviendrais officier dans l'armée du Kaiser [3]. »

C'est en 1898 que le destin de la famille Goering prend un tournant décisif ; car le docteur Epenstein, qui a un esprit entreprenant et une fortune considérable, vient d'acquérir un château à Mauterndorf, près de Salzbourg, et un autre à 30 kilomètres de Nuremberg, Burg Veldenstein *. Tous deux sont en fort mauvais état, mais Epenstein va se mettre en devoir de les restaurer à leur splendeur première, et il propose à la famille Goering de venir s'installer à titre gracieux au château de Veldenstein. Heinrich Goering, qui a pris sa retraite avec un minimum absolu de reconnaissance officielle et semble déjà très diminué **, peut difficilement refuser une telle proposition, et c'est ainsi que dès l'âge de six ans, le jeune Hermann se retrouve dans un somptueux décor médiéval, à l'exacte mesure de ses rêves de puissance et de gloire...

Il est effectivement bien difficile d'échapper à l'influence de cet environnement envoûtant de vieilles forteresses chargées d'histoires et de légendes, au milieu du décor sauvage des montagnes bavaroises. Hermann entraîne son frère, ses sœurs et tous les enfants du village dans ses jeux guerriers, consistant généralement à défendre ou à prendre d'assaut les antiques remparts perchés tout en haut d'une falaise dominant la rivière Pegnitz. Toujours fasciné par les armes et les uniformes, il se déguise volontiers en chevalier, en Robin des Bois... ou en officier boer, puisque la guerre fait rage en Afrique du Sud à l'époque, et que les sympathies allemandes vont très majoritairement aux colons afrikaners en lutte contre l'Angleterre. Le jeune garçon écoute religieusement les amis de son père, qui parlent avec nostalgie des grandes campagnes de 1866 et 1870 [4]; bien entendu, il possède une riche collection de soldats de plomb, et il avouera plus tard avoir pris l'habitude de les entourer de miroirs, pour donner l'impression d'une troupe bien plus considérable. Sous de multiples formes, c'est exactement ce genre d'habitude qui persistera à l'âge adulte...

Il est malaisé de faire la part des vantardises de l'intéressé et des flatteries hagiographiques de ses premiers biographes, mais plusieurs choses au moins paraissent certaines : Hermann Goering se révèle très vite comme un virtuose de l'escalade ; ignorant superbement le vertige et la peur, il part à l'assaut des falaises avec un entrain qui ferait pâlir plus d'un montagnard

* Voir carte, p. 18.
** A cinquante-six ans, il est diabétique, refuse obstinément de s'astreindre à un quelconque régime et abuse nettement de la boisson.

chevronné. Par ailleurs, son orgueil et son sens de l'honneur le rendent à peu près impossible à tenir en respect lorsqu'il s'estime victime d'une injustice, et l'une de ses sœurs le décrira comme « *ein Gerechtigkeitsfanatiker* » – un maniaque de la justice [5] ; le problème est évidemment qu'il a tendance à voir de l'injustice partout... Enfin, les adeptes du déterminisme historique risquent fort d'être déçus : le jeune Hermann est certes un trublion bagarreur et un incorrigible fanfaron, mais il n'en est pas moins généreux, idéaliste, protecteur, affectueux avec ses proches et d'une tendresse sans limites avec tous les animaux domestiques qu'il rencontre.

De tous les adultes qui l'entourent, c'est incontestablement son parrain qui exerce sur lui la plus grande influence. Le docteur Epenstein a beau avoir une taille modeste, un embonpoint certain et une calvitie précoce, il en impose à tous par son charme, son autorité naturelle, sa connaissance du monde et son mode de vie princier. Au château de Mauterndorf, où les Goering sont fréquemment invités, les immenses salles débordent d'armures, d'étendards, de tableaux de maîtres, de meubles précieux et de tapisseries des Gobelins. Le maître des lieux, qui vient même d'être anobli par l'empereur sous le nom de Ritter von Epenstein *, règne sur ses terres et son nombreux personnel comme un seigneur féodal, donne des fêtes somptueuses, distribue de généreuses subventions, se fait le parrain des enfants de tous ses amis, les emmène à la chasse au chamois dans les montagnes et veille jalousement à leur éducation. Tout cela ne peut qu'en imposer aux jeunes gens qui bénéficient de ses attentions : « Nous l'admirions tous, dira bien plus tard le professeur Thirring, un autre de ses filleuls. C'était un personnage si fringant, presque un matamore. Nous aurions détesté sur-le-champ tout individu qui se serait permis de lui manquer de respect, mais c'est Hermann qui a sévèrement rectifié le portrait d'un jeune garçon du village qui avait fait remarquer qu'Epenstein avait acquis son titre grâce à son argent plutôt qu'à ses hauts faits [6]. »

Il y a tout de même deux problèmes dans cette relation quasiment filiale : le premier, c'est que le chevalier von Epenstein a beau être catholique romain et le montrer avec ostentation chaque dimanche à l'église, son père est incontestablement d'ori-

---

* Chevalier von Epenstein.

gine juive, et figure même dans le « semi-Gotha » des familles juives titrées de l'époque. Il est vrai qu'au début du XXe siècle, ce fait est loin d'avoir l'importance qu'on lui donnera deux décennies plus tard, mais il n'en posera pas moins un problème de taille aux biographes nazis du futur *Reichsmarschall*, qui préféreront passer la chose sous silence. Mieux encore, le très servile Erich Gritzbach nous décrira en 1938 un Hermann Goering qui, dès l'âge tendre de huit ans, fait aboyer son chien contre les Juifs du village, ce que Gritzbach considère comme une manifestation de conscience raciale plutôt rare chez un aussi jeune homme [7]. Si rare, en fait, qu'elle tient de l'affabulation pure et simple : à cet âge, Hermann ignore ce qu'est un Juif, et lorsqu'il apprendra plus tard que son héros von Epenstein en est un, cela ne changera absolument rien à leurs relations.

Le second problème est que le chevalier von Epenstein a certes mis gracieusement son château de Veldenstein à la disposition des Goering, mais qu'il s'y est réservé la principale chambre à coucher, très commodément située à proximité de celle de Mme Goering mère – dont l'époux est consigné au rez-de-chaussée lors des visites du seigneur des lieux... Lorsque la famille se rend au château de Mauterndorf à l'occasion des nombreuses fêtes données par le chevalier, Herr Goering et les enfants sont relégués aux dépendances, et Franziska fait office de maîtresse de maison, ne rejoignant sa famille qu'au petit déjeuner [8]. Dès lors, il est sans doute superflu de préciser ce qui n'est un secret pour personne : Hermann von Epenstein et Franziska Goering sont amants, et ils le sont même depuis des années. « Nous n'en avions jamais douté, se souviendra le professeur Hans Thirring. Tous ceux qui séjournaient à Mauterndorf acceptaient la situation, et cela ne semblait pas du tout déranger Hermann ou les autres enfants Goering [9]. » Cela ne semblait même pas déranger leur père, qui s'accommodait de la situation en s'enfonçant lentement dans l'alcoolisme. Du reste, il n'ignorait certainement pas non plus ce que tout le monde autour de lui avait remarqué depuis longtemps : en 1895, son épouse avait donné naissance à un troisième fils, Albert, dont la ressemblance avec Epenstein pouvait difficilement être plus évidente. Encore un fait que les biographes nazis choisiront de passer sous silence, et qui ne changera d'ailleurs absolument rien à l'affection de Hermann pour son frère cadet...

D'UN CHÂTEAU L'AUTRE : LE MONDE DE HERMANN GOERING, 1893-1914

TCHÉCOSLOVAQUIE

Pilsen

Bayreuth

Veldenstein

Regensburg

Nuremberg

Fürth

Ansbach

Stuttgart

Ulm

Karlsruhe

Mannheim

Fribourg

Mulhouse

Strasbourg

SUISSE

Munich

Rosenheim

Salzbourg

Radstadt

Mauterndorf

AUTRICHE

0   50   100 km

Les premières rencontres du jeune Hermann avec l'école seront pour le moins agitées : envoyé en 1900 à la Volksschule de Fürth, près de Nuremberg, il s'y montre agressif, paresseux et particulièrement rebelle à la discipline ; se prenant pour un châtelain et imitant quelque peu les manières arrogantes de son parrain, il s'attire rapidement l'antipathie de ses maîtres comme de ses condisciples, et pour finir, il résoudra le problème à sa manière : ayant pris le lit, il refusera d'en bouger pendant plusieurs semaines, jusqu'à ce que les autorités exaspérées le renvoient chez lui... Première victoire de l'entêtement, mais qui restera sans lendemain, car ses parents le placent en 1905 dans un internat à Ansbach ; là, le garçon de douze ans se retrouve avec des écoliers plus âgés, plus forts et plus combatifs que lui, la discipline est très stricte, la nourriture exécrable et les heures d'études épuisantes. Au bout de trois ans, de plusieurs fugues et même d'un mouvement de grève, Herr et Frau Goering se voient à nouveau obligés de reprendre leur enfant...

Pour finir, c'est encore le parrain Epenstein qui va tirer la famille d'embarras : grâce à ses relations, il fait admettre le jeune cancre à l'école des cadets de Karlsruhe. Elle est encore plus éloignée de Veldenstein que l'internat d'Ansbach, la discipline y est bien plus stricte, mais on est déjà entre militaires, l'uniforme est seyant et les cours d'équitation, d'escrime et de tir au fusil attirent irrésistiblement le cadet Goering, qui y retrouve la matérialisation de tous ses jeux d'enfant. Du coup, il devient même studieux, et lorsqu'il sort de l'école à seize ans, c'est avec d'excellentes notes en équitation, en histoire, en anglais, en français, en musique, et même... en discipline. Surtout, le rapport de sortie mentionne que « cet élève exemplaire a acquis une qualité qui devrait le mener loin : il n'a pas peur du risque [10] ».

Avec une telle recommandation, Hermann n'a aucun mal à entrer dès 1910 à l'académie militaire de Gross-Lichterfelde, près de Berlin, où sont formés les futurs officiers de l'armée allemande. Là aussi, il va trouver son bonheur : les exercices militaires le passionnent, les uniformes de sortie chamarrés exercent un effet magique sur les demoiselles de Berlin, et les codes d'honneur des sociétés de cadets ont un aspect médiéval qui l'enchante : « Je me sens comme un héritier de toute la tradition chevaleresque allemande », écrit à sa famille cet incorrigible romantique [11]... Toujours est-il qu'en mars 1911, à l'âge de dix-huit ans, il sort de l'académie avec la mention « excellent », les félicitations du Kaiser et le grade de sous-lieutenant *.

Avant de recevoir son affectation, le jeune officier revient en permission à Veldenstein ; ses parents l'y accueillent en héros et son parrain lui envoie une lettre de félicitations, accompagnée d'une bourse de 2 000 marks en pièces d'or. Mais Hermann s'aperçoit que la situation familiale a beaucoup évolué depuis son départ : Franziska Goering a énormément vieilli et son époux, sous l'effet d'une jalousie tardive ou d'un alcoolisme excessif, s'est mis à clamer qu'il a été outrageusement trahi par von Epenstein. Dès lors, son honneur ne lui permettant plus de rester sous le toit de l'homme qui l'a déshonoré, Heinrich Goering menace de quitter Veldenstein avec toute sa famille. On ignore s'il se serait exécuté, mais la question ne se pose déjà plus, car il se trouve que le fringant chevalier von Epenstein, oubliant ses soixante-deux ans bien sonnés, est tombé amoureux de Lilli von Schandrowitz, une jeune beauté de vingt ans à peine, qu'il est bien résolu à épouser. Or, une maîtresse de quarante-six ans affligée d'un mari grincheux et logée gracieusement dans une de ses propriétés constitue naturellement un obstacle de taille à ses projets matrimoniaux ; la famille Goering reçoit donc au début de 1913 une lettre polie l'invitant à chercher une nouvelle demeure dans les meilleurs délais. Pour Franziska et Heinrich Goering, qui avaient connu pendant quinze ans la vie de château, c'est un affreux déchirement ; pour leur fils Hermann aussi, qui se faisait passer pour un châtelain auprès de ses camarades de l'académie militaire. Mais il n'y a rien à faire, et au printemps de 1913, la famille Goering va s'installer dans une modeste maison qu'elle a louée dans les faubourgs de Munich. Heinrich ne survivra pas à l'épreuve et mourra au début de décembre, quelques mois seulement après leur emménagement.

La veille des funérailles, Hermann aide sa mère à trier les papiers du défunt... Et là, les photos jaunies, les lettres, les rap-

---

* En avril, pour fêter sa promotion, il se rend avec ses camarades en Italie, où il connaîtra son premier éblouissement artistique en contemplant des tableaux de Rubens, Léonard de Vinci, Raphaël et Bellini. Il se livrera ensuite à l'un de ses numéros d'escalade favoris dans les Dolomites.

ports, les attestations et les réminiscences de sa mère lui font comprendre que lors de ses campagnes militaires en Europe et de ses exploits coloniaux en Afrique, Heinrich Ernst Goering avait été bien autre chose que le vieil alcoolique aigri qui hantait les sombres couloirs de Veldenstein. De son propre aveu, Hermann va concevoir sur-le-champ une très grande culpabilité de n'avoir pas su établir de véritables rapports avec ce père si injustement méprisé, et le lendemain, lors de l'enterrement au Waldfriedhof de Munich, le jeune sous-lieutenant éclate en sanglots [12]. Réaction sans doute assez peu virile, sûrement indigne d'un officier prussien, mais profondément humaine...

Quelques semaines plus tard, Hermann Goering est affecté au 112e régiment d'infanterie de la 6e armée, et il doit rejoindre son unité au début de janvier 1914 [13]. « Si la guerre devait éclater, annonce-t-il avant son départ à ses sœurs admiratives, vous pouvez être sûres que je m'y distinguerai et que je saurai faire honneur au nom des Goering [14]. »

II

Les chevaliers du ciel

Le quartier général du 112e régiment d'infanterie « Prinz Wilhelm » est établi à Mühlhousen, une petite ville du Haut-Rhin que les indigènes moroses de l'Alsace germanisée s'obstinent à appeler Mulhouse. La vie de garnison n'y est pas sans charmes : ignorant superbement les pesantes traditions du régiment, le lieutenant Goering prend d'emblée quelques libertés avec la discipline, se lie d'amitié avec un joyeux compagnon nommé Bruno Loerzer, fait amplement honneur aux beuveries traditionnelles de l'unité et profite des moindres occasions pour partir en permission ; à cela s'ajoute que des deux côtés du Rhin, ses yeux d'un bleu profond laissent rarement les jeunes filles indifférentes... Que demander de plus ? Il est vrai que l'on commence à percevoir des rumeurs inquiétantes dans les grandes chancelleries occidentales et des bruits de bottes insistants en provenance des régions balkaniques, mais à l'été de 1914, ce beau jeune homme de vingt et un ans, qui vit depuis toujours dans une ambiance résolument martiale, voit venir sans effroi la perspective d'une guerre qui lui permettra de combattre et de s'illustrer, « *für Gott, Kaiser und Vaterland* »...

Août 1914 : la grande confrontation commence, mais comme toujours à la guerre, c'est le plus imprévu qui est le plus certain... Pour les hommes du 112e régiment d'infanterie, le premier clairon qui sonne est celui de la retraite : le chef d'état-major impérial von Moltke, qui veut attaquer au nord-ouest avec le gros de ses forces, s'attend à une offensive française en Alsace, et veut donc regrouper les éléments de sa

6ᵉ armée à l'est du Rhin. Mais le lieutenant Goering n'en est pas moins chargé à plusieurs reprises de franchir à nouveau le fleuve avec sa section pour repérer les positions reprises par l'armée française. Outrepassant quelque peu ses instructions, il rentre dès sa première mission dans Mulhouse occupée et échange quelques coups de feu avec les avant-gardes françaises avant de repasser le Rhin, en ayant capturé quatre chevaux ; le lendemain 10 août, il revient discrètement sur les lieux, cette fois avec une section à bicyclette, et projette tout simplement d'enlever le général Pau, chef des forces françaises installées à Mulhouse ! Là encore, c'est très éloigné de ses instructions, son plan échouera lamentablement, et il lui faudra prendre la fuite précipitemment avec ses hommes sous un feu nourri. Nullement découragé, il repart au combat dès le lendemain, et près d'Illzach, sa section fait plusieurs prisonniers français. A l'évidence, ses chefs ne lui tiennent pas rigueur de son indiscipline et apprécient pleinement sa témérité : peu après la reprise de Mulhouse, il est décoré de la Croix de Fer de 2ᵉ classe [1]. On l'envoie ensuite en reconnaissance du côté français pour repérer le terrain au bénéfice de l'artillerie, ce qui va rapidement devenir sa spécialité ; elle est particulièrement risquée, car il a autant de chances d'être pris à partie par l'ennemi que d'être pulvérisé par ses propres canons. Pourtant, la providence semble emboîter le pas au lieutenant Goering, qui reste indemne alors que le front des combats se déplace progressivement vers Molsheim et Sarrebourg.

Au début de septembre 1914, alors que l'offensive principale des 1ʳᵉ et 2ᵉ armées allemandes commence à s'épuiser sur la Marne, le 112ᵉ régiment franchit les Vosges avec la 6ᵉ armée du prince Rupprecht de Bavière, et les positions des deux camps vont se consolider autour de Baccarat, au sud-est de Nancy ; on y creuse des tranchées, le froid et l'humidité de l'automne s'abattent bientôt sur les combattants, et le lieutenant Goering en subit rapidement les effets : après trois semaines seulement, il est victime de rhumatismes articulaires, ses genoux se dérobent, et il est évacué sur l'hôpital de Metz [2]. Pour ce jeune lieutenant qui rêvait de gloire et de décorations, l'immobilisation forcée est un véritable supplice, la perspective d'actions d'éclat s'éloigne à vue d'œil et le moral est au plus bas...

A l'hôpital, Hermann reçoit la visite de son ami Bruno Loerzer, qui avait quitté le 112ᵉ régiment d'infanterie peu après le début de la guerre pour suivre une formation de pilote à l'école d'aviation « Aviatik », près de Fribourg. Toujours fanfaron, Hermann lui dit qu'il ne peut marcher pour le moment, mais qu'il ne se donne pas deux semaines avant de rejoindre son unité. Loerzer lui fait remarquer que les mêmes causes produisant les mêmes effets, il risque fort de se trouver à nouveau invalide en regagnant les tranchées et d'être réformé pour de bon. Par contre, dans cette nouvelle arme prestigieuse qu'est l'aviation, il serait à l'abri de l'humidité, il n'aurait pas besoin de ses jambes, il se retrouverait bien au sec tous les soirs, et surtout, il aurait de bien meilleures chances de se couvrir de gloire ! Le dernier argument a dû être décisif : à peine son ami a-t-il tourné les talons que Hermann envoie un télégramme à son régiment pour demander son transfert à l'école d'aviation de Fribourg, afin d'y recevoir une formation d'observateur...

Notre convalescent impatient n'ayant pas reçu de réponse au bout de deux semaines, il quitte l'hôpital sans autorisation et rejoint le dépôt d'aviation de Darmstadt, où le lieutenant Loerzer vient d'obtenir son brevet de pilote. A ce stade, les versions divergent : si l'on en croit ses premiers biographes, Goering, ignorant superbement les trois semaines d'arrêts de rigueur auxquelles il est condamné pour refus de rejoindre le bataillon d'infanterie de réserve de Donaueschingen, se forme seul aux techniques d'observation en volant avec son ami Loerzer[3]. Mais son dossier militaire raconte une histoire plus banale : le lieutenant Goering est affecté au 3ᵉ détachement aérien de réserve à Darmstadt le 14 octobre, pour y recevoir une formation d'observateur[4]. La suite est tout aussi controversée : selon Goering, lui et son compère Loerzer auraient « emprunté » un avion et survolé la Forêt Noire et le Luxembourg, pour atterrir enfin à Stenay, quartier général du 25ᵉ détachement aérien de campagne de la 5ᵉ armée[5]. Mais le dossier militaire du lieutenant Goering semble également exclure toute aventure de ce genre : il mentionne seulement que l'intéressé est affecté à la base de Stenay en tant qu'observateur aérien à compter du

28 octobre 1914 *[6]. Les services du 112ᵉ régiment d'infanterie ont-ils continué à exiger le retour immédiat de Hermann Goering, promis aux arrêts de rigueur et même à la cour martiale [7] ? C'est possible, mais de toute façon, l'intéressé va se trouver rapidement hors d'atteinte ** ; car dès ses premières missions, l'équipage Loerzer-Goering commence à rapporter d'intéressants clichés des positions ennemies dans le secteur de l'Argonne...

Stenay n'est qu'à une quarantaine de kilomètres au nord-ouest de Verdun, et la 5ᵉ armée est placée sous le commandement du Kronprinz Frédéric-Guillaume en personne... Or, dès l'automne de 1914, après l'échec de l'offensive principale sur la Marne, le nouveau chef d'état-major von Falkenhayn a reconnu en Verdun le verrou qui barre la progression des 4ᵉ et 5ᵉ armées vers les plaines de Champagne. Les positions françaises dans le secteur sont puissamment fortifiées et l'artillerie lourde est impuissante à les réduire, faute d'indications assez précises sur leurs emplacements : les photos aériennes sont prises à trop haute altitude, les avions d'observation cherchant surtout à éviter le feu d'enfer des mitrailleurs français ; ou bien encore elles sont brouillées, les avions étant passés trop vite pour les mêmes raisons. C'est à ce stade que les nouveaux venus apportent une précieuse contribution : il est vrai que leur biplan Albatros est extrêmement primitif, que son aile inférieure obstrue largement le champ de vision de l'observateur, et que l'appareil photographique embarqué pourrait difficilement être plus encombrant. Mais les deux amis ont mis au point une tactique qui tient davantage de la haute voltige que de l'art militaire : parvenu au-dessus de l'objectif, Loerzer effectue un long virage sur l'aile à basse altitude, Goering sort aux trois quarts de l'habitacle, se penche dans le vide en se retenant à l'extrémité du siège par les orteils, et brandit à bout de bras un appareil photographique de quinze kilos, en changeant les plaques de verre après chaque cliché [8]... Le tout dure plusieurs minutes, s'effectue sous un feu nourri, et est répété autant de fois que

---

* Il peut naturellement y avoir eu une régularisation *a posteriori*, ainsi que cela se pratiquait couramment dans l'armée du Kaiser.

** Selon le biographe britannique Leonard Mosley, qui s'est longuement entretenu avec la famille de Goering après 1945, le chevalier von Epenstein serait également intervenu auprès des autorités en faveur de son filleul favori.

nécessaire ! Sans doute l'entraînement de montagnard du jeune Hermann lui a-t-il été précieux en l'occurrence, mais on trouverait bien peu d'alpinistes pour exécuter sans défaillir un numéro de trapèze volant dans des conditions aussi suicidaires...

En tout cas, les résultats parlent d'eux-mêmes : le haut commandement allemand tient enfin les plans précis des positions défensives françaises autour de Verdun, et il peut régler son artillerie en conséquence ; Loerzer et Goering sont convoqués régulièrement à l'état-major pour aider à l'interprétation de leurs clichés, et ils y font rapidement figure de héros. Le 25 mars 1915, à la suite d'une mission particulièrement réussie au cours de laquelle ils signalent la position exacte d'une batterie d'artillerie lourde française sur la côte de Talon, les deux compères sont convoqués au quartier général et décorés de la Croix de Fer de 1re classe par le Kronprinz en personne [9]. Ils s'illustreront à nouveau une semaine plus tard, lors d'un raid de l'aviation française sur Stenay : avec leur Albatros désarmé, ils contraignent un bombardier ennemi à atterrir derrière les lignes allemandes * [10].

Hermann Goering est un perfectionniste : pour intimider l'ennemi au sol pendant ses opérations photographiques, il s'arme d'un fusil Mauser et de petites bombes grises, les « souris de l'air ». Il perfectionne ensuite l'armement en faisant monter une mitrailleuse devant l'habitacle ; l'installation est précaire et peu efficace, mais c'est la première du genre ; il apprend également le morse, afin de pouvoir transmettre sans retard ses observations par TSF aux batteries d'artillerie allemandes, et là encore, il est le premier à le faire. Mais les artilleurs sont lents à prendre en compte ses instructions, il leur arrive même de les négliger complètement, et notre sous-lieutenant, dont la patience n'est pas la vertu dominante, leur fait savoir en clair et sans précautions oratoires ce qu'il pense de leur incompétence. Cette manifestation de mauvaise humeur en présence de l'ennemi le rapproche à nouveau de la cour martiale [11]... Il y échappera de justesse une fois encore, mais cette épreuve va lui rappeler oppor-

---

* Le journal de guerre du 25e détachement aérien de campagne mentionne à cette occasion que « les deux officiers ont été récompensés par une présentation à Sa Majesté impériale le Kronprinz ».

tunément qu'il a désormais épuisé les charmes de l'observation aérienne. Après tout, les héros de l'heure sont Widdessen, Boelcke, Hess et Immelmann, qui sont en train de gagner leurs galons et leurs décorations dans l'aviation de combat. C'est dit : Hermann Goering sera pilote de chasse. Le 30 juin 1915, il se fait affecter à l'école d'aviation de Fribourg, celle-là même qui avait formé son ami Loerzer neuf mois plus tôt...

Le sous-lieutenant Goering est un élève doué – c'est presque une litote : en moins de quatre mois, il termine sa formation de pilote avec une aisance déconcertante, tout en réalisant des acrobaties aériennes qui laissent ses instructeurs pantois. En octobre 1915, on l'affecte à la 5e Jagdstaffel (escadrille de chasse), formée de bimoteurs modernes dont l'armement a beaucoup évolué depuis le printemps précédent : ils sont désormais équipés de redoutables mitrailleuses jumelées Spandau, qui tirent à travers les hélices. Basé à Stenay, confortablement logé, volant en compagnie de son ami Loerzer, Goering est un homme pleinement heureux... Dominant l'enfer de boue et de mitraille où des centaines de milliers d'hommes barbotent et grelottent en attendant la prochaine salve qui les enterrera, la confrérie d'élite des aviateurs renoue avec la geste héroïque des chevaliers d'antan : on s'affronte en combat singulier dans le ciel de Champagne, les appareils sont couverts d'écus et de blasons comme des destriers de tournoi, les mécaniciens et les adjoints remplacent les valets et les écuyers d'antan, les agapes d'après-mission sont en tout point dignes des banquets de cour, le logement se fait le plus souvent dans des châteaux, et tout un peuple glorifie les pilotes à l'égal des anciens héros germaniques...

Comment Goering ne se sentirait-il pas dans son élément ? Pilote fougueux, il prend des risques insensés, mène des reconnaissances jusqu'à Epernay, Chalon et Sainte-Menehould, intercepte les avions anglais, se mesure aux chasseurs français et remporte sa première victoire homologuée : un Farman abattu au-dessus de Tahure le 16 novembre 1915... Quatre mois plus tard, alors que s'engage la grande bataille de Verdun, il vole en soutien de la 5e armée à bord d'un puissant AEG lourdement armé, et force un bombardier français à atterrir dans les lignes allemandes ; le 30 juillet 1916, alors qu'il vient d'être affecté au 203e détachement aérien de campagne près de Metz, il descend

BASES OPÉRATIONNELLES DU LIEUTENANT GOERING, 1915-1918

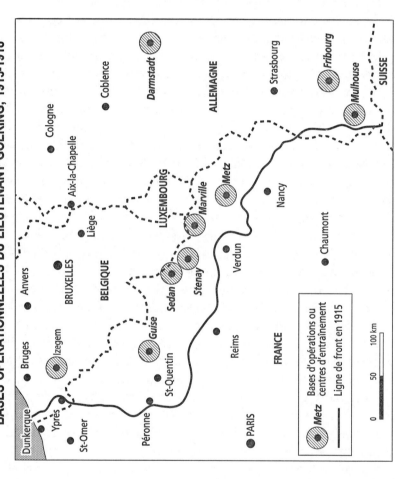

en flammes un bimoteur Caudron au-dessus de Mameg [12]. En octobre, au début de la bataille de la Somme, il est réaffecté à la 5ᵉ Jagdstaffel *, où il a la joie de retrouver son ami Bruno Loerzer — et la douleur d'apprendre combien il est dangereux de sous-estimer l'adversaire : le 2 novembre 1916, il repère un Handley-Page, cet immense bombardier assez lent et peu maniable que les Britanniques viennent d'introduire sur le front de France. Poussé par la curiosité et le désir de remporter une victoire facile, Goering se rapproche de l'avion, abat le mitrailleur de queue et embrase de sa seconde salve un des moteurs du bombardier. Mais à la différence de ses camarades, Goering ignore que le Handley-Page est toujours accompagné d'une escorte... En un tournemain, il se retrouve sous la mitraille de six chasseurs Sopwith-Camel, son moteur est touché, son réservoir percé, son fuselage troué de soixante impacts, tandis qu'il est lui-même atteint d'une balle à la hanche ; le moteur a des ratés, l'essence du réservoir se déverse dans le cockpit, l'avion se met en vrille et Goering, qui se vide lentement de son sang, commence à perdre connaissance. Mais alors qu'il se rapproche du sol à toute allure, le feu des mitrailleuses antiaériennes ennemies lui fait brusquement reprendre conscience : il redresse péniblement son appareil, regagne les lignes allemandes en volant au ras des arbres et tente un atterrissage de fortune dans un cimetière. Cette fois encore, la chance l'a suivi : ce cimetière entoure une église convertie en hôpital de campagne. A peine extrait de la carcasse de son avion, le lieutenant blessé se retrouve sur une table d'opération...

L'intervention est extrêmement délicate : il s'agit d'extraire la balle, les éclats d'os, les morceaux d'habitacle et les fragments de capitonnage du siège profondément enfoncés dans l'abdomen, alors que le patient est en état de choc et pratiquement exsangue. Sans une constitution robuste et un chirurgien obstiné, la glorieuse aventure du sous-lieutenant Goering se serait certainement terminée là, dans cette petite crypte d'église transformée en salle d'opération. Il n'en faudra pas moins quatre mois de séjour dans les hôpitaux de Valenciennes, Bochum et Munich

---

* Sur sa demande, et apparemment avec l'appui du Kronprinz en personne. Il semble que Goering ait sollicité son transfert à chaque fois que l'activité aérienne commençait à décliner dans son secteur...

avant qu'il ne soit réellement tiré d'affaire et autorisé à passer deux mois de convalescence dans sa famille...

La famille, c'est bien sûr sa mère, ses sœurs et ses frères restés à Munich, mais c'est aussi et surtout le chevalier von Epenstein et sa jeune épouse Lilli, qui l'accueillent à bras ouverts au château de Mauterndorf. L'illustre combattant, sanglé dans son magnifique uniforme constellé de décorations, est le point de mire de toutes les réceptions données au château, et il fait battre bien des cœurs féminins pendant les cinq semaines que dure son séjour. C'est d'ailleurs à cette occasion qu'il connaîtra sa première histoire d'amour « officielle » avec une certaine Marianne Mauser, la fille d'un fermier aisé du voisinage. Mais les gens de la terre sont notoirement réalistes : l'espérance de vie d'un pilote de combat en temps de guerre étant particulièrement brève, il ne saurait être question de fiançailles... Les deux amoureux doivent donc se contenter d'échanger des serments lorsqu'à l'automne 1916, Hermann part pour sa nouvelle affectation : une unité de réserve de l'aviation à Böblingen, près de Stuttgart. C'est pratiquement la garantie d'un repos forcé jusqu'à la fin de la guerre, mais Goering a bien d'autres ambitions : voulant reprendre sans délai le combat, il envoie au quartier général des forces aériennes un télégramme pour lui signaler qu'ayant été incapable de trouver Böblingen sur une carte ou un indicateur des chemins de fer, il a décidé de retourner au front par les voies les plus directes [13]...

C'est d'une rare insolence, et cette forte tête aurait dû être mise sans délai aux arrêts de rigueur. Mais décidément, les règlements militaires allemands ne semblent pas devoir s'appliquer au protégé de von Epenstein et du Kronprinz en personne... Le 3 novembre 1916, il rejoint donc sans encombre son ancienne base aérienne de Mulhouse, où le lieutenant Loerzer est devenu entre-temps chef de la 26e escadrille de chasse. Il y a fort à faire dans son secteur, où l'aviation ennemie est particulièrement active à l'automne de 1916, et quand bien même le voudrait-il, Loerzer pourrait difficilement se permettre de refuser le renfort d'un pilote tel que Hermann Goering... D'autant que le jour même de son arrivée, on enterre le lieutenant Oswald Boelke, l'as de l'aviation allemande dont l'Albatros s'est écrasé cinq jours plus tôt près de Bapaume.

Durant ce rude hiver 1916-1917, alors que depuis les Flandres jusqu'aux Vosges, d'immenses armées enterrées s'affrontent pour gagner quelques centaines de mètres de terrain aussitôt reperdu, les pilotes allemands livrent à leurs homologues alliés un combat rendu toujours plus meurtrier par l'amélioration constante des performances de leurs appareils, de leurs armements et de leurs stratégies. En Alsace, Goering a déjà abattu huit avions ennemis et reçu trois nouvelles médailles, son ami Loerzer l'a sauvé d'une mort certaine alors qu'il se trouvait dans le collimateur d'un avion anglais, et Goering lui a rendu la pareille quelques semaines plus tard en lui permettant d'échapper à trois avions français qui l'avaient sévèrement étrillé. Hermann Goering abat encore un Sopwith le 28 avril et un Nieuport le 29... Pour ce jeune officier qui aime la gloire et méprise le danger, c'est la vie telle qu'il l'avait rêvée : « Je ne veux pas être un homme ordinaire, écrit-il à sa dulcinée. Pour moi, le combat est et reste l'élément essentiel de la vie, qu'il se livre contre la nature ou contre les hommes. Je veux sortir du troupeau ; ce n'est pas à moi de les suivre, c'est à eux tous de me suivre. Dieu l'a voulu ainsi [14]. »

Au début de mai 1917, l'escadrille du lieutenant Loerzer est envoyée sur le front des Flandres, où l'on attend une grande offensive britannique, et le sous-lieutenant Goering est nommé commandant de la 27e escadrille qui opère dans le même secteur. Basée à Izegem, près d'Ypres *, cette formation a plutôt mauvaise réputation, mais Goering se met aussitôt en devoir d'y mettre bon ordre. C'est un organisateur compétent, il a suivi de près les tactiques de l'ennemi, et il a compris avant beaucoup de ses camarades que les combats singuliers, si héroïques soient-ils, n'ont plus d'influence décisive sur le cours des opérations : les aviateurs britanniques, qui opèrent désormais en nombre au-dessus du ciel des Flandres, cherchent à obtenir des résultats stratégiques en protégeant les missions de bombardement en profondeur. C'est moins glorieux que les combats singuliers mais plus efficace militairement, et le haut commandement allemand s'y adapte en regroupant ses escadrilles pour former des escadres aériennes (*Jagdgeschwader*) de cinquante avions, capables de se mesurer aux *air wings* britanniques. La première, la

---

* Voir carte, p. 28.

« Jagdgeschwader 1 », sera celle de Manfred von Richthofen, le légendaire Baron rouge, qui a déjà abattu davantage d'avions ennemis que tous les autres as de l'aviation allemande *. Les 26ᵉ et 27ᵉ escadrilles de Loerzer et Goering sont ensuite intégrées à la « Jagdgeschwader 3 », qui va opérer au-dessus du front des Flandres pendant tout l'hiver 1917-1918, afin de disputer la suprématie du ciel à un ennemi qui a appris à redouter leurs Fokker aux ailes marquées du damier noir et blanc.

A la différence du Baron rouge, qui est fier de sa réputation de tueur implacable et agit en conséquence, Hermann Goering, promu lieutenant en août 1917, tient essentiellement à conserver l'esprit chevaleresque du combat aérien. L'ennemi une fois vaincu et contraint à l'atterrissage, il n'est plus question de poursuivre son avantage : Goering survole son adversaire malheureux, le salue d'un revers de la main et reprend de l'altitude ; un jour, lorsqu'un pilote anglais particulièrement valeureux est obligé de se poser derrière les lignes allemandes, le lieutenant Goering vient aussitôt le rejoindre pour le féliciter... Un pilote danois servant dans l'aviation française, réduit à l'impuissance lorsque sa mitrailleuse s'enraye, s'escrime en vain avec la culasse et le chargeur de son arme, croit sa dernière heure arrivée, puis voit avec stupéfaction son ennemi s'éloigner après l'avoir salué d'un geste amical [15]... Comment pourrait-il imaginer que le code de conduite médiéval de Hermann Goering lui interdit d'abattre un ennemi ayant rompu sa lance au cours du tournoi ** ? Et puis, il y a la mésaventure du capitaine Frank Beaumont, de la 56ᵉ escadrille du Royal Flying Corps, qui est contraint d'atterrir lorsque l'aile de son avion se désintègre. Fait prisonnier et amené au QG de la 27ᵉ escadrille allemande, il y est accueilli par le lieutenant Goering, qui lui offre du chocolat et des cigarettes, organise un banquet en son honneur, le félicite pour les exploits de sa formation et lui dit enfin : « Pour l'amour de Dieu, ne tombez pas entre les mains de l'armée. Restez avec nous si vous le pouvez. Nous nous occuperons de vous, et vous y serez bien mieux [16] ! » Le capi-

---

* Soixante et un avions ennemis abattus au 1ᵉʳ novembre 1917 ; à la même date, Goering et Loerzer sont crédités de quinze victoires chacun.

** Une explication plus prosaïque serait que Goering lui-même avait épuisé toutes ses munitions...

taine britannique profitera pendant un mois de cette généreuse hospitalité, et il saura s'en souvenir moins de deux ans plus tard...

Le printemps de 1918 est une période faste pour les armes allemandes : le front russe s'est effondré, les Américains ne sont pas encore sérieusement impliqués dans les combats, les offensives des Alliés l'année précédente ont laissé leurs armées exsangues en provoquant même de graves mutineries, tandis que Hindenburg et Ludendorff, qui assument le commandement suprême depuis l'échec de Verdun et la démission de von Falkenhayn, viennent de mettre au point une nouvelle stratégie offensive dont ils attendent la victoire décisive. Le 21 mars 1918, quarante-huit divisions allemandes attaquent entre Arras et Compiègne, au point de jonction entre les armées françaises et britanniques, et parviennent à enfoncer le front allié ; à la fin du mois de mai, les forces du Kaiser ne sont plus qu'à 80 kilomètres de Paris... Pour beaucoup d'Allemands, la victoire est en vue, et Goering est immensément fier d'y contribuer : il a remporté sa dix-huitième victoire homologuée à la tête d'une escadrille dont les performances se sont remarquablement améliorées depuis qu'il en a pris le commandement, et au début de mai, il apprend une nouvelle qu'il attendait depuis longtemps : on vient de lui décerner la croix « Pour le Mérite », la plus haute distinction conférée dans l'Allemagne impériale. Pourtant, d'autres pilotes ont remporté davantage de victoires aériennes que lui, mais c'est toute une suite de services distingués qui se trouve ainsi récompensée, et la petite croix bleu et or tant convoitée lui est remise à Berlin le 2 juin par le Kaiser en personne * [17]. C'est ainsi qu'à vingt-cinq ans, Hermann Goering rejoint officiellement le cercle très exclusif des véritables héros de guerre, ceux dont les photos sont imprimées sur des cartes postales et circulent dans toute l'Allemagne, suscitant chez les jeunes gens une fervente émulation et chez les jeunes filles des débordements de passion...

L'ascension du lieutenant Goering n'est pourtant pas terminée. Un mois plus tôt, au lendemain même de sa quatre-vingtième victoire homologuée, le capitaine Manfred von Richthofen n'est pas rentré à la base. Un pilote canadien l'a abattu,

---

* Certains prétendront que Loerzer, le Kronprinz et von Epenstein ont tous exercé leur influence dans cette affaire. Ce n'est pas invraisemblable.

ses adversaires l'ont enterré avec tous les honneurs militaires, et la photo de sa tombe couverte de fleurs a été larguée peu après au-dessus des lignes allemandes. Le Baron rouge avait laissé une sorte de testament militaire, par lequel il désignait son successeur : le lieutenant Reinhard. C'est donc lui qui est devenu le commandant de la « Jagdgeschwader Richthofen » au début de mai 1918. Mais il ne le restera pas longtemps : l'industrie aéronautique allemande ne cesse de produire de nouveaux modèles d'avions, et elle fait régulièrement appel aux as de l'aviation allemande pour les essayer *. C'est ainsi que le 3 juillet 1918, le capitaine Reinhard et le lieutenant Goering se retrouvent sur le champ d'aviation berlinois d'Adlershorst en présence de nombreux techniciens, afin d'essayer un Albatros amélioré. Goering décolle en premier, effectue plusieurs manœuvres à grande vitesse, quelques acrobaties à haute altitude, un tonneau final en descente, et atterrit finalement en se déclarant très satisfait de l'appareil. Le capitaine Reinhard prend le manche à son tour, fait monter l'appareil à 2 000 pieds, exécute quelques virages serrés et s'apprête à redescendre, lorsque brusquement, son aile gauche se détache... L'appareil pique du nez et s'écrase ; le capitaine Reinhard est tué sur le coup [18]. On pense que son successeur sera Ernst Udet ou Carl Loewenhardt, les deux meilleurs pilotes de la célèbre escadre aérienne n° 1. Mais le 7 juillet 1918, sur la base aérienne de Beugneux, les as du « *Richthofen-Zirkus* » sont réunis autour du sous-lieutenant Bodenschatz pour prendre connaissance de l'ordre n° 178654 du haut commandement des forces aériennes : « Le lieutenant Hermann Goering est nommé commandant de la Geschwader n° 1 Manfred von Richthofen ».

Goering sera-t-il un bon commandant de cette célèbre escadre aérienne ? Bodenschatz l'affirme avec force, mais sa servilité le rend peu crédible ; d'autres pilotes le nient catégoriquement, mais leur jalousie les rend peu objectifs. En vérité, Hermann Goering n'aura ni le temps ni la possibilité de faire réellement ses preuves : ayant pris son commandement le 14 juillet 1918 et recommencé à voler dès le lendemain, il sera à la fois au four et au moulin, à une époque où le sort des armes tourne inexorablement au détriment de l'Allemagne : c'est que les divisions bri-

---

* L'industrie aéronautique française fait de même. C'est au cours d'un essai de ce genre que l'as de l'aviation française Charles Nungesser sera très sérieusement blessé.

tanniques adossées à la Manche ont plié mais n'ont pas cédé, les Français ont arrêté l'offensive allemande au Chemin des Dames en juin, les Américains ont commencé à faire sentir leur poids dans la bataille, les tanks alliés ont été engagés avec un effet dévastateur, et à la mi-juillet, alors que débute la seconde bataille de la Marne, les Allemands présentent exactement la même vulnérabilité que lors de la première : leurs troupes sont épuisées et leurs lignes d'approvisionnement étirées à l'extrême...

Quelle que soit la vaillance de ses pilotes, l'aviation allemande ne peut influer sérieusement sur le sort de la bataille, d'autant qu'elle est de plus en plus surclassée par les forces aériennes alliées. Dès le 15 juillet, on trouve dans le journal de guerre de Goering la mention suivante : « Engagements avec un grand nombre d'avions ennemis dans la vallée de la Marne. [...] Dans l'après-midi, activité ennemie considérable à toutes les altitudes. Puissantes formations de chasseurs monoplaces anglais particulièrement actives. [...] 99 sorties. Activité ennemie en augmentation. » Le 18 juillet, la Geschwader Richthofen abat neuf avions français et deux anglais, et Goering lui-même ajoute à son tableau de chasse un 22e appareil allié. Mais au même moment, il écrit dans son rapport : « les chasseurs monoplaces anglais s'imposent de plus en plus ; [...] les biplaces français se présentent régulièrement en formations serrées et attaquent sans relâche, généralement à basse altitude. Ce sont des bimoteurs Caudron, dont les blindages résistent à nos projectiles. J'ai moi-même attaqué un Caudron le 15 juillet, et j'y ai gaspillé pratiquement toutes mes munitions. Le Caudron a poursuivi son vol sans me prêter la moindre attention [19]. » C'est évidemment difficile à admettre, mais les derniers modèles de Sopwith, Bristol, Nieuport, SE5 et Spad alliés ont des performances supérieures à celles des Fokker, Pfalz, AEG, Albatros et Halberstadt allemands ; ils sont surtout beaucoup plus nombreux...

Goering part en permission du 26 juillet au 21 août, et lorsqu'il en revient, la situation s'est considérablement détériorée ; après le second échec des armées du Kaiser sur la Marne, les contre-offensives alliées ont rencontré une résistance allemande sérieusement diminuée, qui a connu sa « journée noire » le 8 août à l'est d'Amiens : un recul de 14 kilomètres,

22 000 hommes faits prisonniers et 400 canons perdus. Ce désastre sonne le glas des offensives allemandes et annonce une longue suite de revers, encore accélérée par la réduction du saillant de Saint-Mihiel au début de septembre. Le moral du fantassin allemand, resté intact pendant quatre années de guerre, commence à flancher avec les premières grandes retraites au-delà de Lille, Douai, Cambrai et Saint-Quentin. Pour les aviateurs allemands, cela signifie qu'il faut évacuer progressivement les champs d'aviation avancés, désormais menacés par l'artillerie ennemie. En outre, la Geschwader Richthofen manque de canons antiaériens, ce qui la rend vulnérable aux bombardiers français, et ses chasseurs doivent le plus souvent écourter leurs missions pour défendre leurs propres bases. Les pertes sont effroyables : jusqu'à deux pilotes tués par jour, sans compter les blessés ; les hommes sont épuisés, leurs appareils sont usés à l'extrême, ils manquent de pièces détachées et bientôt d'essence, alors qu'il faut multiplier les sorties pour disputer le ciel à l'ennemi au-dessus de Metz, de Sedan, de Maubeuge et de Mons... Le fait que Goering ait réussi à maintenir son unité en activité et à préserver le moral de ses hommes dans des conditions aussi précaires dénote en tout cas certaines qualités de chef et d'organisateur. Mais à la fin de septembre, la formation est réduite à la moitié de ses effectifs : il lui reste 53 officiers et sous-officiers, ainsi que 473 hommes du rang, y compris les cuisiniers, les intendants et les plantons. Dès lors, personne ne s'étonne de recevoir l'ordre suivant du Kronprinz : « En raison des pertes importantes subies par l'escadre aérienne, j'ordonne sa reconversion en escadrille. Elle opérera conjointement * avec l'escadre aérienne n° 3, sous le commandement de Greim * [20]. »

Cette unité qui se réduit comme peau de chagrin est sans cesse en mouvement pour se soustraire à l'avance de l'ennemi : Guise, Cappy, Stenay, Marville... A chaque étape, Goering et ses hommes reçoivent des nouvelles de l'arrière qui sont encore plus préoccupantes que celles du front : le 3 octobre, le prince Max de Bade a été nommé chancelier, et selon certaines rumeurs, il se serait adressé aux Etats-Unis par l'intermédiaire de la Suisse pour proposer l'ouverture de négociations d'armistice ; la Bulga-

---

* Robert Ritter von Greim, qui connaîtra une carrière très mouvementée au cours des deux guerres mondiales.

rie vient de capituler sans combat, après quoi on apprend tour à tour l'effondrement de la Turquie et la dissolution de l'Autriche-Hongrie. Enfin, des nouvelles inquiétantes ne cessent d'arriver d'Allemagne : le 26 octobre, Ludendorff démissionne ; le 28, la flotte allemande, refusant de sortir de ses ports pour un ultime baroud d'honneur, commence à se mutiner. Des conseils de marins et de soldats occupent Kiel et les autres ports de l'Allemagne du Nord, et la révolte s'étend rapidement aux unités de l'armée de terre stationnées dans les environs. En France, pendant ce temps, des unités de fantassins en déroute passent par le champ d'aviation de Marville en apportant des nouvelles de l'irrésistible poussée alliée sur un vaste front allant de la Moselle à l'Escaut, et lorsqu'il se confirme que les Français et les Américains ont franchi la Meuse dans plusieurs secteurs, le journal de guerre de l'escadrille Richthofen fait état de nouveaux ordres de retraite :

« 7 *novembre* : Combats intensifs sur la rive Est de la Meuse. Nouvelles avancées ennemies vers l'Est. L'aérodrome de Marville doit être évacué. Retraite avec nos propres camions sur Tellancourt. L'aérodrome à l'ouest de la ville est en mauvais état, sol accidenté, peu de surfaces herbeuses, casernement d'un confort modéré. Pluie et nuages.

« 8 *novembre* : Aménagement de l'aérodrome et des casernes. Brumeux. Epaisse couverture nuageuse [21]. »

Mais d'autres nouvelles plus décisives ne figurent pas dans le journal de l'unité ce jour-là : plusieurs émeutes ont éclaté dans les rues de Berlin, et les soldats ont tiré sur leurs propres officiers ; des négociations sont en cours à Rethondes entre le généralissime Foch et une délégation allemande conduite par le député Mathias Erzberger ; et puis, ce même soir, une rumeur est parvenue à Marville, qui ne sera confirmée que le lendemain : le Kaiser est sur le point d'abdiquer, et le roi Louis III de Bavière a pris la fuite deux jours plus tôt...

Au matin du 9 novembre, alors que la république est proclamée à Berlin et que Munich se couvre de drapeaux rouges, Goering rassemble ses officiers pour leur dire qu'en dépit de la confusion qui règne chez les politiciens et dans les états-majors, l'escadrille Richthofen doit absolument rester unie ; si elle est attaquée par des soldats dissidents, son devoir est de se défendre par les armes. L'esprit de corps est manifestement intact : cette nuit-là, les officiers du groupe de chasse Richthofen monteront la garde aux côtés de leurs hommes – et leur commandant sera parmi eux.

Le lendemain, l'unité reçoit du QG de la 5ᵉ armée des instructions contradictoires : faire retraite sur Darmstadt ; rester sur ses positions ; se rendre à l'armée américaine... Goering, profitant de la confusion, choisit l'ordre qui lui convient : le matériel sera évacué sur Darmstadt par la route, et les avions s'y rendront par leurs propres moyens. Mais le brouillard rend tout décollage impossible ce jour-là, et le lendemain 11 novembre à l'aube, un officier apporte un nouvel ordre du haut commandement : désarmer les avions et les acheminer vers Strasbourg pour les livrer aux Français. L'officier porteur du message précise que le fait de désobéir aux ordres pourrait mettre en péril les négociations d'armistice. Ayant consulté ses plus proches collaborateurs – Bodenschatz, Udet, Loewenhardt et Lothar von Richthofen * –, Goering accepte d'envoyer cinq avions à Strasbourg, tandis que les autres partiront comme prévu pour Darmstadt. Les cinq premiers avions s'envolent pour Strasbourg et, conformément aux ordres de Goering, ils capotent tous à l'atterrissage, ce qui les rend inutilisables. Les autres appareils se dirigent vers Darmstadt, mais quatre d'entre eux s'égarent dans la brume et atterrissent à Mannheim. Or, l'aéroport de la ville est sous le contrôle d'un conseil révolutionnaire d'ouvriers et de soldats, qui confisque toutes les armes de bord pour son usage personnel. Lorsque Goering l'apprend, il envoie des émissaires à Mannheim avec un ultimatum : si les armes ne sont pas rendues sur l'heure, ses avions qui survolent l'aéroport le raseront méthodiquement. Les armes sont immédiatement restituées et les avions rentrent à Darmstadt, où ils sont mis définitivement hors d'usage [22]. Ce soir-là, Goering écrit dans le journal de l'escadrille : « *11 novembre.* Armistice. Vol de l'escadrille vers Darmstadt par mauvais temps. Depuis sa constitution, la Geschwader a abattu 644 avions ennemis. Morts à l'ennemi : 56 officiers et sous-officiers, 6 hommes du rang. Blessés : 52 officiers et sous-officiers, 7 hommes du rang [23]. » C'est l'acte de décès de l'escadrille von Richthofen...

---

* Le frère cadet du Baron rouge. Son cousin Wolfram servira dans la même escadrille à la fin de la guerre.

La démobilisation officielle ne s'effectuera que quelques jours plus tard à Aschaffenburg, près de Francfort. L'atmosphère dans cette ville, comme dans beaucoup d'autres, oscille entre la révolution et l'anarchie : les soldats, les marins et les ouvriers bolcheviks, qui se sont rendus maîtres de la rue, insultent les officiers et arrachent leurs médailles. La foule, qui acclamait hier ses héros, les accueille à présent avec hostilité et dérision ; comment rester insensible à un si brusque revirement ? La cérémonie de démobilisation s'effectue dans la cour d'une papeterie, après quoi les hommes se dispersent, tandis que leurs officiers se rassemblent dans une auberge voisine : « Ils devaient regagner leurs foyers, se souviendra Bodenschatz, mais ils semblaient hésiter à partir, comme s'ils redoutaient ce qu'ils allaient trouver à leur retour. Dans cette Allemagne nouvelle, bizarre, effrayante et vaincue, nous nous sentions tous étrangers, et comme des étrangers, nous étions enclins à nous regrouper. [...] Je me souviens que les humeurs de Hermann oscillaient entre le cynisme et la fureur. Il parlait d'émigrer en Amérique du Sud et de tourner le dos pour toujours à l'Allemagne, mais l'instant d'après, il évoquait une grande croisade pour rendre à la patrie sa grandeur perdue. [...] Et puis, à un moment de la soirée, Hermann est monté sur la petite estrade avec un verre à la main, et il s'est mis à parler [...] de l'escadre Richthofen, de ses exploits, de l'adresse et de la bravoure de ses pilotes qui l'avaient rendue célèbre dans le monde entier : " Ce n'est qu'en Allemagne aujourd'hui que son nom est traîné dans la boue, ses exploits oubliés, ses officiers insultés. " Il a violemment condamné les forces révolutionnaires qui balayaient le pays, et qui faisaient honte aux forces armées comme à l'Allemagne elle-même. [...] " Mais nous combattrons ces forces qui cherchent à nous réduire en esclavage et nous l'emporterons ", a-t-il ajouté, " ces mêmes qualités qui ont fait la grandeur de l'escadre Richthofen s'imposeront en temps de paix comme en temps de guerre. " Puis il a levé son verre et il a dit : " Messieurs, je vous propose un toast – à la Patrie et à l'escadre Richthofen ! " Il a bu, puis il a jeté le verre à ses pieds, et nous avons tous fait de même. Beaucoup d'entre nous pleuraient, et Hermann était du nombre[24]. »

Le désordre est tel dans l'Allemagne de l'époque que pour rentrer à Munich, il faut passer par Berlin. Goering, démobilisé avec le grade de capitaine, s'y trouve donc avec Ernst Udet à la mi-décembre 1918, lorsque le général Hans-Georg Reinhardt, ministre de la Défense du nouveau gouvernement socialiste, organise une grande réunion d'officiers à la Philarmonique de Berlin. Il leur fait un long discours pour les inciter à soutenir les autorités et à renoncer aux insignes de grade, aux médailles et aux épaulettes, qui seront désormais remplacés par de simples rubans. C'en est trop pour Goering, qui a toujours attaché à ces symboles une importance démesurée. Lorsque le général Reinhardt termine son discours, notre capitaine démobilisé monte à son tour sur l'estrade en grand uniforme de cérémonie, avec étoiles, épaulettes d'argent et une véritable brochette de décorations ; devant l'auditoire éberlué, il se lance dans une harangue en règle : « Je pensais bien que vous, Monsieur, en tant que ministre de la Guerre, seriez présent aujourd'hui pour nous parler. Mais j'aurais espéré voir un ruban noir sur votre manche, en signe de profond regret pour l'outrage que vous vous apprêtez à nous imposer. [...] Pendant quatre longues années, nous autres officiers avons fait notre devoir et risqué nos vies pour la patrie. Et maintenant que nous sommes rentrés chez nous, comment nous traite-t-on ? On nous crache dessus et on nous prive des décorations que nous étions fiers de porter. Laissez-moi vous dire que ce n'est pas le peuple qui est à blâmer pour une telle conduite. [...] Non, ceux qui sont à blâmer, ce sont ceux qui ont excité le peuple, qui ont poignardé notre glorieuse armée dans le dos, sans autre but que de parvenir au pouvoir et de s'engraisser aux dépens du peuple. Je demande à tous de nourrir une haine, une haine profonde et durable, pour ces porcs qui ont outragé le peuple allemand et nos traditions. Un jour viendra où nous les chasserons d'Allemagne. Préparez-vous pour ce jour ; armez-vous pour ce jour ; travaillez pour ce jour [25] ! »

Il est juste de dire que ces propos sont follement applaudis. Mais en deux discours improvisés, le capitaine Goering vient de prendre publiquement position contre chacun des courants qui se disputent le pouvoir en Allemagne : à Aschaffenburg, contre les soviets révolutionnaires d'ouvriers et de soldats ; à Berlin, contre le gouvernement socialiste d'Ebert... Or, dans sa seconde intervention, Goering a accrédité une légende qui va empoisonner le débat en Allemagne et ruiner les forces modérées du pays pendant toute une décennie : celle du coup de poignard dans le dos. Selon cette thèse, l'armée allemande n'aurait pas été vaincue par l'ennemi extérieur, mais par l'action néfaste de politiciens allemands avides de pouvoir et traîtres à leur patrie. Il est vrai que l'armée du Kaiser n'a pas été vaincue militairement et que le pays n'a pas été envahi par les armées alliées. Mais prétendre qu'elle aurait pu poursuivre la lutte pendant plus de quelques semaines dans l'état de délabrement et de démoralisation où elle se trouvait en novembre 1918, c'est faire preuve d'inconscience ou de malhonnêteté, et Goering, par son expérience et ses relations, aurait dû être l'un des premiers à le comprendre. De cet extraordinaire aveuglement découleront bien des désastres à venir...

De retour à Munich, Hermann Goering retrouve sa mère, qui mène une vie aussi difficile que tous ses compatriotes au lendemain de la défaite ; mais il doit quitter rapidement la maison familiale, car il est activement recherché... C'est qu'au début de 1919, les soviets d'ouvriers et de soldats, discrètement appuyés par les bolcheviks, ont pris le pouvoir à Munich, et ils ont commencé à y instaurer un régime de terreur qui vise en premier lieu les officiers de l'ancienne armée impériale. Goering, qui a rejoint le Freikorps, un corps franc de vétérans opposé au pouvoir rouge, risque donc d'être liquidé par les nouveaux maîtres communistes de Munich... Mais il va trouver un refuge inexpugnable : on se souvient du capitaine Beaumont, l'ancien pilote britannique qui avait bénéficié deux ans plus tôt de l'hospitalité des officiers de l'escadrille 27 du lieutenant Goering. Or, il se trouve que Frank Beaumont est maintenant le chef de la mission alliée chargée de superviser le démantèlement de l'aviation allemande. Il a établi son quartier général à l'hôtel Vier Jahreszeiten de Munich, où Goering et Udet lui rendent visite au début de février 1919. Le capitaine Beaumont, qui est tout sauf ingrat, va leur offrir pendant un mois le gîte, le couvert et sa protection personnelle, avant de les faire sortir discrètement de Munich pour les remettre au Freikorps qui campe aux environs de Dachau [26]. Quelques jours plus tard, ce corps franc va se lancer à l'assaut des bastions rouges de Munich et les écraser au canon, avant de se rendre maître de toute la Bavière...

Goering, lui, évite ces combats. Il cherche un emploi, mais n'en trouve pas ; il tente de reprendre contact avec Marianne Mauser, sa bien-aimée de Mauterndorf, mais ne reçoit qu'une brève missive de son père : « Qu'as-tu à offrir à ma fille maintenant ? » La réponse de Hermann sera plus brève encore : « Rien [27]. »

C'est évidemment peu, et c'est l'exacte vérité : le capitaine Goering n'a pas droit à une pension militaire, il n'a pas appris d'autre métier que celui des armes, et il s'est définitivement coupé de toute possibilité de carrière dans la future Reichswehr depuis son discours iconoclaste de Berlin. En huit mois à peine, Hermann Goering est tombé des sommets de la gloire et de l'opulence jusqu'aux abîmes de l'anonymat et du dénuement...

III

Errances

C'est l'industrie aéronautique allemande qui va venir au secours du capitaine désœuvré. Le traité de Versailles n'a pas encore été signé, et si l'on sait déjà que l'Allemagne n'aura pas le droit de reconstituer son aviation militaire, il n'a été question nulle part de l'aviation civile. Les constructeurs d'avions de chasse de la Grande Guerre se sont donc rapidement reconvertis, et l'entreprise Fokker vient de mettre au point une version civile de son dernier modèle de biplan, le D VII, qu'elle compte présenter au Salon aéronautique de Copenhague en avril 1919. Or, quel meilleur représentant et démonstrateur pourrait-elle y déléguer que l'ancien chef de l'escadre Richthofen, dont elle connaît bien les qualités de pilote d'essai ? Contacté par Anthony Fokker, Goering n'hésite guère : « J'ai accepté, à condition que l'appareil me soit remis en toute propriété à la fin de la mission. Fokker a donné son assentiment, et je me suis immédiatement préparé à partir ; comme il fallait survoler la Baltique et que je n'avais évidemment plus de gilet de sauvetage, je me suis enroulé une chambre à air de bicyclette gonflée autour de la poitrine, et j'ai décollé. Le soir même à 18 heures, j'atterrissais à Copenhague [1]. »

Le capitaine Goering y est fort bien accueilli. En Scandinavie, les as de l'aviation de guerre allemande ont conservé tout leur prestige, et tout comme au meilleur temps de sa gloire, Goering est immédiatement submergé de demandes d'autographe. Il est également contacté par les autorités de l'aviation civile danoise, qui comptent établir leur première liaison aérienne civile avec l'Allemagne et le reste de la Scandinavie, et veulent acquérir à cet effet cinq nouveaux appareils de type biplan. Or, Goering, à son propre étonnement, se révèle être un agent commercial des plus persuasifs, et il parvient d'emblée à intéresser les acheteurs danois aux caractéristiques du Fokker D VII. Mais c'est encore dans les airs qu'il va se montrer le plus convaincant ; car une fois les exhibitions aériennes commencées, aucun pilote, quelle que soit sa nationalité, n'ose se livrer à des acrobaties comparables à celles de Hermann Goering, qui dira modestement : « En tant que pilote, j'étais à l'époque au meilleur de ma forme, [...] et en comparaison des combats aériens que j'avais livrés au-dessus des Flandres, ces vols inoffensifs dans un ciel de printemps m'apparaissaient comme un jeu d'enfant [2]. » C'est peut-être beaucoup dire : alors qu'il survole le port de Copenhague à basse altitude, une mouette s'écrase contre son hélice, qui se brise net... L'avion part en vrille, mais son pilote parvient à le redresser au dernier moment et atterrit en vol plané sur la bande côtière. Le public, qui croit à une nouvelle acrobatie, applaudit frénétiquement Goering et le baptise sur-le-champ « l'aviateur fou ». L'entreprise Fokker, enchantée, lui envoie aussitôt une hélice de remplacement... et un nouvel avion en prime [3] !

Décidément, l'atmosphère du Danemark semble convenir à merveille au capitaine Goering, qui décide d'y rester après la fin du Salon aéronautique. Le Marienlyst, un grand hôtel d'une station balnéaire en vogue, lui propose de faire voler ses clients en échange du gîte, du couvert et d'une confortable rétribution. Un travail saisonnier, certes, mais bien agréable tout de même... Après une journée de vol le long de la côte, notre pilote de tourisme atterrit sur la plage déserte, manœuvre l'avion jusqu'à la terrasse de l'hôtel, le fait pénétrer à reculons dans la salle de jeu par la grande baie vitrée, et arrime la queue de l'appareil à une table de billard... Il en rira encore vingt-sept ans plus tard : « Quel spectacle ! Sous le balcon de ce bel hôtel, on voyait dépasser les ailes, le châssis et le moteur d'un avion allemand. Malheureusement, il fallait toujours partir tôt le matin pour pouvoir faire décoller l'avion avant l'arrivée des baigneurs sur la plage, [...] et les clients de l'hôtel étaient réveillés en fanfare par le grondement de tonnerre des moteurs [4] ! »

L'as fait recette : sur divers aéroports, il propose des baptêmes de l'air pour 50 couronnes, et il accepte de se joindre à un « cirque volant » de pilotes danois, qui lui offre 2 500 couronnes et tout le champagne qu'il pourra boire pour deux jours d'acrobaties aériennes au-dessus de la ville d'Odense. Le fait qu'il boive sa première bouteille *avant* le début du spectacle ne semble pas affecter ses performances, bien au contraire ; mais les libations d'après-atterrissage sont une autre affaire : la soirée par trop arrosée et les débordements qui s'ensuivent le font passer sans transition de la meilleure chambre du Grand Hôtel à la pire cellule du commissariat d'Odense [5]. Le lendemain, tout est oublié, et le comité des fêtes de la ville lui offre 50 couronnes pour chaque looping qu'il exécutera au-dessus de la ville. Jusqu'au dixième looping, la gaîté règne sur le champ d'aviation ; à partir du vingtième, une certaine inquiétude devient perceptible ; au bout du cinquantième, les officiels du comité des fêtes sont catastrophés... Mais Goering, grand seigneur, se contentera de la moitié de la caisse ! Et puis, il y a ce jour mémorable où il exécute avec quatre anciens pilotes de l'escadrille Richthofen une série d'acrobaties qui déchaîne l'enthousiasme des habitants de Copenhague. Le soir même, une belle Danoise l'emmène chez elle... « Nous avons passé la nuit dans un bain de champagne », écrira-t-il par la suite à son ami Bodenschatz. « Je n'ai jamais su s'il fallait prendre l'expression au pied de la lettre, et bien entendu, je n'ai jamais osé le lui demander », commentera plus tard le fidèle Bodenschatz, qui n'en tirera pas moins cette conclusion pertinente : « Il a vécu pendant près d'un an comme un champion du monde de boxe. Il gagnait plus d'argent qu'il ne pouvait en dépenser, et il avait toutes les filles qu'il voulait [6]. »

Malgré tout, les meilleures choses ont une fin : ses escapades nocturnes font quelque bruit, ses relations peu discrètes avec une femme mariée en font plus encore, et il cesse d'être la coqueluche des dîners en ville après un certain jour de juin 1919 où, apprenant les termes du traité de Versailles, il entre dans une rage folle et hurle devant une vingtaine de convives ébahis : « Un jour, nous reviendrons pour écrire un nouveau traité [7] ! » A l'automne de 1919, avec une exquise politesse, les Danois l'encouragent à aller chercher fortune ailleurs...

A la mi-décembre, Hermann Goering s'envole donc pour la Suède. Ayant posé son Fokker près de Linköping — et brisé son train d'atterrissage dans la manœuvre —, le pilote sans emploi poursuit son voyage en train vers Stockholm. Une fois sur place, il va offrir ses services à la SLA – Svensk Lufttrafik Aktiebolaget * –, une compagnie aérienne qui envisage d'établir des liaisons régulières entre les principales villes du pays. Les pilotes expérimentés ne sont pas nombreux en Scandinavie à cette époque, et un as de l'aviation tel que le capitaine Goering aurait dû être accueilli à bras ouverts. Mais peut-être parce que sa réputation d'acrobate et de noceur l'a accompagné jusqu'en Suède, la direction de la société SLA lui réserve un accueil assez froid, et accepte seulement de l'engager comme « pilote contractuel » – une sorte d'intermittent de la navigation aérienne, qui transportera des passagers à la demande. La rétribution est maigre, mais Goering devient en même temps l'agent commercial exclusif pour la Suède de la société allemande Heinicken, qui fabrique des parachutes à ouverture automatique – une grande nouveauté pour l'époque. La vie à Stockholm ne sera donc pas désagréable : les Suédois ont éprouvé durant la guerre une sympathie certaine pour l'Allemagne, que la défaite et le désastre économique n'ont fait qu'accentuer, et Goering, dont la réputation de héros a depuis longtemps traversé la Baltique, est accueilli favorablement par la bonne société locale. Bien sûr, pour un homme habitué à la vie périlleuse de l'escalade, du combat aérien et de la haute voltige, l'atmosphère plutôt provinciale et puritaine de Stockholm peut paraître passablement ennuyeuse. Mais le hasard va se charger d'y remédier au-delà de toute espérance...

Le 20 février 1920, un noble suédois se présente au comptoir de la compagnie aérienne SLA : c'est le comte Eric von Rosen, que ses expéditions en Afrique et en Amérique du Sud au début du siècle ont rendu célèbre dans le monde entier. Le comte voulait rejoindre son château de Rockelsta, près de Sparreholm, à environ 150 kilomètres au sud-ouest de Stockholm, mais il a manqué le dernier train... Von Rosen racontera lui-même la suite : « Comme il me fallait rentrer au plus tôt à Rockelsta, j'ai contacté une compagnie aérienne, où il m'a été répondu que le temps était trop mauvais. Deux avions avaient déjà décollé, mais la tempête de neige les avait obligés à faire demi-tour. J'ai insisté, et au cours de notre conversation, ils m'ont dit qu'ils avaient un ancien pilote

---

* Société anonyme de navigation aérienne suédoise.

de chasse allemand, un certain capitaine Goering, qui pourrait peut-être accepter [8]. »

Ce qu'ils ne lui ont pas dit, c'est qu'ils venaient de proposer la mission à plusieurs pilotes suédois, qui avaient déclaré qu'ils n'étaient pas candidats au suicide [9]. Si leur réponse était prévisible, celle de Goering ne l'est pas moins : « Je pouvais difficilement refuser, même s'il était bien tard pour voler, car en cette saison, il faisait déjà noir à 17 heures. Je me suis fait apporter une carte et me suis préparé au vol en l'étudiant pendant une demi-heure, afin de m'en imprégner jusqu'à ce que je la connaisse par cœur. C'est ainsi que je procédais sur le front de France. [...] Enfin, j'ai examiné une photo du château de Rockelsta sur un atlas culturel suédois, afin de bien avoir mon objectif en tête. Il était situé au bord d'un lac, qui était gelé en cette saison, ce qui en faisait un très bon terrain d'atterrissage [10]... »

A 14 h 30, von Rosen, Goering et son mécanicien se présentent sur le champ d'aviation. Le ciel est encore clair, mais on aperçoit déjà au sud une sorte de mur de neige gris foncé à l'aspect menaçant. Deux pilotes militaires suédois les rejoignent et leur déconseillent formellement de partir, car la tempête s'annonce particulièrement sévère. Goering racontera lui-même la suite : « J'ai fait monter derrière moi mon mécanicien et le comte von Rosen, j'ai mis en marche et j'ai décollé. Mais à mi-chemin déjà, près d'un endroit appelé Gester — ou quelque chose comme cela * —, la tempête nous a rattrapés, et elle était si forte que même aujourd'hui, je ne puis entendre le nom de cette localité sans penser à la furieuse bourrasque qui nous a fait plonger de mille mètres en quelques secondes. L'avion faisait une danse endiablée et était sans cesse attiré vers le bas, jusqu'au ras des arbres, puis repoussé violemment vers le haut. Ce n'est qu'à grand peine que j'arrivais à le maintenir en vol. [...] J'ai failli m'écraser une fois sur l'arête d'une montagne, et j'ai rasé par deux fois la cime des arbres. Vous me croirez si vous voudrez, mais le manche à balai s'est tordu. Enfin, nous avons trouvé un paysage qui ressemblait au secteur recherché. La tempête s'était quelque peu apaisée. J'ai vu devant moi le château au bord d'un lac blanc scintillant dans les dernières lueurs du jour. Me

---

* Il s'agit de Gnesta. (Voir carte, p. 48.)

DE L'ENFER AU PARADIS : LE VOL DU 20 FÉVRIER 1920

retournant vers von Rosen, j'ai crié le nom du château en faisant un geste interrogatif de la main. Il a secoué la tête, alors nous avons continué à voler, et au bout d'un certain temps, j'ai vu un nouveau château au bord d'un lac, mais il paraissait très différent de celui dont j'avais vu la photo à Stockholm. Je me suis retourné à nouveau pour crier ma question, et pour la deuxième fois, il a secoué la tête en guise de réponse. Cette fois, j'ai voulu en avoir le cœur net et j'ai atterri pour me renseigner. Naturellement, ce n'était pas le bon château : Rockelsta, c'était celui que nous avions vu en premier... La mauvaise réponse du comte s'expliquait très simplement : il avait eu un affreux mal de l'air, et ayant vomi dans son masque d'aviateur, il ne pouvait plus rien voir, ni comprendre ce que je lui demandais. Nous avons donc redécollé, et au bout de cinq minutes, nous étions revenus à Rockelsta. J'avais fait tant d'efforts qu'en dépit du vent et du froid hivernal, j'étais couvert de sueur. Alors que nous descendions de l'appareil, deux femmes sont venues à notre rencontre [11]. » C'est l'épouse de von Rosen et une servante, qui entraînent rapidement le comte vers le château. Goering et son mécanicien leur emboîtent le pas, après avoir arrimé leur avion à la berge.

Ce qui suit a naturellement dû apparaître à Goering comme le paradis après l'enfer. Lui ayant fait donner un bain chaud et un grog revigorant, le maître des lieux conduit le vaillant pilote à travers les dédales de son château, dont les salles voûtées, les meubles antiques, les tableaux, les armes, les armures, les étendards, les statues, les tapisseries, les trophées de chasse et les vieux symboles germaniques ne peuvent manquer de lui rappeler les beaux jours de Veldenstein et de Mauterndorf. On s'installe ensuite dans la salle d'apparat, face au feu de bois d'une immense cheminée ornée de sculptures médiévales, pour entamer un dîner somptueux en compagnie du comte et de son épouse Mary , qui sont extrêmement prévenants et manifestement germanophiles. Mais à ce moment, une jeune femme de haute taille, mince et brune aux grands yeux bleus, vient se joindre aux convives, et pour Hermann Goering, l'agréable fait place au sublime : cette apparition qui le laisse un instant sans voix n'est autre que Carin von Fock-Kantzow, la sœur cadette de la maîtresse de maison. « Sa silhouette et sa démarche m'ont captivé [12] », dira simplement Goering, que l'on a connu plus bavard. La comtesse Fanny von Wilamowitz-Möllendorff, troisième sœur de Carin, décrira la suite en termes nettement plus précis et, bien qu'excessivement lyriques, sans doute très proches de l'ambiance de cette mémorable soirée : « On resta longtemps à table ce soir-là. Le pilote de chasse put s'exprimer librement et ouvertement. Son indignation longuement retenue [...] quant au sort réservé à sa patrie s'est brusquement donné libre cours. A l'auditoire ému, il a décrit l'humiliation de son peuple, l'histoire des souffrances de cette merveilleuse jeunesse allemande qui s'était battue jusqu'à la dernière heure. [...] Le maître de maison a levé son verre de vin allemand. [...] Il a dit qu'il buvait à l'avenir de l'Allemagne, auquel lui et tout le peuple suédois croyaient fermement. Tous se sont levés solennellement, et le maître de maison a serré chaleureusement la main de son invité. La réunion s'est prolongée jusque tard dans la nuit. Le comte von Rosen a pris son luth et l'on a chanté des airs populaires, sentimentaux, fiers et joyeux [...]. Hermann Goering n'a pas pu parler beaucoup à Carin ce premier soir ; il était trop ému [13]. »

En fait, Carin l'est tout autant. Mariée depuis dix ans à un officier suédois dont elle a un fils, la comtesse Carin von Fock-Kantzow n'aime plus guère son époux, s'ennuie ferme et rêve de grandes aventures comme de folles passions. Il existe bien une traduction suédoise de *Madame Bovary*, mais Carin l'a-t-elle lue ? Peu importe : cette femme de trente-deux ans, désespérément romantique et quelque peu mystique, a devant elle un jeune exilé de vingt-sept ans, habitué des actions héroïques, patriote, bel homme, beau parleur et littéralement tombé du ciel, en qui elle reconnaît d'emblée l'homme de sa vie. L'attirance est mutuelle, immédiate et apparemment irrésistible : un coup de foudre après la tempête, en quelque sorte... « C'est ainsi, conclura plus tard Hermann Goering, que mon vol le plus pénible m'a offert ma plus belle aventure [14]. »

C'est d'un cœur léger, au milieu d'un ciel sans nuages, que Hermann Goering regagne Stockholm le lendemain. Les deux jeunes gens se sont promis de se revoir, ce qu'ils feront discrètement en de rares occasions au cours des mois qui suivent. Il est vrai que Goering a fort à faire à cette époque : ses activités de « chauffeur de taxi volant » l'emmènent aux quatre coins de la

Suède, et même jusqu'en Estonie et en Finlande ; les pilotes suédois ayant une déplorable tendance à casser leurs avions à l'atterrissage – il n'en reste plus que deux intacts sur les huit que
possédait la compagnie à l'origine [15] – , Goering est également
embauché d'urgence comme instructeur, sans d'ailleurs que ses
appointements s'en trouvent notablement améliorés. Enfin, une
fois son propre Fokker réparé, il reprend ses démonstrations
d'acrobaties aériennes, qui connaissent un certain succès. Pendant
ce temps, Carin doit continuer à faire face à ses obligations
d'épouse et de mère, en compagnie d'un mari qu'elle n'aime plus
et d'un fils de huit ans qu'elle adore, mais craint de perdre en cas
de divorce. A cela s'ajoute qu'elle est de santé délicate, avec des
problèmes respiratoires et cardiaques qui sont tout sauf bénins.

Pourtant, rien de tout cela n'empêchera Carin et Hermann de
partir en juin 1920 pour Munich, où la comtesse se voit présenter
la famille Goering au grand complet *. A cette occasion, elle aura
la surprise d'entendre Franziska Goering réprimander vertement
son fils pour avoir enlevé la femme d'un honorable officier et privé
de sa mère un enfant de huit ans... Carin elle-même sera proprement sermonnée, et informée que la seule chose honorable à faire
serait de divorcer sans tarder pour régulariser la situation [16] !
Cette leçon de morale venant d'une femme ayant vécu quatorze
ans avec son amant sous le même toit que son mari pourrait sur-
prendre, mais le capitaine Goering est un fils respectueux, Carin
sait préserver son flegme en toutes circonstances, la concorde est
vite rétablie, et les deux amants vont passer un été merveilleux au
milieu des montagnes bavaroises. Le fait que Carin envoie des
cartes postales et des photos de leur périple à son fils *et à son mari*
n'étonnera que ceux qui n'ont pas encore compris que l'histoire de
ce couple est tout sauf banale...

A la fin de l'été, Carin rentre en Suède, où elle retrouve avec
joie son fils Thomas, ses parents et... son mari Nils von Kantzow,
qui n'a jamais cessé de l'aimer et attendait patiemment son retour
au foyer. Mais il sera vite déçu, car la séparation pèse presque aussitôt à Carin, et en dépit de la désapprobation de ses parents et de
ses sœurs [17], elle supplie son amant de revenir à Stockholm. Hermann s'exécute en décembre 1920 et se remet au travail, notam-

---

* Y compris les deux sœurs Olga et Paula, le frère cadet Albert et le frère aîné
Karl Ernst.

ment en assurant la première liaison aérienne postale entre l'Allemagne et la Suède, par Warnemünde, Copenhague et Malmö. Il poursuit parallèlement ses activités de représentant en parachutes, et l'un de ses concurrents britanniques, William Blake, brossera un portrait aussi fidèle que prémonitoire de l'illustre pilote-commerçant à cette époque : « Goering était très doué, mais un peu farfelu ! Il croyait pouvoir se mesurer à n'importe qui. [...] Il avait une remarquable propension à s'auto-illusionner. [...] Sa carte de visite avait les dimensions d'une carte postale : c'était typique du personnage. Il aimait tout exagérer, faire une montagne d'une taupinière. Un terrible vantard. Je suppose qu'il s'attendait à être cru. Il aimait beaucoup le vin. Je ne crois pas que c'était un homme à femmes. Il fallait toujours qu'il fasse des tas d'histoires pour trois fois rien. Pas un mauvais vendeur. Pas un type à qui on pouvait faire confiance. Mais il était intelligent ; beaucoup de matière grise [18]. » Aucun doute, c'est bien notre homme...

Les deux amants se sont installés dans un petit appartement d'Östermalm. C'est une existence bien modeste, à laquelle la comtesse n'est pas habituée, mais elle ne vit plus que pour son Hermann, et elle confie à sa sœur Fanny : « Nous sommes comme Tristan et Isolde. » Dans la bonne société de Stockholm, où l'influence de Wagner se fait beaucoup moins sentir, on juge sévèrement la conduite de Carin ; dans sa famille aussi, du reste : le colonel baron Carl von Fock a beau être de lointaine origine allemande et résolument germanophile, il voit d'un mauvais œil la passion de sa fille pour un exilé à peu près démuni. Son épouse, la baronne Huldine, passablement mystique et résolument excentrique, est plus sensible à l'aspect romantique des choses, ce qui explique sans doute que le couple soit reçu à plusieurs reprises dans la maison familiale – où l'humour et la courtoisie de Hermann finissent par désarmer quelque peu les préventions. Le cas de l'époux trompé est encore plus remarquable : suivant les traditions de l'époque, le lieutenant Nils von Kantzow aurait fort bien pu provoquer en duel l'amant de sa femme ; au lieu de cela, il l'invite à déjeuner avec son épouse et leur fils ! L'ambiance a dû être pour le moins étrange, mais Goering raconte ses aventures de guerre, Nils von Kantzow l'écoute avec intérêt, et le jeune Thomas est manifestement fasciné par le visiteur, ainsi qu'il le racontera bien plus tard : « Je l'ai aimé tout de suite. Ce n'était pas difficile, car il était d'une heureuse nature. [...] Je me souviens qu'il nous a tous fait beaucoup rire, surtout en racontant ses mésaventures d'aviateur. Je pouvais voir que mon père était séduit ; quant à ma mère, j'ai remarqué qu'elle ne le quittait pratiquement pas des yeux. Je n'aurais pas pu l'exprimer en mots à l'époque, mais je sentais qu'elle était amoureuse de lui [19]. »

C'est très bien vu... En ce printemps de 1921, Carin et Hermann sont inséparables. Leurs conditions de vie spartiates les amusent, les ragots de la société suédoise les indiffèrent, Thomas quitte le plus souvent possible la maison paternelle pour pouvoir rejoindre sa mère, et celle-ci guide son amant à travers les musées et les galeries de Stockholm, pour lui communiquer sa passion de la peinture et de la sculpture ; elle y réussira d'ailleurs au-delà de toute espérance... Mais pour l'heure, Goering sait qu'il ne fera jamais carrière en Suède : ses employeurs respectent certes sa compétence, mais ils sont rebutés par son arrogance, sa propension à « faire des tas d'histoires pour trois fois rien » et sa volonté d'instaurer dans la compagnie une rigueur teutonique très éloignée de la mentalité suédoise. D'un autre côté, Hermann, politiquement orphelin depuis la chute du Kaiser et grand contempteur de la République de Weimar, ne peut se désintéresser complètement du cours des événements en Allemagne ; il s'est donc mis à étudier soigneusement la presse de Berlin et de Munich, afin d'essayer de suivre l'évolution politique de sa patrie. Ambitionne-t-il déjà d'y jouer un rôle ? C'est possible, mais il est bien trop conscient des lacunes de sa culture politique pour espérer le faire avec succès : « Pour contribuer à l'évolution d'un pays, pensais-je, il faut au moins en connaître les mécanismes, pouvoir comprendre les rapports entre les événements extérieurs et intérieurs [20]. » Peu à peu, les résolutions s'affirment : Goering va rentrer à Munich et s'inscrire à l'université pour y suivre des cours d'économie et de science politique. Il presse sa compagne de divorcer, mais les relations familiales se tendent très vite dès qu'il est question de divorce, et si complaisant soit-il, Nils von Kantzowfait savoir que dans une telle éventualité, il demanderait et obtiendrait à coup sûr la garde de Thomas. A vrai dire, Carin n'en doute pas, et elle tient énormément à son fils... C'est donc seul que son amant rentre en Allemagne à l'été de 1921.

Cet automne-là, Goering devient donc étudiant en science politique et en économie à l'université de Munich. A presque vingt-neuf ans, il est certes plus mûr que la plupart de ses condisciples, mais l'avenir montrera qu'il a bien peu profité des cours d'économie, et ceux de science politique ont dû paraître bien théoriques à ce personnage remuant, pour qui l'action précède toujours le verbe. Il n'est d'ailleurs pas certain que ces matières puissent être étudiées avec toute la sérénité souhaitable à Munich au cours de l'hiver 1921-1922 : en dépit de conditions climatiques particulièrement rigoureuses, une bonne partie de la population n'a plus de quoi se chauffer, des émeutes de la faim éclatent un peu partout, l'inflation a fait passer la valeur du mark de 4 à 300 pour un dollar, et en avril 1921, les Alliés ont fixé la somme des réparations à payer par l'Allemagne à 132 milliards de marks-or, tandis que six mois plus tard, la Société des Nations transférait à la Pologne une partie de la Haute-Silésie, avec ses précieuses mines de charbon... Or, en Allemagne, le mécontentement populaire, faute de pouvoir s'exprimer contre les vainqueurs, s'est exercé en premier lieu contre le gouvernement de Weimar, chargé du péché originel d'avoir signé l'armistice en novembre 1918.

Les sociaux-démocrates au pouvoir se sont donc trouvés pris entre deux feux, avec la tentative de putsch des corps francs de Kapp à l'été de 1920 et les grèves ouvrières insurrectionnelles procommunistes qui ont immédiatement suivi. Et puis, en août 1921, il y a eu l'assassinat de Mathias Erzberger, l'ancien président de la commission allemande d'armistice, suivi dix mois plus tard de celui du ministre des Affaires étrangères Walther Rathenau, partisan de l'*Erfüllungspolitik* — le paiement intégral des réparations de guerre imposées à l'Allemagne. Comme si tout cela ne suffisait pas, les autorités bavaroises se sont rapidement trouvées en opposition avec Berlin, en raison à la fois d'un fort sentiment antisocialiste, d'un regain de sympathie monarchiste et d'une aspiration certaine à l'autonomie... Dès lors, les ministres-présidents bavarois successifs, von Kahr, Lerchenfeld et von Knilling, se sont trouvés soumis à une intense pression de la part des éléments de droite pour refuser d'appliquer en Bavière les lois antiterroristes émanant de Berlin, ainsi que les décrets imposant la dissolution des formations paramilitaires. Or, les organisations d'extrême droite issues de l'armée, des corps francs et de diverses ligues patriotiques se comptent par centaines en Bavière, et elles sont extrêmement actives ; certaines sont résolument nationalistes, autonomistes, monarchistes ou séparatistes, et la plupart sont férocement revanchardes, antisocialistes, anticommunistes, anticléricales, antiparlementaires, antifrançaises, antirépublicaines, anticapitalistes et antisémites...

Il va sans dire que cette agitation multiforme trouve d'innombrables échos chez les professeurs et les étudiants de l'université de Munich. Connaissant les sentiments de Hermann Goering depuis 1918, on imagine mal que de tels mouvements puissent le laisser indifférent ; pourtant, il s'abstient au début d'y prendre une part active, même si son intérêt pour les programmes universitaires n'y est sans doute pas pour grand-chose... C'est qu'au bout d'un mois seulement, Carin n'a pu supporter d'être séparée plus longtemps de son cher Hermann, et en dépit de la désapprobation de ses parents et de ses sœurs, elle est venue le rejoindre à Munich. Les deux amoureux se sont alors installés dans un petit chalet de montagne loué dès 1920 à Hochkreuth, près de Bayrichszell, à mi-chemin entre Munich et Salzbourg. Et de quoi vont-ils vivre ? Carin peint des tableaux et fabrique des objets artisanaux, Hermann écrit quelques articles sur ses exploits de la Grande Guerre [21], mais cela ne leur procure que des ressources insignifiantes *. En fait, aussi curieux que cela puisse paraître, Nils von Kantzow ne peut se résigner à laisser sans ressources sa femme infidèle ; il lui envoie donc une allocation suffisamment confortable pour lui permettre de vivre sans trop de difficultés avec son amant **, dans une Allemagne en proie au chaos économique et à l'agitation politique [22]...

C'était sans doute inévitable : Hermann Goering est bientôt gagné par le prurit de l'activisme politique... Il y est d'ailleurs fortement encouragé par Carin, qui lui prédit un grand avenir d'homme d'Etat et se targue d'avoir des dons de médium ***.

---

* En outre, Carin a dû subir une opération chirurgicale, qui a occasionné des frais considérables.

** Ainsi qu'un billet d'avion pour Stockholm – aller simple ! L'espoir fait vivre...

*** A l'exemple de sa mère, de sa grand-mère et de deux de ses sœurs. Le côté pseudo-médiumique de la famille von Fock, qui communie par ailleurs dans une association religieuse mystico-nordique appelée « Société de l'Edelweiss », mériterait à lui seul tout un chapitre...

Notre vétéran-étudiant commence donc à fréquenter les divers groupements nationalistes de Munich, mais en homme d'action invétéré, il se lasse très vite de ces « clubs de débats » et « salons de thé » animés par des gens qui parlent beaucoup et agissent peu. Il songe donc à créer son propre parti révolutionnaire en s'appuyant sur les nombreux officiers désœuvrés qui vivotent à Munich, et il donnera lui-même une idée assez précise des résultats obtenus : « Je me souviens d'une réunion au cours de laquelle ils discutaient d'un programme visant à obtenir des repas et des lits pour les officiers anciens combattants. Je leur ai dit : " Bande de foutus imbéciles ! Vous croyez qu'un officier digne de ce nom n'est pas capable de se trouver un lit pour dormir, ne serait-ce que celui d'une belle blonde ? Enfin, merde, il y a des enjeux bien plus importants ! " Un type est devenu insolent, alors je l'ai assommé. Bon, évidemment, la réunion a dégénéré [23]... » A tel point même que Goering comprend qu'il n'a pas tout à fait les qualités requises pour devenir un chef de parti.

C'est un jour de la fin d'octobre 1922 que l'étudiant réticent Hermann Goering va enfin trouver ce qu'il cherchait depuis bien longtemps. Il se mêle par hasard à une foule réunie sur la Königsplatz pour protester contre la dernière note des Alliés exigeant que le gouvernement allemand leur remette un certain nombre de personnalités désignées comme criminels de guerre. « J'étais là en spectateur, se souviendra Goering, sans être impliqué dans la manifestation. Plusieurs orateurs appartenant à des partis et à des organisations y ont pris la parole. A la fin, Hitler a également été appelé à la tribune. J'avais entendu quelqu'un mentionner une fois brièvement son nom, et je voulais entendre ce qu'il avait à dire. Il a refusé de parler, et le hasard a voulu que je sois à proximité pour entendre les raisons de son refus. [...] Il considérait qu'il était vain de lancer des protestations lorsqu'on n'avait pas de quoi les soutenir par l'action. Cela m'a profondément impressionné ; j'étais du même avis. Je me suis renseigné et j'ai appris [...] qu'il tenait une réunion tous les lundis soir. J'y suis allé, et j'ai entendu Hitler parler de cette manifestation, du diktat de Versailles [...] et de sa répudiation. Il a dit qu'une protestation telle que celle de dimanche [...] n'avait de chances de succès que si elle s'appuyait sur une puissance suffisante pour lui donner du poids. Tant que l'Allemagne restait faible, ce genre de gesticulation n'avait aucun intérêt. C'était mot pour mot ce que je pensais moi-même. Quelques jours plus tard, je me suis rendu au siège du NSDAP *. [...] A cette époque, je ne connaissais pas son projet, je ne savais pas que c'était un petit parti. Au début, je voulais simplement parler à Hitler et voir si je pouvais l'aider d'une façon ou d'une autre. Il m'a reçu sans délai, et [...] nous avons immédiatement évoqué les choses qui nous tenaient à cœur [24]. »

En fait, la conversation a dû se réduire à l'un des habituels monologues d'Hitler sur le coup de poignard dans le dos qui a entraîné l'armistice, les iniquités du traité de Versailles, le programme nationaliste, antisémite, anticapitaliste et antisocialiste du NSDAP, et la nécessité de mobiliser les travailleurs pour chasser les traîtres judéo-marxistes au pouvoir à Berlin. Comme bien d'autres avant et après lui, Goering est fasciné : « J'ai enfin vu un homme qui avait un but ferme et clair. Je lui ai dit que pour ma part, je me plaçais entièrement à sa disposition, avec toutes les ressources que je possédais [25]. » Hitler, sentant bien qu'il se trouve en présence d'un personnage potentiellement utile et hautement sensible à la flatterie, finit par proposer à Goering « un poste de confiance » au sein de son organisation : celui de commandant des « Sturmabteilungen », les sections d'assaut du parti **. « Il recherchait depuis longtemps, se souviendra Goering, un chef qui s'était distingué d'une façon quelconque au cours de la dernière guerre, [...] ce qui lui donnerait l'autorité nécessaire. [...] Et voilà que par un coup de chance, le dernier commandant de l'escadre Richthofen se mettait à sa disposition. Je lui ai répondu qu'il serait embarrassant pour moi d'assumer d'emblée un poste de direction au sein du parti, car on pourrait penser que c'était ce qui m'y avait fait adhérer. Nous avons fini par nous mettre d'accord : je resterais officiellement à l'arrière-plan pendant un ou deux mois, et je ne prendrais mes fonctions qu'ensuite, mais en fait, je commencerais à exercer mon influence sans délai. [...] C'est ainsi que je me suis allié à Adolf Hitler [26]. »

---

* Nazionalsozialistische Deutsche Arbeiterpartei.
** Appelées au départ *Saalschutz*, elles étaient composées de quelque 300 gros bras chargés de protéger les réunions du parti ; renommées « *Turn und Sportabteilungen* » (sections de gymnastique et de sport) en 1920, elles avaient démesurément augmenté leurs effectifs après la dissolution des corps francs. En octobre 1921, elles étaient définitivement baptisées « *Sturmabteilungen* », et devaient devenir tristement célèbres sous les initiales « SA ».

Hermann Goering n'a qu'une idée très vague de la personnalité de l'homme auquel il vient d'unir son destin ; il ne connaît pas non plus les véritables raisons qui ont poussé Hitler à lui confier un « poste de direction » au sein d'un parti dont les origines et les particularités lui sont également inconnues ; et bien entendu, la question d'une quelconque rétribution n'a pas même été évoquée. Mais pour Goering, tout cela est manifestement sans importance : il a trouvé un chef, un idéal, une perspective de carrière et une mission à sa mesure : commander des hommes et jouer à nouveau un rôle dans les destinées de son pays...

IV

Révélation

« A cette époque, avait dit Hermann Goering, je ne savais pas que c'était un petit parti ». De fait, le NSDAP est un rassemblement modeste et hétéroclite né de la défaite de 1918, comme il y en a des centaines dans l'Allemagne d'après-guerre. Fondé par un serrurier nommé Anton Drexler autour de quelques vagues slogans nationalistes, antisocialistes et antisémites, le DAP * comptait à l'origine six membres, une quarantaine d'auditeurs, pas de bureau, pas de programme, pas de téléphone, pas de machine à écrire, pas même un tampon... Mais le caporal Adolf Hitler, encouragé et financé par ses supérieurs de la Reichswehr, est devenu le septième membre de son bureau politique à l'automne de 1919, et cela a tout changé : en moins de deux ans, ce club insignifiant a acquis un local, un programme, un nouveau sigle, un drapeau rouge à croix gammée, un journal influent, des hommes de main regroupés en « sections d'assaut », 6 000 membres supplémentaires et une audience démesurément élargie...

Cette évolution est presque exclusivement due à l'extraordinaire talent de propagandiste et d'orateur d'Adolf Hitler. « Etre un chef, écrira-t-il lui-même, c'est être capable d'émouvoir les masses [1]. » Effectivement, le banquier Hjalmar Schacht se souviendra que le Führer « pouvait jouer en virtuose sur le piano bien accordé des cœurs de la petite bourgeoisie [2] ». Mais l'influence de ses discours porte bien au-delà : depuis les nobles

---

* Deutsche Arbeiter Partei, son nom d'origine.

jusqu'aux militaires en passant par les étudiants et les journalistes, d'innombrables témoins de ses discours ont décrit l'effet
hypnotique produit par ce curieux mélange de conviction, de
violence, d'ironie, d'exaltation, de simplicité, de haine, de
logique, de démagogie et d'invectives que prononce avec une
stupéfiante variété de tons et de mouvements cet homme au
physique insignifiant, à la moustache courte, à la mèche rebelle
et aux yeux de fanatique. Et pour l'avoir entendu parler une
seule fois, des hommes de toutes conditions ont décidé sur-le-
champ de le suivre et de le soutenir : l'ancien aviateur Rudolf
Hess, l'architecte balte Alfred Rosenberg, l'éditeur d'art Ernst
Hanfstaengl, l'étudiant nationaliste Hans Frank, le sergent acti-
viste Max Amann, l'instituteur antisémite Julius Streicher, le
pamphlétaire exalté Hermann Esser, le maquignon et videur de
bar Christian Weber, le photographe alcoolique Heinrich Hoffmann, l'ancien consul et faux noble Max Erwin von Scheubner-
Richter, le lutteur et employé municipal Ulrich Graf, l'ingénieur et économiste Gottfried Feder, le capitaine homosexuel
Ernst Roehm, l'horloger repris de justice Emil Maurice, le chef
de la police munichoise Ernst Poehner, le pharmacien socialisant
Gregor Strasser, le poète opiomane Dietrich Eckart et l'homme
du monde Kurt Lüdecke, qui résumera assez fidèlement la réaction générale en décrivant ses premières impressions de l'orateur :
« Mes facultés critiques ont été balayées. Il tenait les masses, et
moi avec elles, sous une influence hypnotique par la simple force
de sa conviction. [...] Il m'apparaissait comme un nouveau
Luther. J'ai ressenti une exaltation qui ne pouvait s'apparenter
qu'à une conversion religieuse [3]. » L'éditeur et musicien Hanfstaengl, qui entend Hitler pour la première fois à la même
époque que Goering, compare le Führer à « un violoniste de
talent » dont « la maîtrise de la voix, de la rhétorique et de la
mise en scène n'a jamais été égalée », avant d'ajouter : « Je me
suis retourné vers l'auditoire. Où était la foule anonyme que
j'avais vue une heure plus tôt ? [...] Le brouhaha et le cliquetis
des chopes avaient cessé et ils buvaient chacune de ses paroles. A
quelques mètres de là, il y avait une jeune femme dont les yeux
étaient rivés sur l'orateur. Comme figée dans l'extase, elle avait
cessé de s'appartenir et était entièrement sous l'emprise de la foi
despotique qu'exprimait Hitler dans la grandeur future de
l'Allemagne [4]. »

On pourrait citer des centaines d'autres témoignages de ce genre, qui se rejoignent tous sur ce simple constat : Hitler est un *Sprachmensch*, un orateur virtuose qui fait appel à l'émotion plutôt qu'à l'intellect, qui sait d'instinct annihiler l'esprit critique et déchaîner les passions. Il aurait fallu une singulière force de caractère pour s'arracher au pouvoir hypnotique de cette force démoniaque, et Hermann Goering, l'ancien as de l'aviation à la recherche d'un emploi, d'un idéal, d'une figure autoritaire et d'une cause à défendre, n'en a manifestement pas davantage que la plupart des auditeurs d'Adolf Hitler en cette fin de 1922...

Pourtant, quel que soit le charisme de son chef, le NSDAP connaît exactement les mêmes problèmes que toutes les petites formations politiques locales de l'époque : n'ayant pratiquement aucune audience au-delà de Munich, devant survivre au milieu de centaines d'organisations concurrentes allant des communistes aux monarchistes, étroitement surveillé par les autorités bavaroises, il connaît d'énormes difficultés d'organisation dues au fait que son chef croit pouvoir tout régler avec des discours, il est déchiré par de profondes dissensions entre ses divers responsables *, et il souffre d'une pénurie chronique de ressources financières. « Bien des fois, se souviendra Kurt Lüdecke, alors que nous devions coller des affiches annonçant un rassemblement destiné à changer la face du monde, nous manquions d'argent pour payer la colle [5]. » Enfin, même ce qui semble faire sa force est potentiellement une source de faiblesse : les quelque 5 000 hommes des SA, qui intimident les opposants et se distinguent lors des batailles de rues, sont commandés par le capitaine Ernst Roehm et le lieutenant Klintzsch, en qui Hitler n'a qu'une confiance très modérée **.

Dès lors, l'arrivée de Goering a dû effectivement paraître providentielle au Führer, en lui permettant de régler plusieurs problèmes à la fois : en plus de son expérience militaire et de ses

---

* Notamment Rosenberg, Hess, Weber, Eckhart et Drexler.

** Roehm, qui a financé le mouvement hitlérien avec les fonds de la Reichswehr, voit dans les SA l'embryon d'une armée parallèle, capable d'engager la lutte contre les Français, tandis qu'Hitler veut seulement en faire une force politique à la disposition du parti, qui lui permettra de prendre le pouvoir. Klintzsch est un personnage assez trouble, membre de l'organisation extrémiste « Consul », qui est probablement responsable de l'assassinat d'Erzberger et de Rathenau.

capacités d'entraîneur d'hommes, Hermann Goering est l'instrument rêvé pour faire revenir dans le giron du parti ce qui menace de devenir une milice au service exclusif du capitaine Roehm. Et puis, il y a le prestige de l'ancien chef de l'escadre Richthofen, ses décorations, son air prospère et son embonpoint naissant, autant d'éléments qui expliquent l'exclamation enthousiaste d'Hitler devant son entourage après le départ du visiteur :« Magnifique ! Un héros de guerre décoré du " Pour le Mérite ". Vous vous rendez compte ? C'est un élément de propagande fantastique ! En plus, il a beaucoup d'argent et il ne me coûtera pas un sou [6] ! »

Beaucoup d'argent, Hermann Goering ? Comme toujours, Hitler prend ses désirs pour des réalités... En fait, le glorieux aviateur et étudiant intermittent Goering ne survit que grâce aux ressources de sa maîtresse, qui elle-même ne dispose que des subsides envoyés par son époux ! Mais la couronne suédoise restant une devise forte alors que le mark allemand est entièrement dévalué, le couple peut garder un train de vie plus qu'honorable, rouler en Mercedes-Benz et même s'acheter une petite villa à Munich, dans le faubourg huppé d'Obermenzing. Entre-temps, Carin a fini par obtenir que Nils von Kantzow consente au divorce, lequel a été prononcé à l'amiable quelques mois plus tôt. Ce dernier obstacle étant levé, l'amour peut triompher : le 3 février 1923, à la mairie d'Obermenzing, Carin et Hermann sont unis pour le meilleur et pour le pire, en présence de la mère de Hermann, de ses deux sœurs et de son frère Albert ; une des sœurs de Carin, Fanny, assiste également à la cérémonie *. Il y a là aussi plusieurs camarades de l'escadrille Richthofen, emmenés par le fidèle Bodenschatz, et ceux qui n'ont pu venir ont envoyé un message collectif contenant cette phrase : « Nous l'avions toujours dit : notre Goering ira plus loin que tous les autres [7] » – une prédiction qui se réalisera effectivement au-delà de toute espérance...

Après un voyage de noces de trois semaines qui les mène inévitablement au petit chalet montagnard de Hochkreuth, les jeunes mariés rentrent à Munich et se mettent au travail. Pour Carin, il s'agit surtout de courir les salles des ventes et les antiquaires de la région, afin de meubler au mieux leur nouvelle

---

* Les parents de Carin, eux, sont restés à Stockholm.

demeure ; elle le fera avec goût et installera au premier étage son petit harmonium blanc. Hermann, lui, se plonge avec enthousiasme dans les affaires du parti, et à partir du printemps de 1923, sa villa d'Obermenzing va servir de cadre aux interminables conciliabules qui réunissent Hitler et ses principaux lieutenants, Eckardt, Esser, Amann, Hess, Rosenberg et Hanfstaengl. « Goering, se souviendra ce dernier, avait installé dans son sous-sol une sorte de repaire de conspirateurs, tout meublé dans le style gothique et germanique [8]. »

Il est vrai que la situation économique et politique du pays se prête à merveille aux conspirations : la valeur du mark est descendue à 10 400 pour un dollar en janvier et à 50 000 en février ; d'autre part, l'Allemagne ne s'étant pas acquittée de ses obligations en matière de réparations, cinq divisions françaises et une division belge sont entrées en Rhénanie au début de 1923. Tout cela a provoqué dans le pays une immense vague d'indignation, qu'Hitler compte bien transformer en un vaste mouvement de révolte, à la tête duquel il marchera sur Berlin – exactement comme Mussolini vient de marcher sur Rome. Mais pour que ces rêves deviennent réalité, il faut s'assurer la complicité – ou du moins la passivité – des autorités bavaroises, forger des alliances avec d'autres ligues nationalistes locales comme le Reichsflagge, le Bund Oberland ou le Kampfverband Niederbayern, et surtout – encore et toujours – trouver de nouveaux subsides pour tenir les créanciers à distance... Tels sont les thèmes récurrents des conciliabules qui se tiennent dans le petit sous-sol de la maison d'Obermenzing * jusqu'aux petites heures de la matinée, devant les grosses chopes de bière d'un litre qui accompagnent obligatoirement toute conversation sérieuse entre Munichois respectables.

Pour le maître de maison, c'est précisément au niveau de la respectabilité que le bât blesse : « Goering, se souviendra Hanfstaengl, avait un certain mépris teinté d'humour pour la petite escouade de Bavarois entourant Hitler, qu'il dépeignait comme un ramassis de buveurs de bière et d'excursionnistes du dimanche, dont l'horizon se bornait aux limites de leur province [9]. » Hanfstaengl aurait pu ajouter que Goering considérait

---

* Et dans plusieurs brasseries munichoises, où les conspirateurs ont leurs tables réservées...

Hess comme un désaxé et Rosenberg comme un idéologue fumeux, et qu'il ne se gênait pas pour le leur dire – ce qui explique d'ailleurs leur haine secrète mais tenace à son endroit *. Mais l'esprit critique de Hermann Goering ne semble pas s'exercer aux dépens de leur chef, dont l'horizon politique se borne pourtant aux limites du continent européen – et de ses propres préjugés. De fait, au cours de ses monologues interminables, Hitler évoque une guerre de revanche contre la France, une attaque contre la Russie pour saisir les greniers à blé de l'Ukraine ** et une invasion de la Tchécoslovaquie pour mettre la main sur les usines Skoda ; il tient les Etats-Unis pour quantité négligeable et se réfère sans cesse à Napoléon, à Clausewitz et à Frédéric le Grand. Enfin, il s'en prend constamment aux socialistes, aux communistes, aux francs-maçons, aux catholiques et surtout aux Juifs, qu'il rend responsables de la Grande Guerre, de la révolution bolchevique, de la défaite de 1918, de la ruine économique de l'Allemagne et d'un vaste complot visant à conquérir le monde [10]...

Comment Goering peut-il entendre sans mot dire de telles divagations ? Se trouve-t-il dans la même situation que Winifred Wagner, qui écrira plus tard : « La voix d'Hitler se faisait de plus en plus profonde, jusqu'à ce que nous formions autour de lui un cercle de petits oiseaux charmés par la musique de ses mots, au sens desquels nous ne prêtions pas la moindre attention [11] » ? En dehors du fait que les proportions physiques de Hermann Goering excluent toute ressemblance avec un quelconque petit volatile, il paraît difficile d'imaginer qu'un homme doué d'une intelligence très supérieure à la moyenne *** puisse abdiquer à ce point tout esprit critique. Mais il faut effectivement tenir compte de l'effet hypnotique des discours d'Hitler, des vastes lacunes que présente la culture historique, écono-

---

* Dès les débuts du national-socialisme, les principaux membres de l'entourage d'Hitler se haïssent entre eux. « Le QG, écrira Kurt Lüdecke, était un rassemblement de petits Hitlers qui s'inclinaient devant le grand Hitler, mais avaient tendance à s'ignorer ou à se méfier les uns des autres. » C'est un euphémisme, et Hitler en profitera largement pour imposer son autorité au cours des années qui suivent.
** Ses idées de guerre à outrance contre la Russie lui ont manifestement été suggérées par Rosenberg et Scheubner-Richter, deux réfugiés baltes imparfaitement germanisés et fanatiquement anticommunistes.
*** Les Américains lui trouveront en 1946 un QI de 135...

mique et géopolitique de l'étudiant dilettante Hermann Goering, et surtout du désintérêt affiché de cet homme d'action pour l'idéologie, les théories et les arguties : « J'ai rejoint le NSDAP précisément parce qu'il était révolutionnaire, et non en raison de tout le fatras idéologique [12]. » Enfin, il faut se souvenir du fait que le discours revanchard, antisocialiste, antifrançais, antirépublicain et antisémite est très banal dans l'Allemagne de l'époque, et que celui d'Hitler ne se distingue des autres que par son éloquence et ses outrances. Pour Goering comme pour beaucoup d'autres, l'éloquence fait passer bien des outrances...

Il reste tout de même Carin, qui exerce une forte influence sur Hermann, et dont la culture très supérieure pourrait la prémunir de l'influence délétère de l'inquiétant caporal autrichien. Hélas ! Comme bien des femmes de l'époque, Carin Goering est tombée d'emblée sous le charme de cet étrange séducteur, qu'elle trouve galant, spontané et plein d'humour – ce qu'il est effectivement lorsqu'il se trouve en compagnie d'une jolie femme. En outre, Carin voit en lui l'homme qui va sauver l'Allemagne et assurer la carrière de son époux par la même occasion. Mais elle adopte également sans trop de réflexion les éléments les plus obscurs et les plus contradictoires du programme national-socialiste ; c'est que son mysticisme et son romantisme quelque peu naïfs, joints à une connaissance très approximative de la langue allemande, l'amènent invariablement à donner l'interprétation la plus favorable aux élucubrations du Führer, même lorsqu'il éructe que tous les Juifs d'Allemagne doivent être *beseitigt* * – une expression d'ailleurs volontairement ambiguë. Du reste, l'environnement familial de Carin l'a rendue assez accessible à toutes les fadaises sur la supériorité des peuples nordiques et de la race aryenne.

Dès lors, cette comtesse aussi candide que volontaire met un point d'honneur à participer à tous les rassemblements et défilés du parti national-socialiste [13], ce qui lui donne au passage la délicieuse sensation de jouer un rôle dans des événements considérables, comme elle en rêvait depuis son enfance. De son côté,

---

* « Ecartés » (entre autres significations). Beaucoup de contemporains pensaient qu'Hitler voulait simplement écarter les Juifs d'un pouvoir qu'ils étaient censés monopoliser indûment dans l'Allemagne de l'époque.

Hitler, en propagandiste de génie, a immédiatement compris toute la valeur pour son mouvement de l'implication d'une femme aussi distinguée et aussi bien introduite dans la bonne société que Carin Goering ; il l'a même baptisée « la mascotte du parti », ce que la comtesse a bien voulu prendre pour un compliment [14]... Mais si Carin lui semble presque aussi utile que son mari, le Führer n'en reste pas moins un fieffé cynique, ainsi qu'en témoignera Ernst Hanfstaengl : « Hitler est venu nous voir un soir au retour d'une visite chez les Goering, et il a imité le couple devant mon épouse : " Là-bas, c'est un véritable nid d'amour. C'est du Hermann chéri par-ci et du Hermann chéri par-là ", a-t-il dit en imitant la voix un peu trop doucereuse de Carin. Et il a ajouté : " Je n'ai jamais eu un foyer comme celui-là, et je n'en aurai jamais [15]. " » On ne peut évidemment exclure un fort degré de jalousie de la part d'Hitler : Goering, plus jeune de trois ans, ancien as de l'aviation adulé en son temps, surabondamment décoré, apparemment prospère et somptueusement logé, a en outre une épouse noble, aimante et attrayante, tandis que lui-même est un ancien caporal anonyme, artiste incompris, architecte manqué, sans profession définie, sans le sou, misérablement logé dans une chambre de 9 m^2 non chauffée, et célibataire endurci avec une sexualité passablement anormale...

Il ne se trouve donc aucun être au monde pour retenir Hermann Goering au bord du gouffre en ce printemps de 1923 ? Eh bien si, il y en a au moins un, mais il paraît bien insignifiant : c'est Albert Goering, le jeune frère, qui a connu dans les tranchées de la Somme une guerre nettement moins glorieuse que celle de son aîné ; sérieusement blessé au ventre à l'été de 1918, réformé avec le grade de lieutenant, il est rentré à Munich, où il a connu les longs mois de pénurie alimentaire et d'instabilité politique qui ont suivi l'armistice. Au début de 1920, Albert est entré à la Technische Hochschule de Munich, pour y suivre des études d'ingénieur en mécanique. De tempérament plutôt modéré, il n'a pas été gagné par l'ambiance résolument extrémiste qui régnait dans son établissement, et il a ressenti d'emblée la force démoniaque et dévastatrice qui se dégageait des diatribes d'Adolf Hitler. S'en étant ouvert à Hermann, Albert s'est heurté à un mur : « Il m'a dit de ne pas me mêler des affaires d'Etat, et même des affaires de l'histoire, parce que je ne connaissais absolument rien à la politique. » Albert n'insiste pas, mais il confie à son entourage : « J'ai un frère qui est en train de s'acoquiner avec cette canaille d'Hitler, et s'il continue comme cela, il finira mal [16]. » On ne saurait mieux dire...

Ce sera en vain ; Hermann, happé par le tourbillon de l'histoire, vient de se lancer à corps perdu dans la grande mission que lui a confiée Hitler : faire des SA une grande force militarisée, entièrement aux ordres du parti et de son chef : « Je m'efforçai dès le début, dira-t-il, d'incorporer dans les SA les membres du parti qui étaient assez jeunes et idéalistes pour y consacrer leur temps libre et toute leur énergie. [...] Dans un second temps, j'essayai de recruter des membres parmi les ouvriers [17]. » De fait, il va faire entrer dans le mouvement des dockers, des employés de bureau, des tourneurs, des manœuvres, des paysans, des étudiants, des artisans et des chômeurs, qui viendront rejoindre sur les terrains d'exercice des environs de Munich les jeunes militants, anciens militaires, membres des corps francs et repris de justice qui s'y trouvent déjà. A cette troupe plutôt hétéroclite, Goering entreprend de donner un esprit de corps très développé, au prix d'un labeur acharné qu'il décrira lui-même des années plus tard : « J'étais souvent au travail jusqu'à 4 heures du matin, et de retour au bureau à 7 heures. Je n'avais pas un seul moment de répit [18]. »

En vérité, Goering s'occupe surtout du recrutement, de l'endoctrinement et de la propagande [19] ; c'est son adjoint, le lieutenant Hoffmann, qui assure avec diligence et compétence l'entraînement militaire des nouvelles recrues. Mais les honneurs vont toujours à ceux qui se montrent le plus, et Goering sait faire cela mieux que tout autre... Quoi qu'il en soit, les résultats sont surprenants : dans toutes les villes de Bavière, on voit bientôt les SA défiler en rangs impeccables, avec leurs casquettes à visière, leurs chemises brunes et leurs brassards ornés d'une svastika noire sur fond blanc. S'ils ne sont pas encore armés, ils ont été soigneusement entraînés au maniement des armes, et chacun sait que le capitaine Roehm a les moyens d'obtenir de la Reichswehr des fusils et des mitrailleuses dès que le besoin s'en fait sentir. Pour éviter de provoquer l'armée, on a donné aux officiers SA des grades différents, tels que *Scharführer, Sturm-*

bannführer, Obersturmbannführer, Standartenführer et *Gruppen-führer* *, et les hommes ont été organisés en *Standarten* (régiments) de quelque 4 000 hommes chacun.

En avril 1923, les SA comptent déjà 11 000 hommes – l'effectif d'une division régulière –, et Goering en fait défiler un régiment dans les rues de Munich. Carin décrira la scène dans une lettre à son fils Thomas, avec l'enthousiasme candide qui la caractérise : « Ton second père a organisé une parade de jeunes Allemands devant son Führer, et j'ai vu ses yeux s'illuminer en les regardant passer. Le bien-aimé ** a travaillé si dur avec eux, leur a tant instillé de sa bravoure et de son héroïsme, que ce qui était jadis une cohue formée, je l'avoue, de brutes assez terrifiantes, s'est véritablement transformé en une Armée de Lumière, un corps de croisés enthousiastes prêts à marcher aux ordres du Führer pour rendre la liberté à ce malheureux pays. [...] A la fin du défilé, le Führer a donné l'accolade au bien-aimé, et il m'a dit que s'il avouait ce qu'il pensait réellement de cette performance, le bien-aimé en aurait la grosse tête. J'ai répondu que la mienne l'était déjà, tant j'étais fière, et il m'a embrassé la main en me disant : " Une tête aussi jolie que la vôtre ne pourrait jamais être grosse. " Ce n'était peut-être pas le compliment le plus élégant que j'aie reçu, mais il m'a fait plaisir [20]. »

Pourtant, ces débordements d'exaltation cachent une réalité nettement plus sinistre, car les jeunes « croisés enthousiastes » n'hésitent pas à aller faire le coup de poing dans les réunions socialistes ou communistes, et Goering va même envoyer ses chemises brunes occuper les locaux du *Völkischer Beobachter*, le journal du parti, afin d'empêcher l'arrestation de son rédacteur en chef Dietrich Eckhardt. C'est une action manifestement séditieuse, destinée à faire obstacle au processus judiciaire et à intimider les autorités, mais les nazis se sentent désormais assez forts pour recourir à de tels procédés...

Il faut reconnaître que les événements du printemps 1923 sont de nature à les y encourager. L'occupation franco-belge de la Ruhr a suscité dans le pays une résistance passive – et même

---

* Respectivement sergent-chef, major, lieutenant-colonel, colonel et général de division. Ces grades seront conservés dans la SS.
** Hermann, naturellement.

active par endroits –, dont les répercussions politiques et économiques frappent durement la population : les ouvriers qui refusent de travailler pour les Français doivent être indemnisés à grands frais par les autorités allemandes, les livraisons de charbon et de produits alimentaires aux villes sont partiellement interrompues, les communistes sont entrés dans les coalitions gouvernementales des Etats de Saxe et de Thuringe, et l'inflation s'aggrave inexorablement : de 50 000 marks pour un dollar en février, elle passe à 80 000 en mars, 95 000 en avril et 120 000 en mai. Dès lors, l'épargne des classes moyennes fond comme neige au soleil, tandis que les ouvriers, les employés et les retraités n'ont même plus de quoi s'alimenter et survivre décemment. Le mécontentement populaire qui s'ensuit affaiblit le gouvernement du chancelier Cuno et renforce considérablement les rangs des extrémistes de tous bords – à commencer par ceux du NSDAP. A la fin du printemps de 1923, celui-ci compte déjà 35 000 membres à Munich et 150 000 dans toute la Bavière [21]... Dès lors, Hitler brûle d'agir pour renverser les « criminels de novembre * » et prendre le pouvoir à Berlin.

De fait, la situation politique extrêmement confuse qui règne en Bavière lui donne une base de départ très favorable ; c'est que les Bavarois, dans leur grande majorité catholiques et régionalistes, sont hostiles par principe aux autorités protestantes et centralisatrices de Berlin, dont les dirigeants socialistes sont en outre abusivement assimilés aux rouges qui ont dévasté la Bavière en 1919. C'est pourquoi les autorités de Munich ont accueilli à bras ouvert tous les mouvements nationalistes venus s'y réfugier, et le ministre-président de Bavière Gustav von Kahr, tout en se méfiant quelque peu d'Adolf Hitler – « cet impétueux Autrichien [22] » –, voit tout de même en lui un allié potentiel dans son opposition au régime de Berlin **. Le fait que von Kahr soit en outre monarchiste *** et séparatiste complique encore une situation déjà très embrouillée... Quant à

---

* Une des expressions favorites du Führer, qui revient sans cesse dans ses discours. Il s'agit bien sûr des signataires de l'armistice de novembre 1918 et de leurs successeurs.

** Dont il a déjà refusé en 1921 et 1922 d'appliquer les Décrets pour la Protection de la République.

*** C'est-à-dire partisan du prince Rupprecht, fils de Louis III et héritier du trône des Wittelsbach.

son successeur, von Knilling, il est si obsédé par le danger d'une prise de pouvoir de la gauche qu'il ne veut prendre aucune mesure contre le NSDAP. Il y a également le général von Lossow, commandant en chef de l'armée en Bavière, dont la fidélité à la République de Weimar est sujette à de longues éclipses, pendant lesquelles il ambitionne de renverser le gouvernement socialiste de Berlin pour y installer une dictature militaire. C'est pourquoi, voyant lui aussi en Hitler un allié potentiel, il laisse à l'occasion la Reichswehr prêter des armes aux SA, et il présente le Führer à son chef von Seeckt comme « un prophète politique [23] * ». Si l'on ajoute à tout cela qu'une bonne partie des fonctionnaires, des juges et des policiers bavarois est favorable à Hitler, que les trois quarts de la police secrète de Munich le sont aussi [24], que le ministre de la Justice de Bavière Gürtner ne l'est pas moins, et qu'avec la complicité du chef de la police, Ernst Poehner, il est en mesure de déjouer tous les efforts du ministre de l'Intérieur Schweyer pour faire arrêter ou expulser Hitler, on comprend mieux pourquoi le Führer croit désormais pouvoir passer à l'action sans courir trop de risques...

La démonstration de force est prévue pour le 1er mai 1923. Hitler veut empêcher les socialistes de procéder à leur traditionnel défilé dans les rues de Munich, et le 30 avril, il a demandé à von Lossow la permission d'organiser une contre-manifestation de SA et d'autres groupes paramilitaires armés. Mais le chef de la Reichswehr bavaroise a catégoriquement refusé, appuyé en cela par le colonel von Seisser, commandant la police d'Etat, et tous deux ont prévenu le Führer qu'ils feraient tirer sur tout cortège qui troublerait l'ordre public. Or, Hitler a déjà lancé l'ordre de rassemblement pour le lendemain, et des unités venues de toute la Bavière convergent sur Munich. Il est trop tard pour leur faire rebrousser chemin sans perdre la face... Dès le lendemain matin, plusieurs milliers de SA munis d'armes prélevées par Roehm dans les dépôts militaires sont donc rassemblés sur le terrain d'exercice d'Oberwiesenfeld, face à Hitler coiffé d'un casque d'acier et à Goering en grand uniforme constellé de décorations. Mais peu avant midi, Roehm se présente en compagnie de deux détachements de l'armée et de la police, qui se mettent

---

* Von Seeckt, commandant en chef de la Reichswehr, reviendra de son entrevue avec Hitler très défavorablement impressionné.

en devoir de cerner le terrain d'exercice. C'est que von Lossow a chargé Roehm de transmettre à Hitler ce qui ressemble fort à un ultimatum : il doit annuler la contre-manifestation et restituer les armes sans délai, faute de quoi « il en assumera les conséquences [25] ».

Certains chefs SA, comme Gregor Strasser ou le lieutenant-colonel Kriebel, sont d'avis de passer outre et de désarmer la petite troupe qui les cerne ; mais Hitler, découragé, abandonne brusquement la partie : cet après-midi-là, les armes sont rendues aux arsenaux militaires et les SA se dispersent. C'est une défaite sans combat, une véritable humiliation publique, et beaucoup d'observateurs prédisent que le NSDAP ne s'en relèvera pas. Hitler semble leur donner raison : au cours des mois qui suivent, il se fait très discret et passe l'été en montagne, à Berchtesgaden. Ses lieutenants, eux, se réunissent périodiquement dans la villa de Goering à Obermenzing, où ils refont le monde en attendant des jours meilleurs... Pour Goering lui-même, la fin de l'été sera doublement funeste : le 28 août, sa mère Franziska meurt brusquement à l'âge de cinquante-sept ans, et Carin, voulant absolument assister aux funérailles, contracte une pneumonie qui l'oblige à s'aliter pendant de longues semaines.

Le 13 août, à Berlin, le chancelier Cuno a été remplacé par le chef du Volkspartei, Gustav Stresemann *. Personne ne mise un mark dévalué sur ses chances de survie, dans un pays où la « résistance passive » a ruiné l'économie et provoqué une inflation sans précédent : le dollar vaut 4 620 455 marks en août et 98 860 000 marks en septembre... Le mécontentement est général, les appels à la grève se multiplient, les communistes menacent de prendre le pouvoir en Saxe comme en Thuringe, et les Français encouragent le mouvement séparatiste rhénan. Pour Hitler, c'est le moment rêvé de revenir sur le devant de la scène : durant l'été, il s'est assuré la complicité active du général Ludendorff, son parti a recueilli des fonds substantiels de quelques industriels allemands, de plusieurs riches protectrices ** et de nombreux sympathisants suisses et tchèques, tandis que lui-même, pris d'une sorte de passion messianique, déclare désor-

---

* Il a formé un gouvernement de coalition constitué du Volkspartei (Parti du peuple), du Zentrum catholique, du parti démocrate et du SPD socialiste.
** Notamment Helene Bechstein, Elsa Bruckmann et Winifred Wagner.

mais à son entourage qu'il va « entrer dans Berlin comme le Christ dans le Temple de Jérusalem et en chasser les marchands [26] ». Le 2 septembre, lors du grand rassemblement nationaliste pour commémorer le *Deutscher Tag* à Nuremberg, il assiste au défilé en compagnie du général Ludendorff et du prince Louis-Ferdinand de Bavière, et il prononce à cette occasion un discours suffisamment éloquent pour effacer la désastreuse impression laissée par l'échec du 1ᵉʳ mai. C'est à l'issue de ce rassemblement que le NSDAP concrétise son alliance avec trois organisations paramilitaires, le Bund Oberland, le Freikorps Rossbach et le Reichsflagge, qui vont former le Deutscher Kampfbund, l'« Union de Combat allemande ». C'est le lieutenant-colonel Kriebel qui assurera désormais la direction militaire de l'ensemble, mais trois semaines plus tard, grâce aux intrigues de Roehm, Adolf Hitler en prend la « direction politique ». Son influence s'en trouve considérablement augmentée, et les derniers développements politiques vont rapidement lui donner l'occasion de l'exercer...

Le 26 septembre 1923, en effet, le chancelier Stresemann annonce la fin de la résistance passive contre les Français et la reprise des livraisons au titre des réparations – une mesure de bon sens économique et politique, qui n'en provoque pas moins la fureur de tous les mouvements nationalistes allemands. Dans le *Völkischer Beobachter*, Hitler se répand en insultes, et il promet d'organiser quatorze rassemblements, au cours desquels il dénoncera la trahison des autorités berlinoises. Cette agitation va déclencher une redoutable réaction en chaîne : le gouvernement bavarois nomme l'ancien ministre-président von Kahr « commissaire général d'Etat », avec tous pouvoirs exécutifs en matière civile et militaire. Celui-ci commence par interdire les rassemblements annoncés par Hitler, mais poursuit en affirmant son autorité personnelle sur la Reichswehr stationnée en Bavière. Voilà qui peut faire craindre une sécession bavaroise, et à la demande du chancelier Stresemann, le président Ebert décrète l'état d'urgence dans tout le pays ; conformément à l'article 48 de la Constitution, il donne tous pouvoirs exécutifs au ministre de la défense Gessler et au général von Seekt, chef de la Reichswehr, qui entreprennent de rétablir l'ordre dans le pays : pour commencer, le général von Lossow, chef du district militaire n° VII (Bavière), reçoit l'ordre de fermer les locaux du *Völkischer Beobachter*. Il refuse, et déclare qu'il ne prend ses ordres que des autorités bavaroises. Dès lors, Berlin n'a plus le choix : le 20 octobre, von Lossow est destitué et remplacé par le général von Kressenstein. Mais c'est alors que les pires craintes du gouvernement central vont se vérifier : von Kahr annonce que le général von Lossow est maintenu à la tête de l'armée en Bavière, exige la démission du gouvernement Stresemann et fait concentrer des troupes aux limites de la Bavière et de la Thuringe. On est au bord de la rupture entre le gouvernement de Berlin et le pouvoir munichois, désormais exercé par un triumvirat composé de von Kahr, de von Lossow et du colonel von Seisser, chef de la police d'Etat bavaroise.

Pour les nazis, c'est une situation éminemment favorable ; Hitler, Ludendorff et Goering font tour à tour le siège des membres du triumvirat pour les persuader de marcher sur Berlin et de renverser le gouvernement avec l'aide du Kampfbund. Von Kahr et de von Lossow nourrissent effectivement des desseins de coup d'Etat, mais ils se méfient d'Hitler, dont ils ont à plusieurs reprises réprimé les excès. La méfiance est d'ailleurs réciproque : Hitler soupçonne les autorités bavaroises d'avoir des visées séparatistes, et il compte bien se débarrasser de von Kahr et de von Lossow une fois installé au pouvoir à Berlin. Mais pour l'heure, il s'agit de les impliquer dans le complot, et même de les pousser en avant, car à lui seul, il n'a pas les moyens de s'opposer à la Reichswehr. « *Wir müssen die Leute hineinkompromittieren* », répète-t-il sans cesse à son entourage - « Il nous faut compromettre ces gens pour qu'ils marchent avec nous [27] ». Mais von Kahr hésite, et von Lossow aussi ; car si la situation économique est de plus en plus catastrophique — un dollar vaut 98 860 000 marks en septembre et 25 260 280 000 marks en octobre [28] —, le gouvernement Stresemann semble par contre se renforcer politiquement et militairement : au cours du mois d'octobre, l'armée du général von Seekt a étouffé dans l'œuf la révolte de la « Reichswehr noire » du major Buchrucker, réprimé durement une tentative de putsch communiste à Hambourg et pénétré en Saxe pour y destituer le « gouvernement de défense prolétarienne » contrôlé par les communistes. Le commandant en chef von Seeckt lui-même fait savoir à von Seisser le 3 novembre qu'il ne se retournera en aucun cas contre le gouvernement de Weimar.

C'est assez pour amener les dirigeants bavarois à abandonner leur plan de marche sur Berlin, mais pas nécessairement leurs projets de sécession et de restauration. Le 6 novembre, von Kahr convoque donc les représentants du Kampfbund pour les dissuader de toute initiative précipitée ; von Seisser déclare soutenir von Kahr, et prévient qu'il réprimera par la force toute tentative de putsch de la part des « mouvements patriotiques » ; enfin, von Lossow admet qu'il s'engagera dans la sédition « si elle a au moins 51 % de chances de succès », mais il refuse de participer à un putsch improvisé, et ajoute pour finir qu'il est urgent d'attendre [29].

C'est exactement ce qu'Adolf Hitler ne veut pas faire : une loi qui vient d'être votée au Reichstag introduit le *Rentenmark* et laisse prévoir une stabilisation financière du pays [30], le mécontentement populaire, son plus sûr allié, risque de s'apaiser, une attente prolongée lui ferait perdre l'initiative et Wilhelm Brückner, le commandant du régiment SA de Munich, vient de lui dire : « Je ne pourrai bientôt plus tenir mes hommes. Si rien ne se passe, ils vont s'éclipser discrètement [31]. » Dès le 6 novembre, Hitler décide donc de passer à l'action six jours plus tard. Mais le soir même, il apprend que von Kahr a prévu de prononcer un important discours à l'occasion d'un rassemblement qui se tiendra le 8 novembre à la Bürgerbräukeller, la plus grande taverne de Munich, sur la rive gauche de l'Isar. Pour Hitler et son entourage, le doute n'est pas permis : von Kahr et les autres membres du triumvirat veulent prendre les devants et mettre en œuvre leurs plans de sécession et de restauration monarchique : « Nos adversaires, dira plus tard Hitler, voulaient proclamer une révolution, plus exactement une révolution bavaroise [32]. » Hanfstaengl écrira de même : « Nos informateurs dans les ministères et dans la police nous avaient dit que tout ceci laissait prévoir la proclamation de la restauration des Wittelsbach et la rupture finale avec le gouvernement socialiste de Berlin [33]. » Et Goering de confirmer : « Nous soupçonnions qu'à cette occasion, la Bavière [...] pourrait faire sécession [34]. »

Pour les nazis, ce serait catastrophique : d'une part, ils tiennent essentiellement à un Reich uni, sous leur direction bien entendu ; d'autre part, une sécession bavaroise, accompagnée de toutes les mesures militaires nécessaires, compromettrait irrémédiablement leur propre putsch. Les dirigeants du Kampfbund se réunissent donc au soir du 7 novembre, et vers 3 heures au matin du 8 novembre, Weber, Kriebel, Scheubner-Richteret Goering finissent par se ranger à l'avis d'Hitler : on passera à l'action le soir même, lorsque tous les dignitaires seront rassemblés à la Bürgerbräukeller. Hitler, Goering et un détachement de SA investiront la salle et maîtriseront les principaux responsables du gouvernement ; Roehm, avec ses hommes du Reichskriegsflagge *, s'emparera du quartier général du VIIᵉ district militaire, Rossbach, à la tête de son Freikorps, occupera les autres bâtiments officiels, et les hommes du Bund Oberland rallieront les casernes. C'est évidemment un délai bien court pour monter une entreprise de cette ampleur, mais les conjurés se sentent forts du soutien des Munichois, ils bénéficient de nombreuses complicités au sein de la police et de la Reichswehr, le général Ludendorff leur servira de faire-valoir, et ils sont certains d'entraîner avec eux les trois révolutionnaires en puissance – Kahr, Lossow et Seisser. En somme, il s'agit moins d'un putsch que d'un détournement de putsch, ce qui explique la grande part d'improvisation qui préside aux préparatifs...

Le délai de quelques heures est si court que Goering ne peut rassembler qu'une centaine de SA, mais il trouve tout de même le temps de revenir à Obermenzing pour rassurer son épouse : « Carin n'allait pas bien, se souviendra sa sœur Fanny ; elle venait de surmonter une sérieuse attaque de pneumonie, elle toussait et était alitée avec de la fièvre. [...] Cet après-midi du 8 novembre, Hermann Goering n'a pu rester à son chevet qu'un court moment. " Nous avons beaucoup à faire, lui a-t-il dit. Ce soir, il y aura un grand rassemblement à la Bürgerbräukeller, et il peut se prolonger jusque tard dans la nuit. Ne t'en fais pas. " [...] Il n'avait pas besoin d'en dire plus, et il n'en avait probablement pas le droit [35]. »

Il est vrai que l'atmosphère de conspiration est telle qu'Hitler n'a mis dans le secret que quelques fidèles, comme Hess,

---

* Une scission s'était opérée au sein du Kriegsflagge, et Roehm avait regroupé la faction favorable à Hitler sous une nouvelle appellation, celle de « Reichskriegsflagge ».

Poehner, Graf, et Amann — encore l'a-t-il fait au tout dernier moment. Vers midi, dans le bureau du *Völkischer Beobachter*, Rosenberg et Hanfstaengl voient le Führer entrer en coup de vent, très pâle, une cravache à la main : « Jurez-moi que vous n'en soufflerez mot à personne. L'heure est venue ; ce soir, nous passons à l'action. Vous, camarade Rosenberg, et vous, Herr Hanfstaengl, ferez partie de ma garde rapprochée. Rendez-vous devant la Bürgerbräukeller à 19 heures. Prenez vos pistolets [36]. »

Ce soir-là, à la Bürgerbräukeller *, il y a près de 3 000 personnes, et tous les dignitaires bavarois sont présents — y compris le ministre-président von Knilling, plusieurs membres de son cabinet, des fonctionnaires, des officiers, des diplomates, des banquiers, des aristocrates, des hommes d'affaires et quelques journalistes. Hanfstaengl y pénètre vers 19 h 30, à la suite d'Hitler : « Le couloir d'entrée était complètement vide, se souviendra-t-il, mis à part les monceaux de hauts-de-forme, de manteaux d'uniformes et de sabres qui encombraient le vestiaire. A l'évidence, toute l'élite de Munich était présente. J'ai aperçu Hitler qui s'était posté discrètement près d'un des grands piliers de soutènement, à quelque vingt-cinq mètres du podium. Personne ne semblait nous prêter attention, et nous sommes restés là en prenant un air innocent pendant vingt bonnes minutes. Hitler, toujours vêtu de son imperméable, bavardait à voix basse avec Amann, tout en se rongeant les ongles et en jetant un coup d'œil de temps en temps vers l'estrade, où se tenaient von Kahr, von Lossow et von Seisser. Kahr était debout, et il marmonnait un discours aussi ennuyeux qu'incompréhensible. Je me suis dit que l'attente était suffisamment pénible pour qu'on ne soit pas obligé de se déshydrater de surcroît, alors je suis allé au comptoir acheter trois chopes de bière d'un litre. Je me souviens qu'elles m'ont coûté un milliard de marks pièce. J'en ai attaqué une et j'ai passé les deux autres à notre groupe ; Hitler en a bu pensivement une gorgée. [...] Kahr était en train de nous endormir. Il venait juste de prononcer les mots : " Et maintenant, j'en viens à la considération... ", ce qui, pour autant que je sache, devait être le point d'orgue de son discours, lorsque la porte derrière nous s'est ouverte à toute volée, et Goering est entré en trombe avec l'air de Wallenberg en campagne, toutes

---

* Voir carte, p. 84.

décorations au vent, suivi d'environ vingt-cinq chemises brunes armés de pistolets et de mitraillettes. Quel brouhaha ! Tout s'est déroulé en un éclair. Hitler a commencé à se frayer un chemin vers l'estrade, et nous nous sommes précipités à sa suite. Les tables étaient renversées avec leurs chopes de bière. [...] Hitler est monté sur une chaise et il a tiré un coup de pistolet en l'air. On a toujours dit qu'il l'avait fait pour terrifier l'assistance et la forcer à se soumettre, mais je jure que c'était pour la réveiller. Le discours de Kahr avait été si soporifique qu'un tiers au moins des gens dans la salle s'étaient assoupis. Moi-même, j'avais commencé à dormir debout [37]... »

En tout cas, Hitler, ayant réveillé l'assistance pour de bon, saute sur l'estrade, écarte un von Kahr médusé et se lance dans un discours improvisé : « La révolution nationale est en marche, hurle-t-il ; cette salle est occupée par six cents hommes lourdement armés. Personne ne peut en sortir. Les gouvernements de la Bavière et du Reich ont été destitués, et un gouvernement national provisoire a été formé. Les casernes de l'armée et de la police sont occupées, des soldats et des policiers marchent sur la ville sous la bannière de la svastika [38]. » C'est du bluff pur et simple : il n'y a pas six cents hommes autour de la salle, mais soixante, et on voit mal comment Hitler pourrait destituer le gouvernement du Reich depuis une brasserie munichoise. Mais les policiers ont disparu, il y a bel et bien des SA lourdement armés devant les portes, ainsi qu'une mitrailleuse lourde en batterie dans le vestibule, et cela commande le respect... Hitler invite Kahr, Lossow et Seisser à passer dans une salle adjacente, tandis que Goering, coiffé d'un casque d'acier, saute à son tour sur l'estrade pour informer l'assistance que les « dirigeants » se sont retirés pour délibérer, que chacun doit rester à sa place, et que de toute façon, « il y a de la bière pour tout le monde [39] ». Très satisfait de l'effet produit, il ne remarque pas que le chef d'état-major de von Lossow vient de s'éclipser de la salle et que les SA, impressionnés par l'uniforme, l'ont laissé quitter la brasserie [40]. Ce sera une erreur lourde de conséquences...

Entre-temps, dans la pièce attenante, la délibération en comité restreint se passe plutôt mal : Hitler, très agité, commence par annoncer que « personne ne quittera cette pièce vivant sans sa permission », il brandit son arme, puis l'appuie contre sa propre tempe et répète : « Messieurs, aucun de nous ne quittera cette salle vivant ! Vous êtes trois, j'ai quatre coups dans mon revolver, cela suffit pour nous quatre, au cas où j'échouerais [41]. » Après quoi il propose à Kahr et à Poehner de prendre le pouvoir en Bavière, et invite Lossow et Seisser à rejoindre le nouveau gouvernement du Reich qu'il va former, avec Ludendorff comme « chef de l'armée nationale allemande ». Mais justement, le glorieux général n'est pas là *, et les membres du triumvirat ne sont pas aussi impressionnés qu'ils devraient l'être ; Kahr et Seisser répondent même assez vertement, et Hitler, décontenancé, finit par quitter la pièce sans mot dire. Pourtant, avec un aplomb sidérant, il se précipite dans la grande salle où Goering tient toujours l'assistance en respect, et il affirme d'une voix forte et sèche que l'accord est pratiquement conclu : « Je déclare aboli le gouvernement des Criminels de Novembre et du président du Reich ; un nouveau gouvernement sera nommé ce jour même, ici, à Munich. Je propose en outre qu'un gouvernement bavarois soit formé [...] avec Herr von Kahr comme régent et Herr Poehner comme ministre-président. [...] Je propose qu'en attendant que soient définitivement réglés les comptes avec les Criminels de Novembre, la direction politique du gouvernement national soit assurée par moi-même. Ludendorff prendra la tête de l'armée nationale allemande, Lossow sera ministre de la Défense et Seisser ministre de l'Intérieur du Reich. La tâche du gouvernement provisoire national allemand est de marcher sur ce foyer d'iniquité qu'est Berlin, afin de sauver le peuple allemand. » Puis, désignant la pièce où les membres du triumvirat sont enfermés sous bonne garde, il ajoute : « Kahr, Lossow et Seisser ont du mal à se décider. Puis-je leur dire que vous les soutiendrez ? » L'assistance approuve bruyamment, et Hitler termine sur cette phrase théâtrale : « La révolution allemande commencera ce soir, ou alors nous serons tous morts à l'aube [42] ! »

---

* C'est un nouvel exemple de l'improvisation qui a présidé au complot : Ludendorff, censé servir de faire-valoir, n'a pas été prévenu du déclenchement du putsch, et Scheubner-Richter a été envoyé au tout dernier moment à Ludwigshöhe pour le ramener à Munich. Dans sa précipitation, le vieux général va omettre de revêtir son uniforme, ce qui nuira considérablement à l'efficacité de son intervention.

Lorsque Hitler rejoint le triumvirat dans la salle attenante, deux nouveaux éléments ont retourné la situation en sa faveur : Kahr, Lossow et Seisser ont entendu les acclamations de l'assistance, et en ont conclu qu'elle soutenait Hitler ; d'autre part, Ludendorff est enfin arrivé, et quelle que soit l'indignation du vieux général d'avoir été mis devant le fait accompli, il joue pleinement le jeu : décrivant le putsch comme « un grand événement national », il invite le trio à coopérer. Von Lossow niera plus tard avoir répondu : « Les désirs de Son Excellence sont mes ordres », mais il ne s'en incline pas moins, et les deux autres aussi. Dès lors, tous les acteurs de la pièce regagnent la salle principale, chacun fait un petit discours pour annoncer son accord et prêter allégeance au nouveau « gouvernement », on se serre la main avec effusion sous les vivats de l'auditoire, et Hitler, en extase, se lance à nouveau dans une harangue passionnée. Pour finir, toute la salle entonne un vibrant « *Deutschland über alles* », après quoi l'auditoire se disperse − à l'exception du ministre-président von Knilling, de cinq membres de son cabinet et de plusieurs autres personnalités, que Hess fait monter sans douceur dans une petite pièce du premier étage, où ils seront retenus en otages. Quant aux membres du nouveau « gouvernement », ils vont continuer à délibérer au rez-de-chaussée. Du début jusqu'à la fin, tout cela s'est effectué en moins de trois heures...

Peu après, plusieurs centaines de SA venus des environs de Munich et mille cadets de l'école d'infanterie viennent renforcer la petite garnison de la Bürgerbräukeller, tandis que sur l'autre rive de l'Isar, les hommes de Roehm réussissent à occuper le siège du VIIe district militaire, quartier général de von Lossow dans la Schönfeldstrasse. Le putsch semble donc triompher, et l'euphorie règne dans l'entourage d'Hitler. Pourtant, on est encore sans nouvelles des autres actions menées dans la ville, et la nuit promet d'être longue. « J'ai été retrouver Goering, notera Hanfstaengl, et il m'a dit : "Putzi, va appeler Carin et dis-lui que je ne rentrerai sans doute pas cette nuit. Et pendant que tu es sorti, poste-lui cette lettre" [43]. » Ainsi donc, on peut être dans la même nuit un révolutionnaire implacable et un incorrigible sentimental...

Mais la journée du 8 novembre n'est pas encore terminée que l'incertitude commence à s'installer : les bâtiments de la radio, de la poste et du télégraphe ne sont pas occupés, les insurgés ne contrôlent pas davantage le siège du commissariat général, et ils semblent avoir du mal à rallier les casernes. C'est précisément ce dernier élément qui va se révéler décisif : trois cents hommes du Bund Oberland devaient trouver des armes à la caserne du génie, mais ils y reçoivent un accueil hostile, et les négociations n'aboutissent pas. Depuis la Bürgerbräukeller, le lieutenant-colonel Kriebel, commandant du Kampfbund, envoie un officier pour parlementer, mais Hitler tient à s'y rendre aussi. C'est une erreur de taille, et elle se double d'une autre plus grave encore : il laisse le général Ludendorff en charge de la Bürgerbräukeller... Or, le Führer, revenu bredouille une demi-heure plus tard, constate que Ludendorff a laissé partir von Kahr, von Lossow et von Seisser. Lorsque Hitler lui demande comment il a pu faire confiance à von Lossow, le vieux héros de la Grande Guerre lui répond sentencieusement et plutôt naïvement que le chef de la Reichswehr locale a donné sa parole, et qu' « un général allemand ne revient pas sur sa parole [44] ».

Peu avant minuit, Hitler, Ludendorff, Kriebel et Scheubner-Richter vont retrouver Roehm au siège du district militaire occupé. Après maintes accolades et d'innombrables digressions sur l'avenir radieux d'une Allemagne national-socialiste, ils en viennent aux urgences de l'heure, et Ludendorff tente d'entrer en relations avec von Lossow, qui avait déclaré se rendre à son bureau du district militaire pour y donner tous les ordres nécessaires. Or, non seulement von Lossow n'est pas là, mais encore il reste injoignable. On envoie des émissaires à la Kommandantur, mais ils ne reviennent pas. Von Seisser et von Kahr sont également introuvables... Au même moment, les hommes de Rossbach et les cadets de l'infanterie tentent de pénétrer dans le bâtiment du commissariat général qui abrite le bureau de von Kahr, mais ils sont tenus en respect par la police, hésitent à lancer l'assaut et finissent par lever le siège. Or, von Kahr s'y trouvait, et il recouvre désormais sa liberté de mouvement ; c'est pour se rendre discrètement à la caserne du 19e régiment d'infanterie, où il rejoint von Lossow et von Seisser ; la contre-révolution est déjà en marche *...

---

* Une fois sorti de la brasserie, von Lossow s'est rendu à la Kommandantur, où le général von Danner, commandant de la garnison de Munich, avait été informé du putsch par le chef d'état-major sorti de la brasserie au moment de l'intervention

Peu après 3 heures du matin, au siège du district militaire toujours occupé, Roehm et Hitler entendent le communiqué suivant, diffusé par la radio depuis 2 h 55 : « Le commissaire général von Kahr, le colonel von Seisser et le général von Lossow répudient le putsch lancé par Hitler. Leurs promesses de soutien, obtenues sous la menace des armes, sont nulles et non avenues [45]... » Décidément, les choses se gâtent ; Hitler fait prévenir le tout nouveau ministre-président Poehner (qui était allé se coucher) et lui ordonne d'aller prendre d'assaut le QG de la police avec un détachement du Bund Oberland. Poehner, très sûr de lui, s'y rend accompagné d'un seul officier, pénètre dans le bâtiment... et est promptement arrêté. Entre-temps, Hitler, Ludendorff et leurs compagnons ont regagné la Bürgerbräukeller peu avant l'aube. Alors que le froid se fait mordant et qu'une neige fine tombe sur Munich, le Führer commence manifestement à déchanter : « Si nous nous en tirons, très bien ; sinon, nous devrons nous pendre [46]... »

Dans la grande salle à l'air encore lourd des remugles de bière et de fumée de la veille, il règne comme une atmosphère de Crépuscule des Dieux. Les SA et leurs alliés du Bund Oberland y campent toujours, rejoints en permanence par des camarades venus des quatre coins de la Bavière, en voiture, en camion et même à cheval. En chemin, ils ont doublé des convois de troupes de la Reichswehr, et une certaine confusion règne visiblement dans leurs rangs. A l'étage supérieur, les chefs délibèrent : Ludendorff, toujours calme, boit du vin rouge en guise de petit

---

d'Hitler. Von Danner avait alerté le commandant en chef von Seeckt, et reçu de celui-ci l'ordre de réprimer immédiatement le putsch, « faute de quoi il s'en chargerait lui-même ». Ayant mis von Lossow au courant, von Danner a ajouté diplomatiquement : « Vous avez donné votre parole... Mais ce n'était qu'un bluff, n'est-ce pas, Herr General ? » Voyant le vent tourner, von Lossow s'est empressé de confirmer qu'il avait agi sous la contrainte, puis a transporté son QG à la caserne du 19ᵉ régiment d'infanterie d'Oberwiesenfeld, d'où il a donné l'ordre aux troupes de la Reichswehr basées à Landshut, Regensburg, Augsburg et Ingolstadt de converger sur Munich pour réprimer le putsch. L'ordre a été transmis d'autant plus facilement que les insurgés n'ont pas occupé le bâtiment de la radio, et que Roehm, qui occupe toujours le siège du district militaire, a négligé de s'assurer le contrôle de sa salle des transmissions ! Von Seisser et von Kahr, apprenant que la Reichswehr s'oppose désormais au putsch, sont également revenus sur leur parole vers 1 heure du matin, ont ordonné à la police d'arrêter les putschistes et ont rejoint von Lossow à Oberwiesenfeld. C'est là que les trois hommes ont rédigé le communiqué qui sera diffusé à 2 h 55 du matin...

déjeuner, et bougonne qu'il « ne croira plus jamais en la parole d'un officier allemand ». Hitler, lui, continue à distribuer des ordres : une unité doit aller s'emparer du QG de la police pour libérer Poehner... Une autre est envoyée à l'imprimerie pour y réquisitionner des billets neufs : l'argent n'est-il pas le nerf de la guerre ? Gregor Strasser, qui a roulé toute la nuit avec ses SA de Landshut, débarque à la brasserie aux premières lueurs de l'aube, pour y trouver un Goering toujours martial, avec son casque d'acier et son pardessus de cuir noir. « Ces individus, lui dit Goering en évoquant le triumvirat, ont renié la parole qu'ils avaient donnée au Führer, mais le peuple est toujours avec lui. Nous allons tout recommencer [47]. »

Recommencer, certes, mais à partir d'où ? Un conseil de guerre se tient à l'étage vers 11 heures du matin, et les chefs du putsch ont du mal à s'accorder sur la tactique à adopter. Kriebel propose de faire retraite vers Rosenheim, près de la frontière autrichienne, où l'on pourra rassembler de nouvelles unités pour mieux repartir ; Goering l'approuve : après tout, c'est son pays d'origine, et il peut garantir que tout le monde y est favorable à Hitler. Mais Ludendorff ne veut rien entendre : « Il n'est pas question que le mouvement s'enlise dans le fossé de quelque obscur chemin vicinal... » Hitler, lui, hésite, mais au-dehors, la situation s'aggrave : on apprend qu'au siège du district militaire, le capitaine Roehm et ses hommes sont encerclés par la police et l'armée, qui menacent de prendre le bâtiment d'assaut. C'est alors Ludendorff qui indique clairement la marche à suivre : il faut se rendre en masse au cœur de Munich pour porter secours à Roehm [48]. Hitler se range rapidement à cet avis : « Nous devions aller en ville, dira-t-il plus tard, pour mettre le peuple de notre côté, [...] et pour voir comment Kahr, Lossow et Seisser réagiraient face à l'opinion publique. Après tout, ces messieurs ne pouvaient guère être assez stupides pour ouvrir le feu à la mitrailleuse sur un soulèvement général du peuple. C'est ainsi que nous avons décidé de marcher sur la ville [49]. »

Le sort en est jeté : peu après 11 h 30, le cortège se forme devant la brasserie et s'ébranle en direction du centre-ville : en tête, un camion avec des SA lourdement armés, une mitrailleuse et huit hommes portant des bannières noir-blanc-rouge, ainsi que d'autres frappées de la svastika. Derrière ce camion, tous les dignitaires du mouvement, avec au premier rang Hitler, Ludendorff et Scheubner-Richter, suivis de Kriebel, de Graf, de Rosenberg et d'un Goering toujours casqué, avec son manteau de cuir noir largement ouvert pour découvrir ses médailles. Ils sont suivis de trois unités marchant en colonnes par quatre ; à gauche les cent hommes de la garde personnelle d'Hitler, avec leurs casques d'acier, leurs carabines et leurs grenades à manche ; sur la droite, les hommes du Bund Oberland, et au centre les SA du régiment de Munich, exhibant leurs pistolets. Derrière eux, les cadets de l'école d'infanterie armés de fusils, baïonnette au canon, encadrés d'étudiants, de petits commerçants, d'ouvriers et de quelques hommes d'affaires, tous portant au bras gauche un brassard à croix gammée. En tout quelque 2 000 hommes...

Il fait un froid mordant, le ciel est d'un gris plombé, la neige tombe par intermittence et le tapis blanc qui recouvrait Munich pendant la nuit s'est transformé en une boue noirâtre qui retarde la progression. Au bout d'un quart d'heure, le cortège atteint le Ludwigsbrücke, qui enjambe l'Isar. L'entrée en est défendue par un petit détachement de police, mais il est rapidement débordé, et la longue colonne traverse le pont sans encombre avant de s'engager dans la Zweibrückenstrasse. De part et d'autre de la rue, une foule de Munichois acclame les marcheurs en agitant des drapeaux à croix gammée. C'est bientôt une atmosphère de liesse qui les entoure, et de nombreux badauds se joignent au cortège, qui débouche peu avant 12 h 30 sur la Marienplatz. Elle est noire de monde, il y a des drapeaux à croix gammée aux fenêtres et au fronton de la mairie, et les acclamations de la foule se mêlent aux chants patriotiques. Pourtant, sur les murs des édifices, il y a déjà des affiches annonçant que le NSDAP et le Kampfbund sont dissous et leurs dirigeants recherchés, mais personne ne semble y prêter attention...

Au sortir de la Marienplatz, il y a un certain flottement : le camion se retrouve au milieu du cortège, derrière les marcheurs de tête, qui eux-mêmes hésitent sur le chemin à suivre. Mais Ludendorff s'engage résolument à droite dans la Weinstrasse, en direction de l'Odeonsplatz, et la colonne suit instinctivement le prestigieux général. Pour atteindre la place, il faut ensuite s'engager dans l'étroite Residenzstrasse, où l'on ne peut marcher

LA TENTATIVE DE PUTSCH DU 9 NOVEMBRE 1923 À MUNICH

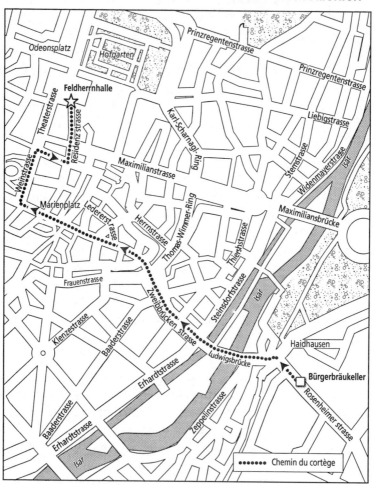

••••••• Chemin du cortège

qu'à huit de front. Or, l'extrémité de la rue, face à la Feldherrn-halle, est barrée par une compagnie de la Grüne Polizei, la police d'Etat ; elle est commandée par le lieutenant von Godin, qui a reçu de Seisser l'ordre formel d'empêcher le cortège de déboucher sur l'Odeonsplatz. La colonne s'immobilise enfin devant le cordon de police ; Ulrich Graf s'en détache et crie : « Ne tirez pas ! Ne tirez pas ! Son Excellence Ludendorff arrive ! » Hitler lui-même aurait ajouté : « Rendez-vous ! », ce qui n'a pas dû détendre l'atmosphère. Brusquement, un coup de feu claque, sans doute tiré du cortège, et dès lors, sans même en attendre l'ordre, les policiers ouvrent le feu. Une grêle de projectiles balaie la rue, et les premiers rangs de marcheurs plongent à terre. L'échange de tirs ne dure qu'une trentaine de secondes, mais il est meurtrier *. Graf se précipite devant Hitler et reçoit onze balles dans la poitrine ; Scheubner-Richter, mortellement touché à la tête, s'écroule en entraînant Hitler, qui tombe à terre et se croit touché au côté ; en fait, il n'a que le bras gauche déboîté. Neubauer, le fidèle valet qui a fait à Ludendorff un écran de son corps, est pratiquement coupé en deux par une salve, tandis que le vieux général poursuit dignement sa marche vers le cordon de police, qui s'ouvre respectueusement pour le laisser passer ; Hitler, lui, fait demi-tour et repart en trébuchant vers l'arrière du cortège, où il est embarqué dans une voiture qui repart à toute allure. Mais parmi les corps qui restent étendus à l'extrémité de la rue, il y a celui de Hermann Goering ; grièvement blessé à la cuisse, il parvient malgré tout à se traîner derrière un des lions de pierre qui gardent l'entrée de la Feldherrnhalle, et il y reste prostré. Deux SA le relèvent et le portent vers l'entrée la plus proche, celle du n° 25 de la Residenzstrasse. Ils frappent à la première porte, qui se trouve être celle du marchand de meubles Robert Ballin, et demandent : « Pouvez-vous abriter un homme blessé ? C'est un chevalier de l'ordre Pour le Mérite... » La réponse leur parvient aussitôt : « J'accueille tous les hommes en détresse, qu'ils soient décorés ou pas [50] ! »

Par chance, la femme de Herr Ballin et sa sœur ont été infirmières pendant la guerre ; elles couchent le blessé, arrêtent l'hémorragie, nettoient la blessure de leur mieux et contactent le

---

* Il y aura en tout dix-neuf morts : seize nazis et trois policiers.

professeur Alwin Ritter von Ach, un sympathisant nazi qui tient une clinique en ville ; les deux femmes veillent ensuite le patient jusqu'à la tombée de la nuit, puis le font transporter discrètement jusqu'à la clinique. Leur mérite est d'autant plus grand qu'elles savent que Hermann Goering est désormais recherché par la police, qu'elles connaissent parfaitement l'idéologie de son parti... et qu'elles sont juives.

Fanny, la sœur de Carin, a assisté de loin à la fusillade, mais n'a rien pu apprendre du sort des dirigeants nazis. C'est seulement en pleine nuit qu'un SA vient prévenir Carin et sa sœur que Goering a été blessé et transporté à la clinique du professeur von Ach. Carin, alitée avec une forte fièvre et une congestion pulmonaire, a l'interdiction formelle de se lever, mais elle commande une voiture sur-le-champ et se tient une demi-heure plus tard au chevet de son Hermann. « Elle est maintenant tout à fait calme et maîtresse de la situation, note Fanny ; sa main dans la sienne, ses yeux ne quittant pas son visage un seul instant, elle réfléchit intensément. [...] Chaque seconde compte. Il faut rapidement concevoir un plan, alerter les amis. Hermann Goering doit quitter la ville avant l'aube, même au risque de sa vie, même s'il recommence à saigner et si la douleur est insupportable [51]. » Il est vrai que notre homme est mal en point : la balle qui a pénétré dans le haut de sa cuisse droite s'est arrêtée à cinq millimètres de l'artère fémorale, et le risque d'une hémorragie reste très élevé. Mais le risque d'arrestation est plus grand encore : Fanny vient d'apprendre que von Lossow a personnellement signé l'ordre de capturer Goering, mort ou vif...

Avec l'aide de plusieurs SA, le blessé est chargé dans une voiture et conduit jusqu'à Garmisch Partenkirchen, à 90 kilomètres au sud de Munich. Des amis sûrs l'abritent dans leur villa, mais au bout de deux jours, la nouvelle se répand dans la ville et des sympathisants commencent à se rassembler autour de la maison pour acclamer le réfugié. « Il nous a paru préférable de partir et de traverser la frontière pour passer en Autriche, écrira Carin à sa mère ; nous avons atteint la frontière en voiture, mais là, on nous a arrêtés et des policiers armés nous ont ramenés à Garmisch. Des foules massées de tous côtés criaient " Heil Goering ! " et conspuaient les policiers, qui ont failli être lynchés par la foule en colère. En dépit de son état, Hermann a dû les calmer, en leur disant que les policiers ne faisaient que leur devoir [52]. »

De retour à Garmisch Partenkirchen, les policiers conduisent le prisonnier à l'hôpital local, où ils le laissent sous bonne garde après lui avoir confisqué son passeport. Mais les nazis locaux lui en procurent rapidement un autre, ils ont de nombreux complices au sein de la police, et un plan d'évasion est rapidement mis au point. « Tout s'est passé comme par miracle, poursuit Carin ; Hermann a été porté jusqu'à une voiture (il était incapable de faire un pas), et ensuite, vêtu seulement d'une chemise de nuit, couvert d'un manteau de fourrure et de plusieurs couvertures, il a été conduit en deux heures jusqu'à la frontière, qu'il a pu franchir grâce à son faux passeport [53]. » La fidèle Carin le rejoindra le lendemain, après être passée en Autriche à *pied* par des sentiers de montagne... En considérant l'intensité des efforts fournis depuis soixante-douze heures par cette femme très diminuée, qui avait l'interdiction formelle de quitter son lit au soir du 9 novembre, on ne peut que saluer ce triomphe de la force morale sur la faiblesse physique.

Goering est maintenant hors d'atteinte des autorités bavaroises, mais sa situation n'en est pas moins délicate : il laisse derrière lui un parti dissous, dont les principaux dirigeants viennent d'être incarcérés * ; à Munich, tous ses biens ont été confisqués, ses comptes bancaires sont bloqués et sa tête est mise à prix ; l'Allemagne lui est désormais fermée, l'Autriche ne l'accueille qu'avec réticence, il est désormais sans ressources, et immobilisé de surcroît par une blessure aussi douloureuse qu'invalidante. Pour un homme qui a toujours rêvé de gloire et d'opulence, il y a manifestement des situations plus enviables...

---

* A commencer par Hitler lui-même, qui a été arrêté le 11 novembre à Uffing, dans la résidence de campagne des Hanfstaengl où il avait trouvé refuge.

V

Descente aux Enfers

A Innsbruck, où les sympathisants nazis sont légion, les rescapés du putsch manqué sont chaleureusement accueillis, mais
Hermann Goering n'y passera pas moins les pires moments de
son existence... Au matin du 12 novembre, il est conduit à
l'hôpital de la ville, où les médecins constatent que les éclats de
projectile logés sous l'aine droite ont provoqué d'importants
dégâts et de multiples foyers d'infection. Il faut donc opérer en
urgence un patient déjà très affaibli par la perte de sang, le
manque de sommeil et les déplacements incessants. L'opération
réussit, mais au cours des deux jours qui suivent, Hermann
délire sans discontinuer, sous l'effet conjugué de la fièvre et du
chloroforme. Il est veillé sans cesse par la très dévouée Carin,
dont la santé chancelante a été encore éprouvée par cent vingt
heures d'insomnies, d'alarmes continuelles et d'efforts physiques
manifestement excessifs.

Lorsqu'il reprend ses esprits, le putschiste malheureux peut
constater que sa situation personnelle est très précaire, mais
aussi qu'il est loin d'être abandonné : de nombreux sympathisants se succèdent à son chevet, notamment Paula, la sœur
d'Hitler, Winifred et Siegfried Wagner, Houston Stewart
Chamberlain, le fidèle Bodenschatz et tous les dignitaires du
parti échappés d'Allemagne : Hesser, Rossbach, Lüdecke, Hoffmann et Hanfstaengl, qui se sont juré de réorganiser le mouvement depuis Salzbourg et jouissent encore de nombreuses
complicités dans toute la Bavière. Kurt Lüdecke, pour sa part,
reviendra de l'hôpital plutôt déçu par Goering, mais très

impressionné par son épouse : « Frau Goering était une femme charmante, calme et sympathique, dont l'allure et la démarche reflétaient une noblesse toute particulière. Goering ne faisait rien pour cacher qu'il l'adorait, et je suppose qu'en son for intérieur, il considérait qu'elle lui était très supérieure. J'étais du même avis [1]. »

Alors que Goering est immobilisé sur son lit de douleur et que les autres dirigeants nazis exilés commencent à faire passer en Bavière des tracts appelant à la sédition, Carin, elle, doit trouver les moyens de subsister dans cette ville étrangère, où elle est arrivée sans le moindre pécule. Par chance, l'environnement est loin d'être hostile, et le patron du très confortable hôtel Tiroler Hof, un nazi convaincu, s'est déclaré prêt à lui consentir une réduction de 30 % sur le prix du séjour, à lui faire crédit... et à ne pas trop se formaliser en cas de non-paiement ! Hanfstaengl, venu rendre visite à Goering, sera le témoin stupéfait de cette générosité : « J'ai raccompagné Carin à son hôtel, et j'ai constaté avec surprise qu'elle vivait dans l'opulence. Nous autres exilés survivions comme des clochards, mais les Goering, eux, semblaient différents par nature [2]. » Il est déjà triste d'être pauvre, si en plus il fallait se priver !

Mais l'état de Hermann s'aggrave brusquement, ainsi que l'écrira Carin à sa mère le 30 novembre : « Il y a quatre jours, toutes les blessures qui étaient en train de cicatriser se sont rouvertes — beaucoup de pus dans la jambe, il a été radiographié et on a pu voir dans les muscles des quantités d'éclats de balles, de fragments de pavés, etc., qui étaient à l'origine de tout cela. Il a été opéré sous chloroforme, mais depuis trois jours, il a une forte fièvre, il délire, crie, rêve de combats de rue et souffre de façon indescriptible. Toute sa jambe est couverte de tuyaux en caoutchouc pour laisser s'écouler le pus. [...] J'ai emménagé à l'hôpital il y a trois jours pour être à ses côtés. [...] Nous n'avons pas de projets pour l'avenir et ne pouvons pas en faire. Tout dépendra de la façon dont la situation évoluera en Allemagne, et particulièrement en Bavière [3]. »

Pour l'heure, elle évolue plutôt mal pour les nationaux-socialistes : von Kahr et von Lossow viennent d'assurer Berlin et le commandant en chef von Seeckt qu'ils ont la situation bien en main, les « associations patriotiques » sont désarmées, Hitler est emprisonné dans la forteresse de Landsberg, la plupart de ses lieutenants encore en liberté ont été arrêtés, d'autres, comme Rudolf Hess, se sont rendus volontairement, et tous doivent être jugés au début de 1924. Goering est toujours recherché, sa maison de Munich est surveillée, son courrier confisqué, ses comptes bancaires bloqués, et un mandat d'arrêt a même été émis à l'encontre de Carin pour complicité dans l'évasion de son époux. A Salzbourg, la situation du parti n'est guère plus brillante : « Nous faisions de notre mieux pour rester en contact avec Munich, se souviendra Kurt Lüdecke, mais nous nous rendions bien compte qu'au vu des circonstances, il serait difficile de persuader les gens que notre cause n'était pas perdue... Pour être franc, nous avions du mal à nous en persuader nous-mêmes. Le parti était dissous, et nous ne pouvions guère compter sur le soutien financier de ses anciens membres [4]. »

Rien de tout cela n'a dû réconforter Goering, dont l'état de santé continue à se détériorer ; le 8 décembre, Carin écrit à sa sœur Lily : « Je ne peux rien faire pour l'aider. Tout le long de la cuisse, sa blessure est pleine de pus. La douleur est telle qu'il reste allongé à mordre l'oreiller, et je n'entends que des grognements inarticulés. Il y a exactement un mois aujourd'hui qu'on lui a tiré dessus, et en dépit des injections quotidiennes de morphine, les douleurs ne se sont pas atténuées [5]. » Le mot est prononcé : pour soulager leur patient, les médecins autrichiens ont effectivement commencé à lui administrer de la morphine, à raison de deux piqûres par jour. Ils l'ont fait avec réticence, étant pleinement conscients des risques de dépendance, mais l'urgence commande et le traitement va se prolonger – jusqu'à faire entrer Hermann Goering dans un redoutable engrenage, dont il est bien loin de prévoir les conséquences...

Pour l'heure, la robuste constitution du blessé prend progressivement le dessus, et le 22 décembre, il devient possible de retirer les drains qui couvrent sa cuisse. Dès lors, ses douleurs s'atténuent considérablement, et il veut partir sans tarder ! Les médecins sont très réservés, mais leur patient est aussi rétif que persuasif, et la veille de Noël, il franchit bravement les portes de l'hôpital, appuyé sur deux béquilles. A l'hôtel Tiroler Hof, Carin l'attend avec impatience : « J'avais essayé de rendre la chambre aussi accueillante que possible, écrira-t-elle à son père. Les SA d'Innsbruck lui avaient offert un petit arbre de Noël, dont chaque lumière était décorée de rubans noir-blanc-rouge. Dans un état de fatigue extrême, il se traînait péniblement sur ses béquilles. [...] Nous sommes restés longuement assis ensemble à regarder scintiller les lumières, en repensant à tout ce qui s'était passé. Cela me faisait si mal de voir Hermann réduit à l'état de réfugié, poursuivi par les autorités de son pays ! Vers 8 heures, n'y tenant plus, je me suis habillée et je suis sortie pour respirer un peu d'air frais [6]. » Hélas ! L'air est si frais que Carin se retrouve au milieu d'une véritable tempête de neige, et elle est tellement absorbée dans ses pensées qu'elle s'y attarde trop longtemps... Dès le lendemain, elle se réveille donc avec une forte fièvre, qui l'obligera à garder le lit pendant plusieurs jours à la place de son époux. Eu égard à la santé fragile et à l'état d'épuisement de Carin Goering, ce refroidissement n'aura rien d'anodin.

Hermann, lui, reprend lentement des forces, et dès le 2 janvier 1924, il tente de marcher sans béquilles. Ce n'est pas exactement une réussite, et Carin écrira à sa sœur : « Je souffre tant de voir mon Hermann, autrefois si énergique, vigoureux et plein d'humour, à présent si pâle, si taciturne et aussi maigre que les béquilles sur lesquelles il s'appuie. » Et Carin ajoute au passage : « Hier et avant-hier, l'avocat d'Hitler * est venu nous voir. Il arrivait directement de la forteresse où Hitler est enfermé, pour nous amener des nouvelles et une lettre de lui [7]. » Bien entendu, Hitler n'écrit pas à Goering pour s'enquérir de sa santé, mais pour le charger de réorganiser le parti dans toute l'Autriche, et surtout de lever des fonds destinés à payer les frais de son procès et à financer la prochaine campagne électorale du « Mouvement allemand pour la liberté ** ». C'est évidemment beaucoup demander à un homme qui peut à peine marcher avec deux béquilles, mais dès la fin de janvier 1924, Hermann Goering est déjà parti en mission... Le 4 février, Carin écrit avec quelque anxiété : « Ces derniers temps, je ne l'ai pratiquement pas vu. Il prend des trains de nuit pour gagner du temps, et il s'est lancé dans le travail comme un fou [8]. »

---

* Lorenz Roder, qui fait depuis décembre la navette entre l'Allemagne et l'Autriche.

** Le NSDAP étant lui-même dissous depuis la tentative de putsch, les militants se sont regroupés sous ce sigle. Kurt Lüdecke recevra deux jours plus tard des instructions identiques par l'intermédiaire du même avocat, cette fois pour lever des fonds aux Etats-Unis.

Le mot n'est pas trop fort : on voit successivement le capitaine Goering à Salzbourg, à Linz, à Graz, à Klagenfurt, à St. Pölten, à Eisenstadt et surtout à Vienne... Il retournera plusieurs fois dans la capitale autrichienne, notamment pour tenter de faire libérer le lieutenant Rossbach, arrêté pour possession de faux passeport. Les efforts déployés par ce voyageur encore très diminué peuvent laisser pantois, mais il faut se souvenir que Hermann Goering reste un homme sous influence, et que l'énergie qu'il déploie est celle du fanatique ; dans sa correspondance, d'ailleurs, il utilise inconsciemment toutes les expressions du Führer : « Je veux rentrer dans une Allemagne nationale, et non dans cette république de Juifs » ; « les traîtres seront vaincus par leur propre trahison » ; « nous commençons à nous relever [...] avec une croyance fanatique en notre victoire finale » [9]. Ce militant obsessionnel a d'ailleurs proposé à Hitler de retourner à Munich pour être jugé à ses côtés, mais Hitler a refusé : Goering lui est plus utile en Autriche, et d'ailleurs, le Führer entend être seul à tenir la vedette lors du procès qui s'annonce...

C'est très exactement ce qu'il va faire dès le 26 février 1924, lorsque commencent les auditions devant la cour spéciale réunie dans l'ancienne école d'infanterie de la Blutenburgstrasse. Accusé de haute trahison et de soulèvement armé en même temps que neuf coïnculpés *, Hitler va profiter au maximum de la présence des journalistes, de la complaisance des juges, de la pusillanimité du procureur, de la vulnérabilité des témoins à charge ** et de la complicité du ministre de la Justice Gürtner pour transformer le tribunal en une tribune, et passer de la position d'accusé à celle d'accusateur... Loin de tenter de minimiser son rôle comme le fait Ludendorff, il revendique pleinement la responsabilité de la tentative d'insurrection, qu'il justifie pendant de longues heures à l'aide de sa redoutable éloquence : « Je suis le seul responsable, mais je ne suis pas un criminel pour autant. Si je me présente ici comme un révolutionnaire, c'est un révolutionnaire contre la révolution ; il ne peut y avoir de haute

---

* Ludendorff, Poehner, Frick, Roehm, Weber et Kriebel, ainsi que trois personnages de moindre envergure, les lieutenants Wagner, Brückner et Pernet.

** Kahr, Lossow et Seisser, qui ont dû démissionner au début de 1924. Tout le monde savait qu'ils avaient donné leur parole à Hitler au soir du 8 novembre, mais personne ne devait apprendre qu'ils avaient participé à un complot pour marcher sur Berlin et renverser la République de Weimar.

trahison contre les traîtres de 1918. Je ne peux être accusé de haute trahison, car la trahison n'aurait pas été liée aux événements du 8 novembre, mais à toutes nos activités et à tout notre état d'esprit au cours des mois précédents – et dans ce cas, je me demande pourquoi ceux qui ont fait exactement comme moi ne sont pas assis à mes côtés sur le banc des accusés *. [...] Je me considère comme le meilleur des Allemands qui voulaient le meilleur pour le peuple allemand. [...] Je voulais devenir le destructeur du marxisme, et cette tâche, j'entends bien l'accomplir. [...] Vous pouvez nous prononcer mille fois coupable, mais cela fera rire la déesse de l'éternel tribunal de l'histoire, qui déchirera en mille morceaux le réquisitoire du procureur et la sentence de cette cour [10]. »

Ces interminables logorrhées ont sur les juges un effet à la fois soporifique et hypnotique... Il est impossible d'acquitter Hitler **, et tout aussi impossible de le condamner lourdement. Le verdict prononcé le 1er avril 1924 sera donc de cinq années de forteresse, diminuées des cinq mois déjà passés en prison et assorties d'une promesse tacite que le Führer sera libéré par anticipation. Ses principaux complices sont condamnés à la même peine, à l'exception de Ludendorff, qui est acquitté ***. Mais pour Hitler, le principal résultat est acquis : après une tentative de putsch qui l'avait fait sombrer dans le ridicule et dans l'insignifiance, sa prestation devant les juges l'a rendu célèbre dans l'Allemagne tout entière ; son emprisonnement en fera de surcroît un martyr...

Chez les Goering, la déception est grande : on comptait sur un acquittement de tous les participants au complot, sans exception. Mais Carin, qui est résolument optimiste, écrit à sa mère : « Nous attendons une amnistie dès le mois prochain, pour tous ceux qui sont à l'étranger. » Et elle ajoute ce commentaire révélateur : « Le pire, c'est encore la question de l'argent. Si nous pouvions avoir quelques certitudes là-dessus, nous serions plus tranquilles à bien des égards [11]. » Goering se trouve en effet dans une situation impossible : il est censé reconstituer le parti natio-

---

* Une allusion transparente à Kahr, Lossow et Seisser.
** Dans un tel cas, en effet, l'affaire serait rejugée par le tribunal de Leipzig, ce qui risquerait de mettre en lumière les activités séditieuses des autorités bavaroises.
*** Le vieux général sortira furieux du tribunal, en clamant que son acquittement est « une injure à son uniforme et à ses décorations »...

nal-socialiste en Autriche, sans recevoir d'Allemagne les moindres subsides à cet effet ; il lui faut donc compter sur ses propres moyens, qui sont pratiquement inexistants, et sur les contributions des sympathisants, qui sont très aléatoires. Par ailleurs, les autorités autrichiennes, inquiètes de ses activités et saisies d'une demande d'extradition émanant des autorités allemandes, ont fait savoir à Goering qu'il serait bien avisé d'écourter son séjour [12]. Le couple envisage donc de rentrer en Suède en passant par l'Italie, mais il se heurte là encore à l'éternelle « question de l'argent ». Dès lors, il ne reste qu'une solution : en dépit de son état de santé très précaire *, Carin Goering retourne à Munich pour demander une aide financière à Hitler et à Ludendorff.

Après un discret séjour à la villa d'Obermenzing, qui n'est plus sous séquestre, la très dévouée Carin rend donc visite à Ludendorff dans sa nouvelle résidence de Solln ; mais entre deux fervents discours patriotiques, le glorieux général, manifestement échaudé par sa récente expérience, lui fait comprendre qu'il ne peut rien pour elle. D'ailleurs, le fait de servir le parti n'est-il pas déjà la récompense suprême ? Carin prend rapidement congé... Le 15 avril, enfin, elle se rend à la forteresse de Landsberg, où Hitler entame sa captivité dans des conditions de confort parfaitement acceptables : selon Lüdecke, l'endroit ressemble davantage à un sanatorium qu'à une prison [13], et si l'on en croit Hanfstaengl, il y a même des sanatoriums plus austères : « Les quartiers d'Hitler et de Hess étaient moins des cellules qu'une suite de pièces formant un appartement. L'endroit avait l'air d'une boutique de traiteur, et avec tout ce qui s'y trouvait entassé, on aurait pu ouvrir un commerce de fleurs, de fruits et de vin. Les gens lui envoyaient des cadeaux de toute l'Allemagne [...]. Il y avait sur la table des jambons de Westphalie, des gâteaux, du cognac et toutes les denrées imaginables. On aurait dit les réserves d'une expédition polaire fantastiquement bien équipée [14]. » L'homme que ses très prévenants geôliers appellent « le prisonnier d'honneur » est donc parfaitement en mesure d'offrir le thé à sa visiteuse, et il lui donne en prime une photo de lui-même, dédicacée « à l'épouse honorée de mon commandant des SA, Frau Carin Goering, en souvenir de sa visite à la

---

* Une infirmière doit s'occuper d'elle pratiquement en permanence.

forteresse de Landsberg, le 15 avril 1924 [15] * ». Ce n'est pas
tout : apprenant que Goering a l'intention de passer par l'Italie
avant de rentrer en Suède, il lui fait transmettre l'instruction de
rendre visite à Mussolini, afin de l'intéresser financièrement à la
cause national-socialiste. Quant à fournir des subsides à son
ancien chef des SA pour lui permettre de survivre et d'accomplir
sa nouvelle mission, il n'en est pas question ; d'ailleurs, d'où
Hitler les tirerait-il ? Plus tard, peut-être... Carin Goering rentrera donc à Innsbruck les mains vides.

Avec ou sans ressources, il est maintenant devenu impératif
de quitter l'Autriche, et le 3 mai 1924, les Goering prennent le
train pour l'Italie. Le très dévoué directeur de l'hôtel Tiroler Hof
les a recommandés à un ami allemand qui dirige un grand hôtel
de Venise, le Britannia, près de la place Saint-Marc, et c'est donc
là qu'ils vont d'abord déposer leurs valises. Pour Carin, qui n'a
jamais vu le sud de l'Europe, Venise est une révélation, et les six
jours passés dans cette ville seront pour le couple une véritable
lune de miel : séjour dans un hôtel de luxe à des prix très
réduits, promenades en gondole sur le Grand Canal, bains de
mer près du Lido, visite des îles, des églises, des monastères et...
des boutiques, qui rappellent quelque peu les deux touristes aux
dures réalités de l'heure – ainsi que l'écrit Carin à sa mère :
« Des babioles, des bijoux, des coraux, de la verrerie, des anti-
quités vraies et fausses. Oh, chère mère, si nous avions un million, ce ne serait pas de trop !!! Mais nous n'avons pas même
une lire [16] !!! »

Cet aveu déchirant – et quelque peu exagéré – semble surtout
destiné à encourager la baronne von Fock à envoyer quelques
devises supplémentaires à sa fille et à son gendre, qui trouvent
encore le moyen de visiter Sienne et Florence, avant d'arriver à
Rome – où ils descendent à l'hôtel Eden, le plus luxueux de la
ville ** ! Hermann Goering, qui ne doute de rien, est persuadé

---

* Le dernier chiffre de la date inscrite par Hitler au bas de la photo ressemblant
quelque peu à un 5, plusieurs biographes en ont déduit que la visite de Carin à
Landsberg avait eu lieu le 15 avril *1925*. C'est manifestement impossible, car à cette
date, Hitler avait été libéré depuis près de quatre mois.

** En réalité, les Goering semblent bien avoir obtenu avant leur départ
d'Innsbruck quelques subsides de Siegfried Wagner, ainsi qu'un « prêt » d'Ernst
Hanfstaengl (qui ne sera naturellement jamais remboursé) – tout cela en plus des
sommes envoyées par les parents de Carin et par son premier mari...

que les autorités italiennes lui réserveront le meilleur accueil en tant qu'envoyé d'Hitler, et qu'il sera reçu sans tarder par Mussolini en personne ; après quoi ce sera un jeu d'enfant de persuader le Duce de signer un traité secret avec Hitler et d'accorder au NSDAP un prêt de 2 millions de lires... Et une fois sa mission accomplie, le glorieux capitaine-conspirateur-propagandiste-diplomate pourra enfin partir pour la Suède, avec tous les honneurs et un témoignage de reconnaissance concret de la part du Führer. C'est ce que les Suédois appellent « *önsketänkning* », les Anglais « *wishful thinking* », et les Français... prendre ses désirs pour des réalités !

Tout se déroule d'abord comme prévu : au petit matin du 12 mai 1924, le lendemain même de leur arrivée à Rome, Carin écrit que « Hermann est parti depuis une heure déjà. Il va d'abord voir l'aide de camp de Mussolini pour fixer le rendez-vous avec Mussolini lui-même [17] ». En fait, c'est loin d'être aussi simple ; l'homme contacté par Hermann est Leo Negrelli, l'ancien correspondant à Munich du *Corriere d'Italia*, qui va lui présenter le diplomate Giuseppe Bastianini. Il y aura effectivement plusieurs conversations entre Goering et Bastianini, mais les choses vont s'arrêter là : d'une part, l'envoyé très spécial du Führer commet d'emblée plusieurs impairs qui indisposent son interlocuteur * ; d'autre part, le Duce, en homme pragmatique, ne voit nullement l'intérêt de recevoir le représentant en fuite d'un conspirateur emprisonné, et moins encore celui de compromettre ses relations avec la République de Weimar en se liant à un petit parti putschiste, qui vient d'être interdit dans son propre pays. Quant à lui accorder un prêt de 2 millions de lires... il faut être sérieux ! Mais le malentendu viendra du fait que Mussolini ne daigne même pas répondre à la requête de l'émissaire d'Hitler, tandis que les intermédiaires Bastianini et Negrelli n'osent pas lui dire franchement que toutes ses demandes ont été rejetées — à commencer par celle d'une

---

* C'est ainsi que Goering a voulu intervenir en faveur du propriétaire allemand de l'hôtel Britannia de Venise, dont les actions avaient été mises sous séquestre après la Grande Guerre — une affaire privée qui est manifestement sans rapport avec sa mission ; par ailleurs, les fréquentes diatribes de Goering contre les Juifs ont défavorablement impressionné les notables fascistes, auxquels l'antisémitisme était étranger à l'époque.

LES ÉTAPES DE L'EXIL, NOVEMBRE 1923-MARS 1925

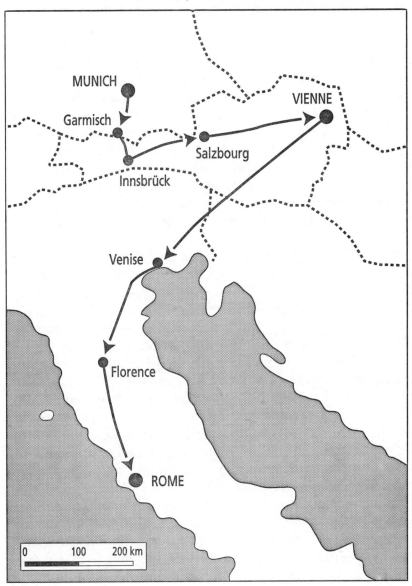

entrevue. D'où une interminable attente à Rome, ponctuée d'un échange de lettres courtoises mais infructueuses [18], qui provoque chez Goering une frustration certaine. Il doit rapidement se rabattre sur un hôtel plus en rapport avec sa situation financière, il souffre énormément de sa jambe blessée et doit augmenter encore ses doses de morphine *, il commence à prendre un embonpoint anormal, et son moral est au plus bas. Pour épargner à Carin ses sautes d'humeur de plus en plus fréquentes, il parcourt au pas de charge les églises, les musées et les galeries d'art de la Ville éternelle, et le désespoir l'envahit parfois, ainsi qu'il l'avouera plus tard à son beau-fils Thomas von Kantzow : « Je me souviens d'être resté à 3 heures du matin devant la fontaine de Trevi, à me demander ce que tout le monde dirait si l'on me retrouvait au fond du bassin, parmi ces pièces que les gens y jettent pour se porter chance. Et puis, pour finir, je me suis dit que l'eau n'était pas assez profonde pour me noyer, et j'y ai renoncé [19]. »

Sans doute a-t-il également songé à sa chère Carin, qui doit souvent garder la chambre, car elle est désormais sujette à des évanouissements dont elle n'émerge qu'à l'aide d'injections de camphre ou de caféine [20]. Probablement par fierté, Hermann n'a pas osé lui avouer que ses demandes d'audience n'avaient pas abouti, et il semble lui avoir fait de multiples récits de ses conversations imaginaires avec le Duce, qui se retrouveront intégralement dans les lettres de Carin à sa famille **. Mais enfin, la naïve comtesse garde suffisamment de lucidité pour comprendre que toutes ces négociations tardent à aboutir, et le moral en berne de son cher Hermann déteint manifestement sur le sien. La vie d'hôtel lui est devenue insupportable, la Suède lui manque presque autant que son fils Thomas, mais Carin, comme son Hermann, s'accroche toujours à l'espoir d'un succès diplomatique – d'autant qu'aucun des deux ne veut avouer à Hitler l'échec de leur entreprise. Du reste, ils n'ont pas les moyens financiers de quitter l'Italie pour la Suède, et ils doivent finalement retourner à Venise, où l'hôtel Britannia reste le seul établissement italien qui accepte de leur faire crédit...

---

* De deux injections quotidiennes à Innsbruck, il est maintenant passé à quatre.
** Et égareront la plupart des biographes de Goering, qui prendront les missives de Carin au pied de la lettre...

Pour finir, c'est Carin qui va reprendre l'initiative à la fin de décembre 1924 ; ayant appris la libération anticipée d'Hitler, elle se rend une nouvelle fois à Munich, avec l'espoir de décider au moins le Führer à « rembourser les sommes engagées [21] ». Ne dit-on pas qu'il attend un don important du fabricant de pianos Bechstein, et que la publication de son livre *Mein Kampf* va lui rapporter des sommes considérables ? Après un voyage éreintant pour une femme aussi faible, Carin parvient à Munich, où elle rencontre un Hitler manifestement revigoré par sa villégiature forcée à Landsberg. Le Führer se montre très prévenant, la couvre de compliments, lui baise la main à plusieurs reprises... et s'en tient là *. Les autres dignitaires du parti ne sont guère plus généreux, mais au bout de deux mois, Carin parvient à vendre la villa d'Obermenzing (au lieutenant Lahr, ancien combattant et militant national-socialiste), avant de faire expédier une partie de son mobilier à Stockholm. A la mi-mars 1925, elle rejoint à Salzbourg son époux qui a quitté Venise sans regrets, et tous deux prennent le chemin du Nord en passant par Vienne, Prague, Varsovie et Dantzig – d'où un petit vapeur leur fait traverser la Baltique. Le 22 mars, enfin, le couple Goering est de retour à Stockholm...

Quel plaisir de se retrouver chez soi ! Il est vrai que couple ne peut louer qu'un modeste appartement au n° 23 de l'Odengatan, et qu'il se trouve rapidement envahi par les meubles amenés à grands frais de Munich. Mais enfin, rien ne peut altérer la joie de renouer avec la famille et les amis : le fils adoré, Thomas, treize ans à peine, mais qui a tellement grandi qu'il atteint presque la taille de sa mère ; la très vénérée et très généreuse baronne Huldine von Fock, dont la santé s'est beaucoup dégradée depuis deux ans ; les sœurs Fanny et Lily, restées très attachées à Carin et prêtes à tous les sacrifices pour lui venir en aide ; la sœur Mary et son époux le comte von Rosen, qui n'ont que très modérément goûté les exploits du couple Goering aux côtés d'Adolf Hitler et l'ont fait discrètement savoir ; enfin l'officier et gentleman Nils von Kantzow, qui n'a pas abandonné

---

* Selon un auteur au moins (Leonard Mosley), Hitler aurait tout de même remis à Carin quelques billets en lires, marks et schillings autrichiens. Mais Mosley s'est souvent trompé – y compris sur la date de cette entrevue –, et Carin ne fait aucune mention dans sa correspondance d'une quelconque remise d'argent à cette occasion.

l'espoir de reconquérir son ex-épouse — et donne par ailleurs des signes d'instabilité mentale suffisamment inquiétants pour inciter l'armée à le mettre en disponibilité...

Mais quel que soit leur degré de parenté avec Carin et leur degré de sympathie pour Hermann, toutes ces personnes ne peuvent manquer de remarquer l'extraordinaire changement intervenu dans l'aspect physique du fringant capitaine, qui faisait cinq ans plus tôt l'admiration des jeunes Suédoises lors des soirées dansantes et des meetings aériens de la capitale. Un médecin qui l'examine à l'époque constate avec surprise qu'à trente-deux ans, Goering a « le corps d'une femme d'âge mûr, avec beaucoup de graisse et une peau d'un blanc laiteux [22] ». L'avocat Carl Ossbahr, une ancienne connaissance de Carin, sera tout aussi étonné : « Me retrouvant face à un homme très corpulent, vêtu d'un complet blanc qui s'accordait plutôt mal avec son physique, je me suis demandé qui cela pouvait bien être. Il s'est présenté sous le nom de Hermann Goering, et j'ai alors compris que j'avais devant moi l'un des plus grands as de l'aviation allemande, qui avait reçu l'ordre Pour le Mérite — une décoration que l'on ne décernait certainement pas à la légère. » Et Carl Ossbahr de poursuivre : « Le capitaine Goering et son épouse voulaient à présent m'inviter à déjeuner. [...] Je suis allé chez eux à plusieurs reprises ; leur très petit appartement de l'Odengatan paraissait étriqué et meublé à l'excès. On avait l'impression qu'ils n'étaient installés là que provisoirement. Goering ne pouvait naturellement s'empêcher de parler politique ; il m'a proposé de me rapprocher du national-socialisme, mais je lui ai répondu qu'il perdrait complètement son temps en essayant de m'enrôler, ce qui l'a fait rire. [...] J'ai eu plusieurs conversations avec lui en tête à tête, et dans l'ensemble, j'ai eu l'impression que son nazisme n'était qu'une forme de reconnaissance envers Hitler : Goering ne voulait pas trahir un camarade, en quelque sorte [23]. »

L'avocat confiera également ses impressions en retrouvant Carin : « Elle avait été sans aucun doute l'une des plus belles filles de Stockholm, toujours très entourée lors des soirées dansantes et des réceptions mondaines. [...] Lorsque je l'ai revue en 1925, elle m'a paru vieillie ; elle était un peu bizarre, un peu mystique. Elle prétendait voir l'avenir. Dans ce qu'elle disait, il était difficile de faire la part de la vérité et du fantasme. Connaissant Carin depuis longtemps, je ne pouvais m'empêcher de constater la transformation manifeste de son attitude mentale. Et Hermann Goering, dans tout cela ? Eh bien, il faisait ce qu'elle voulait. Pour lui, les désirs de Carin étaient des ordres. Il n'était pas son esclave, mais presque. Ce mariage paraissait heureux, mais Goering était visiblement le plus amoureux des deux : il l'adorait [24]. »

Pourtant, on ne vit pas que d'amour et d'eau fraîche, et le capitaine Goering doit trouver sans tarder quelques moyens d'existence. Le parti national-socialiste, redevenu légal en Bavière, a manifestement oublié son ancien chef des SA, et celui-ci s'en plaint amèrement dans une lettre au lieutenant Lahr * : « Aucun des anciens camarades du parti ne lève le petit doigt pour m'aider. [...] A ce jour, je n'ai pas reçu un seul pfennig de Ludendorff ou d'Hitler, rien d'autre qu'une montagne de promesses et de photos dédicacées [25]. » Goering cherche donc du travail dans le seul domaine qu'il connaît : celui de l'aviation. La Svenska Lufttrafik a fait faillite depuis longtemps, mais une nouvelle société vient de se créer, la Nordiska Flugrederiet **, qui ouvre cet été-là une liaison Stockholm-Dantzig par hydravion. Au début de juin 1925, le capitaine Goering y est engagé comme pilote de ligne, et ses prestations laisseront des impressions durables à certains des passagers de l'époque, comme Fredrik Nyström, qui se souviendra qu' « au cours de la traversée, le pilote Goering n'a pu résister à la tentation de simuler une attaque en piqué contre un navire [26] ». Il ne peut y avoir méprise sur la personne : quel autre pilote d'hydravion se serait permis une telle fantaisie ?

Les passagers du vol Stockholm-Dantzig auraient été moins rassurés encore s'ils avaient pu connaître certaines autres habitudes de leur commandant de bord ; c'est que le capitaine Goering est de plus en plus dépendant de la morphine, il lui faut désormais *six* injections par jour, et c'est à peine si cela suffit à apaiser ses douleurs. De telles doses pouvaient difficilement rester sans effet sur ses aptitudes professionnelles, ce qui explique sans doute que la Nordiska Flugrederiet ait préféré se passer de

---

* L'officier qui avait acheté leur maison d'Obermenzing.
** Filiale de la Deutsche Lufthansa.

ses services dès la fin du mois de juillet. A cette époque, l'homme n'est effectivement plus dans son état normal : il est saisi de bouffées délirantes, au cours desquelles il jette tout ce qui lui tombe sous la main, menace Carin et Thomas, et tente même de se défenestrer... Carin est obligée de se réfugier au domicile paternel pour échapper aux fréquents accès de violence de son époux, et celui-ci, qui se rend bien compte de son état, finit par céder aux injonctions de son beau-père et du médecin de famille : le 6 août 1925, il entre de son plein gré au centre médical d'Aspudden pour se faire désintoxiquer.

Au début, tout se passe bien : Goering est traité à l'eukodal, un dérivé morphinique utilisé en traitement de substitution ; il fait preuve de bonne volonté et se voit déjà sortir guéri, aminci et plein d'énergie – suffisamment même pour aller faire de la varappe dans les montagnes norvégiennes. Mais dès la fin du mois d'août, les choses se compliquent singulièrement, comme l'expliquera le 2 septembre l'infirmière Anna Törnquist dans son rapport au médecin chef Hjalmar Eneström : « Vous trouverez ci-après quelques renseignements au sujet du comportement du capitaine von Goering (*sic*) durant les dernières 48 heures de son séjour au centre médical d'Aspudden. Jusqu'alors, tout s'était passé calmement, même si le patient s'était montré extrêmement irritable et demandait ses doses avec insistance.

« – Le dimanche 30 août, le capitaine Goering a exigé de très fortes doses d'eukodal, et a insisté pour en obtenir les quantités qu'il avait lui-même déterminées. Vers 17 heures, il a fracturé l'armoire des médicaments et s'est fait lui-même deux piqûres d'une solution d'eukodal à deux pour cent. Six infirmières n'ont pu l'en empêcher, et il s'est montré extrêmement menaçant. La femme du capitaine Goering, qui était présente, s'est déclarée convaincue qu'il fallait lui donner ce qu'il demandait, car elle craignait qu'il aille jusqu'à tuer quelqu'un dans sa frénésie. [...]

« – Le lundi 31 août, en présence du docteur Eneström, il s'est déclaré prêt à respecter les doses prescrites.

« – Le mardi 1er septembre, vers 10 heures, le patient est devenu très agressif et a exigé davantage de médicaments. Il a sauté du lit et s'est habillé, en criant qu'il voulait sortir pour trouver la mort d'une façon ou d'une autre, car quelqu'un qui avait tué quarante-cinq hommes n'avait à présent d'autre choix que de se tuer lui-même. Comme la porte donnant sur la rue était fermée, il est retourné dans sa chambre et s'est armé d'une canne, qui s'est avérée contenir une sorte d'épée... Lorsqu'un assistant est venu en renfort, le capitaine a redoublé de fureur et s'est déclaré prêt à l'attaquer s'il ne disparaissait pas sur-le-champ. [...] Quand la police et les pompiers sont arrivés vers 18 heures, il a refusé de les suivre. Après de longs palabres, il a fallu emmener le patient de force. Il a essayé de résister, mais a constaté rapidement que c'était inutile [27]. »

C'est donc en camisole de force que Hermann Goering est amené à hôpital Katarina au soir du 1er septembre. Son séjour y sera extrêmement bref, ainsi qu'en témoigne le registre de l'hôpital : « A son arrivée ici le 11 septembre au soir, il a été calmé avec de l'hyoscine et s'est rapidement endormi, mais après quelques heures, il s'est réveillé et s'est montré particulièrement agité. Il a protesté contre son internement, en disant qu'il voulait appeler son avocat, etc., et a exigé qu'on lui donne suffisamment d'eukodal " pour calmer ses douleurs ". Revenu à lui, il s'est montré loquace, lucide et en pleine possession de ses moyens intellectuels ; il se considérait comme victime d'une injustice. Aucune violence jusqu'à présent.

« *2 septembre :* Conversations indignées aujourd'hui avec le Dr E. lors de ses visites, au sujet de la manière dont on l'a amené ici, qu'il considère comme illégale. Refuse de prendre de l'hyoscine, car il croit que l'on profitera de son état d'inconscience pour le déclarer aliéné. [...] Ne veut pas d'infirmiers masculins, contre lesquels il est très remonté et qu'il menace d'agresser [28]. »

Les médecins de l'hôpital Katarina en ont suffisamment entendu pour comprendre que ce cas dépasse leurs compétences. Le jour même, Goering est transféré à l'asile d'aliénés de Langbro, au sud de Stockholm ...

L'établissement de Langbro est nettement mieux équipé pour traiter ce genre de patients, même si les morphinomanes sont une rareté dans la Suède de l'époque. Au premier médecin qu'il voit, Goering crie : « Je ne suis pas fou ! Je ne suis pas fou ! Je ne suis pas fou ! », mais dès le premier jour, il signe son formulaire d'internement – sans doute parce qu'il sait que Carin l'a demandé ; par contre, il refuse qu'on le photographie pour compléter son dossier – manifestement par souci de préserver l'avenir... On commence par le placer pendant quelques jours dans une cellule d'isolement, meublée seulement d'un lit boulonné au sol, après quoi on le transfère dans une chambre plus confortable, où il est soumis à un sevrage total selon la méthode assez primitive de l'époque. Au cours des cinq semaines qui suivent, les médecins vont consigner collectivement leurs observations en ces termes : « *Langbro, 2 septembre-7 octobre 1925 :* [Le patient est] difficile, déprimé, geignant, pleurnichard, angoissé, exaspérant par ses constantes exigences, irritable et facilement suggestible (du simple chlorure de sodium peut calmer ses douleurs) ; accablé, loquace, se prétend victime d'une " conspiration juive ", hostile envers le docteur Eneström qu'il rend responsable de son internement ; Eneström serait acheté par les Juifs ; pensées suicidaires ; se considère comme " un homme mort politiquement " si son internement est connu en Allemagne ; [...] exagère les symptômes de manque ; tendances hystériques, égocentrique, exacerbation de l'amour-propre ; haine des Juifs, a consacré sa vie à lutter contre les Juifs, a été le bras droit d'Hitler. Hallucinations (a vu Abraham et saint Paul, " le Juif le plus dangereux qui ait jamais existé "). Abraham lui a offert un billet à ordre et lui a promis trois chameaux s'il acceptait d'abandonner la lutte contre les Juifs ; fortes crises d'hallucinations visuelles, accompagnées de cris ; Abraham lui enfonçait un fer rouge dans le dos, un médecin juif voulait lui arracher le cœur ; tentatives de suicide (par pendaison et par strangulation) ; attitude menaçante ; s'est procuré subrepticement un poids en fer destiné à servir d'arme ; visions, hallucinations auditives, mépris de soi [29]. »

Les diagnostics individuels des médecins traitants ne sont pas moins intéressants : l'un d'eux décrit Goering comme « un hystérique brutal au caractère très faible », un deuxième voit en lui « un homme sentimental qui manque de courage moral fondamental », et un troisième a observé « une personnalité instable. Il en présente une à un moment donné, et une toute différente quelques minutes plus tard. Sentimental envers les siens, mais totalement insensible aux autres » [30]. Tout cela est fort bien vu, mais les hommes de l'art oublient de préciser que leur patient a été soumis pendant cinq semaines à un sevrage particulièrement brutal, qui en a achevé bien d'autres. Hermann Goering, lui, a résisté...

L'épreuve prend fin le 7 octobre 1925 : Goering sort de Langbro passablement transformé et au moins temporairement
apaisé, avec en poche un certificat visiblement rédigé à sa
demande : « Le soussigné atteste que le capitaine H. von Goering {sic} a été admis à l'hôpital de Langbro sur sa propre
demande ; que ni lors de son admission ni plus tard, il n'a manifesté des signes de maladie mentale, et que lors de sa sortie
aujourd'hui, il ne présente aucun symptôme d'une telle maladie.
   « Hôpital de Langbro, 7 octobre 1925
   « Signé : Olof Kinberg, Professeur [31]. »
   Dans le petit appartement de l'Odengatan, le rescapé retrouve
sa chère Carin, qui dissimule avec peine le fait que sa santé s'est
encore dégradée : aux problèmes cardiaques et respiratoires se
sont ajoutées des chutes de tension et des crises d'épilepsie, que
les récentes épreuves n'ont certainement rien fait pour améliorer.
La vie reprend donc son cours, plus calme mais aussi plus étri-
quée qu'auparavant, les traitements médicaux de Carin coûtant
très cher et Hermann n'ayant plus la moindre perspective
d'emploi. Il lui faut donc vendre les meubles aux enchères ou les
mettre en gage — un véritable crève-cœur pour cet homme si
attaché aux biens matériels. Mais ce n'est pas suffisant, et il faut
aussi emprunter à la famille en attendant des jours meilleurs *.
Seules les visites du jeune Thomas, qui adore sa mère et admire
son beau-père, apportent un rayon de soleil dans cet univers de
désolation...
   Hélas ! Cette éclaircie cache une nouvelle tempête ; car Nils
von Kantzow, le très complaisant père de Thomas, s'est aperçu
que son fils faisait régulièrement l'école buissonnière pour
rejoindre les Goering, et que ses études s'en ressentaient fortement. Dès lors, l'officier consciencieux écrit une lettre très
modérée à son ex-épouse, pour lui demander de veiller à ce que
Thomas espace quelque peu ses visites, et l'informer qu'il fera
dorénavant accompagner son fils à l'école, lorsqu'il ne s'en chargera pas lui-même. Or, au reçu de cette lettre hautement raisonnable, Carin réagit avec beaucoup d'emportement et très peu de
réflexion : elle intente une action en justice pour obtenir la
garde de son fils. Peut-être Nils von Kantzow aurait-il poussé la

---

   * La sœur cadette Lily vendra même son piano pour payer les médicaments de
Carin.

complaisance jusqu'à la lui accorder d'emblée, s'il n'avait été au courant de la situation très particulière du couple Goering : un appartement très exigu, la santé plus que précaire de Carin, le chômage prolongé de Hermann et surtout sa narcodépendance accompagnée d'accès de violence. Dès lors, Nils von Kantzow a beau jeu de faire valoir en justice que ce ne sont pas là des conditions idéales pour élever un enfant de quatorze ans, et la cour n'a aucun mal à le suivre. Carin perd donc son procès en avril 1926, mais l'amour maternel pouvant rendre très déraisonnable, elle décide de faire appel *. Tout cela lui coûte évidemment fort cher, sans qu'elle puisse compter sur le soutien financier de sa famille, qui a pris très logiquement le parti du père dans cette affaire. « Après tout, dira sa sœur Mary, c'était dans l'intérêt du petit [32]. »

Certes... et d'autant plus qu'à cette époque, le capitaine Goering, toujours torturé par les douleurs de sa blessure, est retombé dans la dépendance à l'eukodal. Mais ainsi qu'il l'avait promis à ses médecins, il retourne de son plein gré à Langbro pour une nouvelle cure de désintoxication. Dans le dossier établi par ses médecins durant ce deuxième séjour, entamé le 22 mai 1926, on ne trouve que de courtes observations : « Déprimé, humeur changeante, égocentrique, aisément influençable, douleurs dorsales [33]. » Mais cette fois, le traitement ne durera que quinze jours, et il s'avérera étonnamment efficace : de retour chez lui le 5 juin (muni d'un nouveau certificat **), Goering cesse de s'apitoyer sur son sort, se met énergiquement à la recherche d'un travail, et finit même par en trouver un...

---

* Elle perdra également en appel l'année suivante, mais sera autorisée à recevoir plus fréquemment des visites de son fils – un résultat qu'elle aurait certainement pu obtenir bien plus tôt sans recours aux tribunaux...

** « Le capitaine Hermann Goering, domicilié au 23, Odengatan à Stockholm, a été admis sur sa demande en mai 1926 à l'hôpital de Langbro, où il a reçu les soins du soussigné. Durant son séjour, il a suivi une cure de désintoxication de l'usage de l'eukodal, et quand il a quitté l'hôpital au début de juin 1926, il était complètement guéri de l'accoutumance à ce médicament et libéré de la consommation de tous types de dérivés opiacés, ce que je certifie sur mon honneur et en toute conscience. Stockholm, le 21 juin 1926, (signé :) C. Franke, médecin auxiliaire à l'hôpital de Langbro. » Goering retournera à Langbro une troisième fois en septembre 1927, peu avant de rentrer en Allemagne. Ce sera son dernier traitement hospitalier pour narcodépendance – en Suède tout au moins.

Voilà un emploi qui lui convient parfaitement : la société BMW * de Munich le charge de la vente de ses moteurs d'avions dans toute la Scandinavie. Or, le capitaine Goering est peut-être un diplomate médiocre et un révolutionnaire catastrophique, mais c'est un excellent homme d'affaires, et il vend pratiquement d'emblée douze moteurs au ministère de l'Air suédois [34] ! Un bonheur venant rarement seul, Hermann devient presque simultanément le représentant exclusif pour la Scandinavie du parachute automatique suédois Törnblad. Les affaires reprennent donc, il se met à voyager de la Finlande jusqu'à la Turquie [35], passe une semaine à Londres pour y négocier des contrats **, et peut même envisager de rembourser un jour ses créanciers les plus pressants...

Mais Hermann Goering est rapidement repris par le démon de la politique ; en fait, si l'on excepte ses périodes d'intense délire, il n'a jamais cessé de s'y intéresser. Il est vrai que la situation a beaucoup changé en Allemagne depuis qu'il l'a quittée quatre ans plus tôt : l'inflation débridée n'est plus qu'un mauvais souvenir depuis l'introduction du *Rentenmark*, la prospérité commence à revenir, les séparatistes ont été mis au pas, et les autorités allemandes se sont quelque peu réconciliées avec leurs ennemis de la Grande Guerre depuis le plan Dawes et le traité de Locarno. Dès lors, le parti national-socialiste, redevenu légal et représenté par quatorze députés au Reichstag, se trouve financièrement démuni et perd beaucoup de son audience. Hitler, bien que reconnu comme son chef incontesté, a toujours l'interdiction de prendre la parole lors de rassemblements publics ; ses SA, qui ont essaimé de la Bavière à l'ensemble du pays, ne se signalent que par quelques combats de rue avec les communistes, et la presse suédoise ne cesse de souligner les sourdes dissensions qui subsistent entre le NSDAP de Munich et ses représentants à Berlin ***.

Après la mort de Friedrich Ebert au début de 1925, c'est le vieux maréchal von Hindenburg qui a été élu président, et il va

---

* Bayerische Motorenwerke.
** A cette occasion, il lui viendra l'idée saugrenue d'aller en grande cérémonie déposer une gerbe devant le mémorial de la Royal Air Force. Il faudra les efforts conjugués de l'ambassade d'Allemagne, du Foreign Office et de la RAF pour l'en dissuader...
*** En l'occurrence, les frères Gregor et Otto Strasser.

faire voter une loi permettant d'amnistier tous les exilés. En mai 1926, les poursuites engagées contre Hermann Goering pour haute trahison sont également abandonnées [36]. Dès lors, l'ancien putschiste va enfin pouvoir rentrer chez lui ; l'Allemagne est désormais très éloignée des périls de 1922, mais Hermann, lui, a gardé ce besoin irrésistible d'agir, de tenir un rôle de premier plan, d'être reconnu et honoré de tous — un besoin que seule la politique est en mesure de satisfaire.

Le 2 novembre 1927, à la gare centrale de Stockholm, Carin est venue dire adieu à son bien-aimé ; elle est hors d'état de voyager et doit continuer à suivre en Suède un traitement très contraignant, mais Hermann ayant promis de venir la chercher dès qu'il serait confortablement installé, les deux amoureux se séparent pleins d'optimisme. Le train une fois parti, Carin s'évanouit dans les bras de sa sœur Fanny, et doit être immédiatement hospitalisée...

VI

Résurrection

De retour à Munich après quatre ans d'exil, Hermann Goering ne s'attendait sans doute pas à être accueilli avec des brassées de fleurs. En ce cas, il avait parfaitement raison : il n'y a ni fleurs ni Führer pour recevoir l'infortuné vétéran de la Feldherrnhalle en cette froide matinée du 3 novembre 1927. A l'évidence, la reconnaissance ne fait pas partie des vertus national-socialistes...

Il y a tout de même quelques vieux compagnons de lutte qui ne l'ont pas oublié, comme Ernst « Putzi » Hanfstaengl, qui écrira : « J'ai été vraiment heureux de revoir Goering. Il était devenu plus gros, plus affairé, plus matérialiste, et surtout soucieux de jouir des plaisirs de l'existence [1]. » Il y a aussi le capitaine Roehm, ainsi que Hans Streck, l'ancien aide de camp de Ludendorff, devenu depuis lors professeur de musique. Goering, qui n'a pas les moyens de se payer l'hôtel, peut dormir dans son salon et repartir à l'aube, avant l'arrivée de la femme de ménage [2]...

C'est tout naturellement pour rendre visite à Adolf Hitler, toujours retranché dans sa modeste chambre meublée de la Thierchstrasse. L'accueil y est aussi glacial que la pièce, car pour diverses raisons *, Hitler ne souhaite pas donner à son ancien comman-

---

* La plus évidente est que Rosenberg, Hess et Esser ont intrigué ferme contre Goering, qu'ils ont même fait rayer des rôles du parti dès 1924 ! Mais Hitler craint aussi que Goering cherche à reprendre le commandement des SA, qu'il vient de confier à Pfeffer von Salomon, après l'avoir retiré au capitaine Roehm ; de plus, Hitler avait déclaré en 1924 : « Après la trahison de von Lossow lors de la tentative de putsch, je ne croirai plus jamais en la parole d'un officier allemand ! » Enfin, le Führer et ses acolytes veulent à l'époque présenter le NSDAP comme un parti de la classe ouvrière, et l'embonpoint de Goering ne semble pas constituer la meilleure

dant des SA un nouveau rôle au sein du parti ; d'ailleurs, à quoi pourrait bien lui servir ce gros homme livide, qui boite un peu et se trouve manifestement sans ressources ? L'illustre vétéran est donc congédié avec un minimum d'égards et quelques instructions très sèches : qu'il commence par se faire une place dans le monde des affaires, qu'il rétablisse sa situation financière, « et après, on verra... » [3].

A ce stade, bien des gens raisonnables auraient compris à qui ils avaient affaire, et se seraient définitivement éloignés du parti national-socialiste. Mais Hermann Goering est loin d'être raisonnable, et c'est un homme resté sous influence qui part pour Berlin à la mi-novembre 1927. Si le politicien de fortune ne trouve pas à s'y employer, l'homme d'affaires, lui, ne manque pas de ressources : il obtient sans difficulté l'exclusivité de la représentation des parachutes Törnblad pour toute l'Allemagne, et le fait que la société BMW ait été rachetée par un Juif * ne le dissuade aucunement de devenir le concessionnaire à Berlin de BMW-aviation. Ce n'est d'ailleurs pas tout : dès son arrivée dans la capitale, Goering renoue avec d'anciens camarades de la Grande Guerre : son ami Bruno Loerzer, qui a épousé une riche héritière et travaille maintenant – heureuse coïncidence – pour la société d'aviation Heinkel ; le prince Philippe de Hesse, qui compte parmi ses innombrables relations un certain Erhard Milch, directeur technique de la société Lufthansa ; enfin, Paul « Pilli » Koerner, un vétéran désœuvré qui dispose d'une petite rente familiale et d'une splendide Mercedes. Ce sera la base d'une fructueuse association : Goering rend visite à ses clients dans cette somptueuse voiture conduite par le chauffeur Koerner, et cela facilite considérablement la conclusion des contrats – après quoi les deux associés se partagent les bénéfices [4]...

Ils sont bien modestes au début, car Goering consacre l'essentiel de ses gains à la tenue de fastueuses réceptions, où se rencontrent hommes d'affaires, techniciens, aviateurs, financiers, industriels, diplomates et aristocrates ; ces investissements laisseront bien souvent les deux compères sans le sou, mais seront hautement rentables : les attachés militaires suisses, néerlandais,

---

publicité à cet égard... On ignore si Hitler est déjà informé à cette époque du morphinisme de Goering et de ses cures de désintoxication.
* Camillo Castiglioni, un Italien de Trieste.

suédois et autrichiens s'intéressent rapidement aux parachutes Törnblad, les moteurs d'avions BMW se vendent admirablement du Danemark jusqu'à l'Italie, et le directeur technique de la Lufthansa engage bientôt comme « conseiller » ce brillant intermédiaire, qui commence à se faire un nom dans la haute société comme dans le petit monde de l'aviation commerciale. Il lui en coûte bien sûr énormément de travail, et Konrad Heiden décrira plus tard un Goering « transformant la nuit en jour et travaillant à la chandelle dans son appartement, avec devant lui un tableau de Napoléon et derrière lui une épée médiévale [5] ». Mais rien de tout cela n'empêchera Hermann de penser à sa chère Carin et de laisser toutes ses affaires en suspens pour aller passer le nouvel an avec sa dulcinée... A Stockholm, la famille et les amis sont stupéfaits par son changement d'apparence ; sa vigueur est revenue, sa dépendance à la morphine paraît surmontée, et il déborde de projets pour l'avenir – le premier d'entre eux étant naturellement de faire venir son épouse à Berlin, et de l'installer dans le modeste meublé qu'il a loué dans la Berchtesgadenerstrasse.

Pourtant, il faut bien se rendre à l'évidence : ni l'amour ni les affaires ne peuvent libérer le capitaine Goering de sa dépendance à l'égard de la politique. S'il se tient à distance de la représentation berlinoise du NSDAP et s'abstient d'intervenir dans les féroces querelles opposant Gregor Strasser au nouveau gauleiter de Berlin Joseph Goebbels *, il n'a pas renoncé pour autant à se refaire une place au sein du parti. Mieux encore, il nourrit des ambitions très précises en prévision des prochaines élections au Reichstag, et c'est ce qui le ramène à Munich au début de mars 1928 : « Je nous revois, écrira Ernst Hanfstaengl, marcher ensemble dans les rues couvertes de neige en direction de la Thierchstrasse, où Hitler avait encore son petit logement, pour ce qui devait être l'entretien décisif. Goering ne cessait de me demander de monter avec lui, mais j'ai préféré n'en rien faire. C'est seulement par la suite que j'ai entendu dire que lui et Hitler avaient eu une explication orageuse, et que Goering lui avait posé un ultimatum : " Ce ne sont pas des façons de traiter un homme

---

* Goebbels, gagné au parti national-socialiste en 1922, est un ancien protégé de Strasser, et il s'est rallié à Hitler en 1925. Petit, difforme et foncièrement amoral, il n'en est pas moins le seul intellectuel du parti, son éloquence est redoutable, et il a le génie de la propagande.

qui a reçu deux balles dans l'estomac * à la Feldherrnhalle. Ou bien vous m'inscrivez sur la liste des candidats aux élections du Reichstag, ou alors nous nous séparons en ennemis [6]. " »Selon Otto Strasser, Goering aurait plutôt dit : « Ou je serai député, ou j'intenterai au parti un procès en dommages et intérêts pour la blessure que j'ai reçue le 9 novembre [7]. »

En fait, Goering a dû surtout menacer de réclamer en justice le remboursement de toutes les sommes qu'il a dépensées dans l'intérêt du parti depuis 1922 [8] – un argument déjà très dissuasif aux yeux d'un Führer chroniquement à court d'argent. Mais il y a d'autres considérations plus importantes encore : la position du parti national-socialiste en Allemagne du Nord est assez précaire, les frères Strasser lui causent bien du tracas avec leur conception excessivement socialiste du national-socialisme, et le NSDAP n'a pratiquement aucune influence parmi les représentants de l'industrie, de la finance, de l'aristocratie et de la haute bourgeoisie. Or, Hitler est suffisamment bien informé pour savoir que Goering s'est fait dans ces milieux beaucoup de relations en très peu de temps ; tout compte fait, un tel homme serait sans doute plus utile dedans que dehors – et sûrement plus dangereux dehors que dedans... C'est dit : Hitler veillera personnellement à ce que Hermann Goering soit inscrit en septième position sur la liste électorale du NSDAP **.

« Je ne sais pas si Goering y arrivera [9] ! » confie le Führer à ses proches avec un mélange de jalousie et d'incrédulité. Mais l'ancienne gloire de l'aviation impériale et étoile montante du monde des affaires va confondre tous les sceptiques : en un tournemain, ses fastueuses réceptions berlinoises changent de thème, et pendant deux mois au moins, la politique y supplantera largement les affaires. En outre, Goering s'est découvert des talents d'orateur, et il ne quitte les salons mondains que pour aller prononcer des discours enflammés dans les brasseries et les arrière-cours de Dahlem ou de Pankow. Sa rhétorique est une fidèle imitation de celle d'Hitler, avec toute la morgue, l'indignation, les invectives et les gesticulations requises, mais Goering y ajoute

---

* Comme toujours, Goering exagère : le compte réel était d'une seule balle en dessous de l'aine.

** Ce qui provoquera bien des grincements de dents au sein du parti, où l'on reprochera à Goering d'avoir exercé un chantage sur le Führer – une accusation qui n'est pas entièrement infondée...

l'humour, la familiarité et le patois local ; quant au registre, l'aspirant député se fait très exactement la voix de son maître, en jouant avec un art consommé sur les craintes et les haines de son public : peur de l'inflation, de la disette, du chômage et des communistes ; haine des Français, des Polonais, des Juifs, du gouvernement, de la démocratie et des capitalistes. La méthode est infaillible et le succès assuré : Carin, enfin arrivée à Berlin le 15 mai, constate que son époux est demandé de tous côtés et « terriblement affairé [10] ». C'est presque une litote...

Les élections législatives du 20 mai 1928 sont loin d'être un triomphe pour les nationaux-socialistes ; ils n'obtiennent que 2,6 pour cent des voix, mais le système électoral en vigueur leur permet d'avoir douze sièges au Reichstag. Hermann Goering étant le septième sur la liste du parti, il est donc élu député, avec tous les privilèges qui s'y attachent – à commencer par une rémunération mensuelle de 600 marks *, la garantie de l'immunité parlementaire et une carte lui permettant de voyager gratuitement en première classe sur tout le réseau ferré allemand. Bien sûr, tout comme les onze autres élus nazis **, Goering n'occupe pas son siège pour participer aux travaux du Parlement, mais pour harceler le gouvernement – et les autres partis : « Nous n'avions qu'une seule tâche à l'époque, dira-t-il plus tard : attaquer tout le monde, tout le temps [11]. » Mais le prestige d'un *Mitglied des Reichstags* *** est immense dans l'Allemagne de Weimar, ce qui satisfait pleinement l'orgueil démesuré de l'ancien paria, si récemment revenu de la misère et de l'exil.

En tant que député, Goering acquiert aux yeux d'Adolf Hitler une valeur toute nouvelle ; il sera la façade respectable du NSDAP en Allemagne du Nord, il aura ses entrées partout, recrutera des militants et des sympathisants dans des milieux jusque-là inaccessibles, et soutiendra puissamment l'effort de propagande du parti dans l'ensemble du pays ****. Les lettres de Carin à sa famille au cours des semaines et des mois qui suivent donnent un aperçu du tourbillon dans lequel le couple va se trouver entraîné :

---

* Et 300 de plus pour les frais de représentation...
** Dont Joseph Goebbels, Gregor Strasser, Wilhelm Frick, Gottfried Feder et le général von Epp.
*** Membre du Reichstag, souvent désigné à l'époque par les initiales M.d.R.
**** A cette époque, Hitler est encore interdit de parole dans la plus grande partie de l'Allemagne du Nord.

« Je ne vois Hermann que de temps à autre, en coup de vent, mais il me consacre tout son temps libre, et en général, nous pouvons au moins prendre nos repas ensemble. Malgré tout, je ne crois pas que nous en ayons pris un seul en tête à tête, il y a toujours des gens avec nous, et jamais moins de trois. [...] Aujourd'hui, Hermann va prononcer son premier grand discours au Reichstag, et ce soir, il s'adressera à des étudiants de tous les partis politiques à l'université de Berlin. [...] Demain, il doit parler à Nuremberg, et après cela, il part pour un voyage de dix jours en Prusse orientale, où il fera douze discours en autant d'endroits différents. [...] Il y a quelques jours, nous sommes partis en voiture à 17 heures ; à 20 heures Hermann prononçait un discours à Magdeburg * ; à minuit nous avons pris le chemin du retour, à 5 h 30 nous étions rentrés, et après un petit déjeuner et un bain, Hermann est reparti directement au travail. Chaque minute de la journée est remplie, et la moitié de la nuit aussi. [...] La maison voit circuler des politiciens de tous bords, de sorte que l'on pourrait en devenir fou si ce n'était pas si terriblement intéressant. [...] Les Wied ** tiennent à faire connaître le mouvement d'Hitler à l'ensemble de leurs connaissances, et Hermann est submergé de questions – toujours les mêmes, mais posées par des gens différents – [...] de sorte qu'il en ressort souvent épuisé. Mais je remarque que nous sommes de plus en plus entourés, et que nous avons gagné beaucoup de gens à la cause d'Hitler [12]. » C'est exact, et non des moindres : le magnat de l'acier Fritz Thyssen, l'industriel de la Ruhr Emil Kirdorf, l'administrateur de la Lufthansa Erhard Milch, le prince Henkel-Donnersmark, le comte Solms, les princes de Hesse, le duc de Saxe-Cobourg, le comte Königsmarck et même le prince August-Wilhelm, deuxième fils de l'empereur Guillaume II, qui deviendra un militant si convaincu qu'il entrera dans la SA ! Tout cela a un prix, et le parti ne l'ignore pas :

---

* L'admiration de Carin pour son cher Hermann, jointe à sa connaissance très imparfaite de la langue allemande, l'empêche de relever la vulgarité de maints propos tenus à ces occasions. C'est ainsi que Goering évoque Groener « avec un chapeau fatigué sur la tête et une plume de paon dans une certaine partie de son anatomie », tandis que Hindenburg est qualifié de « *alte Scheisseimer* » – vieux seau de merde. Mais la vulgarité des discours contribue manifestement à leur succès.

** Le prince Viktor zu Wied et son épouse, devenus sympathisants notoires du mouvement.

en tant que *Reichsredner* *, Hermann Goering reçoit désormais 800 marks par mois, qui viennent s'ajouter à sa rémunération de député...

La somme totale dépasse déjà le salaire d'un ministre, mais en vérité, tout cela ne représente qu'une petite partie des revenus de Hermann Goering... Car dans l'Allemagne de Weimar, un député a son prix, et le lobbying est déjà une pratique très répandue. Le premier « employeur » de Goering à cet égard sera Erhard Milch, dont la compagnie Lufthansa tient essentiellement au maintien — et même à l'augmentation — des subventions qui lui sont versées par le gouvernement ** ; moins d'un mois après son élection, le député Goering va donc recevoir de la compagnie aérienne une première allocation de 1000 marks, qui sera discrètement renouvelée tous les mois [13] ; il se fera également verser des fonds par la Lufthansa pour ouvrir un bureau, embaucher une secrétaire et payer des appointements à son chauffeur et factotum Paul Koerner [14]. Moyennant cela, Goering se fait l'expert des questions de transport au Parlement, où il réclame avec insistance une augmentation des subventions à l'aviation civile... Il écrit également des articles dans la presse pour faire connaître plus largement ses vues en matière d'aéronautique, ce qui lui procure naturellement des revenus supplémentaires. Mais ce n'est pas tout : ce député très vénal est également engagé comme « conseiller » — grassement rémunéré — par les sociétés Heinkel, BMW et Messerschmitt, et l'industriel Fritz Thyssen lui-même pourra écrire dans ses Mémoires : « A cette époque, Goering vivait dans un tout petit appartement, et il était très désireux de l'agrandir, afin de soigner son image. J'ai financé cette amélioration [15]. »

C'est un doux euphémisme, car Thyssen va lui payer l'équivalent de quatre années du loyer d'un luxueux appartement de cinq pièces dans la Badenschestrasse, au beau milieu du quartier

---

* Une sorte de porte-parole, habilité à s'exprimer au nom du parti dans l'ensemble du pays, à la différence du *Gauredner*, qui ne peut parler en public que dans son district.

** Elles sont en partie détournées pour permettre la reconstitution d'une force aérienne allemande, en violation des dispositions du traité de Versailles. Cette pratique est attaquée au Reichstag par les communistes, qui s'efforcent de faire supprimer les subventions — d'où la nécessité pour les contrer d'acheter quelques députés influents appartenant aux principaux partis politiques...

huppé de Schöneberg – ainsi bien sûr que tous les frais de décoration préalables à l'emménagement... A tout cela, il faut naturellement ajouter les commissions que notre homme d'affaires avisé retire toujours des ventes de moteurs et de parachutes – pour la promotion desquels il ne ménage pas sa peine, si l'on en croit ce passage d'une lettre de son épouse : « Dimanche ou lundi, nous prenons l'avion pour Zürich et Berne. Hermann a été invité à y faire quelques conférences, et il a également l'intention d'organiser une démonstration des performances du parachute Törnblad. [...] Nous avons reçu ici plusieurs personnalités suisses, dont le chef de l'aviation, des généraux, des colonels, des majors et des lieutenants, qu'il a fallu inviter à déjeuner [16]. » Le jeu en valait sans doute la chandelle, si l'on considère qu'il s'agissait d'un marché de 250 parachutes, coûtant 1 500 couronnes pièce, avec 15 % de commission pour l'intermédiaire [17]. Les bons esprits de l'époque qualifieront Goering de « prodige du parti nazi : le seul homme qui ait dû son ascension à un parachute [18] » – mais à l'évidence, il avait bien d'autres moyens de propulsion...

Pour Hermann Goering, ce début d'opulence constitue une éclatante revanche sur le passé, et il se met en devoir de récupérer tous les objets mis en gage au cours des années de misère – à commencer bien sûr par le petit harmonium blanc de son épouse. Carin est transportée de joie lorsqu'ils s'installent enfin dans le luxueux appartement de la Badenschestrasse au début de 1929, et c'est avec un plaisir évident qu'elle entreprend de jouer ce rôle de maîtresse de maison qui lui avait tant manqué depuis cinq ans. Les invités de l'époque en garderont un souvenir ému : « Notre hôtesse, écrira Erhard Milch, était Frau Carin Goering, qui avait manifestement sur son époux une influence aussi considérable que bénéfique. [...] Un charme merveilleux émanait d'elle [19] » ; « Frau Goering, ajoutera Hjalmar Schacht, était une Suédoise grande et mince, d'une nature particulièrement séduisante et bienveillante [20] ». Joseph Goebbels, un fin connaisseur, note également dans son journal : « Frau Goering est comme toujours charmante, belle, intelligente et enthousiaste [21]. » Fritz Thyssen, un autre invité régulier, ne sera pas en reste : « Carin, une comtesse suédoise de naissance, était une femme d'un charme exceptionnel. [...] Goering l'idolâtrait, et c'était la seule femme capable de le guider [22]. » Comment ces hôtes distingués auraient-ils pu imaginer que Carin Goering était gravement malade, et ne parvenait à seconder son mari qu'au prix d'un suprême effort de volonté ? Pendant seize mois encore, elle continue à organiser des réceptions pour la haute société, les hommes d'affaires, les diplomates et les militants du parti, elle se rend au Reichstag pour écouter Hermann, le suit dans ses déplacements à travers l'Allemagne et se passe souvent de sommeil — jusqu'à l'été de 1930, où elle s'effondre et doit être hospitalisée au sanatorium de Kreuth, en Bavière.

A cette époque, la période faste de la République de Weimar n'est déjà plus qu'un lointain souvenir. Depuis plus d'un an, la crise de l'agriculture a provoqué une immense vague d'endettement et de banqueroutes dans les campagnes ; après le krach de Wall Street en octobre 1929, les financiers américains ont commencé à retirer leurs capitaux d'Allemagne, ce qui a touché l'industrie de plein fouet, paralysé les exportations et enfoncé brusquement le pays dans la crise. Au début de 1929, il y avait 2 millions de chômeurs ; dès le printemps de 1930, il y en a 3,5 millions, et le mécontentement s'est concentré sur le gouvernement du chancelier social-démocrate Hermann Müller, qui a dû démissionner en mars 1930. Son successeur, Heinrich Brüning *, s'est trouvé contraint de gouverner par décrets signés du président Hindenburg, et approuvés *a posteriori* par des majorités changeantes au Parlement. Mais dès le début de l'été, ces majorités font défaut, et le 18 juillet, Hindenburg doit dissoudre le Reichstag. Il y aura donc des élections législatives le 14 septembre 1930, et pour le parti d'Hitler, c'est une occasion inespérée...

Au cours des deux mois qui suivent, le NSDAP va faire un effort sans précédent pour exploiter le mécontentement des paysans, des ouvriers, des commerçants, des fonctionnaires, des militaires, des artisans, des aristocrates, des catholiques, des nationalistes et même des communistes... Il lance dans tout le pays une campagne de presse et d'affichage d'ampleur colossale, ses 100 000 SA défilent en masses compactes à travers tout le pays, enthousiasmant les uns, intimidant les autres, et faisant le

---

* Du Zentrum, le centre catholique.

coup de poing contre les socialistes et les communistes ; le parti nazi organise en tout 34 000 rassemblements, comptant jusqu'à 25 000 participants, avec une centaine d'orateurs vedettes comme Adolf Hitler, Joseph Goebbels, Hermann Esser, Gregor Strasser, le prince August-Wilhelm... et bien sûr Hermann Goering en personne. Notre aviateur-député-lobbyiste-concessionnaire-journaliste est désormais capable d'enchaîner jusqu'à trois discours par jour, avec un minimum de préparation – ainsi qu'il l'avouera lui-même : « La plupart de mes slogans étaient inscrits au dos de menus ou de cartes des vins, et c'est comme cela que j'ai entamé mes meilleurs discours [23]. » Il est vrai que la trame en est assez élémentaire : « *Deutschland erwache!* – Allemagne, réveille-toi ! » ; « A bas le marxisme ! » ; « Du pain et du travail pour le peuple ! » ; « Suivons le Führer, qui sauvera l'Allemagne ! ». Mais le plus simple est souvent le plus efficace, et les résultats de la campagne vont dépasser ses prévisions les plus optimistes : le 14 septembre 1930, le NSDAP obtient 6,4 millions de voix * ! Avec 107 sièges, il n'est devancé que par le SPD **. C'est un véritable tremblement de terre politique, lourd de menaces pour la démocratie en général, et pour la République de Weimar en particulier...

Pour Hermann Goering, par contre, c'est un véritable triomphe : Hitler le nomme *politischer Bevollmächtigter* *** – représentant personnel et porte-parole –, et lui confie le poste de vice-président de l'Assemblée, auquel le NSDAP a droit en tant que deuxième parti au Parlement. Le 13 octobre 1930, Goering fait donc son entrée au Reichstag pour la séance inaugurale, à la tête de 106 députés nazis vêtus de chemises brunes. Cette fois, ils sont assez nombreux pour peser sur la politique du gouvernement et préparer l'arrivée d'Hitler au pouvoir ; mais pour l'heure, il leur faut surtout créer le plus d'agitation possible, en dénonçant toutes les mesures prises par le gouvernement – à commencer par l'acceptation du plan Young ****, le

---

* Contre 800 000 seulement en 1928...
** Le parti social-démocrate, qui a remporté 143 sièges.
*** Littéralement : « plénipotentiaire politique ».
**** Ce plan, ratifié par les autorités allemandes au début de 1930, était en principe favorable à l'Allemagne, puisqu'il réduisait le montant des réparations dues aux Alliés de 132 à 34,5 milliards de marks-or, mais il avait immédiatement relancé l'agitation nationaliste en faveur de la cessation de tout paiement.

désarmement, les mesures d'austérité et la répression des menées subversives. C'est ce que constate d'emblée le chancelier Brüning, qui s'entretient au début d'octobre avec Adolf Hitler pour essayer de conclure avec lui un accord d' « opposition loyale ». Aux propositions conciliatrices du chancelier, Hitler répond par une harangue d'une heure, comportant d'innombrables fois le verbe *vernichten* – annihiler – , et laissant clairement entendre qu'il ne s'intéresse aucunement aux mesures destinées à combattre la crise. Brüning en déduit que le principe de base de son interlocuteur sera toujours « le pouvoir d'abord, la politique ensuite [24] ». Rien n'est plus vrai, et pour y parvenir, le Führer compte avant tout sur la propagande, l'agitation... et bien sûr l'intimidation.

Carin a insisté pour quitter le sanatorium en novembre 1930, ce que les médecins ont accepté avec la plus grande réticence. Il est vrai qu'elle a beaucoup à célébrer ; son cher fils Thomas, qui vient d'avoir dix-huit ans, est même venu de Stockholm, et le réveillon de Noël s'annonce particulièrement joyeux : « Nous avons passé la journée à décorer l'arbre et à empaqueter les cadeaux, écrit-elle à sa mère, et à huit heures du soir, Goebbels est venu fêter le réveillon avec nous. Il avait apporté des présents charmants et soigneusement choisis pour chacun de nous. Pour le dîner, nous nous sommes contentés de viandes froides et de fruits. Ensuite, Goebbels a joué de l'harmonium que j'avais fait installer dans la salle, et nous avons commencé à chanter les vieilles chansons de Noël, " *Stille Nacht, Heilige Nacht* ", " *O du Fröhliche, O du Selige* ", etc. Thomas et moi chantions en suédois, Goebbels et Cilly * en allemand, et les mélodies nous unissaient. Les chandelles brillaient sur l'arbre de Noël, et nous avons distribué les cadeaux. Soudain, j'ai senti un grand frisson ; il était si violent que je suis tombée du canapé et j'ai dû prendre le lit, où je suis restée depuis, avec de la fièvre et des maux de tête [25]. »

Rien de tout cela ne l'empêchera d'assister à plusieurs réceptions les jours suivants, et d'en organiser quelques autres. Le 5 janvier 1931, Carin et Hermann reçoivent Hitler, en même temps que Fritz Thyssen, le prince zu Wied et l'ancien pré-

---

* Cilly Wachowiak, la vieille gouvernante de Carin.

sident de la Reichsbank Hjalmar Schacht * ; mais deux jours plus tôt, les sombres réalités du monde extérieur s'étaient également invitées au domicile des Goering : « Hier, écrira Carin, alors que nous étions réunis pour un petit thé, un Allemand, le comte Wedel, est venu nous voir à l'improviste avec son épouse. [...] Ils sont jeunes, paraissent sympathiques, ont deux enfants, lui est au chômage, [...] il cherche du travail et s'est adressé à Hermann en désespoir de cause. Le pauvre Hermann n'a pu que l'inscrire sur une liste qui comporte déjà plusieurs centaines de noms ! Ici, la misère est affreuse. La veille de Noël, vingt-huit personnes que nous connaissions se sont suicidées, pour ne pas mourir de faim [26]. » A cette époque, il y a déjà en Allemagne 4,8 millions de chômeurs — et aucun moyen de leur venir en aide.

Dès les premières semaines de 1931, les Goering se lancent à nouveau dans un tourbillon d'activités ; le 18 janvier, ils sont même aux Pays-Bas pour rendre visite à l'ex-empereur Guillaume II dans sa résidence de Doorn. De ces deux jours d'entretiens parfois orageux, le Kaiser retire l'impression que Goering est disposé à favoriser son retour au pouvoir, et Goering repart fort déçu de ne pas avoir été décoré de l'Etoile des Hohenzollern. Mais avant leur départ, la vieille impératrice, ayant observé de près Carin Goering, lui a discrètement remis une enveloppe pleine de billets de banque, en lui intimant pratiquement l'ordre d'aller faire une cure à Bad Altheide, en Silésie [27]...

Il s'en faudra de peu qu'elle ne s'y rende jamais : une semaine plus tard, en effet, Carin s'effondre, victime d'une crise cardiaque. Le médecin, appelé en urgence par Hermann, déploie tout son art et multiplie les injections, mais il ne sent plus de pouls et constate que le cœur a cessé de battre. « Je sais maintenant, écrira Carin à sa sœur Fanny, ce que c'est que de mourir. Je pouvais entendre tout ce qui se disait autour de moi, et notamment lorsque le médecin a dit à Hermann qu'il ne pouvait plus rien faire, que c'était sans espoir. J'ai senti — ou plutôt j'ai perçu, car je ne sentais plus rien — qu'ils me soulevaient les paupières, mais je ne pouvais ni bouger, ni parler, ni faire quoi

* Hitler arrivera après le dîner et haranguera Schacht pendant deux heures, en proclamant la nécessité absolue de créer une forte armée et de lancer un vaste programme de travaux publics.

que ce soit. Soudain, je me suis trouvée devant une porte monumentale, si haute, si belle, si éclatante de couleurs et de lumière ! Mon âme était libre pendant ce bref et merveilleux instant. [...] Un monde tout nouveau, d'une magnificence indescriptible, venait à ma rencontre. Je savais que si je franchissais cette porte, je ne pourrais pas revenir en arrière. Mais alors, j'ai entendu la voix de Hermann, et j'ai compris d'un seul coup que je ne pouvais pas encore le laisser seul [28] *. »

De fait, le cœur se remet à battre, et Carin ouvre les yeux pour voir Thomas et Hermann penchés sur elle. Le jeune Thomas, qui a beaucoup mûri en peu de temps, écrira dans son journal : « Si Maman était morte, Hermann se serait complètement effondré. Il dit lui-même qu'il ne sait pas comment il aurait réagi. Oh, je pense que cela aurait pu être dangereux pour lui, du fait de sa nature impulsive. [...] Nous avons convenu de considérer cela comme un avertissement, et conclu qu'il nous fallait commencer à mener une vie plus saine et plus régulière à bien des égards. J'ai des doutes [29]. »

Les doutes de Thomas von Kantzow sont parfaitement fondés... Au cours des semaines qui suivent, la vie de Carin ne sera ni plus saine ni plus régulière, dans la mesure où elle restera fidèlement modelée sur celle de son époux ; or, Hermann travaille de jour comme de nuit, brasse des affaires de plus en plus complexes, fait du Reichstag un forum de propagande, intervient dans la politique étrangère du pays [30], négocie des alliances avec les autres partis nationalistes en place, voyage de haut en bas du pays pour y prononcer des discours enflammés contre les autorités, complote contre ses rivaux au sein du parti, organise de multiples réceptions pour gagner au NSDAP de nouveaux sympathisants, et sollicite auprès des magnats de la Ruhr des contributions financières sans cesse croissantes, dont *une partie* est reversée à Hitler ** [31]. C'est déjà beaucoup pour un seul homme, mais ce n'est pas encore tout : depuis l'année

---

* Nous avons déjà noté que Carin avait une tendance très accentuée au mysticisme. Il est malgré tout frappant de constater que cette description correspond assez exactement au déroulement de ce que le docteur Elizabeth Kübler-Ross nommera un demi-siècle plus tard les NDE (*Near Death Experiences* – expériences de mort imminente).

** Et la plus grande servira à financer son train de vie, qui est de plus en plus somptueux.

précédente, Goering intrigue ferme pour retrouver son ancien poste de commandant des SA ! On se souvient que la fonction avait été retirée à Roehm en 1925 et dévolue l'année suivante à Pfeffer von Salomon. Or, dès 1930, une partie des SA de Prusse s'était soulevée contre la direction du parti. Il est vrai que les dissidents, conduits par le capitaine Walter Stennes, ne manquaient pas de griefs parfaitement justifiés *, mais ils avaient manifestement été encouragés en sous-main par Goering et Goebbels. Pourtant, si le mouvement de révolte a bien incité Hitler à congédier Pfeffer von Salomon, Goering a attendu en vain d'être invité à lui succéder ; c'est qu'à tout prendre, le Führer a préféré rappeler le capitaine Roehm, qui s'était exilé en Bolivie deux ans plus tôt **. Or, c'est précisément au début de 1931, lorsque Roehm rentre en Allemagne pour prendre son commandement, que Goering se remet à intriguer ; on voit soudain paraître dans la presse des articles révélant l'homosexualité du glorieux capitaine, et les SA de Stennes se soulèvent à nouveau en mars [32]. Mais cette fois encore, les intrigues de Goering vont faire long feu : Hitler soutient Roehm, les émeutes des SA sont réprimées par la police, Goebbels s'empresse de changer de camp, tandis que Roehm reste maître de la situation – et des SA...

A cette époque, Joseph Goebbels n'a pas de mots trop durs pour qualifier Goering, dont la désignation comme représentant personnel du Führer et vice-président du Reichstag lui est manifestement restée en travers de la gorge : au soir du 20 février 1931, le « nain venimeux » note dans son journal : « Goering souffre de mégalomanie. C'est une conséquence de son morphinisme. Dans son arrogance, il se voit très vite dans la peau d'un chancelier du Reich. C'est un fieffé opportuniste. » Et le lendemain : « Goering est morphinomane. Le chef veut qu'il s'en explique. Goering fait les choses les plus folles et les plus saugrenues. Il se voit tour à tour chancelier du Reich et

---

* Notamment du fait qu'en dépit de leur participation active et musclée aux campagnes électorales nazies, ils étaient très mal payés, une bonne partie de leurs émoluments étant détournée par Goebbels – qui s'installait dans le luxe à cette époque et voulait impressionner sa future épouse Magda Quandt. Le fait qu'Otto Strasser, représentant l'aile socialisante du parti, ait été contraint de démissionner à cette époque entrait également pour une bonne part dans ce mécontentement.

** Il y était devenu conseiller de l'état-major bolivien.

ministre de la Guerre. Bref, une mégalomanie typique. Il lui faut une cure radicale. Aujourd'hui, il ne fait que se rendre ridicule. » Le mois suivant, les choses ne s'arrangent visiblement pas : « Goering semble jouer dans mon dos un jeu malhonnête. Il est vrai que c'est un malade et un ambitieux pathologique [33] *. »

Pour l'heure, c'est surtout un ambitieux déçu. Peut-être en guise de prix de consolation, et sans doute pour l'écarter momentanément du théâtre de ses exploits, Hitler l'envoie en mission diplomatique au Vatican à la mi-mai 1931. Le but est de montrer que les nazis sont loin d'être hostiles au christianisme, afin de se concilier une partie de l'électorat catholique du Zentrum et du Bayerische Volkspartei, respectivement majoritaires en Rhénanie et en Bavière. Goering retrouve donc l'Italie dans des conditions très différentes de celles de 1925, et cette fois, il est reçu par Benito Mussolini, qui sait parfaitement mesurer l'évolution des rapports de force en Allemagne. Par contre, sa mission auprès du Vatican n'aura rien d'un succès : en trois semaines de séjour, il n'est reçu ni par le pape ni par le cardinal Pacelli **, mais par un obscur fonctionnaire qui lui accorde une brève entrevue [34]. Il est vrai qu'à en croire Kurt Lüdecke, Hermann Goering ressemble moins à un diplomate qu'à « un éléphant dans un magasin de porcelaine », mais de toute façon, l'idée d'envoyer comme émissaire au Vatican un ancien putschiste protestant et morphinomane, ayant de surcroît enlevé une femme à son époux, n'était pas précisément un trait de génie de la part du Führer...

A son retour d'Italie, Goering retrouve une Allemagne qui s'enfonce profondément dans la crise : la production industrielle est en chute libre, les dettes s'accumulent, le cap des 4,5 millions de chômeurs vient d'être franchi, la politique de déflation aggrave la misère, et la situation va encore empirer avec l'effondrement de la Darmstädter et de la Dresdner Bank. Le chancelier Brüning a certes obtenu de l'étranger un moratoire de trois ans sur le paiement des réparations ***, mais à l'intérieur, il est

---

* Et le 4 avril : « Goering n'est qu'un tas de merde gelée (sic) ». Il y avait pourtant eu une sorte de lune de miel au printemps de 1930, lorsque Goering lui avait offert une Mercedes et lui avait fait visiter la Suède.
** Secrétaire d'Etat et futur pape Pie XII.
*** Le « moratoire Hoover » de juin 1931.

contraint de continuer à gouverner par décrets : sa base parlementaire, composée des socialistes, des catholiques et de démo-
crates, ne cesse de s'affaiblir, et les nationalistes de Hugenberg
comme les nationaux-socialistes d'Hitler entretiennent en
dehors du Reichstag une agitation permanente. Les mécontents
rejoignent en masse le NSDAP, qui compte désormais près de
200 000 membres, tandis que les chômeurs viennent sans cesse
grossir les rangs des SA et d'une autre organisation encore
embryonnaire, les SS *. Dès lors, quelques personnages
influents nouent des contacts en coulisses pour tenter de sortir
de l'impasse ; parmi eux, il y a le général Kurt von Schleicher,
chef du *Ministeramt* ** du ministère de la Défense et homme de
confiance du président Hindenburg, qui est en relations suivies
avec le capitaine Roehm, une vieille connaissance des temps
héroïques de la Grande Guerre. Les deux hommes s'entretiennent discrètement de l'éventualité d'une association des
nationaux-socialistes à l'exercice du pouvoir, et si Hitler est au
courant de ces tractations ***, Goering ne l'est pas... Sa fureur
sera grande lorsqu'il en prendra connaissance : Roehm l'avait
déjà supplanté à la tête des SA, et voilà qu'il usurpe le rôle de
Bevollmächtigter dont lui, Hermann Goering, pensait avoir le
monopole ! Ce sont des affronts qui ne s'oublient pas.

Hitler, qui connaît bien son monde, se fait fort d'apaiser la
colère de Goering : il lui suffit de jouer sur sa vanité et sur sa
cupidité ; c'est pourquoi il lui offre un cabriolet Mercedes décapotable du tout dernier modèle, beige et argenté avec des sièges
en cuir rouge... L'effet est magique : cette marque de faveur
insigne suscite une joie enfantine chez son bénéficiaire, qui
délaisse ses innombrables tâches à Berlin et fonce à tombeau
ouvert en direction du sanatorium de Bad Altheide, où Carin
séjourne depuis le mois de juin. Tout traitement oublié, les
deux époux se mettent en route le 26 août 1931, en compagnie
de Fanny et de l'indispensable Paul Koerner. « Carin était assise
à l'avant, se souviendra Fanny ; elle était radieuse dans son man-

---

* *Schutzstaffeln*, à l'origine la garde personnelle d'Adolf Hitler, dirigée depuis
1929 par un ancien agronome et éleveur de poulets encore peu connu, Heinrich
Himmler.
** « Service ministériel », en fait le bureau politique de la Reichswehr.
*** Le Führer espère surtout s'assurer la complicité de la Reichswehr pour ses
entreprises ultérieures.

teau beige clair, avec un petit bonnet d'automobiliste sur la tête. Le voyage nous a d'abord menés à Dresde, [...] où nous avons passé la première soirée en compagnie du Führer [35]. »

L'escapade dure quinze jours, et la voiture passe d'autant moins inaperçue que son capot s'orne de deux immenses fanions à croix gammée ; Goering est donc obligé de s'arrêter à d'innombrables reprises pour signer des autographes, et son épouse voit dans cette indéniable popularité un heureux présage pour l'avenir. Toute à son bonheur, elle semble oublier les fatigues du voyage, alors qu'elle se déplace difficilement et ne peut plus gravir les escaliers. De Prusse, le couple passe en Bavière, puis franchit la frontière autrichienne pour se rendre à Mauterndorf ; ayant laissé son antisémitisme à Berlin, Hermann tient à présenter Carin à son parrain von Epenstein, très diminué par ses quatre-vingt-deux ans, mais resté suffisamment vaillant pour organiser un grand banquet en leur honneur [36]. Au retour, ils s'arrêtent à Munich pour assister au baptême du fils de la sœur de Hermann, Paula Hueber, avant de remonter vers la capitale. C'est là que le 25 septembre 1931, Carin apprend que sa mère, la très vénérée baronne Huldine von Fock, vient de rendre le dernier soupir.

A peine revenue d'un voyage épuisant, Carin n'est manifestement pas en état de voyager, mais elle veut se rendre à Stockholm sans tarder. Le docteur la prévient que le voyage risque de lui être fatal, mais elle insiste tellement que Hermann finit par céder ; ils repartent donc en voiture vers le nord, et lorsqu'ils parviennent à Stockholm, la vieille baronne a déjà été conduite à sa dernière demeure, au cimetière de Lovö, près de Drottningholm. Le lendemain soir, dans leur chambre du Grand Hôtel, Carin s'évanouit, et un cardiologue appelé en urgence déclare qu'elle a peu de chances de passer la nuit. Mais cette femme étonnante reprend connaissance avant l'aube, et pendant les quatre jours qui suivent, elle reste allongée, veillée jour et nuit par Hermann. C'est le 4 octobre que celui-ci reçoit un télégramme d'Hitler, libellé en ces termes : « Revenez de suite. Votre présence est requise ici. » C'est que les pourparlers secrets entre Roehm et von Schleicher ont suffisamment avancé pour que ce dernier propose au président Hindenburg de recevoir Hitler et Roehm en audience ; mais le vieux maréchal a refusé

catégoriquement de voir sa demeure « profanée par cet
inverti », et il a fallu trouver quelqu'un d'autre pour accompagner le Führer [37] ; Goering, vice-président du Reichstag et titu-
laire de l'ordre « Pour le Mérite », était déjà plus acceptable, ce
qui explique le télégramme comminatoire du 4 octobre, que
Goering, trop préoccupé par l'état de Carin, va laisser sans
réponse [38]...

Deux jours plus tard, alors que Hermann s'est absenté un
court moment, Carin appelle son fils Thomas et lui murmure :
« Je suis si fatiguée, si terriblement fatiguée. Je veux suivre
Maman. Elle ne cesse de m'appeler. Mais je ne peux pas m'en
aller tant que Hermann est ici ; je ne peux pas le quitter. »
Thomas lui parle alors du télégramme reçu de Berlin, que Hermann a décidé d'ignorer. Carin fond en larmes, et lorsque son
époux revient, elle tend les bras et l'attire à elle. « Je n'ai pas
pu entendre tout ce qu'elle murmurait, dira plus tard Thomas,
mais je savais qu'elle le suppliait, l'implorait et même lui
ordonnait de répondre à l'appel d'Hitler. Au bout d'un
moment, il a commencé à sangloter, et elle a pris sa tête pour la
poser contre sa poitrine, comme si c'était son fils et que c'était
lui qui avait besoin d'être réconforté. [...] A ce moment, sans
doute parce qu'elle avait entendu les sanglots de Hermann, ma
tante Fanny est entrée dans la pièce, et ma mère l'a regardée,
très calme et maître d'elle-même. Elle a dit : " Hermann a été
rappelé à Berlin. Le Führer a besoin de lui d'urgence. Tu dois
l'aider à faire ses bagages. " Et puis, elle a relevé la tête de Hermann et lui a dit en souriant : " Thomas va s'occuper de moi. "
Goering s'est relevé, en disant : " Jusqu'à mon retour ", et elle a
répondu : " Oui, jusqu'à ton retour " [39]. »

Le lendemain matin, Hermann Goering repart donc pour
Berlin, et c'est le 10 octobre que le maréchal Hindenburg le
reçoit avec Hitler dans sa résidence de Neudeck. Ce ne sera pas
un succès : les deux hommes étaient venus en pensant que le
président allait faire appel à leurs services pour entreprendre le
redressement de l'Allemagne, mais lorsqu'il devient manifeste
que ce n'est pas le cas, Hitler se lance dans une des interminables diatribes dont il a le secret ; l'effet produit sur le vieux
maréchal est désastreux, et les deux visiteurs n'ont plus qu'à
prendre congé. « Il n'y a rien à faire avec ces gens-là », tonne
un Hitler hors de lui [40] ; Hindenburg est tout aussi indigné :

« Nommer cet homme-là chancelier ? J'en ferai un ministre des
Postes, et il pourra lécher les timbres à mon effigie [41] ! » Dès le
lendemain 11 octobre, Hitler et Goering sont à Bad Harzburg
pour participer à un grand rassemblement de l'opposition nationaliste : il s'agit de proclamer la formation d'un front uni de
tous les partis de droite pour dénoncer le gouvernement Brüning et exiger de nouvelles élections ; mais Hitler ne voulant
partager la vedette avec personne, il se retire immédiatement
après le défilé de ses SA, et le « front de Harzburg » en sera
quelque peu affaibli. Il y a encore un espoir de faire tomber
le gouvernement cinq jours plus tard, lorsqu'une motion de
censure est déposée au Reichstag ; mais le chancelier Brüning
parvient malgré tout à se maintenir, grâce à une courte majorité
de vingt-cinq voix... Le 17 octobre, comme tous les matins,
Hermann Goering téléphone à son épouse, mais cette fois,
c'est l'infirmière de service qui lui répond : Carin est morte
dans la nuit.

Dès le lendemain, Goering prend l'avion pour Stockholm
avec son demi-frère Karl et Paul Koerner. Il revoit pour la dernière fois son épouse, qui repose dans un cercueil blanc au
milieu de la petite chapelle de l'Edelweiss, derrière la maison de
ses parents. C'est le 21 octobre, jour de son quarante-troisième
anniversaire, qu'elle est inhumée aux côtés de sa mère, dans le
cimetière de Lovö. En plus de sa famille, beaucoup d'amis et de
connaissances se sont regroupés pour assister à la cérémonie,
mais deux hommes se tiennent un peu à l'écart : Thomas et
Hermann, qui pleurent une mère et une épouse trop dévouée
pour avoir jamais songé à se ménager ; sans doute sont-ils également conscients d'avoir irrémédiablement perdu une partie
d'eux-mêmes. Le destin de Hermann Goering aurait-il été différent si Carin avait survécu ? L'adulation que vouait au Führer
cette femme naïve, généreuse et idéaliste aurait-elle résisté aux
abominations des années ultérieures ? Cette tête légère, qui pro-
clamait son antisémitisme tout en ayant d'innombrables amis
juifs *, aurait-elle détourné les yeux des persécutions à venir ?

---

* Parmi lesquels le directeur de théâtre autrichien Max Reinhardt, le pédiatre
Adolf Lichtenstein et le professeur Hans Christian Jacobaeus. Le fait que Carin
ait pu se lamenter longuement en apprenant le décès du baron von Hünefeld, qui était
juif lui aussi, montre assez le caractère superficiel et irréfléchi de cet antisémitisme
de principe, très commun dans l'aristocratie suédoise de l'époque. Quelques années

Et si, enfin désabusée, elle s'était dressée contre l'infamie, aurait-elle entraîné dans son sillage cet époux sur qui elle exerçait tant d'ascendant ? Autant de questions destinées à rester sans réponses, mais on retiendra en guise d'épitaphe ce sobre jugement du correspondant de presse britannique Leonard Mosley : « Carin était une romantique candide qui était trop prompte à idolâtrer, et avait beaucoup des préjugés irréfléchis de sa classe et de sa génération. Mais au fond d'elle-même, elle était bonne, elle avait bon cœur et n'aurait jamais fait de mal à une mouche – pas plus qu'à un socialiste, à un communiste ou à un Juif [42]. »

De retour à Berlin, Goering abandonne l'appartement de la Badenschestrasse, qui est trop chargé de souvenirs, et s'installe dans un premier temps à l'hôtel Kaiserhof ; Hitler y descend lorsqu'il vient à Berlin, et c'est pratiquement devenu le quartier général du parti. Le veuf inconsolable emménage ensuite dans un spacieux appartement du 34, Kaiserdamm, qui lui sert de bureau et comprend une petite pièce entièrement dédiée à Carin, avec ses portraits, ses objets, des couronnes de fleurs à profusion et le petit harmonium blanc entouré de deux grands chandeliers. Hermann parle de sa défunte épouse à tous ceux qui veulent bien l'écouter, et il ne cesse d'évoquer le passé avec d'anciens compagnons de Munich comme « Putzi » Hanfstaengl, qui écrira plus tard : « Goering cherchait à se consoler de son isolement personnel en notre compagnie. Il n'était pas encore entièrement accepté par le parti, et notre maison lui offrait toujours une retraite commode [43]. »

Pour tenter d'oublier son deuil, Hermann replonge avec passion dans la politique – ce qui consiste principalement à intriguer en sous-main contre ses concurrents Roehm, Strasser, Rosenberg et Goebbels, tout en tirant à boulets rouges sur le gouvernement Brüning depuis la tribune du Reichstag. Mais au cours de l'année 1932 qui s'annonce, le combat politique passera obligatoirement par les urnes : pour commencer, c'est le septennat du président Hindenburg qui arrive à son terme, et le vieux maréchal compte se représenter. Après un mois d'hésita-

---

plus tard, la révulsion provoquée en Suède par la Nuit de Cristal et les persécutions ultérieures fera pratiquement disparaître l'antisémitisme dans toutes les couches de la société suédoise.

tions, Hitler décide lui aussi de se porter candidat. C'est évidemment une entreprise téméraire pour un simple caporal que de défier le héros de Tannenberg *, mais le Führer ne doute de rien, et il se lance à corps perdu dans la bataille électorale. Entre février et avril 1932, on le verra sillonner l'Allemagne de long en large pour haranguer les foules, passant chaque jour d'une ville à l'autre en voiture, en train et même en avion – une pratique électorale nouvelle dans l'Allemagne de l'époque. Tous les orateurs de talent sont mobilisés pour soutenir sa campagne, à commencer par Strasser, Goebbels, Esser et naturellement Goering. Le 13 mars, Hindenburg recueille 18,6 millions de voix, et Hitler 11,4 seulement, mais faute de majorité absolue, il faut procéder à un second tour le mois suivant. Au soir du 10 avril, Hitler obtient 13 millions de voix, mais Hindenburg en remporte 19,5, et c'est plus que suffisant pour être élu.

Hitler a donc perdu, mais un effort de propagande sans précédent a fait de lui une figure nationale, ce qui va modifier radicalement la donne politique au cours des mois à venir. En outre, le chancelier Brüning a commis quelques impairs pendant et après la campagne, notamment en faisant interdire l'organisation des SA, soupçonnée de préparer une insurrection, et en annonçant que les grands domaines de Prusse orientale trop obérés seraient morcelés et ouverts à la colonisation intérieure. La première mesure lui vaut des attaques virulentes de la part de Goering au Reichstag, et la seconde attire sur lui les foudres du président Hindenburg **, qui l'oblige à démissionner le 30 mai 1932. Dès lors, le vieux maréchal lui choisit pour successeur Franz von Papen, un aristocrate de l'ancienne école, membre du Centre catholique, fortuné, diplomate, affable, beau parleur, audacieux, cavalier émérite et bien connu pour ses exploits de guerre *** ; en même temps, Hindenburg convoque

---

* D'autant qu'Adolf Hitler, qui a perdu sa nationalité autrichienne, n'est même pas allemand à cette époque. Il va le devenir à la veille même de la campagne électorale au moyen d'un artifice juridique : la majorité nazie au pouvoir dans le Land de Brunswick le fait nommer fonctionnaire avec le titre d'*Oberregierungsrat*, ce qui confère automatiquement la nationalité allemande.
** Hindenburg était lui-même propriétaire du domaine de Neudeck, en Prusse orientale.
*** En 1914, Franz von Papen, attaché militaire aux Etats-Unis, s'était trouvé impliqué dans des affaires d'espionnage et de sabotage, et avait été expulsé du pays.

Hitler, Goering et Goebbels au palais présidentiel et, au cours d'une entrevue qui dure exactement huit minutes, il leur demande de soutenir son nouveau chancelier. Hitler y consent, à condition que von Papen lève l'interdiction des SA et que le Reichstag soit dissous. L'affaire étant conclue, il y aura donc de nouvelles élections à la fin de juillet, et le parti national-socialiste va s'y préparer fiévreusement...

Même dans ces moments de lutte commune pour parvenir au pouvoir, les chefs nazis ne cessent de s'entre-déchirer, ainsi qu'en témoignage le journal de Goebbels : « Goering répand des infamies sur mon compte. [...] Il est le mauvais génie d'Hitler. [...] Goering est comme toujours arrogant, grossier et repoussant. Il est vrai que je le traite comme de la merde. [...] Je suis furieux contre ce gros cul. Il me fait littéralement vomir. [...] C'est un vaniteux, qui peut devenir dangereux. [...] Hitler ne se rend pas compte de son ambition puérile et de sa jalousie de bonne femme [44]. » Et en matière de jalousie, il faut bien reconnaître que Joseph Goebbels est un véritable expert...

Entre-temps, la campagne présidentielle qui bat son plein a produit un résultat inattendu : lors d'un déplacement électoral à Weimar, le veuf endeuillé Hermann Goering a rencontré Emmy Sonnemann, une actrice de théâtre blonde, accorte et généreusement dimensionnée. Cette digne femme, qui ne ressemble en rien à Carin et s'intéresse si peu à la politique qu'elle commence par confondre Goebbels et Goering *, se montre rapidement sensible au charme de cet étrange personnage qui a connu tant d'aventures, aime passionnément le théâtre et semble à la fois fort et vulnérable [45]. C'est que Hermann, si pompeux et cassant en public, peut manifester en privé une grande sensibilité, et son attachement à l'épouse défunte lui gagne définitivement le cœur d'Emmy, qui vient elle-même de perdre un être cher. La belle actrice est certes mariée, mais ce n'est pas pour gêner l'ancien amant de la comtesse von Fock-Kantzow ; il est vrai aussi que Frau Sonnemann compte beaucoup de Juifs parmi ses collègues et amies, mais ce n'est pas

---

Attaché en 1917 aux armées de Falkenhayn en Turquie, il s'était illustré en tant que chef d'état-major de la IVᵉ armée ottomane en 1918.

* Il lui avait pourtant été présenté un an plus tôt avec son épouse, mais elle ne se s'en souvenait plus. Par contre, elle avait été vivement impressionnée par Carin...

rédhibitoire non plus, car le filleul du docteur von Epenstein arbore depuis longtemps un antisémitisme à géométrie variable. Hermann et Emmy deviennent donc amants, et en ce printemps de 1932, le député Goering effectue entre Berlin et Weimar de nombreux déplacements qui n'ont plus rien d'électoral...

A l'été, pourtant, il va devoir les espacer, car la campagne des législatives est lancée, et elle mobilise entièrement les énergies. Tous les moyens de propagande sont utilisés, depuis les discours jusqu'aux cortèges en passant par les affiches, les appels radiophoniques et la participation systématique des SA de Roehm ; ces solides gaillards sont désormais plus de 400 000 – quatre fois les effectifs de la Reichswehr –, et ne se contentent plus de faire le coup de poing contre les communistes : ils ont des armes à feu et n'hésitent pas à s'en servir ; les communistes répliquent, et au cours du seul mois de juillet, trente-huit nazis et trente communistes y laisseront la vie. L'intimidation, la dégradation de l'économie et le chiffre effarant de 6 millions de chômeurs garantissaient pratiquement aux nationaux-socialistes un nouveau succès électoral, mais personne ne pouvait s'attendre aux résultats de la consultation du 31 juillet 1932 : le NSDAP obtient près de 14 millions de voix et devient le premier parti au Reichstag, avec 230 sièges...

Un tel résultat aurait pu décider le président Hindenburg à nommer Hitler chancelier, mais il n'en fera rien : le comportement des SA durant la campagne électorale l'a beaucoup choqué, il craint par-dessus tout le déclenchement d'une guerre civile, et il n'a toujours pas la moindre confiance en ce « caporal bohémien », qu'il considère comme un apprenti dictateur. Il n'offre donc à Hitler que le poste de vice-chancelier – que le Führer refuse avec mépris –, et nomme à nouveau chancelier son favori, Franz von Papen, qui constitue un « cabinet des barons » avec von Neurath comme ministre des Affaires étrangères et von Schleicher au ministère de la Guerre. Mais von Papen, comme Brüning avant lui, doit gouverner par décret, car il ne peut réunir aucune majorité parmi les trente-deux partis représentés au Reichstag *, et Hitler, outré d'avoir été privé du

---

* L'ancien ministre et chef socialiste Gustav Noske décrira tous ces chefs de partis qui « faisaient preuve d'un degré de sectarisme sans égal dans l'histoire des partis politiques. Ils s'opposaient à toute mesure destinée à préserver l'institution qu'ils

poste de chancelier, est résolu à tout faire pour écourter son passage aux affaires — légalement s'entend, car sur les conseils de Goering, il a rejeté le plan de Roehm visant à prendre le pouvoir par la force [46].

Pourtant, dès le mois d'août 1932, la victoire électorale des nazis leur permet déjà d'occuper une position clé : forts de leur nombre de sièges comme de l'aide du Zentrum et du Parti populaire bavarois, ils font élire Goering à la présidence du Reichstag ; pour le putschiste malheureux de 1923, l'exilé de 1924, l'interné de 1925, le chômeur de 1926 et le paria de 1927, il y a évidemment des revanches qui se savourent : en tant que président du Reichstag, Hermann Goering sera, à trente-neuf ans seulement, le troisième personnage du pays, après le président et le chancelier [*]. D'ailleurs, son âge lui garantit une plus grande survie que le président, et sa fonction une plus grande pérennité que le chancelier... Enfin, le président du Reichstag bénéficie d'innombrables privilèges, comme celui d'occuper un palais à proximité immédiate du Parlement, de fixer l'ordre du jour de l'Assemblée, de faire diffuser ses discours par la radio, de négocier avec les dirigeants de tous les partis et d'avoir aisément accès au président Hindenburg. De toutes ces prérogatives, Goering va faire le plus ample usage pour promouvoir la cause d'Hitler — et accélérer la chute de von Papen.

L'occasion lui en est fournie dès le 12 septembre 1932, lorsque les députés communistes déposent une motion de censure contre le gouvernement, et proposent de la mettre au vote avant même que l'on ne passe à l'ordre du jour. Goering demande s'il y a des objections, et il n'y en a aucune... Une interruption d'une demi-heure est alors demandée, et le chancelier von Papen racontera lui-même la suite : « J'avais été pris par surprise. Ayant calculé que les débats sur les propositions que je voulais soumettre dureraient plusieurs jours, je n'avais pas pensé à me munir de l'ordre de dissolution obtenu au préalable [**]. J'ai donc envoyé un messager à la chancellerie sans

représentaient ». On trouverait difficilement une meilleure synthèse des faiblesses essentielles de l'Allemagne de Weimar.

[*] Le 30 août 1932, Goebbels note avec dépit dans son journal : « Voilà que Goering va devenir président du Reichstag. Il ne manquait plus que ça ! »

[**] Signé du président Hindenburg.

délai, et il est revenu avec le précieux document au moment où les députés se rassemblaient. Lorsque la session a repris, je me suis présenté avec sous le bras la fameuse serviette rouge utilisée pour ce genre de documents. [...] La session a dégénéré en un concert d'invectives, et au milieu du tumulte, Goering a refusé de me donner la parole. Il s'est tourné ostensiblement vers le côté gauche de la Chambre et a fait semblant de ne pas m'entendre. Au lieu de cela, il a crié : " Puisqu'il n'y a pas eu d'objections à la proposition communiste, je vais faire procéder au vote " [47]. »

Treize ans plus tard, Goering reconnaîtra les faits en s'esclaffant : « J'ai vu qu'il avait sous le bras la serviette rouge, et je savais parfaitement ce que cela signifiait, de sorte que je me suis dépêché de faire voter les députés [48]. » Et von Papen de poursuivre : « Je n'avais plus d'autre solution que d'aller vers l'estrade présidentielle, d'abattre l'ordre de dissolution sur le bureau de Goering et de sortir du Reichstag avec les membres de mon cabinet. Goering a poussé de côté l'ordre de dissolution et a fait poursuivre le vote, qui a abouti à une défaite du gouvernement par 412 voix contre 42. Après quoi il a lu l'ordre de dissolution, en le déclarant invalide, puisqu'il était signé d'un ministre qui venait d'être congédié par les représentants du peuple [49]. » C'est évidemment tout à fait irrégulier : le président du Reichstag ne pouvait en aucun cas empêcher le chancelier de parler avant le vote, et le maréchal Hindenburg le lui fera clairement comprendre en maintenant l'ordre de dissolution. C'est donc le vote de censure qui devient invalide, mais Goering est parvenu à ses fins, en démontrant que von Papen n'a pratiquement aucun soutien au Reichstag. Dès lors, le chancelier ne dirige plus qu'un gouvernement en sursis, et il y aura de nouvelles élections en novembre, dont les nazis espèrent tirer le plus grand profit...

C'est après cette parodie de démocratie parlementaire, mais avant les élections de novembre 1932, que l'éditeur et journaliste Martin Sommerfeldt rencontre pour la première fois Hermann Goering, qui a été invité par un ami commun à chasser sur ses terres : « Goering, se souviendra Sommerfeldt, était indéniablement un homme d'envergure. En dépit de son embonpoint, il était doté d'une force et d'une résistance surprenantes, il était plein d'énergie et débordait de vitalité. Il tenait à marquer ses distances vis-à-vis des autres tribuns du parti, se montrait extrêmement fier de son passé d'officier et de sa réputation d'ancien commandant de l'escadrille Richthofen, et se flattait d'être " de bonne famille ". [...] Cet homme de nature curieusement contradictoire oscillait entre la grossièreté révolutionnaire et les rêveries du grand seigneur, entre la chemise brune du SA le matin et le smoking de bonne coupe le soir. Goering était sans nul doute " un gaillard ", mais un gaillard qui voulait être roi. Je ne sais pas s'il était conscient de ses profondes contradictions ; selon son humeur, il donnait libre cours à l'une ou l'autre facette de son caractère, avec une ardeur et une si désarmante naïveté que l'on était enclin à lui prêter une forte personnalité, même si elle était quelque peu étrange [50]. »

Voilà un portrait singulièrement ressemblant, sous la plume d'un homme qui ne s'est pourtant entretenu avec Hermann Goering que cinq jours durant, au détour de quelques parties de chasse dans les landes du Brandebourg. Mais la suite du récit de Sommerfeldt n'est pas moins intéressante : « Goering n'essayait nullement de dissimuler ses " passions ploutocratiques " : il aimait intensément la chasse, l'art et le théâtre. Je suis allé chasser avec lui à plusieurs reprises, et même s'il prenait chaque jour son fusil, ce grand chasseur n'a pas tiré chez nous une seule pièce de gibier. [...] Il préférait ramasser les champignons avec moi, une occupation aussi reposante et philosophique que la pêche. Lors de ces promenades tout à fait pacifiques, il me confiait très ouvertement ses soucis, ses désirs et ses espoirs. [...] Alvensleben m'avait décrit Goering comme " le meilleur homme chez les nazis ", et c'était également l'impression qu'il me donnait, dans la mesure où il accueillait avec un calme étonnant, et même avec le plus grand intérêt, mes critiques souvent acerbes de la démagogie des nazis. Il ne niait nullement les dangers qui pouvaient en résulter, mais pour lui, le responsable de cet extrémisme était en premier lieu le docteur Goebbels, " ce nain venimeux ", qui était son grand rival pour avoir l'oreille d'Hitler, et qui essayait sans doute, avec ses méthodes de propagande primitives, de faire échouer les négociations avec " le Vieux Monsieur * " pour faire entrer le

---

* Le président Hindenburg.

NSDAP au gouvernement. [...] C'était l'époque où Hindenburg refusait de nommer Hitler chancelier, car il prévoyait que cela déboucherait inévitablement sur une dictature de parti. J'ai demandé à Goering si cette crainte du *Reichspräsident* n'était pas entièrement justifiée. Il m'a répondu que l'on ne pourrait sans doute pas échapper à une dictature temporaire, mais qu'Hitler offrait la garantie d'une dictature nationale, allemande, qui était bien préférable à une dictature sur le modèle de Moscou. Toutefois, il ne pensait pas qu'on en arriverait là, si l'on permettait à Hitler d'accéder légalement à un pouvoir qui lui revenait de droit. J'ai objecté que l'argument le plus convaincant contre un gouvernement d'Hitler était le manque, dans les rangs du NSDAP, d'hommes capables ayant une formation, une expérience et une intelligence suffisantes. A quoi il a répondu : " J'irai chercher les hommes qu'il me faut là où ils se trouvent ; le parti m'est absolument indifférent " [51]. »

En fait, Goering anticipe quelque peu ; car la situation économique s'améliorant progressivement et certaines initiatives d'Hitler ayant provoqué des remous dans l'opinion *, les élections du 6 novembre se révèlent décevantes pour les nationaux-socialistes : ils perdent 2 millions de voix et trente-quatre sièges. Le NSDAP n'en reste pas moins le premier parti au Reichstag et Goering est réélu à sa présidence, mais le vieux maréchal est toujours aussi décidé à écarter Hitler de la chancellerie. Le général von Schleicher, qui avait persuadé auparavant le *Reichspräsident* de nommer Brüning et von Papen, se fait fort cette fois de prendre lui-même les rênes du gouvernement, et de réussir là où ses deux prédécesseurs ont échoué. C'est une très mauvaise nouvelle pour les nationaux-socialistes : le pouvoir va leur échapper à nouveau, leur situation financière est catastrophique après quatre campagnes électorales majeures, et ils commencent à se quereller sur la politique à suivre... C'est que von Schleicher, voulant diviser pour régner, propose à Gregor Strasser d'entrer au gouvernement en tant que vice-

---

* Le 3 novembre, les communistes déclenchaient une grève des transports à Berlin, et Goebbels appelait les nationaux-socialistes à rejoindre le comité de grève. Cette alliance de circonstance avec les communistes avait été ressentie par beaucoup d'Allemands comme une trahison. L'intervention publique d'Hitler pour soutenir les SA accusés du meurtre d'un ouvrier à Potempa avait également été très mal accueillie dans le pays.

chancelier. La manœuvre est habile : Strasser, le grand organisateur du NSDAP, est assez populaire, et il pourrait entraîner avec lui toute l'aile gauche du parti. En l'occurrence, la tentative va faire long feu, car Strasser, indigné d'être accusé de traîtrise par Hitler, se démet de toutes ses fonctions et quitte Berlin le 9 décembre. Mais le parti n'en est pas moins sérieusement déstabilisé, et Hitler prévient même que dans l'éventualité d'une scission, « il mettrait fin à ses jours en trois minutes [52] ».

Entre-temps, Hindenburg a effectivement nommé chancelier le général von Schleicher, qui semble avoir le soutien de l'armée, des nationaux-allemands, des industriels et des grands propriétaires terriens. Hitler, hors de lui, se retire à Munich en invectivant Schleicher, Papen, Hindenburg, Strasser et tous ceux qu'il soupçonne de se liguer pour lui barrer la route du pouvoir. La situation est donc entièrement bloquée... Et pourtant, un homme va la faire sortir de l'impasse : c'est Franz von Papen qui, outré d'avoir été évincé par Schleicher, entend revenir au pouvoir avec l'aide des nationaux-socialistes. Le 4 janvier 1933, une première entrevue secrète * est organisée entre Hitler et von Papen au domicile du banquier de Cologne Kurt von Schröder. Il y a quelques avancées, car Hitler accepte en principe de collaborer avec von Papen au sein d'un gouvernement ; mais le Führer refusant tout autre poste que celui de chancelier et von Papen répétant que Hindenburg ne veut en aucun cas le lui concéder, le problème principal reste entier, et l'on se sépare sur une simple promesse de se revoir.

Au cours des semaines qui suivent, le chancelier von Schleicher va se trouver confronté aux mêmes difficultés que ses prédécesseurs – et à quelques autres plus graves encore : il ne peut trouver aucune majorité au Reichstag, ses efforts pour se concilier les syndicats sont mal compris de l'aristocratie et de la haute bourgeoisie, il annonce à son tour qu'il fera procéder au partage des grands domaines de Prusse orientale en faillite, et il peine à maintenir l'ordre dans un pays ensanglanté par les rixes mortelles entre SA et militants communistes ; enfin, sa façon de

---

* Elle ne le restera pas longtemps, du fait de la présence d'un photographe sur les lieux à l'arrivée de von Papen.

traiter le scandale de l'*Osthilfe* * va le déconsidérer aux yeux du président Hindenburg, et affaiblir fatalement sa position.

De tout cela, ses rivaux vont profiter pour promouvoir la cause de von Papen – et surtout celle d'Hitler. Or, Goering, de par ses fonctions, a accès à tous les protagonistes de l'affaire, depuis le chancelier jusqu'au président, en passant par tous les chefs de partis représentés au Reichstag. Entremetteur habile et intrigant redoutable, il rend visite à plusieurs reprises au « Vieux Monsieur » de Neudeck, entretient des relations suivies avec son fils Oskar von Hindenburg[53], reste en liaison constante avec son secrétaire Meissner, négocie avec le chef des nationaux-allemands Hugenberg, et maintient un contact permanent avec von Papen. Le 22 janvier 1933, dans la demeure d'un jeune protégé de Goering nommé Joachim von Ribbentrop, un conciliabule discret réunit Hitler, Goering, Frick, von Papen, le secrétaire Meissner et le colonel Oskar von Hindenburg. Pour Hitler, il s'agit bien sûr d'impressionner le fils, afin qu'il fasse pression sur son père – dont la principale préoccupation reste d'éviter une guerre civile. Il faut aussi faire évoluer von Papen, pour qu'il puisse lui aussi guider le *Reichspräsident* dans la bonne direction... Les choses semblent progresser quelque peu, car von Papen reconnaît que Hindenburg ne croit plus possible d'exclure les nationaux-socialistes du pouvoir, tandis que lui, von Papen, se déclare prêt à demander au président de nommer Hitler chancelier. Même s'il le niera plus tard avec énergie, von Papen semble avoir laissé entendre dès ce moment qu'il se réserverait la fonction de vice-chancelier[54].

Mais la partie est loin d'être gagnée, car en dépit des pressions de son fils et de von Papen, Hindenburg n'envisagerait de nommer Hitler que s'il était en mesure de réunir une majorité au Reichstag, tandis qu'Hitler tient à former un cabinet présidentiel, indépendant du Reichstag – exactement comme ses prédécesseurs ; le Führer prétend aussi être commissaire du

---

* « Aide à l'Est ». Certains députés du Zentrum avaient révélé que les grands propriétaires terriens de l'Est, qui recevaient des subventions de l'Etat pour mettre en valeur leurs exploitations touchées par la crise, avaient utilisé ces fonds pour des dépenses somptuaires à l'étranger. Hindenburg rendait von Schleicher responsable de n'avoir pas fait obstacle à la constitution d'une commission d'enquête parlementaire sur cette affaire.

Reich pour la Prusse *, ce que von Papen refuse, alléguant que cette fonction doit revenir au vice-chancelier – c'est-à-dire à lui-même. Par ailleurs, von Papen ne se croit pas en mesure de faire accepter plus de deux ministres nazis par Hindenburg, lequel exige en outre que le ministère de la Guerre et celui des Affaires étrangères restent aux mains d'hommes ayant sa confiance... Hitler, lui, tient essentiellement à ce que de nou-velles élections législatives se tiennent après sa prise de pouvoir, ce que refuse Hugenberg, dont la participation au nouveau gou-vernement est pourtant impérative. Au cours des jours qui suivent, c'est à Goering et à Ribbentrop qu'il revient de calmer Hitler, de rassurer Hindenburg, de modérer von Papen, de séduire Hugenberg, d'arrondir les angles et de résoudre la qua-drature du cercle...

Le 28 janvier 1933, von Schleicher, auquel le président Hin-denburg vient de retirer son soutien, est acculé à la démission, tandis que les pourparlers se poursuivent fiévreusement entre la présidence du Reichstag, l'hôtel Kaiserhof et la résidence du *Reichspräsident*. Enfin, dans l'après-midi du 29 janvier, Goering vient annoncer à Hitler qu'il est attendu par le président Hin-denburg le lendemain à 11 heures, et que sa nomination au poste de chancelier est pratiquement acquise. De fait, au matin du 30 janvier 1933, Adolf Hitler est reçu par le président Hin-denburg, qui le nomme chancelier du Reich. Dans cette affaire, chacun pense avoir trouvé la solution idéale : Hitler, parce qu'il tient enfin ce pouvoir auquel il aspirait depuis plus d'une décennie ; Hindenburg, parce qu'il a évité la guerre civile et gardé le contrôle de la Reichswehr par l'intermédiaire d'un homme sûr, le général Werner von Blomberg ** ; von Papen, parce qu'il a pris sa revanche sur von Schleicher, et qu'en deve-nant vice-chancelier d'un gouvernement qui compte seulement trois nationaux-socialistes sur onze, il se fait fort d'isoler Hitler et de le tenir en respect ; Hugenberg, parce qu'il réalise enfin

---

* En juillet 1932, peu après son arrivée au pouvoir, von Papen avait arbitraire-ment démis de ses fonctions le gouvernement social-démocrate de Prusse, et l'avait remplacé par un commissaire du Reich. La pratique avait perduré.

** Au dernier moment, des rumeurs avaient couru selon lesquelles von Schleicher s'apprêtait à organiser un putsch, en faisant intervenir la garnison de Potsdam. Il s'agissait probablement d'une manœuvre d'intoxication visant à effrayer le maréchal Hindenburg et à lui forcer la main.

son ambition de devenir ministre de l'Economie, ce que lui avaient refusé les chanceliers précédents ; Goering, enfin, parce qu'il devient ministre sans portefeuille, ministre de l'Intérieur de Prusse et commissaire à l'Aviation * – autant de titres qui devraient lui ouvrir très largement les portes de la gloire, de la puissance et de la richesse. Le plus sûr moyen de perdre les hommes, disait la sagesse antique, c'est d'exaucer tous leurs désirs...

---

* C'est encore un poste mineur, puisqu'il est subordonné au ministère des Transports. Mais Goering se chargera bientôt d'en élargir démesurément les compétences.

VII

Sanglante ascension

Au soir du 30 janvier 1933, alors que d'interminables cortèges de SA défilent à la lueur des flambeaux devant la chancellerie du Reich, on voit distinctement deux silhouettes se détacher dans l'encadrement d'une fenêtre du premier étage ; ce sont celles du chancelier Hitler et du ministre sans portefeuille Goering, qui saluent de la main et savourent leur triomphe. Le vice-chancelier, lui, se tient très en retrait, et c'est un symbole qui n'échappe à personne – sauf peut-être à l'intéressé ; car pour Franz von Papen, le gouvernement de coalition qui vient d'être constitué n'est pas différent des autres : en grande partie composé de ministres conservateurs, il reste responsable devant le Reichstag sans y disposer d'une majorité absolue, il est dépendant du bon vouloir du président Hindenburg, le contrôle de l'armée lui échappe, son chancelier ne peut être reçu par le président qu'en présence du vice-chancelier, et il ne peut que s'assagir devant les responsabilités de l'exercice du pouvoir. Bien sûr, un membre du parti national-socialiste occupe désormais le ministère de l'Intérieur du Reich et un autre le ministère de l'Intérieur prussien, mais le premier n'a que des fonctions symboliques et le second se trouve directement subordonné au ministre-président de Prusse – qui n'est autre que le vice-chancelier von Papen.

Pourtant, Franz von Papen néglige plusieurs éléments essentiels : les ministres conservateurs du nouveau gouvernement sont des techniciens qui, à l'exception de Hugenberg, n'ont aucun parti derrière eux et sont hors d'état de tenir tête à Hitler – d'autant que les SA comme les SS exercent un fort effet d'intimidation sur les ministres, les députés, les partis, les syndicats et l'ensemble de l'opinion publique. En outre, Hitler a obtenu la dissolution du Reichstag, en espérant gagner une majorité lors de nouvelles élections, et personne n'est de taille à lui barrer la route – excepté le président Hindenburg, dont l'âge a beaucoup érodé la lucidité. Et puis, grâce à toutes les promesses faites aux pauvres, aux chômeurs, aux ouvriers, aux paysans, aux industriels, aux commerçants, aux hobereaux, aux monarchistes et aux militaires, le Führer est extrêmement populaire dans le pays, et ses méthodes sont aussi éloignées que possible de celles des politiciens allemands traditionnels : « Nous avions sous-estimé l'insatiable soif de pouvoir d'Hitler, avouera von Papen, et nous ne nous rendions pas compte du fait qu'elle ne pouvait être combattue qu'en employant ses propres méthodes. De plus, toute notre formation et tout notre état d'esprit nous empêchaient de prévoir les conséquences de ces méthodes [1]. » En d'autres termes, von Papen est loin de soupçonner qu'Hitler n'est pas un gentleman – et qu'il n'a aucune intention d'en devenir un ! Enfin, le vice-chancelier omet dans ses calculs un facteur de poids, en la personne du ministre de l'Intérieur de Prusse Hermann Goering ; car quelles que soient les dispositions constitutionnelles en vigueur, celui-ci n'est nullement disposé à reconnaître l'autorité de son ministre-président Franz von Papen...

C'est évidemment un poste clé que celui de ministre de l'Intérieur en Prusse : il contrôle les forces de police du plus grand Etat allemand, à commencer par celles de Berlin – un atout maître dans l'optique de la conquête du pouvoir absolu ; car Goering, en fidèle comparse d'Hitler, n'a pas de plus grande préoccupation que celle-là... C'est pourquoi, dès le premier jour de la *Machtergreifung* *, il s'installe au ministère de l'Intérieur en compagnie de Paul Koerner et de Martin Sommerfeldt, et s'intéresse tout particulièrement à une sous-section de la police politique connue du temps de l'administration socialiste sous le nom de « I a ». Elle dépend en principe du président de la police de Berlin, mais Goering va la rattacher à son ministère, élargir considérablement ses attributions et se subordonner directement son chef, l'*Oberregierungsrat* Rudolf Diels [2] ; ce jeune homme méthodique, noceur, alcoolique, brutal, cynique et résolument opportuniste s'empresse

---

* La prise de pouvoir.

d'apporter à son nouveau ministre tous les dossiers sensibles constitués par l'administration précédente – à commencer par ceux des principales personnalités du parti national-socialiste. Goering apprend ainsi que Joachim von Ribbentrop a acheté son titre de noblesse à une baronne, qui lui a fait un procès faute d'avoir été payée; il lit aussi d'interminables rapports sur les dépravations et les amitiés particulières d'Ernst Roehm, sur la vie privée de l'antisémite compulsif Alfred Rosenberg et de sa maîtresse juive, sur les fausses déclarations faites par Hitler pour obtenir la nationalité allemande, et sur les relations de l'expert économique du parti nazi Gottfried Feder avec des prêteurs sur gages juifs. En consultant son propre dossier, Goering constate que les autorités de Prusse n'ignoraient rien de ses séjours à l'asile d'aliénés de Langbro, et apprend avec la plus grande indignation qu'un enquêteur zélé doublé d'un psychiatre amateur lui avait attribué des « tendances homosexuelles refoulées [3] »...

Ce dossier-là finira naturellement au panier, mais ce sera le seul : au cours des semaines qui suivent, le nouveau ministre de l'Intérieur en lit d'innombrables autres, dont il mémorise soigneusement le contenu. Dans un premier temps, cela va lui permettre de purger son administration : sur trente-deux chefs de la police municipale de Prusse, vingt-deux doivent démissionner, tandis que des centaines de fonctionnaires sont congédiés sans autre forme de procès. Il y a parmi eux un jeune procureur nommé Robert Kempner, dont le dossier établit que sous l'administration précédente, il a fait condamner plusieurs membres des SA et des SS ayant participé à des émeutes, et a même proposé l'arrestation d'Adolf Hitler pour haute trahison. Goering le convoque, lui signifie son licenciement et hurle : « Vous avez de la chance que je ne vous fasse pas jeter en prison *. Disparaissez, et que je ne vous revoie plus jamais [4] ! »

Pourtant, Goering reverra un jour Robert Kempner, et dans des circonstances qu'il est très loin d'imaginer... Mais pour l'heure, les fonctionnaires licenciés sont remplacés par des membres du parti ou de vieux acolytes du ministre : Paul Koerner, qui devient secrétaire d'Etat; le comte Helldorf, placé à la tête de la police berlinoise; Martin Sommerfeldt, promu directeur des services de presse, et même Erich Gritzbach, le chef de

---

* Kempner n'en sera pas moins arrêté peu de temps après.

cabinet de von Papen, qui a brusquement changé d'allégeance !
« Goering est en train de nettoyer les écuries d'Augias », note
avec satisfaction Joseph Goebbels dans son journal le 15 février[5].
Dans un second temps, le ministre de l'Intérieur de Prusse pourra
dresser des listes de communistes, de socialistes et autres opposants potentiels promis à l'arrestation dès que l'occasion s'en présentera...

Rien n'est plus facile que de créer des occasions propices ; le
24 février, Goering ordonne à sa police de perquisitionner la Karl
Liebknecht Haus, siège berlinois du parti communiste. On n'y
trouve que des amoncellements de tracts, mais l'expert en propagande du parti Josef Goebbels les transforme aussitôt en incitations au terrorisme, appels à la révolution et plans de coup d'Etat.
Trois jours plus tard, au prétexte de conjurer cette menace révolutionnaire, Goering annonce que 50 000 membres des SA et de la
SS seront engagés comme auxiliaires de police : munis d'un
simple brassard blanc, les gros bras, truands, émeutiers, soute-
neurs et soudards de la veille vont désormais aider la police à faire
respecter la loi – dans un sens national-socialiste, bien entendu.
En prévision des élections du 5 mars 1933, ces dévoués auxiliaires
veilleront à orienter le peuple dans la bonne voie et à le protéger
contre toute menace marxiste... ou démocrate. Les consignes
qu'ils reçoivent de Goering sont d'ailleurs sans équivoque : « Au
cours du combat électoral, la police doit employer toutes mesures
de force contre les adversaires du Front national, et faire usage de
ses armes à feu sans en craindre les conséquences. » A quoi il
ajoute, avec son légendaire sens de la mesure : « A partir de maintenant, toute balle tirée du pistolet d'un policier est une balle
tirée par moi. Si l'on appelle cela du meurtre, eh bien, c'est moi
qui l'ai commis[6]. » Avec de telles instructions données à des
auxiliaires de police inexpérimentés, dont beaucoup sont par ailleurs d'anciens repris de justice, les abus sont inévitables. Malgré
tout, même les pires exactions doivent s'opérer discrètement, car
le président Hindenburg reste garant de la légalité, et la Reichswehr pourrait intervenir en cas de généralisation des désordres.

C'est sur ces entrefaites que se produit un coup de théâtre : au
soir du 27 février, peu avant 21 heures, le Reichstag s'embrase.
On arrête sur les lieux l'incendiaire, un jeune Néerlandais faible
d'esprit nommé Marinus Van der Lubbe, mais une fois le sinistre

éteint vers 23 heures, les enquêteurs comme les témoins du sinistre relèvent deux faits troublants : les départs de feu ont été si nombreux et si espacés qu'ils pouvaient difficilement avoir été déclenchés par un seul homme ; d'autre part, les principaux chefs nazis, immédiatement arrivés sur les lieux, se sont montrés extra-ordinairement prompts à dénoncer un attentat communiste, et Hitler lui-même a parlé d'un « signe du Ciel ». Goering, lui, s'est précipité à l'intérieur de l'édifice en feu, mais il a dû reculer devant l'intensité du brasier ; Martin Sommerfeldt, qui l'a rejoint à cet instant, décrira la suite en termes édifiants : « Entouré d'officiers de pompiers et de police, Goering se tenait au milieu du hall d'entrée enfumé, [...]. J'avais l'impression que cet incendie l'avait affecté, mais qu'il n'y attachait pas une importance exagérée. Avec calme et concision, il m'a chargé de recueillir auprès des pompiers et de la police toutes informations sur les causes et les effets de l'incendie, et de lui en soumettre ensuite un rapport au ministère pour publication officielle [7]. »

Sommerfeldt s'exécute, rédige son rapport et le présente à son chef vers 1 heure du matin. Goering le parcourt rapidement, tape violemment du poing sur la table et rugit : « C'est de la merde, ça ! C'est un rapport de police de l'Alex *, mais pas un communiqué politique ! » Sommerfeldt lui répond que ce sont là les constatations qui lui ont été communiquées par la police et les pompiers, mais rien n'y fait : « Goering se remet à crier : " C'est une connerie ! ", et il se saisit d'un crayon de couleur surdimensionné : " Cinquante kilos de matériel inflammable ? Cinq cents kilos, cinq mille kilos ! ", et d'un trait de crayon, il surcharge mon modeste cinquante d'un épais cinq mille. Du coup, je me fâche : " Mais c'est impossible, Monsieur le ministre, personne ne voudra croire qu'un seul homme a porté cinq mille... " Mais il se remet à crier : " Rien n'est impossible. Un homme ? Ce n'était pas un homme, c'était dix, vingt hommes ! Enfin, vous ne voulez pas comprendre : c'était la Commune ! C'est le signal du soulèvement communiste ! " » Sommerfeldt exprime des doutes à cet égard, ce qui n'arrange rien : « Goering me regarde un instant d'un air inquisiteur, puis il jette rageusement son crayon géant sur la table, en disant : " Je vais dicter moi-même le rapport à Fräulein

---

* Alexanderplatz, la direction de la police berlinoise.

Grundtmann. Vous pouvez en rester là. " Et d'un trait, il dicte un communiqué à la secrétaire, en regardant de temps à autre un texte imprimé. Il déclare qu'il est établi que l'incendie du Reichstag constitue le signal d'un soulèvement communiste destiné à s'imposer par le fer et par le feu. Il annonce l'arrestation des fonctionnaires communistes et l'interdiction de la " presse marxiste ". Avec un furtif regard en biais dans ma direction, il multiplie tous mes chiffres par dix [8]. »

Quelques heures plus tard, Sommerfeldt comprend la nature du texte dont s'est inspiré le ministre de l'Intérieur pour dicter sa version des faits : un collaborateur de Goebbels lui raconte que Goering et Hitler se sont entretenus avec son chef après avoir quitté les lieux de l'incendie, et que le petit virtuose de la propagande leur a remis un projet de communiqué soigneusement rédigé [9] – trop soigneusement sans doute pour avoir été entièrement improvisé *. Quoi qu'il en soit, les nazis tiennent à présent leur prétexte : dans les quarante-huit heures, une ordonnance « pour la protection du peuple et de l'Etat », signée du président Hindenburg, suspend les libertés individuelles, la liberté de presse et le droit de réunion, abolit le secret postal, téléphonique et télégraphique, et prévoit la peine de mort pour les crimes de haute trahison, d'incendie volontaire et d'attentat contre les autorités légales ; il donne également le pouvoir au gouvernement du Reich de se substituer à ceux des Etats, et permet l'arrestation de 5 000 « traîtres marxistes » – dont la liste était prête depuis au moins deux semaines... On trouve parmi eux le secrétaire général du parti Thälmann, des intellectuels, de simples militants, mais aussi les députés du KPD Torgler et Kühne, ainsi que les communistes bulgares Dimitrov, Tanev et Popov, présentés comme les complices de l'incendiaire. Pour faire bonne mesure, de nombreux socialistes sont également incarcérés, et les locaux des principaux organes de la presse d'opposition sont fermés d'autorité. Voilà qui devrait améliorer grandement les chances de victoire du NSDAP aux élections du 5 mars.

---

* Si l'affaire de l'incendie du Reichstag reste en grande partie mystérieuse, les Mémoires de Sommerfeldt – et surtout ceux de Gisevius, qui a longuement suivi l'affaire (*Bis zum bitteren Ende*, vol. I) – semblent établir que Goebbels et le chef des SA berlinois Karl Ernst ont été les véritables commanditaires du forfait. Par contre, il n'est pas certain que Goering ait été personnellement mêlé aux préparatifs de l'affaire, même s'il a été presque aussi prompt à l'exploiter que Joseph Goebbels.

Mais l'omniprésent Goering se manifeste sur d'autres fronts que sur celui de la répression : le 20 février, il a invité dans son luxueux « appartement de fonction » du Kaiserdamm vingt-cinq représentants de la grande industrie, dont le magnat de l'acier Gustav Krupp, Albert Vogler des Vereinigten Stahlwerken et Georg von Schnitzler de l'IG Farben. Ils y rencontrent Hitler, qui leur fait un discours très brumeux sur la nécessité d'« en finir avec le marxisme pour que s'instaurent la paix sociale et la prospérité économique », après quoi Goering entre dans le vif du sujet – qui consiste naturellement à obtenir des industriels un substantiel soutien pécuniaire : « Ceux qui ne participent pas directement à la lutte politique doivent au moins faire les sacrifices financiers nécessaires... Ils seront d'autant plus aisés à consentir si l'on comprend que les élections à venir seront les dernières en Allemagne pour les dix prochaines années, et peut-être pour un siècle [10]. » En présentant adroitement les choses, on peut même obtenir l'inconcevable : dans un mouvement unanime, ces industriels prudents et avisés sortent allègrement leurs carnets de chèques pour contribuer à enterrer la démocratie allemande...

Pour Hitler comme pour Goering, les résultats des élections du 5 mars 1933 ne seront pas à la hauteur des efforts déployés : avec 288 sièges et 43,9 pour cent des voix, le NSDAP remporte certes la plus grande victoire électorale jamais obtenue dans l'histoire de la République de Weimar, mais il ne peut obtenir la majorité simple au Reichstag qu'avec le renfort des nationaux-allemands de Hugenberg. Or, c'est une majorité des deux tiers qu'il lui faudrait pour obtenir les pleins pouvoirs. Pourtant, en ces temps troublés, quelques hommes décidés peuvent toujours corriger les aléas de la démocratie : pour le président du Reichstag Hermann Goering, par exemple, il suffit d'invalider les 81 sièges remportés par le parti communiste – dont la plupart des titulaires ont été arrêtés –, d'expulser quelques députés sociaux-démocrates, de faire de vagues promesses aux partis de la droite nationaliste, et d'intimider tous les autres par un judicieux déploiement de SA et de SS. L'effet est magique : le 23 mars, les nationaux-allemands de Hugenberg, le Zentrum et le Parti populaire bavarois se joignent au NSDAP pour constituer la majorité nécessaire au vote de l'*Ermächtigungsgesetz* – la loi d'habilitation –, qui donne au gouvernement d'Hitler les pleins pouvoirs pour quatre ans, et lui permet d'édicter toute mesure législative sans même en référer au

Reichstag. Seuls 94 députés, très majoritairement sociaux-démocrates, ont le courage de voter contre ce suicide collectif, après quoi Goering leur crie du haut de la tribune : « Silence ! Sinon, le Führer s'occupera de vous [11] ! » Lorsque les députés se séparent ce soir-là, ils ont effectivement enterré le Parlement, la démocratie... et la République de Weimar.

Les semaines qui suivent marquent le début de l'implacable processus de démantèlement de tous les éléments constitutifs de l'ordre établi, qui va déboucher sur l'installation du pouvoir national-socialiste à tous les échelons de l'Etat. L'ensemble de la fonction publique s'ouvre largement aux membres du NSDAP, ce qui a pour effet de grossir démesurément les rangs du parti ; la reprise en main des syndicats commence, et la loi du 31 mars sur la *Gleichschaltung* – l'uniformisation – invite les gouvernements des Länder à harmoniser leur législation avec celle du Reich ; onze *Statthälter*, délégués directs du chancelier, sont envoyés en province pour y veiller ; c'est également le 1er avril qu'est entamée la première campagne de boycott des magasins juifs d'Allemagne ; enfin, Hitler, qui s'était engagé à ne pas modifier la composition du gouvernement après les élections, s'est empressé de l'oublier en nommant Joseph Goebbels ministre de la Propagande. Il a aussi retiré au vice-chancelier von Papen la fonction de ministre-président de Prusse, pour l'attribuer à Goering qui la convoitait depuis longtemps *. L'heureux bénéficiaire de cette mesure apprend la nouvelle au début d'avril, alors qu'il accompagne von Papen à Rome pour négocier un concordat avec le Vatican **. Mais dès son retour en Allemagne, Hermann Goering va s'attribuer une nouvelle fonction : le 28 avril 1933, il annonce en Conseil des ministres qu'il souhaite transformer son « commissariat du Reich pour l'Aviation » en « ministère de l'Aviation ». Une semaine plus tard, en effet, Hitler et Hindenburg signent sa nomination en tant que ministre de l'Air [12]...

---

* Note du journal de Goebbels le 21 mars : « Goering est avide, il veut avoir tous les postes, et même maintenant celui de ministre-président de Prusse. Mais le Vieux (Hindenburg) ne veut pas. » Le 12 avril, mention sans commentaire : « Goering ministre-président de Prusse »....

** En réalité, Goering s'intéressera très peu aux négociations conduites par von Papen au Vatican, et il passera l'essentiel de son temps avec Mussolini et le ministre de l'Air Italo Balbo.

A la mi-mai, le président du Reichstag, ministre sans porte-feuille, ministre de l'Air, ministre de l'Intérieur et ministre-président de Prusse quitte son appartement du Kaiserdamm pour emménager dans sa vaste résidence officielle du n° 11a, Leipzigerstrasse – qu'il fait naturellement modifier à son goût. Il crée également un « Conseil d'Etat de Prusse » pour remplacer l'ancienne Diète, et y nomme pêle-mêle les SA Roehm, Ernst et Heines, le prince August-Wilhelm, Pilli Koerner, les SS Himmler et Daluege, le chef d'orchestre Fürtwaengler, le maréchal von Mackensen, le prince Philippe de Hesse et le généreux bienfaiteur Fritz Thyssen. Bien entendu, ce Conseil d'Etat ne servira absolument à rien, mais ses membres seront confortablement rémunérés...

Pourtant, ce ne sont ni les aménagements architecturaux ni les arrangements constitutionnels qui mobilisent à l'époque toute l'énergie de l'infatigable Hermann Goering ; pour consolider l'autorité d'Hitler dans le pays – et mieux asseoir son propre pouvoir –, il crée dès le début de mai la police secrète d'Etat, qu'il place sous l'autorité du très dévoué et très inquiétant Rudolf Diels. Cette redoutable institution, bientôt connue sous le nom de Gestapo *, s'établit dans les locaux d'une ancienne école technique de la Prinz Albert Strasse, tout près de la résidence officielle de Goering. Elle va désormais s'employer à museler l'opposition en Prusse, et ouvrir à cet effet les premiers camps de concentration (KZ) à Oranienburg et Papenburg, où seront « rééduqués » les communistes, les socialistes, les syndicalistes, les journalistes, les idéalistes encombrants et les politiciens récalcitrants. Des rumeurs circulent bientôt au sujet des exactions perpétrées à Colombus Haus, une prison privée de la Gestapo dans la Papestrasse, et Ernst Hanfstaengl en est rapidement informé : « Un comte Schönborn, que je connaissais, est venu me trouver au palais du président du Reichstag et a confirmé ces histoires, en y ajoutant des précisions. J'en ai parlé à Goering au petit déjeuner. Pour commencer, il a tout nié en bloc. J'ai alors suggéré que nous procédions à une visite des lieux, afin d'en avoir le cœur net. Goering s'est montré évasif, puis il s'est fâché, et pour finir, il a exigé de savoir qui m'avait raconté cette histoire. J'ai d'abord refusé de

---

* *Geheime Staatspolizei,* dont la contraction télégraphique *Gestapo* s'impose progressivement à partir de l'été 1933.

le lui dire, mais après lui avoir fait promettre qu'il n'arriverait rien à mon informateur, j'ai fini par lui donner le nom de Schönborn. C'était une erreur, mais j'avais encore beaucoup à apprendre en ce temps-là. Schönborn a disparu et a été incarcéré pendant plusieurs semaines [13]. » Un homme au moins pourra décrire ces conditions d'incarcération : c'est le jeune fonctionnaire Hans Bernd Gisevius, tout récemment affecté à la police politique, et qui est ébahi par ce qu'il y découvre : « J'avais à peine passé deux jours dans ce nouveau bureau de la police lorsque j'ai découvert les conditions incroyables qui y régnaient. Ce n'était pas là une police qui s'opposait aux émeutes, aux meurtres, aux vols et aux détentions illégales, mais une police qui protégeait les coupables de tels méfaits. [...] Après deux jours seulement, j'ai demandé à un de mes collègues : " Dis-moi, suis-je dans un bureau de police ou dans un repaire de truands ? " Il m'a répondu : " Tu es dans un repaire de truands, et tu n'as encore rien vu " [14]. » De fait, Gisevius verra encore bien d'autres choses, et il entendra les confidences de l'*Oberregierungsrat* Arthur Nebe, criminologue à la Gestapo : « En août 1933, Nebe a reçu de Goering l'ordre de tuer Gregor Strasser " au moyen d'un accident de voiture ou de chasse ". Il en a été si choqué qu'il a refusé d'exécuter l'ordre, et s'est adressé à la chancellerie pour en obtenir confirmation. Là, on lui a répondu que le Führer n'était pas au courant d'un tel ordre. Sur quoi Nebe a été convoqué chez Goering, qui lui a reproché très amèrement sa démarche [15] *. »

Gisevius évoquera également le camp de prisonniers ouvert par la Gestapo à Oranienburg. Il est vrai que les premiers camps de concentration de Goering ne sont pas encore les effroyables usines de mort qu'ils deviendront sous Himmler : on en ressort le plus souvent, même si c'est rarement en bon état. Mais une chose au moins est certaine : le courageux, le chevaleresque, le patriote Hermann Goering a désormais franchi la frontière qui sépare l'engagement politique du banditisme pur et simple. Pour servir son Führer ? Pour assouvir ses propres ambitions ? Depuis six années au moins, les deux motifs sont indissolublement liés...

A cette époque, un autre facteur vient accroître considérablement sa puissance ; Gottfried Schapper, un ancien officier de renseignement pendant la Grande Guerre, a proposé à Hitler de

---

* Mais lui a donné une promotion pour acheter son silence...

constituer un service d'interception des télécommunications, qui dépendrait directement de la chancellerie. Le Führer a refusé, mais il a orienté Schapper vers Goering, qui a immédiatement saisi l'intérêt du projet : il permettra de capter les communications téléphoniques, télégraphiques et radiophoniques de tout adversaire réel ou potentiel – à commencer par celles des ecclésiastiques, des syndicalistes, des dirigeants SA, des diplomates étrangers, des journalistes, des collègues du gouvernement et des camarades du parti.... Sous le nom anodin de Forschungsamt *, ce nouveau service des écoutes s'installe donc en avril 1933 dans un grenier du ministère de l'Air, où parviennent bientôt des dizaines de milliers de renseignements interceptés aux quatre coins du Reich [16] ; ils sont notés, décryptés, triés, analysés, collationnés, puis consignés sur des feuilles de papier brun, les « *braune Blätter* », et remis chaque matin par courrier spécial aux ministères et services intéressés – à commencer bien sûr par ceux du *Reichstagspräsident, Innenminister, Luftfahrtsminister et Ministerpräsident* Hermann Goering **.

A ces titres viennent bientôt s'en ajouter quelques autres : ce passionné de chasse est nommé *Reichsjägermeister* – maître des Chasses du Reich –, et *Reichsforsmeister* – maître des Forêts – avec naturellement les uniformes et les appointements correspondant à ces fonctions... En outre, le président Hindenburg n'a pas cru devoir faire moins que de le nommer général d'infanterie *** – avancement appréciable pour un capitaine –, et pour n'être pas en reste, Himmler lui a conféré le grade équivalent de *Brigadeführer SS*. Voilà donc quatre nouveaux uniformes qui viennent s'ajouter à la garde-robe déjà richement fournie de cet incorrigible

---

* « Service de recherches ». Dirigé jusqu'en 1935 par l'ancien officier de marine Hans Schimpf, il comprend six sections principales : I, administration ; II, personnel ; III, tri et orientation des renseignements ; IV, décryptage ; V, évaluation ; VI, services techniques. Les sections III, IV et V comprennent de nombreuses sous-sections spécialisées : propagande, sécurité, économie, politique extérieure, politique intérieure, etc.

** C'est naturellement Goering qui établit la liste des autres bénéficiaires de tels renseignements – dans un premier temps les ministères de l'Economie, de la Guerre, de l'Intérieur, de la Propagande et des Affaires étrangères, ainsi que l'Abwehr et bien sûr la chancellerie du Reich.

*** Le président ne l'a fait qu'avec la plus grande réticence, sous la pression intense de Goering et d'Hitler. Mais un service en vaut un autre : en tant que ministre-président de Prusse, Goering fait attribuer à Hindenburg une vaste étendue de forêt pour agrandir son domaine de Neudeck.

collectionneur d'habits et de décorations en tous genres... « Goering, note Goebbels, est trop vaniteux ; c'est son malheur. Il met l'uniforme au-dessus de la fonction [17]. »

Hitler, lui aussi, se moque en privé de cette vanité monumentale, mais il n'est que trop heureux de la satisfaire : Goering a beau être « une figure baroque », c'est aussi un homme sur qui l'on peut compter pour prendre des mesures énergiques, une figure théâtrale restée étonnamment populaire en Allemagne, un émissaire qui inspire confiance à l'étranger, un collecteur de fonds sans égal, et même une mine de renseignements confidentiels depuis qu'il a monté son Forschungsamt. A l'automne de 1933, si Hitler a pu épurer son gouvernement, balayer ses adversaires politiques, juguler les libertés, laminer l'opposition, étouffer les Länder, éliminer les syndicats, mettre au pas les Eglises, bâillonner le Reichstag, instaurer un Etat policier et imposer sa dictature, c'est très largement à Hermann Goering qu'il le doit. Voilà qui justifie amplement l'attribution de nouvelles fonctions honorifiques, d'uniformes rutilants et de décorations exotiques à celui qui est déjà, en fait sinon en droit, le deuxième homme du Troisième Reich...

A dire vrai, c'est une position qui n'est pas de tout repos, surtout si l'on est enclin à commettre certaines maladresses. Ce sera manifestement le cas lors du procès des incendiaires présumés du Reichstag, qui s'ouvre à Leipzig le 20 septembre 1933. Sur le banc des accusés, il y a bien sûr Van der Lubbe, mais aussi les communistes bulgares Tanev, Popov et Dimitrov, ainsi que le député du KPD Ernst Torgler. Toute la presse nationale et internationale assistant au procès, Goering et Goebbels, cités comme témoins, comptent bien transformer la procédure en forum de propagande contre le communisme. Mais la justice n'a pas encore été entièrement nazifiée, les preuves produites contre les trois Bulgares et le député Torgler sont très peu convaincantes, et Dimitrov est un agent de l'Internationale dirigée par Staline, avec qui Hitler ne veut pas de complications à cette époque *. C'est donc sur ce terrain glissant que s'aventure à présent Hermann Goering, sanglé dans un uniforme de SA flambant neuf et couvert de décorations jusqu'à la ceinture. « Tandis que Goebbels manie

---

* En outre, les autorités soviétiques ont proposé d'échanger Dimitrov contre deux agents allemands retenus en URSS.

le fleuret avec élégance et subtilité, note Martin Sommerfeldt, Goering, lui, attaque au sabre d'abordage [18]. »

Le mot n'est pas trop fort, mais tout se passe bien au début : Goering, longuement préparé par Diels, expose calmement son action le jour de l'incendie, ainsi que les différentes phases de l'enquête. Hélas ! La procédure judiciaire allemande n'ayant pas changé depuis le procès de Munich en 1924, l'accusé est autorisé à poser des questions au témoin, et cela change tout ; car Dimitrov, en dépit de son allemand approximatif, est un maître de la dialectique et des joutes oratoires, tandis que le tout-puissant Goering a du mal à dissimuler les faiblesses de l'accusation, et plus de mal encore à se contenir lorsqu'il est mis en difficulté. Dès lors, les choses vont se gâter sérieusement :

Dimitrov : N'est-il pas exact qu'en raison du fait que vous avez, *ex officio*, accusé le parti communiste allemand et les communistes étrangers, cela vous a empêché de suivre certaines autres pistes, en faisant obstacle à la recherche des véritables incendiaires ?

Goering : Non...

Dimitrov (l'interrompant) : Qu'a fait le ministre pour que la police suive les mouvements de Van der Lubbe, son séjour à Hennigsdorf et ses relations avec deux personnes qui s'y trouvaient * ?

Goering : Il est bien évident qu'en tant que ministre, je n'ai pas suivi chaque piste moi-même. J'ai ma police pour cela... (*Une pause.*) Pour moi, c'était un crime politique, et j'étais convaincu que les criminels se trouvaient au sein de votre parti... (*Il brandit son poing en direction de l'accusé et se met à crier :*) Votre parti est un parti de criminels et doit être liquidé !

Dimitrov : Le ministre est-il conscient du fait que ce parti est maître d'un sixième de la terre, que c'est celui de l'Union soviétique, avec laquelle l'Allemagne maintient des relations diplomatiques, politiques et économiques dont bénéficient des centaines de milliers de travailleurs allemands ?

---

* Allusion directe aux rumeurs qui couraient depuis longtemps, selon lesquelles Van der Lubbe aurait été pris en charge précocement par deux membres des SA, qui l'avaient entendu exposer ses projets incendiaires.

Le président : Dimitrov, je vous interdis de faire de la propagande soviétique dans cette enceinte.

Dimitrov : Mais Herr Goering fait bien de la propagande national-socialiste. N'est-il pas avéré que le communisme a des millions de partisans en Allemagne ?

Goering (vociférant) : Il est avéré que vous vous comportez avec insolence ! Il est avéré que vous êtes venu ici pour brûler le Reichstag – pour moi, vous êtes un criminel qui mérite la potence !

Le président : Dimitrov, je vous avais dit de ne pas faire de propagande communiste. Il ne faut pas vous étonner si le témoin perd son calme.

Dimitrov (souriant) : Je suis satisfait, très satisfait de la réponse du ministre.

Goering (congestionné de rage, hurle en brandissant le poing) : Foutez le camp, espèce de fripouille !

Le président (à l'officier de police) : Emmenez-le.

Dimitrov (en quittant le box sous escorte) : Auriez-vous peur de mes questions, *Herr Minister-Präsident* ?

Goering (les deux mains sur la tête, braille sans retenue) : Attendez que je vous retrouve à l'extérieur de ce tribunal, espèce de canaille [19] !

Les suites du jugement sont prévisibles : Van der Lubbe est condamné à mort et exécuté, Dimitrov, Tanev et Popov sont acquittés et partiront pour Moscou sans être inquiétés, Torgler est également acquitté, et il disparaîtra dans un camp... Mais Goering se désintéresse désormais de tout cela * ; en quittant Leipzig au soir de son duel verbal avec Dimitrov, il regrette déjà d'avoir perdu son sang-froid et partage sans doute l'impression de tous les journalistes présents : l'accusé a gagné la partie en

---

* Tout est relatif, bien sûr. Goering avait prévu d'organiser un « accident » avant le départ de Dimitrov pour Moscou, mais à la suite d'une indiscrétion – soigneusement répercutée par son propre attaché de presse Sommerfeldt et par le responsable de la presse étrangère Ernst Hanfstaengl –, les journalistes ont eu vent de l'affaire, ce qui a immédiatement étouffé le projet.

maniant une tranquille ironie, tandis que le témoin à charge l'a perdue en s'échauffant – et s'est ridiculisé de surcroît. Quelques jours plus tard, lors d'un déjeuner à la chancellerie, il dira à Hitler : « *Mein Führer*, ces juges de la Haute Cour se comportent de façon scandaleuse. On croirait que c'est nous qui sommes jugés plutôt que les communistes. » Et Goering propose d'entreprendre lui-même une réforme immédiate du système judiciaire. A quoi Hitler répond : « *Mein lieber Göring,* ce n'est qu'une question de temps. [...] De toute façon, ces types sont mûrs pour la retraite, et nous mettrons nos propres gens à leur place. Mais tant que *der Alte* [Hindenburg] est en vie, nous n'y pouvons pas grand-chose [20]. »

Pour l'heure, donc, Hermann Goering est impuissant, et il doit bien reconnaître que cette piètre prestation a passablement fragilisé sa position au sommet du Reich. Dans cette nouvelle Allemagne dont la devise pourrait être désormais « tous contre tous », un tel affaiblissement donne nécessairement le signal de la curée. C'est ainsi que Goering se trouve rapidement en butte aux perfides insinuations de Goebbels, qui note avec satisfaction que « les actions de Goering sont partout en baisse » et que « le Führer condamne vertement sa mégalomanie » [21]. Il est également menacé par les intrigues du ministre de l'Intérieur du Reich Wilhelm Frick, qui veut lui ravir le ministère de l'Intérieur de Prusse pour l'incorporer au sien propre ; par le chef des SS Heinrich Himmler, qui a créé sa Gestapo personnelle en Bavière et lorgne désormais vers celle de Prusse ; par son vieux complice et rival Ernst Roehm, qui ambitionne de devenir ministre de la Guerre et laisse ses SA se livrer à des exactions, des arrestations, des séquestrations, des extorsions et des voies de fait si nombreuses et si peu discrètes que Goering doit mettre fin à leurs fonctions d'auxiliaires de police. Soucieux de s'assurer le monopole de la répression, il fait même évacuer et fermer certains des bunkers et des « *Wilde Lager* * » où les SA emprisonnent et torturent leurs victimes.

Mais Goering s'use rapidement dans cette lutte incessante : s'il parvient à soustraire la Gestapo prussienne à l'autorité de Wil-

---

* Camps sauvages, comme ceux établis près de Stettin par le gauleiter de Poméranie Karpenstein, à Breslau par le préfet de police SA Heines, et près de la capitale par le chef des SA berlinois et ancien garçon de café Karl Ernst. Dans Berlin uniquement, il y a en outre plus d'une cinquantaine de prisons officieuses, dans des caves, des entrepôts ou des garages.

helm Frick en la subordonnant à celle du ministre-président de Prusse – c'est-à-dire à la sienne –, il ne peut empêcher ni l'intégration du ministère de l'Intérieur de Prusse à celui du Reich, ni pour finir la mainmise d'Himmler et de Heydrich sur sa Gestapo au printemps de 1934 : tels sont les ordres d'Hitler, et ils ne souffrent aucune discussion. Chez Goering, pourtant, la ruse est une seconde nature : il a pris la précaution de constituer au préalable une autre police entièrement à ses ordres, la *Landespolizei*, formée de transfuges de la SA réputés pour leur férocité et leur absence de scrupules... Dès lors, les longues oreilles du Forschungsamt et les gros bras de la Landespolizei vont permettre à Hermann Goering de surnager dans cette véritable mare d'alligators qu'est devenu le Troisième Reich d'Adolf Hitler. C'est ce qui apparaîtra clairement lors des dramatiques événements qui vont suivre...

A côté des 100 000 hommes de la Reichswehr qu'autorise le traité de Versailles, il y a en Allemagne au printemps de 1934 une force considérable de 2,5 millions de SA, dont la condition est précaire et le rôle incertain. Avant la prise de pouvoir, ces solides gaillards au coup de poing facile et à la conscience élastique protégeaient efficacement les réunions des nazis et attaquaient férocement celles de leurs adversaires ; mais avec le triomphe du NSDAP et la disparition des opposants, que faire de ces chemises brunes désœuvrées, sous-payées, turbulentes et qui s'estiment frustrées des fruits de la victoire ? Les responsables politiques du parti, eux, ont accaparé les places de fonctionnaires et les sinécures grassement payées ; les petits chefs SA, Ernst, Heines, von Heydebreck, Schmid, Hayn, Schneidhuber, von Krausser et les autres, se sont considérablement enrichis en « réquisitionnant » les biens des Juifs, des communistes et des socialistes, ainsi qu'en extorquant des sommes considérables aux bourgeois, aux commerçants et aux industriels ; leur chef d'état-major, Ernst Roehm, a été nommé ministre sans portefeuille au début de 1934, il a reçu de très flatteuses félicitations publiques de la part du Führer *, et il s'est installé dans un hôtel particulier de la Standartenstrasse qu'un visiteur médusé décrira en ces termes : « Décor opulent, tapisseries des Gobelins, toiles de maîtres,

---

* Voir *infra*, p. 158.

magnifiques miroirs en cristal, moquettes épaisses et meubles d'époque reluisants... Le tout ressemblait à un bordel pour millionnaire [22]. »

Que demander de plus ? L'essentiel ! C'est que l'ancien capitaine Roehm, celui-là même qui avait découvert en 1919 les talents d'agitateur du caporal Adolf Hitler, est resté un lansquenet dans l'âme. Au fond, il préfère les cours de caserne aux lambris des ministères, les défilés militaires aux soirées d'opéra et les beuveries de corps de garde aux dîners de gala. C'est pourquoi il a désormais une grande ambition, qu'il estime amplement justifiée par les services rendus depuis douze ans : devenir ministre de la Guerre et chef suprême des forces armées du Reich, avec tous ses acolytes pour généraux. Dès lors, il pourra constituer une véritable armée régulière de plusieurs millions d'hommes, distribuer des grades et des soldes à tous ses SA devenus soldats de carrière, incorporer les meilleurs officiers de la Reichswehr et renvoyer les autres dans leurs foyers, récupérer tout l'armement lourd qui fait défaut à ses miliciens, et pour finir, mener à bien une « seconde révolution », afin d'accaparer l'essentiel du pouvoir et de se débarrasser de tous ses vieux ennemis au sein de la hiérarchie nazie – à commencer par Goebbels, Himmler, Frick, Blomberg, et naturellement Hermann Goering. Quant à Hitler, l'ancien compagnon de lutte, on le gardera comme figure de proue s'il accepte de coopérer. Dans le cas contraire, évidemment... Un seul défaut dans ce bel ordonnancement : Roehm et ses acolytes sont tout sauf discrets.

Les déclarations publiques de Roehm au sujet d'une fusion des SS, des SA et de la Reichswehr sous sa direction * ont alerté depuis longtemps le ministre de la Guerre von Blomberg et le chef d'état-major von Reichenau, qui s'en sont plaints à la présidence et à la chancellerie. Quant aux conversations privées de Roehm avec Hitler sur l'opportunité de constituer une « Reichswehr du peuple » sous l'autorité de la SA, puis de mener à bien une « seconde révolution » de type socialiste, elles ont passablement indisposé le Führer, qui n'a aucun goût pour une nouvelle révolution et ne peut modifier la structure de la Reichswehr du vivant de Hindenburg. Roehm a donc été mis en garde contre

---

* En février 1934, Roehm a même eu la témérité de soumettre ce plan à ses collègues du gouvernement – qui l'ont aussitôt rejeté...

toute initiative inconsidérée, mais il a choisi de ne rien entendre, et Hitler n'a pas insisté. Poursuivant obstinément son idée fixe, Roehm s'est rapproché insensiblement de quelques personnalités évincées par le national-socialisme triomphant, comme Gregor Strasser ou le général von Schleicher. Hélas ! Le grand chef des Chemises brunes a manifestement sous-estimé ses plus dangereux ennemis au sein de la hiérarchie nazie, à commencer bien sûr par le plus remuant et le mieux informé d'entre eux : Hermann Goering...

Les deux hommes sont certes de vieux compagnons de lutte : c'est Roehm, « le roi de la mitrailleuse », qui avait armé en son temps les premières troupes de Goering ; c'est encore Roehm qui avait obtenu l'unique succès notable lors du putsch manqué de 1923, et c'est toujours Roehm qui, presque seul parmi les membres du parti, avait accueilli le misérable exilé Goering à Munich en 1927... Mais nous l'avons déjà noté : la reconnaissance n'est pas une vertu national-socialiste ; or, on se souvient que sur ordre du Führer, Roehm avait repris en 1930 le poste que convoitait l'ambitieux et ventripotent député du Reichstag : celui de chef d'état-major des SA. Il n'en fallait pas davantage pour en faire un ennemi mortel du ministre-président de Prusse et général de fraîche date Hermann Goering. Il est vrai que de leur côté, les adjoints de Roehm vouent à Goering une haine quasiment pathologique : ne s'est-il pas enrichi plus vite et plus ostensiblement qu'eux-mêmes ? N'a-t-il pas dénoncé leurs pires excès auprès d'Hitler ? N'a-t-il pas fait fermer par sa Gestapo leurs « camps sauvages » les plus abominables et les moins dissimulables aux yeux des journalistes et des diplomates étrangers ? N'a-t-il pas fait estropier ou liquider par sa Landespolizei quelques-uns de leurs tortionnaires les plus incontrôlables ? Mais malheureusement pour eux, les chefs SA ne se méfient pas du téléphone, et ils sont fréquemment sujets à des diarrhées verbales – surtout après boire. Or, ils sont écoutés en permanence par le Forschungsamt, qui apporte chaque matin à Goering le compte rendu de leurs conversations nocturnes... C'est ainsi que le ministre-président apprend par le détail les projets politiques des chefs SA, ainsi que leurs sentiments à son égard : ils parlent très librement de « ce porc de Goering » (Emmy étant « sa truie »), et lors d'une conversation avec Roehm, Karl Ernst se promet même de

« découper personnellement des tranches de viande de son corps bouffi jusqu'à ce qu'il soit réduit de moitié, après quoi seulement je lui planterai mon couteau dans la gorge [23] ». Les propos concernant von Blomberg, Himmler et Goebbels ne sont guère plus modérés, et Goering collectionne tout cela avec une intense délectation...

Ces renseignements, le maître du Forschungsamt va les communiquer au ministre de la Guerre, à Goebbels et à Himmler – sans naturellement leur en indiquer la provenance. En tant que commandant des SS *, le nouveau dirigeant de la Gestapo Heinrich Himmler est encore aux ordres du chef d'état-major des SA Ernst Roehm, et cette subordination lui pèse singulièrement. Or, voici que Goering lui offre une occasion unique de s'en affranchir ; les deux vieux rivaux vont donc sceller une alliance d'opportunité pour persuader Hitler de se débarrasser de Roehm...

L'entreprise s'annonce singulièrement malaisée, car Hitler vient d'adresser à Ernst Roehm une lettre ouverte particulièrement élogieuse, publiée dans le *Völkischer Beobachter* du 2 janvier 1934 : « A la fin de cette première année de la révolution national-socialiste, je dois te remercier, mon cher Ernst Roehm, pour les services inoubliables que tu as rendus au mouvement national-socialiste et au peuple allemand, et t'assurer que je suis extrêmement reconnaissant au destin de m'avoir permis de compter des hommes comme toi parmi mes amis et camarades de combat. En gage d'amitié véritable et de reconnaissante considération. Ton Adolf Hitler [24]. » Ainsi, en dépit de son indiscipline, de ses prétentions hégémoniques, de ses amitiés particulières, des débordements pédophiles de ses lieutenants et des innombrables méfaits commis par ses hommes, l'« *alter Kämpfer* ** » Ernst Roehm reste un favori du Führer, et l'un des très rares compagnons admis à le tutoyer.

Quelle peut bien être la nature des liens qui unissent le vieux baroudeur bavarois cousu de cicatrices à l'ancien caporal autrichien pour qui l'amitié, la fidélité et la reconnaissance restent des mots entièrement vides de sens *** ? On ne le saura sans doute

---

* Qui comptent à l'époque moins de 60 000 hommes, face aux 2,5 millions de SA.

** « Vieux combattant » (des temps héroïques de Munich en l'occurrence).

*** Quoi qu'aient pu écrire des générations de psychiatres amateurs, Adolf Hitler n'avait pas de tendances homosexuelles.

jamais, et pourtant, il faut se rendre à l'évidence : les tentatives de Goebbels, d'Himmler et de Goering pour compromettre Roehm aux yeux du Führer ont toujours échoué lamentablement. Mais la difficulté de réussir ne faisant qu'ajouter à la nécessité d'entreprendre, les trois compères, solidement unis pour l'occasion, vont véritablement forcer leur talent : entre avril et juin 1934, les renseignements recueillis par la Gestapo d'Himmler, le SD de Heydrich * et le Forschungsamt de Goering vont s'empiler sur le bureau d'Hitler avec une déconcertante régularité. Les crimes, les viols, les tortures, les rapines, les enlèvements et les extorsions perpétrés par les lieutenants de Roehm font partie du lot quotidien, et n'intéressent le Führer que dans la mesure où ils créent un sourd mécontentement dans le pays ; les commentaires désobligeants de Roehm et de ses principaux lieutenants à l'endroit du « petit caporal de la dernière guerre » l'agacent autant que leurs rodomontades d'après-boire sur la nécessité d'une « seconde révolution véritablement socialiste » ; leurs imprudentes déclarations concernant une prochaine prise en main des 100 000 hommes de la Reichswehr par les 2,5 millions d'hommes de la SA le gênent bien davantage, dans la mesure où elles inquiètent le haut état-major et le président Hindenburg, et pourraient les amener à déclencher un coup de force préventif contre les sbires de Roehm – et tous les chefs nazis par extension ** ; enfin, les informations selon lesquelles les SA accumulent dans leurs casernes des armes en provenance de l'étranger l'indisposent tout autant, sans encore le décider à agir...

Pendant tout le mois de juin, Hitler, étrangement hésitant, multiplie les déplacements en Allemagne ; le 14 juin, il va même rencontrer Mussolini à Venise – une visite qui sera tout sauf un succès. Après cela, le Führer reprend ses déplacements incessants dans le pays et tient plusieurs conciliabules avec Goering, Himmleret Goebbels ; le 21 juin, il se rend également à Neudeck, où le ministre de la Guerre von Blomberg lui fait clairement comprendre qu'il ne peut espérer obtenir le soutien de l'armée qu'au prix de l'élimination des SA en tant que force politique – ce

---

* *Sicherheitsdienst*, le service de renseignement de la SS, sous la direction de Reinhard Heydrich.

** Tout en étant numériquement très inférieure à la SA, la Reichswehr est la seule à posséder des armes lourdes, et aurait donc immanquablement le dessus en cas de guerre civile.

que le vieux maréchal Hindenburg lui confirme aussitôt : au cas où il serait incapable de mater ses SA, l'état d'exception serait proclamé et l'armée s'en chargerait elle-même. Il y a là de quoi faire réfléchir le Führer, qui reste pourtant indécis durant les jours qui suivent ; c'est une double information en provenance de la Gestapo et du Forschungsamt qui va faire avancer les choses : d'après les rapports d'agents et les enregistrements téléphoniques, Roehm aurait mobilisé ses effectifs autour de Berlin en prévision d'un coup d'Etat imminent, et il se serait même entendu avec von Schleicheret Strasser — les deux bêtes noires d'Hitler — pour former un nouveau gouvernement après sa prise de pouvoir. Afin d'ajouter à la vraisemblance, Goering et Himmler fournissent même un luxe de détails : von Schleicher deviendrait chancelier, Strasser ministre de l'Economie, Roehm ministre de la Défense, Theodor Croneiss * remplacerait Goering au ministère de l'Air, et le prince August-Wilhelm, affublé du titre de régent, servirait de caution auprès des monarchistes ; enfin, les conspirateurs se seraient assuré le concours de la France pour faire réussir leur projet...

Ce rapport, également communiqué aux services de renseignement de la Reichswehr, mêle habilement le vrai et le faux : en fait, il n'existe aucune collusion véritable entre Roehm, Strasser et von Schleicher, qui n'ont pas les mêmes buts et ne se font aucune confiance ; l'implication de la France dans le complot est purement imaginaire, et destinée à criminaliser davantage les conjurés aux yeux du Führer ; enfin, si Roehm a effectivement des velléités de putsch et n'en fait pas mystère, l'annonce de sa mise à exécution dans un proche avenir est purement fantaisiste : les SA ont été mis en congé pour tout le mois de juillet ; leur chef à Berlin, Karl Ernst, s'apprête à partir en voyage de noces, et Roehm lui-même est allé soigner ses rhumatismes à Bad Wiessee, près de Munich. Rien de tout cela ne laisse présager un coup d'Etat imminent, mais la désinformation est aux mains de spécialistes, et Hitler y est manifestement vulnérable... Le 27 juin, à la suite de ce vrai-faux rapport, le *Gruppenführer SS* ** Joseph « Sepp » Dietrich rend visite au chef d'état-major de l'armée, von Reichenau, auquel il demande des mitraillettes et des fusils, ainsi que

---

* Vice-président de la société Messerschmitt et officier SA.
** Général de division SS.

des moyens de transport « à destination de l'Allemagne du Sud » pour sept cents hommes de sa *Leibstandarte Adolf Hitler* *[25].

Le 28 juin, Hitler et Goering sont à Essen pour assister au mariage du gauleiter Terboven, lorsque le secrétaire d'Etat Koerner leur apporte des informations de Berlin selon lesquelles les SA s'apprêteraient à s'emparer de la capitale ; en outre, ils s'en seraient pris à un diplomate étranger, ce qui leur était expressément interdit. Hitler, furieux, rentre à son hôtel et convoque l'*Obergruppenführer SA* Victor Lutze **, qui notera la suite dans son journal : « Dans la chambre d'hôtel, le téléphone fonctionnait presque sans interruption. Le Führer était absorbé dans ses pensées, mais il semblait évident qu'il serait désormais obligé de passer à l'action [26]. » De fait, Hitler hurle à ses compagnons : « J'en ai assez ; je vais faire un exemple ! » ; Goering reçoit l'ordre de rentrer à Berlin et de se préparer à passer à l'action dès qu'il recevra le mot de code « *Kolibri* ». Après quoi le Führer téléphone à Roehm, le prend rudement à partie au sujet de l'affaire du diplomate molesté, puis lui annonce qu'il se rendra personnellement à Bad Wiessee pour s'adresser à tous les chefs de la SA le surlendemain à 11 heures [27]. Goering, comblé, regagne Berlin, où il met en alerte sa police personnelle et la *Leibstandarte* SS, s'adjuge les pleins pouvoirs en Prusse et envoie des instructions secrètes au commandant SS de Silésie : au signal, il devra arrêter les principaux dirigeants SA de sa région et faire occuper leur QG...

Hitler, en proie à une grande agitation, ne tient plus en place. Dans la journée du 29 juin, il visite un camp de travail en Westphalie, puis se rend à Bad Godesberg, où il est rejoint dans la soirée par le secrétaire Paul Koerner, qui lui apporte les derniers renseignements recueillis par Himmler et Goering ; ils indiquent que Karl Ernst, le commandant des SA de Berlin, n'ira pas à Bad Wiessee, mais fera occuper les principaux bâti-

---

* Garde du corps personnelle d'Adolf Hitler.

** L'*Obergruppenführer* (général de corps d'armée) Lutze est un rival de Roehm, qui avait fait part à Hitler des ambitions du chef d'état-major des SA, et gagné ainsi la confiance du Führer. Il lui avait rapporté en février certaines des paroles prononcées par Roehm, notamment celles-ci : « Ce que ce caporal ridicule a raconté ne nous concerne pas. Si nous ne pouvons pas faire l'affaire avec Hitler, nous la ferons sans lui. »

ments publics de Berlin dès le lendemain [28]. « C'est un putsch ! » hurle Hitler, qui ne prend même pas le temps de faire vérifier [29] ; d'ailleurs, il apprend quelques minutes plus tard que 3 000 SA passablement éméchés manifestent bruyamment dans les rues de Munich... Le Führer a l'habitude de s'arracher à l'irrésolution en prenant des décisions brusquées, et celle-ci ne fera pas exception * : ayant ordonné à Sepp Dietrich de le rejoindre immédiatement à Munich avec ses hommes de la *Leibstandarte*, il embarque dans un Junkers 52 peu après 2 heures du matin, en compagnie de Lutze, de Goebbels, de Brückner, de Schaub et de son chef des services de presse, Otto Dietrich. Cette journée du 30 juin 1934 qui commence à peine restera dans l'histoire sous un nom qui fait encore frémir : la Nuit des Longs Couteaux **.

A 4 heures du matin, l'avion se pose sur le terrain d'aviation d'Oberwiesenfeld, près de Munich. Dans le petit matin gris, au milieu des rafales de vent et de pluie, le comité d'accueil du parti et de l'armée voit débarquer un Hitler très pâle dans son manteau de cuir noir, qui regarde fixement devant lui et marmonne : « C'est le jour le plus sombre de ma vie, mais je vais aller à Bad Wiessee et sévir durement [30]. » Conduit à vive allure vers Munich, il bondit hors de la voiture devant le ministère de l'Intérieur de Bavière et y pénètre à grandes enjambées, suivi du gauleiter Wagner *** et d'une petite escorte. Les deux chefs SA de Munich, l'*Obergruppenführer* Schneidhuber et le *Gruppenführer* Schmid, sont rudement bousculés par un Hitler quasiment hystérique, qui leur arrache leurs insignes de grade en hurlant : « Vous êtes en état d'arrestation et vous serez fusillés [31] ! » Vers 6 heures du matin, le Führer, toujours hors de lui, sort du bâtiment et s'engouffre dans sa voiture. Les renforts SS de Sepp

---

* Malgré tout, il entre dans la décision d'Hitler une bonne part de calcul rationnel : ses informateurs lui ont fait savoir que le président Hindenburg, gravement malade, n'a plus que quelques mois à vivre. Pour pouvoir prendre sa place, Hitler doit absolument avoir le soutien de l'armée, et nous connaissons déjà les conditions posées par von Blomberg au nom de la Reichswehr...

** Ce sont les SA eux-mêmes qui promettaient une seconde révolution sous ce nom à la fin de 1933 ; ils n'imaginaient pas alors qu'ils en seraient les premières victimes.

*** Wagner était également ministre de l'Intérieur de Bavière.

Dietrich n'étant pas encore arrivés *, il n'a que ses neuf gardes du corps pour l'accompagner en plus de Goebbels, Lutze, Brückner et Dietrich, mais il ordonne à son chauffeur Kempka de se diriger sans retard vers Bad Wiessee.

Les quelque 60 kilomètres séparant Munich de Bad Wiessee sont parcourus à vive allure, et peu après 6 h 30, la Mercedes d'Hitler et les deux voitures d'escorte s'arrêtent devant la Pension Hanselbauer, où se sont installés Roehm et ses lieutenants. L'endroit n'est pas gardé et Hitler pénètre en premier dans le hall, qui est désert. Pendant que ses hommes investissent les étages, Hitler frappe à la porte de Roehm, puis entre en trombe, son pistolet à la main, pour annoncer à son vieux camarade éberlué : « Ernst, tu es en état d'arrestation ! » Suivent un chapelet d'accusations, un ordre de s'habiller immédiatement, et avant même que Roehm ait eu le temps de protester, Hitler est déjà dans le couloir. Il tambourine sur la porte de la chambre d'en face, occupée par le *Gruppenführer* Heines et son chauffeur, qui est aussi son amant. Heines, que l'irruption d'Hitler, de Lutze et d'un policier en civil a tiré brutalement de son sommeil, refuse d'abord de s'habiller, mais Hitler lui donne le choix entre obtempérer et être abattu sur-le-champ. En moins de vingt minutes, Roehm, Heines, Bergmann, Uhl **, le comte Spreti, deux aides de camp, quatre jeunes gens au rôle peu équivoque et dix gardes du corps au sommeil trop lourd se retrouvent enfermés dans la buanderie du sous-sol.

Les choses menacent de se gâter lorsqu'un camion rempli de quarante hommes armés appartenant à la *Stabswache*, la garde d'état-major de Roehm, s'arrête devant la pension ; une confrontation menace, mais Hitler leur intime l'ordre de rentrer à Munich, et ils s'exécutent [32]. Après quoi le Führer et ses hommes font monter les prisonniers dans un autobus réquisitionné, et tous

---

* Les témoignages sur la présence de Sepp Dietrich et de ses hommes au matin du 30 juin sont contradictoires. Selon son biographe Charles Messenger, Sepp Dietrich et sa *Leibstandarte* n'ont pu arriver à temps pour accompagner Hitler à Bad Wiessee, en raison de l'état des routes et de la vétusté des véhicules fournis par l'armée (C. Messenger, *Hitler's Gladiator*, Brassey's, Londres, 1988, p. 59). Voir également I. Kershaw, *Hitler*, vol. I, Penguin, Londres, p. 514. Wilhelm Brückner confirmera en 1949 qu'il n'y avait pas de SS pour participer à l'expédition, mais seulement « les deux groupes d'accompagnement habituels, dans deux voitures ».
** Le *Standartenführer* (colonel) Julius Uhl, chef de la garde personnelle de Roehm.

reprennent la route de Munich en passant par la rive sud du Tegernsee [33] *. Vers 9 h 30, le convoi parvient à la « Maison Brune », gardée par l'armée et les SS – qui ont arrêté entre-temps les principaux officiers SA en route pour Bad Wiessee ; d'autres encore ont été cueillis dès leur descente du train. Roehm et ses lieutenants les rejoignent rapidement à la prison de Stadelheim, tandis qu'Hitler ordonne à Goebbels de téléphoner à Goering le mot de code « *Kolibri* »...

Depuis son palais de la Leipziger Platz, Goering, qui attendait en compagnie d'Himmler et du chef d'état-major von Reichenau, donne aussitôt le feu vert à l'exécution du plan établi de longue date. Partis des casernes de l'ancienne école des cadets de Lichterfelde, les camions chargés de commandos de la Landespolizei, précédés de pelotons motocyclistes, pénètrent dans Berlin par des routes détournées et viennent cerner le quartier général des SA dans la Wilhelmstrasse. Quelques instants plus tôt, Franz von Papen, en délicatesse avec les nazis depuis son discours de Marburg **, avait été convoqué d'urgence à la résidence de Goering par le général Bodenschatz. Ayant traversé les jardins du ministère de l'Air, le vice-chancelier est stupéfait d'y découvrir un palais transformé en forteresse : « Tout le secteur grouillait de gardes SS armés de mitraillettes. Goering était dans son bureau avec Himmler. Il me dit qu'Hitler avait été obligé de prendre l'avion pour Munich, afin de mater une révolte dirigée par Roehm, tandis que lui-même avait reçu les pleins pouvoirs pour faire face à l'insurrection dans la capitale. J'ai immédiatement protesté, et j'ai fait remarquer qu'en l'absence du chancelier, de tels pouvoirs ne pouvaient que m'être conférés en ma qualité de vice-chancelier. Goering m'a répondu qu'il n'en était pas question. [...] J'ai dit alors qu'il était essentiel d'informer le président, de déclarer l'état d'urgence et de faire intervenir la Reichswehr pour qu'elle rétablisse l'ordre. Mais là encore, Goering a refusé : il était inutile de déranger Hindenburg, puisqu'avec l'aide des SS, il contrôlait parfaitement la situation. Nous avons commencé à nous échauffer, mais Goering a mis un terme à la conversation en

---

* Il s'agit d'une précaution de la part d'Hitler, pour le cas où les gardes du corps de Roehm se raviseraient et tenteraient de les intercepter sur le chemin de Munich. C'est effectivement ce qu'ils vont faire, mais ils attendront en vain sur la rive nord.

** Dans ce discours, prononcé le 17 juin, von Papen avait dénoncé sans équivoque les abus du régime hitlérien.

m'invitant à rentrer chez moi et à ne plus en sortir sans le prévenir – ma propre sécurité en dépendait. J'ai répondu que je m'occuperais moi-même de ma sécurité, et que je refusais de me soumettre à ce qui revenait à une arrestation [34]. »

Pendant cette conversation, l'assistant de von Papen, le comte von Tschirschky, entend Himmler dire à voix basse au téléphone : « Vous pouvez y aller maintenant ! » Il comprendra peu après : von Papen a été attiré hors de la vice-chancellerie pour que les sbires de Goering et d'Himmler puissent l'investir en toute tranquillité – ce qu'ils vont faire sur l'heure, en abattant au passage le chef du service de presse Herbert von Bose et en arrêtant tous les secrétaires. Pendant ce temps, à la villa de Goering, l'entretien s'achève, et von Papen écrira : « Pour finir, Goering, qui recevait un flot de messages, m'a plus ou moins mis à la porte. [...] Nous sommes repartis en voiture vers la vice-chancellerie de la Vosstrasse, afin que je puisse y prendre mes dossiers. J'ai trouvé le bâtiment occupé par les gens d'Himmler, et un garde armé d'une mitraillette m'a empêché d'entrer. L'un des employés a réussi à me chuchoter que Bose avait été abattu, après quoi nous avons été séparés et j'ai reçu l'ordre de retourner à ma voiture. Nous étions cernés par des hommes de la SS et des membres de la police secrète de Goering, qui essayaient tous deux d'arrêter Tschirschky. La tension est montée à tel point qu'ils ont failli se tirer dessus. C'était une bonne indication de la confusion qui régnait. Il y avait manifestement deux groupes à l'œuvre, l'un commandé par Goering, l'autre par Himmler [35]. »

C'est parfaitement exact : les deux complices agissent de concert, mais comme leurs intérêts diffèrent, ils n'ont pas toujours les mêmes comptes à régler. Du reste, von Papen a toutes raisons de s'en féliciter : rentré à son domicile, il n'échappera aux agents d'Himmler chargés de l'exécuter que grâce aux hommes de Goering chargés de le protéger. C'est que le *Ministerpräsident* Hermann Goering, plus réfléchi que le chef de la Gestapo, considère l'assassinat comme un art à pratiquer avec discernement : en l'occurrence, Hindenburg ne pardonnerait jamais aux nazis le meurtre de son favori Franz von Papen. Or, le vieux maréchal est toujours commandant suprême des armées du Reich... Il y a d'ailleurs d'autres désaccords : Himmler et Heydrich veulent profiter de l'occasion pour éliminer Diels, mais Goering s'y oppose ; le premier exécuteur des basses œuvres de la Gestapo échappera donc de justesse à la tuerie, et Goering le fera discrètement nommer *Oberpräsident* de Cologne, en lui donnant pour consigne de se faire oublier [36].

Entre-temps, les commandos de la Landespolizei ont occupé le quartier général des SA et désarmé tous ses occupants. Goering, délaissant un instant son bureau, est venu se rendre compte sur place, désigner les personnes à fusiller et interroger les autres : « J'ai demandé à ce capitaine des SA : " Avez-vous des armes ? — Mais non, *Herr Polizeichef*, m'a répondu ce saligaud. Aucune, sauf ce pistolet pour lequel vous m'avez donné une autorisation... " J'ai alors trouvé dans la cave un arsenal plus important que tout l'armement des forces de police prussiennes ! Je vous le dis, ils auraient pu faire un sacré feu d'artifice ! Dans un tel cas, il n'y avait qu'une chose à faire : exécuter [37] ! »

On exécutera donc beaucoup ce jour-là, en Prusse, en Poméranie, en Silésie et partout ailleurs : l'ancien chancelier von Schleicher, que les hommes de Goering étaient venus arrêter, mais que ceux d'Himmler venaient tout juste d'abattre * ; le général von Bredow, ami et successeur de Schleicher au bureau politique du ministère de la Guerre ; Edgar Jung, collaborateur de von Papen et véritable auteur du discours de Marburg ; Erich Klausener, ancien responsable de la police prussienne révoqué en février 1933 ; Fritz Gerlich, un journaliste catholique contre qui Goering avait été autrefois en procès... Et bien sûr tous les collaborateurs de Roehm, d'Ernst et de Heines : Gehrt, Sander, Beulwitz, Mohrenschild, Kirschbaum et des dizaines d'autres, qui sont amenés au camp de Lichterfelde pour y être passés par les armes. Au ministère de l'Intérieur, comme partout ailleurs, personne ne se sent véritablement à l'abri, pas même le général Daluege, chef du département de la police au ministère de l'Intérieur et commandant de la police prussienne ! Son subordonné Hans Bernd Gisevius décrira parfaitement l'ambiance en cette fin de matinée terrifiante : « Que se passe-t-il réellement ? Il semble que l'on soit encore à la poursuite de Gregor Strasser, d'après ce que révèle un dramatique appel au secours lancé à Daluege par un ancien camarade du Parti. Un putsch qui réunit la collaboration de Roehm, de Schleicher et de Strasser doit être d'importance. Et

---

* De même que son épouse, pour faire bonne mesure.

voici qu'arrivent en masse les radiotélégrammes de la police. A peu près tous les grands chefs des SA ont été arrêtés ou sont sur le point de l'être. Les traîtres sont sans doute très nombreux. Mais combien au juste ? Quels sont les chasseurs, quels sont les chassés ? Nous décidons de compléter nos informations. Je propose, à cette fin, d'aller au palais de Goering où j'espère atteindre Nebe *. Celui-ci m'apprendra ce qui se passe vraiment. Je suis poussé aussi par le sentiment qu'il vaut mieux être là-bas qu'à mon bureau, ou même chez moi. [...] Je préfère donc me tenir dans le voisinage de Daluege, escomptant que c'est dans la gueule du loup, c'est-à-dire au palais de Goering, qu'on viendra le moins facilement me chercher. Nous faisons ensemble les deux ou trois cents mètres qui séparent le ministère de la Leipziger Platz, sans rien remarquer d'extraordinaire. [...] Les gens circulent très paisiblement. Cependant, les uniformes de SA ont disparu de la circulation. Ce n'est qu'en arrivant à la Leipziger Platz que de graves événements s'annoncent. On y voit de très nombreux policiers et des attroupements. Nous franchissons le petit passage qui donne accès au palais de Goering. Ce bâtiment n'est pas visible de l'extérieur, grâce au Ciel, car à peine avons-nous franchi le tournant que de tous les toits, de tous les balcons, de toutes les embrasures, des mitrailleuses pointent sur nous. Dans la cour, c'est une fourmilière de policiers. Si l'heure n'était pas aussi grave, ce contraste avec le calme de Berlin nous amuserait. Pendant que je me glisse derrière Daluege à travers les barrages et que nous montons les quelques marches qui conduisent au grand hall de réception, une angoisse soudaine me prend à la gorge. Je respire une atmosphère de haine, de nervosité, de tension, de guerre civile, et surtout de sang, de beaucoup de sang. Sur tous les visages, de celui des sentinelles à celui du dernier planton, on lit qu'il se passe des choses terribles. Des aides de camp vont et viennent nerveusement. Des messagers, portant de gros dossiers secrets, courent avec des airs importants. Anxieux, les gens qui attendent s'interrogent les uns les autres. On parle à mi-voix. On se chuchote à l'oreille. Par bonheur, je découvre tout de suite Nebe. Nous nous saluons avec le signe conventionnel que nous avons peu à peu adopté, un serrement de main et un battement de paupières. Nous le prolongeons

---

* Arthur Nebe, chef de la police criminelle et ancien supérieur de Gisevius à la Gestapo.

cependant plus que d'habitude, car nous ne savons pas ce qu'il faut dire ou demander en premier lieu. Finalement, je lui demande simplement ce qu'il a fait hier. " Rien de bien particulier, me dit-il. On m'a fait savoir qu'un attentat devait avoir lieu contre Goering et qu'en conséquence, je devais l'accompagner. Il a fait, avec sa femme, des achats dans toutes sortes de magasins. Mais j'ai dû passer la nuit au palais. Et ce matin... " Nebe me regarde d'un air significatif. Nouveau silence, un peu plus prolongé. [...] Il feint l'indifférence. En un pareil moment et au milieu d'un tel entourage, il ne faut surtout pas paraître ému et encore moins terrifié. Prudemment, nous nous retirons dans le coin le plus proche. A deux pas de nous, un *Gruppenführer* SA est effondré sur une chaise, claquant des dents. Nebe m'explique qu'il a dû l'arrêter il y a quelques instants. Le malheureux a été convoqué par téléphone ; à peine arrivé, Goering l'a reçu en le traitant de cochon d'homosexuel, et lui a annoncé qu'on allait le fusiller. Un peu plus loin un autre misérable est accroupi : c'est l'*Obergruppenführer* SA Kasche, pris dans la rue et amené ici par précaution. Il a tout l'air de compter les secondes qui lui restent encore à vivre. [...] La vue de cette détresse humaine nous ramène au centre de l'affaire. Nebe me fait savoir que les choses empirent depuis ce matin. A Lichterfelde, on fusille sans arrêt. Il me murmure une grande quantité de noms que je n'ai jamais entendus. Je retiens seulement ceux des *Gruppenführer* SA von Detten et von Falkenhausen, celui de Ramshorn, qui est préfet de police à Gleiwitz, puis celui de Schragmuller, préfet de police de Magdebourg, ceux du *Standartenführer* Belding et de l'avocat Voss. Et ce ne sont là que quelques-uns des candidats à la mort. [...] Le nom de Gehrt, qui a gagné au front la croix " Pour le Mérite ", nous attriste particulièrement *. Nous savons que chacun de ces " grands " criminels a mérité deux ou trois fois la mort pour les atrocités qu'il a commises ; mais cette façon de les liquider nous paraît odieuse. A la vérité, nous sommes incapables, pour le moment, de rassembler nos esprits. Nous nous bornons à enregistrer mécaniquement les faits, uniquement préoccupés de la façon dont nous pourrons nous-mêmes sortir sains et saufs de ce sabbat.

---

* Il s'agissait en outre d'un ancien pilote de l'escadrille Richthofen. Goering le fera d'ailleurs venir et lui arrachera sa décoration, avant de l'envoyer devant le peloton d'exécution.

[...] Nous nous donnons mutuellement du courage, tout en songeant silencieusement aux feux de salve qui crépitent à Lichterfelde. Nous sommes tout près du cabinet de travail de Goering, où le comité exécutif délibère. A tout instant accourent des messagers de la Gestapo qui apportent de petites fiches blanches. Par l'entrebâillement de la porte, on aperçoit Goering, Himmler, Heydrich, et le petit Pilli Koerner, secrétaire d'Etat de Goering à la présidence ministérielle. L'entretien a l'air des plus animés. Par moments on perçoit un mot, comme " dehors ! " ou " ahah ! " ou " tirer ! ", ou simplement un rire brutal. En tout cas, ils semblent être de fort bonne humeur. Goering rayonne littéralement de satisfaction. On sent qu'il est dans son élément. Il parcourt fièrement la pièce à grands pas. C'est un spectacle inoubliable : la crinière en désordre, une blouse blanche, une culotte militaire gris-bleu, des bottes noires dont les genouillères montent au-dessus des genoux d'un corps bouffi. Il me fait penser au Chat botté ou à quelque personnage extravagant de conte de fées [38]. »

C'est à ce même spectacle qu'assiste depuis l'antichambre le général Erhard Milch, sous-secrétaire d'Etat au ministère de l'Air, qui a été convoqué au palais de Goering en fin de matinée : « Himmler lisait lentement une liste de noms. Pour chacun, Goering et von Reichenau faisaient oui ou non de la tête. Si tous étaient d'accord, Himmler dictait le nom à Koerner, en ajoutant sèchement : " Confirmation ! ". A un moment, l'un des trois a suggéré un nom qui n'était manifestement pas sur la liste ; c'était celui de la tante d'un certain diplomate, qui avait fortement déplu dans les cercles du parti en raison de son excès de zèle national-socialiste *. Tous ont été secoués d'un rire nerveux à l'idée de l'inclure dans la liste. De temps en temps, Paul Koerner sortait avec la liste des noms qui s'allongeait à vue d'œil, et la remettait à d'autres qui communiquaient leurs instructions par téléphone à des hommes de confiance sur le terrain. A l'évidence, ce n'était pas une promotion qui attendait les hommes portés sur la liste [39]. »

La suite est racontée par Gisevius, qui s'est attardé sur les lieux : « Tout à coup retentissent des éclats de voix. Le major de police Jakobi se précipite hors de la salle, le shako sur la tête, la jugulaire

* Il s'agissait de la baronne Viktoria von Dirksen.

au menton, et derrière lui tonne Goering : " Tirez dessus... prenez toute une compagnie avec vous, tirez dessus... tirez immédiatement... tirez, vous dis-je... tirez... ! " On ne saurait comment évoquer après coup toute la rage brutale, toute la haine vindicative, et en même temps toute la peur, la lâche peur, qui s'expriment dans cette scène. On le devine : quelqu'un s'est échappé, qui ne doit pas survivre, sans la mort de qui la journée serait vaine. Nous supposons tout d'abord qu'il doit s'agir de Roehm ou de Karl Ernst. Mais Goering continue à hurler. De nouveau, il arpente sa cage somptueuse, et à plusieurs reprises, nous l'entendons crier d'une voix rauque ce même refrain : " C'est justement ce Paul... c'est justement ce Paul... ce Paul... " Nous savons, l'un des aides de camp nous le communique, qu'il s'agit de Gregor Strasser et de Paul Schulz. Il paraît que l'arrestation de Strasser n'a pu se faire, parce que les travailleurs de son exploitation le protégeaient. [...] C'est à cela que se rapportait le farouche " Tirez dessus ". Quant à " Paul ", c'était l'ami de Strasser, le lieutenant Paul Schulz *. » Gisevius assistera même à la fin – provisoire – de la séance du comité d'exécution : « On voit Himmler partir avec Heydrich, et le petit Pilli Koerner faire l'important dans le vestibule ; Goering passe dans un salon attenant, où le photographe " de la Cour " l'attend depuis plusieurs heures. Comment laisser passer un jour aussi auguste sans le marquer par une belle photographie ! Nous avions d'ailleurs déjà surpris des laquais préparant soigneusement tout un assortiment d'uniformes [40]. »

Ils attendront encore un moment, car Goering a un dernier compte à régler avec un prisonnier qui vient de lui être amené ; c'est le prince August-Wilhelm, son vieux compagnon « Auwi », qui avait voulu faire preuve de zèle national-socialiste en entrant dans la SA, et figurait encore récemment en bonne place dans les plans de réorganisation gouvernementale établis par Roehm... « Où as-tu parlé à Karl Ernst pour la dernière fois ? lui demande Goering. – Au téléphone, répond le prince. – De quoi avez-vous parlé ? – Ernst voulait seulement prendre congé de moi avant de partir pour l'étranger. » « Heureusement pour toi que tu as dit la vérité », répond Goering sèchement, en lui faisant entendre l'enregistrement de la conversation. « Je suis heureux que tu aies décidé d'aller en Suisse pour quelques jours ! », dit ensuite Goe-

---

* Paul Schulz sera arrêté, abattu de six balles dans le ventre... et survivra.

ring au prince, qui le regarde avec ahurissement. « Je ne t'ai jamais dit que tu avais la tête la plus stupide du monde ? Fous le camp et ferme-la ! » ajoute aimablement Goering en le congédiant [41]. Le prince ressort donc libre de l'antre de la Leipziger Platz, mais ce n'est pas son innocence qui l'a sauvé ; Goering s'est simplement rendu à l'évidence : on ne fusille pas un Hohenzollern, si stupide soit-il...

En milieu d'après-midi, le grand ordonnateur des purges se rend au ministère de la Propagande, afin d'y faire une déclaration à la presse. Gisevius est dans l'assistance et décrit la scène : « Une tension effroyable règne dans la salle. J'observe les visages de ces grands rédacteurs. Ils offrent un pénible mélange de curiosité, d'embarras, de joie maligne, de souci et de terreur. [...] Goering arrive. Il est en grand uniforme. Il ne marche pas, il parade et monte majestueusement à la tribune. Après une longue pause, d'un grand effet, il se penche un peu en avant, appuie la main contre le menton, roule les yeux comme s'il avait peur des révélations qu'il doit faire. Il a sans doute étudié devant sa glace cette attitude néronienne. Puis il fait sa déclaration. Il parle sur un ton lugubre, d'une voix sourde, comme un professionnel des oraisons funèbres. La déclaration est un peu confuse : putsch de Roehm, dépravation homosexuelle, troubles dans le pays, réaction, haute trahison, deuxième révolution, châtiment sévère, clémence du Führer. Schleicher conspirait avec une puissance étrangère. Au moment de son arrestation, il a tenté de se défendre ; malheureusement, " ce geste lui a coûté la vie ". Goering ne parle pas de Strasser. De même, il n'est pas question de l'incident qui s'est produit dans l'antichambre de von Papen. Et voilà le tour de Roehm, et c'est très net : " Il n'est plus au nombre des vivants. " [...] Le point le plus intéressant de la pittoresque déclaration de Goering n'est pas son allusion à ces " individus malades ", dont les penchants malheureux ont fait des éléments de corruption sociale, mais bien ceci : le Führer, qui a dirigé aujourd'hui à Wiessee un " court procès ", lui a donné il y a quelques jours l'ordre " de frapper selon ses indications ". Et plus loin cette phrase, lourde de sens : " J'ai élargi ma mission ", ce qui veut dire que Goering ne s'est pas contenté de tirer sur le commandement putschiste des SA, mais également, de sa propre initiative, dans le cercle " des éternels mécontents " [42] ».

Au nombre de ceux-ci, il y a bien sûr Gregor Strasser, qui est finalement arrêté par la Gestapo en début d'après-midi, amené au QG de la Prinz Albrechtstrasse et enfermé au sous-sol, dans la cellule 16. Il y passera douze longues heures, jusqu'à ce que trois hommes entrent et tirent presque à bout portant ; criblé de balles, Strasser vit encore, et c'est Heydrich qui lui donne le coup de grâce. Pendant ce temps, la nuit est tombée sur Lichterfelde, mais on fusille sans discontinuer, à la lumière des phares de voitures...

Goering a mentionné que le Führer dirigeait à Wiessee « un court procès ». L'adjectif est exact, mais le substantif ne l'est pas, car la séance n'a rien de judiciaire : au cours de cet après-midi sanglant, Hitler, toujours retranché dans la Maison Brune, parcourt l'interminable liste des personnalités arrêtées, et marque d'une croix les noms des condamnés. Le *Gruppenführer* Sepp Dietrich * reçoit une première liste de six hommes à exécuter sur-le-champ : Hayn, Heydebreck, Heines, Schneidhuber, Schmid et le comte von Spreti. Dietrich se rend à la prison de Stadelheim sans enthousiasme, car les condamnés sont pour la plupart d'anciens camarades de combat ; mais un vieux soldat se doit d'obéir, et les six hommes sont dûment conduits devant le peloton d'exécution. Dietrich, écœuré, quitte les lieux avant la dernière salve [43]. De nombreuses autres tueries s'ensuivent, à Stadelheim et ailleurs, ce qui permet de solder au passage quelques très vieux comptes : l'ancien ministre-président von Kahr, âgé de soixante-treize ans, est retrouvé découpé en morceaux dans un marécage de Dachau, tandis que le père Stempfle, qui avait corrigé jadis le manuscrit de *Mein Kampf*, est abattu devant son domicile ** – de même que le critique musical Wilhelm Schmidt, qui tombera victime d'une homonymie ***... Mais curieusement, Ernst Roehm, l'homme qui aurait dû les précéder tous dans la tombe, est encore vivant au soir du 30 juin : Hitler refuse d'ordonner son exécution, et il s'en explique à Max Amann : « Après tout, Ernst était à mes côtés

---

* Il semblerait que lui et ses troupes ne soient arrivés à Bad Wiessee qu'à 11 heures, alors que le convoi d'Hitler était déjà reparti avec ses prisonniers. Dietrich avait alors reçu l'ordre de retourner à Munich avec sa *Leibstandarte*.

** Le bon père avait apparemment trop parlé, en révélant lors de réceptions dans la bonne société quelques-unes des maladresses de plume de l'écrivain débutant Adolf Hitler... Il en savait également un peu trop sur la mort de Geli Raubal.

*** Les SS l'avaient confondu avec un certain Ludwig Schmitt, ancien sympathisant d'Otto Strasser.

autrefois devant le tribunal [44] *. » Sur le champ d'aviation d'Oberwiesenfeld, quelques minutes avant de décoller pour Berlin, il confie également au général von Epp : « J'ai gracié Roehm, en considération des services rendus [45]. » Qui comprendra jamais la psychologie tourmentée d'Adolf Hitler ?

A Berlin, depuis son poste au ministère de l'Intérieur, Hans Bernd Gisevius essaie toujours de suivre la spirale infernale des événements : « Dans l'intervalle, les radiogrammes se sont accumulés. La plupart sont déjà périmés, d'autres sont incompréhensibles, très peu apportent du nouveau. Une douzaine de ces télégrammes concernent Karl Ernst. L'oiseau s'est envolé. Je présume que c'est là le fameux numéro deux, dont on s'inquiète si rageusement, car il devrait être fusillé depuis longtemps. Brusquement, la nouvelle nous parvient que le Führer est parti en avion de Munich il y a une heure. Il va atterrir à Tempelhof ; il ne faut pas manquer cette arrivée. L'aérodrome est occupé par des SS lourdement armés. Il y a en outre plusieurs compagnies d'aviateurs. Comme l'avion tarde, Goering en profite pour faire un petit discours à ces soldats. Ceux-ci sont encore camouflés à cette époque, et leurs uniformes sont peu connus **. Goering procède donc, en quelque sorte, à une inauguration. Les soldats, habillés de gris-bleu, se tiennent dans la pénombre, devant les hangars. Les jambes écartées, puissamment campé, Goering se place au milieu du carré et leur parle – ce soir justement – de la fidélité des soldats et de l'esprit de camaraderie. [...] Ce discours incohérent se poursuit dans le crépuscule et personne, pour ainsi dire, ne l'écoute. Nebe est également là. Il a appris dans l'intervalle que Gregor Strasser est mort, s'étant soi-disant suicidé. Nous en sommes révoltés. [...] Tandis que nous faisons, Nebe et moi, quelques pas sur l'aérodrome, un peu à l'écart, nous voyons atterrir un petit Junkers. Trois SS en sautent. Puis, menottes aux mains, sort Karl Ernst. Ils ont donc fini par l'avoir ! Le gaillard semble être de très bonne humeur. Il passe en sautillant de l'avion à l'auto. Il sourit de tous les côtés, comme s'il voulait montrer à tout le monde qu'il ne prend pas son arrestation au sérieux. Mais le

---

* En 1924, lors du procès des participants au putsch manqué de Munich.
** Il s'agit des hommes de la nouvelle Luftwaffe, dont l'existence est encore secrète.

sourire disparaîtra bien vite de ses lèvres. On le conduit en toute hâte à Lichterfelde. »

Enfin, l'avion de Munich est annoncé : « Nous le voyons paraître, poursuit Gisevius. L'horizon a pris une symbolique couleur de sang. Tout le monde est ému, la tête agitée de mille questions. Le gros appareil se pose, puis s'arrête, et nous avons involontairement la respiration coupée au moment où l'hélice cesse de tourner. Que va-t-il se passer ? Que va-t-il faire ? Des commandements retentissent. La compagnie d'honneur présente les armes. Goering, Himmler, Koerner, Frick, Daluege et une vingtaine d'officiers de police s'avancent vers l'avion. Voilà que la porte s'ouvre, et Adolf Hitler descend le premier. Tout est sombre sur sa personne : chemise brune, cravate noire, manteau de cuir, hautes bottes d'ordonnance. La tête est nue, le visage blanc comme un linge, mal rasé, les traits à la fois creusés et bouffis, les yeux éteints au regard fixe, à moitié dissimulés sous des mèches pendantes. [...] On se salue de part et d'autre. Hitler tend la main sans mot dire à ceux qui l'entourent. Nebe et moi qui, prudemment, observons la scène à distance, ne percevons, dans le silence général, que des claquements de talons. Pendant ce temps, les passagers descendent de l'avion : Brückner, Schaub, Sepp Dietrich et d'autres. Ils paraissent graves, en tout cas accablés. Pour finir, une figure diabolique fait son apparition : Goebbels. Lentement, cérémonieusement, Hitler passe devant la compagnie d'honneur. Il avance péniblement, à pas lourds, d'une flaque à une autre. On a l'impression qu'il va s'y enfoncer d'un moment à l'autre [46]. »

Hitler se retourne vers Goering et Milch, pour leur demander qui sont ces hommes dont l'uniforme lui est inconnu. Ce sont les élèves aviateurs de la future Luftwaffe, répond Milch. « C'est le premier spectacle agréable de la journée. Bonne sélection raciale [47] ! » commente le Führer. Gisevius est trop loin pour entendre ces paroles, mais il voit le groupe poursuivre son chemin : « Tout en se dirigeant vers la file des voitures qui sont à quelques centaines de mètres, Hitler s'arrête avec Goering et Himmler. Il se fait donner un compte rendu par ses deux acolytes, bien qu'il soit certainement resté toute la journée en contact avec eux par téléphone. Le prédécesseur de Roehm, von Pfeffer, flairant la situation, essaye de s'approcher. Mais Himmler lui fait signe de s'éloigner d'un geste menaçant de la main. Alors

Himmler tire de sa manche une longue liste chiffonnée. Hitler en prend connaissance, tandis que les deux hommes ne cessent de lui parler à l'oreille. On voit Hitler suivre sa lecture du doigt, s'arrêter de temps à autre un peu plus longuement sur un nom. Les chuchotements deviennent alors plus animés. Tout à coup, il rejette la tête en arrière, d'un geste de si profonde émotion, pour ne pas dire de révolte, que tous les assistants le remarquent. Nous nous regardons d'un air significatif, Nebe et moi. Nous avons eu la même pensée. Ils viennent de lui signaler le " suicide " de Strasser. Finalement, le cortège se remet en route. Hitler, Goering, Himmler marchent en tête. L'allure d'Hitler est toujours traînante. Les deux sanguinaires sauveurs ne s'en affairent que plus. Physiquement très dissemblables, l'obèse Goering et l'insipide et plat Himmler ont aujourd'hui la même attitude, les mêmes airs importants, la même volubilité, la même obséquiosité. Le reste du cortège suit à distance respectueuse, dans le plus profond silence. [...] Le blasphème atteint son point culminant lorsque, brusquement, du haut d'un hangar d'aviation, un cri part d'un groupe d'ouvriers : " Bravo Adolf ! " [48]. »

Le lendemain, les acclamations seront plus discrètes, mais non moins enthousiastes : l'homme de la rue est rassuré d'avoir été épargné par toute cette agitation martiale, et soulagé de voir disparaître la clique bruyante et malfaisante des compagnons d'Ernst Roehm ; des autres victimes, il ne sait rien encore. Les chefs militaires, eux, se réjouissent de l'élimination de leurs plus dangereux concurrents, et ils le font savoir par la voix du ministre de la Guerre von Blomberg ; sans doute leur déplaît-il que les généraux von Schleicher et von Bredow aient été engloutis dans la tourmente, mais si le salut de l'armée est à ce prix... Le président Hindenburg lui-même est pleinement satisfait de cette mise au pas des pires trublions du parti ; quant au reste, il n'en a manifestement pas été informé par son entourage, qui l'isole presque complètement du monde extérieur. Ainsi s'expliquent les chaleureux télégrammes de félicitations qu'il va adresser à Hitler et à Goering *.

---

* Le télégramme adressé à Goering est ainsi libellé : « Je vous exprime ma gratitude et ma reconnaissance pour votre action énergique et couronnée de succès, lors de l'écrasement de la tentative de haute trahison. Avec mes salutations de camarade. Von Hindenburg. » Il est peu vraisemblable que le *Reichspräsident* ait rédigé lui-même ce télégramme.

Mais en ce radieux dimanche du 1ᵉʳ juillet 1934, alors que l'ennemi est en pleine déroute et que les bourreaux achèvent leur triste besogne, le *Ministerpräsident* est loin d'être satisfait ; car sans l'élimination physique de Roehm, rien n'est encore gagné. Or, le Führer lui a bien dit la veille au soir qu'il avait décidé d'épargner son vieux compagnon. Mais que Roehm survive, qu'il se réconcilie avec Hitler, que celui-ci lui confie de nouvelles fonctions, et les deux principaux comploteurs de la Nuit des Longs Couteaux seront plus menacés que jamais ! Il ne saurait donc en être question... C'est pourquoi, lors de la garden-party donnée à la chancellerie ce dimanche-là, Goering et Himmler font le siège d'Hitler pour le persuader d'« achever le travail ». Lorsque le ministre de l'Agriculture Walter Darré les rejoint plus tard dans l'après-midi, les deux conspirateurs sont toujours à l'œuvre. Mais en début de soirée, Hitler cède, et les ordres nécessaires parviennent à Munich. Theodor Eicke, le chef du camp de concentration de Dachau, se présente à la prison de Stadelheim en compagnie de deux SS. Sur instructions du Führer, ils laissent à Roehm un pistolet pour se suicider ; le vieux forban ayant dédaigné cet ultime privilège, il est abattu sans autre forme de procès.

Hermann Goering a donc gagné sur toute la ligne ! Le lendemain 2 juillet, il organise un grand banquet dans son palais de la Leipziger Platz, pour célébrer dignement la victoire en compagnie de ses principaux complices. Rien n'indique que le goût du sang ait gâté leurs agapes ; d'ailleurs, Goering a donné dès le dimanche soir des instructions très strictes pour que tous les documents relatifs à cette affaire soient immédiatement détruits. Combien de victimes a-t-on dénombré durant cette sanglante fin de semaine ? Officiellement, 77 à 84, dont une cinquantaine de SA ; officieusement, 150 à 200 pour les seules villes de Berlin et Munich, et probablement trois fois plus si l'on compte les « accidents », les « erreurs », les « suicides », les « arrêts cardiaques » et les « morts en détention » dans l'ensemble du pays. Ainsi donc, le combattant héroïque, vétéran patriote, aventurier romantique, putschiste malheureux, exilé sans ressources, chômeur morphinomane, homme d'affaires entreprenant, orateur tonitruant, député mercenaire, président du Reichstag conquérant, ministre de l'Intérieur sans scrupule et ministre-président arriviste peut désormais prétendre au titre de truand chevronné. Du reste, il n'a pas fini de cumuler les distinctions...

VIII

Le vertige des sommets

C'est à l'été de 1934 qu'Adolf Hitler devient véritablement le maître de l'Allemagne : entre la fin de juin et le début de juillet, il terrasse à la fois ses adversaires de droite et de gauche, et fait légaliser *a posteriori* les trois jours d'assassinats en tant que « mesures de salut public » ; à la fin de juillet, après le putsch manqué de Vienne *, il se débarrasse du vice-chancelier von Papen en le nommant ambassadeur du Reich en Autriche ; au début d'août, après la mort du maréchal Hindenburg, il s'attribue les fonctions de président, ce qui lui permet de cumuler tous les pouvoirs, de devenir chef des armées, et même d'exiger de chaque militaire un serment de fidélité à sa personne. Le 19 août, enfin, il fait entériner cette succession de coups de force par un vote massif du peuple allemand, qui approuve à près de 90 % l'instauration de la dictature. Dès lors, le Führer n'a plus qu'une priorité : le réarmement. Et dans cette vaste entreprise, il a naturellement réservé à Hermann Goering un rôle de tout premier plan...

Lors de la prise du pouvoir en janvier 1933, Goering, qui n'était encore que commissaire de l'Air, s'était vu confier une tâche des plus ardues : reconstituer l'aviation militaire allemande, officiellement défunte depuis la fin de la Grande Guerre, et le faire dans le plus grand secret, car la violation des strictes interdictions du traité de Versailles pouvait provoquer une

---

* Le 25 juillet 1934, des groupes d'assaut nazis ont tenté de renverser le gouvernement autrichien. Ils sont parvenus à assassiner le chancelier Dollfuss, mais ont ensuite été maîtrisés par l'armée

réoccupation immédiate du territoire allemand ; il lui fallait également procéder avec la plus grande célérité, afin que le nouveau régime puisse disposer d'un instrument suffisamment dissuasif pour mettre les Alliés au plus tôt devant le fait accompli ; et tout cela sans négliger la fiabilité et l'efficacité de la nouvelle arme, considérée par Hitler comme l'un des principaux piliers de ses conquêtes futures.

Goering, se sentant d'emblée dans son élément, a convoqué sans délai ses anciens compagnons de la Grande Guerre, pour leur distribuer les premières responsabilités : à son vieil ami Bruno Loerzer, il a confié le commandement de l'« Union sportive de l'Air allemande » et du « Club aérien allemand » qui, sous couvert de pratiques sportives, assureront la formation initiale des futurs pilotes de chasse du Reich * ; à son ancien rival et camarade de combat Ernst Udet, il a attribué un poste de conseiller technique au commissariat de l'Air, tandis que le fidèle Karl Bodenschatz, devenu entre-temps colonel dans l'infanterie, assumera les fonctions de premier assistant, de chef de cabinet et d'aide de camp principal.

Dès le 30 janvier 1933, Goering s'invite avec son nouvel état-major à la réunion de l'Aéro-club de Berlin, qui fête son vingt-cinquième anniversaire en présence des anciens as de la Grande Guerre et des grands industriels de la production aéronautique : Heinrich Koppenberg des Junkers Werke, Kurt Tank de Focke-Wulf, Fritz Nallinger de Benz Motoren, ainsi qu'Ernst Heinkel, Claudius Dornier et de nombreux autres. A cette auguste assemblée, Goering, rutilant de décorations, déclare avec force : « Messieurs, la situation est désastreuse, mais qu'à cela ne tienne ! Le Führer m'a autorisé à vous dire que le gouvernement va mettre d'importants crédits à la disposition de l'industrie. Vous pourrez intensifier la recherche expérimentale et développer les quelques modèles disponibles comme le trimoteur Junkers Ju 52 – un prototype idéal –, le Heinkel He 70, le Focke-Wulf FW 200, tandis que Dornier se concentrera sur les hydravions. Messieurs, vous pourrez faire votre choix parmi les 6 millions de chômeurs. Nous allons les mettre au travail pour qu'ils construisent des aérodromes, des usines, des fuselages et

---

* La suite de l'instruction sur avions lourds étant confiée au DVS, « Ecole allemande de trafic aérien civil ».

des moteurs. Nous paierons des hommes pour qu'ils apprennent à voler, et nous obtiendrons de la Reichswehr des sous-officiers qui leur enseigneront la discipline. Même s'ils n'ont pas le droit de porter l'uniforme des aviateurs, ils doivent être entraînés comme de vrais soldats [1]. » La salle applaudit frénétiquement, et aux accents de « *Heil der Dicke ! Heil der Dicke* * ! », quelques pilotes robustes s'avancent, se saisissent de Goering, le hissent sur leurs épaules et le propulsent dans les airs. « Regardez, crie Bruno Loerzer, Hermann s'est remis à voler [2] ! »

Mais il faut bien atterrir : l'ancien pilote de chasse et représentant en moteurs d'avions Hermann Goering, qui n'a aucune connaissance des techniques modernes, est-il vraiment compétent pour diriger une aussi colossale entreprise de réarmement aérien ? Si vaniteux soit-il, notre homme reste assez réaliste pour entretenir quelques doutes à cet égard. C'est pourquoi il décide de faire appel à un véritable professionnel en la personne d'Erhard Milch, le directeur de la compagnie Lufthansa **...

Milch commence par refuser le poste d'adjoint au commissaire de l'Air qui lui est proposé : l'idée de servir sous les ordres de l'ancien député qu'il a autrefois soudoyé ne lui plaît guère, d'autant qu'il n'a qu'une sympathie limitée pour ce gros intrigant au tempérament fantasque, dont il connaît par ailleurs les antécédents de dépendance morphinique. Mais Goering le présente à Hitler, qui sait parfaitement séduire les hommes et faire vibrer leur fibre patriotique : « Vous êtes un expert dans votre domaine, et nous n'avons personne dans notre parti qui en connaisse autant que vous sur l'aviation. Vous devez accepter ! Ce n'est pas le parti qui fait appel à vous, c'est l'Allemagne [3] ! » Milch, subjugué comme tant d'autres par l'étrange éloquence du Führer, finit donc par accepter. Rien n'est gagné pour autant, car les professionnels de la délation découvrent presque aussitôt que le père d'Erhard Milch est juif, ce qui devrait logiquement mettre un terme prématuré à la carrière de son fils. Mais Goering n'est pas homme à se laisser contrer par de telles broutilles : la mère d'Erhard Milch, convoquée à Berlin, certifie devant

---

* « Salut au Gros ! Salut au Gros ! »
** Il s'était d'abord adressé au capitaine Brandenburg, un vétéran de la Grande Guerre qui avait reconstitué l'aviation civile allemande depuis son poste au département du trafic aérien du ministère des Télécommunications. Mais le capitaine, connaissant Goering de réputation, avait catégoriquement refusé.

notaire que son fils est en fait issu d'une relation adultère avec un certain baron Hermann von Bier – aux impeccables antécédents aryens, naturellement *... C'est Goering qui a personnellement choisi le nom du père : « Puisqu'on lui enlevait son vrai père, autant lui donner un aristocrate en échange ! » dira-t-il plus tard avec un gros rire. En un tournemain, tous les obstacles se lèvent donc devant le nouvel Aryen Erhard Milch, ce qui lui permet non seulement de rester l'adjoint de Goering, mais encore de devenir secrétaire d'Etat au ministère de l'Air dès sa création en mai 1933. Voilà une recrue de choix qui a le sens de l'organisation, de la discrétion, de la mesure, des possibilités techniques, des impératifs de temps, des contraintes matérielles, de l'effort soutenu, du travail en profondeur et de la planification à long terme – bref, tout ce qui fait si cruellement défaut au nouveau *Luftfahrtsminister* Hermann Goering...

Aussi vrai qu'il n'y aurait pas eu de révolution d'Octobre sans Léon Trotski, il n'y aurait pas eu de Luftwaffe sans Erhard Milch. Ayant installé son QG dans une ancienne banque de la Behrenstrasse, le secrétaire d'Etat et colonel de fraîche date se met en devoir de créer une nouvelle arme aérienne camouflée en aviation civile. Il fait appel à des militaires de grande valeur comme Walther Wever, Wilhelm Wimmer, Hans-Jürgen Stumpff et Albert Kesselring ** – tous des colonels de l'armée de terre, qui vont rapidement faire corps avec leur nouvelle arme, et même apprendre à piloter sous la supervision d'Erhard Milch. Ensemble, ces hommes vont faire sortir de terre et coordonner entre eux des instituts de formation d'ouvriers spécialisés, des ateliers de mécanique, des laboratoires de recherches, des centres d'essais en vol, des usines de montage, des services météorologiques, des organisations d'appui au sol, des terrains d'aviation, des postes de commandement et des abris bétonnés, ainsi que des écoles de pilotage, de navigation, de combat aérien, de reconnaissance, de transmissions, de bombardement, d'aviation navale, d'ingénierie aéronautique et de défense antiaérienne. Ils nationalisent les usines Junkers de Dessau et placent leurs

---

* D'où ce commentaire acide du colonel de la Luftwaffe Erich Killinger : « En voulant passer pour un chrétien, Milch a fait passer sa mère pour une putain ! »

** Respectivement chef d'état-major, directeur technique, chef du personnel et directeur du bureau des plans chargé de la construction.

hommes aux comités de direction de Dornier, Messerschmitt et Heinkel ; ils établissent des échéanciers de recrutement et de formation des personnels – 1 600 pilotes à l'entraînement pour commencer –, et ils définissent un premier programme de production de 1 000 avions, dont une majorité de bombardiers, afin de constituer une « *Risikoflotte* » – une force aérienne de dissuasion contre toute tentative d'intervention française. Et tout cela se fait naturellement dans le secret le plus absolu *. Bien sûr, il y a des vices de construction qui se révéleront funestes à l'usage, mais Milch n'est pas un véritable militaire, Kesselring n'est pas un véritable aviateur, et tous deux doivent respecter les échéances draconiennes imposées par leurs maîtres **...

Durant la première année de cette expansion vertigineuse, Milch a quasiment carte blanche ; Goering signe tous les documents requis pour que la production aéronautique obtienne les hommes, l'équipement et les matières premières nécessaires, mais il ne voit Milch qu'une fois par mois – dans les bons mois –, et ne rend visite que très épisodiquement au QG de la Behrenstrasse et au centre d'expérimentation aéronautique de Rechlin. Dès avril 1933, lorsque Milch lui expose son programme détaillé de constructions, Goering l'interrompt d'emblée par ces mots éloquents : « *Ja, Ja...* Faites pour le mieux [4] ! » Le général Stumpff se souviendra également que « Goering se contentait de donner des instructions générales à ses responsables, qu'il convoquait une fois par mois. [...] Lorsque j'ai été en mesure de lui annoncer que nous avions déjà formé mille pilotes, il m'a dit mot pour mot : "Merci ! Formez-en mille de plus !" [5] ». Quand à savoir par quels moyens, ce n'est manifestement pas son affaire ! Il est vrai que l'« Homme de fer » a bien d'autres préoccupations à l'époque ***, et pour tout

---

* Le réarmement secret des forces terrestres et aériennes avait déjà été entamé une décennie plus tôt, sous la République de Weimar, avec des centres d'entraînement et de recherches en URSS (notamment à Lipetsk et Yagi), ainsi que des usines de montage d'avions en Suède.

** C'est ainsi que les terrains d'aviation, acquis à la hâte, sont trop sablonneux ou trop marécageux, les pistes d'envol, non bétonnées, sont souvent trop courtes, et les hangars comme les postes de commandement sont trop près des pistes, rendant l'ensemble très vulnérable au bombardement. Par ailleurs, l'entraînement des pilotes est trop théorique et trop rapide, faute de temps et de cadres expérimentés en nombre suffisant.

*** Voir chapitre précédent, p. 140 et suivantes.

dire, les détails et les questions techniques l'ennuient profondément...

Toutefois, s'il est vrai que Goering ne pourrait se passer de Milch, il est tout aussi vrai que Milch ne pourrait se passer de Goering. Qui d'autre serait capable de faire attribuer aux forces aériennes un budget de 642 millions de Reichsmarks pour l'exercice 1934-1935, et de un milliard pour l'année suivante [6] ? Lorsque l'état-major de la Luftwaffe lui présente les documents comptables montrant l'impossibilité de financer le plan d'expansion, Goering dit aussitôt : « Donnez-moi ces trucs ! », et il part pour la chancellerie, d'où il revient invariablement avec l'autorisation du Führer, en ajoutant : « Souvenez-vous une fois pour toutes : les considérations financières n'entrent pas en ligne de compte [7] ! » C'est ce qu'il confirmera amplement par la suite : « Il y a eu par exemple [au début de 1934] une réunion avec le Führer [...]. En l'absence de Schacht, von Blomberg a estimé le coût du réarmement pour les années suivantes à environ 30 milliards de marks, et il s'est déclaré d'avis qu'il faudrait en informer Schacht. Mais le Führer l'a contredit : " Pour l'amour du Ciel, ne lui dites surtout pas ça, sinon il va tomber évanoui de sa chaise, et j'aurai les plus grandes difficultés à lui expliquer les choses. Il ne faudra lui parler que des sommes pour l'année prochaine. " Mais Blomberg est resté sur ses positions, en disant que Schacht devait être au courant des choses, afin de pouvoir prendre les dispositions nécessaires [...]. Alors, moi, je lui ai dit : " Il sera toujours temps d'arranger cela. Herr Schacht pourra toujours s'évanouir plus tard. " Ma proposition a été adoptée, et Schacht n'a rien su ce jour-là au sujet de la somme envisagée de 30 milliards de marks [8]. »

Pourtant, dès le printemps de 1935, les énormes dépenses d'armement grèvent sévèrement le budget *, et les restrictions d'importations créent des pénuries alimentaires qui suscitent un vif mécontentement au sein de la population. Lorsque le ministre de l'Economie Hjalmar Schacht fait savoir aux membres du gouvernement que le financement du réarmement aérien devra être limité en conséquence, Goering décide de prendre le taureau par les cornes : il se rend à Hambourg, où le

---

* Le 16 mars 1935, Hitler a réintroduit officiellement la conscription et annoncé son intention de créer une armée de trente-six divisions, soit 500 000 hommes.

manque de matières grasses a provoqué les plus fortes protestations, et devant un rassemblement de masse des militants du parti, il prononce un discours qui ne sera pas oublié de sitôt : « Camarades du parti, mes amis, je crois au rapprochement entre les peuples. C'est même pour cela que nous réarmons. Si nous sommes faibles, nous serons à la merci du monde. [...] Dans le concert international, il y a des gens qui sont durs d'oreille. On ne peut les faire écouter que s'ils entendent le son du canon. Ces canons, nous sommes en train de les obtenir. Nous n'avons pas de beurre, camarades, mais je vous le demande : que préférez-vous ? Du beurre ou des canons ? Devons-nous importer du lard ou du minerai de fer ? Je vous le dis : le réarmement nous rend forts... le beurre ne fait que nous rendre gras [9] ! » L'orateur est follement acclamé, Hitler lui envoie un télégramme de félicitations, Schacht cède... et le budget de l'aviation sera doublé l'année suivante * !

Mais le rôle de Goering va bien au-delà ; c'est grâce à son influence et à deux ans d'efforts, par exemple, que la Luftwaffe se voit reconnaître comme la troisième branche des forces armées par décret du 26 février 1935 [10], et qu'elle parvient à absorber l'aviation de l'armée de terre comme celle de la marine, ainsi que la DCA. Le légendaire sens de la mesure du *Luftfahrtsminister* l'incite à convertir le Landtag de Prusse en Haus der Flieger (Maison des Aviateurs), et à faire construire dans la Leipzigerstrasse le plus grand ministère de l'Air du monde, une monstruosité de béton, de verre et de marbre comprenant 4 500 bureaux – avant agrandissement **... Au général Stumpff, qui lui propose de former un bataillon de parachutistes, il répond : « Un régiment au minimum... Non, il me faut une division [11] ! » Les officiers et les hommes du rang engagés dans l'aviation allemande renaissante profiteront amplement de cette mégalomanie débridée : ils auront les équipements les plus modernes, les meilleures rémunérations et les plus confortables casernements de toutes les forces armées – ainsi naturellement que les plus beaux uniformes, de couleur bleu azur, confectionnés selon les spécifications expresses de Hermann Goering – un authentique expert en la matière.

---

* 2,2 milliards de Reichsmarks pour l'exercice 1936-1937...
** Voir carte, p. 203.

Le ministre de l'Aviation s'emploiera même à leur procurer...
des avions britanniques ! Prenant prétexte de l'intrusion d'un
avion étranger non identifié dans le ciel allemand, Goering fait
valoir que l'Allemagne s'est vu reconnaître par les Alliés le droit
d'entretenir une « force de police aérienne » pour protéger ses
frontières ; voilà qui justifie selon lui l'achat à l'étranger d'avions
que l'Allemagne n'est pas autorisée à produire... Et le responsable de la presse étrangère Ernst Hanfstaengl pourra écrire :
« Lors d'une visite à Berchtesgaden à la fin de l'été (1933), j'ai
été chargé d'aider à accueillir l'industriel sir John Siddeley * et
son épouse. Je le revois encore assis à un balcon en compagnie de
Goering, alors que tous deux examinaient des photos et des
plans d'avions militaires britanniques dont l'Allemagne espérait
faire l'acquisition [12]. »

Par ailleurs, Milch et ses subordonnés immédiats, dont les
relations avec les SA, les SS et la Gestapo sont loin d'être cordiales, ont pu mesurer toute la valeur de la protection du
ministre Hermann Goering et de sa police personnelle lors des
événements de juin 1934... Par la suite aussi, du reste : « Goering, reconnaîtra le général Stumpff, m'a toujours couvert vis-à-
vis du parti et des SA [13]. » Enfin, c'est Goering en personne qui
lève l'épais voile de secret en annonçant la renaissance de l'aviation militaire allemande le 10 mars 1935, lors d'une interview
donnée au correspondant du *Daily Mail* [14]. Quelques jours plus
tard, il annonce même au colonel Don, attaché de l'Air britannique, que l'Allemagne a déjà près de 1 500 appareils de première ligne [15] ! C'est à l'évidence une grossière exagération : à
cette époque, la Luftwaffe reconstituée compte 900 officiers,
17 000 hommes et une première escadre que le tout nouveau
général d'aviation Goering ** a naturellement baptisée « *Geschwader von Richthofen* ». Elle ne dispose encore que de chasseurs
biplans Heinkel 51 passablement démodés, les premiers bombardiers Dornier XI se révèlent trop dangereux pour leurs
pilotes, et les vantardises officielles selon lesquelles cette force
aurait déjà atteint la parité avec la RAF sont manifestement
dérisoires. Mais l'effet d'intimidation recherché est atteint,

---

* Le célèbre constructeur des avions Hawker Siddeley.
** On se souvient que Goering n'était jusque-là que général d'infanterie,
puisqu'il n'existait pas officiellement d'aviation militaire.

l'impulsion générale est donnée, et le mouvement ne s'arrêtera plus : en moins de deux ans, la Luftwaffe va passer de 77 à 2 700 avions...

Pourtant, si Goering est aussi utile à Milch que Milch est utile à Goering, les relations entre les deux hommes cessent rapidement d'être cordiales. « Milch, écrira le général Rieckhoff, s'irrite de sa position subalterne. [...] La difficulté d'amener Goering à prendre une décision conduit souvent Milch à se passer de l'approbation du ministre [16]. » Certes, et Goering enrage d'entendre Milch déclarer à qui veut l'entendre : « Le vrai ministre, c'est moi [17] ! » Tout dépend en vérité de la conception que l'on se fait du rôle d'un ministre : Goering parade devant le Führer, les forces armées, le peuple allemand, les journalistes et les diplomates étrangers, tandis que Milch effectue le travail sérieux de planification, d'organisation, de production, de coordination et d'innovation... Par ailleurs, le ministre de l'Air et désormais commandant suprême de la Luftwaffe * a tendance à faire au Führer, toujours avide de résultats immédiats, des promesses inconsidérées que Milch est ensuite chargé de tenir. C'est ainsi qu'à la fin de juillet 1934, Goering et Milch – devenu général lui aussi – sont convoqués à Bayreuth par Hitler, qui n'est pas satisfait du programme de construction aérienne pour les quatorze mois à venir : 4 021 avions « seulement », comprenant 1 800 avions de première ligne, dont 822 bombardiers. Le Führer veut bien davantage, et Goering, qui tient avant tout à sauvegarder son prestige, s'engage sur-le-champ à lui donner satisfaction. Mais Milch, qui connaît parfaitement les limites du possible en termes de production et de formation des équipages, soulève immédiatement des objections techniques – ce qui lui vaut d'être vertement rabroué par son ministre en présence d'Hitler [18]. C'est que Goering veut apparaître comme seul responsable et unique expert en matière d'aviation, et lors de la réunion suivante avec Hitler à Berchtesgaden au mois d'août, il fait savoir à Milch que sa présence n'est pas requise. Malheureusement pour le très vaniteux ministre de l'Air, Adolf Hitler, qui ne manque pas d'expérience en matière technique, sait instinctivement distinguer un amateur d'un profession-

---

* Par la loi militaire du 21 mai 1935, il a en effet été nommé très officiellement *Oberbefehlshaber der Luftwaffe*.

nel *, et il insiste pour que Milch soit convoqué à l'entrevue [19]. Goering s'empresse naturellement d'obtempérer, mais les relations avec son secrétaire d'Etat n'en seront nullement améliorées...

Il est vrai qu'au-delà de leur différence de tempérament, les deux hommes ont des conceptions à peu près inconciliables en matière de réarmement aérien : Milch souhaite un travail de construction sérieux, méthodique, en profondeur, sans contraintes déraisonnables de délais et d'objectifs. Goering, lui, veut une aviation de propagande, propre à donner satisfaction au Führer et à intimider la France et la Pologne, considérées à l'époque comme les ennemis les plus probables [20]. Dans le schéma de Goering, seule compte la quantité – la qualité restant un impératif secondaire... Le problème est que les interventions brouillonnes du ministre de l'Air et commandant en chef de la Luftwaffe dans le domaine de son secrétaire d'Etat vont considérablement fragiliser l'aviation allemande renaissante, et ce ne sera nulle part plus évident qu'en matière d'encadrement : le 3 juin 1936, le chef d'état-major Wever, brillant théoricien de l'aviation de combat moderne ** mais pilote novice, s'écrase aux commandes de son avion personnel et meurt sur le coup. Sans même consulter Milch, Goering lui désigne pour successeur le chef des services administratifs, Albert Kesselring, un officier peu au fait de la stratégie aérienne mais bien connu pour son zèle national-socialiste. Par la même occasion, Goering remplace d'autorité le général Wimmer, chef des services techniques de la Luftwaffe, par un vieil acolyte : le colonel Ernst Udet, as de la Grande Guerre, pilote d'essai virtuose, inventeur génial ***, artiste talentueux, charmant camarade, noceur impénitent,

---

* L'ampleur des connaissances d'Hitler sur toutes questions relatives à la motorisation et à l'armement ne cessera jamais de stupéfier son entourage.

** Il était l'auteur d'un manuel de stratégie aérienne qui définissait la mission de la Luftwaffe comme étant d'appuyer les forces terrestres et maritimes, ainsi que de détruire le potentiel économique et les lignes de communication ennemies en arrière de la zone des combats. Par contre, il condamnait formellement les attaques aériennes contre les populations civiles. (Par. 186 : « Les attaques contre les villes aux fins de terroriser la population civile sont absolument interdites »). La Luftwaffe perdra la bataille d'Angleterre en grande partie faute d'avoir retenu les leçons du général Wever.

*** Il est notamment le concepteur du bombardier en piqué Junkers Ju 87 Stuka, promis à un bel avenir...

alcoolique notoire, et aussi peu compétent que possible pour remplir les fonctions de directeur technique de toute l'aviation militaire allemande. Ce sera une erreur très lourde de conséquences, encore aggravée par le fait que Goering prend l'habitude de conférer avec Udet sans en informer son supérieur Erhard Milch. Pourtant, même ces entretiens-là resteront épisodiques, car le ministre-président de Prusse, président du Reichstag, ministre de l'Air, commandant en chef de la Luftwaffe, maître des Forêts et grand-veneur du Reich Hermann Goering est simultanément absorbé par bien d'autres tâches...

La diplomatie est manifestement l'une d'elles. Parce qu'il a un mépris certain pour les fonctionnaires de l'*Auswärtiges Amt* * – « des gens qui passent leurs matinées à tailler des crayons et leurs après-midi dans les thés mondains [21] » – , parce qu'il aurait ardemment souhaité être nommé ministre des Affaires étrangères [22], et surtout parce qu'Hitler voit en lui un précieux émissaire, Goering est sans cesse amené à se mêler de politique extérieure. La Suède, où il se rend souvent, passe naturellement pour être son domaine réservé, et même si les Suédois lui réservent un accueil des plus mitigés, Hitler persiste à le considérer comme un spécialiste des affaires scandinaves. Ce n'est pas toujours une bénédiction, du reste, car chaque fois que les journaux suédois dénoncent les abus de l'hitlérisme, Goering se voit reprocher vertement de n'avoir pas su les réduire au silence [23]... Comme ses tentatives d'intimidation à l'égard de la presse suédoise, et notamment du *Göteborgs Handels och Sjöfartstidning*, ne font que l'exposer au ridicule dans toute la Scandinavie [24], le « premier paladin du Führer » se trouve bientôt pris dans un cercle vicieux dont il ne trouvera jamais la sortie...

Goering est également considéré à la chancellerie comme un expert des questions italiennes depuis son séjour romain de 1924, effectué dans les conditions peu glorieuses que l'on sait... Mais ses trois visites en Italie au cours de l'année 1933 ne seront pas vraiment couronnées de succès, parce que Benito Mussolini, qui est bien informé, n'a que mépris pour cet « ex-interné d'un asile d'aliénés [25] », parce que Goering a une façon plutôt abrupte de présenter au Duce les vues d'Hitler, et enfin parce que

---

* Le ministère des Affaires étrangères.

l'ambassadeur von Hassel, sur instructions du ministre des Affaires étrangères von Neurath, explique en toute occasion à ses interlocuteurs italiens que « Goering [...] n'est pas en charge de la politique extérieure du Reich [26] ». Mussolini finit donc par prier Hitler de veiller à ce que les relations germano-italiennes « passent par les voies diplomatiques normales plutôt que par un émissaire particulier [27] », et le Führer s'incline...

Nullement découragé, Goering reporte ses efforts diplomatiques sur les Balkans ; le 15 mai 1934, il part avec Milch, Koerner et le prince Philippe de Hesse pour une grande tournée des capitales du Sud-Est européen, depuis Budapest jusqu'à Athènes en passant par Prague, Belgrade, Sofia et Bucarest. Sa mission est à la fois d'isoler l'Autriche et de détacher la Petite Entente de la France et de l'Italie. Au cours des laborieuses tractations qui s'ensuivent, Goering obtient certes quelques succès, notamment en Yougoslavie et en Bulgarie, mais les tensions interbalkaniques sont suffisamment vives pour que ses initiatives les plus hardies aient quelques répercussions désastreuses ; c'est ainsi que ses déclarations au roi Carol de Roumanie selon lesquelles l'Allemagne n'accepterait jamais une révision des frontières roumaines au profit de la Hongrie sont très mal reçues à Budapest. L'Auswärtiges Amt devra y remédier tant bien que mal [28].

La Pologne est une autre affaire. Si le pacte germano-polonais de 1934 ne doit rien à l'initiative de Goering, son premier voyage en Pologne à la fin de janvier 1935, officiellement pour « une partie de chasse », est par contre soigneusement préparé à la chancellerie du Reich. Lors d'un entretien de trois heures, Hitler donne à son émissaire des instructions très précises sur la teneur des propos qu'il doit tenir à Varsovie : la question du corridor * ne doit plus être considérée comme un objet de litige entre les deux pays, qui sont par contre intéressés tous deux à une « défense contre les avancées russes [29] ». Que ce soit dans les palais de Varsovie ou dans les chasses officielles de Bialowiesa, Goering semble s'être acquitté consciencieusement de sa mission, puisque le ministre des Affaires étrangères Szembek écrira

---

* Le corridor était une portion de la Prusse occidentale attribuée par le traité de Versailles à la Pologne, pour lui permettre de disposer d'un accès à la mer. Avec la question de Dantzig, c'était depuis 1920 une source de tension permanente entre l'Allemagne et la Pologne.

le 10 février 1935 à son ambassadeur à Berlin Lipski : « Goering est allé très loin, en nous proposant presque une alliance anti-russe et une marche commune sur Moscou [30]. »

Mais à Varsovie, la décision finale appartient au maréchal Pilsudski, et celui-ci est bien trop expérimenté pour céder à de telles tentations : l'URSS est un puissant voisin auquel on ne s'attaque pas à la légère, et l'offre allemande vise manifestement à brouiller la Pologne avec la France et l'Union soviétique. Goering n'en reste pas moins un invité privilégié en Pologne, où il retourne le 17 octobre pour les funérailles du maréchal Pilsudski *. L'ambassadeur des Etats-Unis à Moscou William Bullitt, également présent à cette occasion, le décrira en ces termes dans une lettre au président Roosevelt : « Goering est arrivé en retard et s'est avancé dans la cathédrale en prenant des airs de ténor allemand jouant le rôle de Siegfried. Il a d'ailleurs les mensurations normales du ténor allemand : le diamètre de son postérieur atteint presque un mètre. Pour que ses épaules paraissent aussi larges que ses hanches, il porte cinq centimètres de rembourrage de chaque côté, mais rien n'y fait : les épaules ne peuvent pas s'étirer aussi loin. [...] Ses yeux sont exorbités, comme s'il souffrait d'un dérèglement glandulaire ou prenait toujours de la cocaïne. » Mais l'ambassadeur Bullitt doit bien reconnaître que la mise en scène est singulièrement efficace : « Goering a monopolisé l'attention dès son entrée dans la cathédrale, et les funérailles de Pilsudski sont devenues la grande entrée en scène du premier acte de Hermann Goering. Pendant tout le parcours entre la cathédrale et le terrain d'aviation — trois heures sous la bruine —, je marchais derrière le jeune Siegfried, qui prenait la pose dès l'apparition d'une caméra. [...] Le lendemain, à Cracovie, le cortège a repris, et il a abouti au Wawel, le vieux château des rois de Pologne. L'Eglise catholique s'est distinguée en organisant un service réellement magnifique. Toutefois, il était un peu long, et Goering s'est endormi [31]. »

Il se réveillera assez vite pour se souvenir que sa sphère d'intérêt diplomatique inclut les relations franco-allemandes ; elles sont particulièrement tendues depuis la conclusion du pacte franco-soviétique, mais Goering tient essentiellement à s'entre-

---

* Il sera le seul invité à être reçu en audience privée par le régent Paul de Yougoslavie dès son arrivée.

tenir l'après-midi même avec les membres de la délégation française, qui comprend le ministre des Affaires étrangères Laval, Rochat * et le maréchal Pétain. L'interprète Paul Schmidt décrira en ces termes la conversation de deux heures entre Goering et Pierre Laval : « Goering, large et massif, est allé droit au fait, sans s'embarrasser de circonlocutions ou de précautions diplomatiques : " Je suppose que vous vous êtes bien entendu avec les bolcheviks à Moscou, monsieur Laval ", dit-il, en abordant d'emblée le sujet le plus délicat, le pacte franco-russe d'assistance mutuelle. " Nous connaissons mieux les bolcheviks en Allemagne que vous en France, a-t-il poursuivi. Nous savons qu'il ne faut en aucun cas les fréquenter si l'on veut éviter les ennuis. Vous découvrirez cela en France. Vous verrez les difficultés que vous causeront vos communistes de Paris. " Une tirade contre les Russes a suivi, dans laquelle il a utilisé exactement les mêmes mots qu'Hitler lors de son entretien avec Simon **. [...] En tant qu'interprète, je devais naturellement prêter la plus grande attention aux moindres tournures de phrases, ce qui me permettait de mesurer à quel point les acolytes d'Hitler s'alignaient sur leur maître. On avait parfois l'impression d'entendre jouer le même disque, avec des voix et des tempéraments différents. [...] En termes fort convaincants, Goering est parvenu à persuader Laval du désir de l'Allemagne de parvenir à un accord d'ensemble avec la France. Les détails concrets n'ont jamais été abordés. [...] Une personne dépourvue de préjugés ne pouvait qu'être convaincue que Goering parlait sincèrement lorsqu'il disait : " Soyez assuré, monsieur Laval, que le peuple allemand n'a pas de plus cher désir que de mettre fin une fois pour toutes à l'antagonisme séculaire qui l'oppose à son voisin français. Nous considérons vos compatriotes comme de braves soldats, et nous sommes remplis d'admiration pour les réalisations de l'esprit français. La vieille pomme de discorde de l'Alsace-Lorraine n'existe plus. Qu'est-ce qui nous empêcherait encore de devenir vraiment de bons voisins ? " Ces mots n'ont pas manqué de faire impression sur Laval [32]. » De fait, on pouvait difficilement mieux s'y prendre pour endormir l'adversaire... Quoi qu'il en soit, même les diplomates allemands en

---

* Le chef de cabinet de Pierre Laval.
** Sir John Simon, le ministre des Affaires étrangères britannique.

poste à Varsovie devront convenir que la visite de Hermann Goering en Pologne a été un franc succès [33].

Bien entendu, puisque le Führer veut ouvrir une brèche dans le mur de la solidarité antihitlérienne, Goering se mêle également des pourparlers avec la Grande-Bretagne. S'il ne participe pas aux négociations qui aboutissent en juin 1935 à l'accord naval anglo-allemand *, il n'en poursuit pas moins une diplomatie parallèle des plus efficaces, face à des interlocuteurs britanniques dont la candeur fait souvent peine à voir. C'est ainsi que le prince de Galles, futur roi Edouard VIII, ayant évoqué tout l'intérêt qu'il portait à l'idée d'une visite en Allemagne de la légion britannique des vétérans, Goering s'empresse de lui télégraphier le 13 juin 1935 : « En tant que soldat du front, je remercie Votre Altesse royale du fond du cœur pour les paroles justes et chevaleresques que vous avez prononcées en faveur d'un rapprochement entre les courageux combattants britanniques et allemands » – ce qui lui vaut de recevoir en retour les « remerciements chaleureux » du prince de Galles [34]... L'ancien ministre de l'Air britannique Lord Londonderry, qui se rend fréquemment en Allemagne, compte également parmi les dupes assidûment cultivées par Goering : au noble lord tout disposé à se laisser convaincre, ce rusé personnage déclare ainsi : « Que l'Allemagne et l'Angleterre fassent cause commune, et aucune coalition de puissances au monde ne pourra s'opposer à nous [35]. » A l'attaché de l'Air britannique, il précise même qu'il est « convaincu que les Britanniques et les Allemands s'uniront un jour pour combattre les bolcheviks sur les rives de la Vistule [36] ». Et devant Lady Maureen Stanley, qui accompagne Lord Londonderry à Berlin en octobre 1936, il se fait plus précis encore : « Naturellement, vous savez ce que nous allons faire ; d'abord, nous envahirons la Tchécoslovaquie, puis Dantzig. Et ensuite, nous nous battrons contre les Russes. Ce que je ne peux pas comprendre, c'est pourquoi vous vous y opposeriez, vous autres Britanniques [37]. » Même le très méfiant ambassadeur de Grande-Bretagne sir Eric Phipps pourra décrire Hermann Goering comme « un officier vétéran de l'armée arborant peu de propensions nazies durant ses périodes les plus lucides [38] ». Parvenir à tromper ses interlocuteurs à ce point relève manifeste-

---

* Qui autorise le Reich à avoir une flotte égale à 35 % de la Royal Navy.

ment du grand art... Quant au but de l'opération, il est très clair : séparer la Grande-Bretagne de la France, que les dirigeants nazis considèrent comme l'ennemi le plus probable à l'avenir – au même titre que l'Union soviétique, et sans doute en alliance avec elle [39].

Hermann Goering a encore beaucoup à faire ailleurs : il lui faut d'abord maintenir son rang de numéro deux du Reich, en intriguant ferme contre ses innombrables rivaux réels ou potentiels que sont Hess, Bormann, Rosenberg, Goebbels, Himmler, Schacht, Frick, Darré, Funk, Ley et l'amiral Raeder * [40]. Il doit également veiller à sa réputation, en intentant des procès en diffamation contre une foule de personnes malveillantes, ou simplement mieux informées que les autres **. Voilà qui pourrait déjà constituer deux occupations à plein temps... Mais à cette époque, le temps de Goering semble indéfiniment extensible : ainsi, il prend très au sérieux ses fonctions de grand-veneur et maître des Forêts du Reich, et force est de reconnaître que ses initiatives dans le domaine de la préservation du domaine forestier comme de la conservation des espèces animales font de lui un écologiste avant l'heure : il délimite de vastes réserves naturelles et importe des rennes de Suède, des bisons du Canada, des cygnes et des canards sauvages de Pologne et d'Espagne ; il réglemente sévèrement la chasse, en limitant la délivrance des permis, en instaurant des pénalités sévères pour les braconniers et les chasseurs dépassant leurs quotas, en interdisant les pièges de toutes sortes, la vivisection, la chasse à courre, la pêche au fanal, la chasse aux petits oiseaux et les battues de nuit au projecteur. Dans un domaine où régnait l'anarchie la plus complète, il fait voter des lois créant une véritable administration des Eaux et Forêts, capable de faire respecter les décrets de conservation et de superviser une vaste entreprise de reboisement autour des villes. Il est juste de dire qu'après la grande tourmente de la guerre, l'Allemagne fédérale ne changera pratiquement rien à la

---

* Ce qui n'exclut nullement des alliances temporaires et réversibles : avec Darré contre Schacht, avec Goebbels contre Bormann et Rosenberg, etc. Goering a d'ailleurs marqué un point essentiel contre ses rivaux lorsqu'Hitler l'a désigné comme successeur par décret secret du 19 décembre 1934.

** Font également l'objet de poursuites toutes déclarations concernant de prétendues origines non aryennes d'Emmy Sonnemann, ou de son premier époux.

législation environnementale du grand-veneur et maître des Forêts du Reich...

Pourtant, même après tout cela, on est encore loin d'avoir épuisé l'énumération des activités du personnage. Ainsi, lorsqu'en mars 1936, Hitler, prenant prétexte de la ratification du traité franco soviétique, entreprend de remilitariser la Rhénanie * – une opération à très haut risque du fait de l'infériorité numérique et matérielle des forces allemandes **–, c'est à la Luftwaffe que revient la tâche d'intimider les Français. Il est vrai que Goering ne dispose encore que de trois escadres de chasse, dont deux doivent garder les frontières de l'Est, mais tout l'art consiste précisément à employer la ruse pour camoufler sa faiblesse : l'unique formation de biplans Arado 68 disponible est donc déplacée d'un terrain d'aviation à l'autre, les appareils (non armés) étant repeints à chaque fois avec des emblèmes et des numéros d'identification différents [41]. Les attachés militaires alliés s'y laissent prendre, les soldats français restent l'arme au pied, leur gouvernement se contente d'une protestation platonique à la SDN, et la remilitarisation de la Rhénanie est un véritable triomphe pour le régime hitlérien. Elle vaudra à Goering d'être nommé général d'armée aérienne, même s'il s'est contenté en l'occurrence de distribuer les consignes du Führer et de laisser agir son secrétaire d'Etat Erhard Milch...

Moins de quatre mois plus tard, un autre rôle de première importance va lui être dévolu : le 25 juillet 1936, une délégation espagnole envoyée par le général Franco vient demander l'aide d'Hitler pour transporter les troupes marocaines insurgées depuis Tétouan jusqu'à Séville. Le Führer accepte, et Goering est naturellement alerté : avant la fin de juillet, le *Sonderstab W* *** de la Luftwaffe est chargé de coordonner l'opération, les premiers avions de transport Junkers 52 s'envolent vers le Maroc espagnol, et quatre-vingt-huit pilotes volontaires, habillés en civil, partent pour Cadix à bord d'un cargo emportant également six avions de chasse démontés. Au cours du mois d'août, 10 000 soldats de Franco sont donc transférés en Espagne par les

---

* Le Führer considérait ce traité comme une violation de celui de Locarno, qui interdisait par ailleurs la remilitarisation de la Rhénanie.

** Les quatre bataillons allemands participant à l'opération avaient ordre de se retirer immédiatement en cas d'intervention française.

*** Etat-major spécial W.

avions de transport allemands, et les biplans Heinkel 51 interviennent dans les premiers grands affrontements entre nationalistes et républicains. Mais ces vieux appareils se montrent même inférieurs aux chasseurs hétéroclites dont dispose l'aviation républicaine, et dès la fin du mois d'octobre, Hitler approuve l'envoi d'avions plus modernes : des escadrilles de bombardiers légers, et surtout les nouveaux chasseurs Messerschmitt Me 109, qui arrivent en Espagne au début de novembre. Ils formeront la « Légion Condor », comprenant en tout 200 appareils et 5 000 hommes, commandés sur le terrain par le général Hugo Sperrle. « J'ai envoyé en Espagne une bonne partie de mes avions de transport et un grand nombre d'unités de chasseurs, bombardiers et canons antiaériens, dira fièrement Hermann Goering, et j'ai pu ainsi évaluer leur efficacité dans des conditions de combat. Afin que le personnel puisse acquérir le plus d'expérience possible, j'ai fait en sorte que [...] de nouveaux effectifs soient régulièrement envoyés, tandis que les anciens étaient rappelés [42]. » Cette intervention allemande dans la guerre civile espagnole s'avère efficace *, et elle vaut à Goering bien des décorations supplémentaires. Pourtant, son rôle pendant les trois ans que dure l'entreprise reste de pure façade : il se contente de transmettre les ordres du Führer, de présider aux parades, d'inspecter les aviateurs et de prononcer de beaux discours, tandis que le véritable travail d'organisation est effectué — encore et toujours — par le général Erhard Milch...

Est-ce là tout ? Eh bien non : ce n'est pas même le principal ! Car à peine la Luftwaffe s'est-elle engagée dans la guerre civile espagnole que son chef se voit confier des fonctions supplémentaires, qui dépassent en ampleur toutes ses responsabilités précédentes réunies... C'est qu'en avril 1936, sur proposition du ministre Hjalmar Schacht, Hermann Goering a été nommé « responsable du contrôle des changes ** », auquel Hitler a

---

* Mais les résultats en sont fortement surestimés, et les faiblesses grandement sous-estimées : c'est ainsi que les Ju 52 de transport se sont révélés vulnérables, l'approvisionnement aléatoire, les rayons d'action des appareils trop réduits, les bombardements très imprécis, et la Luftwaffe n'a jamais pu bloquer efficacement un seul port.

** Les principaux coupables des violations du contrôle des changes étant les dignitaires du parti, Schacht pensait que Goering seul aurait l'autorité nécessaire pour les contraindre à respecter la législation en vigueur...

même ajouté : « et des matières premières [43] ». L'appétit venant en mangeant, le glorieux colonel-général a aussitôt entrepris d'élargir son domaine d'action, jusqu'à ce qu'en septembre 1936, Hitler annonce le lancement d'un grand programme économique d'autarcie, dans le cadre du deuxième plan quadriennal − dont le responsable sera naturellement Hermann Goering en personne [44]. Il est vrai qu'en dépit de ses quelques mois d'études intermittentes à l'université de Munich quatorze ans plus tôt, Goering ignore à peu près tout de l'économie, et qu'il s'en glorifie à l'occasion : « Comment peut-on s'attendre à ce que je comprenne quelque chose à ces problèmes économiques compliqués [45] ? » Il refuse donc de lire tout rapport de plus de quatre pages, et se vante de ne savoir lire ni les graphiques ni les statistiques [46]... Qu'à cela ne tienne : dans le système national-socialiste, l'avenir appartient aux amateurs décomplexés, et le nouveau maître du plan quadriennal entreprend aussitôt de trouver des hommes capables d'effectuer le travail sérieux à sa place. Il fera donc engager des techniciens compétents, tout en plaçant à leur tête son vieil acolyte Paul Koerner, dont l'ignorance des rudiments de l'économie est tout aussi abyssale que la sienne propre ! Et bien entendu, il finira par mettre sur pied une administration pléthorique, comprenant un millier de fonctionnaires, des bâtiments somptueux, des centaines de voitures officielles, des crédits illimités, un appareil de propagande démesuré, et tous les moyens nécessaires pour empiéter sur les prérogatives du ministre de l'Economie Hjalmar Schacht *...

La mission du nouveau commissaire au Plan se résume simplement : il s'agit de mettre l'Allemagne en état d'autarcie, afin d'assurer un réarmement accéléré et un approvisionnement garanti en cas de guerre. Pour ce faire, il faudra limiter strictement les importations, conserver soigneusement les devises étrangères devenues rarissimes, et naturellement exploiter au maximum toutes les ressources du pays. Mais si la conception est simple, l'exécution ne l'est pas ; car cette politique implique à la fois un mépris complet de toute considération de rentabilité et l'acceptation d'un abaissement significatif du niveau de vie des

---

* Qui confie dès le 3 octobre à l'ambassadeur François-Poncet que son crédit personnel connaît « de nouveau une période de baisse », et s'en montre « déçu et soucieux ». (DDF, 2ᵉ série, T. III, nᵒ 354, 14 octobre 1936.)

populations – deux préalables qui ne sauraient en aucun cas dissuader les maîtres du Troisième Reich. Goering se lance donc dans l'entreprise avec l'enthousiasme du néophyte, la morgue du militaire et la conviction solidement ancrée qu'il suffit d'ordonner pour accomplir. L'ensemble des secteurs de l'économie s'en trouvera bouleversé, depuis l'agriculture jusqu'au commerce extérieur en passant par le textile, les mines, la sidérurgie, les transports, la banque et les finances. On instaure le troc dans les relations commerciales avec les pays d'Europe centrale, on interrompt les importations de fourrage, d'engrais et de produits alimentaires non essentiels, on rouvre des mines depuis longtemps délaissées et on lance d'ambitieux projets de construction immobilière et autoroutière, tout en donnant une priorité absolue au réarmement. Voilà qui déclenche une frénésie d'activité, mobilise une main-d'œuvre colossale et s'accompagne de torrents de propagande... « Goering travaille comme un cheval », note Goebbels avec admiration, avant d'ajouter : « les matières premières sont pour lui une grosse source de préoccupation » [47].

De fait, cet activisme brouillon génère à la fois une grande dépense d'énergie et un fabuleux gaspillage. C'est ainsi que Goering décide de mettre en exploitation les mines de fer de Salzgitter, au pied des montagnes du Harz. Leurs gisements étaient considérés jusque-là comme non rentables du fait de la haute teneur du minerai en silicium, que les techniques de l'époque ne permettaient pas de séparer de l'élément ferreux *. Mais le grand ordonnateur du plan quadriennal, passant outre les mises en garde des grands industriels, décide d'y installer la plus grande entreprise métallurgique d'Europe, naturellement baptisée « Hermann Goering Werke ». Des milliards de marks y sont immédiatement investis, l'équipement d'extraction le plus moderne est importé des Etats-Unis, des routes et des voies de chemin de fer sont construites pour accéder au site, et des logements ouvriers sortent de terre en quelques mois à proximité de l'exploitation. Malheureusement, il n'y a pas de charbon dans la région, et il faut en faire venir à grands frais de la Ruhr ; et puis, comme le nouveau procédé d'extraction se révèle décevant, il

---

* Le problème venait principalement du fait que la séparation se faisait d'ordinaire au moyen d'électro-aimants. Or, le minerai de fer du Harz n'était pas magnétique.

faut aussi mélanger au minerai local une forte proportion de minerai suédois importé, ce qui fait monter vertigineusement les coûts de production et ressortir plus clairement encore le caractère insensé de l'entreprise. Dès lors, il faudra mettre la main sur toutes les firmes métallurgiques rentables du secteur, afin de camoufler au mieux le monstrueux gouffre financier de Salzgitter [48]. C'est ainsi que les Hermann Goering Werke vont prendre au fil des mois et des années une ampleur absolument démesurée : « Tout cela, dira plus tard le ministre Hjalmar Schacht, s'est transformé en une gigantesque pastèque, sur laquelle la stupidité, la corruption et l'escroquerie étaient inscrites en lettres capitales [49]. »

Dans sa quête de substituts domestiques aux importations, Goering obtient tout de même quelques résultats : les chimistes allemands vont mettre au point un caoutchouc synthétique de bonne qualité, le Buna, et même produire de l'essence à partir du charbon. Mais le prix du caoutchouc artificiel dépassant de beaucoup celui de la matière première importée et la production d'une tonne d'essence nécessitant l'emploi de dix tonnes de charbon, l'absurdité économique du processus n'échappe à personne – sauf bien sûr aux dirigeants nazis... Par ailleurs, comme dans l'Allemagne national-socialiste, une bonne partie de la population porte désormais l'uniforme, il faut de grandes quantités de laine, et puisqu'il n'est plus question d'en importer, Goering charge la société chimique IG Farben d'élaborer une laine synthétique. Le produit fini, à base de cellulose provenant de l'écorce d'arbre, ressemble effectivement à de la laine, mais il a le triple inconvénient d'être fragile, de provoquer des démangeaisons et de ne pas retenir la chaleur – à quoi il faut ajouter que l'essentiel du bois utilisé pour le produire doit être importé ! On pourrait multiplier à l'infini les exemples d'aberrations de ce genre, depuis les efforts pour extraire de l'or du Rhin jusqu'aux tentatives de faire boire aux veaux du lait écrémé, en passant par l'entreprise visant à produire du beurre à partir de charbon. L'Allemagne important la moitié de ses matières grasses alimentaires, ce dernier projet séduit particulièrement Hermann Goering ; à son intense satisfaction, une graisse solide est effectivement élaborée, dont les premiers échantillons sont distribués aux détenus de la prison de Plötzensee – qu'il faudra hospitaliser d'urgence après ingestion [50]...

Pourtant, rien de tout cela ne paraît entamer le crédit de Hermann Goering auprès d'Hitler. Outre que le Führer lui-même n'entend rien aux questions économiques, sa priorité absolue reste le réarmement et l'organisation d'une économie de siège, en attendant que ses conquêtes futures lui donnent accès à d'inépuisables sources de matières premières. Considérées sous cet angle, même les entreprises les moins rentables et les plus aberrantes gardent leur raison d'être. Du reste, il est bien des domaines dans lesquels Goering sait se montrer fort efficace ; la nazification de la finance et de l'industrie allemandes en est un, et non des moindres : depuis la Dresdner Bank jusqu'à l'IG Farben, les entreprises privées voient leurs conseils d'administration dominés par des directeurs nazis, qui les font passer progressivement sous le contrôle du parti et de l'Etat. Par ailleurs, les voyages de Goering en Yougoslavie, en Bulgarie, en Hongrie, en Roumanie et en Pologne entre 1934 et 1936 sont loin d'être uniquement touristiques ou diplomatiques : ils servent à négocier de fructueux contrats d'échanges commerciaux *, ainsi que des ventes d'armes propres à créer certains liens de dépendance fort utiles ** ; quant à l'acquisition de quelques sociétés industrielles et minières autrichiennes, elle permet d'exercer une forte influence sur la vie économique et politique d'un petit pays dont Hitler prépare depuis longtemps l'annexion ; et puis, il faut se souvenir que le nouveau commissaire au plan quadriennal est aussi le chef du Forschungsamt, ce service des écoutes qui va désormais enrichir ses rapports quotidiens de toutes les interceptions de communications nationales et internationales concernant le commerce, la finance et les matières premières.

Il faudrait ajouter que Goering n'a pas son pareil pour introduire ses hommes dans les autres ministères, où ils travaillent assidûment à promouvoir les intérêts du commissariat au Plan ; à titre d'exemple, il y a à la Reichsbank un certain Herbert Goering, qui se trouve être le cousin du *Ministerpräsident* *** ; mais

---

* Permettant par exemple d'acquérir à bon compte en Yougoslavie de grandes quantités de bauxite – indispensable à la construction aéronautique.

** Dans ce cas au moins, on peut considérer que Goering mène une politique assez indépendante de celle d'Hitler, qui se désintéresse assez largement de ces pays – lorsqu'il ne les considère pas comme hostiles.

*** Mais ne se fait aucune illusion sur le compte de son cousin Hermann, et sera en fait très proche des milieux de l'opposition à Hitler.

naturellement, on trouve au sein de toutes les administrations des dizaines de cas beaucoup moins ostensibles... Et lorsqu'il y a des conflits de compétence entre les ministères et le commissariat au Plan, c'est invariablement ce dernier qui triomphe ; le ministère des Affaires étrangères prend connaissance après coup des accords négociés par Goering avec divers pays d'Europe centrale et orientale, ainsi que de la teneur de ses discours concernant la politique extérieure du Reich ; le ministère de l'Economie, lui, se voit dépouiller de la responsabilité de passer les commandes d'armement au profit du commissariat au plan quadriennal... Dès lors, Hjalmar Schacht, aussi écœuré par les méthodes de Goering que par la politique d'autarcie du Führer, donne sa démission en novembre 1937 – grâce à quoi Hermann Goering pourra ajouter à ses innombrables titres celui de ministre de l'Economie *! Pour coordonner ses multiples fonctions, il a créé l'année précédente au sein du ministère d'Etat de Prusse un « bureau du ministre-président de Prusse et colonel-général Goering », qui compte vingt-cinq services différents et une armée de bureaucrates, sous la direction assez dilettante de son vieil acolyte Bodenschatz, bientôt remplacé par le très servile mais guère plus compétent Erich Gritzbach [51].

Notre homme n'ayant rien perdu de sa faconde comme de son éloquence, le plan de quatre ans va trouver en lui un propagandiste de grand talent, capable d'expliquer tout ce qu'il ne comprend pas en des termes que tout le monde peut comprendre : « Pour moi, aucune loi économique n'est sacrosainte. L'économie doit toujours être au service de la nation. [...] Je n'ai jamais été chef d'entreprise ni membre d'un conseil d'administration, et je ne le serai jamais. Je n'ai jamais été agriculteur non plus. Je n'ai rien cultivé de ma vie, sauf quelques fleurs en pots sur mon balcon. Mais de tout mon cœur et de toute mon âme, [...] je suis prêt à consacrer l'ensemble de mon énergie à cette formidable tâche [52]. »

Pourtant, la position unique qu'occupe désormais l'Homme de fer au centre de l'industrie et de la finance allemandes peut constituer une source d'enrichissement incomparable pour qui ne serait pas trop regardant sur les principes... C'est manifestement le cas de notre illustre parvenu : en se penchant sur les

---

* Pour quelques mois seulement, il est vrai...

revenus de l'ancien chômeur Hermann Goering, on ne peut qu'être saisi du vertige des hautes altitudes... En tant que président du Reischstag, il reçoit un salaire annuel de 7 200 marks, et plus du double en frais de représentation ; comme ministre de l'Air, il perçoit 28 160 marks de plus, qui viennent s'ajouter aux 12 000 marks dus au président du Conseil d'Etat de Prusse, aux 25 595 marks attribués Premier ministre de Prusse, aux 18 000 marks dus au général d'aviation et aux 23 000 marks rétribuant le commissaire au plan quadriennal, pour ne rien dire des très confortables émoluments revenant au grand-veneur et maître des Forêts du Reich, à l'envoyé extraordinaire du Führer auprès des chefs d'Etat étrangers et au principal maître des réceptions et cérémonies à Berlin — soit au total une somme atteignant largement 100 000 marks par an, dont une bonne part est en outre détaxée [53]...

Nous ne voyons encore là que la partie émergée de l'iceberg, car en tant qu'ancien chef de la police politique, Hermann Goering a pris l'habitude d'envoyer un émissaire auprès du comité directeur de la Bourse de Berlin, afin d'« indiquer en termes non équivoques les valeurs dont les cours doivent s'effondrer le lendemain, et remonter à un taux supérieur le surlendemain », pour reprendre l'allusion très explicite de Hans Bernd Gisevius [54]. En tant que commissaire au Plan responsable de l'attribution des marchés industriels et d'armement, il reçoit également d'innombrables dons en espèces de la part des sociétés IG Farben, Norddeutsche Lloyd, Allianz, Hamburg-Amerika Line, Siebel, UFA, Fox, Osram, AEG, Brenninkmeyer, Rheinmetall et Lufthansa, sans oublier la compagnie de tabac Reemtsma (600 000 marks annuels tout de même [55]) ; par ailleurs, Goering ne saurait en conscience refuser les prises de participation qui lui sont gracieusement offertes dans les sociétés Benz, BMW, Junkers ou Reichswerke Hermann Goering, ainsi que dans l'*Essener Nazional Zeitung,* son organe de presse particulier ; et puis, il aurait été tout aussi impoli de sa part de renvoyer la tapisserie des Gobelins généreusement cédée par le musée de Cologne, les trois tableaux de Lukas Cranach spontanément offerts par la ville de Dresde, la *Diane chasseresse* de Rubens aimablement fournie par le directeur du Kaiser-Friedrich Museum de Berlin, les diamants gracieusement remis par le joaillier Friedländer, ainsi que la

Mercedes à six places obligeamment livrée par l'industrie automobile allemande *. Enfin, en tant que maître des Forêts du Reich, Goering a le pouvoir discrétionnaire d'attribuer des terres, des propriétés et des hectares de forêts à des personnes particulièrement méritantes – et capables d'exprimer leur reconnaissance en espèces sonnantes et trébuchantes. Si l'on ajoute à tout cela que notre homme touche de substantiels droits d'auteur sur les « biographies autorisées » et autres opuscules dictés par lui, que la plupart de ses dépenses somptuaires sont réglées par des « fonds de représentation » et qu'il a cessé de payer ses dettes depuis quelque temps déjà, on peut déjà se faire une idée du processus d'accumulation en cours...

Ce serait toutefois une idée très imparfaite, car Hermann Goering, en financier avisé, tient également à investir dans la pierre. Il a certes le choix entre le palais du président du Reichstag et celui du Premier ministre de Prusse, mais tout cela ne saurait convenir à son nouveau statut social. Il a donc jeté son dévolu sur l'ancienne résidence du ministre du Commerce, située derrière la Leipzigerplatz, entre la Prinz-Albrecht Strasse et la Saarlandstrasse ** – et très commodément située sur l'emprise du nouveau ministère de l'Air ***. C'est une demeure de quatre étages déjà fort luxueuse, mais Goering la fait entièrement rénover à son goût – aux frais du Land de Prusse, naturellement –, après quoi il la présente fièrement à Hitler. Le Führer considère l'ensemble avec l'œil critique de l'architecte averti, et finit par s'exclamer : « Que c'est sombre ! Comment peut-on vivre dans une telle obscurité ? Compare cela avec l'œuvre de mon professeur : tout est lumineux, clair et simple [56] ! »

L'architecte d'Hitler est le professeur Troost, mais Goering pense qu'il s'agit de son élève Albert Speer, un nouveau favori du Führer, et il le monopolise sur-le-champ : « Goering, se souviendra Speer, m'a mis dans sa grande limousine décapotable comme une précieuse pièce de butin pour m'amener à sa résidence. [...] J'y ai trouvé effectivement une sorte de dédale fait

---

* Il est juste d'ajouter que tous les dignitaires du parti, à commencer par Hitler lui-même, s'enrichissent de la même manière – même si leur fortune est généralement moins considérable, et surtout moins ostensible.

** La Stresemannstrasse vient d'être rebaptisée Saarlandstrasse à l'occasion de la restitution de la Sarre à l'Allemagne.

*** Voir carte, p. 203.

d'un enchevêtrement romantique de petites pièces sombres, encombrées de mobilier Renaissance massif, avec des vitraux aux fenêtres et de lourdes tentures de velours. Il y avait aussi une sorte de chapelle dominée par la svastika, un symbole reproduit sur les plafonds, les murs et les planchers à travers toute la maison. On avait l'impression qu'il se passerait toujours quelque chose de terriblement solennel et tragique dans cette demeure. Il était typique du système [...] que la critique et l'exemple d'Hitler avaient immédiatement produit leur effet sur Goering ; car il a immédiatement répudié l'aménagement qu'il venait tout juste d'achever, bien qu'il se soit probablement senti à l'aise dans ce décor qui reflétait ses goûts personnels. " N'y faites pas attention, m'a-t-il dit, je ne le supporte pas moi-même. Arrangez tout comme bon vous semble ; je vous donne carte blanche – pourvu que cela ressemble à la résidence du Führer. " Quelle mission ! Comme toujours avec Goering, il ne fallait pas regarder à la dépense. On a donc abattu les murs pour transformer les nombreuses pièces du rez-de-chaussée en quatre grandes pièces, dont la plus large, son bureau, mesurait près de 140 m², pratiquement les dimensions de celui d'Hitler. On a ajouté une annexe, faite principalement de verre enchâssé dans du bronze. Le bronze était certes considéré comme un métal rare, et son utilisation à des fins non essentielles sévèrement réprimée, mais cela ne gênait pas le moins du monde Hermann Goering. Il était aux anges à chaque fois qu'il venait inspecter le chantier. Sa mine radieuse était celle d'un enfant le jour de son anniversaire, et il se frottait les mains en riant [57]. »

On peut le comprendre : le palais entièrement réaménagé inclut un gigantesque escalier de marbre blanc, une succession de salons à colonnades aux murs entièrement recouverts de trophées de chasse, une salle à manger circulaire pouvant accommoder cinquante convives, une cuisine géante, un bureau d'ampleur mussolinienne avec des vitraux multicolores, des chambres lambrissées avec tapis précieux, sculptures et tapisseries des Gobelins, une salle de cinéma, des serres pour plantes tropicales et une interminable terrasse – sans oublier la confortable suite du 3ᵉ étage pour Pilly Koerner et la grande fosse aux lions de l'entresol, l'Homme de fer ayant une affection toute particulière

LE BERLIN DE HERMANN GOERING

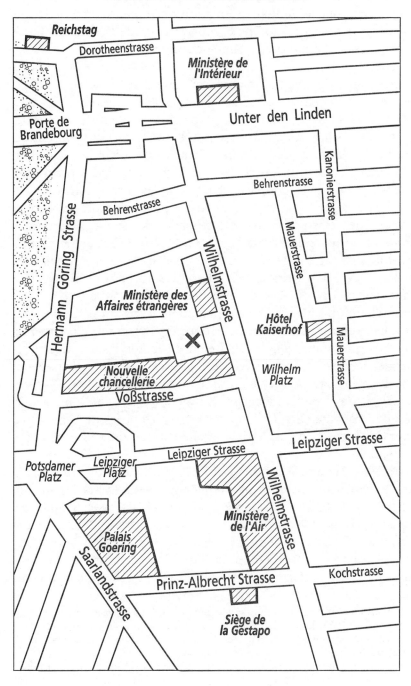

pour ces aimables félins. Une fois les travaux terminés, Hermann y ajoute la touche du maître, en faisant changer le nom de la rue avoisinante : par décision de la municipalité de Berlin, la Ebert-strasse sera rebaptisée sur-le-champ « Hermann Göring strasse [58] »...

Pourtant, personne n'imagine sérieusement qu'un personnage de cette importance puisse se contenter d'une seule résidence. De fait, Goering dispose aussi d'une suite au sein du ministère de l'Air voisin, d'un appartement à Munich et d'un pavillon de chasse sur la lande de Rominten, en Prusse orientale ; il se fait également construire un chalet sur l'Obersalzberg, à proximité immédiate de celui d'Hitler, et une fois les travaux terminés, il oublie de payer les ouvriers... Mais tout cela ne rend pas encore compte de l'essentiel : en reconnaissance des services rendus, le Premier ministre de Prusse Hermann Goering s'est fait attribuer quelques milliers d'hectares de terrain dans la forêt environnant la lande de Schorfheide, à 65 kilomètres au nord de Berlin. En tant que maître des Forêts du Reich, il y constitue une réserve naturelle où bisons, élans, sangliers, ours, cerfs, aurochs, loutres, castors et chevaux sauvages pourront s'égayer en toute liberté ; et en tant que grand-veneur du Reich, il acquiert sur une étroite bande de terre entre le Grosse Döllnsee et le Wuckersee un pavillon de chasse de style nordique, en rondins de bois avec un haut toit de chaume. La bâtisse est modeste, avec un long séjour dominé par une cheminée de pierre, des trophées de chasse aux murs, des peaux d'ours au sol et une lourde table de chêne au milieu.

Mais la modestie restant pour Goering un mot étranger *, cette demeure rustique, naturellement baptisée Carinhall, va prendre dès 1937 une ampleur phénoménale, avec l'ajout de trois corps de bâtiments enserrant une vaste cour intérieure gazonnée. L'auguste demeure, également baptisée *Waldhof* **, comprend désormais une chambre du Conseil de style médiéval avec mobilier massif, poutres apparentes et vaste cheminée de

---

* Il faut préciser que Goering a beaucoup admiré les aménagements effectués par Hitler en 1935 dans sa propriété de l'Obersalzberg, et qu'il a comme toujours résolu d'imiter son modèle. Les coûts d'aménagement de Carinhall sont naturellement supportés par le ministère de l'Air et le ministère d'Etat de Prusse...

** « Cour forestière », visiblement imitée du *Berghof*, la « cour montagnarde » d'Hitler sur l'Obersalzberg.

granit, une « grande galerie » de 34 mètres de long sur 5 de large, avec sol en marbre, tapis d'un seul tenant et murs couverts de Gobelins, une salle d'apparat haute comme une église, suivie d'un salon de réception surdécoré de tableaux de maîtres, de tapisseries flamandes et de miroirs réfléchissant le lac et la forêt ; il y a une petite salle à manger et une grande salle des banquets avec colonnades de marbre rouge, chandeliers de cristal et fenêtres à croisillons, dont les vitres et les volets sont contrôlés électriquement ; s'y ajoutent une bibliothèque, un « grand hall de chasse » de 288 m^2 tapissé de trophées, avec baie vitrée panoramique coulissante et orgue au-dessus de la cheminée montant jusqu'à l'étage supérieur, une salle des cartes, un bureau de style tyrolien flamboyant, la chambre à coucher du seigneur des lieux où trône un immense lit à baldaquin, suivie d'une « chambre de petit déjeuner » de 35 m^2, et d'un « salon privé » de 150 m^2. Dans l'aile opposée, un jardin d'hiver, une salle de musique, douze chambres d'amis, un salon de coiffure, un cabinet médical et un autre de dentiste, une chambre consacrée à Carin avec tous les objets lui ayant appartenu, ainsi qu'un sous-sol équipé d'un gymnase, d'un sauna, d'une salle de massage, d'un stand de tir, d'un boulodrome, d'une fosse aux lions, d'une taverne bavaroise et d'une salle de cinéma pour cinquante spectateurs, sans oublier un abri antiaérien parfaitement équipé, un grenier de 100 m^2 parcouru de 600 mètres de voie de chemin de fer miniature, une loggia et une terrasse avec vue imprenable sur le Döllnsee, des patios, une vaste cour ornée d'une fontaine et dominée par une statue en bronze et des pierres sculptées, prolongée par des jardins et des pelouses descendant jusqu'aux deux lacs, des pavillons de bain, ainsi qu'un mausolée souterrain en pierres de granit du Brandebourg de 1,50 mètre d'épaisseur face au Wuckersee, pour abriter les restes mortels de sa chère Carin, rapatriés de Suède par convoi spécial en juin 1934 *. L'ensemble de la propriété, complété par des écuries, une fauconnerie, des garages pour voitures et calèches, des hangars à bateaux, des chalets forestiers, des pavillons de chasse et un aéroport privé pour

---

* L'inhumation dans le mausolée le 7 juin 1934 a été l'occasion d'une cérémonie officielle en présence de la famille de Carin, des principaux dignitaires du Reich et du Führer en personne. Goering avait décidé de rapatrier le corps après que des Suédois indignés eurent brisé la svastika ornant le cercueil dans le cimetière de Lovö.

l'avion du ministre de l'Air *, est entretenu par une véritable
armée de domestiques en livrée verte, géré par une foule d'admi-
nistrateurs, de bureaucrates, d'aides de camp et de parasites **,
et gardé par une compagnie de quatre-vingts hommes du « régiment général Goering [59] *** »...

A ce domaine quasiment impérial, il ne manque pas même
une maîtresse de maison, car en février 1935, Hermann a
demandé Emmy en mariage. L'aspect romantique de la chose est
quelque peu tempéré par cette explication du *Ministerpräsident* à
l'épouse de l'ambassadeur de Grande-Bretagne : « Je ne me
marie avec elle qu'à la demande du Führer, qui considère qu'il y
a trop de célibataires dans les hautes sphères du parti nazi [60]. »
Mais la servilité à l'égard du Führer n'excluant pas l'exhibition
des grands sentiments, la cérémonie de mariage du 10 avril sera
une occasion mémorable, avec Hitler pour témoin, cortège de
limousines blanches découvertes depuis l'hôtel de ville jusqu'à la
cathédrale, 30 000 hommes des forces paramilitaires jalonnant le
parcours, survol du cortège par l'escadre Richthofen au grand
complet, foule enthousiaste aux abords de la cathédrale, sermon
de sept minutes prononcé par l'évêque nazi Ludwig Müller,
cérémonie entièrement retransmise à la radio, haie d'honneur
sabre au clair sur le parvis, déjeuner pour 300 convives à l'hôtel
Kaiserhof, discours de fin de banquet prononcé par Hitler et par
le comte von Rosen, et bien sûr déluge de cadeaux venus des
quatre coins du pays, allant d'un fleuve de joyaux à un yacht de
16 mètres et 50 tonnes, en passant par des tableaux de maîtres et
un orgue Würlitzer...

Bien sûr, Emmy ne pourra jamais effacer le souvenir de
l'absente, et elle s'en rend compte dès son retour à Carinhall :
Hermann va se recueillir longuement dans le mausolée près du

---

* Ce trimoteur Ju 52 rouge, très luxueusement aménagé, le suit dans tous ses
déplacements – la plupart du temps à vide, car Goering préfère de beaucoup utiliser
son train !
** Le très proche entourage de Goering, qui restera à peu près immuable jusqu'à
la fin de la guerre, se compose de Gritzbach, Görnnert, Koerner, Loerzer, du premier
aide de camp Bernd von Brauchitsch, du régisseur Schulz, du docteur Ondorza, du
valet Robert Kropp, de l'infirmière Christa Gormans et de la vieille gouvernante
Cilly Wachoviak.
*** L'ensemble du régiment comprend 108 officiers et 2 935 sous-officiers et
soldats – d'anciens membres de la Landespolizei ayant troqué leur uniforme vert
contre l'uniforme bleu clair de la Luftwaffe.

lac, il laisse sur les murs de la maison tous les portraits de la défunte, et baptise tout naturellement son nouveau yacht *Carin* *. Mais la très bienveillante Emmy s'accommode assez facilement de cet étrange ménage à trois, elle a pour le jeune Thomas von Kantzow des attentions toutes maternelles, et elle renonce sans regrets à sa carrière d'actrice pour mieux se consacrer à son bien-aimé Hermann. Contrairement à Carin, Emmy se désintéresse complètement de la politique, mais elle devra désormais jouer un rôle social de premier plan, ainsi que le lui a fait clairement comprendre le célibataire endurci Adolf Hitler au soir du mariage : « Vous êtes désormais la première dame du Reich [61]. »

C'était jusque-là un rôle dévolu à Magda Goebbels, mais sa santé fragile l'empêchait de le tenir pleinement **. Or, le Führer, qui déteste les mondanités, n'en accorde pas moins aux réceptions et aux festivités un rôle essentiel en tant qu'auxiliaires de la propagande et de la diplomatie. C'est pourquoi les ambassadeurs de France, de Grande-Bretagne, des Etats-Unis, d'Italie, de Tchécoslovaquie et de Pologne sont fréquemment conviés à Carinhall, où ils sont accueillis par un Goering en pourpoint de cuir vert, chemise blanche à manches bouffantes, hautes bottes de cuir rouge et ample culotte de cheval, le tout enveloppant une silhouette « qui rappelle furieusement celle du bonhomme Michelin », selon l'expression perfide de sir Eric Phipps [62]. Entre deux parties de chasse au cerf dans l'immense forêt de la Schorfheide, le maître des lieux leur parle de politique internationale, d'alliances envisageables, de réarmement accéléré et de rapports de force au sein du régime nazi : « Il causait familièrement, se souviendra l'ambassadeur François-Poncet, et il répondait aux questions indiscrètes ; dédaigneux des précautions et des périphrases, il parlait crûment et librement ; il soulevait pour nous un coin du voile dont la Wilhelmstrasse et la presse de Goebbels enveloppaient la réalité. Nous lui en savions gré et lui procurions volontiers les satisfactions de vanité auxquelles il

---

* Il sera remplacé en 1937 par un plus gros yacht de 27 mètres et 72 tonnes, payé par l'industrie automobile allemande et naturellement baptisé *Carin II*. On notera une tentation permanente de modifier le nom suédois pour le transformer en « Karin », une orthographe plus familière aux Allemands.

** Eva Braun, la maîtresse d'Hitler, était par contre systématiquement exclue des réceptions officielles.

était sensible [63]. » Outre les diplomates, on verra à Carinhall le roi Boris de Bulgarie, le vice-ministre des Affaires étrangères d'Autriche Guido Schmidt, le régent de Hongrie Miklos Horty, le duc et la duchesse de Windsor, le prince héritier Gustav-Adolf de Suède, l'aviateur américain Lindbergh, le Premier ministre canadien Mackenzie King et l'ancien ministre de l'Air britannique Lord Londonderry, sans oublier le Duce Benito Mussolini, que la conquête de l'Ethiopie et la guerre d'Espagne ont beaucoup rapproché de l'Allemagne nazie – et de l'« ex-interné d'un asile d'aliénés » par la même occasion... La plupart des invités sont amusés par les déguisements baroques de Hermann et par le plaisir enfantin qu'il prend à exhiber ses animaux, son salon de massage et son train électrique. D'autres, comme les ambassadeurs Phipps de Grande-Bretagne ou Dodd des Etats-Unis, sont plutôt rebutés par ses forfanteries, ses manières brutales et ses ruses grossières... Mais tous sont séduits par l'atmosphère confortable, campagnarde et familiale de Carinhall, ainsi que par les talents d'hôtesse d'Emmy Goering, décrite par l'interprète Paul Schmidt comme « discrète, modeste et capable de créer une atmosphère d'hospitalité au meilleur sens du mot [64] ». Tous les membres de la famille de Hermann, d'Emmy et de Carin viennent régulièrement en visite, pour le plus grand plaisir du maître des lieux. Seul manque le vénéré parrain Epenstein, qui est décédé au début de 1934.

Bien entendu, Hermann Goering donne également des fêtes somptueuses dans la capitale à l'occasion de son anniversaire, du bal de l'Aviation, du Congrès de Nuremberg ou des Jeux olympiques de 1936. L'ambassadeur de France décrira en ces termes la clôture des Olympiades : « Goering a fait pousser, dans les jardins de son ministère *, tout un village du XVIIIe siècle en miniature, avec son auberge, son bureau de poste, sa boulangerie et ses boutiques d'artisans. Lui-même tourne à perdre haleine sur un manège de chevaux de bois. A l'Opéra de Berlin, entièrement tendu à neuf de satin crème, il a organisé en outre un dîner fastueux, suivi d'un bal. Un plancher réunit la scène à la salle ; une profusion de laquais en livrée rouge et perruque poudrée, élevant au bout de longs bâtons de hautes lanternes, jalonne des chemins au milieu des tables où fourmille une multitude d'uni-

---

* Le ministère de l'Air, dont la construction vient juste d'être achevée.

formes, d'habits chamarrés et de femmes en grande toilette. Tout l'état-major du régime est là, rutilant, rayonnant, empressé [65]. » Et souvent très jaloux... Mais aux dignitaires du parti qui se plaignent amèrement à Hitler de ces invraisemblables débauches de luxe dans un régime qui se glorifie de ses origines prolétariennes *, le Führer répond impatiemment : « *Lassen Sie den Göring. Der allein kann repräsentieren !* » – « Laissez donc Goering tranquille. C'est le seul qui puisse assumer la représentation » [66].

Il est vrai que la première ambition de Hermann Goering est de satisfaire son Führer, et il est prêt à consentir pour cela bien des sacrifices. Dans l'ensemble, les détails de ses multiples tâches ne l'intéressent que très médiocrement : seuls comptent les résultats qu'il pourra présenter comme des triomphes personnels, et qui lui permettront de rehausser son prestige aux yeux d'Hitler. Après tout, ne lui doit-il pas sa foudroyante ascension ? L'ambassadeur François-Poncet a bien cerné dès 1936 cette relation de dépendance : « Goering est dévoué corps et âme à Hitler; il s'en proclame "le premier paladin"; pour rien au monde il ne le trahirait [67]. » Et puis, si l'imitation est la forme la plus sincère de la flatterie, elle est en l'occurrence la forme la plus évidente de la servilité : qu'il s'agisse de goûts architecturaux, de lectures **, de techniques oratoires ou de méthodes de travail, Goering prend toujours modèle sur son seigneur et maître, qu'il considère comme infaillible et dont les désirs seront toujours des ordres : « Et moi je vous dis que si le Führer le veut, deux et deux font cinq [68] ! » Après tout, n'est-ce pas ce même Führer qui fera de lui un très grand homme, après l'avoir désigné secrètement comme son successeur ?

En fait, Goering tient moins à ces bribes de pouvoir pour les perspectives d'action qu'elles lui ouvrent que pour le prestige et les honneurs qu'elles lui confèrent. C'est que notre homme reste un incorrigible accumulateur de grades, de décorations et d'uniformes : ayant reçu sa quatrième étoile de général d'aviation, il ambitionne désormais d'être nommé maréchal; par peur de

---

* A lui seul, le bal de l'Opéra a coûté 300 000 marks...
** C'est ainsi que Goering s'est immédiatement procuré la collection complète des livres de Karl May sur l'Ouest sauvage, après avoir entendu le Führer en dire le plus grand bien. Pour ce qui est de l'architecture, nous savons déjà à quoi nous en tenir...

manquer d'uniformes, il s'en invente sans cesse de nouveaux, et Ernst Hanfstaengl le décrira « se pavanant dans Berlin avec des épaulettes de la taille d'une tarte aux fruits. Il collectionnait les médailles comme d'autres collectionnent les timbres [69] ». De fait, l'inextinguible soif de décorations de Hermann Goering est bien connue de tous les dirigeants du continent, qui lui en décernent d'autant plus volontiers que le Führer n'en a que faire... Même alors, les intrigues du *Ministerpräsident* pour obtenir de prestigieuses médailles bulgares ou italiennes ont quelque chose d'enfantin qui laisse véritablement pantois ; et si, en mai 1937, Goering tient tant à se rendre en Grande-Bretagne pour le couronnement du roi George VI, c'est qu'il espère recevoir à cette occasion une haute décoration britannique *. « Il aime trop les hochets pour être très mauvais [70] », écrira un peu vite l'ambassadeur Coulondre...

Bien sûr, l'ambition de Goering ne se borne pas à accumuler les grades, les médailles et les uniformes ; il lui faut aussi acquérir le plus de trésors possible, et nous savons déjà que ses multiples fonctions lui offrent à cet égard des possibilités pratiquement illimitées – qu'il entend exploiter sans vergogne. Avec le temps, la collecte des « cadeaux », « commissions » et autres « gratifications » prend un tour systématique et quasiment industriel : les ambassades, les entreprises, les municipalités et les dignitaires locaux du parti sont informés à l'avance des « récompenses » dont souhaite bénéficier le glorieux paladin du Führer. Il peut s'agir de services de table en porcelaine, en argent ou en or, de pierres précieuses de toutes tailles, de pièces de musée de toutes natures, de sculptures classiques, de tapisseries médiévales et surtout de tableaux de maîtres allemands et néerlandais des XVe et XVIe siècles, qui s'entassent pêle-mêle dans sa propriété de Carinhall et son palais de Berlin [71]. Ce qui lui manque, il le réquisitionne dans les musées – comme ces toiles qu'il soustrait au Kaiser-Friedrich Museum, en menaçant son directeur d'en prendre deux fois plus si les tableaux convoités ne sont pas amenés à Carinhall le lendemain matin...

_____

* La tempête soulevée au Parlement britannique par la perspective d'une telle visite après le bombardement de Guernica, jointe au rapport défavorable envoyé à Hitler par le nouvel ambassadeur d'Allemagne à Londres von Ribbentrop, oblige Goering à renoncer à cette visite. Hitler enverra à sa place le ministre de la Guerre von Blomberg.

De tout cela, Hermann Goering jouit en sybarite, et pour tout dire, il ne manque rien à son contentement – pas même ces lionceaux qu'il nourrit au biberon et dont il ne se sépare que lorsqu'ils ont largement atteint l'âge adulte. Martin Sommerfeldt donnera dans ses Mémoires un aperçu des résultats : « Lors de ma visite à la Leipzigerplatz, où la villa d'un ministre de Prusse était devenue un véritable palais, je fus fort irrité de rencontrer un lion de taille respectable, qui se promenait librement dans le bureau et l'emplissait de son odeur de fauve, bien que Robert, le domestique, l'ait régulièrement aspergé d'eau de Cologne – un mélange qui n'améliorait pas exactement l'atmosphère. Ce n'est que lorsque l'animal, abordant une princesse bien en chair, lui arracha d'un seul coup de patte amical dans le dos sa robe avec tout ce qu'il y avait dessous, que l'on se décida à renvoyer le roi de la jungle dans le zoo qu'il n'aurait jamais dû quitter [72]. » Bien entendu, le couple Goering lui trouve immédiatement un remplaçant : « Les lions sont vraiment les plus magnifiques bêtes du monde, dira plus tard une Emmy enthousiaste ; avec le temps, nous en avons élevé sept [73]. » Le fait que ces charmantes bêtes aient consommé l'équivalent de la ration de viande d'un village de bonne taille ne semble pas avoir troublé indûment la très candide Emmy Goering...

Pourtant, comme rien n'est jamais parfait en ce bas monde, notre dignitaire comblé a tout de même un sujet de préoccupation quotidien, qui lui cause bien du tracas : c'est son poids. Car cet homme qui a depuis longtemps renoncé à être mince doit désormais livrer un combat désespéré pour tenter de maîtriser l'inflation démesurée de son tour de taille. Lorsqu'au milieu des années trente, il atteint le poids respectable de 127 kilos, l'hypothèse d'un dérèglement glandulaire consécutif à sa blessure reste avancée, mais elle doit manifestement être tempérée par un examen de son régime alimentaire ; car notre homme a des habitudes de consommation typiquement bavaroises – knödeln, nockerln * et montagnes de charcuterie, le tout arrosé de litres de bière ; comme en outre il se lève bien souvent au milieu de la nuit pour s'empiffrer de fromage, saucisses, gâteaux, confiseries

---

* Spécialités autrichiennes et bavaroises particulièrement caloriques, à base de boulettes de mie de pain, de pommes de terre ou de semoule, avec divers abats à l'occasion.

et crème fouettée, on comprend mieux pourquoi sa silhouette s'élargit à vue d'œil. Mais pour quiconque est en représentation permanente et a un faible pour les beaux uniformes, tout cela est dramatique, et Goering s'astreint à des cures d'amaigrissement périodiques qui font le désespoir de son valet Robert comme de son tailleur Stechbart : « Robert m'a confié que les vêtements étaient pour Hermann une source de préoccupation constante, écrira l'historien Willy Frischauer. A mesure qu'il grossissait, Stechbart devait venir presque quotidiennement à son domicile pour modifier ses costumes et ses uniformes. Après quoi Goering passait un week-end à la campagne et, s'étant enveloppé d'épais tricots, il emmenait son valet pour effectuer une " marche rapide " pouvant se prolonger plus de deux heures. " Dès lors, ajoutera Robert, il reperdait du poids, et le lundi suivant, aucun de ses costumes ne lui allait plus. Il me fallait donc rappeler Stechbart... " Alors que tout le monde s'imaginait que Hermann Goering jouissait de tous les délices de la vie, il souffrait en fait d'un supplice quotidien, en mangeant ses repas préférés avec un fort sentiment de culpabilité et en passant ensuite des heures à tenter de se débarrasser des kilos supplémentaires. Il changeait d'uniformes trois ou quatre fois par jour. " Les gens pensaient que c'était par pure vanité, me dit Robert. Bien sûr, il aimait ses vêtements, mais s'il lui fallait en changer plusieurs fois, ce n'était pas seulement pour être à l'aise, mais aussi pour pouvoir poursuivre son travail " [74]. »

En d'autres termes, Hermann Goering transpire si abondamment qu'il lui faut constamment revêtir des uniformes secs ; il doit aussi se parfumer régulièrement pour ne pas incommoder son entourage, et se maquiller quelque peu pour avoir meilleure mine. C'est que cet insomniaque se couche rarement avant 3 heures du matin, et se lève toujours avant 6 heures. On ne dira jamais assez combien la vie peut être dure... Elle l'est d'autant plus que l'infortuné Hermann ne semble pas avoir complètement maîtrisé sa dépendance à la morphine : pour calmer ses douleurs persistantes, il a recours à des pilules de paracodéine, un dérivé morphinique dont il tente ensuite de se libérer en suivant une cure de désintoxication annuelle au sanatorium du professeur Kahle, à Cologne [75]. Mais tout cela doit se faire dans le plus grand secret, afin que l'image du glorieux Ministerpräsident n'en soit pas ternie aux yeux du peuple allemand.

Sur ce point au moins, il n'a aucun souci à se faire : au milieu de la masse grise, sévère, secrète et passablement inquiétante formée par Hitler, Goebbels, Himmler, Heydrich, Darré, Hess et Rosenberg, l'ancien héros de la Grande Guerre Hermann Goering est aisément le plus populaire de tous les dirigeants nazis, avec ses uniformes de fantaisie, son humour bonhomme, sa silhouette enveloppée et son luxe ostentatoire. « Je me suis souvent torturé l'esprit, écrira Hans Bernd Gisevius, pour comprendre pourquoi Goering en imposait tant à de si vastes milieux de la bourgeoisie et de l'armée. Est-ce parce que ce monstre se donnait une allure aussi joviale ? Peut-être. Lorsque ce condottiere paradait dans ses somptueux et si nombreux costumes, il semblait vraiment inviter tous les observateurs sceptiques à ne pas le prendre plus au sérieux qu'il ne se prenait lui-même ; il se caricaturait en quelque sorte. Il se distinguait en bien, à cet égard, de tous les révolutionnaires auxquels le sens de l'humour faisait totalement défaut. [...] Si Hitler avait été seul avec sa sombre cohorte de gardes à la tête de mort, qui sait si le peuple aurait pu le supporter bien longtemps ? Mais la présence de Goering, avec ses représentations de gala, son faste et ses fêtes, au milieu de l'élite des officiers chamarrés d'or, transformait tout en quelque chose qui n'avait plus rien d'arbitraire, qui recréait une atmosphère séduisante de légèreté et de frivolité [76]. »

L'actrice Lola Müthel expliquera cette popularité, tout en complétant le tableau : « Eh bien, il était très gros, et il avait toujours cette masse de décorations qui tintait au vent, alors bien sûr, cela amusait, car on avait toujours le sentiment qu'il aurait volontiers embrassé une carrière d'acteur ; il avait d'ailleurs quelque chose d'un comédien. Les gens avaient le sentiment de se trouver en présence d'un homme qui aime bien manger et bien boire, qui goûte les plaisirs de la vie, et cela suscite une certaine sympathie, parce qu'on se dit qu'on a affaire à une personne humaine, et non à un idéologue qui n'arrête pas de discourir [77]. » Il est vrai que Goering, seul de tous les dirigeants nazis, n'hésite pas à se mêler à la population, et qu'il est toujours follement applaudi à ces occasions. Du reste, les Allemands se souviendront longtemps de cette matinée glaciale de janvier 1934 où il s'était posté au coin de la Wilhelmstrasse pour collecter des pièces au bénéfice du Secours d'Hiver...

Ce qui contribue également à la popularité de Hermann Goering, c'est la rumeur selon laquelle il donnerait 3 marks de
récompense aux auteurs des meilleures histoires circulant sur son
compte... Rien n'est plus faux *, mais il est vrai en revanche que
le maître du Forschungsamt intercepte toutes les histoires
imprudemment racontées au téléphone, prend un plaisir certain
à les collectionner **, se refuse à poursuivre leurs auteurs, et fait
même libérer sur-le-champ la comédienne de boulevard Claire
Waldow, arrêtée pour s'être moquée de ses médailles et de ses
épaulettes. « Les imbéciles ! fulmine-t-il, si l'on raconte des histoires drôles sur mon compte, cela prouve bien que je suis populaire [78] ! » Il se rend même à Cologne pour assister à la
représentation d'un chansonnier qui a l'habitude de le parodier,
et qui jouera ce soir-là avec une appréhension certaine : « Je
parie qu'il a souffert davantage que si je l'avais fait enfer-
mer [79] ! » s'esclaffera plus tard un Goering rouge de plaisir...

Lorsqu'on est au faîte de sa puissance, que l'on est le
deuxième homme du Troisième Reich, que l'on est follement
populaire, que l'on a éliminé ses plus dangereux adversaires, que
l'on occupe d'innombrables fonctions permettant d'agir et de
briller, que l'on peut accumuler d'immenses richesses et dépenser sans compter, que l'on a davantage de décorations que trois
maréchaux soviétiques réunis, que l'on dispose de somptueuses
résidences pour accueillir sa famille et ses amis, que l'on s'offre
tous les plaisirs de l'élevage et de la chasse – en vérité, que pourrait-on souhaiter de plus ? Eh bien, à l'âge de quarante-cinq ans,
Hermann Goering va connaître une joie supplémentaire, dont il
croyait pourtant être privé à jamais : son épouse Emmy attend
un enfant ***.

---

* L'origine de la légende est qu'il donnait effectivement *un* mark à ceux qui lui
rapportaient ces histoires, ce qui est très différent.

** Sa préférée : un automobiliste qui avait heurté la voiture de Goering aurait été
acquitté par le tribunal après avoir allégué qu'il avait été aveuglé, le *Ministerpräsident*
ayant omis de mettre ses décorations en code... Selon une autre histoire, Goering se
serait fait fabriquer une série de décorations en caoutchouc, pour pouvoir les porter
dans son bain.

*** Du fait de sa blessure à l'aine, Hermann Goering s'était longtemps cru
stérile. En fait, la petite Edda a été conçue par insémination artificielle.

IX

L'engrenage

C'est un fait : dès la fin de 1937, Hermann Goering s'est débarrassé de tous ses ennemis déclarés au sein du régime : d'une manière ou d'une autre, Roehm, Ernst, Heines, von Schleicher, Strasser, von Papen et Schacht ont cessé de lui faire de l'ombre... Mais parmi les dirigeants qui président encore aux destinées du Troisième Reich, Goering ne compte pas vraiment d'amis : il n'a que des alliés temporaires ou des rivaux sournois. C'est que derrière la façade en apparence monolithique du Troisième Reich, dont la devise pourrait être « tous contre tous », il n'y a pas de gouvernement collégial – d'autant moins que le Conseil des ministres ne se réunira même plus après 1937 *... Il y a par contre une série d'empires organisés verticalement, dont les chefs coopèrent rarement, s'observent jalousement et se querellent incessamment pour élargir leurs fiefs, leurs prérogatives et leurs compétences. Ils y sont certes incités par l'invraisemblable enchevêtrement administratif qui prévaut dans l'Allemagne d'Hitler : c'est ainsi que les Relations extérieures sont traitées par von Neurath en tant que ministre des Affaires étrangères, mais également par le « plénipotentiaire pour les Affaires de désarmement » Joachim von Ribbentrop, par le chef de l'Office de politique extérieure Alfred Rosenberg et par le dirigeant de l'Organisation extérieure du parti national-socialiste Ernst Bohle, sans parler des émissaires particuliers nommés

---

* Goering déclarera plus tard avec une certaine candeur : « Le Führer n'était guère favorable aux réunions de cabinet : c'était un cercle trop large pour lui, et peut-être y discutait-on trop de ses projets. » Certes...

de temps à autre par le Führer – parmi lesquels figure naturelle-
ment Hermann Goering en personne. De même, la presse et la
propagande sont en principe le domaine exclusif de Joseph
Goebbels, mais il y a parallèlement le « chef de presse du
Reich » Max Amann, le « chef de presse du gouvernement »
Otto Dietrich, le « responsable de la presse étrangère » Ernst
Hanfstaengl, sans compter bien sûr la section de presse du
ministère des Affaires étrangères et celle du parti national-
socialiste. Il y a certes un ministre du Travail en la personne de
Seldte, mais il est doublé par le chef du Front du travail Ley, par
le directeur de la Construction Todt et bientôt par le commissaire général à la Main-d'œuvre Sauckel... Le ministère de la
Guerre a bien le contrôle de l'armée, mais il doit compter avec la
concurrence croissante des formations SS de Heinrich Himmler
et avec celle du « régiment de l'Air » de Hermann Goering *.
Le renseignement est bien le domaine de l'Abwehr du vice-
amiral Canaris, mais il y a parallèlement les services de renseignement de la SS dirigés par Reinhard Heydrich, ceux du
ministère des Affaires étrangères, ceux de la Kriegsmarine,
ceux de l'Office de politique extérieure, et naturellement le
Forschungsamt, ce bureau des écoutes au service de Hermann
Goering. Quant à l'économie, elle reste le théâtre d'affrontements permanents entre le ministre des Finances, le président de
la Reichsbank, le ministre de l'Economie et le commissaire au
plan quadriennal! A quoi il faut ajouter que la justice, l'éducation, la culture, les communications, l'agriculture et la santé
sont tout aussi morcelées en une multitude de satrapies rivales.
Qu'au milieu de cet effarant enchevêtrement, voulu et encouragé
par le Führer, tous les responsables soient littéralement à couteaux tirés, voilà qui n'a vraiment rien d'étonnant...

« En dehors des réceptions officielles à la chancellerie et de
l'accueil des visiteurs étrangers à Carinhall, se souviendra Emmy
Goering, nous n'avions pas beaucoup de contacts avec les autres
grands personnages du gouvernement [1]. » Charmante naïveté! Si
les contacts sociaux sont effectivement très rares, les relations
professionnelles sont par contre assez fréquentes – et pour tout
dire, entièrement dépourvues d'aménité... Ainsi, par hostilité à

* Le successeur de sa Landespolizei, dûment militarisée...

von Neurath, Goering a d'abord soutenu Joachim von Ribben-trop, mais il s'est mis à le mépriser lorsque le comportement arrogant de ce négociant en champagne devenu ambassadeur * a fatalement compromis les relations germano-britanniques, aux-quelles Goering attachait la plus grande importance ; le mépris se change en haine lorsque von Ribbentrop, rentré à Berlin, brigue trop ouvertement un poste de ministre des Affaires étran-gères auquel Goering s'estime parfaitement en droit de pré-tendre **. Dès lors, le *Ministerpräsident* se répand en propos venimeux à l'égard de celui qu'il a baptisé « *ein Eingebildeter Affe* *** » et « le premier perroquet d'Allemagne » [2]. Il est vrai que de son côté, Ribbentrop a publiquement qualifié Goering d'« arbre de Noël », en référence sans doute à ses guirlandes de décorations [3]. Après cela, les relations ne cesseront plus de se détériorer...

Avec l'idéologue officiel du parti Alfred Rosenberg, les contacts sont à peine plus cordiaux : Goering le considère comme un illuminé aux origines suspectes ****, il le décrit à l'ambassadeur de France comme « un bafouilleur [4] » et manque rarement une occasion de tourner en ridicule *Le Mythe du XXᵉ siècle*, l'œuvre immortelle – et parfaitement illisible – d'Alfred Rosenberg. Ce dernier étant également un candidat sérieux au poste de ministre des Affaires étrangères, Goering le poursuit de sa vindicte et, faute de pouvoir l'atteindre directement, fait jeter en prison son proche collaborateur Lüdecke *****. Le *Ministerpräsident* déteste également Rudolf Hess, qu'il traite de *Piesel* – une sorte de goujat [5] –, tandis que Hess s'acharne à faire supprimer de la presse du parti les photos qui avantagent Goering [6]... *Mutatis mutandis,* on obtiendrait à peu près les mêmes résultats en examinant les relations de Goering avec d'autres dignitaires du régime tels que Ley,

---

* Ribbentrop a épousé Anna Henkell, la fille du magnat du champagne éponyme. C'est cette femme ambitieuse qui a introduit son époux dans l'entourage d'Hitler.

** La soif de titres de Hermann Goering est inextinguible : il a déjà été très déçu de voir le titre de chancelier du Reich lui échapper après la mort du président Hindenburg, et on verra bientôt qu'il aspire également aux fonctions de ministre de la Guerre et de commandant en chef des armées...

*** « Un singe vaniteux ».

**** Alfred Rosenberg était originaire de Reval, en Estonie.

***** Hitler ordonne sa libération, mais le fait emprisonner à nouveau lorsque Lüdecke prétend obtenir réparation en justice pour son arrestation arbitraire.

Streicher, Funk, Darré, Frick, Dietrich, Bormann, Blomberg ou l'amiral Raeder *.

Toutefois, le cas d'Ernst « Putzi » Hanfstaengl est particulièrement frappant : on se souvient que ce pianiste virtuose et éditeur d'art germano-américain, devenu responsable des relations du régime avec la presse étrangère, avait été l'un des très rares membres du parti à aider financièrement Goering durant sa traversée du désert. Mais au sein du régime national-socialiste, la reconnaissance reste une vertu étrangère et la corruption un vice endémique ; c'est pourquoi Hanfstaengl pourra écrire : « Avec Goering, il restait quelques traces de l'ancienne cordialité, jusqu'à ce jour de 1935 où j'ai critiqué ouvertement sa manie de dévaliser les musées allemands pour fournir ses somptueuses résidences en peintures et objets d'art [7]. » Cela, ajouté à quelques propos très critiques au sujet de la politique étrangère du Reich, vaut à Hanfstaengl l'hostilité de plus en plus manifeste de Goering, et explique qu'au début de février 1937, l'infortuné responsable de la presse étrangère se soit trouvé embarqué dans un avion militaire pour accomplir en Espagne une mission dont il ne devait pas revenir – l'ordre étant naturellement signé de Hermann Goering en personne **. Voilà qui vient à point pour nous rappeler que nous n'avons pas affaire à un aimable excentrique, mais à un criminel déjà très endurci...

Les relations avec Joseph Goebbels sont déjà plus complexes : d'une part, Goering connaît le prestige dont jouit le « nain venimeux » auprès d'Hitler, du fait de sa servilité, de sa ruse, de sa culture et de sa redoutable éloquence ; d'autre part, Goebbels a été un invité très prisé de la famille Goering du vivant de Carin, Hermann a la plus grande admiration pour Magda Goebbels, et tout cela crée des liens. Mais les choses ne tardent pas à se gâter,

---

* Autant d'hommes qui se détestent également entre eux : ainsi, Rosenberg s'est attiré la malveillance de Ribbentrop, la colère de Goebbels, la méfiance d'Himmler, la détestation de Ley et le mépris écrasant de Bormann. Raeder, lui, se heurte à l'hostilité d'Himmler et de Goebbels, au rejet des chefs de l'armée de terre, à l'antipathie viscérale de Rosenberg et à la haine tenace de Heydrich... On pourrait poursuivre ainsi *ad infinitum.*

** Conformément aux ordres de Goering, le pilote devait parachuter Hanfstaengl au-dessus des lignes républicaines espagnoles, ce qui aurait assuré son élimination rapide et discrète. Mais le sinistre projet fait long feu, car le pilote, simulant une panne, atterrit près de Leipzig, permettant ainsi à Hanfstaengl de s'échapper pour gagner la Suisse, puis l'Angleterre.

pour des raisons apparemment triviales : le ministre de la Propagande, qui jalouse Goering parce qu'il donne des fêtes plus somptueuses que les siennes, encourage les journalistes à écrire des articles sarcastiques sur les mœurs de satrape de son encombrant rival [8], et fait colporter à l'envi toutes les histoires qui le tournent en ridicule – ce que Goering prend naturellement très mal. Par ailleurs, alors que le ministre de la Propagande Goebbels prétend faire passer sous sa coupe toutes les institutions culturelles du Reich, le ministre-président de Prusse est parvenu à garder le contrôle du Staatstheater de Berlin, où il fait très officiellement la pluie et le beau temps. Enfin, Goebbels a beau avoir une taille minuscule et un pied bot, il est devenu le grand patron du cinéma allemand, et cela lui permet de nouer des relations très étroites avec les actrices qui se bousculent devant les studios – au plus grand désespoir de Magda Goebbels, naturellement. La discrétion n'étant pas exactement le fort de son époux, tout Berlin est rapidement informé de l'affaire, des rumeurs de divorce commencent à circuler, et Hitler, craignant un scandale public, convoque Joseph Goebbels pour l'admonester. Ce dernier, tout contrit, promet de s'amender, mais il poursuit en secret une liaison torride avec une actrice tchèque particulièrement avenante nommée Lyda Baarova ; la ruse du petit docteur dépassant quelque peu sa servilité, il trouve même un moyen particulièrement discret de communiquer avec sa maîtresse : connaissant l'efficacité du Forschungsamt de Goering, il fait brancher sa ligne personnelle sur celle de la famille Goering, dont il est persuadé qu'elle n'est pas écoutée... Lourde erreur : « Goebbels, se souviendra Emmy Goering, tomba des nues quand nous lui déclarâmes que notre ligne était aussi surveillée que la sienne [9]. » Il tombera de plus haut encore en apprenant qu'Emmy avait tout raconté à Magda Goebbels, et que Hermann, qui admire Magda autant qu'il méprise son mari adultère, est allé lire au Führer les transcriptions des conversations les plus sulfureuses entre la première actrice de Prague et le premier satyre de Berlin. Tout cela se termine naturellement par une nouvelle convocation à la chancellerie, une admonestation bien plus sévère, l'interdiction absolue de tout divorce et une obligation de réconciliation entre les deux époux volages * – dans l'intérêt du Grand Reich allemand, bien entendu. Les désirs du Führer sont des ordres, mais Goebbels ne pardonnera jamais à Goering de s'être immiscé dans sa vie privée, et redoublera de haine à son égard – ce dont il sera largement payé de retour...

De prime abord, les relations avec Heinrich Himmler ne peuvent être que détestables : n'est-ce pas ce maître de l'Ordre noir qui a supplanté Goering à la tête de la Gestapo ? N'est-ce pas lui qu'Emmy Goering a dû implorer – généralement en vain – pour obtenir la libération d'une actrice ou d'un régisseur juifs emprisonnés ? N'a-t-il pas fait disparaître quelques personnages que Goering, pour des raisons personnelles, économiques ou politiques, aurait préféré laisser en vie ? Et n'est-ce pas ce sinistre personnage qui aspire à devenir commandant en chef des armées, un poste auquel prétend également Hermann Goering ? Mais les choses sont moins simples qu'il y paraît : Goering, aussi arrogant avec les faibles qu'il est humble avec les puissants, ne tient nullement à s'attaquer de front au redoutable chef des SS, dont les hommes contrôlent si étroitement la vie quotidienne des dignitaires du Troisième Reich... Du reste, la réciproque est tout aussi vraie : Heinrich Himmler est bien trop prudent pour s'en prendre ouvertement au dauphin du Führer, il a appris à respecter son service des écoutes, et il ne peut se déplacer – ou faire voyager un seul de ses agents – sans solliciter du ministre de l'Air et chef de la Luftwaffe Hermann Goering la mise à disposition d'un avion ** ! Il y a donc, comme dans toute bande organisée, d'étroites relations d'interdépendance, pouvant faire place le cas échéant à des alliances de circonstance – ce qui s'est déjà produit lors de la Nuit des Longs Couteaux, avec le succès que l'on connaît. Or, voici précisément qu'à la fin de 1937, une nouvelle situation se présente, qui justifie amplement un regain de coopération entre les deux compères...

Personne ne s'aviserait de nier les éminents services rendus au régime national-socialiste par le général von Blomberg : depuis

---

* Les choses se compliquent effectivement du fait que Magda Goebbels, sans doute lassée des incartades de son époux, a pris un amant en la personne du secrétaire d'Etat au ministère de la Propagande, Karl Hanke.

** Jusqu'à la fin de la guerre, Heinrich Himmler tentera de se libérer de cette sujétion, en implorant Hitler de lui permettre de créer un corps d'aviateurs SS. Ce sera toujours en vain.

son accession aux fonctions de ministre de la Défense en janvier 1933, il a réellement tout fait pour être agréable à Hitler : participation active au réarmement accéléré, neutralité bienveillante lors des événements sanglants de juin 1934, absence de toute réaction à l'assassinat des généraux Schleicher et Bredow, introduction dans l'armée de la prestation de serment au Führer... Dès lors, que pourrait-on reprocher au très accommodant Werner von Blomberg, qui vient tout juste d'être nommé maréchal ? Eh bien, d'être trop encombrant, naturellement ! Car pour tout dire, sa place est convoitée à la fois par Goering et par Himmler, qui ne sont toujours pas rassasiés de fonctions, de pouvoirs et d'honneurs. Ils vont donc s'associer une nouvelle fois pour monter une machination parfaitement diabolique qui, comme toutes les grandes œuvres, apparaîtra comme étant le fruit du plus pur hasard...

Qu'on en juge : à près de soixante ans, le maréchal von Blomberg, veuf inconsolable, s'est mis en tête de se remarier avec Erna Grühn, une demoiselle d'origine modeste ayant exactement la moitié de son âge. A la fin de 1937, il s'en est ouvert à Goering, qui l'a conforté dans ses projets et lui a même promis d'être son témoin, en compagnie du Führer. Les noces se déroulent donc comme prévu à la mi-janvier 1938... Mais le malheur veut que quinze jours plus tard, la Gestapo découvre – par le plus grand des hasards – que la dame en question a un lourd passé, qu'elle est fichée par la police des mœurs de sept villes différentes *, et que sa mère a été tenancière d'une maison de tolérance. Par une coïncidence plus heureuse encore, les documents retraçant ses antécédents se retrouvent entre les mains de Goering, qui s'empresse de les porter au Führer. Ce dernier, donnant tous les signes extérieurs de la plus vertueuse indignation, exige sur-le-champ la démission de von Blomberg qui, catastrophé, la lui remet sans difficultés.

Le général von Fritsch, commandant en chef de l'armée, passe pour être le meilleur candidat à sa succession. Mais il se trouve que la Gestapo vient d'exhumer un document datant de 1935 ** et particulièrement compromettant pour le général : un

---

* L'intéressée niera avec indignation, en alléguant qu'elle ne sortait pratiquement jamais de Berlin...

** Sur ordre de la chancellerie, du reste...

maître chanteur l'aurait surpris en flagrant délit de relations homosexuelles [10], ce qui n'était pas exactement un titre de gloire dans l'Allemagne de l'époque *. Voilà qui justifie amplement une nouvelle explosion d'indignation à la chancellerie du Reich ; le Führer se saisit de l'affaire, se convainc de la culpabilité de von Fritsch, puis, cédant à la pression de l'état-major, il fait juger l'affaire par un tribunal militaire que préside Goering en personne. Malheureusement pour les comploteurs, le témoin de l'accusation n'est pas fiable, les audiences permettent d'établir qu'il s'agit d'un coup monté **, et Goering doit mettre fin au procès avant que la machination de la Gestapo n'éclate au grand jour [11]... Mais le mal est fait : von Fritsch a beau être acquitté et innocenté, il est entièrement déconsidéré, et ne peut plus briguer le moindre poste au sein du haut commandement ***.

Ce travail d'orfèvre a largement ouvert la voie à Hermann Goering, qui se voit déjà ministre de la Guerre, ou du moins commandant en chef de l'armée. Ayant commencé par envoyer Bodenschatz, puis von Below en reconnaissance à la chancellerie [12], il s'en ouvre ensuite directement au Führer – qui refuse tout net ! Est-ce parce qu'il estime que Goering a déjà suffisamment de travail avec la Luftwaffe et le plan quadriennal ? Est-ce plutôt parce qu'il ne tient pas à augmenter à ce point les pouvoirs de son fidèle lieutenant et héritier présomptif ? Est-ce enfin parce qu'il n'a plus qu'une confiance limitée dans les capacités d'organisateur de son vaillant paladin **** ? Toujours est-il

---

* Surtout depuis qu'elle était spécifiquement réprimée aux termes de l'article 175 du code pénal.

** Il y avait en fait une confusion – manifestement volontaire – entre le général von Fritsch et le capitaine de cavalerie en retraite von Frisch, qui devait avouer les faits par la suite. Le maître chanteur et dénonciateur, Otto Schmidt, reconnaîtra avoir été « préparé » par la Gestapo et menacé de mort par Goering... Il sera d'ailleurs liquidé par la Gestapo peu après le procès.

*** La logique reste étrangère au Troisième Reich : alors qu'au début de février 1938, on annonce la démission du faux homosexuel von Fritsch, on publie simultanément la nomination au poste de ministre de l'Economie de l'homosexuel avéré Walter Funk....

**** Hitler a dit à Bodenschatz qu'il considérait Goering comme « trop paresseux » pour occuper un tel poste. Au vu des activités de l'Homme de fer à cette époque, on peut considérer qu'il ne s'agissait là que d'un prétexte. Mais le Führer a également fait valoir devant von Below que Goering « n'avait pas les connaissances nécessaires » pour exercer la fonction, ce qui est déjà plus proche de la vérité. A von Blomberg, Hitler dira que Goering « manque de patience et de diligence », ce qui n'est pas faux non plus.

qu'Hitler va supprimer le poste de ministre de la Guerre * et se nommer lui-même commandant en chef des forces armées, avec pour l'assister l'*Oberkommando der Wehrmacht* dirigé par Wilhelm Keitel, l'ancien adjoint de von Blomberg, dont de mauvaises langues bien informées diront qu'« il se distingue précisément en ce que rien ne le distingue [13] », tandis que d'autres considèrent non sans raison qu'il « n'est qu'un instrument entre les mains d'Hitler [14] ». Enfin, le commandant en chef de l'armée de terre sera le général d'armée von Brauchitsch, un officier expérimenté dont l'indépendance d'esprit n'est pas la qualité dominante.

Ce serait une erreur de croire qu'Adolf Hitler ait tout ignoré du double complot ourdi par Himmler et Goering : comme lors de l'affaire Roehm, il en a été tenu informé depuis le début, et il en tirait probablement les ficelles en coulisses. C'est que le Führer avait ses propres raisons de se débarrasser de Fritsch et de Blomberg ; ils n'étaient pas nationaux-socialistes, voyaient d'un mauvais œil l'émergence des SS comme force armée parallèle, et avaient présenté de multiples objections à la remilitarisation de la Rhénanie comme à l'intervention dans la guerre d'Espagne [15]. Pour Hitler, qui voulait nazifier progressivement ses forces armées et en faire l'instrument de grandes conquêtes à venir, des officiers conservateurs de l'ancienne école comme Blomberg et Fritsch ne répondaient plus aux exigences du moment ; il fallait donc qu'ils cèdent la place sans provoquer trop de remous dans l'armée... Deux scandales coup sur coup au début de 1938 ont fait l'affaire, les militaires n'ont pas réagi, Fritsch et Blomberg sont partis en douceur, et Hitler a imposé sans coup férir son autorité personnelle sur la Wehrmacht. Dans le même mouvement, von Neurath a été remplacé à la tête de la politique étrangère allemande par le très servile von Ribbentrop ; c'est un autre signe manifeste d'une reprise en main par le Führer, mais aussi une nouvelle gifle pour Goering, qui convoitait également ce poste [16]. Malgré tout, le comploteur reçoit un lot de consolation

---

* Il n'est pas davantage question de nommer Himmler, qui est détesté dans l'armée, n'a pas combattu durant la Grande Guerre et est considéré à la chancellerie comme « à peine capable de conduire une voiture de pompiers ». Il a malheureusement d'autres capacités.

particulièrement cher à son cœur : le grade de maréchal, accompagné d'un bâton entièrement serti de diamants.

Pour découvrir le dessous des cartes, il faut se reporter au 5 novembre 1937 : ce jour-là, le Führer réunit à la chancellerie du Reich von Blomberg, von Fritsch, Goering, Raeder et von Neurath, officiellement pour évoquer l'approvisionnement en matières premières des forces armées, mais en réalité pour leur faire part des « buts de la politique étrangère allemande ». Ses propos, notés presque *in extenso* par l'aide de camp Hossbach, sont entièrement dépourvus d'ambiguïté : l'Allemagne ne pouvant atteindre qu'un degré d'autarcie limité, ne devant en aucun cas être dépendante du commerce international et n'ayant que faire de colonies très vulnérables au blocus, il ne lui restait qu'une seule planche de salut : l'agrandissement de son « *Lebensraum* » – de son espace vital – en Europe. Mais l'Angleterre et la France, deux puissances hostiles, y faisant obstacle, poursuit Hitler, « le problème de l'Allemagne ne peut être résolu que par la force, ce qui n'est jamais sans risque. [...] Si l'on décide d'utiliser la force et d'en assumer les risques, alors il ne reste plus qu'à répondre à deux questions : " quand ? " et " comment ? ". A ce stade, il faut distinguer trois cas :

« Premier cas : Echéance 1943-1945 : Passé ce délai, on ne pourra s'attendre qu'à un changement des conditions à notre détriment. Au cours de cette période 43/45, l'équipement de l'armée, de la marine et de l'aviation, de même que la formation du corps des officiers, seront à peu près achevés. Le matériel et l'armement seront modernes, et une attente plus prolongée les menacerait d'obsolescence. [...] D'une part, la nécessité d'entretenir une importante Wehrmacht et le vieillissement du mouvement comme de son Führer, d'autre part la perspective d'une baisse du niveau de vie et d'un déclin de la natalité ne laissent pas d'autre choix que l'action. Ma décision irrévocable est de résoudre le problème de l'espace vital allemand au plus tard entre 1943 et 1945, au cas où je serais encore en vie à ce moment. La nécessité d'agir avant 1943/1945 serait à envisager dans les cas n° 2 et 3 [17]. »

Le cas n° 2 prévu par Hitler serait celui d'une crise intérieure en France, suffisamment grave pour empêcher l'armée française d'intervenir contre l'Allemagne. Alors, « le moment d'agir contre la Tchécoslovaquie serait venu ». Dans le cas n° 3, où la France se trouverait si absorbée par un conflit contre un autre Etat qu'elle serait hors d'état d'intervenir contre l'Allemagne, « la première tâche consisterait à faire tomber simultanément la Tchécoslovaquie et l'Autriche ». Du reste, le Führer a déjà une intime conviction : « Il est hautement probable que l'Angleterre, et sans doute aussi la France, ont déjà passé implicitement la Tchécoslovaquie par pertes et profits, et se sont résignées à ce que cette question soit définitivement réglée un jour par l'Allemagne. Les difficultés de l'Empire britannique et la perspective d'être à nouveau entraîné dans une guerre européenne prolongée contribueront de façon décisive à empêcher l'Angleterre de participer à une guerre contre l'Allemagne ; et l'attitude de l'Angleterre ne sera certainement pas sans influence sur celle de la France. » Mais de toute façon, « il faudra naturellement verrouiller notre flanc occidental lors de l'attaque contre la Tchécoslovaquie et l'Autriche ».

Voilà qui est dit... Blomberg, Fritsch et Neurath, entendant ces propos pour la première fois, ont soulevé tour à tour de sérieuses objections – ce qui explique qu'ils aient été démis de leur poste trois mois plus tard. Mais pour Goering, les propos d'Hitler n'ont apporté aucune révélation : le Führer ne s'est-il pas déjà exprimé ainsi maintes fois en privé au cours des années précédentes ? C'est d'ailleurs en fonction de telles considérations que le réarmement en cours dans l'aviation ne vise à rien moins qu'à préparer une guerre majeure : il est prévu que la Luftwaffe comptera dès le début de 1938 trente escadres de bombardiers, six de Stuka et douze de chasseurs *. Des prodiges ont déjà été accomplis pour y parvenir, notamment grâce à Heinrich Koppenberg : cet ingénieur, ayant observé la taylorisation aux Etats-Unis, a introduit des techniques analogues dans les usines Junkers, qui construisent à présent des bombardiers à la chaîne. Et puis, les impératifs de quantité ne faisant nullement oublier la qualité, les derniers modèles produits sont redoutablement per-

---

* Une escadre (*Geschwader*) est composée en théorie de trois groupes (*Gruppen*) de vingt-sept avions chacun, eux-mêmes composés de trois escadrilles (*Staffeln*), ayant chacune neuf avions. Ces chiffres varieront sensiblement – surtout à la baisse – au cours de la guerre.

formants : le Messerschmitt Bf 109, avec une vitesse maximale de 575 km/h et un armement de deux canons de 20 mm en plus de ses deux mitrailleuses, est le chasseur le plus rapide et le mieux armé de l'époque ; le Junkers 88, un bombardier moyen utilisable également comme chasseur de nuit et comme avion de reconnaissance, en est encore au stade expérimental, mais il va constituer l'un des principaux avions de bombardement de la nouvelle Luftwaffe, avec le Heinkel 111 et le Dornier 17, deux appareils plus lents * mais déjà parfaitement rodés **. Et puis, il y a le bombardier en piqué Junkers Ju 87 Stuka : pouvant emporter jusqu'à 500 kilos de bombes, il constitue un instrument d'appui au sol pratiquement unique en son genre dans l'Europe de l'époque... Enfin, les usines allemandes préparent déjà trois prototypes de bombardier lourd quadrimoteur à long rayon d'action, le Ju 89, le Do 19 et le Me 264. A l'automne de 1937, la supériorité technique de l'aviation allemande éclate aux yeux de tous lorsqu'un Messerschmitt 109 bat le record du monde de vitesse à 610 km/h ***. C'est évidemment l'occasion pour Goering de recevoir quelques médailles supplémentaires ; mais il en restera tout de même quelques-unes pour Erhard Milch...

Pourtant, en regardant attentivement derrière la brillante façade de l'aviation militaire allemande renaissante, on peut apercevoir quelques faiblesses inquiétantes – dont la plus funeste est précisément la mésentente persistante entre le ministre Goering et son secrétaire d'Etat Erhard Milch. Certaines manifestations peuvent en être triviales : Milch n'est plus invité aux parties de chasse à Carinhall, et il est retiré de la liste des cadeaux de Noël du *Ministerpräsident*. D'autres le sont beaucoup moins : Goering s'entretient avec les subordonnés de Milch sans lui en faire part, et prend avec le général Udet des décisions importantes concernant la standardisation des moteurs et des fuselages, sans même que Milch reçoive les minutes de l'entretien ! Plus grave encore : en mars 1937, Goering décide d'abandonner tous les projets de construction d'un bombardier

---

* 415 et 435 km/h respectivement, contre 470 km/h pour le Junkers Ju 88.
** Pour tous ces appareils, voir annexe, p. 783 et suivantes.
*** Avec aux commandes le général Udet en personne. Mais il s'agit d'un modèle de Me 109 au moteur « dopé », débarrassé en outre de toute charge supplémentaire telle qu'armement, radio, etc.

quadrimoteur à long rayon d'action, commandés par le général Wever trois ans plus tôt. Il y a peut-être à cela des raisons techniques et économiques parfaitement valables *, mais une décision aussi brusquée sur une question aussi complexe et lourde de conséquences, prise en l'absence du principal responsable Erhard Milch, ne laisse pas d'inquiéter — et l'explication qu'en donne Goering n'a rien de rassurant : « Le Führer ne me demande pas quelle est la taille de mes bombardiers, mais combien il y en a [19]. »

La réorganisation administrative imposée à la Luftwaffe par Goering pour y renforcer son autorité n'est pas moins désastreuse : au printemps de 1937, Milch est informé que le ministère de l'Air sera désormais divisé en deux composantes : une section « ministérielle » commandée par Milch et une section « de commandement » dirigée par le général Stumpff, devenu chef d'état-major — les deux entités ayant un statut égal et étant séparément responsables devant le ministre de l'Air. C'est déjà une forte dilution de l'autorité d'Erhard Milch, mais pour Goering, ce n'est pas encore suffisant : en janvier 1938, il soustrait également au contrôle de Milch le service du personnel de von Greim et le service technique d'Ernst Udet ; ce seront désormais deux nouvelles entités séparées, jouissant d'un statut égal à la section ministérielle et à celle de commandement, et également subordonnées au seul Goering [20]. Dire que l'administration de la Luftwaffe se trouvera améliorée par ce quadruple fractionnement vertical serait à l'évidence une forte exagération... D'autant que si tout est fait pour qu'aucune décision, même la plus insignifiante, ne puisse être prise sans qu'il en soit référé au maréchal, celui-ci n'accorde plus aux problèmes de la Luftwaffe qu'un intérêt très épisodique. Mais il y a la jalousie et la vanité, qui occupent une place démesurée dans toutes les initiatives de Hermann Goering : « Il lui a été insupportable, dira Milch, d'entendre Hitler déclarer dans un discours officiel que les noms de Goering et de Milch étaient indissociablement liés à l'essor de la Luftwaffe. [...] " Je vais vous confier une chose, m'a-t-il

---

* Notamment le fait que les moteurs de 600 ch disponibles à l'époque ne sont pas assez puissants, ainsi que la pénurie croissante de matières premières comme l'aluminium et le cuivre. Milch lui-même finira par se rendre à ces raisons.

dit ; je ne vous rétrograde pas parce que vous avez échoué, mais parce que vous avez trop bien réussi. Le parti ne cesse de dire : ' C'est Milch qui fait tout ', et (là, il s'est mis à hurler) je ne le supporte pas ! " [21] ». Et Milch de poursuivre : « Lorsque Goering m'a annoncé la réorganisation, je lui ai dit : " Avec cela, vous allez détruire la Luftwaffe. Car il faut bien que quelqu'un tienne l'ensemble des commandes. Si je ne le fais pas, ce sera à vous de le faire ; mais justement, vous ne le ferez pas. " Goering : " Je le ferai ! " A quoi j'ai répondu : " Je ne le crois pas " [22]. » Bien sûr, le général Milch connaît son homme de longue date : Goering n'a ni les compétences, ni l'intérêt, ni le temps nécessaires à l'accomplissement d'une telle tâche, qui sera nécessairement dévolue à des acolytes de moindre envergure, uniquement distingués par leur profonde servilité à l'égard du vaniteux maréchal...

Il est vrai du reste que l'homme a fort à faire ailleurs, car le Führer lui a réservé un rôle de tout premier plan dans son jeu diplomatique : celui d'instaurer de bonnes relations avec la Grande-Bretagne, pour l'amener à accepter les plans d'expansion nazis en direction de l'Europe de l'Est. La séduction pouvant y concourir autant que l'intimidation, des mesures préliminaires ont déjà été prises : au début de 1937, le général Milch a été autorisé à inviter en Allemagne deux vice-maréchaux de la RAF et deux officiers de l'Intelligence Service ; ils ont pu voir des usines d'assemblage de Junkers et de Heinkel, inspecter les escadrilles nouvellement formées, visiter le collège d'état-major, et obtenir des renseignements remarquablement précis * sur les performances des derniers modèles d'avions et leurs programmes de construction [23] **.

Goering, lui, est chargé des approches plus politiques, et il s'acquitte très consciencieusement de sa tâche ; lors de ses entretiens de février et juillet 1937 avec l'ancien attaché de l'Air

---

* Et assez exacts dans l'ensemble, à quelques détails près.

** Les Britanniques leur rendront la politesse en invitant Milch et ses officiers à Londres en octobre 1937. La délégation allemande visitera des escadrilles de chasseurs et de bombardiers, des usines et des centres d'entraînement dans les Midlands, rencontrera beaucoup de ses futurs adversaires... et s'entretiendra même en privé avec un député conservateur d'opposition nommé Winston Churchill.

britannique Malcolm Christie *, il fait même preuve d'une franchise littéralement désarmante, à en juger par le rapport de son interlocuteur : « Pour Goering, l'impérialisme allemand devait se déployer en deux étapes complémentaires. Au cours de la première, on créerait une *Mitteleuropa*, une zone de l'Europe centrale dominée économiquement et politiquement par l'Allemagne, et acquise sans déclencher une guerre générale. L'Autriche serait incorporée de son plein gré ; les Sudètes et la Bohême (mais pas la Slovaquie) seraient pris de force, au cas où les Tchèques n'accepteraient pas volontairement le démembrement de leur pays [...]. Les Etats slaves du Sud deviendraient alliés ou dépendants, et la Pologne serait " reconquise " au moyen d'une pression militaire ou économique, ou des deux. [...] Le second stade de l'expansion impériale impliquerait les autres grandes puissances. Goering espérait que la Grande-Bretagne laisserait à l'Allemagne les mains libres à l'Est pour régler la question russe et trouver de l' " espace vital ". La Russie soviétique devait être renversée. " L'espace vital économique, dit-il, doit en même temps être un espace vital politique. " A l'Ouest, en coopération avec l'Italie, la France devait se voir réduite à un statut de puissance secondaire, tandis que la Grande-Bretagne serait exclue des affaires du continent. [...] Il a soutenu que si la Grande-Bretagne ne donnait pas à l'Allemagne les coudées franches à l'Est, elle deviendrait le " *Hauptfeind* " – l'ennemi principal – de l'Allemagne [24]. »

C'est plutôt là le registre de l'intimidation, mais la séduction n'est jamais très loin : en novembre de cette même année, après un entretien assez orageux avec Hitler **, Lord Halifax est invité à Carinhall, et l'interprète Paul Schmidt notera avec admiration toute l'habileté déployée par Hermann Goering : « Il a traité exactement des mêmes questions qu'Hitler, mais avec infiniment plus de diplomatie. Il est resté très calme, même sur l'Autriche, et s'est exprimé comme si les solutions recherchées par l'Allemagne étaient inévitables et inattaquables. " En aucun cas nous n'emploierons la force, dit-il d'un ton rassurant ; ce

---

* Le colonel Malcolm G. Christie a été attaché de l'Air à Berlin entre 1927 et 1930. Au cours des années suivantes, il se rend fréquemment en Allemagne pour affaires, et il y recueille nombre de renseignements fort utiles à l'Intelligence Service.

** A cette occasion, le Führer a entièrement perdu son calme en évoquant la question autrichienne et celle des Sudètes.

serait parfaitement superflu. " Tout pouvait se résoudre parfaitement par la négociation. [...] C'est ce qui revenait constamment dans sa conversation [25]. »

Lord Halifax, lui, a décrit son hôte comme « un mélange de vedette de cinéma, de gangster, de grand propriétaire terrien, de Premier ministre, de chef de parti et de garde-chasse », mais il n'en a pas moins été impressionné par ce « grand écolier qui parle politique dans son pourpoint vert et ses bottes rouges », auquel il a trouvé « une personnalité franchement attrayante » [26]. Halifax n'est à l'époque que lord du Sceau privé, mais il a l'oreille du nouveau Premier ministre Neville Chamberlain, et le rapport très favorable qu'il lui fait dès son retour en Angleterre doit certainement davantage à son séjour à Carinhall qu'à son entrevue avec Hitler....

Voilà qui ne peut qu'encourager Chamberlain à poursuivre sa politique d'apaisement ; il va donc envoyer à Berlin un nouvel ambassadeur, sir Nevile Henderson, qui reflétera fidèlement ses illusions – et tombera presque aussitôt sous le charme très particulier de Hermann Goering : « De tous les grands chefs nazis, avouera plus tard sir Nevile, Goering était pour moi de très loin le plus sympathique. [...] C'était en fait un boucanier typique et brutal, mais il avait certaines qualités attrayantes, et je dois dire franchement que je l'aimais beaucoup à titre personnel [27]. » Que dire, sinon que tout cela ne sera pas sans influence sur les graves événements qui vont suivre ?

Bien entendu, la France est également visée par cette vaste entreprise de séduction et d'intimidation ; l'une des principales cibles en sera manifestement le capitaine Paul Stehlin, attaché de l'Air adjoint nouvellement arrivé à Berlin. Cet Alsacien-Lorrain de vingt-cinq ans, fort beau de sa personne et parlant parfaitement l'allemand, aura à partir de la fin de 1936 l'insigne privilège de côtoyer les principaux responsables de l'aviation allemande – à commencer par le directeur technique de la Luftwaffe en personne : « Ernst Udet me prendra en amitié. J'aurai souvent l'avantage de me rendre chez lui, dans sa garçonnière où le bar tient une place importante et facilite les confidences [28]. » Mais il y a aussi le général Bodenschatz, chef de cabinet du ministre de l'Aviation en personne : « Mes relations avec cette personnalité importante du régime national-socialiste [...] ont toujours surpris ceux qui en avaient connaissance. Les différences d'âge, de grade, de fonction étaient telles qu'effectivement, l'explication n'était pas facile. [...] Il n'y a jamais eu de doute qu'à l'origine de nos rencontres, il y avait eu chez ce général allemand direct, enthousiaste, vif, cordial, profondément loyal et dévoué à Goering, un sentiment spontané et sincère d'amitié pour le jeune officier que j'étais. Pendant plus d'un an, Bodenschatz ne m'a parlé que de la Luftwaffe, de son personnel, de son matériel, de son évolution, de son entraînement, de sa tactique, du degré de force qu'elle aurait, de la place privilégiée qu'elle occuperait dans la puissance militaire de l'Allemagne [29]. »

Sans doute, mais l'amitié n'est pour rien dans l'affaire, car on fait très peu de sentiment dans l'entourage de Hermann Goering — sinon pour le service du Grand Reich allemand, naturellement... A cet égard, du reste, le jeune capitaine Stehlin n'est pas au bout de ses surprises, car au printemps de 1937, il a été amené par le hasard des réceptions d'ambassade à entrer en relations avec la propre sœur de Goering, Olga Riegele. Le hasard faisant décidément bien les choses, cette relation s'est transformée en une tendre amitié, qui fait pénétrer plus avant le jeune officier français dans l'intimité de la famille Goering — en l'amenant tout naturellement à rencontrer le grand homme dans son cadre familier : « Il me serre la main avec une sorte d'effusion, comme si ma présence lui faisait une joie particulière. Et de fait, il s'entretient avec moi sur un ton très familier, s'enquiert de ce que je fais, de l'accueil que je reçois dans les formations de la Luftwaffe, de mes voyages à Paris : " Je sais que vous voyez de temps à autre Bodenschatz et Udet. Je suis très content de cela. " Il me parle aussi de notre aviation : " L'avantage que nous avons sur vous est d'être repartis de zéro. Je n'ai pris comme collaborateurs que des hommes dynamiques, avec de l'imagination et des idées modernes, capables de faire du neuf, d'employer les avions comme on doit le faire en 1937. J'ai écarté ceux qui auraient ressuscité le passé de 1918, celui que l'on trouve un peu chez vous, du moins d'après ce qu'on dit et qu'on lit dans votre presse. [...] Entre ce que je fais et ce que vous posséderez, à moins que vous ne changiez les hommes responsables, il n'y aura bientôt plus rien de commun. Allez sur les terrains, assistez aux exercices, voyez les usines, je n'ai rien à vous cacher, et vous vous ferez une idée plus juste sur la plus puissante de nos armes " [30]. » C'est exactement ce que va faire le capitaine Stehlin, qui sera particulièrement impressionné par ce qu'il verra ; et les rapports qu'il va établir à l'intention de ses supérieurs serviront au plus haut point les desseins de Hermann Goering...

Après la France et la Grande-Bretagne, il y a naturellement l'Italie, qu'il ne s'agit plus d'intimider, mais bien de séduire. Car la campagne d'Ethiopie et l'engagement dans la guerre d'Espagne ayant définitivement éloigné l'Italie du camp des Alliés et considérablement rapproché Rome de Berlin, il ne reste plus qu'à éblouir Mussolini pour l'amener définitivement dans l'orbite allemande. Tel est le sens de la visite triomphale organisée en septembre 1937 au bénéfice du Duce et de sa suite : on lui présente l'énorme potentiel industriel du Reich, les armements les plus modernes, les interminables défilés de soldats et de SS, les foules immenses venues l'acclamer, et naturellement la propriété de Carinhall, qui l'impressionne au moins autant que l'éloquence persuasive du maître des lieux, le charme discret de son épouse * et la présence stimulante du lionceau de service [31]. En tout cas, l'effet recherché est pleinement atteint : à l'Olympia Stadium de Berlin, Mussolini, subjugué par l'ambiance, va sceller la nouvelle alliance en parlant d'une « association toujours plus proche de nos deux peuples » et en proclamant que « les plus grandes et les plus authentiques démocraties dans le monde d'aujourd'hui sont l'Allemagne et l'Italie » [32].

Si le succès de cette visite revêt une telle importance aux yeux d'Hitler, c'est que la neutralité bienveillante de l'Italie est indispensable à la réussite d'une opération planifiée de longue date : l'annexion de l'Autriche. Force est de reconnaître que depuis l'été de 1937, le cours des événements s'y prête à merveille : la France est paralysée par des crises politiques répétées, la grande épuration au sein de l'Armée rouge semble exclure toute intervention militaire soviétique en Europe de l'Est **, l'Italie de Mussolini n'est plus la puissance hostile de 1934, les Etats-Unis

---

* Le fait qu'Emmy Goering ait confié à Mussolini qu'elle allait nommer sa fille Edda a dû également flatter l'orgueilleux Duce, dont la fille portait ce prénom.

** C'est en juin 1937 que le maréchal Toukhatchevski a été condamné à mort et exécuté, ce qui a donné le signal d'une épuration destinée à éliminer 35 000 officiers de l'armée soviétique.

restent enfermés dans leurs rêves pacifistes, le Japon est un allié précieux depuis le pacte anti-Komintern, le nouveau Premier ministre Chamberlain est prêt à faire bien des concessions pour acheter la paix, et son nouvel ambassadeur à Berlin confiait à Goering au début de juillet que « lui, Henderson, ne voyait pas d'inconvénients à ce qu'Hitler ait son Autriche [33] ». A Vienne, depuis l'accord austro-allemand de l'année précédente, le chancelier Kurt von Schuschnigg a dû inclure dans son gouvernement des personnalités favorables aux nazis, et sa liberté d'action s'en est trouvée réduite d'autant. Hitler, qui possède au plus haut point l'instinct du prédateur, sent bien que le moment de l'action est venu, même s'il reste irrésolu quant aux moyens à employer. Mais une chose au moins est sûre : Hermann Goering, fort de ses origines, de ses liens familiaux *, de ses convictions, de son influence, de ses ambitions, de son insatiable besoin d'action et de la confiance du Führer, sera au cœur même de l'entreprise de réunification...

Voilà bien des mois que le Ministerpräsident préparait le terrain : à Berlin, à Carinhall, à Rominten, à Nuremberg ou à Munich, il n'a cessé de le répéter à ses hôtes étrangers : l'Autriche sera rattachée à l'Allemagne, parce qu'elle le souhaite, parce que c'est son destin, parce que sa population est très majoritairement d'origine allemande, parce que c'est dans l'intérêt suprême du Grand Reich d'Hitler, et parce que personne n'a les moyens de s'y opposer. Avec quelques variantes, c'est ce qu'ont entendu tour à tour les ambassadeurs de France, de Grande-Bretagne, des Etats-Unis, de Pologne, de Tchécoslovaquie, d'Italie et d'Autriche, ainsi que le lord du Sceau privé britannique, le prince héritier de Suède, le roi de Bulgarie et le Premier ministre canadien ** [34]. Au vice-ministre des Affaires étrangères autrichien Guido Schmidt, Goering a désigné avec insistance une fresque à l'ancienne représentant l'Allemagne et l'Autriche unies en un seul pays, avant de commenter sans excès de subtilité : « C'est une belle carte, et je ne veux pas la modifier tout le temps. Si bien que je l'ai fait peindre d'après le tour que pren-

---

* On se souvient que Hermann a passé une bonne partie de son enfance à Mauterndorf, où habitait son parrain von Epenstein ; par ailleurs, ses sœurs Olga Riegele et Paula Hueber ont toutes deux épousé des Autrichiens. Enfin, son demi-frère Albert lui-même vit à Vienne...

** Qui note au passage que « le lion de Goering l'embrasse sur la joue »...

dront de toute façon les événements [35]. » Lors de sa visite à Carinhall en septembre, Mussolini avait lui aussi entendu vanter longuement les mérites de la carte en question...

En un sens, c'est le chancelier Schuschnigg lui-même qui va déclencher le mécanisme infernal : espérant obtenir un relâchement de la pression économique et politique exercée par l'Allemagne, il va s'entretenir avec Hitler à Berchtesgaden le 12 février 1938. Le Führer, l'ayant soumis à deux heures d'invectives et de menaces, finit par lui présenter un ultimatum : les nazis autrichiens emprisonnés doivent être amnistiés sur-le-champ, l'interdiction frappant leur parti levée, et le national-socialiste Seyss-Inquart nommé ministre de l'Intérieur, avec pleins pouvoirs sur la police du pays. En cas de refus, l'Autriche sera envahie... Schuschnigg cède, et Hitler lui accorde sept jours pour faire ratifier l'accord par le président Miklas et son gouvernement. Le 16 février, l'amnistie est effectivement proclamée et Seyss-Inquart nommé ministre de l'Intérieur. Mais le chancelier Schuschnigg, contraint de mener une politique qu'il désapprouve, commet une nouvelle erreur : au soir du 9 mars, il annonce la tenue d'un plébiscite quatre jours plus tard, afin que le peuple autrichien puisse se prononcer sur la question suivante : « Voulez-vous une Autriche allemande, indépendante, chrétienne, sociale et libre ? »

C'est le prétexte que recherchait Hitler, et dès le 10 mars, il ordonne à ses forces armées de se préparer à franchir la frontière autrichienne dans les quarante-huit heures. En même temps, il charge le prince Philippe de Hesse de porter une lettre privée à Mussolini *, dans laquelle il lui explique ses intentions. Le 11 mars au matin, un second ultimatum d'Hitler parvient à Vienne : le plébiscite doit être immédiatement annulé. Schuschnigg cède à nouveau, mais il est trop tard, car ce même après-midi, Hermann Goering, profitant de l'absence de Ribbentrop **, prend le contrôle des négociations depuis Berlin. Alors que les forces d'invasion sont déjà massées aux frontières, le tout nouveau maréchal de l'Air, se faisant l'interprète du Führer, va donner aux membres de l'ambassade d'Allemagne et aux

---

* Le prince, époux de la princesse Mafalda, était le gendre du roi d'Italie.
** Le nouveau ministre des Affaires du Reich n'a pas encore quitté Londres, et son prédécesseur von Neurath expédie les affaires courantes.

ministres proallemands une longue suite d'instructions commi-
natoires, confuses et parfois contradictoires, visant toutes à faire
remplacer le gouvernement autrichien légal par une administration nazie dirigée par Seyss-Inquart — et chargée de demander
l'« assistance » des forces allemandes pour rétablir l'ordre dans le
pays. Hermann Goering se vantera plus tard d'avoir personnellement organisé l'Anschluss par téléphone, et la transcription
des communications établies entre Berlin et Vienne au cours
de l'après-midi du 11 mars 1938 semble bien confirmer ses
dires :

17 heures :

Dombrowski (à l'ambassade d'Allemagne) : Seyss-Inquart a parlé
au chancelier autrichien jusqu'à 14 h 30, mais il est hors d'état
de dissoudre le cabinet d'ici à 17 h 30, parce que c'est techniquement impossible.

Goering : D'ici 19 h 30, il faut que le cabinet soit constitué et
que plusieurs mesures soient prises... Je veux savoir ce qui se
passe. Est-ce qu'il vous a dit qu'il était maintenant chancelier ?

Dombrowski : Oui.

Goering : C'est ce qui vient de vous être communiqué ?

Dombrowski : Oui.

Goering : Bon, continuez. A quelle heure peut-il former le
cabinet ?

Dombrowski : Peut-être d'ici 21 h 18.

Goering : Il faut que le cabinet soit formé d'ici 19 h 30.

Dombrowski : D'ici 19 h 30 ?

Goering : Keppler * va arriver pour y veiller... Il faut aussi
exiger que le parti soit légalisé **.

Dombrowski : Entendu...

---

* Wilhelm Keppler, arrivé de Berlin ce même après-midi pour remplacer
l'ambassadeur von Papen. Il est porteur d'instructions d'Hitler et du texte du télégramme qui doit être envoyé par la nouvelle administration pour faire appel à l'aide
allemande.

** Le parti national-socialiste, qui avait été déclaré hors la loi en Autriche.

Goering : D'accord, avec toutes ses formations, SA, SS... Le cabinet doit être entièrement national-socialiste.

Dombrowski : Bien, cela a été réglé aussi, d'ici 19 h 30, il faut que...

Goering (*l'interrompant*) : Il faut qu'il en soit rendu compte d'ici 19 h 30, et Keppler vous amènera plusieurs noms à incorporer. Le parti a bien été légalisé ?

Dombrowski : Mais c'est... cela va de soi.

Goering : Avec toutes ses organisations ?

Dombrowski : Avec toutes ses organisations dans le pays.

Goering : En uniforme ?

Dombrowski : En uniforme.

Goering : Bien... [...] Il faut que Kaltenbrunner ait les services de sécurité. [...]

17 h 20 :

Goering (*à Franz Ullrich Hueber, son beau-frère*) : Ecoute, Franz, tu prends le ministère de la Justice et, conformément aux vœux du Führer, tu prends aussi provisoirement le ministère des Affaires étrangères. Tu seras remplacé plus tard. Le cabinet doit être formé d'ici 19 h 30, sinon ça n'aura servi à rien ; sans cela, les événements suivront leur cours et des décisions très différentes seront prises...

17 h 26 :

Seyss-Inquart : Le président fédéral a accepté la démission (de Schuschnigg), mais il est d'avis que personne d'autre que le chancelier n'est à blâmer pour Berchtesgaden et ses conséquences, et donc il voudrait nommer chancelier quelqu'un comme Ender.

Goering : Oui... Bon, écoute ! ça change tout. Le président ou quelqu'un d'autre doit être informé que c'est entièrement différent de ce qu'on nous avait dit. Vous aviez chargé Dombrowski de nous dire que vous aviez été nommé chancelier... que le parti avait été rétabli, que les SA et les SS avaient pris les fonctions de police, etc.

Seyss-Inquart : Non, ce n'est pas le cas. J'ai suggéré au président de me nommer chancelier. Il faut habituellement deux ou trois heures...

Goering : Eh bien, ça n'ira **pas**! En aucun cas! Les choses sont maintenant en train; il faut donc dire immédiatement au président de te nommer chancelier et d'accepter le cabinet tel qu'il était prévu...

Interruption. Sur réception d'un message indiquant que le président Miklasrefuse de recevoir les émissaires nazis, Goering reprend le téléphone :

Goering : Passez-moi Seyss. (*A Seyss-Inquart :*) Bon, rappelle-toi ça : va immédiatement avec le général Muff * dire au président que si les conditions que tu sais ne sont pas acceptées immédiatement, les troupes qui sont déjà stationnées à la frontière ou y convergent vont se mettre en mouvement sur toute la ligne dès cette nuit, et l'Autriche cessera d'exister... Informe-nous immédiatement de la position de Miklas. Dis-lui que la plaisanterie est terminée... L'invasion ne sera arrêtée et les troupes ne seront retenues à la frontière que si nous sommes informés ici que Miklas t'a nommé chancelier fédéral... Après, fais appel à tous les nationaux-socialistes du pays. Ils devraient maintenant être dans les rues. Alors rappelle-toi, il me faut un rapport d'ici 19 h 30... Si Miklas ne peut pas le comprendre en quatre heures, nous allons maintenant le lui faire comprendre en quatre minutes.

Seyss-Inquart : D'accord.

18 h 45 :

Goering : Alors, qu'est-ce qui se passe?

Seyss-Inquart : Oui, euh... Le président ne veut pas évoluer par rapport à sa position initiale. [...]

---

* L'attaché militaire allemand à Vienne.

Goering : Il faut que les choses aillent vite... Sinon, il faudra que tu prennes le pouvoir. [...]

20 h 03 :

Seyss-Inquart : Le docteur Schuschnigg va annoncer à la radio que le gouvernement du Reich a présenté un ultimatum.

Goering : Je l'ai entendu.

Seyss-Inquart : Et le gouvernement lui-même a abdiqué... Il attend l'arrivée des troupes.

Goering : Est-ce que tu l'as destitué ?

Seyss-Inquart : Non, personne n'a été destitué, c'est le gouvernement qui s'est retiré de lui-même pour laisser les événements suivre leur cours.

Goering : Et tu n'as pas été nommé chancelier ? Il a refusé ?

Seyss-Inquart : Il a refusé, comme avant. Ils attendent l'invasion et ils pensent que si elle a lieu, le pouvoir exécutif sera transféré à d'autres...

Goering : Bon, je vais donner l'ordre d'invasion, et toi, fais en sorte de prendre le pouvoir. Fais savoir aux dirigeants... que tous ceux qui résisteront ou organiseront une résistance passeront immédiatement en cour martiale — celle de nos troupes d'invasion. C'est clair ?

Seyss-Inquart : Oui.

Goering : Y compris les personnalités de premier plan. Il n'y a pas de différences.

Seyss-Inquart : Oui, elles ont donné l'ordre de ne pas résister.

Goering : Oui, ça ne fait rien. Le président ne t'a pas nommé, on peut aussi considérer cela comme de la résistance. [...]

A ce stade, le chancelier Schuschnigg annonce sa démission à la radio et prend congé du peuple autrichien en disant : « Nous avons cédé à la force... Que Dieu protège l'Autriche ! » Goering reprend le téléphone :

Goering (au général Muff) : Dites ceci à Seyss-Inquart : comme nous comprenons les choses, le gouvernement a démissionné, mais pas lui ; il doit donc rester en fonction et prendre les mesures nécessaires au nom du gouvernement. L'invasion va maintenant se déclencher, et nous allons déclarer que tous ceux qui résistent devront en assumer les conséquences... Il faut essayer d'éviter le chaos.

Muff : Seyss va le faire. Il prononce déjà un discours.

Goering : ...Le mieux serait que Miklas démissionne.

Muff : Oui, mais il ne veut pas... Je lui ai parlé pendant près de quinze minutes. Il a déclaré qu'en aucun cas il ne s'inclinerait devant la force.

Goering : Ah, il ne veut pas céder devant la force... Qu'est-ce que ça veut dire ? Il veut qu'on le foute dehors ?

Muff : Oui, il ne veut pas bouger.

Goering : Bon, avec quatorze enfants, on ne bouge pas comme on veut ! Eh bien, dites à Seyss de prendre les rênes.

Seyss-Inquart lance à la radio un appel au calme, et invite la population à ne pas résister aux troupes allemandes.

20 h 48 :

Keppler : Le gouvernement a donné l'ordre à l'armée de ne pas résister.

Goering : Je m'en fous.

Keppler : Puis-je demander si une haute personnalité de Berlin souhaite ajouter quelques mots à la proclamation au peuple autrichien ?

Goering : Euh... Je ne sais pas. Ecoutez, le principal, c'est que Seyss prenne tous les pouvoirs de gouvernement, qu'il occupe les temps d'antenne...

Keppler : Eh bien, nous sommes le gouvernement à présent...

Goering : Oui, c'est ça, vous êtes le gouvernement. Ecoutez bien : il faut que Seyss-Inquart envoie le télégramme suivant : « Le gouvernement provisoire autrichien, qui estime de son devoir d'établir la paix et l'ordre en Autriche après le renvoi du gouvernement Schuschnigg, prie instamment le gouvernement allemand de l'assister dans sa tâche et de l'aider à empêcher toute effusion de sang. A cet effet, il demande au gouvernement allemand d'envoyer des troupes dans les meilleurs délais. »

Keppler : Bon, les SA et les SS défilent dans les rues, mais tout est calme.

Goering : ... Seyss-Inquart doit prendre le pouvoir... et nommer quelques hommes – ceux que nous lui recommandons. Ce que le président pourrait en dire n'a absolument aucune importance... Nos troupes vont franchir la frontière aujourd'hui.

Keppler : Oui.

Goering : Ecoutez, et il faut qu'il envoie le télégramme dès que possible... Bon, il n'a même pas besoin d'envoyer le télégramme – il n'a qu'à dire : « D'accord !»

Keppler : Oui.

Goering : Appellez-moi chez le Führer ou chez moi. Bon, bonne chance. *Heil Hitler* [36] *!*

Avec le sentiment du devoir accompli, Goering se rend à la chancellerie vers 21 heures. L'extrême tension qui y règne est brusquement dissipée peu après 22 heures par la réception d'un télégramme en provenance de Rome, indiquant que Mussolini comprend et accepte l'initiative allemande. Hitler manifeste une joie débordante et répète plusieurs fois : « J'ai toujours su que je pouvais compter sur Mussolini ! », après quoi il télégraphie au dictateur italien : « Duce, je n'oublierai jamais ce que vous avez fait ! » Mais pour Goering, pris dans le feu de l'action et éternellement en représentation, la nuit est loin d'être terminée : il a convié un millier de personnes, y compris le corps diplomatique au grand complet, à une réception suivie d'un ballet à la Maison des Aviateurs. S'étant longuement fait attendre, il y arrive peu après 22 h 30 et jouit manifestement de l'« atmosphère électrique » qui règne parmi ses invités, maintenus dans l'ignorance complète des événements de Vienne [37]. Mais à minuit, un messager apporte à Goering une note qui scelle son triomphe : devant les menaces de Berlin, les manifestations violentes des Autrichiens pronazis et la démission du chancelier Schuschnigg, le président Miklas vient de céder : il a nommé Seyss-Inquart chancelier. A l'aube, les chars allemands franchissent la frontière ; le sort de l'Autriche est scellé...

Dans la journée du 12 mars 1938, alors que les troupes allemandes entrent dans Vienne, Hitler s'attarde à Linz, se rend sur
la tombe de sa mère et se fait acclamer par les foules en délire
sur les principaux axes routiers de la Basse-Autriche. Le lendemain, après une entrée triomphale dans la capitale, il proclame
que l'Autriche va devenir une province du Grand Reich allemand *. La France et la Grande-Bretagne se contentent de protester timidement, et cette conquête pacifique, au milieu des
démonstrations d'enthousiasme d'une bonne partie de la population autrichienne **, porte à son zénith la popularité du Führer.
Le rôle joué par Goering dans l'entreprise est peu connu du
grand public, mais Hitler, lui, sait ce qu'il doit à son fidèle paladin, et en ce printemps de 1938, la cote du maréchal à la chancellerie du Reich atteint des sommets inégalés. A cela s'ajoute
qu'en tant que responsable du plan quadriennal, Goering sera
très largement le maître de l'économie autrichienne – ainsi qu'il
le proclame très ouvertement lors de son propre voyage en
Autriche à la fin du mois de mars : « Il y aura des centrales thermiques, une nouvelle autoroute, des usines d'armement, de nouvelles industries, des ports, des mesures sociales. Le chômage
sera entièrement banni [38]. » La liberté aussi... Et bien entendu
les mines, les entreprises métallurgiques et les usines d'armement seront absorbées sans retard par les Hermann Goering
Werke.

Le maréchal conquérant ne peut quitter l'Autriche sans se
rendre à Mauterndorf, où personne ne l'a oublié – et la baronne
Lilly moins que tout autre. Mais depuis son château où elle
mène désormais une existence solitaire, la veuve du bon docteur
von Epenstein a vu sans plaisir arriver les troupes allemandes :
elle se méfie au plus haut point des nazis et s'inquiète fort pour

---

* Lors d'une conversation téléphonique avec l'ambassadeur d'Allemagne à
Londres Ribbentrop au soir du 12 mars, Goering décrit pendant quarante minutes
l'accueil triomphal réservé au Führer par les Viennois, la fraternisation entre troupes
allemandes et autrichiennes, la pleine coopération des ministres autrichiens, les iniquités de Schuschnigg, etc. Cette mise en scène est naturellement destinée à être
interceptée par les services des écoutes britanniques.
** Lors du plébiscite d'avril 1938, la population autrichienne approuvera à plus
de 99 % son intégration dans le Reich.

son protégé Albert Goering ; c'est que le demi-frère de Hermann, qui dirige un studio de cinéma à Vienne, risque fort d'intéresser la Gestapo du fait de ses origines comme de ses propos hostiles à Hitler. Hermann promet de le protéger, mais la baronne reste préoccupée et lui demande : « Il n'y aura pas de guerre, n'est-ce pas ? Je crois que je ne le supporterais pas [39]. » Hermann la rassure : bien entendu, il n'y aura pas de guerre...

Pour la Tchécoslovaquie, l'incorporation de l'Autriche dans le Reich est une véritable catastrophe : désormais cernée par l'Allemagne à l'ouest, au nord et au sud, cette clé de voûte du système d'alliance constitué par la France est dans une position stratégique et économique extrêmement vulnérable – d'autant que sur ses frontières occidentales, 2,7 millions d'Allemands des Sudètes réclament bruyamment leur autonomie. Berlin les y encourage d'autant plus que la région des Sudètes, puissamment fortifiée, constitue l'unique rempart de la Tchécoslovaquie contre toute attaque allemande. Il est vrai que dans la nuit du 11 mars, à la Maison des Aviateurs, Goering avait assuré l'ambassadeur tchèque Mastny que l'Anschluss était « purement une affaire de famille » et que la Tchécoslovaquie n'avait absolument rien à redouter [40]. Mais après tout, Hermann Goering n'est que la voix de son maître ; et qui pourrait faire confiance à son maître ?

De fait, dès le 18 mars, Hitler prononce un grand discours au Reichstag, dans lequel il mentionne les 10 millions d'Allemands devant revenir dans le Reich. Or, l'Autriche n'en comptant que 6,5 millions, chacun comprend que la Tchécoslovaquie est maintenant en ligne de mire. Dès lors, le pesant appareil de la propagande totalitaire se met en branle : Konrad Henlein, le chef des nazis de Tchécoslovaquie, met en avant son « programme de Karlsbad » pour l'autonomie des Sudètes, tandis que le docteur Goebbels monte en épingle les incidents qui se multiplient entre la police tchèque et les Allemands des Sudètes. Goering, lui, se charge de préparer les diplomates : à l'ambassadeur Henderson, il déclare que « l'incorporation des Sudètes au Reich se fera inévitablement tôt ou tard », tandis qu'à André François-Poncet, il demande ce que ferait la France « si l'Allemagne opérait l'appendice de l'Europe ». Au roi de Suède, en visite à Carinhall, il parle de « repousser les Tchèques vers la Russie, d'où ils viennent [41] ».

C'est également Goering qui se charge d'approcher les représentants de Budapest et de Varsovie, pour les encourager à revendiquer les zones frontalières de Tchécoslovaquie comportant des minorités hongroises et polonaises, puis à prendre part à l'attaque de la Tchécoslovaquie. Sur la perspective de cette attaque, il ne semble pas y avoir le moindre doute : le 28 mai, lors d'une conférence réunissant Keitel, Brauchitsch, Raeder, Goering, Ribbentrop et les chefs d'état-major, Hitler déclare sans ambages : « Ma volonté inébranlable est de rayer la Tchécoslovaquie de la carte. » Il ajoute que tous les préparatifs doivent être terminés avant le 1er octobre 1938, date prévue pour l'invasion [42]...

Une semaine plus tôt, les services de l'Oberkommando der Wehrmacht avaient déjà reçu l'ordre de sortir des cartons l'étude du *Fall Grün* - le « plan vert » d'attaque préventive de la Tchécoslovaquie, élaboré en 1937 * [43]. Les nouvelles bases de départ en Autriche permettant à présent d'envisager une attaque simultanée du quadrilatère de Bohême par le nord, le sud et l'ouest, l'armée de terre a été discrètement mobilisée et entraînée en conséquence ; mais la région frontalière étant montagneuse et parfaitement fortifiée, un rôle de choix est réservé à l'aviation : on fera entrer en action 400 chasseurs, 600 bombardiers et 200 Stuka, opérant depuis l'Allemagne centrale et orientale, la Bavière et l'Autriche. Parallèlement, 250 avions de transport Junkers 52 largueront des parachutistes sur les principaux ouvrages d'art et nœuds de communications. Hitler compte manifestement sur l'effet de surprise et sur la terreur pour amener les Tchèques à capituler rapidement ; simultanément, il ordonne la construction du *Westwall*, un gigantesque réseau d'abris bétonnés hérissés d'armes antichars couvrant la frontière avec la France sur une profondeur de 50 kilomètres, afin de prévenir toute velléité d'intervention de la part des armées françaises lors des opérations à l'Est ; le général Milch est chargé de doubler ce réseau de fortifications d'une « zone de défense aérienne » hérissée de batteries de DCA. Dans l'ensemble, tout est prévu jusqu'au moindre détail — y compris la « provocation » qui permettra de faire passer l'attaque de la Tchécoslovaquie pour une simple mesure de rétorsion [44]...

---

* Il s'agissait à l'époque d'un plan visant à mettre rapidement la Tchécoslovaquie hors de combat, afin d'éviter une guerre sur deux fronts dans l'éventualité d'une attaque française à l'Ouest.

A la chancellerie du Reich comme au ministère de l'Air, on affiche la plus grande confiance : les Tchèques seront rapidement vaincus et il n'y aura aucune intervention extérieure ; ni les Français, ni les Anglais, ni les Russes, ni les Américains n'oseront intervenir. Hitler l'a dit et répété à Goering : « Nous en finirons avec la Tchécoslovaquie, et nous disposerons alors d'un délai de quatre à cinq ans [45]. » Et lorsque le Führer parle, Goering a pris l'habitude de lui faire écho : aux industriels de l'aviation réunis à Carinhall, il déclare le 8 juillet : « Il n'y a pas de doute, ni la Grande-Bretagne ni la France ne veulent faire la guerre pour la Tchécoslovaquie » ; et dès le lendemain, il assure le chef de l'état-major italien Alberto Pariani que « l'Angleterre et la France ne se porteront pas au secours de la Tchécoslovaquie [46] ».

Pourtant, on peut arborer en public une confiance inébranlable et entretenir quelques doutes en privé... C'est exactement le cas de Hermann Goering, qui a quelques raisons pour cela : d'une part, les retards, les désordres et les dysfonctionnements de l'appareil militaire allemand lors de l'occupation pourtant pacifique de l'Autriche, de même que la puissance des fortifications tchèques, laissent prévoir que l'opération à venir n'aura rien d'une promenade de santé ; d'autre part, Goering sait parfaitement que le « mur » construit à l'Ouest pour dissuader les Français d'intervenir ne sera pas terminé à l'automne, et qu'il ne saurait résister à une attaque déterminée. Enfin et surtout, son aviation est encore très vulnérable : la guerre d'Espagne a montré que les bombardements des Heinkel 111 manquaient singulièrement de précision, et le Junkers 88, dont on attendait beaucoup, a été entièrement reconfiguré à la demande du général Udet, de sorte que sa construction en série n'a même pas commencé.

Mais le plus grave est ailleurs : depuis plusieurs mois déjà, Goering sait que le programme d'expansion accélérée de l'aviation allemande va se heurter à des obstacles matériels incontournables : une pénurie d'acier et d'aluminium, ainsi qu'une production très insuffisante d'essence pour l'aviation. Le maître du plan quadriennal lui-même est hors d'état d'y remédier : Hitler insiste pour que la construction du réseau d'autoroutes soit menée à bien sans retard, les dignitaires du parti et les gauleiters multiplient les constructions somptuaires, et tout cela absorbe des quantités d'acier phénoménales. Par ailleurs, la campagne d'autarcie commence à montrer ses limites ; ainsi, l'essence synthétique produite à base de charbon n'est pas utilisable par les moteurs d'avion, qui nécessitent un carburant à haut indice d'octane *... Les pneus des avions, fabriqués avec du caoutchouc synthétique Buna, s'avèrent fragiles et doivent être remplacés après quelques atterrissages seulement. Même pour un personnage aussi téméraire que Hermann Goering, s'engager dans un conflit d'envergure avec des arrières aussi fragiles n'est concevable que si l'on est certain que ce conflit restera localisé. Or, Goering n'est pas persuadé que Britanniques et Français resteront l'arme au pied ; il n'ignore pas que les premiers procèdent à un réarmement aérien accéléré, que les seconds s'apprêtent à faire de même, et que les conversations d'état-major ont repris entre militaires français et britanniques **. A la fin du mois de mai, le *Feldmarschall* n'a pas osé exprimer ses doutes, car de son propre aveu, il perd tous ses moyens en présence du Führer ; mais avant la conférence du 28 mai, il avait demandé discrètement à l'aide de camp d'Hitler : « Wiedemann, est-ce que le Führer s'imagine que les Français ne feront rien si nous rentrons dans les Tchèques ? Est-ce qu'il lit les comptes rendus du Forschungsamt que je lui envoie [47] ? »

Malgré tout, Hermann Goering a quelques idées personnelles sur la façon de conjurer le danger : il a pensé à inviter en Allemagne une escadrille de chasseurs britanniques pour rétablir la confiance, mais l'atmosphère est décidément trop tendue pour que le projet puisse aboutir ; à la mi-juillet 1938, il s'est discrètement enquis de la possibilité de se rendre à Londres pour y rencontrer le nouveau ministre des Affaires étrangères Lord Halifax. Ce dernier s'y est montré favorable, mais Hitler a mis fin au projet d'un seul mot : *Ausgeschlossen !* – c'est exclu [48] ***. Pourtant, il reste à Goering une dernière carte, qu'il entend bien jouer à fond : on se souvient que le capitaine Stehlin, attaché de l'Air adjoint,

---

* 1000 degrés, au lieu des 800 de l'essence synthétique.

** Goering s'inquiète également à cette époque des réactions américaines et soviétiques.

*** Comme cela s'est déjà produit – et se reproduira encore –, Hitler refuse tout voyage de Goering en Grande-Bretagne. Sans doute redoute-t-il de perdre le contrôle des relations avec ce pays auquel il attache une importance particulière. Mais ces démarches renforcent la réputation de modéré de Hermann Goering, à Londres comme dans certains cercles de l'opposition allemande à Hitler.

lui a déjà servi d'intermédiaire commode pour faire passer certains messages aux autorités françaises. Au début de juin, Stehlin a reçu une nouvelle visite du général Bodenschatz, envoyé par Goering pour l'informer de l'ensemble du projet de construction du *Westwall*. La suite des confidences de Bodenschatz à cette occasion est particulièrement édifiante : « Le gouvernement allemand veut assurer sa liberté d'action à l'Est, en écartant d'abord le danger tchécoslovaque sur son flanc sud. Vers l'Est, nous voulons à la fois éliminer le péril soviétique qui menace toute l'Europe, et nous assurer l'espace vital indispensable à la prospérité de l'Allemagne et à son existence même de grande puissance. Je ne peux vous dire quelles sont les limites que le Führer a fixées à notre grande entreprise qui doit nous permettre de pouvoir disposer des richesses de l'Ukraine, si mal exploitées et utilisées. Nous n'avons aucune sorte d'intention agressive envers la France et, bien entendu, nous ne cherchons en aucun cas à porter atteinte à la Grande-Bretagne. [...] La construction d'une zone fortifiée à l'Ouest est, je le répète, la matérialisation de nos dispositions amicales à l'égard de votre pays [49]. »

Sans être excessivement subtile, la démarche ne manque pas d'efficacité. Mais ce n'est rien encore comparé à l'initiative suivante : le 17 août, le général Vuillemin, chef d'état-major général de l'armée de l'air française, atterrit à Berlin pour une visite entièrement organisée par le maréchal Goering. Pendant une semaine, entre de somptueux banquets à la Maison des Aviateurs, au ministère de l'Air et à Carinhall, le général français est convié à inspecter les ateliers de montage des derniers modèles de chasseurs Messerschmitt 109 et 110, les camps d'instruction, les casernes, les centres de recherches et les emplacements de DCA ; il survole des aérodromes où sont alignés des centaines de bombardiers He 111 et de chasseurs Me 109 – qui sont déplacés d'un terrain à l'autre sans que les Français s'en rendent compte * [50] –, et il passe une journée entière au centre d'expérimentation tactique de Barth, au bord de la Baltique, où il assiste à de terrifiantes démonstrations de bombardement en piqué et d'interception à basse altitude. L'impression produite dépassera toutes les espérances, car dans l'automobile qui le ramène à Berlin, le général

---

* L'interprète Peter Paul von Donat, qui a suivi les visiteurs et admiré la manœuvre, parlera d'un « chef-d'œuvre à la Potemkine ».

Vuillemin confie à l'ambassadeur François-Poncet : « Si la guerre éclate, comme vous le croyez, à la fin de septembre, il n'y aura plus un avion français au bout de quinze jours [51] ! » Dans son rapport, Vuillemin soulignera la « puissance vraiment impressionnante de l'aviation allemande », une « puissance matérielle à laquelle s'ajoute une force morale » [52]. Il le répétera un mois plus tard au président du Conseil Daladier, avec des résultats catastrophiques *...

Il n'est pas certain que Hermann Goering se soit rendu compte de l'effet dévastateur produit sur ses hôtes par cette colossale démonstration de force. Lors d'un déjeuner d'adieu à Carinhall, il a posé au général Vuillemin la question qui lui brûlait les lèvres : « Dans le cas d'une guerre germano-tchèque, que fera la France ? » Et le général lui a répondu simplement que « l'intention du gouvernement français était de respecter la parole qu'il avait donnée, et qu'il était décidé à aller au secours de ce pays s'il était attaqué [53] ». Ce n'est pas la réponse qu'attendait Goering, et elle le laisse dans l'incertitude. Bien sûr, il est probable que les Français bluffent, tant ils paraissent faibles politiquement et militairement... Mais les interceptions du Forschungsamt donnent des résultats difficiles à interpréter, et si les Français devaient se décider à agir, la Grande-Bretagne ne manquerait pas de les soutenir. C'est du reste ce que vient de confirmer le gauleiter de Dantzig Forster, qui s'est rendu en juillet à Londres, où il a rencontré les principales personnalités britanniques – y compris Winston Churchill, qui lui a déclaré que « tout coup de force allemand déclencherait inévitablement une guerre mondiale [54] ». Le 23 août, Goering charge le général de l'air Felmy d'établir un rapport sur les possibilités d'attaque des îles Britanniques au cas où Londres interviendrait dans le conflit tchèque ; mais avant même d'en recevoir les résultats, il sait que ses forces aériennes sont parfaitement inadéquates pour faire face à un conflit sur deux fronts à la fois. A l'évidence, il y a là de quoi réfléchir...

Quelques éléments supplémentaires vont nourrir sa réflexion : l'opposition à tout nouveau conflit est très forte dans la Wehrmacht, et Goering en a une preuve éclatante dès la fin du mois d'août, avec la démission du chef d'état-major de l'armée de terre

---

* La conscience d'une infériorité de l'aviation française jouera un rôle essentiel dans la capitulation de Munich à la fin de septembre 1938.

Ludwig Beck *. Par ailleurs, si le nouveau ministre des Affaires étrangères von Ribbentrop encourage Hitler à l'action et lui certifie qu'il n'a rien à craindre des Britanniques, son prédécesseur von Neurath ** et le secrétaire d'Etat von Weiszäcker intriguent ferme contre lui, avec le soutien d'un Hermann Goering trop heureux de contrer son ambitieux rival. Du reste, grâce aux diplomates de la Wilhelmstrasse et aux longues oreilles du Forschungsamt, Goering s'aperçoit rapidement que les Français comme les Britanniques sont prêts à faire de larges concessions pour éviter tout recours aux armes ; c'est ainsi qu'ils exercent de fortes pressions sur le président tchèque Bénès pour qu'il accepte de négocier avec Hitler...

Dès lors, Goering a la ferme conviction qu'un minimum de retenue et d'imagination permettrait au Reich d'atteindre ses buts dans cette affaire sans déclencher une conflagration générale. Car contrairement à Hitler, qui prononce des discours d'une violence croissante contre les Tchèques et semble bien décidé à en découdre, Hermann Goering préférerait de beaucoup éviter l'affrontement. Pense-t-il pouvoir obtenir les mêmes résultats par des moyens purement économiques ? Préfère-t-il jouir en paix de ses immenses richesses ? Tient-il surtout à voir grandir sa fille Edda, née trois mois plus tôt ? A-t-il tiré toutes les conclusions du fait que sa Luftwaffe n'était pas encore prête pour un conflit d'envergure ? Ou bien comprend-il, dans ses périodes de lucidité, qu'un capitaine d'aviation, même devenu chef d'escadrille en 1918, même affublé du titre de maréchal vingt ans plus tard, n'est pas vraiment qualifié pour mener au combat toutes les forces aériennes du Reich en 1938 ? Toujours est-il que lorsque l'ambassadeur Henderson le contacte au matin du 14 septembre pour lui demander d'appuyer la démarche de Neville Chamberlain qui se propose de rendre visite à Hitler ***, le maréchal Goering

---

* En revanche, il ne sait rien des projets de l'opposition militaire visant à arrêter Hitler dès qu'il ordonnera la mobilisation générale.
** Devenu « président du conseil de cabinet secret » — c'est-à-dire d'un organisme parfaitement fictif.
*** Le message de Chamberlain à Hitler commence ainsi : « Devant le caractère de plus en plus critique de la situation, je me propose de vous rendre visite immédiatement, afin de tenter de parvenir à une solution pacifique. Je pourrais venir par voie aérienne et serais prêt à partir demain. »

répond : « Naturellement ! » et se met aussitôt en rapport avec le Führer à Berchtesgaden [55].

Chamberlain atterrit à Munich au matin du 15 septembre, et se rend aussitôt à Berchtesgaden. Goering, resté à Carinhall, n'assiste pas à l'entrevue, mais il a intrigué ferme avec l'ambassadeur Henderson et le secrétaire d'Etat von Weiszäcker pour que Ribbentrop en soit également exclu. De fait, seul l'interprète Paul Schmidt sera témoin de ce premier entretien, très orageux au demeurant, mais qui s'achève sur un accord préliminaire : Chamberlain accepte le principe d'une autodétermination de la population des Sudètes, et s'engage à soumettre aux autorités britanniques et françaises un plan susceptible de donner satisfaction à l'Allemagne. Il repart le lendemain en promettant de revenir dans les meilleurs délais, au grand soulagement des partisans de la paix.

Tandis que le Führer prononce de nouveaux discours violemment hostiles au président Bénès et incite les Hongrois comme les Polonais à réitérer leurs propres revendications sur le territoire tchèque, Chamberlain présente à ses ministres et à leurs homologues français un plan aboutissant à un transfert progressif de souveraineté sur toute la région des Sudètes. Les Français l'acceptent et les Tchèques également – ces derniers bien à contre-cœur, et moyennant de très fortes pressions de la part de Londres et Paris. Chamberlain repart donc pour l'Allemagne avec la satisfaction du devoir accompli, et il rencontre Hitler à Bad Godesberg au début de l'après-midi du 22 septembre. C'est alors qu'il a la désagréable surprise d'entendre le Führer lui répondre : « *Es tut mir furchtbar Leid, aber das geht nicht mehr* » – « Je suis absolument désolé, mais ce n'est plus acceptable » [56]. Hitler pose en effet des conditions nettement plus sévères : il faut prendre en compte les revendications de la Pologne et de la Hongrie, et il ne saurait être question d'un transfert progressif de souveraineté : l'évacuation par les Tchèques des régions peuplées majoritairement d'Allemands des Sudètes devra commencer au matin du 26 septembre et s'achever au soir du 28 – après quoi les troupes allemandes occuperont la région !

Voilà qui ressemble beaucoup à un diktat, et les manières brusques du Führer ne sont pas faites pour arranger les choses. Goering, lui, aurait sans doute su arrondir les angles, et il déclarera plus tard : « Je voulais être présent, pour pouvoir courtiser Chamberlain. Mes manières conciliantes et mon aptitude à recevoir convenablement auraient beaucoup facilité les négociations. Le Führer était toujours inhibé en présence d'étrangers. Mais Ribbentrop m'a empêché d'assister à l'entrevue, par jalousie et par vanité [57]. » De fait, le nouveau ministre des Affaires étrangères du Reich n'a eu de cesse depuis son entrée en fonction de contrecarrer toutes les initiatives de Goering en matière de politique étrangère [58]. Mais quoi qu'il en soit, Hitler et Chamberlain se séparent ce soir-là au bord de la rupture. Pourtant, le Premier ministre de Sa Majesté est notoirement obstiné, et les négociations reprennent le lendemain soir *. Ribbentrop est présent, et l'atmosphère des pourparlers s'en ressent. Mais après des échanges très vifs, encore exacerbés par l'annonce d'une mobilisation de l'armée tchèque, Hitler consent à faire un geste : l'évacuation de la région pourra se faire jusqu'au 1er octobre... Il ajoute que ce sera là sa dernière revendication territoriale en Europe. Les deux hommes se séparent au petit matin du 24 septembre après quelques déclarations de bonnes intentions, et Chamberlain repart pour Londres en fin de matinée, porteur d'un mémorandum qui résume les dernières conditions d'Hitler.

Cette fois, le président Bénès rejette en bloc les nouvelles exigences allemandes, et les gouvernements britannique et français sont nettement plus réticents à faire pression sur Prague. L'armée française mobilise et la marine anglaise fait de même. Hitler, encouragé par Ribbentrop, dénonce rageusement Bénès comme un terroriste et les Tchèques comme des fauteurs de guerre ; il hurle lors d'un discours au Sportpalast qu'une fois réglée la question des minorités, il n'aura plus d'exigences à formuler et sera disposé à garantir les nouvelles frontières : « Nous ne voulons pas de Tchèques [59] ! » éructe-t-il ; mais il prévient que si Prague n'a pas cédé avant le 28 septembre à 14 heures, l'armée allemande mobilisera et ce sera la guerre. Comme Chamberlain lui a fait savoir la veille que « si la France, en exécution de ses obligations contractuelles, se trouvait activement engagée dans des hostilités contre l'Allemagne, le Royaume-Uni serait dans l'obligation de la soutenir [60] », l'ouverture des hostilités paraît imminente...

---

* Une demi-heure plus tôt, les Tchèques ont ordonné la mobilisation générale.

Pourtant, on est bien conscient à Londres de la minceur des différences séparant les positions allemandes et britanniques ; après tout, Chamberlain était disposé à remettre les Sudètes aux Allemands, pourvu que l'on y mette les formes, que l'on procède à des plébiscites et qu'une commission internationale donne au processus une apparence de respectabilité. Hitler, lui, veut les mêmes résultats, mais selon des modalités plus brutales, propres à renforcer son prestige et à humilier les Tchèques. A Londres, Chamberlain mesure l'absurdité que représenterait le déclenchement d'une guerre pour des motifs aussi dérisoires, et il ne peut se résoudre à demeurer inactif : au soir du 27 septembre, l'ambassadeur Henderson reçoit donc pour instructions de transmettre à la Wilhelmstrasse un nouveau plan de règlement de l'affaire des Sudètes, avec un échéancier précis d'évacuation garanti par le gouvernement de Sa Majesté. Le président du Conseil Daladier lui emboîte aussitôt le pas : « Dans la nuit du 27 au 28 septembre, écrit l'ambassadeur François-Poncet, je reçois l'instruction de voir Hitler au plus tôt, d'insister sur la gravité de son attitude, de lui représenter le caractère déraisonnable de son intransigeance et d'essayer de le détourner d'exécuter sa menace d'envahir la Tchécoslovaquie avant le 1er octobre, ce qui provoquerait, à n'en pas douter, la guerre générale. A 8 heures du matin, le 28 septembre, je demande audience à Hitler. J'ai fait dessiner une carte sur laquelle les districts dont la cession est admise en principe se détachent en rouge vif. Je me propose de m'en servir pour lui montrer l'importance de ce qu'il peut obtenir sans conflagration. Mais jusqu'à 10 heures, ma demande d'audience reste sans réponse [61]. » En désespoir de cause, l'ambassadeur François-Poncet contacte donc son homologue britannique...

« A 10 heures, notera sir Nevile Henderson, l'ambassadeur de France m'a téléphoné pour me dire qu'il craignait le pire, car il n'avait pas reçu de réponse à sa demande d'audience et n'en recevrait probablement pas. J'ai répondu à M. François-Poncet que je viendrais le voir à 10 h 30, après quoi j'ai demandé à communiquer par téléphone avec Goering, et j'ai pu le joindre immédiatement. [...] J'ai dit au maréchal que l'ambassadeur de France avait sollicité une audience, qu'il n'avait pas reçu de réponse, qu'il avait de nouvelles propositions à présenter, et que la paix ou la guerre en dépendaient. J'ai commencé à énoncer les propositions, mais Goering m'a interrompu : " Ne dites pas un mot de plus. Je vais immédiatement voir le Führer " [62]. »

Le maréchal se rend effectivement à la chancellerie dès 10 h 15, en compagnie du secrétaire d'Etat von Neurath et du ministre des Finances Schwerin von Krosigk [63]. Tous trois se font les avocats de la négociation * et persuadent Hitler de recevoir l'ambassadeur de France ; Goering accuse en outre Ribbentrop de pousser à la guerre, et selon certaines versions, il aurait ajouté qu'« il sait ce qu'est la guerre, et ne tient pas à en connaître une nouvelle. Mais si le Führer lui ordonne de marcher, il sera personnellement dans l'avion de tête – à condition que Ribbentrop soit assis à ses côtés [64] ». Il n'est pas sûr que Goering ait dit cela en présence d'Hitler, mais il a très probablement traité Ribbentrop de « fou dangereux » – ce qui n'a pas semblé déplaire outre mesure à un Führer toujours satisfait d'assister aux querelles de ses lieutenants [65]... Quoi qu'il en soit, l'entrevue se termine à 11 h 15, heure à laquelle Hitler doit recevoir l'ambassadeur de France.

François-Poncet entre à son tour dans le bureau d'Hitler, en même temps que l'interprète Paul Schmidt, qui se contentera d'écouter, car l'ambassadeur de France parle un allemand impeccable : « Le Führer, auprès duquel se tient Ribbentrop, a le visage animé, note François-Poncet. Il est nerveux, tendu. Je l'entreprends aussitôt. Je déploie ma carte sous ses yeux. [...] Je lui dis qu'il se trompe s'il croit possible, aujourd'hui, de localiser le conflit. S'il attaque la Tchécoslovaquie, c'est sur l'Europe entière que l'incendie s'allumera. Veut-il se charger d'un tel opprobre, alors que ses revendications sont aux trois quarts satisfaites ? Hitler semble perplexe. Ribbentrop intervient pour atténuer l'effet de mes paroles. Je le rabroue vertement. Ce n'est pas à lui que je m'adresse, mais à Hitler seulement. Je continue à argumenter en termes pressants. A ce moment, un SS entre dans la salle et annonce que l'ambassadeur d'Italie, Attolico, vient d'arriver, porteur d'une communication urgente pour le chancelier. Hitler sort du salon [66]... »

---

* Von Krosigk soulignant notamment que l'Allemagne n'a pas les moyens financiers de mener une guerre à ce moment.

Paul Schmidt l'accompagne, car l'ambassadeur d'Italie ne parle pas allemand. « Attolico, légèrement voûté, était hors d'haleine, et son visage était rouge d'émotion, se souviendra l'interprète. D'assez loin, il a crié sans cérémonie : " Führer, j'ai un message urgent pour vous de la part du Duce. " Après quoi j'ai traduit son message : " Le gouvernement britannique vient de faire savoir par l'intermédiaire de son ambassadeur à Rome qu'il acceptera la médiation du Duce dans l'affaire des Sudètes. Il considère que les points de désaccord sont relativement peu importants. [...] Le Duce considère qu'il serait sage d'accepter la proposition britannique, et vous prie de renoncer à la mobilisation. " Hitler, déjà songeur après son entretien avec François-Poncet, était manifestement impressionné par le message de Mussolini. Attolico l'observait intensément. [...] Il était tout près de midi ce 28 septembre, deux heures avant l'expiration de l'ultimatum d'Hitler. Finalement, le Führer a répondu : " Dites au Duce que j'accepte sa proposition " [67]. »

Au bout d'un quart d'heure environ, Hitler rentre dans le bureau où l'attend l'ambassadeur François-Poncet, et il lui annonce : « " C'est Mussolini qui me prie, lui aussi, de surseoir ! " Je résume mes développements précédents, poursuit l'ambassadeur. Le Führer m'écoute avec moins d'attention. Son esprit est ailleurs. L'expression d'hésitation s'accentue sur sa figure. [...] Enfin, il se lève et me dit qu'il me communiquera sa réponse au début de l'après-midi. J'emporte le sentiment qu'il est ébranlé. A sa porte, je rencontre Goering et Neurath, qui me font des signes d'encouragement [68]. »

En vérité, ni Neurath ni Goering ne sont entièrement étrangers à ce qui vient de se passer : Paul Schmidt, toujours admirablement informé, a noté que l'ambassadeur Attolico « était un membre du groupe comprenant Goering, Neurath et Weiszäcker, qui faisait tout pour détourner Hitler de ses projets belliqueux [69] ». Goering et ses alliés de l'Auswärtiges Amt ont manifestement encouragé l'ambassadeur d'Italie à intervenir auprès du Duce, afin de soutenir l'initiative britannique. Toujours est-il qu'en ce début d'après-midi du 28 septembre, Hitler lui-même téléphone à Mussolini, et de leur conversation ressort une décision sensationnelle : celle d'inviter Chamberlain et Daladier à les rencontrer à Munich dès le 29 septembre... « A 14 h 30, se souvient François-Poncet, Goering me téléphone, de la part du Chancelier, qu'Hitler propose la réunion d'une conférence pour le lendemain 29, à Munich, et me prie d'inviter le président du Conseil français à y assister. Je transmets l'invitation sans commentaire. Une heure plus tard, elle est acceptée. J'en informe Goering sur-le-champ. Il s'écrie : " *Gott sei Dank* * ! Bravo !* " [70]. »

On connaît tous les détails de cette conférence tristement célèbre, destinée à infléchir le cours de l'histoire. Mais le rôle de Hermann Goering y est resté assez obscur, principalement parce que la présence du ministre des Affaires étrangères von Ribbentrop le contraignait à rester dans l'ombre. Le 29 septembre à midi, alors qu'Hitler est allé accueillir Mussolini à Kufstein, Goering, « tout chamarré, le visage rayonnant d'un cordial sourire [71] », conduit Daladier et l'ambassadeur François-Poncet en voiture découverte au Führerbau, où doit se tenir la conférence. Lorsque la première séance de pourparlers entre Hitler, Mussolini, Chamberlain et Daladier débute peu avant 13 heures, seuls Ribbentrop, Ciano, Wilson et Alexis Léger ** sont admis à y participer, et Goering doit s'éclipser ; mais au bout de deux heures de débats, il devient évident que le maréchal a joué en coulisse un rôle essentiel, ainsi qu'en témoignera l'interprète Paul Schmidt : « Mussolini ayant soumis une proposition écrite pour la solution du problème des Sudètes, la conférence a été interrompue vers 15 heures, le temps d'un bref déjeuner. La proposition de Mussolini était en italien, mais sa traduction ne présentait guère de difficultés, car je l'avais déjà traduite une fois à Berlin de l'allemand en français. C'est que la veille, en cette matinée critique du 28 septembre, le secrétaire d'Etat von Weiszäcker me l'avait remise en me demandant de la traduire le plus vite possible, afin qu'elle puisse être donnée à l'ambassadeur d'Italie pour transmission à Mussolini, sans que Ribbentrop ait la possibilité de la modifier. J'ai été ravi de la retrouver ici à Munich. Bien qu'elle ait été présentée à la conférence comme étant la proposition de Mussolini, c'était en fait l'œuvre de Goering, Neurath et Weiszäcker [72]. »

---

* « Dieu soit loué ! »
** Sir Horace Wilson est le conseiller diplomatique de Chamberlain, et Alexis Léger le secrétaire général du Quai d'Orsay.

Voilà qui est intéressant... De fait, la proposition « italienne » élaborée par ce petit comité est une synthèse du mémorandum remis par Hitler à Godesberg et des dernières propositions franco-britanniques ; elle prévoit une évacuation progressive par les Tchèques des territoires majoritairement peuplés d'Allemands, ainsi que la constitution d'une commission internationale pour superviser l'exécution des accords. C'est ce document qui va servir de base de discussion lorsque la séance reprend peu après 17 heures. Mais à ce moment, l'audience s'est considérablement élargie : François-Poncet, Goering, von Weiszäcker, Attolico et Henderson ont rejoint les quatre chefs d'Etat dans la salle, suivis de plusieurs secrétaires, aides de camp et conseillers juridiques. Le capitaine Stehlin décrira la reprise des débats en ces termes : « Les deux dictateurs et leurs ministres sont assis au centre, devant la cheminée. Anglais et Français sont de part et d'autre. Daladier a tourné son fauteuil pour faire face à Hitler. Il n'y a pas de grande table, pas de tapis vert, c'est la conversation entre hôte et invités. Un témoin qui n'entendrait pas pourrait suivre la conférence aux jeux de physionomie de Mussolini. Cependant les progrès sont lents, on piétine souvent [73]. » Ce que confirme amplement l'ambassadeur François-Poncet : « Personne ne préside. Il n'y a pas de programme méthodique. La discussion, non dirigée, est pénible, confuse et traîne en longueur, gênée par l'obligation d'une double traduction. Elle change constamment d'objet. Elle s'arrête, chaque fois qu'une contradiction se manifeste. L'atmosphère s'épaissit et s'alourdit [74]. »

De fait, Alexis Léger parle de garanties supplémentaires et provoque une brève colère d'Hitler, tandis que Chamberlain soulève le problème des compensations dues aux Tchèques pour la perte de leurs propriétés dans les zones à évacuer. Hitler donne là encore des signes d'impatience, et il finit par s'écrier : « Nous n'avons pas de temps à perdre en futilités [75] ! » Vers le soir, enfin, les Anglais sortent de leur dossier un papier tapé à la machine : « Sa traduction en français et en allemand demande du temps, pendant lequel la séance est interrompue, note le capitaine Stehlin. Daladier et Chamberlain font quelques pas dans le vestibule, viennent nous voir pendant que nous écrivons et dictons, parlent de choses étrangères à la conférence, de pêche en particulier [76]. »

C'est pourtant la première fois qu'ils se consultent depuis leur arrivée à Munich, tandis que les dictateurs, eux, ont eu tout le temps d'élaborer une stratégie commune ! Voilà qui explique bien des choses... Mais les traductions sont maintenant achevées, et la discussion peut reprendre : « Elle ne soulève de réelle difficulté que sur deux points, écrit François-Poncet : l'article 6, que les Français veulent assouplir, afin que la règle du transfert sans plébiscite des zones à majorité allemande soit tempérée par des exceptions, au jugement de la Commission internationale, qui contrôlera l'ensemble de l'opération – là-dessus, on demeure longtemps en conflit ; Hitler s'y oppose et finit par céder, après une longue résistance ; l'annexe I, qui traite de la garantie internationale des nouvelles frontières de la Tchécoslovaquie contre toute agression non provoquée ; la France et l'Angleterre apportent cette garantie ; l'Italie et l'Allemagne hésitent et formulent des réserves [77]. »

Mais si Français et Britanniques continuent d'argumenter sur l'accessoire, ils ont déjà cédé sur l'essentiel – et Hermann Goering, spectateur silencieux, en est plus conscient que tout autre : « En fait, dira-t-il plus tard, tout était joué d'avance : ni Chamberlain ni Daladier n'avaient la moindre intention de sacrifier quoi que ce soit pour sauver la Tchécoslovaquie. Cela me paraissait clair comme le jour. Pour l'essentiel, le destin de la Tchécoslovaquie a été scellé en trois heures. Après quoi ils ont débattu encore pendant quatre heures de la notion de " garantie ". Chamberlain ne cessait de tergiverser. Daladier ne semblait pas prêter attention aux débats. Il restait simplement vautré là, [...] hochant la tête de temps à autre en signe d'approbation et ne soulevant pas la moindre objection. J'étais tout bonnement stupéfait de l'aisance avec laquelle Hitler gérait tout cela. Après tout, ils se rendaient bien compte que Skoda, etc. avaient des usines de munitions dans les Sudètes, et que la Tchécoslovaquie serait à notre merci. Lorsque Hitler a suggéré que certains armements qui se trouvaient au-delà des limites des Sudètes soient transférés en territoire sudète dès que nous en prendrions le contrôle, je pensais qu'il y aurait une explosion... Mais non, ils n'ont pas pipé mot. Nous avons eu tout ce que nous voulions, sans la moindre difficulté. Ils n'ont même pas insisté pour consulter les Tchèques, ne serait-ce que pour la forme – absolument rien. A la fin, le délégué français a dit : " Bon, eh bien, il va falloir que j'annonce le verdict au condamné. " Voilà, c'est tout [78]. »

C'est tout, en effet, et le sort de la Tchécoslovaquie est définitivement scellé peu avant 2 heures au matin du 30 septembre 1938, lorsque sont paraphés les accords de Munich... Ils prévoient une évacuation en quatre étapes des territoires « à prépondérance allemande », qui doit commencer le 1er octobre et se terminer le 10 ; une commission internationale en supervisera le déroulement et déterminera les districts où il sera procédé à des plébiscites. Comme tous les témoins de cette sinistre conférence, Hermann Goering est immensément soulagé : la paix vient d'être sauvée. Mais il est également stupéfait de la facilité avec laquelle Français et Britanniques ont sacrifié un de leurs plus fidèles alliés, et comme beaucoup de ses compatriotes, il en tire des conclusions définitives sur l'infaillibilité du Führer : remporter sans combat une victoire aussi décisive, n'est-ce pas après tout la marque du génie ?

X

Au bord du gouffre

A l'issue de la conférence de Munich, le Führer a triomphé sur toute la ligne : les territoires qu'il revendiquait vont lui être remis avec un délai insignifiant, la commission internationale apparaît rapidement comme un paravent dérisoire qui n'organisera pas le moindre plébiscite, 2,5 millions d'Allemands des Sudètes entrent dans le Reich, les Tchèques se trouvent réduits à l'impuissance, Français et Britanniques sont humiliés, et Chamberlain rentre à Londres en brandissant une « déclaration anglo-allemande » qui constitue un engagement écrit de non-agression et de consultation mutuelle. A tout cela s'ajoute que l'issue de la conférence a immensément accru le prestige du Führer au sein de l'armée et du peuple allemands *...

Aussi curieux que cela puisse paraître, le maître de l'Allemagne est loin de s'en satisfaire. C'est que chez cet esprit tourmenté, les réalités apparaissent sous un jour très différent, et tout dans cette affaire lui a déplu : l'apathie évidente de la population allemande lors du grand défilé des troupes le 27 septembre, le peu d'enthousiasme manifesté par les chefs militaires devant la perspective d'un nouveau conflit, la médiation des Italiens, l'obligation de différer l'ultimatum adressé aux Tchèques, l'accueil chaleureux réservé à Daladier et à Chamberlain par la foule munichoise, la nécessité de négocier et de faire des concessions, l'abandon de la mobilisation et la renonciation à la

---

* Les conjurés au sein de la Wehrmacht ont dû renoncer à leur projet d'arrêter Hitler dès l'annonce de l'arrivée de Chamberlain à Munich. Après la conférence, le prestige du Führer est tel que toute nouvelle action est jugée impossible.

conquête militaire, les retards apportés à l'occupation des Sudètes, l'aisance très remarquée d'un Mussolini qui lui a manifestement ravi la vedette *, enfin les débordements de joie de la population munichoise après l'annonce de l'accord au matin du 30 septembre... Tous les témoins remarqueront la mine renfrognée du Führer à cette occasion, y compris l'interprète Paul Schmidt, qui le décrit comme « pâle et chagrin » lorsque Chamberlain lui soumet le projet de déclaration anglo-allemande : « Je ne partageais pas l'impression de Chamberlain, [...] selon laquelle Hitler avait consenti avec plaisir à signer la déclaration. Il me semblait au contraire qu'il n'avait donné son accord qu'avec une certaine réticence [1]. »

En fait, ce n'est pas seulement dû à son mépris pour le pacifisme et la crédulité de Neville Chamberlain ; Hitler considère surtout que « le clergyman britannique » lui a volé sa victoire, et que l'Allemagne aurait pu obtenir bien davantage en faisant parler les armes. D'autant que ce sont Chamberlain et Daladier, non Hitler et Mussolini, que le monde a immédiatement acclamés comme les sauveurs de la paix. Mais lorsqu'au cours des semaines suivantes, l'opposition en France et en Grande-Bretagne a pris conscience de l'ampleur des concessions faites à Munich, c'est Hitler qu'elle a dénoncé publiquement comme un dictateur perfide ayant imposé sa volonté à Daladier et Chamberlain. Or, Hitler est extraordinairement sensible aux critiques de la presse étrangère, qu'il se fait traduire quotidiennement et étudie minutieusement : « A cette époque, se souviendra Paul Schmidt, j'ai beaucoup entendu parler à la chancellerie de l'indignation exprimée par Hitler au sujet des sévères critiques portées contre le traité de Munich en Angleterre et en France [2]. »

Tout cela conforte le dictateur dans son impression initiale : Munich a été une erreur ; il aurait dû suivre son instinct et régler l'affaire à sa façon... Dès lors, son ire retombe sur ceux qui avaient poussé à la négociation, notamment von Neurath, von Weiszäcker, Schwerin von Krosigk, la plupart de ses généraux, et bien sûr Hermann Goering – qui sont tous directement visés lorsque Hitler déclare dans son discours de Sarrebruck le 9 octo-

---

* Le Duce étant seul à parler les langues de tous ses interlocuteurs, il s'est trouvé au centre de toutes les attentions. Ce sera son moment le plus glorieux sur la scène internationale.

bre : « Il y avait aussi des mauviettes parmi nous, qui ne se rendaient sans doute pas compte du fait qu'il fallait prendre une
décision radicale [3]. » Trois mois plus tard, l'irascible chancelier
remâche toujours sa rancune à cet égard, ainsi qu'il ressort d'une
information confidentielle parvenue à l'ambassade de Grande-
Bretagne : « En parlant de la crise de septembre, le Führer a
déclaré sur un ton courroucé que tous ses généraux étaient des
lâches. Le maréchal Goering a demandé s'il faisait partie du
nombre. "Oui, naturellement", a répondu Herr Hitler [4]. » A
l'évidence, Goering est en disgrâce et le supporte très mal...

Mais avant que ne s'achève l'année 1938, l'attention va se porter dans une autre direction : le 7 novembre, un jeune Juif de
dix-sept ans nommé Herschel Grynszpan abat le troisième secrétaire de l'ambassade d'Allemagne à Paris, Ernst von Rath. Ce
geste doublement malheureux * va déclencher en Allemagne des
représailles d'une ampleur sans précédent : dans la nuit du 9 au
10 novembre 1938, plus de 100 Juifs sont tués et 20 000 déportés en camps de concentration, tandis que 7 500 boutiques sont
détruites et 12 000 pillées, 101 synagogues sont incendiées,
76 démolies et 267 endommagées.

Au matin de cette « Nuit de Cristal », Goering, dont la
limousine traverse des rues jonchées de verre pilé, est saisi d'une
fureur homérique. L'après-midi même, devant les ministres et
les gauleiters rassemblés, il condamne cette « saloperie » et cette
« violence infâme » [5], dont il rend responsable le docteur Goebbels — qui est effectivement le commanditaire de l'opération. A
Heydrich, il crie qu'il va lui aussi brûler quelque chose : son
uniforme d'honneur des SS [6]... Pourtant, les propos de Hermann
Goering devant son épouse ce soir-là montrent bien que son
indignation n'est pas celle de l'homme de cœur, mais plutôt
celle du commissaire au plan quadriennal : « Les foutus imbéciles ! Ils me chargent d'organiser un plan de quatre ans, de
recueillir le moindre morceau de ferraille, le moindre vieux journal, et voilà qu'une bande d'énergumènes détruit des millions en
une nuit [7] ! »

Ce sera plus évident encore le 12 novembre, lors d'une réunion de quatre heures au ministère de l'Air sous la présidence de

---

* Loin d'être nazi, Ernst von Rath était plutôt hostile à Hitler. Il est très possible
que Herschel Grynszpan ait été manipulé à son insu.

Goering, en présence de Goebbels, Heydrich, du ministre de l'Economie Funk et du ministre des Finances Schwerin von Krosigk. On y voit clairement transparaître les véritables préoccupations du gestionnaire sans états d'âme : « Il est insensé de piller et de brûler un entrepôt juif et après de faire rembourser les dégâts par une compagnie d'assurances allemande. » C'est que Goering est chaudement partisan de l'« aryanisation », qui est en fait une spoliation des biens juifs, et surtout du transfert de ces biens à l'Etat. Pour lui, le véritable crime est donc la destruction de précieuses valeurs, qui auraient dû revenir de droit à son commissariat par expropriation « légale », dans le cadre du plan quadriennal : « *Ordnung muss sein* * ! » ... Un expert en assurances nommé Hilgard, convoqué par Goering, informe ensuite l'assemblée que la plupart des vitrines brisées sont celles de boutiques et de maisons appartenant à des Aryens et louées par des Juifs ; en outre, le verre, importé, doit être payé en devises étrangères – pour une valeur de 3 millions de marks. « C'est à devenir fou ! » s'exclame Goering au comble de l'indignation. Après quoi on évoque le cas de la bijouterie Margraf, de Berlin, qui a perdu pour 1 700 000 marks de marchandise. Goering, en fin connaisseur, se tourne immédiatement vers Heydrich : « Il faudra absolument que vous me récupériez ces bijoux ! » La conversation se poursuit sur les moyens d'éviter le remboursement des sommes colossales perdues au cours du forfait :

« *Hilgard* : – Si nous refusions d'honorer les obligations qui nous sont faites par contrat légal, ce serait une tache sur l'honneur de l'assurance allemande.

Goering : – Pas si je faisais paraître un décret, une loi sanctionnée par l'Etat.

Hilgard : – J'y venais...

Heydrich : – L'assurance peut accepter le paiement, mais à la minute où elle doit payer, le montant sera confisqué. De cette façon, nous aurons sauvé la face.

---

* « Il faut de l'ordre ! »

Hilgard : – Je suis assez d'accord avec ce que vient de dire le général Heydrich. Nous utilisons d'abord les sociétés d'assurances pour vérifier les dégâts, les évaluer et même payer...

Goering : – Attendez ! Vous devrez payer de toute façon, parce que ce sont les Allemands qui ont subi les dégâts. Mais il sera légalement interdit d'effectuer des paiements directement à des Juifs. Ils iront au ministère des Finances à la place.

Hilgard : – Aha !

Goering : – Ce que le ministère fera de l'argent ne regarde que lui...

Heydrich : – 7 500 boutiques dans le Reich...

Goering : – Si seulement vous aviez tué deux cents Juifs, au lieu de détruire autant de biens matériels.

Ainsi, comme c'est souvent le cas chez Hermann Goering, on passe insensiblement du sordide au criminel – pour revenir rapidement au sordide :

Goering : – Je terminerai ainsi la rédaction du décret : « En punition de leurs abominables crimes, etc. etc., les Juifs allemands devront payer une amende d'un milliard de marks. » Voilà qui fera l'affaire ! Ces saligauds ne s'aviseront plus de commettre un nouveau meurtre de sitôt. A ce propos, j'aimerais ajouter que je n'aimerais pas être un Juif en Allemagne [8] ! »

Comment concilier cela avec les propos suivants de Fritz Thyssen, qui connaît bien Goering et le juge sans la moindre indulgence : « Goering lui-même n'est pas antisémite [9] » ? Il est vrai que le filleul de von Epenstein et demi-frère d'Albert Goering a fait nommer le demi-Juif Erhard Milch secrétaire d'Etat à l'Air, après l'avoir aryanisé au moyen d'une fausse déclaration ; il est tout aussi vrai qu'il intervient en faveur d'amies de son épouse, généralement des actrices de théâtre poursuivies pour leurs ascendances juives, qu'il a fait sortir d'un camp de concentration toute la famille de l'homme d'affaires juif danois Hugo Rothenberg [10], et qu'il fera libérer dès la fin de novembre 1938 tous les anciens combattants de la Grande Guerre figurant parmi les 20 000 Juifs arrêtés durant la Nuit de Cristal. Tout cela n'est pas exactement la marque d'un antisémitisme délirant, comparable à celui de Goebbels, d'Himmler ou d'Hitler lui-même. Du reste, un homme capable de déclarer : « C'est moi qui décide de qui est juif et de qui ne l'est pas [11] ! » ne prend manifestement pas son antisémitisme au sérieux. Et pourtant, c'est bien Goering, en tant que président du Reichstag, qui a fait promulguer les lois de Nuremberg, multiplié les déclarations antisémites et commencé à expulser méthodiquement les Juifs à tous les niveaux de l'économie allemande. D'ailleurs, pourquoi s'arrêter aux Juifs ? Goering a également soutenu la persécution des autres religions, et cet homme qui se déclare protestant justifie publiquement l'emprisonnement du pasteur Niemöller *, pourtant défendu avec acharnement par sa propre sœur Olga Riegele. A l'évidence, tout cela échappe quelque peu au sens commun...

Il y a pourtant une explication très simple, d'ailleurs fournie par Goering lui-même quelques jours seulement après la Nuit de Cristal : au ministre des Finances de Prusse Popitz, qui lui dit que les responsables de ces exactions antisémites devraient être châtiés, Goering répond : « Mon cher Popitz, vous voulez donc châtier le Führer [12] ? » Hélas ! Voilà la triste vérité : Hitler fait connaître sa volonté, et dès lors, Hermann Goering ne s'appartient plus vraiment – ce que confirmera très franchement et assez naïvement son épouse Emmy : « Je le connaissais mieux que personne. J'appris naturellement aussi à voir ses défauts. L'un de ses plus grands m'apparut clairement peu avant la guerre, longtemps après notre mariage. [...] Il était si manifeste que même ma nièce, âgée de dix-huit ans, le remarqua après quelques rencontres avec lui. Elle étudiait alors au conservatoire de Berlin et je m'occupais beaucoup d'elle. Comme elle ne me quittait guère, elle rencontra non seulement Hermann, mais Adolf Hitler, dans des réunions privées. Elle aimait beaucoup son oncle Hermann et ne pouvait supporter de l'entendre toujours répondre " amen " à Adolf Hitler – qui ne lui plaisait pas du tout. " Il approuve, remarqua-t-elle, alors qu'il est d'une opi-

---

* Martin Niemöller, ancien commandant de sous-marin pendant la Grande Guerre, dénonçait les exactions nazies depuis sa chaire du temple de Berlin-Dahlem. Acquitté par une cour de justice, il a été enfermé par la Gestapo au camp de concentration d'Oranienburg.

nion radicalement opposée. L'oncle Hermann possède pourtant une plus forte personnalité. Pourquoi prend-il comme parole d'évangile tout ce que dit Adolf Hitler ? " Sans aucun doute, elle avait raison. Moi-même, je n'arrivais pas à admettre cette soumission perpétuelle. Ils étaient parvenus ensemble au pouvoir, pourquoi ne s'écoutaient-ils pas plus ? Pourquoi semblait-il si difficile de discuter avec Adolf Hitler ? Je ne trouvais pas de réponses. Quand j'en parlai à Hermann, il m'expliqua : " C'est évidemment difficile à comprendre pour un profane, mais il est notre Führer. Le parti est son œuvre. La nouvelle Allemagne sera aussi son oeuvre. Lui seul incarne l'idée. Nous devons nous borner à le suivre en l'aidant dans sa tâche " [13]. »

Ainsi donc, Hermann Goering a largement abdiqué son libre arbitre au profit du maître suprême Adolf Hitler ? Lui-même semble en être parfaitement conscient, puisqu'il confie à la même époque au président de la Reichsbank Hjalmar Schacht : « Vous savez, Herr Schacht, je me promets toujours de dire à Hitler exactement ce que je pense, mais quand j'entre dans son bureau, mon cœur descend invariablement dans mes bottes [14]. » Pour qui connaît l'attitude de Goering envers Hitler au cours des quinze années écoulées, il n'y a rien là de très surprenant. Mais cette confirmation du passé explique aussi l'essentiel de l'avenir...

A la fin de novembre 1938, le nouvel ambassadeur de France Robert Coulondre, ayant présenté ses lettres de créance, entreprend de rendre visite aux principaux chefs nazis : « A tout seigneur tout honneur. Je débute par le feld-maréchal Goering, premier dignitaire de l'Empire, héritier présomptif du Führer, commandant en chef de l'aviation, président de la Chambre des Députés, grand-veneur du Reich. On ne peut pas dire que Hermann Goering ait une physionomie très engageante. Avec sa figure plate et ses yeux obliques, il a un peu l'air d'un faux témoin, mais sa bonne grâce, sa jovialité, son embonpoint même et son teint rosé effacent rapidement cette première impression. Sa tenue me fascine ; il brille de mille feux comme un miroir aux alouettes : il y a des brillants sur sa cravate, sur ses manchettes, sur les décorations dont sa vareuse est constellée. [...] Très cordial, Goering me félicite d'arriver à Berlin au moment où se dessine un mouvement de rapprochement qu'il approuve et veut favoriser. Je devine, à l'entendre répéter certaines phrases d'Hitler, qu'il a une consigne. Mais il se montre plus explicite que son chef : " Les Français doivent comprendre que l'Allemagne désire trouver un champ d'expansion économique dans le sud-est de l'Europe. " C'est une ambition trop légitime pour que je n'y souscrive pas aussitôt, et j'exprime l'espoir que l'action du maréchal contribuera à convaincre aussi les Français que le Troisième Reich ne recherche pas davantage. Je vois tiquer Goering. Il semble avoir deviné ma pensée, car il me dit brusquement : " Vous pouvez compter sur tout mon concours et si vous vous heurtez jamais à des difficultés à la Wilhelmstrasse, venez me trouver. " [...] Goering est à la fois ridicule et redoutable. Il fait sourire quand il se désole de ne pas avoir dans sa collection le bâton de maréchal de Napoléon ; il fait frémir quand il parle de ses avions et de ses canons, dont il poursuit la fabrication avec une énergie farouche. Selon toute probabilité Hitler, qui sait employer ses hommes, l'utilise pour endormir les méfiances des diplomates étrangers. Il est son donneur de belles paroles et même de paroles tout court. Il se parjure à propos de l'Autriche d'abord, de la Tchécoslovaquie ensuite. Il invite les représentants des puissances à venir tirer le cerf chez lui ; dans sa somptueuse villa, où l'on fait bonne chère, il joue à merveille la scène de la séduction. Il la joue d'autant mieux qu'il est en partie sincère. Il souhaite réellement voir Hitler se contenter de victoires pacifiques. [...] Il voudrait bien, après avoir beaucoup besogné, jouir en paix des avantages et des honneurs de sa situation acquise [15]. » Voilà pourquoi Coulondre peut câbler au Quai d'Orsay que Goering compte parmi les « modérés » du régime [16].

Telles sont en effet les apparences, et c'est bien pourquoi Hermann Goering est toujours en disgrâce au début de 1939 : Ribbentrop a intrigué ferme pour l'écarter de toute nouvelle initiative en matière de politique étrangère [17], et Munich est encore très présent dans la mémoire d'Hitler, qui a déclaré que « la prochaine fois, il agira si rapidement que ses vieilles femmes n'auront pas le temps de protester [18] ». Emmy Goering elle-même a reçu un sévère rappel à l'ordre de la chancellerie pour ses interventions répétées au bénéfice d'amies juives persécutées. Mais si le déplaisir d'Hitler peut rendre physiquement malade le très servile Goering, d'autres facteurs pèsent simultanément sur sa santé : le surpoids bien sûr, le dérèglement glandulaire probablement, la tension trop élevée certainement, l'ancienne blessure qui lui laisse toujours aussi peu de répit, les longues nuits d'insomnie... et l'épuisement à la tâche, tout simplement : partagé entre le ministère de l'Air, le commissariat au plan quadriennal, le ministère des Eaux et Forêts, le nouvel Office central pour l'émigration des Juifs *, le Conseil de défense du Reich ressuscité sur ordre d'Hitler **, la zone de défense aérienne édifiée en Rhénanie pour doubler le *Westwall*, les incursions brouillonnes dans le domaine diplomatique ***, la féroce lutte d'influence menée contre la marine, l'armée de terre et l'OKW [19], les intrigues machiavéliques pour consolider sa position dans la hiérarchie nazie, les expéditions de chasse en Europe centrale et les acquisitions d'œuvres d'art partout ailleurs, Hermann Goering ne sait plus vraiment où donner de la tête : « Pendant de longues semaines, déclarera un général de la Luftwaffe, il n'était pas disponible pour s'occuper de l'aviation [20]. »

Ses apparitions au ministère de l'Economie et à la direction du plan quadriennal se font également épisodiques, et les fonctionnaires qui prennent l'habitude de lui apporter des documents à signer le trouvent bien souvent au lit. Pour finir, ses médecins lui suggèrent de prendre des vacances prolongées, et le patient se laisse convaincre : le 3 mars 1939, accompagné d'Emmy et de sa cour habituelle d'amis, d'aides de camp et de secrétaires, il embarque dans son train spécial à destination de San Remo. « Pensez-donc, a-t-il dit deux jours plus tôt au nouvel ambassadeur de France Coulondre, un mois, un long mois de

---

* Créé après la Nuit de Cristal. Goering s'en est vu confier la responsabilité, mais il en a délégué la gestion au chef de la Sicherheitspolizei, Reinhard Heydrich, par décret du 24 janvier 1939. Voir sur ce sujet l'excellent ouvrage d'Edouard Husson : *Heydrich et la solution finale*, Perrin, Paris, 2008.

** Il comprend tous les ministres et secrétaires d'Etat, ainsi que Bormann, Heydrich, les commandants en chef des trois armes et leurs états-majors.

*** Goering s'entretient tout particulièrement à cette époque avec les représentants tchèques, roumains, slovaques, italiens et polonais, car il a conçu une « grande solution » qu'il espère bien faire adopter par le Führer : établir progressivement un empire allemand de fait en Europe centrale, grâce à l'expansion économique et à la pression politique ; à la même époque, il proposera au président du Conseil Daladier une alliance franco-allemande contre l'Angleterre, suivie d'un partage de l'Empire britannique entre la France et l'Allemagne !

vacances, durant lequel je passe entièrement la main, je n'ai plus de responsabilités ; pour la première fois, je vais pouvoir vivre uniquement pour moi et pour les miens sous le beau soleil d'Italie [21]. »

L'air de la mer et le farniente sur le lido de la Riviera italienne font effectivement le plus grand bien à Hermann Goering, Ribbentrop veille jalousement à ce qu'il soit ignoré par la représentation diplomatique allemande [22], mais sa cure de repos n'en sera pas moins interrompue au bout d'une semaine par l'arrivée du colonel Josef « Beppo » Schmid, porteur d'un message scellé émanant de la chancellerie ; Hitler lui fait savoir qu'il a donné l'ordre à l'armée et à l'aviation de se préparer à envahir la Tchécoslovaquie « au cours des jours suivants », car « l'Etat tchécoslovaque est en train de se désagréger » [23]. Il est vrai que pour le Führer, les Ides de Mars ont toujours été propices aux grandes entreprises... Mais pour Goering, la surprise est immense : lui, le deuxième personnage du Reich, n'est informé d'une décision aussi lourde de conséquences que quelques jours à l'avance ? Et il lui est même demandé de rester en Italie, « pour ne pas éveiller les soupçons [24] » ? Cette fois, ce n'est pas uniquement une question de prestige personnel, et Goering ne peut s'empêcher d'exprimer le fond de sa pensée dans la réponse qu'il adresse au Führer : « Je lui ai écrit que si la chose devait se faire maintenant, ce serait pour le Premier ministre Chamberlain une perte de prestige très sérieuse, à laquelle il aurait peu de chances de survivre. M. Churchill lui succéderait probablement, et le Führer connaissait l'attitude de Churchill envers l'Allemagne. Deuxièmement, cela ne serait pas compris, puisqu'il y a encore peu de temps, nous avions établi les bases d'une réconciliation générale. Troisièmement, je pensais pouvoir le calmer en lui disant que le danger qu'il voulait éliminer par l'occupation de la Tchécoslovaquie * pouvait être dissipé par des méthodes moins expéditives, en évitant tout ce qui pouvait provoquer des remous en Tchécoslovaquie et dans d'autres pays. J'étais convaincu que, depuis que les Sudètes lui avaient été enlevées et que l'Autriche faisait partie de l'Allemagne, la pénétration économique de la

---

* Hitler prétendait que la Tchécoslovaquie avait conclu un accord secret avec l'Union soviétique, ce qui représentait un danger imminent pour le Reich. Bien entendu, il n'en était rien.

Tchécoslovaquie ne serait plus qu'une question de temps. [...] Dans ce cas, une Tchécoslovaquie souveraine serait si étroitement liée à l'Allemagne et aux intérêts allemands que de nouveaux dangers ne seraient plus à redouter [25]. » Ce sont de bons arguments dans l'ensemble, mais Hitler y reste insensible : il s'est forgé une conviction, et elle est inébranlable. « Quand il s'agit de prendre une décision, dira plus tard Goering à l'ambassadeur Henderson, pas un de nous ne compte plus que le gravier sur lequel nous nous tenons. C'est le Führer, et lui seul, qui décide [26]. »

Dans sa chancellerie de Berlin, Hitler a longuement médité sur les événements passés, et il en a tiré quelques conclusions définitives – ainsi que l'exposera avec sagacité l'ambassadeur François-Poncet, devenu l'un des meilleurs connaisseurs de la mentalité troublée de l'ordonnateur suprême du Grand Reich millénaire * : « Hitler ne considérait nullement qu'il avait, à Munich, remporté un succès. Il estimait, au contraire, qu'il y avait transigé et capitulé. Comme après l'invasion de l'Autriche, il regretta d'avoir été pusillanime. Il se crut, ou voulut se croire, [...] frustré de l'objet propre de son ambition, qui était de s'emparer de Prague. Il n'eut plus qu'une préoccupation : se saisir quand même de Prague, antique cité où l'Allemagne avait laissé tant de traces et dont le nom le hantait, entrer à Prague comme il était entré à Vienne [27] ! » Rien n'est plus exact... Et Adolf Hitler a beau avoir la manie du secret, le bruit courait à la chancellerie dès le mois de janvier 1939 qu'il avait décidé de « liquider l'Etat tchèque [28] ».

A vrai dire, cet Etat devenu militairement indéfendable est déjà en grande partie sous le contrôle économique et politique de l'Allemagne : quelques jours après Munich, le président Bénès a démissionné, pour être remplacé par le très vieux, très fragile et très accommodant Emil Hacha. Goering a fait savoir à l'ambassadeur de Tchécoslovaquie Mastny que dans le cadre de son plan quadriennal, il souhaitait une union douanière entre les deux pays, ainsi qu'une « influence de l'Allemagne sur l'économie et le budget tchèques, ce qui est très important pour notre réarmement [29] ». Dès la fin de 1938, en effet, le Reich a passé d'énormes commandes de matériel de guerre et de biens de

---

* François-Poncet vient d'être nommé ambassadeur à Rome.

consommation à la Tchécoslovaquie, ce qui rendait cet infortuné pays étroitement dépendant de son puissant voisin. Si l'on ajoute à tout cela que l'Allemagne encourage presque ouvertement les menées des indépendantistes slovaques [30], on comprend bien que l'incorporation tacite de la Tchécoslovaquie dans le Grand Reich allemand est inéluctable dans un proche avenir...

Pour Hitler, ce n'est pas suffisant : il lui faut des résultats tangibles et immédiats, exploitables par la propagande et propres à satisfaire sa soif de gloire militaire comme de revanche politique. Entre janvier et février 1939, le général Keitel, pourtant chef de l'Oberkommando der Wehrmacht, n'est pas mis dans le secret, mais il en entend assez pour tirer ses propres conclusions : « La presse publiait de plus en plus d'informations sur des incidents de frontière et des excès commis contre les minorités allemandes en Bohême et Moravie. Des notes de protestation étaient envoyées à Prague, et notre ambassadeur fut rappelé à Berlin, de même que notre attaché militaire, le colonel Toussaint. Le Führer avait annoncé à plusieurs reprises que sa patience était à bout et qu'il ne resterait plus très longtemps inactif. J'en déduisis que l'action de " nettoyage " de ce qui restait de la Tchécoslovaquie était imminente. Lorsque je posai la question au Führer, il refusa de me faire part de ses intentions ou de me donner une quelconque date, mais je n'en pris pas moins les dispositions nécessaires pour que le ministère de la Guerre soit en état de déclencher une invasion rapide et soudaine en cas de nécessité [31]. »

C'est que le Führer a un principe intangible : « Ne dire aux gens que ce qu'ils doivent savoir, et au moment où ils doivent le savoir. » Mais ce moment approche manifestement à la fin de février, lorsqu'il convoque le général von Brauchitsch, chef de l'armée de terre : « Il lui a parlé en ma présence, se souviendra Keitel, de la situation de plus en plus intolérable des minorités allemandes en Tchécoslovaquie, et il a annoncé qu'il avait décidé de lancer une opération militaire, qu'il a appelée " une opération de pacification ". Elle ne nécessiterait certainement pas une conscription supérieure à celle prévue par les instructions de l'automne 1938. Comme nous n'apprîmes au sujet des ouvertures diplomatiques entre Prague et Berlin rien de plus que ce que nous en disait notre attaché militaire, nous en étions réduits aux conjectures, et nous avions tendance à parier sur le genre de surprises diplomatiques auxquelles nous avions déjà assisté à plusieurs reprises dans le passé [32]. » Il s'agit bien sûr des lourdes pressions exercées sur les responsables autrichiens et tchèques l'année précédente ; mais en l'occurrence, le Führer n'entend plus se limiter à la diplomatie musclée : il tient essentiellement à faire parler les armes...

Il faut reconnaître que les événements semblent se conjuguer pour l'encourager dans son entreprise : l'agitation croissante des minorités allemandes de Bohême et Moravie, la déclaration d'indépendance de fait de la Slovaquie, fortement encouragée au préalable par Berlin, la menace que font peser sur Prague les voisins hongrois et polonais, le désintérêt ostensible de Londres et Paris pour les événements d'Europe centrale, la faiblesse manifeste des défenses tchèques, et enfin une erreur fatale du président Hacha, qui demande le 13 mars à être reçu par Hitler pour obtenir un relâchement de la pression allemande sur son pays. Exactement comme le chancelier Schuschnigg un an plus tôt, Hacha va se jeter de lui-même dans la gueule du loup * ! A l'origine, Hitler avait prévu de lancer un ultimatum aux Tchèques quelques heures avant l'invasion, mais la visite imprévue du président Hacha va lui permettre de procéder plus subtilement.

Le chef de l'Oberkommando der Wehrmacht se souviendra parfaitement de cette journée fatidique du 14 mars : « Vers midi, lorsque je suis venu faire mon rapport au Führer à la chancellerie du Reich pour y recueillir ses instructions concernant les forces armées – qui étaient prêtes à entrer en action dès le lendemain conformément à ses ordres –, il a mentionné brièvement que le président Hacha avait annoncé la veille son intention de venir discuter de la crise, et qu'il était attendu à Berlin ce même soir. Je lui ai demandé la permission de communiquer immédiatement au ministère de la Guerre que dans ces conditions, l'invasion devait être reportée. Hitler a fermement rejeté ma suggestion, et m'a expliqué qu'en tout état de cause, il avait tou-

---

* L'idée venait au départ de l'ambassadeur de Grande-Bretagne Henderson, qui avait conseillé à son homologue Mastny de proposer une visite à Berlin du ministre tchèque des Affaires étrangères Chvalkovsky ; il ne pouvait évidemment imaginer que le président Hacha tiendrait à se joindre à lui...

jours l'intention d'entrer en Tchécoslovaquie le lendemain – quelle que soit l'issue des pourparlers avec le président tchèque. Toutefois, j'ai reçu pour instructions de me tenir à sa disposition à partir de 9 heures du soir à la chancellerie du Reich, afin de pouvoir transmettre au ministère de la Guerre et au haut commandement des forces aériennes ses ordres concernant le début de l'invasion [33]. »

Goering rentre à Berlin dans l'après-midi du 14 mars, six heures seulement avant l'arrivée du président Hacha et de son ministre des Affaires étrangères Chvalkovsky. Avec Keitel, Ribbentrop et l'interprète Paul Schmidt, le maréchal sera à la fois témoin et acteur du drame qui va se jouer cette nuit-là dans la nouvelle chancellerie de la Wilhelmsplatz – et comme toujours, quelles que soient ses opinions personnelles, Hermann Goering tiendra à jouer très exactement le rôle que son Führer attend de lui....

Par goût de la mise en scène et pour mieux saper la résistance de ses visiteurs tchèques, Hitler tient à ne les recevoir qu'à 1 heure au matin du 15 mars – cinq heures seulement avant le début de l'invasion *. Paul Schmidt décrira en ces termes l'arrivée du président Hacha dans le bureau du Führer : « Le petit homme âgé, ses yeux sombres enfoncés dans un visage empourpré par l'émotion, a été introduit peu après 1 heure du matin. [...] Dans l'obscur bureau d'Hitler, il ne devait pas y avoir de discussion intime, d'homme à homme, [...] ni même de dialogue, mais plutôt un long réquisitoire d'Hitler contre les Tchèques. Il s'est mis à répéter la même liste de crimes que celle qu'il avait déjà présentée aux Anglais et aux Français, sans rien y ajouter de nouveau. Rien n'avait changé, a-t-il déclaré, depuis le régime de Bénès. [...] Il a déclaré qu'il n'entendait pas exprimer un manque de confiance à l'égard de Hacha ; en Allemagne, on était convaincu de sa loyauté. Mais pour la sécurité du Reich, il était nécessaire que l'Allemagne établisse un protectorat sur ce qui restait de la Tchécoslovaquie [34]. »

L'infortuné président essaie bien de placer quelques mots, mais il est rudement interrompu et finit par renoncer. Keitel et

---

* Peu après minuit, des unités SS de la *Leibstandarte Adolf Hitler* ont déjà investi la zone frontalière d'Ostrau, en Moravie, qui comprend d'importants complexes sidérurgiques.

Goering ont été congédiés, seuls sont restés Ribbentrop, l'ambassadeur Hewel * et l'interprète Paul Schmidt, qui poursuit ainsi son récit : « Hacha et Chvalkovsky étaient comme pétrifiés sur leurs sièges en écoutant les propos d'Hitler. Seuls leurs yeux indiquaient qu'ils étaient encore en vie. [...] Il était étonnant que le vieil homme parvienne à conserver une attitude digne face à Hitler, après toutes les tensions auxquelles il avait été soumis [35]. » Après une nouvelle et très longue harangue du Führer, Goering rentre dans le bureau, accompagné de Keitel, qui décrira la scène en ces termes : « Ces messieurs étaient debout autour de la table, et Hitler était en train de dire à Hacha que c'était à lui de savoir ce qu'il avait à faire. Keitel pouvait lui confirmer que nos troupes étaient déjà en marche et qu'elles franchiraient la frontière à 6 heures. Lui, Hacha, et lui seul avait le pouvoir de décider si le sang serait versé ou si son pays serait occupé pacifiquement. Hacha a demandé qu'on lui accorde un répit, afin qu'il puisse téléphoner à son gouvernement à Prague. Pouvait-on mettre une ligne téléphonique à sa disposition ? Hitler consentirait-il à arrêter immédiatement le mouvement des troupes ? Hitler a refusé, en disant que je pourrais confirmer que c'était impossible, nos troupes étant déjà à proximité de la frontière. Avant que je puisse ouvrir la bouche, Goering est intervenu pour annoncer que son aviation serait au-dessus de Prague dès l'aube, et qu'il ne pouvait plus rien y changer. C'était à Hacha de décider s'il y aurait un bombardement ou non. Soumis à cette forte pression, Hacha a expliqué qu'il voulait à tout prix éviter un bain de sang, et il s'est tourné vers moi pour me demander comment il pourrait contacter les garnisons et les postes frontières de son pays pour les prévenir de l'invasion et leur ordonner de ne pas ouvrir le feu. J'ai proposé de rédiger un télégramme à cet effet, [...] et lorsque je l'ai terminé, Goering me l'a pris des mains et a accompagné Hacha jusqu'à un téléphone, où on lui a passé la communication avec Prague [36]. »

Hacha tente effectivement d'appeler ses ministres, mais Prague ne répond pas. Ribbentrop, devenu écarlate, ordonne à Schmidt de réveiller le ministre des Postes sur-le-champ pour qu'il y mette bon ordre. Lorsque la communication est enfin éta-

---

* Il assure la liaison entre la chancellerie et le ministre des Affaires étrangères.

blie, Hacha commence à parler, mais la ligne est presque aussitôt coupée, et en attendant qu'elle soit rétablie, Hacha se retire avec Goering dans une pièce adjacente. L'impétueux maréchal profite de ce délai pour faire au président une description apocalyptique de ce qui attend Prague en cas de bombardement par la Luftwaffe : « Je pensais que cet argument permettrait d'accélérer tout le processus [37] », dira-t-il plus tard. Effectivement, le résultat ne se fait pas attendre, et Paul Schmidt, qui s'affaire à tenter de rétablir la communication téléphonique, est brusquement interrompu : « Je venais tout juste de recommencer à composer le numéro, se souviendra-t-il, lorsque j'ai entendu Goering appeler à grands cris le professeur Morell, médecin personnel d'Hitler. "Hacha s'est évanoui, dit Goering en proie à une grande agitation. J'espère qu'il ne lui arrivera rien" [38]. »

On peut comprendre son affolement : rien ne serait pire pour un tueur froid et calculateur que de commettre un homicide par imprudence ! D'ailleurs, comme on ne prête qu'aux riches, Hitler et Goering seraient sans doute accusés par le monde entier d'avoir eux-mêmes assassiné le vieux président. Or, celui-ci leur est infiniment plus utile vivant que mort... Grâce à une piqûre de camphre administrée par le docteur Morell *, l'infortuné Emil Hacha est donc promptement ramené à la vie. « En revenant dans la pièce, poursuit Paul Schmidt, qui a enfin réussi à obtenir la communication avec Prague, j'ai retrouvé Hacha et Goering qui parlaient à voix basse. Extérieurement du moins, Hacha ne paraissait guère marqué par son évanouissement. Lui et Chvalkovsky ont parlé avec Prague, et Goering et moi avons quitté la pièce tandis qu'ils poursuivaient leur conversation en tchèque. La ligne ne semblait pas être très bonne, car Chvalkovsky, qui a parlé le premier, était obligé d'élever la voix et de s'exprimer très lentement. J'ai ensuite mis au propre le communiqué préparé par Hitler, qui ne comportait que quelques lignes : "Il a été évoqué en toute franchise lors de cette réunion la grave situation résultant des événements des dernières semaines dans l'ancien territoire tchécoslovaque. Les deux parties ont exprimé la conviction qu'aucun effort ne devait être épargné pour assurer la tranquillité, l'ordre et la paix dans cette partie de l'Europe centrale. Le président de l'Etat de Tchécoslo-

* Au moyen d'une seringue fournie par Goering, semble-t-il...

vaquie a déclaré que dans ce but, [...] il remettait avec confiance les destinées du peuple et du pays tchèques entre les mains du Führer du Reich allemand. Le Führer a accepté cette déclaration, et a annoncé sa décision de placer le peuple tchèque sous la protection du Reich allemand " [39]. » C'est ce texte qui est finalement signé par Hitler, Hacha, Ribbentrop et Chvalkovsky à 4 heures au matin du 15 mars 1939 ; deux heures plus tard, les troupes allemandes se mettent en mouvement tout le long de la frontière.

La marche sur Prague ce jour-là n'est pas exactement un modèle d'efficacité militaire : les colonnes de camions et de chars sont souvent bloquées sur des routes trop étroites, au milieu des congères et des pluies verglaçantes ; la terrible Luftwaffe, dont l'apparition au-dessus de Prague devait semer la panique parmi les populations, reste clouée au sol par la neige et le brouillard. Mais l'armée tchèque n'offre aucune résistance, et au soir du 15 mars, Hitler s'installe au palais Hradchin, d'où il proclamera le lendemain que la Bohême et la Moravie sont passées sous le protectorat du Reich. Le sort de la Tchécoslovaquie est scellé ; celui de l'Allemagne aussi....

Ainsi, cette fois encore, le bluff a pleinement réussi : pas un coup de feu n'a été tiré, les Français et les Britanniques se sont bien gardés d'intervenir, les Soviétiques n'ont pas même protesté, la Tchécoslovaquie, avec toutes ses ressources et ses usines d'armement modernes, est passée sous le contrôle du Reich, la Slovaquie indépendante est devenue un Etat vassal de l'Allemagne, la Lituanie n'a pas attendu une semaine pour céder à Hitler le territoire de Memel, et la réputation d'infaillibilité du Führer s'est trouvée confortée une nouvelle fois. Qu'importe dès lors s'il a fallu pour cela malmener un vieil homme ? Assez curieusement, Goering en éprouve quelques scrupules, si l'on en croit son beau-fils Thomas von Kantzow : « Hermann n'arrivait pas à se débarrasser du sentiment d'avoir agi comme un goujat. " D'accord, ne cessait-il de répéter à Emmy, ce n'était pas digne d'un gentleman. Je ne suis pas un homme cruel. Je n'éprouve aucun plaisir à rudoyer des personnes âgées. Mais aussi, pourquoi les Tchèques ont-ils choisi un homme aussi fragile ? Et pense aux affres que j'ai épargnés au peuple tchèque en forçant ce vieil imbécile à signer. Sa chère capitale de Prague aurait été entièrement rasée. " Emmy lui a répondu : " Mais tu m'as dit que tes bombardiers ne pouvaient pas décoller ! Et de toute façon, je pensais que tu bluffais, que tu n'avais aucune intention d'attaquer Prague... " Hermann a souri : " Oui, mais comment diable le vieux aurait-il pu le savoir ? " Après quoi il a hoché la tête : " Malgré tout, il faut bien reconnaître que ce n'était pas digne d'un gentleman " [40]. »

Ainsi, les grands truands ont parfois de petites pudeurs... C'est sans doute que Hermann Goering n'a jamais cessé de se considérer comme un chevalier sans peur et sans reproche ; or, son comportement envers le président Hacha s'accorde mal avec l'image qu'il veut avoir de lui-même. Est-ce pour l'améliorer quelque peu qu'il intervient presque aussitôt en faveur des amies juives de son épouse, et qu'il envoie Bodenschatz à Munich pour rendre visite aux sœurs Ballin ? A ces deux femmes qui ont soigné et caché Goering après le putsch manqué de 1923, Bodenschatz conseille instamment de se préparer à quitter l'Allemagne sans retard. Qu'elles demandent un visa au consulat d'Argentine à Munich, et le maréchal en personne veillera à ce qu'il leur soit accordé. Faveur plus rare encore : elles seront autorisées à partir avec leur argent et leurs possessions. Qu'on se le dise : Hermann Goering est peut-être un goujat, mais certainement pas un ingrat *...

Pour l'heure, en tout cas, son prestige ne s'est nullement accru à la chancellerie du Reich ; il a beau avoir bien joué son rôle dans la nuit du 14 au 15 mars, le Führer se souvient parfaitement que Goering avait déconseillé l'opération « Grün » avant qu'elle ne soit lancée, et c'est Ribbentrop qui récoltera tous les lauriers après le succès de l'entreprise. N'avait-il pas assuré que les Anglais et les Français ne lèveraient pas le petit doigt pour défendre Prague ? Hitler n'a cessé depuis lors de chanter les louanges de son « nouveau Bismarck », et Goering, écœuré, est retourné à San Remo le 21 mars pour reprendre son séjour si brutalement interrompu. L'air de l'Italie est manifestement plus salubre que celui de l'Allemagne, et Goering y trouve largement de quoi satisfaire sa vanité : une fois sa cure terminée,

---

* A la même époque, Goering intervient pour que la baronne Lilly von Epenstein, qui redoute le déclenchement d'une guerre, reçoive un visa pour se rendre aux Etats-Unis. Il est vrai qu'elle vient de lui léguer le château de Velden-stein.

il se rend à Tripoli, où il est somptueusement accueilli par le gouverneur Balbo, puis à Rome, où il est reçu en chef d'Etat par Mussolini, Ciano et le roi d'Italie *. Ayant gardé un goût prononcé pour la diplomatie officieuse, le glorieux *Maresciallo* allemand est enchanté de pouvoir faire connaître ses vues aux dirigeants fascistes.

Elles sont en fait colorées par ses derniers entretiens avec Hitler, qui lui a manifestement fait part de ses intentions pour l'avenir. A la mi-avril, Ciano note que Goering « parle avec beaucoup d'emphase de la situation de l'Axe, qu'il estime formidable, et il a des paroles très dures envers la Pologne. [...] Ce sont moins les termes que le ton méprisant employé à l'égard de Varsovie qui m'ont frappé [41] ». C'est sans doute une question de mimétisme : comme toujours, Goering parle avec la voix de son maître. Mais Ciano note aussi que son interlocuteur « ne semble pas repousser absolument les perspectives de paix, au moins pour quelques années encore [42] ». C'est en effet ce que dit très explicitement au Duce l'imposant visiteur, peu avant son départ de Rome : « Ces derniers temps, l'Allemagne a conquis de nombreux territoires, et elle a maintenant besoin de paix pour les digérer [43]. » De fait, Hermann Goering ne prévoit aucune guerre d'envergure avant l'échéance 1943-1945. N'est-ce pas après tout ce qu'a déclaré le Führer lui-même un an et demi plus tôt ** ?

La surprise du maréchal-diplomate-estivant n'en est que plus grande lorsque le 18 avril, au soir de son retour à Berlin, Hitler lui fait part de la décision qu'il a prise quinze jours plus tôt : « Le Führer, se souviendra-t-il, m'a annoncé à l'improviste, pendant que nous faisions les cent pas devant son bureau, qu'il avait l'intention de régler la question du corridor polonais avant la fin de 1939 [44]. »

Goering sait parfaitement ce que son maître entend par « régler la question », et ne le saurait-il pas que la directive de l'OKW en date du 3 avril achèverait de l'instruire : elle fait état d'un plan d'attaque de la Pologne, le « *Fall Weiss* », devant être entièrement prêt pour le 1er septembre 1939 au plus tard [45]. Du reste, les premières campagnes de presse contre les « provoca-

---

* Au prix d'une intervention auprès d'Hitler, Ribbentrop a réussi à l'empêcher de rendre visite au pape, mais il n'a pu faire davantage...

** Voir *supra,* p. 224-225.

tions polonaises » et les sévices dont seraient victimes les 2 millions d'Allemands de Pologne montrent clairement que le Führer s'apprête à répéter fidèlement le processus qui a précédé l'invasion de la Tchécoslovaquie. Ce 18 avril, en tout cas, le *Feldmarschall* ne peut s'empêcher de présenter quelques objections, puisque Hitler lui dit de « ne pas faire sa femmelette [46] » – une injonction particulièrement humiliante pour le très vaniteux Hermann Goering *, qui avait déjà été traité de lâche quatre mois plus tôt. Bien sûr, le fidèle paladin du Führer promet aussitôt que la Luftwaffe fera tout son devoir, mais il n'en demeure pas moins mortellement inquiet – et il a d'excellentes raisons pour cela...

En tant que chef du Forschungsamt, Goering sait parfaitement qu'à la différence de l'Autriche et de la Tchécoslovaquie, la Pologne ne capitulera pas sans livrer un combat acharné. En tant que responsable du plan quadriennal, il sait aussi que l'Allemagne n'est pas prête à engager un conflit d'envergure en 1939 : au centre de son vaste plan de restructuration industrielle, il y a le programme de production sidérurgique, qui ne doit porter ses fruits qu'en 1944, et celui d'autarcie complète en matière pétrolière, qui n'aboutira qu'en 1946 [47]. Une campagne militaire même limitée absorberait au minimum 30 000 tonnes de carburant par jour, et l'Allemagne n'en produit que 10 000 tonnes – dont une partie d'essence synthétique, qui reste inutilisable pour les moteurs d'avions. Le *Westwall* est loin d'être terminé, ce dont Hitler lui-même s'est déclaré outré, tandis que la zone de défense aérienne censée doubler ce mur est encore dans l'enfance, ce dont Goering ne cesse de s'indigner [48]. Les autoroutes, les programmes architecturaux et les constructions somptuaires des notables du parti continuent d'absorber des quantités considérables d'acier et de béton, le système ferroviaire n'en est qu'au début de son adaptation aux exigences stratégiques, et les économies des pays conquis n'ont pas encore été intégrées à celle du Reich [49]. La rupture des relations avec la Chine depuis l'alliance germano-japonaise a interrompu les approvisionnements en tungstène, molybdène, titane, zirconium et autres métaux indispensables aux alliages, tandis que se dessine une pénurie mar-

---

* Et que tout autre qu'Adolf Hitler aurait payée de graves contusions... dans le meilleur des cas.

quée de cuivre, de magnésium et de caoutchouc[50]. Autant d'obstacles aux exigences de « triplement de la production générale de toutes les armes du Reich », qui se heurte en outre à l'insuffisance de main-d'œuvre qualifiée, de devises étrangères et de capacité de production. Et puis, comme vient de le signaler le ministre des Finances, le coût d'une guerre en 1939 dépasserait l'ensemble du revenu national allemand[51] ! Enfin, en tant que ministre de l'Air et commandant en chef de la Luftwaffe, Goering ne peut ignorer l'impréparation de l'aviation allemande à une déclaration de guerre prématurée[52]...

Il est vrai que cela n'a jamais transparu dans ses déclarations publiques : dès le lendemain de Munich, il exhortait les industriels de l'aéronautique à « quintupler les forces aériennes de première ligne[53] », afin de forger l'« instrument de guerre le plus puissant du monde ». Malheureusement, l'état des approvisionnements en acier, en aluminium et en produits pétroliers suffirait déjà à limiter de telles ambitions, et même le très mégalomane dictateur de l'économie allemande ne peut s'affranchir entièrement des réalités du moment. Du reste, si impressionnante que soit devenue la Luftwaffe au printemps de 1939, elle présente des failles dont Goering est parfaitement conscient — même s'il refuse d'en rechercher les causes. C'est que certaines lui sont directement imputables : ses mauvaises relations avec le secrétaire d'Etat Milch, ses interventions intempestives dans la planification, ses longues périodes d'inaction, sa détestable habitude de placer aux postes névralgiques de vieux amis * ou des nazis fanatiques, son refus de toute coordination sérieuse avec la Kriegsmarine **, son ignorance abyssale en matière de technologie — pour ne rien dire de son autoritarisme et de son incompétence administrative confinant au grotesque : c'est ainsi qu'un constructeur d'avions est menacé de passer en cour martiale par le chef de la Luftwaffe Hermann Goering, parce qu'il a voulu mettre en œuvre un projet recommandé par

---

* En février 1939, Ernst Udet, déjà directeur technique, est nommé « chef de l'Office d'armement aérien », ce qui lui donne un contrôle total sur vingt-six établissements de la Luftwaffe, y compris les centres de recherches de Rechlin et Peenemünde. Ce sont là des fonctions qui dépassent de très loin ses compétences.

** Un défaut qui s'avérera particulièrement funeste à l'avenir, particulièrement dans le domaine de la reconnaissance maritime, des torpilles et de la couverture aérienne des unités de la Kriegsmarine.

le commissaire au plan quadriennal Hermann Goering [54]! Le fait de nommer comme nouveau chef d'état-major le général Jeschonnek, âgé de trente-neuf ans à peine, participe du même amateurisme mâtiné de volonté de puissance : les relations avec les anciens chefs d'état-major Kesselring et Stumpff ayant souvent été difficiles, Goering pense trouver désormais en ce jeune officier aussi doué qu'enthousiaste un homme facile à contrôler : « Jeschonnek fera tout ce que je voudrai : il sera mon jeune commis [55]. » Pour Goering, le manque d'expérience n'est pas un handicap : seule compte la fidélité à sa personne; voilà qui explique bien des problèmes à venir...

Pourtant, il faut reconnaître qu'en matière d'expansion aérienne, les responsabilités sont partagées et les obstacles techniques considérables : l'éclatant succès du chasseur Me 109 durant la guerre d'Espagne masque mal les difficultés d'approvisionnement et l'effarante pénurie de pièces détachées qui limitent son efficacité [56]. Le Ju 52 a été remplacé en tant que bombardier léger par le Ju 86 à moteurs diesel, mais celui-ci volant moins vite, moins haut et avec une charge de bombes inférieure *, il sera finalement cédé aux écoles de pilotage. Quant au bombardier moyen Junkers Ju 88, il s'était révélé très fiable lors de ses vols d'essai en 1936, mais le général Udet ayant tenu à en faire un bombardier en piqué **, sa production en série n'a pu commencer qu'en septembre 1938; sept mois plus tard, il n'y en a guère qu'une douzaine au centre d'essais de Rechlin – grevés en outre d'inquiétants défauts de conception. Or, Udet et Goering ont décidé de faire du Junkers 88 le principal bombardier moyen de la Luftwaffe – et d'en produire 250 par mois [57] –, alors qu'il reste beaucoup à faire avant d'obtenir un modèle vraiment fiable...

Le problème est plus délicat encore s'agissant de la construction d'un bombardier lourd à long rayon d'action. Les deux prototypes existants avaient certes été abandonnés en 1937, mais les nécessités de la stratégie et les ordres du Führer avaient conduit les techniciens à revenir sur leur décision au milieu de 1938.

---

* 240 km/h maximum, altitude 2 000 à 4 000 m, emport de 800 kg de bombes (contre 1 000 pour le Ju 52).
** L'exigence du bombardement en piqué, qui compromettra plus d'un programme de construction aérienne, remonte à la guerre d'Espagne, où ces bombardements s'étaient révélés beaucoup plus efficaces.

C'est ce qui a conduit à la création du Heinkel He 177, un quadrimoteur capable de bombarder en piqué – ce qui oblige à
jumeler les moteurs par paires, pour éviter d'affaiblir la structure
des ailes. Les problèmes techniques posés par ce jumelage
n'étant toujours pas résolus en avril 1939, personne ne s'attend à
voir voler un prototype de l'appareil avant un an, et une escadrille entière avant trois ans. Les plus optimistes, dont le nouveau chef d'état-major Hans Jeschonnek, prévoient la mise en
service de cinq cents He 177 pour l'automne de 1942 [58]. Une
guerre localisée contre la Pologne avant cette date pourrait certes
être menée avec les Junkers 87 Stuka, les Heinkel 111 et les
Dornier 17 existants – encore que le stock de bombes ne soit
suffisant que pour trois semaines d'hostilités –, mais personne au
ministère de l'Air n'imagine que l'Allemagne puisse participer à
un conflit d'envergure sans être en possession de bombardiers
lourds. A quoi s'ajoute naturellement qu'il faut entre quatre et
cinq ans pour former un bon pilote de bombardier ! Voilà pourquoi les responsables de la Luftwaffe – tout comme ceux de la
marine et de l'armée de terre – n'envisagent pas la possibilité
d'une guerre contre l'Angleterre avant 1943 – au plus tôt *...

C'est là une question que Hermann Goering avait déjà fait
mettre à l'étude le 17 septembre 1938, en chargeant le général
Felmy, nommé à la tête d'un « *Sonderstab England* ** », d'établir un rapport sur les possibilités de vaincre l'Angleterre au
moyen d'une campagne intensive de bombardements aériens. Le
résultat lui était parvenu le 22 septembre, cinq jours avant la
conférence de Munich : « Avec les moyens disponibles, nous ne
pouvons pas compter obtenir davantage qu'un effet de désorganisation. La question de savoir si cela entraînerait une érosion de
la volonté britannique de combattre dépend de facteurs impon-
dérables et certainement impossibles à prédire. [...] Il apparaît

---

* Il est intéressant de noter que les projets définitifs de construction de Ju 88 et
de He 177 visent tous l'échéance du printemps de 1943. Le plan Z de construction
maritime, lui, devait s'achever au début de 1944. Pour ce qui est de l'armée de terre,
qui ne comprend que six divisions motorisées ou partiellement motorisées en 1939,
il est prévu de la doter de vingt divisions motorisées « vers le milieu des années
quarante ». Dans l'ensemble, le consensus à l'époque, chez les militaires comme chez
les industriels, est qu'il faudra entre quatre et cinq ans avant que l'Allemagne ne
soit prête pour une guerre totale. Il est vrai que le Führer n'avait pas dit autre chose
en novembre 1937.
** « Etat-major spécial pour l'Angleterre ».

hors de question de mener une guerre d'anéantissement contre la Grande-Bretagne avec les moyens disponibles [59]. »

Voilà qui est sans ambiguïté... mais nécessite tout de même une confirmation : au début de mai 1939, un mois après que le Premier ministre Chamberlain a annoncé que Londres accordait sa garantie à la Pologne, le général Felmy, chef de la Luftflotte II *, est chargé de conduire des manœuvres conjointes avec la Kriegsmarine sur le thème d'une guerre aérienne contre l'Angleterre. Sa conclusion au bout de trois jours d'exercices : « L'équipement, le niveau d'entraînement et la puissance de feu de la Luftflotte II seraient hors d'état d'amener rapidement des résultats décisifs en cas de guerre contre la Grande-Bretagne en 1939 [60]. »

Parmi les lacunes les plus évidentes, le rapport cite le rayon d'action trop limité du bombardier He 111, l'inadéquation des techniques d'attaque contre les navires et la maîtrise insuffisante du vol aux instruments. Pour Goering comme pour ses adjoints, la conclusion à en tirer est très simple : à ce stade, la Luftwaffe peut servir à renforcer substantiellement la diplomatie, en intimidant l'adversaire par un chantage au bombardement − ce qu'elle a déjà fait avec grand succès au cours des quatorze mois écoulés. Mais il faudra attendre un long moment avant qu'elle ne devienne autre chose qu'une redoutable force de dissuasion... Fort de cette assurance, le maréchal Goering est déjà reparti pour l'Italie : son séjour de vacances n'a-t-il pas été brutalement interrompu les deux fois précédentes ? Du reste, il semble de plus en plus enclin à fuir Berlin, dont le climat lui est défavorable à tous égards...

Pourtant, cette fois encore, Hermann Goering va tenter de s'immiscer dans la diplomatie, en chargeant son agent en Espagne de lui ménager une entrevue avec le général Franco, devenu depuis peu le maître absolu de l'Espagne. Après tout, le Caudillo n'est-il pas son obligé depuis les temps glorieux de la Légion Condor ? Ce sera pourtant un échec cuisant : alors que Goering est déjà en route pour Valence, Franco, quelque peu encouragé par Ribbentrop, refuse de le recevoir, et le Führer lui intime même l'ordre de faire demi-tour... C'est donc un maréchal passablement dépité qui revient à Berlin pour assister à la

---

* Deuxième flotte aérienne.

signature du Pacte d'acier, l'alliance formelle entre l'Allemagne et l'Italie ; elle a été négociée à son insu, et il a bien du mal à se contenir lorsque Ribbentrop l'invite à se tenir debout derrière lui : « Imaginez cela ! s'indignera-t-il encore sept ans plus tard ; devant les caméras, il voulait que moi, le deuxième homme du Reich, je me tienne debout *derrière lui* en signe d'approbation. Vous imaginez le culot ? Je lui ai dit que je ne poserais avec lui que si j'étais assis et qu'il se trouvait debout *derrière moi*. Mais en fait, je n'y tenais pas, parce que je n'avais pas encore pris connaissance du contenu du pacte, et que j'aurais pu m'y opposer plus tard [61] ».

Le lendemain 22 mai, lors d'une réception à l'ambassade d'Italie, l'humiliation est plus grande encore, comme le note dans son journal le ministre italien des Affaires étrangères Galeazzo Ciano : « Goering, dont la position est toujours très élevée mais non plus ascendante, a eu les larmes aux yeux quand il a vu le Collier de l'Annonciade au cou de Ribbentrop. Von Mackensen m'a raconté qu'il lui avait fait une scène en disant que c'était à lui que ce collier revenait, parce qu'il était le seul véritable promoteur de l'alliance [62]. » Evidemment, c'est là une triple humiliation pour Hermann Goering, qui considère l'Italie comme son domaine réservé, voit une décoration particulièrement prestigieuse lui échapper... et revenir de surcroît à son rival von Ribbentrop ! Sans doute ne s'en est-il pas encore remis le lendemain, ce qui explique son absence à la réunion cruciale qui se tient dans l'après-midi du 23 mai 1939 à la chancellerie du Reich...

Parmi les quatorze responsables présents, il y a l'amiral Raeder, les généraux Brauchitsch, Keitel et Halder, ainsi qu'Erhard Milch, appelé *in extremis* pour remplacer son chef défaillant *. Comme toujours, les participants, venus rendre compte de l'état d'avancement des préparatifs militaires, vont devoir écouter un très long monologue du Führer : « L'union politique nationale des Allemands est désormais un fait accompli, à quelques petites exceptions près. De nouveaux succès ne pourront plus être rem-

---

* Peut-être pour donner plus d'importance à la réunion, ou parce que son compte rendu a été rédigé *a posteriori* sur la base de notes parcellaires, l'aide de camp Schmundt fait état de la présence de Goering à cette occasion. Mais lors de leurs interrogatoires à Nuremberg, les participants, et notamment le général Milch, confirmeront son absence.

portés sans que le sang soit versé. [...] La Pologne sera toujours du côté de nos ennemis. Malgré le traité d'amitié, les Polonais ont toujours voulu exploiter toutes les occasions de nous nuire. Il ne s'agit pas de Dantzig, mais d'un agrandissement de notre espace vital à l'Est et de la sécurisation de nos approvisionnements alimentaires. [...] Il ne faut pas compter sur une répétition de l'affaire tchèque. Il y aura combat. La tâche consiste à isoler la Pologne. Le succès de cette entreprise d'isolement sera décisif. C'est pourquoi le Führer doit se réserver le moment de l'ordre d'attaque définitif. Il n'est pas question de se laisser entraîner dans une confrontation simultanée avec l'Ouest (France et Angleterre). L'attaque de la Pologne ne peut réussir que si les pays occidentaux restent en dehors du jeu. [...] C'est l'affaire d'une politique habile que d'isoler la Pologne. »

Mais pour le Führer, il ne s'agit pas d'en rester là : le problème de la Pologne est indissociable du règlement de comptes final avec l'Ouest : « L'Angleterre est notre ennemie, et la confrontation avec l'Angleterre sera une question de vie ou de mort. » Suivent des considérations stratégiques sur la meilleure manière de vaincre la Grande-Bretagne, notamment en s'emparant de la Belgique et des Pays-Bas, en écrasant l'armée française et en coupant les lignes d'approvisionnement maritimes des îles Britanniques. Hitler a certainement pris connaissance du rapport Felmy sur les manœuvres aéronavales du 10 mai, puisqu'il ajoute : « Une attaque de la Luftwaffe contre l'Angleterre ne la contraindra pas à la capitulation en un jour. Mais si sa flotte est détruite, la capitulation immédiate suivra. [...] Le temps joue contre l'Angleterre. » De fait, Hitler insiste à nouveau sur la distinction entre le long terme et le court terme : pour l'heure, il s'agit bien d' « éviter de se laisser entraîner dans une guerre contre l'Angleterre » du fait de la confrontation avec la Pologne. Le règlement de comptes final attendra au moins quatre ans, puisque le Führer conclut son exposé en disant que « rien n'est changé au programme de construction navale », et que « les échéances fixées pour les programmes d'armement sont de 1943 et 1944 respectivement » [63].

Ayant pris connaissance de la teneur de ce discours, Goering s'empresse naturellement de l'acclamer comme un trait de génie. Pourtant, notre homme reste doué d'une grande intelligence, et il a tendance à s'en servir chaque fois qu'il n'est pas paralysé par la présence impérieuse de son seigneur et maître. En l'occurrence, il a saisi d'emblée le point faible de l'argumentation du Führer : c'est la conviction qu'il est possible d'attaquer la Pologne sans déclencher simultanément un conflit avec l'Angleterre. Hitler a bien déclaré à son auditoire que c'était l'« affaire d'une politique habile », mais comme le Führer prend souvent ses désirs pour des réalités et se complaît toujours en généralités, il n'a indiqué à aucun moment en quoi pourrait consister une telle politique. Or, le fait demeure que Chamberlain, échaudé par l'affaire tchèque et talonné par son opposition, a donné publiquement sa garantie à la Pologne, et rien n'indique cette fois que le gouvernement de Sa Majesté se dérobera à ses obligations...

Toujours à la recherche d'un rôle à jouer pour se mettre en valeur, Goering voit là l'occasion rêvée d'intervenir : grâce à sa légendaire habileté diplomatique, il éblouira le Führer et éclipsera Ribbentrop ! Après tout, l'ambassadeur de Grande-Bretagne Henderson lui fait confiance, il a reçu à Carinhall une succession de lords candides et complaisants, Londres le considère comme un modéré susceptible de devenir un interlocuteur privilégié, et lui-même sait parfaitement que le gouvernement britannique est dominé par des hommes suffisamment épris de paix pour la payer un prix outrancier. Dès lors, il ne reste plus qu'à se mettre au travail...

Le premier bénéficiaire de ses attentions est l'ambassadeur de Sa Majesté sir Nevile Henderson, qui est reçu à Carinhall le 27 mai. A ce digne homme, qui a pour Goering une admiration certaine, le premier paladin du Führer explique que les persécutions contre les Allemands de Pologne sont intolérables, que Dantzig est une ville allemande qui doit absolument revenir au Reich, et que l'existence du corridor polonais, qui fait de la Prusse orientale une enclave, constitue un scandale inacceptable. Lorsque toutes ces survivances du traité de Versailles auront été abolies, l'Allemagne n'aura plus de revendications à l'égard de la Pologne. Mais si celle-ci se montre intraitable, c'est parce qu'elle croit pouvoir compter sur l'appui britannique. Que Londres lui retire cet appui, et Varsovie se montrera raisonnable – ce qui assurera la paix en Europe, et permettra enfin d'instaurer l'entente anglo-allemande tant souhaitée par le Führer... D'ailleurs, poursuit le maréchal, l'Allemagne est invincible, et aucune puissance ou combinaison de puissances ne pourraient l'emporter contre elle en Europe : la France est hors d'état de mener une guerre prolongée, les Polonais ne sont pas prêts militairement et ils sont désunis, l'URSS refuse d'apporter à la Pologne une aide efficace, et l'Empire britannique serait fatalement affaibli dans l'éventualité d'une guerre [64].

Voilà donc exprimée, avec un habile dosage de séduction et d'intimidation, l'exacte conception d'Adolf Hitler. Quinze mois plus tôt, il est vrai, un tel discours aurait fait merveille ; mais depuis lors, il y a eu successivement Vienne, les Sudètes et Prague, de sorte que sir Nevile n'a plus tout à fait la candeur d'antan. Il répond donc : « Si personne ne désire davantage que nous un arrangement à l'amiable entre l'Allemagne et la Pologne concernant la question de Dantzig et celle du corridor, nous sommes en revanche bien résolus dorénavant à répondre à la force par la force [65]. »

Ce n'est pas exactement ce que Goering voulait entendre, mais au fond, peu lui importe, car il a bien d'autres moyens d'approcher le gouvernement britannique. Ainsi, un haut fonctionnaire de son commissariat au plan quadriennal, Helmuth Wohlthat, est fort bien introduit auprès des milieux économiques britanniques * ; entre juin et juillet, il va rencontrer à Londres Frank Ashton-Gwatkin, chef de la section économique du Foreign Office, sir Robert Hudson, sous-secrétaire d'Etat au ministère du Commerce extérieur, et sir Horace Wilson, le principal conseiller diplomatique du Premier ministre Chamberlain. Les tractations secrètes aboutissent à l'élaboration d'un « programme de négociations » fort détaillé, comprenant une reconnaissance par la Grande-Bretagne des intérêts allemands en Europe centrale et méridionale, une « déclaration conjointe de renonciation à l'agression » et un engagement de « non-interférence mutuelle », ainsi qu'un volet économique particulièrement fourni, allant d'une « politique commune anglo-allemande dans le domaine de l'importation des matières premières et des denrées alimentaires » à un « condominium

---

* A l'origine, il s'était rendu à Londres pour engager des pourparlers à propos du financement de l'émigration juive et de l'or déposé dans les banques britanniques par le gouvernement tchèque.

colonial » pour l'Afrique, en passant par l'attribution à la Reichsbank d'importants crédits britanniques – le tout en échange de « concessions allemandes en faveur de la paix [66] ».

Au moment où se déroulent ces tractations, Goering a sur place un autre intermédiaire de poids en la personne du millionnaire suédois Axel Wenner-Gren, patron de la société Electrolux *. Le maréchal l'a reçu à Carinhall le 25 mai et l'a persuadé que, contrairement à Ribbentrop, Goebbels et Himmler, il voulait la paix avec la Grande-Bretagne. C'est ce que Wenner-Gren va communiquer au début de juin à plusieurs personnalités du parti conservateur, avant de s'en entretenir le 6 juin avec Chamberlain en personne. Il propose de la part de Goering « un plan de paix pour vingt-cinq ans », à condition bien sûr que soient satisfaites au préalable les « exigences territoriales définitives » d'Hitler – portant en premier lieu sur Dantzig, le corridor polonais et la « question coloniale [67] ». Voilà qui laisse Chamberlain plutôt sceptique ; il considère que « ce plan Goering apparaît comme une façon de procéder insatisfaisante, par laquelle nous donnerions tout tandis que lui prendrait tout [68] ». A cela s'ajoute que le maréchal refusant de s'engager publiquement, il faudrait que l'initiative de ce plan paraisse venir du côté britannique – ce qui serait extrêmement périlleux pour l'image politique de M. Chamberlain. Pourtant, le Premier ministre ne ferme nullement la porte à des contacts ultérieurs avec Goering, car il estime que « c'est un homme avec qui l'on peut parler franchement [69] ». Manifestement encouragé, Wenner-Gren, de retour à Stockholm, rédige lui aussi un programme de paix, intitulé « Pacte de vingt ans », et comportant cette fois des obligations réciproques : les nazis, pour leur part, mettraient fin à toutes les persécutions raciales, libéreraient les prisonniers politiques et fermeraient les camps de concentration [70].

Les deux plans de paix vont connaître au même moment des sorts très similaires. Celui de Wohlthat fait l'objet d'une fuite, et dès le 23 juillet, le *Daily Telegraph* annonce que le gouvernement britannique a l'intention d'acheter la modération d'Hitler en lui proposant un crédit de un milliard de livres sterling ; dès lors, Londres et Berlin s'empressent de démentir, et l'ensemble du projet est définitivement enterré. La veille même, lors d'un

---

* Il avait été présenté à Goering par son compatriote Eric von Rosen en 1936.

entretien à Hambourg avec un autre homme d'affaires suédois, Birger Dahlerus, Goering a également consigné aux oubliettes le plan de Wenner-Gren : le Führer, a-t-il dit, rejetterait d'avance tout plan aussi ambitieux – et conçu par d'autres que lui-même. Il aurait plutôt fallu procéder par approches discrètes et progressives, sur lesquelles Hitler garderait un contrôle absolu. Et puis, les projets de Wohlthat et Wenner-Gren semblaient partir du principe que le maréchal « n'était pas en complet accord avec Hitler » ; or, lui, Goering, « ne ferait jamais rien dans le dos d'Hitler, et ne prendrait jamais aucune initiative contraire aux instructions du Führer »[71]. Et comme précisément, son visiteur est venu lui proposer de rencontrer personnellement des hommes d'affaires britanniques pour mieux s'informer des positions de Londres, Goering a répondu qu'en fonction des considérations précitées, il ne prendrait aucun engagement avant d'en avoir référé au Führer[72] *...

Pour Goering, c'est évidemment une priorité absolue : Hitler ne doit en aucun cas prendre ombrage de ses initiatives « diplomatiques ». Pour réaliser ses ambitions, il lui faut en somme apparaître aux yeux des Anglais comme une colombe de la paix et aux yeux d'Hitler comme un foudre de guerre ! Ainsi que le note à cette époque l'ambassadeur von Hassel, qui reçoit des confidences de l'entourage du maréchal : « Goering ne veut plus être engueulé et traité de lâche[73]. » D'où son attitude quelque peu schizophrénique, qui fait alterner en succession rapide les offres de paix et les discours belliqueux... Dès le 23 juin, lors d'une réunion exceptionnelle du Conseil de défense du Reich, il déclarait en effet que la guerre était très proche, et qu'elle nécessiterait la mobilisation totale de toutes les forces vitales du pays : 7 millions d'hommes appelés sous les drapeaux, dont la place dans les usines et les fermes serait prise par des hommes déportés de Tchécoslovaquie ou prélevés dans les camps de concentration. Il s'agissait également d'améliorer le système des transports, en prévision d'une mobilisation à court terme[74]. Quinze jours plus tard, pour mieux briller aux yeux du Führer, Goering fait orga-

---

* A cette époque, Goering continue à fuir Berlin : entre la fin juin et le début août, il passe le plus clair de son temps à remonter les canaux allemands et néerlandais à bord de son yacht, le *Carin II*. Les conférences sérieuses se tiennent aux écluses, ou lors de séjours éclairs à Hambourg, Berlin ou Carinhall...

niser au centre d'essais de Rechlin une présentation des derniers
modèles ultra-secrets de la production aéronautique allemande,
y compris l'avion à réaction Me 262, le He 176 à propulsion
assistée par fusée qui atteint pendant quelques minutes les
1 000 km/h, une cabine pressurisée pour les hautes altitudes,
plusieurs modèles de radars et le nouveau canon de 30 mm MK
101, monté sur un chasseur Me 110 * [75].

Il s'agit aussi de faire entendre au Führer des accents guerriers, et Goering n'en est pas avare ; aux dirigeants de l'industrie
aéronautique réunis à Carinhall, il proclame : « partout où l'on
en viendra aux mains, partout où l'Allemagne devra combattre,
nous aurons les meilleures chances de l'emporter. Mais cela
dépendra de notre force, de la façon dont nous la mobiliserons,
et de la détermination de chacun d'entre vous [76] ». Lors d'une
tournée en Rhénanie, il déclare aussi : « Pas une seule bombe ne
touchera l'Allemagne. Si un bombardier ennemi survole le sol
allemand, je ne me nomme plus Hermann Goering. Vous pourrez m'appeler Meyer [77] ! »

Mais derrière les rodomontades publiques du serviteur zélé
pointe la circonspection discrète de l'ancien combattant : « La
guerre, dit-il à Bodenschatz, est toujours une affaire hasar-
deuse [78]. » Certes, et elle l'est plus encore lorsque l'on risque de
s'y engager bien avant d'être prêt **. « Nos faiblesses dans le
domaine de l'entraînement, de l'équipement et la préparation au
combat n'étaient que trop connues, se souviendra le colonel
Speidel, chef d'état-major de la Luftflotte I ; et comme c'était
notre devoir, nous en informions invariablement les autorités
supérieures [79]. » Pour Goering, il importe donc plus que jamais
d'éviter le déclenchement prématuré d'une conflagration générale ; et puisque le Führer tient absolument à sa guerre contre la
Pologne, c'est à lui, Goering, de veiller à ce que ce conflit reste

---

* Cette présentation aura des effets désastreux, en faisant croire à Hitler que tous
les modèles exposés sont déjà au point et équiperont rapidement la Luftwaffe. Or, il
s'agit de prototypes, qui n'entreront en service que dans quatre ans – au plus tôt.
Cette erreur l'a certainement encouragé dans sa politique d'agression, ainsi qu'il le
reconnaîtra lui-même en 1944.

** A cette époque, la Luftwaffe dispose de 3 641 avions de tous types, répartis en
quatre flottes aériennes : 1 176 bombardiers moyens He 111 et Do 17 ; 771 chasseurs monomoteurs Me 109, 408 bimoteurs Me 110 et 366 Stuka. (Voir annexe,
p. 783 et suivantes.) Les autres sont principalement des appareils de reconnaissance,
des avions de transport Ju 52, des hydravions et des avions d'entraînement.

localisé. Et de quelque façon qu'il retourne le problème, le *Feldmarschall* ne voit toujours qu'une solution : dissuader Français et Britanniques de s'engager aux côtés de la Pologne. Pour ce qui est des Français, il lui suffit de s'adresser à son intermédiaire favori, le capitaine Stehlin, ce qu'il s'empresse de faire dès la fin de juillet. Le rencontrant « par hasard » lors d'une réception, il le prend à part et lui dit : « Il ne faut pas que la France prenne des risques au sujet de la Pologne. Ce serait contraire à ses intérêts. Rien ne va se passer dans l'immédiat, mais dans trois ou quatre semaines, nous pourrions nous trouver dans une crise beaucoup plus grave qu'en septembre de l'an dernier [80]. » Par contre, ses déclarations pacifistes à l'ambassadeur Henderson n'ont pas eu l'effet escompté, et ses deux derniers émissaires n'ont rencontré à Londres qu'un scepticisme poli – tout en risquant de le compromettre aux yeux d'Hitler. Il lui faut donc un émissaire aussi prudent que convaincant, et il pense l'avoir trouvé en la personne de l'homme d'affaires suédois Birger Dahlerus.

Goering connaît Dahlerus depuis 1934; il l'avait aidé à l'époque dans une affaire privée, et Dahlerus lui avait ensuite rendu la politesse en trouvant un emploi à Stockholm pour le fils de Carin, Thomas von Kantzow. Depuis lors, le *Ministerpräsident* et l'homme d'affaires suédois se sont rencontrés régulièrement et Dahlerus, qui est très bien introduit dans les milieux économiques britanniques, a constaté avec surprise que son illustre interlocuteur, comme tous les autres chefs nazis du reste, était très mal informé des conditions régnant en Grande-Bretagne et de la mentalité de ses dirigeants : « Lors de nos deux entretiens cette année-là, il a clairement exprimé la méfiance du gouvernement du Reich vis-à-vis de l'Angleterre et du gouvernement anglais. Mais lorsqu'il abordait ces questions, il trahissait un manque notable de connaissances solides sur l'Angleterre et sur son attitude à l'égard de l'Allemagne. [...] Quant à Hitler, j'ai déduit de nombre des déclarations de Goering qu'il avait [...] de l'Angleterre des conceptions très nébuleuses, tout en lui portant une sorte d'amour déçu. [...] Il m'a paru suprêmement important qu'un homme appartenant au cercle étroit de son entourage, dont je connaissais par ailleurs les tendances pacifiques, soit suffisamment informé sur l'Angleterre et sa politique pour peser à bon escient sur les conceptions d'Hitler. Cet homme, c'était Goering[81]. » En somme, Goering et Dahlerus ont un but commun : éviter le déclenchement d'un conflit généralisé. Mais il y a dès l'abord une évidente différence d'intention entre le premier, qui souhaite s'entretenir avec les dirigeants britanniques pour les persuader d'abandonner la Pologne à son sort, et le second, qui compte sur ces mêmes entretiens pour faire comprendre aux dirigeants allemands que les Britanniques ne se désolidariseront en aucun cas de la Pologne. Cette divergence notable n'apparaît guère au début, mais elle explique en grande partie les malentendus qui vont suivre...

Le 7 août, ayant finalement obtenu la permission d'Hitler, Goering rencontre sept hommes d'affaires britanniques à Sönke Nissen Koog, la propriété de l'épouse de Dahlerus près de la frontière danoise *. Lors de cette réunion, qui va durer plus de six heures, les deux parties ne sont manifestement pas à armes égales : Goering est un dirigeant haut placé dans la hiérarchie nazie, qui connaît toutes les ficelles du débat et de la propagande, tandis que ses sept interlocuteurs britanniques sont des industriels et des financiers sans responsabilité gouvernementale ou parlementaire, aventurés pour un jour dans le monde peu familier de la politique internationale. D'où une certaine timidité de leur part, qui permet à Goering de se lancer dans une très longue justification des mesures prises par l'Allemagne durant les sept dernières années. Mais au fil des heures, les Britanniques s'enhardissent, posent des questions de plus en plus précises, et finissent par souligner très franchement le « danger que représentent les immuables tactiques de Berlin, consistant à invoquer les mauvais traitements infligés aux minorités allemandes, pour exiger ensuite une solution immédiate du problème ainsi posé, qui comporte invariablement l'annexion par le Reich du territoire concerné. Des méthodes aussi impudentes doivent nécessairement éveiller la méfiance des autres peuples, dont naturellement le peuple britannique ». Goering leur répond qu'il est en mesure de leur donner « sa parole d'honneur en tant qu'homme d'Etat et officier » que les revendications allemandes concernant Dantzig et le corridor ne seront pas sui-

---

* Goering est accompagné d'une demi-douzaine de collaborateurs, dont Paul Koerner et le général Bodenschatz.

vies d'exigences concernant d'autres parties du territoire polonais. Pour finir, les interlocuteurs s'accordent pour recommander à leurs autorités respectives la tenue, dans les meilleurs délais et de préférence en Suède, d'une conférence réunissant des représentants dûment mandatés des deux gouvernements [82].

Goering repart très satisfait de cet entretien, qui devrait permettre d'organiser une nouvelle conférence de Munich *, et il envoie sans retard le général Bodenschatz faire à Hitler un compte rendu détaillé des discussions. Mais il est clair que la perspective d'un second Munich n'a guère d'attrait pour le Führer, si l'on en croit les impressions du comte Ciano, qui le rencontre le 12 août à Berchtesgaden : « Je me rends compte tout de suite qu'il n'y a plus rien à faire. Il a décidé de frapper et il frappera. [...] Il ne cesse de répéter qu'il localisera le conflit à la Pologne, mais lorsqu'il ajoute que la grande guerre doit être menée pendant que lui et le Duce sont encore jeunes, cela me porte à croire qu'une fois encore, il est de mauvaise foi [83]. » C'est à la même époque que le major von Lossberg, de l'OKW, se rend pour la première fois dans la demeure d'Hitler à Munich, en compagnie du général Keitel. Le Führer commence par leur faire un long discours sur l'histoire du mouvement et la politique menée au cours des six dernières années, après quoi il en vient à parler de la Pologne, « dont l'attitude se raidit de plus en plus, et qui multiplie les empiétements contre les Allemands, ce qui est uniquement dû au soutien accordé aux Polonais par l'Angleterre ». A ce stade, note von Lossberg, Hitler a commencé à s'énerver : « Il s'est mis à gesticuler, en frappant du poing sur la table et en s'écriant : "En tant que Führer du Grand Reich allemand, je ne suis pas disposé à tolérer longtemps de tels procédés. La situation ne nous a jamais été aussi favorable. Nous avons de l'avance en matière d'armements, tandis que l'Angleterre est à la traîne. J'ai rencontré à Munich Chamberlain, l'homme au parapluie, ainsi que Herr Daladier. Ils ne pourront pas m'empêcher de régler la question polonaise. Les commères des salons de thé londoniens et parisiens vont devoir se tenir tranquilles cette fois encore. Il faut poursuivre les préparatifs du plan 'Weiss'. S'il y a une guerre, elle restera limitée à

---

* La ressemblance avec Munich s'accentue encore le lendemain, lorsque Goering et Dahlerus conviennent qu'il faudrait associer la France et l'Italie aux négociations.

la Pologne. Ce plan 'Weiss' ne débouchera jamais, jamais, jamais sur une guerre mondiale. " Chaque " jamais " était souligné par des mouvements de bras désordonnés, et il a conclu par ces mots : " Si une confrontation avec l'Angleterre devenait inévitable, c'est moi qui en choisirais le moment, et elle aura le couteau dans la gorge avant même de savoir que la guerre a commencé – mais pas avant 1943 " [84]. »

Goering attend donc en vain une réaction positive du Führer à sa proposition de conférence à quatre. Du reste, Londres ne se presse pas davantage de répondre : la perspective d'une nouvelle conférence de capitulation n'a rien d'attrayant pour les membres du gouvernement britannique en général, et pour Neville Chamberlain en particulier. Mais lui et son ministre des Affaires étrangères étant restés viscéralement attachés à la politique d'apaisement, ils tiennent essentiellement à faire quelque chose pour « aider et encourager le maréchal Goering [85] » ; entre le 18 et le 21 août, le cabinet britannique s'accorde donc sur une initiative pour le moins hardie : il s'agit d'envoyer un émissaire en Allemagne, qui invitera Goering à venir négocier secrètement en Angleterre [86]. Mais lorsque cet intermédiaire arrive à Berlin, la situation diplomatique a déjà pris un tour entièrement nouveau : von Ribbentrop est à Moscou pour négocier un pacte de non-agression avec son homologue soviétique Molotov...

Hitler, informé de la perspective d'un accord dès le soir du 21 août par une lettre personnelle de Staline, s'est exclamé : « Je les tiens ! Je les tiens [87] ! » Dès le lendemain vers midi, il réunit tous les hauts responsables militaires * dans la grande salle du Berghof où, appuyé sur un piano à queue, il leur tient un discours aussi long qu'édifiant : « Je vous ai convoqués pour vous donner un aperçu de la situation politique, afin que vous puissiez saisir les éléments sur lesquels repose ma décision de passer à l'action [...]. Je voulais à l'origine instaurer avec la Pologne une relation raisonnable, afin de pouvoir d'abord combattre les puissances occidentales. Mais ce plan, qui me convenait, s'est révélé impossible à mettre en œuvre, en raison de changements

---

* Une cinquantaine en tout, y compris les aides de camp du Führer, Ribbentrop étant également présent. Il était interdit de prendre des notes à cette occasion, mais plusieurs participants, dont le général Halder et les amiraux Canaris et Boehm, sont passés outre, ce qui permet de reconstituer assez fidèlement le discours.

importants dans la situation. J'ai compris que lors d'une confrontation avec l'Ouest, la Pologne nous attaquerait dans le dos [...] et l'engagement contre elle pourrait se produire à un moment défavorable. » Suit une longue énumération des autres considérations qui ont influencé sa décision de déclencher la guerre sans retard : lui seul jouit de la confiance du peuple allemand, et personne d'autre n'aura son autorité à l'avenir. Or, il peut à tout moment être abattu « par un criminel ou par un imbécile ». Il y a aussi la présence du Duce, qui est décisive, ainsi que celle de Franco ; tout cela ne durera pas éternellement, pas plus que la conjonction favorable due au fait qu'en Angleterre et en France, « il n'y a aucune personnalité d'envergure ». Et le Führer poursuit : « Il nous est facile de prendre des décisions : nous n'avons rien à perdre, tout à gagner. Du fait de nos limitations, notre situation économique est telle que nous ne pourrons encore tenir que quelques années. Goering vous le confirmera. Il ne nous reste donc rien d'autre à faire qu'à agir. Nos adversaires risquent beaucoup et ont peu à gagner. [...] Ils ont des dirigeants qui sont en dessous de la moyenne. Pas de personnalités, pas de maîtres, pas d'hommes d'action. »

Après un vaste tour d'horizon de la situation politique en Méditerranée, en Asie, au Moyen-Orient et dans les Balkans, Hitler revient à la Pologne : « Mes propositions à la Pologne concernant Dantzig et le corridor ont été contrées par l'intervention de l'Angleterre *. La Pologne a changé de ton à notre égard. En se prolongeant, la tension devient insupportable. » Suit une très longue répétition de ses propos précédents au sujet de la nécessité d'agir sans retard, du rôle indispensable qu'il assume et du risque d'un attentat perpétré contre lui, qui serait fatal pour l'avenir de l'Allemagne. Puis : « On ne peut pas éternellement rester l'arme au pied. La solution de compromis qui nous était proposée aurait exigé de nous des changements de principes et des gestes de bonne volonté. On nous parlait à nouveau le langage de Versailles, et nous risquions une perte de prestige. A présent, il est encore très vraisemblable que les pays occidentaux n'interviendront pas. Il nous faut oser avec une

---

* Il s'agit de la garantie donnée publiquement à la Pologne par l'administration Chamberlain.

implacable détermination. [...] Il nous faut frapper, ou bien être immanquablement détruits tôt ou tard. » A nouveau un long retour sur le passé, pour prouver que le Führer a toujours vu juste et agi en risquant le tout pour le tout. Ensuite, retour au présent : « Maintenant aussi, il y a un gros risque à prendre. Il faut des nerfs d'acier, une résolution d'airain. Mes convictions se trouvent renforcées par les considérations suivantes : l'Angleterre et la France ont contracté des obligations qu'elles sont toutes deux hors d'état d'assumer. En Angleterre, il n'y a pas de véritable réarmement, ce n'est que de la propagande. » Suit une longue description de l'état d'impréparation de la Grande-Bretagne sur mer, sur terre et dans les airs, qui se conclut par ces mots : « La Pologne avait demandé à l'Angleterre des crédits pour son réarmement. Mais l'Angleterre ne lui a consenti que des crédits liés, destinés à faire en sorte que la Pologne achète en Angleterre, bien que celle-ci soit hors d'état de livrer quoi que ce soit. Cela indique que l'Angleterre ne veut pas vraiment soutenir la Pologne ; elle n'ose même pas engager 8 millions de livres sterling en Pologne, alors qu'elle a consenti un demi-milliard de crédit à la Chine. La situation de l'Angleterre dans le monde est très précaire ; elle ne prendra pas de risques. La France, elle, manque d'effectifs, du fait des classes creuses. Elle a peu réarmé ; son artillerie est démodée. Elle ne veut pas être entraînée dans cette aventure. » Dès lors, pour le Führer, il ne reste à ces deux pays que trois moyens de combattre l'Allemagne : le blocus, qui serait inefficace du fait de la politique allemande d'autarcie et de ses sources d'approvisionnement à l'Est ; une attaque à l'Ouest à partir de la Ligne Maginot, qu'il considère comme impossible ; une violation de la neutralité des Pays-Bas, de la Belgique, de la Suisse ou des pays scandinaves, à laquelle Hitler ne croit pas non plus : « Ces pays défendront leur neutralité par tous les moyens. L'Angleterre et la France ne violeront pas la neutralité de ces pays. » La conclusion est inéluctable : « En fait, l'Angleterre ne peut pas aider la Pologne. »

Retour au mode triomphaliste – pour autant que le Führer l'ait jamais quitté : « Nos adversaires espéraient encore que la Russie interviendrait contre nous après l'invasion de la Pologne. Ils avaient compté sans mes grandes capacités de décision. Nos adversaires ne sont que des vermisseaux ; je les ai vus à Munich. [...] La relation personnelle avec Staline est établie. Von Ribbentrop signera le traité après-demain. J'ai amené la Pologne là où je voulais. [...] Notre grande tâche nécessite un engagement complet. La seule chose que je redoute, c'est qu'au dernier moment, un quelconque saligaud * me présente un plan de médiation. » A l'évidence, Hitler fait allusion à Munich, et ce sévère avertissement s'adresse sans doute au plus décoré et au plus enveloppé de ses auditeurs. Mais lorsque le discours prend fin, c'est précisément cet homme-là qui exprime ses chaleureux remerciements au Führer, et tient à l'assurer que la Wehrmacht fera tout son devoir [88].

A l'ambassadeur Henderson, qu'il reçoit dans l'après-midi du 23 août, Hitler, dans un grand état d'excitation, déclare que « tout est de la faute de l'Angleterre. Elle a encouragé les Tchèques l'année dernière, et à présent, elle donne un chèque en blanc aux Polonais. Je n'ai plus confiance en M. Chamberlain. J'aime mieux faire la guerre quand j'ai cinquante ans que quand j'en aurai cinquante-cinq ou soixante [89] ». Ce même après-midi, Hitler fixe le jour J pour l'attaque de la Pologne : ce sera le 26 août, trois jours plus tard [90]. Goering convoque les ministres à Carinhall pour leur annoncer la nouvelle, tout en leur précisant qu'« il n'y aura pas de guerre mondiale [91] ». Mais c'est là le Goering qui parle avec la voix d'Hitler, non le Goering qui doute de l'abstention britannique, qui ne se sent pas prêt pour un conflit d'envergure, et qui tient essentiellement à éclipser son rival von Ribbentrop... Or, c'est bien ce second Goering que rencontre Dahlerus à Carinhall le 24 août : « Il m'a fait un vaste panorama de la situation militaire et politique. Il a insisté sur le fait que la position allemande s'était trouvée considérablement renforcée par le traité avec la Russie, [...] tout en soulignant que le gouvernement allemand désirait sincèrement parvenir à un accord avec l'Angleterre. Il a déploré que la conférence prévue n'ait pu avoir lieu **, et il a essayé au cours de l'entretien de présenter la situation comme si le cours des événements à venir dépendait exclusivement de la bonne

---

* « *Irgendein Schweinehund* » dans la version originale.
** Celle qui avait été recommandée lors de la rencontre du 7 août, et à laquelle Hitler n'avait pas donné suite.

volonté et des initiatives de l'Angleterre [92]. » En d'autres termes, Goering ne dit pas à Dahlerus que le Führer lui a interdit la veille de se rendre personnellement en Angleterre pour négocier * [93], et pas davantage qu'il a pris la décision irrévocable d'attaquer la Pologne deux jours plus tard... Par contre, le maître de Carinhall demande expressément à son interlocuteur suédois de retourner à Londres pour reprendre contact avec le Foreign Office – ce que cet intermédiaire dévoué finit par accepter. Sans perdre de temps, il part pour Londres au matin du 25 août.

Cette journée du 25 août sera particulièrement agitée à la chancellerie du Reich : vers 11 heures du matin, l'ambassadeur Attolico remet à Hitler une lettre personnelle de Mussolini, que le Führer avait informé quelques jours plus tôt de son intention de lancer une action militaire contre la Pologne. Dans sa réponse, le Duce – manifestement influencé par une note de son chargé d'affaires à Berlin l'informant « de source allemande très bien placée ** » qu'« Hitler renoncerait peut-être si le gouvernement italien lui communiquait explicitement qu'il ne fera pas cause commune avec lui » [94] – fait savoir au Führer que pour diverses raisons, dont le refus du roi de signer l'acte de mobilisation et l'état d'impréparation des forces armées italiennes, il ne pourra entrer en guerre aux côtés de l'Allemagne. « Cette lettre, notera le général Keitel, a porté un rude coup à Hitler. » Ce ne sera pas le dernier, car Keitel poursuit : « Tôt dans l'après-midi, j'ai été à nouveau convoqué à la chancellerie, mais cette fois en urgence. J'y ai trouvé Hitler encore plus agité que le matin. Il m'a dit qu'il venait de recevoir du chef de presse du Reich un télégramme selon lequel le traité anglo-polonais devait être rati-

---

* Goering avait effectivement eu l'intention d'aller rencontrer le Premier ministre Chamberlain. Lord Halifax écrira dans ses Mémoires que toutes mesures avaient été prises pour amener secrètement le maréchal aux Chequers le 23 août, après quoi l'ensemble du projet avait été annulé du côté allemand. La conclusion des accords germano-soviétiques n'y était pas entièrement étrangère.

** Magistratifinit même par citer la source en question, ce qui est d'une effroyable imprudence ; il s'agit de l'amiral Canaris en personne. Le Forschungsamt de Goering, qui intercepte toutes les communications de l'ambassade d'Italie et décrypte parfaitement son chiffre, n'a pu manquer de rapporter ce message à Goering, et il est significatif que le maréchal ait choisi de ne pas le communiquer à Hitler ; c'est qu'en l'occurrence, les intérêts de Canaris et de Goering se rejoignent : tous deux tiennent à empêcher le déclenchement d'une conflagration générale.

fié le jour même. [...] Il pensait que cette information était fiable, et il m'a demandé s'il était encore temps d'arrêter le mouvement des troupes, car il voulait gagner du temps pour négocier davantage, même s'il ne pouvait plus compter sur le soutien de l'Italie [95]. » Négocier avec qui ? Avec les Anglais, bien sûr : de toute évidence, le coup de tonnerre de l'accord germano-soviétique n'a pas suffisamment impressionné les ploutocrates de Londres, qui persistent à vouloir soutenir Varsovie. A Goering, Hitler confie donc qu'il lui faudra voir « s'il nous est possible d'éliminer l'intervention britannique [96] ». Mais Schmundt, l'aide de camp d'Hitler, fait passer le message à l'OKW : « Ne pavoisez pas trop vite ; ce n'est qu'un report de quelques jours [97]. »

Pour Goering, c'est tout de même un encouragement de taille à poursuivre ses initiatives diplomatiques *. A cet égard, il a le soutien de tous les hauts responsables militaires qui craignent le déclenchement d'une guerre, à commencer par le commandant en chef de l'armée von Brauchitsch, qui vient de confier au major Engel ** : « Pour une fois, Goering est mon meilleur allié. Il est vrai qu'il sait parfaitement pourquoi il ne veut pas de guerre ; c'est parce qu'elle ne lui permettrait jamais de vivre mieux que maintenant [98]. » En tout cas, les perspectives de succès sont encourageantes, car l'infatigable Dahlerus revient à Carinhall au soir du 26 août, porteur d'une lettre personnelle de Lord Halifax à Goering ; dans celle-ci, le noble lord exprime clairement le désir du gouvernement de Sa Majesté de parvenir à un accord avec l'Allemagne. Il est vrai que Dahlerus ajoute qu'à son avis, l'Angleterre prend très au sérieux son traité avec la Pologne, et qu'elle ne manquera certainement pas de venir à son aide en cas d'agression, mais Goering n'écoute guère, tant il est fasciné par cette lettre qu'il tient absolument à montrer au Führer. Vers 23 heures, le maréchal commande donc une voiture, y fait monter Dahlerus et roule à tombeau ouvert en direction de Berlin. A minuit, la voiture s'arrête devant la chancellerie, où Hitler s'est déjà retiré pour la nuit. Mais il en faut davantage

---

* D'autant que ce même jour, Hitler fait à l'ambassadeur Henderson une communication verbale comportant une offre d'alliance avec la Grande-Bretagne, pourvu que soient satisfaites au préalable toutes ses exigences à l'égard de la Pologne. Henderson partira pour Londres le 26 août, afin d'en informer son gouvernement.
** L'aide de camp délégué par l'armée de terre auprès d'Hitler.

pour arrêter Goering, qui le fait réveiller et va s'entretenir avec lui, avant de faire appeler son compagnon de route. C'est ainsi que peu avant 2 heures au matin du 27 août, Birger Dahlerus va être présenté au chancelier du Reich. « Lorsque j'ai été introduit dans son bureau, se souviendra l'émissaire suédois, Hitler se tenait au milieu de la pièce ; il avait pris une pose rigide et me regardait fixement. Goering se tenait à ses côtés avec un air satisfait. Je me suis avancé et l'ai salué : " Bonsoir, Excellence ! " Hitler m'a répondu de quelques mots aimables et m'a prié de prendre place avec Goering dans un coin de la pièce. Sans mentionner la lettre de Halifax et les renseignements que j'avais communiqués à Goering au sujet des positions britanniques, il s'est lancé dans un long discours sur la politique allemande et sur le désir de l'Allemagne de s'entendre avec l'Angleterre. Il a récapitulé les événements depuis sa prise de pouvoir en Allemagne et a rappelé toutes les difficultés qu'il avait connues. Ayant souligné à plusieurs reprises que tel un prétendant éconduit, il avait essayé sans succès d'amener l'Angleterre à collaborer, [...] il a commencé à critiquer sévèrement l'Angleterre et le peuple anglais. Pendant tout ce discours, Goering n'avait pas dit un mot, et j'ai commencé à craindre que cet entretien ne se termine sans résultat. [...] Le monologue d'Hitler a duré environ vingt minutes, et il a commencé à s'énerver pour de bon, surtout lors de sa critique contre l'Angleterre [99]. »

Profitant d'une courte pause dans le réquisitoire du Führer, Dahlerus lui fait remarquer qu'ayant longtemps travaillé comme ouvrier en Grande-Bretagne et connaissant les différentes couches de la population britannique, il ne saurait partager l'opinion de son interlocuteur. « Que dites-vous ? l'interrompt Hitler, vous avez travaillé comme simple ouvrier en Angleterre ? Racontez-moi cela ! » Pendant une demi-heure, Dahlerus parle de ses douze années passées en Angleterre, qui lui ont permis d'admirer le flegme et la ténacité du peuple britannique. Pour une fois, les rôles sont inversés : Hitler, fasciné, écoute intensément et pose de nombreuses questions. Dahlerus, constatant avec ébahissement que son interlocuteur ne sait à peu près rien de la Grande-Bretagne, finit par lui dire que s'il comprenait mieux la mentalité anglaise, cela rendrait possible un rapprochement entre les deux pays. « Là-dessus, note Dahlerus, Hitler en est revenu aux questions actuelles, il s'est à nouveau énervé, s'est levé et a fait les cent pas dans la pièce [...]. Lorsqu'il en est venu à parler de la prépondérance militaire de l'Allemagne, son regard s'est figé et ses gestes sont devenus étranges. Il a dépeint la supériorité de ses armes d'un air arrogant [...]. Pendant tout ce temps, Goering restait assis à écouter dévotement, en poussant des grognements de satisfaction au moment où Hitler vantait les mérites de son arme. »

Lorsque Dahlerus parvient enfin à glisser un mot, il fait remarquer que la supériorité de la Grande-Bretagne réside dans sa position insulaire, qui la rend impossible à conquérir par tout pays possédant une flotte inférieure à la Royal Navy. Cela, joint à la ténacité de son peuple, lui a donné les moyens de gagner la Grande Guerre, et lui permettra de réarmer cette fois encore, sous la protection de sa flotte. « Hitler m'écoutait sans interrompre, poursuit Dahlerus ; je parlais lentement et calmement, afin de ne pas irriter inutilement cet homme dont l'équilibre psychique était manifestement précaire. Il paraissait réfléchir à ce que je disais, mais brusquement, il s'est levé, s'est animé, s'est énervé, a recommencé à faire les cent pas, et a déclaré, comme s'il parlait tout seul, que l'Allemagne était invulnérable et pouvait battre ses adversaires dans une guerre éclair. Soudain, il s'est arrêté au milieu de la pièce en regardant fixement devant lui. Sa voix s'était faite beaucoup plus sourde et son comportement devenait tout à fait anormal. Les phrases se succédaient à un rythme saccadé : " S'il y a une guerre, a-t-il dit, je construirai des sous-marins, des sous-marins, des sous-marins, des sous-marins ! ", en élevant le ton chaque fois un peu plus. La voix devenait de moins en moins intelligible, et on finissait par ne plus rien comprendre du tout. Soudain, il s'est redressé, a élevé la voix comme s'il s'adressait à une vaste assemblée, et a hurlé — mais vraiment hurlé : " Je construirai des avions, des avions, des avions, des avions, et j'écraserai mes ennemis ! " A cet instant, il ressemblait davantage à un spectre qu'à un être humain. Je l'ai observé avec consternation, avant de me tourner vers Goering, pour voir comment il réagissait ; mais il restait de marbre [100]. »

La prestation n'est pourtant pas terminée : « Hitler a poursuivi, comme dans une transe : " Une guerre ne me fait pas peur, un encerclement de l'Allemagne est impossible, mon peuple m'admire et me suit loyalement. Si les Allemands connaissent des privations, je serai le premier à me serrer la ceinture pour donner l'exemple à mon peuple. Cela l'incitera à fournir des efforts surhumains. " Son regard s'est figé à nouveau et son élocution est redevenue anormale lorsqu'il a poursuivi : " S'il n'y a plus de beurre, je serai le premier à ne plus manger de beurre, plus manger de beurre. Mon peuple allemand fera de même, loyalement et joyeusement. " Il s'est arrêté, ses yeux ont divagué, puis il a dit : " Si l'ennemi peut résister plusieurs années, moi, grâce à mon autorité sur le peuple allemand, je résisterai une année de plus. Cela me prouve que je suis supérieur à tous les autres. " Il s'est remis à faire les cent pas dans la pièce, s'est rapproché, s'est planté devant moi et m'a dit : " Herr Dahlerus, vous qui connaissez si bien l'Angleterre, pouvez-vous m'expliquer pourquoi je n'arrive jamais à m'entendre avec elle ? " Il était toujours dans un grand état d'excitation, et j'hésitais à répondre honnêtement. »

On peut le comprendre, mais Dahlerus s'enhardit tout de même jusqu'à déclarer : « Excellence, je suis persuadé que ces difficultés proviennent d'un manque de confiance en vous personnellement et en votre gouvernement. » Hitler tend la main droite, se frappe la poitrine avec la main gauche et s'écrie : « Les imbéciles ! Ai-je jamais dit un mensonge dans ma vie ? » Dahlerus répond qu'en politique, comme dans le monde des affaires, un accord satisfaisant ne peut être conclu que s'il règne une confiance mutuelle. Si celle-ci fait défaut, quels qu'en soient les responsables, il faut la créer ou la rétablir. « Hitler s'est remis à faire les cent pas dans son grand bureau, puis il s'est arrêté brusquement, m'a désigné du doigt et m'a dit :" Vous, Herr Dahlerus, vous avez entendu mon point de vue ! Il vous faut aller tout de suite en Angleterre, pour en faire part au gouvernement britannique ". »

Dahlerus répond qu'en tant que citoyen d'un pays neutre, il ne peut évidemment pas devenir le porte-parole d'Hitler, mais qu'il est tout disposé à faire aux Britanniques un compte rendu de son entretien. Toutefois, en homme d'affaires avisé, il souhaite pouvoir emporter avec lui une liste précise de propositions pouvant faire l'objet d'une négociation. Hitler y consent, et lui en donne six : 1) L'Allemagne souhaite conclure un pacte ou une alliance avec l'Angleterre. 2) L'Angleterre doit aider l'Allemagne à obtenir Dantzig et le corridor, la Pologne pouvant conserver un port franc à Dantzig. 3) L'Allemagne s'engage à garantir les frontières de la Pologne. 4) Des garanties satisfaisantes doivent être données à la minorité allemande en Pologne. 5) Un accord doit être trouvé au sujet des colonies. 6) L'Allemagne s'engage à protéger l'Empire britannique avec sa Wehrmacht, partout où il pourrait être attaqué [101].

Hitler insiste longuement sur la générosité de ses propositions, particulièrement la dernière, et Dahlerus note : « Pendant cet entretien de plusieurs heures, Goering avait souligné les paroles d'Hitler par quelques brefs commentaires, mais pour le reste, il s'était contenté d'écouter. A ce moment, pourtant, il est intervenu pour dire que le dernier point signifiait également que l'Allemagne soutiendrait l'Angleterre contre l'Italie, si les intérêts de ces deux puissances devaient se heurter en Méditerranée ou ailleurs. Pour ma part, [...] je m'efforçais de ramener la discussion aux points fondamentaux *. Hitler s'animait et cherchait à m'expliquer ce que signifierait la mise en pratique de ses propositions. Goering restait assis tranquillement et semblait très satisfait. Il était manifestement de bonne humeur, même si son comportement extrêmement compassé et servile à l'égard de son chef m'étonnait et me paraissait quelque peu inquiétant [102]. »

Cette singulière entrevue prend fin vers 4 h 30 du matin, Dahlerus acceptant de partir pour Londres sans retard, pourvu qu'un avion soit mis à sa disposition. Goering s'absente un moment, et revient presque aussitôt pour annoncer avec vivacité que le nécessaire sera fait, eu égard à l'importance de la mission : « " Vous mesurez, Herr Dahlerus, combien de choses en dépendent ", me dit-il en me raccompagnant, après que j'eus pris congé d'Hitler. Dans l'antichambre, un aide de camp s'est avancé et a annoncé à Goering qu'un avion serait prêt à décoller à 8 heures du matin [103]. » Et trois heures plus tard, sans avoir dormi une seule minute, l'inusable émissaire décolle de l'aéroport de Tempelhof, cap sur Londres...

---

* Goering lui ayant déconseillé de prendre des notes en présence du Führer, Dahlerus s'est efforcé de graver les six propositions dans sa mémoire, de même que les éclaircissements complémentaires apportés par Hitler.

A 12 h 20 dans l'après-midi du dimanche 27 août, un avion à croix gammée se pose sur l'aéroport de Croydon. Dahlerus, protégé des curieux, est discrètement exfiltré par une sortie de service, et une petite voiture le conduit sans retard à Downing Street, où l'attendent Chamberlain, Halifax et le sous-secrétaire d'Etat Cadogan. Tous trois se montrent passablement ébahis en entendant le rapport de Dahlerus, et ils lui demandent s'il a bien compris les paroles d'Hitler. Mais Dahlerus est catégorique – son allemand étant aussi parfait que son anglais, tout malendu linguistique peut être exclu –, et ses interlocuteurs britanniques finissent par lui donner verbalement les réponses officieuses aux six points de l'offre du Führer : 1) L'Angleterre est disposée à signer un traité avec l'Allemagne, mais ses modalités devront faire l'objet de négociations ultérieures. 2) Concernant le problème de Dantzig et celui du corridor polonais, le gouvernement de Sa Majesté recommande des négociations directes entre l'Allemagne et la Pologne. 3) Les frontières polonaises doivent être garanties par l'URSS, l'Allemagne, l'Italie, la France et la Grande-Bretagne, non par l'Allemagne seule. 4) La question des garanties pour la minorité allemande en Pologne doit être négociée directement avec Varsovie. 5) Le problème des colonies ne peut être réglé tant que subsisteront les tensions et les menaces de mobilisation. 6) L'offre de protection de l'Empire britannique par la Wehrmacht est rejetée comme « incompatible avec le prestige et les intérêts de la Grande-Bretagne ». Dahlerus est prié de mémoriser ces réponses officieuses, qui « ne doivent pas tomber entre de mauvaises mains [104] », et de les remettre le soir même à Goering, qui reste l'interlocuteur privilégié. En cas de réaction favorable de sa part, elles seront officiellement confirmées par l'ambassadeur Henderson, qui rentrera à Berlin dès le lendemain 28 août [105]. Si l'on veut éviter l'irréparable, la célérité compte autant que la prudence...

Voilà pourquoi l'intermédiaire suédois, qui n'a toujours pas dormi depuis trente-six heures, décolle le soir même à 19 heures de l'aéroport de Heston *. A 23 heures, il atterrit à Tempelhof, où une voiture militaire l'attend pour le mener à folle allure

---

* Par souci de discrétion, l'avion allemand a été transféré dans l'après-midi à Heston, qui est beaucoup moins fréquenté que Croydon.

jusqu'au palais de la Leipzigerplatz. Moins d'un quart d'heure plus tard, il se trouve donc en présence du maréchal, à qui il communique les réponses britanniques. Goering commence par en prendre ombrage, mais après quelques explications, il se laisse persuader : « Pour finir, note Dahlerus, il a dit qu'il comprenait parfaitement la position britannique, mais qu'il doutait que ce soit le cas d'Hitler [106]. » Pour le premier paladin du Führer, c'est évidemment la seule chose qui compte, et il se rend immédiatement à la chancellerie du Reich, après avoir déposé Dahlerus à son hôtel. Mais cette nuit-là, le courageux émissaire de la paix ne dormira pas davantage que la précédente : à 1 h 30, Goering l'informe que son chef s'est montré satisfait dans l'ensemble, et que « dans le cas où la communication de l'ambassadeur Henderson du lendemain aurait la même teneur, il n'y a pas de raisons de penser qu'une entente en vue d'une solution pacifique soit hors de portée [107] ».

La formulation est quelque peu tortueuse, mais elle suffit à Dahlerus, qui se précipite à l'ambassade de Grande-Bretagne peu après 2 heures du matin. Au conseiller d'ambassade Ogilvie-Forbes éberlué, il résume la situation et demande que l'on envoie immédiatement au Foreign Office un télégramme faisant état de la réaction favorable d'Hitler, afin que les instructions données à l'ambassadeur Henderson soient rédigées en conséquence. C'est seulement à 5 h 30 au matin du 28 août que Dahlerus peut regagner son hôtel, d'où il ressort presque aussitôt pour se rendre au QG de campagne de Goering – un train spécialement aménagé, stationnant sur une voie de dérivation au milieu d'une forêt de hêtres à Wildpark-Werder, près de Potsdam. « Goering était d'excellente humeur, notera Dahlerus ; il m'a accueilli immédiatement, vêtu seulement d'une chemise de nuit verte avec une boucle de ceinture couverte de bijoux ; m'ayant observé un instant les poings sur les hanches, il a éclaté de rire et a dit : " Vous n'avez pas beaucoup dormi, cette nuit. Vous n'avez pas quitté l'ambassade avant 5 h 30 *! " Il m'a demandé si j'avais mangé, et sur ma réponse négative, il a voulu savoir quand je trouvais le temps de manger et de dormir. » Tandis que Goering part s'habiller, son visiteur matinal peut s'entretenir avec tous

---

* Ceci, ainsi que la suite de la conversation, indique clairement que Goering est au courant des moindres faits et gestes à l'ambassade de Grande-Bretagne.

les proches collaborateurs du maréchal – Milch, Udet, Jeschonnek, Görnnert et Bodenschatz : « Ils s'intéressaient beaucoup à mes négociations, se souviendra Dahlerus, et ils semblaient tous être d'avis qu'il fallait éviter une guerre [108]. »

Certes, mais ils n'ont pas leur mot à dire, et leur chef ne parle généralement que pour faire écho à son propre maître. Ayant troqué sa chemise de nuit verte rehaussée de diamants pour un uniforme blanc constellé de décorations, le maréchal semble ravi de pouvoir brandir à la fois le sabre et le rameau d'olivier : grâce à ses talents de diplomate et à son précieux intermédiaire, il doit pouvoir obtenir la passivité, voire la complicité des autorités britanniques *, tandis que la Wehrmacht réglera définitivement l'affaire polonaise. Avec une joie enfantine, il montre à Dahlerus ses cartes, où sont indiquées les positions de départ des troupes allemandes le long des frontières orientales du Reich. Toutefois, il juge inutile de lui faire savoir que le Führer vient de fixer au 1er septembre le déclenchement des hostilités...

De retour à Berlin, Dahlerus se rend à l'ambassade de Suède pour informer l'ambassadeur Arvid Richert de ses activités – ce qui est bien le moins pour un citoyen suédois ayant assumé une mission aussi extraordinaire sur la scène internationale. Après cela, il retourne à l'ambassade de Grande-Bretagne, où l'on commence à déchiffrer le contenu de la note que doit présenter cette nuit-là l'ambassadeur Henderson à la chancellerie du Reich. A 1 h 15 au matin du 29 août, Dahlerus est informé que la réponse présentée par le diplomate britannique a été très satisfaisante, et que Goering le prie de lui rendre visite à 10 h 50 du matin. C'est le couronnement de cinq jours – et quatre nuits – d'efforts acharnés, et la paix paraît sauvée.

Le lendemain 29 août, peu avant 11 heures, Dahlerus retourne donc à la Leipzigerplatz, où il trouve un Goering radieux : « Tout protocole oublié, il s'est précipité sur moi, m'a serré la main avec effusion et m'a dit avec exaltation : " C'est la paix ! La paix est assurée ! " Il pensait qu'à présent, la glace était rompue, et que les problèmes à régler avec la Pologne ne

---

* Et surtout montrer qu'il est capable de remporter un succès plus important encore que celui de son rival Ribbentrop, rentré de Moscou en triomphateur quatre jours plus tôt...

pesaient pas lourd face aux perspectives d'un accord entre l'Angleterre et l'Allemagne. » C'est évidemment ce que les Britanniques sont priés de croire, le temps que l'affaire polonaise soit liquidée... Cet après-midi-là, Dahlerus retourne à l'ambassade de Grande-Bretagne, où l'ambiance est également à l'optimisme. Mais il y rencontre pour la première fois l'ambassadeur Henderson qui, l'expérience aidant, a perdu beaucoup de sa candeur et ne partage guère l'enthousiasme général : « Henderson a exprimé la conviction que l'on ne pouvait en aucun cas se fier à la parole d'Hitler [...]. Sur quoi je lui ai demandé comment il jugeait Goering, et il s'est avéré qu'il le voyait tout autrement que Hitler, Ribbentrop et les autres membres du gouvernement allemand. Il n'en pensait pas moins qu'il fallait aussi se montrer extrêmement prudent vis-à-vis de lui. Il s'agissait, dit-il, de suivre ses actes avec attention et de juger ses propos avec circonspection. Lorsque je lui ai demandé très directement s'il estimait que Goering avait déjà menti sciemment au sujet des graves questions actuelles, il a répondu aussi rapidement que catégoriquement : " *Heaps of times* " – " des tas de fois ". » La suite n'est guère plus rassurante : « Henderson m'a confié qu'il devait à nouveau rencontrer Hitler ce soir-là, pour recevoir sa réponse à la note britannique. Même s'il avait été relativement optimiste à l'issue de son dernier entretien avec Hitler, il ne pouvait réprimer une forte défiance et une sensation de malaise à la pensée de cette nouvelle entrevue [109]. »

C'est là une impression hautement prémonitoire : ce même soir à 19 h 15, Henderson est reçu une nouvelle fois à la chancellerie du Reich, où Hitler lui remet sa réponse à la note britannique. Elle commence par les habituelles références à la nécessité de restituer Dantzig et le corridor à l'Allemagne, et poursuit en mentionnant que le gouvernement allemand accepte de conduire des négociations directes avec la Pologne, dans l'unique souci d'instaurer avec la Grande-Bretagne une amitié durable. « J'ai lu la note avec attention, se souviendra Henderson, tandis que Hitler et Ribbentrop m'observaient. [...] Je n'ai pas fait de commentaires jusqu'à ce que j'en arrive à la phrase finale, qui disait que " le gouvernement allemand comptait sur l'arrivée à Berlin d'un émissaire polonais muni des pleins pouvoirs le lendemain, mercredi 30 août * ". J'ai fait remarquer à Son Excellence que cette phrase ressemblait beaucoup à un ultimatum, ce qu'Hitler a nié avec véhémence, soutenu en cela par Ribbentrop. C'était l'histoire du " Diktat " et du " mémorandum " de Godesberg qui se répétait fidèlement [110]. » Rien n'est plus vrai, et Hitler a manifestement pris au pied de la lettre l'invitation des Britanniques à négocier directement avec les Polonais : il réservera à leur représentant le même traitement qu'au chancelier Schuschnigg et au président Hacha l'année précédente ! Devant tant de mauvaise foi, l'ambassadeur Henderson se départit de son flegme habituel, et la fin de l'entrevue est pour le moins orageuse...

Dès lors, la comédie va reprendre : tard dans la nuit du 29 août, Dahlerus est prié de retourner immédiatement auprès de Goering, qui lui fait part de la réaction de l'ambassadeur Henderson avec toutes les apparences de la plus vertueuse indignation : les propositions allemandes étaient éminemment raisonnables, on avait demandé la venue immédiate d'un plénipotentiaire dans le souci de régler la question au plus vite, et tout était de la faute des Polonais, qui se montraient arrogants parce qu'ils avaient désormais la garantie de Londres ; d'ailleurs, ils venaient d'abattre cinq Allemands qui tentaient de fuir vers le Reich, ce qui était absolument inacceptable. La Wehrmacht se tenait donc prête à leur faire entendre raison... Ayant brandi le bâton, Goering agite à présent la carotte : en dépit d'« insupportables provocations », le Führer va faire dès le lendemain aux Polonais une proposition si généreuse qu'ils ne pourront la refuser. Lui, Goering, ne peut pas encore en faire état, mais par faveur exceptionnelle, il va en donner un aperçu à son interlocuteur : 1) Dantzig reviendra naturellement à l'Allemagne. 2) Pour régler définitivement la question du corridor et du traitement des minorités allemandes, Hitler va proposer la tenue de plébiscites dans les régions concernées. Dahlerus ayant demandé de quelles régions il pouvait s'agir, Goering arrache une carte d'un atlas et redessine les frontières à grands coups de crayon rouge. Le résultat est impressionnant : de la Poméranie à la Silé-

---

* On saura par la suite que la formulation était de Ribbentrop, mais l'origine de ce délai si court est en fait purement militaire : l'OKW a fait valoir qu'une attaque de la Pologne devrait commencer le 2 septembre au plus tard, car passé ce délai, les conditions météorologiques seraient défavorables à la Luftwaffe.

sie, un énorme morceau de territoire polonais est potentiellement incorporé dans le Reich, de sorte que la Pologne se
retrouve enserrée dans une gigantesque mâchoire s'étendant des
Carpates à la frontière lituanienne. Pour finir, Goering prie
Dahlerus de repartir pour Londres, afin d'informer confidentiellement les autorités britanniques de l'offre magnanime
que le Führer s'apprête à faire aux Polonais dès le lendemain –
ou plutôt le jour même, puisque les deux hommes se séparent
à 2 heures au matin du 30 août.

La vie est un éternel recommencement : trois heures plus tard,
Dahlerus est amené à un aéroport militaire et prend place dans
un Junkers 52 qui décolle aussitôt en direction de Londres.
Ayant atterri à Heston à 9 h 20, il est conduit très discrètement
jusqu'au Foreign Office, où il est reçu par sir Alexander Cadogan, qui l'accompagne ensuite jusqu'à Downing Street. A
Chamberlain, Halifax et sir Horace Wilson, Dahlerus rapporte
les propos de Goering, montre la carte rectifiée au gros crayon
rouge, et expose la teneur de la « proposition généreuse » que
s'apprête à faire le Führer. En dépit des similitudes confondantes
avec les exigences présentées par le Führer depuis Godesberg
jusqu'à Munich et de l'évidente mauvaise foi qui se dégage de
tout cela, les responsables britanniques restent prisonniers de
leur politique d'apaisement : Lord Halifax va envoyer l'après-
midi même un télégramme à son ambassadeur à Varsovie, pour
qu'il incite le gouvernement polonais à s'abstenir de toute persécution de ses minorités allemandes et de toute provocation à
l'égard de l'Allemagne ; mieux encore, il chargera ensuite son
ambassadeur de communiquer au colonel Beck que le gouvernement britannique espère qu'il est disposé à engager des pourparlers directs avec l'Allemagne [111]. Mais peut-être par crainte de
tomber trop bas dans l'estime de leurs concitoyens, les ministres
de Sa Majesté se demandent s'il ne serait pas plus décent que ces
négociations germano-polonaises se tiennent hors d'Allemagne,
de préférence en territoire neutre. Dahlerus ne pourrait-il obtenir cela de son interlocuteur privilégié, le très modéré et très
pacifique Hermann Goering ? « Sur ce, écrira Dahlerus, j'ai
appelé Goering et lui ai proposé que les pourparlers se tiennent
ailleurs qu'à Berlin. Goering était irrité, et il a répondu sèchement : " C'est absurde ! Les négociations doivent se tenir à

Berlin, où se trouve le chancelier Hitler, et je ne vois pas ce qui empêcherait les Polonais d'envoyer des plénipotentiaires à Berlin " [112]. » Il n'y a plus qu'à s'incliner, et à 19 heures, Dahlerus entame le voyage du retour...

Désormais habitué aux pérégrinations nocturnes, l'opiniâtre messager de la paix atterrit à Tempelhof peu après 23 heures. Après quelque délai, il est conduit jusqu'au QG de campagne de Goering à Wildpark-Werder, où il arrive à 0 h 30 au matin du 31 août. Ayant fait part au maréchal de la teneur des propos de ses interlocuteurs britanniques – qui donnaient manifestement l'impression d'être prêts à tout pour éviter la guerre –, Dahlerus s'entend dire par un Goering rayonnant que le Führer désire faire aux Polonais une proposition plus favorable encore que ce qui était prévu la veille : les territoires soumis à plébiscite seraient nettement moins vastes... Du reste, Ribbentrop vient tout juste de recevoir l'ambassadeur Henderson pour lui exposer cette généreuse proposition [113].

C'est exact : à minuit, Henderson s'est présenté au ministère des Affaires étrangères pour apporter à Ribbentrop la réponse – extrêmement conciliante – des autorités britanniques, et prendre connaissance de la teneur des dernières propositions que le Führer entend faire aux Polonais. Mais l'ambassadeur de Sa Majesté a été très mal reçu : « Ce soir-là, Ribbentrop m'a manifesté une intense hostilité, qui s'est faite plus violente à chaque nouvelle communication. Il ne cessait de se lever brusquement, était dans un grand état d'excitation, et me demandait à chaque fois si j'avais quelque chose à ajouter [...]. Lorsque j'en ai eu terminé, il a sorti un long document qu'il s'est mis à lire en allemand, ou plutôt qu'il a débité aussi vite qu'il le pouvait, sur un ton extrêmement méprisant et courroucé. Des seize articles qu'il a énoncés, je n'ai pu saisir la teneur que de six ou sept, sans même pouvoir en garantir l'exactitude. Une fois cette lecture terminée, je lui ai demandé de me remettre le document, afin que je puisse le lire moi-même. [...] Il a refusé catégoriquement et a jeté le document sur la table d'un geste méprisant, en précisant qu'il était désormais périmé, " überholt ", puisque aucun émissaire polonais ne s'était présenté à Berlin avant minuit [114]. »

C'est évidemment l'insulte calculée de quelqu'un qui veut la guerre et craint d'en être privé par une médiation britannique. Vers 2 heures du matin, Dahlerus téléphone à l'ambassade de

Grande-Bretagne depuis le salon privé du train de Goering, pour s'enquérir du résultat de la visite de Henderson. Une fois édifié, il se retourne vers Goering, qui est vautré sur un sofa, et lui dit : « Si vous souhaitez vraiment parvenir à une entente avec la Grande-Bretagne, [...] alors il vous faut immédiatement réparer la faute de Ribbentrop, en faisant en sorte que l'ambassade de Grande-Bretagne puisse prendre connaissance de la note destinée aux Polonais. » Goering, visiblement pris de court, se lève et fait nerveusement les cent pas. « Je lui ai proposé, poursuit Dahlerus, d'appeler Forbes * pour lui communiquer moi-même le contenu de la note. Il a recommencé à faire les cent pas, en se demandant manifestement s'il pouvait prendre ce risque. Soudain, il s'est arrêté, m'a regardé et a dit : " J'en prends la responsabilité. Vous pouvez l'appeler. " Goering m'a remis une copie de la note, j'ai appelé Forbes et je la lui ai lue. [...] Forbes m'a prié de lire plus lentement, mais lorsque je me suis exécuté, Goering est devenu nerveux et m'a prié de lire plus vite. La situation était très embarrassante [115]. »

Elle l'est surtout pour le maréchal : il sait que Ribbentrop dispose d'un service de renseignements personnel et qu'il risque d'être informé de cet appel téléphonique. Or, Goering ignore si l'affront calculé fait à l'ambassadeur Henderson constituait une initiative personnelle de Ribbentrop, ou bien s'il résultait d'un ordre du Führer. Dans le premier cas, Hermann Goering peut apparaître comme le sauveur d'une entente avec l'Angleterre, et il éclipsera enfin Ribbentrop ; mais dans le second cas, il risque fort de mécontenter gravement son maître... Voilà qui le plonge dans un abîme de réflexion, mais lorsqu'à 2 h 30 au matin du 31 août, Dahlerus se lève pour prendre congé et rentrer à Berlin, son hôte s'empresse de l'en dissuader, au motif qu'il doit tout de même finir par dormir correctement. Si neutre soit-il, le Suédois Birger Dahlerus va donc terminer la nuit dans un compartiment couchette du QG de commandement des forces aériennes du Reich...

Le 31 août 1939 sera le jour des occasions manquées : à 11 heures du matin, le conseiller d'ambassade Ogilvie-Forbes se rend à l'ambassade de Pologne et remet à l'ambassadeur Lipski – qui commence déjà à faire évacuer son ambassade – une copie

_____

* Sir Ogilvie-Forbes, le conseiller d'ambassade.

de la note en seize points obtenue cette nuit-là *. Mais Lipski n'en voit pas l'intérêt ; il n'a pas qualité pour négocier, il n'a aucune confiance dans les propositions allemandes, et il est persuadé qu'en cas de guerre, les troupes polonaises seront rapidement à Berlin [116] ! Pendant ce temps, Goering est occupé à faire évacuer les œuvres d'art de son palais, mais il n'en invite pas moins l'ambassadeur Henderson à lui rendre visite peu avant 17 heures ** : « Il a parlé pendant près de deux heures, se souviendra Henderson, des méfaits commis par les Polonais, du désir d'Hitler et du sien propre d'établir des liens d'amitié avec l'Angleterre, et du bénéfice que retireraient de cette amitié le monde en général et l'Angleterre en particulier. La conversation n'a débouché sur rien, [...] et j'ai eu l'impression que cet entretien avec Goering constituait un dernier effort désespéré de sa part pour séparer la Grande-Bretagne des Polonais [117]. »

C'est bien en effet de cela qu'il s'agit, et Goering ne ménage aucun effort à cet égard : il montre à Henderson la copie d'un télégramme envoyé par Varsovie à son ambassade à Berlin, pour lui prouver que les Polonais n'ont aucune intention de négocier *** ; il lui décrit aussi avec vivacité les horreurs d'une guerre anglo-allemande : « Je serais alors obligé de faire bombarder l'Angleterre », prévient-il avec des trémolos dans la voix. Henderson lui répond paisiblement qu'il risque d'être tué dans les bombardements ****, sur quoi Goering déclare avec emphase qu'il pilotera lui-même un avion jusqu'en Angleterre pour aller larguer une couronne sur sa tombe.... Après cela, il propose des négociations directes entre l'Allemagne et la Grande-Bretagne, cette dernière représentant également les intérêts polonais. Malheureusement pour Goering, sir Nevile Hen-

---

* La note allemande était en principe destinée aux Polonais, mais elle ne leur avait pas été communiquée par Ribbentrop. Il s'agissait d'un simple instrument de propagande, destiné à montrer aux Allemands la générosité du Führer et l'iniquité des Polonais. Cette note sera d'ailleurs diffusée par la radio allemande le même soir à 21 heures.

** Après avoir obtenu la permission d'Hitler, naturellement.

*** C'est bien sûr une interception de son Forschungsamt, qui s'est beaucoup développé depuis 1933 : il a emménagé dans les locaux beaucoup plus vastes de la Schillerkolonnade, à Charlottenburg, il emploie près de 1 000 personnes et décrypte à présent l'essentiel des communications étrangères.

**** C'est un trait d'humour de la part de l'ambassadeur Henderson, qui est miné par la maladie et se sait condamné à brève échéance.

derson a définitivement cessé d'être crédule, son gouvernement a des comptes à rendre aux Communes et à l'opinion publique, et le temps de Munich est définitivement révolu. Mais Hitler, lui, n'en a cure : il considère que les Polonais doivent ramper ou être anéantis – et il a même une préférence marquée pour la seconde solution. C'est donc sur un dernier entretien totalement infructueux entre Ribbentrop et l'ambassadeur Lipski que s'achève cette journée de dupes : la paix n'a plus que quelques heures à vivre...

Ce soir-là, pourtant, le Hermann Goering qui rentre à Carinhall ne ressemble en rien au fanfaron retors et cruel qui vient de se faire le ventriloque du Führer : « Quand mon mari est revenu, se souviendra Emmy Goering, il était comme brisé. Son visage ressemblait à un masque ; il s'est assis, s'est pris la tête entre les mains et a murmuré : " J'ai tout essayé, absolument tout ! Mais c'est fait ! Nous avons la guerre. Elle sera épouvantable, plus atroce encore qu'on ne peut l'imaginer. " Je l'ai suivi dans son bureau. Enfin, nos regards se sont rencontrés, et il a dit d'une voix sans timbre : " C'est trop tard. Il n'y a plus rien à tenter. " Après quelques heures, il est devenu plus loquace : " Ils ne nous prennent pas au sérieux ; ils ne veulent pas croire à la puissance de notre Wehrmacht et de notre Luftwaffe. Et tout cela par la faute de ce Lipski ! " [...] Cependant, mon mari n'attribuait pas toute la responsabilité de ces erreurs aux seuls étrangers. Il était convaincu que notre ministère des Affaires étrangères avait également commis de lourdes fautes. " La Pologne en soi, ce n'est pas un gros problème, mais il faut tenir l'Angleterre en dehors du jeu. Comme tu le sais, Hitler a toujours désiré la paix avec l'Angleterre. A Munich, il y a un an, tout allait encore bien. Mais depuis, la Wilhelmstrasse a manqué de psychologie avec Chamberlain. C'est un gentleman, et ces messieurs des Affaires étrangères ne savent pas s'y prendre avec lui. " Hermann était à la fois furieux, amer et découragé. Cette guerre, Dieu sait que ce n'était pas *sa* guerre. Mais maintenant que les ordres étaient donnés, que pouvait-il faire ? Même lui, le deuxième personnage du Reich ? Certes, il croyait à la victoire, mais il semblait se douter de ce qui allait s'abattre sur le monde. Au début de la soirée, nous avons fait une promenade dans les bois entourant Carinhall. [...] Dans cette atmosphère, chaque pas nécessitait un effort. Longtemps, nous avons gardé le silence, puis Hermann m'a pris le bras et a dit :

" Qui sait ? C'est peut-être la dernière fois que nous pouvons nous promener ainsi ! " [...] Une question me tourmentait, et je n'osais la poser. C'était celle que des millions de gens formuleraient le lendemain matin : " Combien de temps cela durera-t-il ? " Elle m'est montée aux lèvres presque malgré moi. Mon époux est resté longtemps silencieux, puis il a répondu d'un ton anxieux :

— " Deux ans, cinq ans, sept ans... Je ne sais pas !

— Si longtemps ? ai-je demandé en me maîtrisant avec peine.

— Il est vraiment impossible de le dire. Si encore la Pologne était seule ! Mais l'Angleterre et la France la soutiendront, et elles se battront comme de beaux diables. Personne ne peut savoir combien de temps cela durera " [118]. »

C'est la face humaine de l'homme, celui qui pense rationnellement, qui a connu les horreurs de la guerre, qui veut voir grandir sa fille, qui aimerait jouir en paix de ses richesses, et qui s'apitoie parfois sur les malheurs de ses compatriotes. Mais cet homme-là s'est déjà largement éclipsé lorsque Dahlerus retrouve le lendemain matin un maréchal en uniforme rutilant dans le wagon-salon de son train de commandement : « Il m'a annoncé que durant la nuit, des groupes d'irréguliers polonais avaient occupé la station émettrice de Gleiwitz et diffusé une information selon laquelle les Polonais auraient pénétré en Allemagne. » Goering égrène là les mensonges de la propagande nazie, tout en sachant parfaitement qu'il s'agit en réalité d'une cruelle mise en scène organisée par la SS sur ordre d'Hitler *. Mais après cette justification, il peut annoncer en toute bonne conscience que les troupes allemandes ont traversé la frontière pour repousser les « envahisseurs », tandis que « sa » Luftwaffe a déjà commencé à détruire méthodiquement l'aviation polonaise... « Goering parlait beaucoup, notera encore Dahlerus ; il s'est répandu en insultes d'abord contre le gouvernement et le peuple polonais, puis contre l'Angleterre, qu'il a rendue responsable et coupable de tout cela. Il a tenté de me convaincre par un torrent de paroles que le comportement des Allemands avait été aussi justifié qu'irréprochable. Ils n'avaient pas voulu la guerre avec la Pologne, ils avaient tout simplement été contraints de la déclencher [119]. »

---

* Himmler avait fait revêtir d'uniformes polonais des prisonniers de camps de concentration, qui avaient reçu l'ordre d'investir l'émetteur, avant d'être abattus sur place par les SS.

Tout cela est d'une mauvaise foi saisissante, mais Goering ne perd pas de vue pour autant la mission qu'il s'est assignée : éviter à tout prix l'extension du conflit. Ses confidences de la veille à Emmy montrent qu'il n'y croit plus guère, mais l'homme est aussi entêté qu'entreprenant, et grâce à Dahlerus, il dispose toujours d'un moyen d'accès privilégié aux plus hautes instances britanniques. Dès lors, il ne voit plus qu'une solution – celle qui l'a toujours tenté : négocier personnellement avec les membres du gouvernement de Sa Majesté. Mais bien entendu, il y faudrait au préalable l'assentiment d'Hitler... Pour l'heure, le Führer doit prononcer un grand discours devant les députés du Reichstag réunis à l'Opéra Kroll, et Goering s'y rend sans retard.

Peu après 11 heures du matin, Dahlerus reçoit un appel téléphonique de Goering, qui se trouve à la chancellerie et l'invite à l'y rejoindre. Une fois sur place, il est accueilli par un Goering rayonnant : « Il m'a brièvement résumé le discours du Führer, après quoi il m'a dit fièrement qu'Hitler venait de le désigner comme deuxième homme du Reich *, et que dans cette capacité, il aurait de plus grandes possibilités qu'auparavant pour travailler en faveur d'une solution pacifique. Cette distinction lui donnait cependant une grosse responsabilité, et l'obligeait naturellement à suivre loyalement la politique du Führer. » Après quoi Goering fait entrer Dahlerus dans un petit salon où l'attend Hitler : « Il m'a accueilli poliment, mais dès l'abord, on sentait que son comportement avait quelque chose d'anormal. Il est venu droit vers moi, s'est immobilisé et a commencé à parler en regardant fixement devant lui. Son haleine était si fétide qu'il fallait se dominer pour ne pas faire un pas en arrière. [...] Il a commencé par dire qu'il avait toujours su que l'Angleterre ne voulait pas la paix, et ne faisait que poursuivre ses intérêts égoïstes. Il m'a remercié de tous mes efforts en faveur d'une entente entre les deux peuples, et a dit que si ces efforts avaient été vains, c'était assurément la faute de l'Angleterre. » Suivent une interminable diatribe contre les Anglais, puis contre les Polonais « qu'il est décidé à anéantir », puis l'assurance qu'il est tout disposé à poursuivre des négociations avec l'Angleterre... « Mais si les Anglais ne comprennent pas

---

* Et donc très officiellement comme successeur du Führer. Deux jours plus tôt, Goering avait également été nommé président du Conseil ministériel pour la défense du Reich.

que, dans leur propre intérêt, il leur faut éviter de me combattre, alors il paieront cher leurs erreurs. » Et Dahlerus poursuit : « Il a continué à s'énerver, a commencé à agiter les bras et à crier, en se tenant tout près de moi : " Si l'Angleterre veut combattre un an, je combattrai un an ; si elle veut combattre deux ans, je combattrai deux ans. " Là, il s'est arrêté, puis il s'est mis à crier d'une voix encore plus perçante, en faisant des gestes de plus en plus désordonnés : " Si l'Angleterre veut combattre trois ans, je combattrai trois ans... " L'agitation du corps a commencé à suivre celle des bras, et lorsqu'à la fin, il a hurlé : " Et s'il le faut, je combattrai dix ans ", il a brandi le poing et s'est penché si loin en avant qu'il touchait presque le sol. La situation était extrêmement embarrassante, à tel point que Goering n'a pu s'empêcher de réagir. Il a fait volte-face et nous a tourné le dos. [...] Heureusement, ce désagréable entretien s'est bientôt achevé, et je suis reparti avec Goering en direction de sa demeure. [...] Il était nerveux et épuisé [120]. »

On le serait à moins... Même devenu officiellement le deuxième homme du Reich, Hermann Goering n'a aucune prise sur l'implacable enchaînement des événements : la guerre en Pologne bat son plein, sa Luftwaffe y joue un rôle essentiel, les Français et les Britanniques ne négocieront pas tant que dureront les hostilités, Paris et Londres ont décrété la mobilisation, le Führer est décidé à écraser les Polonais, et la généralisation du conflit est à peu près inévitable – ce dont ni Hitler ni Ribbentrop ne paraissent se rendre compte *... Goering non plus, du reste : lorsque Dahlerus le retrouve en fin d'après-midi à son QG près de Potsdam, le

---

* Il est vrai que le Forschungsamt de Goering leur transmet en permanence les interceptions de tous les messages échangés entre le Foreign Office et l'ambassade britannique à Berlin, qui montrent clairement que Londres fait pression sur les Polonais pour qu'ils acceptent de négocier. Le Führer est naturellement tenté d'en déduire que Chamberlain cherche là un moyen de se défausser des obligations qu'il a contractées vis-à-vis de la Pologne. Mais les décryptages du Forschungsamt montrent également qu'à la différence des crises précédentes, les Alliés ne resteront pas inactifs en cas d'invasion de la Pologne. Cela ressort clairement d'un message britannique intercepté : « S'il y a une guerre contre la Pologne, l'Angleterre sera fidèle aux devoirs de son alliance. » Ce message est immédiatement transmis à von Ribbentrop, qui dénonce aussitôt « une falsification du Forschungsamt », ainsi qu'à Hitler, qui choisit de n'en tenir aucun compte. Du reste, son aide de camp Julius Schaub devait déclarer peu après au chef de la section V du Forschungsamt, Walther Seifert, qu'il ne fallait pas soumettre ces « renseignements pessimistes » au Führer, car « lorsqu'il a pris une décision, il ne faut plus déranger son intuition (*sic*) ».

maréchal est déjà un autre homme : « Il semblait avoir perdu toute aptitude à envisager les suites inévitables d'une telle guerre. Il a répété plus d'une fois que cette guerre, quelles qu'en soient les péripéties, pourrait se limiter à un combat entre la Pologne et l'Allemagne, même si naturellement, la Russie exigerait son tribut pour une entente avec l'Allemagne. Pour lui, tout était ordonné selon un plan que plus rien ne pourrait déranger. Il a finalement fait appeler les secrétaires d'Etat Koerner et Gritzbach, les a longuement harangués et a remis à chacun d'eux une dague d'honneur, en exprimant l'espoir qu'ils la porteraient glorieusement pendant toute la guerre. On aurait dit que tous ces gens étaient pris d'une sorte d'ivresse démente [121]. »

Le 2 septembre sera un jour de grande incertitude : la veille au soir, l'ambassadeur Henderson a remis au ministre des Affaires étrangères Ribbentrop une note l'avertissant qu'« à moins que le gouvernement allemand ne soit prêt à retirer promptement ses forces du territoire polonais, le gouvernement britannique remplira[it] sans hésitation ses obligations à l'égard de la Pologne ». Mais la note ne fixait aucune échéance, et Henderson a même été chargé de préciser que cet avertissement « ne devait pas être considéré comme un ultimatum [122] ». C'est sans doute pour cette raison que la démarche de l'ambassadeur n'a pas été prise au sérieux à la chancellerie du Reich, et qu'aucune réponse ne lui sera faite au cours de la journée du 2 septembre. Par contre, on apprend que Mussolini vient de lancer l'idée d'une conférence à quatre pour réviser les clauses du traité de Versailles, préserver la paix, donner satisfaction à Hitler et sauvegarder les apparences pour tout le monde ; en quelque sorte une réédition de Munich, dont personne n'avait eu à se plaindre – sauf les Tchèques, évidemment *... Goering, en tout cas, fonde de grands espoirs sur cette initiative, et il se déclare persuadé qu'elle aboutira. De fait, lors d'un discours aux Communes ce soir-là, le Premier ministre Chamberlain mentionne en termes favorables la proposition du Duce, et évoque la possibilité de nouvelles négociations « si le gouvernement allemand acceptait de retirer ses forces de Pologne [123] ». Face à ce genre de déclarations, les dirigeants nazis peuvent estimer à bon droit qu'ils ont

---

* Et Hitler, pour les raisons que nous connaissons déjà.

encore une bonne marge de manœuvre – d'autant qu'au même moment, la résistance polonaise commence déjà à faiblir.

C'est pourtant de Londres que viendra la surprise : après son discours à la Chambre, Chamberlain a dû faire face à une fronde de son propre cabinet, qui l'a sommé de présenter sans retard un ultimatum à Berlin. En quelques heures seulement, son amour de la conciliation et sa peur de la confrontation vont être balayés par une crainte plus forte encore : celle d'être chassé du pouvoir par ses ministres et sa majorité parlementaire. C'est dit : l'ultimatum sera remis aux autorités allemandes le 3 septembre à 9 heures, et expirera deux heures plus tard [124]...

A 9 heures précises au matin du 3 septembre, l'ambassadeur Henderson se présente à l'Auswärtiges Amt, porteur d'une note reçue de Londres dans la nuit. En l'absence de Ribbentrop, il est reçu par l'interprète Paul Schmidt *, auquel il lit l'ultimatum britannique, qui se termine par ces mots : « Si le gouvernement de Sa Majesté n'a pas reçu d'ici 11 heures des assurances satisfaisantes concernant la cessation de toute entreprise d'agression contre la Pologne et le retrait des troupes allemandes de ce pays, la Grande-Bretagne et l'Allemagne se trouveront en état de guerre à partir de cette même heure [125]. » Après quoi il lui remet la note en mains propres et prend congé. Paul Schmidt se rend immédiatement à la chancellerie, traverse l'antichambre où se sont rassemblés de nombreux membres du gouvernement et dignitaires du parti, et pénètre dans le bureau du Führer : « Hitler, se souviendra-t-il, était assis à son bureau et Ribbentrop se tenait près de la fenêtre. Tous deux ont levé des yeux interrogateurs à mon entrée. Je me suis arrêté à quelque distance du bureau d'Hitler, après quoi j'ai traduit lentement l'ultimatum britannique. Lorsque j'ai terminé, il y a eu un profond silence. Hitler restait immobile, en regardant fixement devant lui. [...] Après un moment qui m'a paru une éternité, il s'est tourné vers Ribbentrop, qui était resté debout près de la fenêtre, et lui a jeté un regard mauvais, en disant : " Et maintenant ? " – comme s'il laissait entendre que son ministre des Affaires étrangères l'avait induit en erreur au sujet des réactions probables de la Grande-Bretagne. Ribbentrop a répondu calmement : " Je

---

* En fait, Ribbentrop n'a pas daigné – ou pas osé – recevoir Henderson, et a chargé Schmidt de le faire à sa place.

suppose que les Français vont nous présenter un ultimatum similaire dans l'heure " [126]. »

Pendant ce temps, depuis son QG roulant près de Potsdam, Goering appelle le bureau de Ribbentrop pour connaître la teneur exacte de la note britannique. En raccrochant, il se tourne vers Dahlerus, qui vient d'entrer dans son wagon-salon : « Goering, se souviendra l'homme d'affaires suédois, m'a dit qu'il considérait la situation comme pratiquement catastrophique. Il paraissait très songeur et a décidé aussitôt après d'appeler Hitler pour savoir comment il jugeait la situation. [...] Il était environ 9 h 30, une réponse devait être donnée avant 11 heures, et Goering était à quarante minutes au moins de Berlin [127]. »

Voilà qui jette une lumière crue sur le mode de fonctionnement aberrant du régime d'Adolf Hitler : au moment où va se rédiger une note qui décidera du destin de l'Allemagne et du monde, celui qui vient d'être désigné publiquement comme le deuxième personnage du Reich ne sera pas même présent ! Hitler va rédiger lui-même la réponse, avec la seule assistance de l'homme qui l'a si complètement induit en erreur sur la nature des réactions britanniques... Mais Dahlerus, lui, ne peut se résigner à laisser le monde dériver ainsi vers l'abîme, et il réussit à entrer en contact téléphonique avec un haut fonctionnaire du Foreign Office, auquel il propose un compromis de dernière minute : afin de laisser l'Allemagne sauver la face, la Grande-Bretagne ne pourrait-elle se contenter d'un arrêt immédiat des hostilités, sans exiger pour l'heure l'évacuation des régions déjà occupées par la Wehrmacht ? On lui répond seulement qu'il en sera référé au Premier ministre. La suite sera racontée par Dahlerus lui-même : « Après avoir réfléchi quelques minutes, je suis allé rejoindre Goering, et je lui ai proposé de se rendre en personne à Londres comme représentant du gouvernement allemand, accompagné éventuellement de quelques autres délégués, pour négocier et parvenir à un accord. Afin qu'une telle démarche soit acceptée du côté anglais, il devrait prendre ses dispositions pour décoller avant 11 heures. [...] Goering a immédiatement donné des instructions au général Bodenschatz, et a ensuite appelé Hitler, avec qui il s'est entretenu pendant dix minutes environ [128]. »

Hitler accepte la proposition, mais se réserve de donner son feu vert définitif lorsque les Britanniques auront réduit leurs exigences dans le sens proposé par Dahlerus. A 10 h 30, celui-ci parvient à recontacter le Foreign Office, auquel il fait part de la possibilité d'une arrivée immédiate de Goering à Londres, sur quoi il s'entend dire que le gouvernement britannique attend de connaître la teneur de la réponse allemande à son ultimatum avant de décider si une visite de Goering est encore souhaitable. Dahlerus transmet l'information à Goering, qui téléphone aussitôt à Hitler pour recommander que la réponse à la note britannique soit aussi conciliante que possible.

Entre-temps, Dahlerus a quitté le train pour faire les cent pas dans la clairière : « J'étais extrêmement tendu. Soudain, j'ai vu Goering sortir du train. Il s'est assis à une grande table pliante sous quelques hêtres, à proximité immédiate du train. Je suis allé le rejoindre, et il m'a dit qu'il avait déjà donné des instructions pour qu'un avion soit prêt à décoller d'un champ d'aviation tout proche ; il a passé sous silence ce qu'Hitler venait de lui dire, sans cacher sa déception de ne pouvoir décoller avant 11 heures [...] Il paraissait songeur et oppressé. Comme s'il voulait masquer ses pensées, il prononçait de temps à autre quelques phrases pour exprimer son étonnement au sujet de l'attitude incompréhensible des Anglais. A 11 h 15, quelques officiers supérieurs sont arrivés et ont demandé à être entendus sans délai, sur quoi je me suis éloigné. Mais je n'avais pas fait cinquante pas que Goering m'a rappelé et m'a montré une dépêche que Koerner venait de lui remettre ; elle rapportait que juste après 11 heures, Chamberlain avait annoncé à la radio que la Grande-Bretagne était désormais en guerre contre l'Allemagne, celle-ci n'ayant pas répondu avant 11 heures à la note qui lui avait été adressée. Goering était sincèrement affligé d'apprendre la nouvelle. [...] A 11 h 30, Hitler lui a téléphoné pour le prier de venir d'urgence à la chancellerie [129]. » *Lui ordonner* de venir serait sans doute plus juste ; car l'aide de camp civil Görnnert entendra Goering prononcer uniquement ces mots : « *Jawohl, mein Führer ! Jawohl, mein Führer ! Jawohl, mein Führer !* »

A la chancellerie du Reich, cet après-midi-là, Albert Speer, qui attend d'être reçu, voit Goering sortir du bureau d'Hitler en tenant à la main le communiqué de presse annonçant l'entrée de Winston Churchill dans le cabinet de guerre britannique, en tant que Premier lord de l'Amirauté. « Goering, notera Speer, s'est laissé tomber dans le fauteuil le plus proche, et il a dit d'une voix lasse : " Churchill dans le cabinet, cela veut dire que la guerre commence pour de bon " [130]. » C'est ce même maréchal très déprimé qui murmure à l'interprète Paul Schmidt : « Si nous perdons cette guerre, que Dieu ait pitié de nous [131] ! »

XI

L'ivresse de vaincre

La campagne de Pologne, déclenchée le 1ᵉʳ septembre 1939, inaugure une ère toute nouvelle dans l'histoire de la guerre moderne. Dès le départ, la prépondérance numérique des forces allemandes est écrasante : 57 divisions, dont 6 blindées et 4 motorisées, 1 500 chars et 1 930 avions de première ligne *, contre une armée polonaise très partiellement mobilisée, comprenant 30 divisions d'infanterie, 11 brigades de cavalerie, deux brigades motorisées, 750 véhicules blindés et 900 avions, dont 500 seulement sont prêts à voler. Au-delà des chiffres, la supériorité qualitative de la Wehrmacht est considérable : ses armements et ses équipements sont ultramodernes, tandis que ceux de l'armée polonaise sont démodés et techniquement inférieurs. L'avantage stratégique des forces allemandes n'est pas moins évident : face à des divisions polonaises dispersées pour couvrir 2 300 kilomètres de frontières, les 3ᵉ et 4ᵉ armées du général von Bock sont concentrées en Prusse orientale au nord et en Poméranie au nord-ouest, tandis que les 8ᵉ, 10ᵉ et 14ᵉ armées du général von Rundstedt disposent d'excellentes bases de départ en Haute-Silésie au sud-ouest et en Slovaquie au sud

---

* Ce sont les deux tiers des effectifs de la Luftwaffe : 740 chasseurs, 990 bombardiers, 200 Stuka. Le reste est stationné à l'Ouest pour s'opposer à une éventuelle attaque française. Malgré tout, 2 775 appareils de première ligne en tout et pour tout, c'est assez peu pour commencer une guerre qui a toutes chances de dégénérer... D'autant qu'il n'y a pratiquement pas de réserves et que beaucoup de pilotes de bombardiers sont en train de passer du Do 17 au He 111, tandis que d'autres s'initient au pilotage du Ju 88 – toutes choses qui supposent de longues périodes de formation, tant pour les pilotes que pour les mécaniciens.

— de quoi envelopper sans coup férir l'ensemble de la Pologne occidentale [1].

C'est pourtant la tactique de combat employée par la Wehrmacht qui s'avère décisive : depuis la Narew jusqu'à la Vistule, les offensives allemandes s'ouvrent par des percées de divisions blindées, puissamment soutenues par l'artillerie tractée et l'infanterie motorisée. Elles sont précédées d'une action éclair de la Luftwaffe, qui bombarde d'emblée tous les terrains d'aviation, détruisant au sol l'essentiel de l'aviation polonaise et libérant les Stuka comme les Messerschmitt 109 pour des missions d'appui tactique à l'armée de terre. Dès lors, c'est la coordination pratiquement parfaite de l'action des chars et des avions, exécutée pour la première fois sur un théâtre d'opérations, qui crée la surprise et la rupture ; c'est aussi le bombardement systématique des points d'appui, des centres de commandement, des concentrations de troupes, des ouvrages d'art, des nœuds ferroviaires, des voies de communication, des stations de transmissions et des lignes de ravitaillement qui paralyse les regroupements et les contre-offensives des armées polonaises. Dès le 5 septembre, les 8e et 10e armées de Blaskowitz et de Reichenau percent donc le front entre Lodz et Radom, la 14e armée de List investit Cracovie, tandis que le groupe d'armées Nord de von Bock, dépassant Chelmo et Mlawa, longe la Vistule en direction de Modlin et de Varsovie. Le 8 septembre, les deux tiers de l'armée polonaise sont déjà encerclés, et en dépit d'une contre-attaque sur la Bsura, les 8e et 10e armées atteignent les faubourgs sud de Varsovie. Elles sont contenues au cours des jours qui suivent, mais une puissante offensive en tenaille est menée parallèlement à l'est, le long du Bug, par le corps blindé de Guderian au nord et celui de von Kleist au sud. Les deux mâchoires de la tenaille se referment sur Brest-Litovsk, qui tombe le 14 septembre *. A cette date, Varsovie résiste encore, mais la chute de Lvov et l'intervention de l'armée soviétique le 17 septembre scellent le sort de l'armée polonaise de l'Est, dont les unités encore opérationnelles doivent se réfugier en Roumanie et en Hongrie ; le gouvernement polonais lui-même se transporte à Bucarest. Varsovie tiendra encore huit

---

* Voir carte, p. 323.

jours, mais l'issue de cette guerre éclair ne fait déjà plus de doute.

La direction suprême des opérations est assurée depuis le quartier général de Zossen par le commandant en chef de l'armée von Brauchitsch, et surtout par le chef d'état-major Franz Halder [2]. Hitler, lui, est parti vers l'est dans son train spécial dès le soir du 3 septembre, accompagné des responsables de l'OKW Keitel et Jodl, de Lammers, de Ribbentrop et d'Himmler, ainsi que des aides de camp, officiers de liaison, secrétaires, médecin et acolytes formant son entourage habituel. Depuis son QG temporaire au camp d'entraînement de Gross-Born, en Poméranie, il suit les opérations et se déplace en voiture ou en avion pour inspecter les centres de commandement; mais à la différence de ce qui se produira lors des campagnes ultérieures, il s'abstient généralement d'intervenir pour modifier la stratégie du commandant en chef : « Il ne donnait jamais d'ordres lui-même, se souviendra Keitel, mais il le faisait fréquemment dans le cas de l'aviation, à laquelle il communiquait souvent ses instructions personnelles afin qu'elle soutienne les opérations au sol; il téléphonait à Goering presque tous les soirs [3]. »

C'est que le maréchal Goering, lui, est resté en Allemagne, d'où il commande en principe les opérations menées par deux de ses flottes aériennes * au-dessus de la Pologne. En réalité, cette tâche est assurée sur place par le général Wolfram von Richthofen, et à Berlin par le chef d'état-major Jeschonnek, ainsi que par le secrétaire d'Etat et inspecteur général de la Luftwaffe Erhard Milch, qui n'hésite pas à accompagner les Heinkel 87 et les Dornier 17 pour vérifier sur le terrain l'efficacité des opérations de bombardement. Goering, lui, transmet les ordres d'Hitler, lance des proclamations martiales et surtout préside le Conseil de défense du Reich, qui va dès lors fonctionner comme un véritable Conseil des ministres – pour quelques semaines du moins : « Le conseil de Défense, écrira le ministre des Finances Schwerin von Krosigk, a siégé plusieurs fois par semaine en cooptant autant de ministres que nécessaire. J'ai assisté régulièrement aux premières sessions. Lors de ces

---

* La Luftflotte I, sous le commandement du général Kesselring, et la Luftflotte IV, sous celui du général autrichien Löhr.

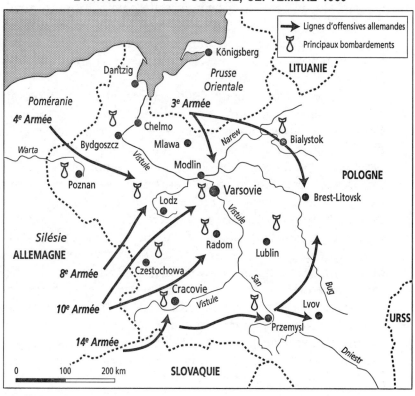

L'INVASION DE LA POLOGNE, SEPTEMBRE 1939

Lignes d'offensives allemandes

Principaux bombardements

Königsberg

Dantzig

Prusse Orientale

LITUANIE

Poméranie

4e Armée

3e Armée

Chelmo

Warta

Bydgoszcz

Mlawa

Narew

Bialystok

Vistule

Modlin

POLOGNE

Poznan

Varsovie

Brest-Litovsk

Lodz

Silésie

Vistule

ALLEMAGNE

Radom

Lublin

8e Armée

Czestochowa

10e Armée

Cracovie

San

Bug

Lvov

Vistule

Przemysl

URSS

14e Armée

Dniestr

0   100   200 km

SLOVAQUIE

réunions, Goering non seulement nous autorisait, mais encore nous incitait à discuter franchement de tous les sujets à l'ordre du jour [4]. » On traite donc, pour la première fois de façon ordonnée, des problèmes de l'agriculture, de la répartition des matières premières entre les divers services, des cartes de rationnement et même des perspectives diplomatiques, le ministre de l'Agriculture Darré notant à ce sujet : « Goering, dans son optimisme, croit qu'Hitler conclura désormais un marché avec la Grande-Bretagne [5]. » Le 18 septembre, enfin, le président du Conseil de défense du Reich installe son quartier général en Prusse orientale ; à vrai dire, c'est moins pour se rapprocher du théâtre des opérations que pour rejoindre son pavillon de chasse à Rominten... Au diable la stratégie : le glorieux maréchal part aussitôt chasser le cerf [6].

Au bout de trois semaines d'hostilités, Hermann Goering va tout de même intervenir personnellement dans la campagne de Pologne : le 24 septembre, il ordonne un bombardement aérien massif de Varsovie, qui résiste toujours ; 1 200 avions vont donc raser une bonne partie de la capitale, soumise en outre à un intense pilonnage d'artillerie. A court de vivres, d'eau et de munitions, les défenseurs de la capitale se rendent finalement le 27 septembre. La seconde initiative du maréchal sera de faire tourner un film sur les résultats du bombardement, intitulé *Feuertaufe* – « Baptême du feu » –, qui servira autant à promouvoir son image qu'à intimider les futurs adversaires *. Enfin, il se rend personnellement en Pologne, pour être vu des troupes et pour parader devant les caméras, mais surtout pour organiser la réquisition des biens polonais et la mise en coupe réglée des usines et exploitations minières du pays. Autant de services distingués qui lui vaudront une nouvelle décoration : la grand-croix de la Croix de Fer. Il est vrai que pour tous les observateurs, le succès éclatant de cette *Blitzkrieg* de quatre semaines ** est attribuable avant tout à l'action de la Luftwaffe, plus spectaculaire – et bien plus célébrée – que celle des chars de combat. C'est que le maréchal dispose

---

* Goering apparaît en personne à la fin du film, pour prévenir que le même sort attend l'Angleterre.

** Les Polonais ont eu quelque 70 000 tués, 133 000 blessés et 700 000 prisonniers, contre seulement 11 000 tués et 30 000 blessés pour la Wehrmacht. Sur les 1930 avions engagés, la Luftwaffe en a perdu 285, mais toute l'aviation polonaise de première ligne a été détruite.

d'un appareil d'autopromotion à peu près unique en son genre, la « *Sondertrupp Reichsmarschall* », mobilisant l'élite des journalistes, annonceurs, cinéastes et photographes de l'époque, avec un matériel ultramoderne et un impressionnant parc de voitures, camions et wagons de chemins de fer...

A la fin de septembre, il n'y a plus en Pologne qu'une résistance sporadique *, et la plupart des unités allemandes de première ligne sont ramenées vers le front de l'Ouest. Leurs généraux ne doutent pas qu'elles resteront dès lors en position défensive [7]. Il est vrai qu'après avoir répété sans cesse à son entourage que la Grande-Bretagne et la France ne s'engageraient pas en faveur de la Pologne, Hitler a été radicalement contredit par le cours des événements. Mais le Führer tenant énormément à sa réputation d'infaillibilité, il s'est empressé d'assurer que Londres et Paris ne lui avaient déclaré la guerre que pour satisfaire leur opinion publique, et n'oseraient jamais prendre l'initiative d'ouvrir les hostilités. « Le Führer, note Goebbels dès le 4 septembre, pense qu'il n'y aura à l'Ouest qu'une guerre des Pommes de terre [8] **. » La passivité de l'armée française et de la marine britannique au cours de la campagne de Pologne semble bien lui donner raison, et pendant tout le mois de septembre, le Führer s'abstient soigneusement de toute provocation verbale à l'égard des alliés occidentaux.

Le deuxième personnage du Reich s'adapte naturellement aux exigences de l'heure : le 9 septembre, il déclare devant une assemblée d'ouvriers de l'industrie d'armement que l'unique but de l'Allemagne est « de faire régner enfin la paix sur ses frontières orientales, sans qu'il y ait pour cela la moindre raison d'affrontement avec les puissances occidentales [9] ». Lorsqu'un avion britannique est abattu au-dessus de l'Allemagne, Goering prend l'initiative de charger Dahlerus de transmettre à l'ambassade de Grande-Bretagne à Stockholm un message de sa main assurant les familles des deux pilotes qu'ils sont en bonne santé et seront bien traités [10]. Le 18 septembre, il mobilise une

---

* Elle cessera entièrement le 6 octobre avec la capitulation des dernières unités polonaises, mais des mouvements de résistance civils ne tarderont pas à se constituer.

** « *Kartoffelkrieg* ». C'est une allusion à la guerre de succession de Bavière menée par Frédéric II contre l'Autriche en 1778. Les deux armées ne s'étaient jamais affrontées directement, se contentant d'escarmouches visant à couper les lignes d'approvisionnement de l'adversaire.

nouvelle fois son émissaire particulier, qui rend visite à l'ambassadeur de Grande-Bretagne en Suède pour lui dire qu'en dépit des succès de la campagne de Pologne, « la popularité d'Hitler a été très entamée », car « les Allemands n'auraient jamais pensé qu'il les entraînerait dans une guerre. [...] Goering est le seul qui jouit de la confiance de tous » [11]. Cinq jours plus tard, Dahlerus est en Norvège, où il s'entretient avec Ogilvie-Forbes, maintenant en poste à l'ambassade de Grande-Bretagne à Oslo. L'émissaire suédois propose cette fois – manifestement sur instructions de Goering – d'organiser une rencontre en territoire neutre entre le maréchal et un militaire britannique de haut rang comme le général Ironside *, ce qui aurait le triple avantage d'éviter un renouvellement de Munich, de maintenir Hitler en dehors de l'affaire... et de renforcer la position de Goering [12].

Le 26 septembre, Dahlerus est reçu à la chancellerie en présence de Goering, et il expose au Führer « son » idée de rencontre entre plénipotentiaires allemands et britanniques. Goering approuve naturellement le projet avec enthousiasme, et il propose les Pays-Bas comme lieu de rencontre. Hitler se montre réservé, mais il ne repousse pas l'idée d'emblée, et accepte même la proposition du Suédois d'aller dès le lendemain soumettre son plan aux autorités de Londres.

Ce que Dahlerus présente aux responsables britanniques entre le 27 et le 29 septembre, c'est non seulement une proposition de pourparlers, mais encore un récapitulatif détaillé des thèmes à aborder. Il y est précisé que l'Allemagne n'a pas de visées hostiles à l'égard des Alliés, que la question polonaise ne regarde plus que l'Allemagne et l'URSS, et enfin que le gouvernement allemand n'a plus de visées territoriales en Europe, qu'il serait disposé à garantir les Empires français et britannique, à coopérer avec la Grande-Bretagne et la France pour reconstruire l'Europe, à participer à une conférence de paix internationale, et même à discuter du règlement de la question juive [13]. Mais les interlocuteurs britanniques de Dahlerus sont extrêmement sceptiques, si l'on en croit la note suivante que sir Alexander Cadogan inscrit dans son journal ce soir-là : « Il (Dahlerus) nous a raconté son histoire, mais cela ne nous a guère avancés. Le Premier ministre lui a tenu les mêmes propos que moi la nuit

---

* Sir Edmund Ironside, chef de l'état-major général impérial.

dernière – aucune assurance, aucune promesse, aucune signature du régime actuel n'a *la moindre* valeur. L'Allemagne doit *agir* pour prouver sa bonne foi [14]. »

Si les anciens chantres de l'apaisement ne sont plus disposés à prendre pour argent comptant les propositions en provenance de Berlin, ils ont parfaitement raison : le 27 septembre, Hitler, manifestement grisé par sa victoire sur les Polonais et par l'assurance de la complicité soviétique, déclare lors d'une réunion de ses chefs militaires qu'il est résolu à prendre l'offensive à l'Ouest dans les meilleurs délais, car « tous les succès historiques ne mènent à rien s'ils ne sont pas poursuivis ». Puisque les ennemis de l'Allemagne renforcent leur capacité militaire et pourraient détruire la Ruhr, il s'agit de les devancer et de « préparer des plans immédiatement pour une attaque contre la France ». Nom de code : « *Gelb* ». Il n'est pas question de réutiliser le plan Schlieffen de 1914, mais d'attaquer par la Belgique et le Luxembourg en direction de l'ouest, pour gagner au plus tôt les ports de la Manche. C'est que pour Hitler, le but est autant de « mettre l'Angleterre à genoux » que de « détruire la France », et le moment le plus favorable à cet effet lui paraît se situer entre le 20 et le 25 octobre [15]. Bien entendu, il n'a aucun contradicteur, mais le colonel Walter Warlimont, chef de la section L * de l'OKW, se souviendra que « tous les auditeurs présents, y compris Goering, étaient visiblement très affectés [16] ».

On le serait à moins : la guerre en Pologne n'est même pas entièrement terminée que l'on ordonne à la Wehrmacht de repartir en campagne à la fin de l'automne, avec un préavis de moins d'un mois, sans plan d'attaque précis, contre des adversaires autrement mieux armés que les Polonais et parfaitement retranchés derrière la Ligne Maginot... En outre, les chars lourds du général von Brauchitsch ont des moteurs éprouvés par les milliers de kilomètres parcourus à un rythme d'enfer, et ils ont grand besoin de chenilles de remplacement, tandis que les blindés légers ont montré des faiblesses inquiétantes pendant toute la campagne [17] ; les navires de surface et les sous-marins de l'amiral Raeder sont encore en nombre ridiculement insuffisant pour affronter une Royal Navy puissamment renforcée par la marine française ; quant à la Luftwaffe, il lui faut compenser ses

---

* *Landesverteidigung* (Défense du territoire).

pertes, l'usure de son matériel et l'épuisement de ses réserves de munitions – particulièrement de bombes, dont elle vient d'utiliser la moitié de ses stocks, et dont il lui reste tout juste assez pour *cinq jours* de guerre à l'Ouest [18] ! Lors de la déclaration de guerre, Goering, dans un accès de forfanterie caractéristique, avait fait diffuser par l'OKL le message suivant : « La guerre aérienne totale contre l'Angleterre est commencée », puis « La *Luftflotte II* attaquera avec trois Ju 88 le porte-avions britannique *Hermes* au mouillage à Sheerness » [19]. Trois avions contre l'Angleterre ! Et des Junkers Ju 88 de surcroît, encore inaptes à l'engagement ! Le tout avec des pilotes uniquement formés à la navigation terrestre [20] ! La Luftflotte II parviendra à faire annuler l'ordre... Il n'y en aura pas moins quelques saillies contre les navires au mouillage dans les ports britanniques *, avec des résultats dérisoires ; le capitaine Pohle, chef de l'escadrille d'essai des Ju 88, sera abattu et fait prisonnier dès la première attaque contre des navires anglais dans le Firth of Forth ** [21].

Pourtant, les contacts discrets en vue de parvenir à un règlement pacifique avec les alliés occidentaux vont se poursuivre, avec chez Hitler l'intention manifeste de séparer les Britanniques des Français, et chez Goering le souci de seconder son Führer, doublé du désir secret d'éviter le déclenchement anticipé d'une guerre mondiale. Au journaliste Fritz Hesse, ancien attaché de presse de l'ambassade d'Allemagne à Londres, l'ambassadeur Hewel fait savoir que le Führer ne voit que des avantages à ce qu'il poursuive ses conversations secrètes avec sir Horace Wilson, pourvu qu'il insiste sur le fait que l'Allemagne veut avoir les mains libres à l'Est *** [22]. Goering, lui, fait venir à Berlin

---

* Le Führer a expressément interdit tout bombardement contre des cibles à terre. De part et d'autre, les hostilités se limiteront tacitement à des attaques contre les navires.

** Il avait persuadé Goering que le Ju 88 avait 65 % de chances de toucher un navire de guerre anglais...

*** Chose remarquable, Hewel lui a dit dès ce moment qu'« Hitler ne pourrait pas s'engager à s'abstenir d'attaquer l'Union soviétique »... De fait, le 23 novembre, le Führer déclarera à son aide de camp von Below que l'attaque à l'Ouest doit absolument être déclenchée avant la fin de 1939, parce qu'il « aura besoin de l'armée pour une grande opération à l'Est contre la Russie au printemps de 1940 ». La Pologne, la France, la Grande-Bretagne et l'URSS – tout cela en moins de neuf mois ! Cette incapacité à mesurer les contraintes de temps et de ressources qu'impliquent des opérations aussi vastes laisse sans voix.

le magnat du pétrole américain W.R. Davis, qui a l'oreille d'un Roosevelt disposé à servir de médiateur au cas où ses services seraient requis [23]. Entre-temps, Hitler a lancé publiquement une offensive de paix avec son discours-fleuve du 6 octobre : « L'Allemagne n'a plus de revendications à l'égard de la France, et elle n'en avancera plus jamais à l'avenir. [...] J'ai toujours exprimé le désir d'enterrer pour toujours notre ancienne inimitié et de réconcilier ces deux nations au glorieux passé. [...] Je n'ai pas consacré moins d'efforts pour parvenir à une entente anglo-allemande – non, plus que cela, à une amitié anglo-allemande. [...] Pourquoi y aurait-il une guerre à l'Ouest ? Pour ressusciter la Pologne ? La Pologne du traité de Versailles a disparu pour de bon, ce qui est garanti par deux des plus grands Etats du monde [24]. »

Tout cela est plus menaçant qu'apaisant, et ne comporte pas la moindre proposition concrète. Birger Dahlerus s'offre à y remédier, en suggérant à nouveau une conférence dans un pays neutre entre plénipotentiaires de tous les belligérants ; il s'agirait de parvenir à un accord d'armistice, suivi de négociations détaillées concernant un pacte de non-agression, une coopération économique et même un référendum en Allemagne sur la question de la paix et du désarmement. Le 9 octobre, Goering présente tout cela à Hitler, qui l'accueille avec une méfiance certaine – mais ne s'oppose pas à un nouveau voyage de Dahlerus à La Haye pour y rencontrer des émissaires britanniques. C'est évidemment une nouvelle ruse de la part du Führer, car le même jour, il émet sa Directive n° 6 sur la conduite de la guerre à l'Ouest, ordonnant une offensive « aussi puissante et rapide que possible au nord du front occidental à travers la Belgique, les Pays-Bas et le Luxembourg ». Deux jours plus tard, lors d'une réunion des principaux responsables militaires à la chancellerie, il répète que « l'offensive à l'Ouest doit être déclenchée au plus tôt, c'est-à-dire avant le début de l'hiver [25] ». Cette fois, ce sera entre le 15 et le 20 novembre...

Le 12 octobre, Chamberlain rejette publiquement les timides avances contenues dans le « discours de la paix » d'Hitler, au motif que « la volonté de paix doit se prouver par des actes plutôt que par des paroles [26] ». Le même jour, la mission du milliardaire américain R.W. Davis échoue devant l'opposition du

Département d'Etat et le refus de Roosevelt de le recevoir à la Maison Blanche. Hitler en conclut que toute tentative de conciliation est vouée à l'échec, et dix jours plus tard, il annonce que l'attaque à l'Ouest sera lancée dès le 12 novembre. C'est la première fois qu'une date précise est annoncée, et elle déclenche un branle-bas de combat général chez les militaires – y compris les plus timorés, comme le commandant en chef de l'armée von Brauchitsch et son chef d'état-major Halder. Ils se rapprochent insensiblement des conspirateurs Beck, Oster, Canaris, von Hassel et Goerdeler, tout en préparant des rapports circonstanciés pour démontrer à Hitler l'impossibilité de toute attaque prématurée à l'Ouest. Goering lui-même ne montre qu'un enthousiasme modéré à l'annonce de l'offensive, et prévient qu'il ne pourra faire intervenir « sa » Luftwaffe que si on lui garantit cinq jours de ciel clair. Ce n'est pourtant pas là une opposition de principe, et du reste, Brauchitsch, Halder et leurs subordonnés se méfient au plus haut point de l'Homme de fer, qui ne cesse de se plaindre d'eux auprès du Führer [27]. Les membres de l'opposition dure à Hitler sont tout aussi réservés, mais le 10 octobre, Goerdeler confie à l'ambassadeur von Hassel qu'il a été approché par « des hauts fonctionnaires du proche entourage de Goering », et que le maréchal lui-même « semble avoir saisi tout le sérieux de la situation et être très gravement préoccupé » [28]. Les conjurés n'en hésitent pas moins à l'approcher, et von Hassel lui-même, qui dispose de renseignements de toute première main *, y est farouchement opposé : « Goering, écrit-il, n'est pas un homme à qui l'on pourrait faire confiance [29]. »

Certes, et cela déconcerte quelque peu les derniers interlocuteurs du maréchal, comme l'explorateur suédois Sven Hedin, qu'il assure de son amour pour la paix, tout en ajoutant : « Nous serons victorieux, et alors l'Allemagne sera la plus grande et la plus forte puissance du monde [30]. » Même perplexité chez l'ambassadeur von Papen, venu d'Ankara le 18 octobre pour proposer à Hitler des négociations avec Londres par l'intermédiaire de l'ambassadeur des Pays-Bas en Turquie ; ayant naturellement essuyé un refus catégorique de la part du Führer, von Papen s'est

---

* Notamment parce qu'il s'entretient régulièrement avec la sœur de Goering, Olga Riegele, ainsi qu'avec sa belle-sœur Ilse Goering.

tourné vers Goering : « Lorsque je lui ai demandé son aide, se souviendra-t-il, Goering m'a répondu qu'il était lui-même partisan d'une fin rapide des hostilités, mais que Hitler et Ribbentrop tenaient à leur guerre contre l'Angleterre, et que lui-même n'y pouvait rien. Avant mon départ, il m'a dit sèchement que je devrais être un peu plus prudent dans mes déclarations aux diplomates étrangers concernant l'éventualité d'un changement de régime ou la possibilité d'une restauration monarchique. Leurs rapports étaient tous interceptés et décryptés, et je pourrais me préparer quelques désagréments [31]. »

Il est malgré tout significatif que Goering n'ait pas jugé utile de communiquer au Führer les interceptions en question, ce qui aurait mis un terme définitif à la carrière – et sans doute à la vie – de Franz von Papen... Mais en cette fin d'octobre 1939, le glorieux maréchal doit se sentir particulièrement solitaire : son arrogance et sa servilité à l'égard du Führer lui valent le mépris des chefs militaires et le rejet des membres de l'opposition secrète à Hitler *, tandis que ses initiatives diplomatiques et ses ouvertures de paix indirectes lui attirent la haine de Ribbentrop et les soupçons du Führer. Enfin, ses positions ambiguës, ses approches tortueuses et ses discours belliqueux le desservent manifestement auprès des autorités britanniques, qui hésitent toujours à le considérer comme un interlocuteur valable : « C'est avec une extrême circonspection que nous accorderions à Goering une confiance quelconque [32] », écrit le 26 octobre sir Stewart Menzies, le chef du MI6, au Premier ministre Chamberlain **.

Mais Hermann Goering n'en persiste pas moins à mener une diplomatie parallèle. Est-ce par amour de la paix ? Par haine de Ribbentrop ? Est-ce plutôt une conscience aiguë de l'impréparation militaire allemande ? Ou bien encore, chez ce brillant

---

* De même que celui de certains de ses plus anciens bienfaiteurs. Ainsi, Fritz Thyssenest allé se réfugier en France, d'où il lui a écrit : « Je préfère attendre ici la fin du national-socialisme. » La comtesse Lilly von Epenstein, revenue en Autriche à la fin de 1939, est morte d'une crise cardiaque à l'annonce de la déclaration de guerre. Et puis, à des degrés divers, son épouse, ses sœurs, son demi-frère, son cousin et ses rares amis comme Gritzbach et Popitz considèrent Hitler comme un fou dangereux, qui mène l'Allemagne à sa ruine.

** Mais au début d'octobre, Lord Halifax envisageait encore la possibilité de « semer quelque peu la discorde » entre Hitler et Goering (FO 371 / 23098, Halifax minute, 5/10/39)...

second qui est l'un des seuls à connaître les desseins ultérieurs du Führer, la conviction qu'il serait suicidaire de s'en prendre aux puissances occidentales avant de se retourner contre l'URSS ? Toujours est-il que le maréchal multiplie les approches indirectes auprès de Paris, Londres, Washington, Stockholm et même Rome. Dahlerus est à nouveau contacté, de même que l'ambassadeur de France en Italie André François-Poncet, le directeur de la General Motors James D. Mooney, le prince Max Egon zu Hohenlohe-Langenburg, l'armateur néerlandais H.G. Kroeler et le régent Paul de Yougoslavie. Peut-être en désespoir de cause, Goering confie pour la première fois à Dahlerus l'état d'avancement des réflexions stratégiques à la chancellerie du Reich : Le Führer, lui dit-il, veut déclencher « une grande offensive », afin de « se rapprocher de l'Angleterre » – et cette fois, on devine qu'il ne s'agit ni d'une offensive de paix ni d'un rapprochement diplomatique... C'est à cette occasion que Dahlerus notera chez Goering une attitude quasiment schizophrénique, qu'il décrira en ces termes : « Le *Generalfeldmarschall* peut tout à fait apprécier les choses de façon sobre et objective, mais c'est un admirateur inconditionnel du Führer, et ce sentiment l'emporte même dans le cas où la raison lui aurait sans doute dicté un jugement différent. D'un côté, il veut certainement encore obtenir une paix honorable, mais d'un autre côté, si le Führer choisit de s'engager dans une autre voie, il est tout prêt à se soumettre sans états d'âme [33]. »

C'est parfaitement exact : quoi que puissent en dire ceux qui prennent leurs désirs pour des réalités, comme Davis, Mooney ou le prince Paul de Yougoslavie *, Hermann Goering reste un homme sous influence, et il n'a pas la moindre intention de se retourner contre son maître – si déraisonnables que puissent lui paraître certaines de ses décisions.

Dans l'intervalle, l'opposition secrète a subi une succession de revers : les conjurés organisés autour du général von Hammerstein avaient projeté d'arrêter le Führer lors d'une tournée d'inspection au *Westwall*, mais Hitler, qui possède un flair peu commun lorsqu'il s'agit de sa sécurité personnelle, a renoncé à sa visite au tout dernier moment et fait relever von Hammerstein

---

* Tous trois ont laissé entendre à leurs interlocuteurs américains et britanniques que le maréchal serait prêt à prendre le pouvoir des mains d'Hitler.

de son commandement [34]. Von Brauchitsch, lui, a rassemblé toute la documentation et tout le courage nécessaires pour dissuader Hitler d'attaquer pendant l'hiver, mais l'entrevue du 5 novembre 1939 à la chancellerie du Reich s'est très mal passée ; le général, vertement rabroué par le Führer *, a pris peur et s'est empressé de rompre tout contact avec l'opposition. Quant à Hitler, il n'en démord pas : « Les militaires disent que nous ne sommes pas prêts, mais une armée n'est jamais prête. [...] Ce qui compte, c'est de savoir si nous sommes plus prêts que les autres ; et c'est bien le cas [35]. » La date de l'attaque reste donc fixée au 12 novembre, à 7 h 15 du matin...

Si malgré tout Hitler se verra encore contraint de la reporter, c'est uniquement parce que le docteur Diesing, météorologue en chef de la Luftwaffe, ne pourra lui garantir les cinq jours de ciel clair nécessaires au succès de l'opération. Entre-temps, il y a l'attentat manqué de la Bürgerbräukeller le 8 novembre **, qui vient à point nommé pour rehausser le prestige d'Hitler, tout en achevant d'intimider les opposants les plus timorés – d'autant qu'il est suivi dès le lendemain par l'enlèvement aux Pays-Bas de deux hommes des services secrets britanniques, qui cherchaient à contacter des officiers allemands hostiles à Hitler. Le 23 novembre, enfin, lors d'une réunion de ses commandants en chef, Hitler fixe une nouvelle échéance pour le déclenchement des hostilités à l'Ouest : « Début décembre, et en tout cas avant Noël [36]. »

Bien entendu, Goering s'incline comme les autres : « Il aurait été incompréhensible, dira-t-il plus tard, que l'un des hommes présents s'avise de protester. Le commandant suprême ayant tranché, il n'y avait plus rien à discuter, et c'était aussi valable pour un maréchal que pour un simple soldat [37]. » De fait, Goering adopte un profil bas, et une ancienne connaissance des temps héroïques de la Svenska Lufttraffik qui lui rend visite à la mi-novembre le trouve « très abattu [38] ». Il souffre certes d'une

---

* Il avait cru devoir ajouter à ses arguments sur l'impréparation matérielle et les mauvaises conditions météorologiques que certains éléments de l'armée avaient manqué de discipline lors de la campagne de Pologne, ce qui avait rendu Hitler furieux. Le Führer avait voulu limoger von Brauchitsch, mais s'était ravisé peu après, n'ayant trouvé personne pour le remplacer.
** Il s'agissait très vraisemblablement d'un coup monté par la Gestapo, d'après les déclarations faites aux agents anglais Steven et Best par l'accusé Georg Elser.

inflammation des articulations très invalidante, mais la défaveur du Führer lui paraît plus douloureuse encore. Hitler le soupçonne-t-il de vouloir retarder le lancement du plan « *Gelb* » en présentant des exigences excessives quant aux conditions météorologiques ? Après tout, la date de l'offensive va être reportée dix-sept fois, et il faut bien trouver un bouc émissaire... Ou bien Hitler prend-il ombrage du fait que Goering persiste à recevoir des visiteurs américains, suédois, norvégiens et néerlandais désireux de s'entremettre pour prévenir l'apocalypse ? Von Hassel apprend effectivement par Ilse Goering qu'à la mi-décembre 1939, « un contact de Hermann avec un Suédois pour explorer les perspectives de paix est parvenu aux oreilles d'Hitler et l'a rendu absolument furieux [39] ». Le Suédois en question n'est autre que le comte von Rosen, beau-frère de Goering, qui a eu avec ce dernier les 5 et 6 décembre deux longs entretiens [40] qui ont éveillé la méfiance pathologique d'Hitler *. Voilà en tout cas qui crée à Carinhall une ambiance plutôt morose lors des fêtes de Noël, d'autant que la défaveur du Führer s'est manifestée très concrètement dès cette époque : le commissaire au plan quadriennal Hermann Goering devait être nommé de surcroît ministre des Armements ; or, la décision d'Hitler a été repoussée à une date ultérieure, et pour finir, le poste sera attribué à Fritz Todt...

A l'évidence, les événements du 11 janvier 1940 ne vont rien arranger : ce jour-là, un avion léger appartenant à la Luftflotte II du général Felmy se perd dans le brouillard et atterrit en Belgique, à Mechelen-sur-Meuse. Or, contrairement aux consignes très strictes données par la Luftwaffe, il transporte le major Helmut Reinberger, qui est porteur des plans d'opérations complets d'une division de parachutistes devant participer à l'offensive en Belgique, prévue cette fois pour le 17 janvier. Le major est donc capturé avec ces documents hautement sensibles, qu'il tente de brûler sans y parvenir complètement. « En tant que commandant en chef de l'infortuné courrier, se souviendra Goering, j'ai dû essuyer des reproches cinglants de la part du Führer, car une partie importante de notre déploiement à l'Ouest, ainsi que

---

* Tout comme l'état-major français, ils considéraient que les Ardennes étaient infranchissables par des divisions blindées ; en outre, ils estimaient que les panzers lancés vers Arras et Abbeville seraient très vulnérables à une contre-attaque française sur leur flanc sud.

l'existence même des plans allemands, se trouvaient ainsi tra-
hies. Je suis immédiatement rentré chez moi [...] et j'ai tenté de
mettre une liasse de papiers du même volume dans le poêle,
pour voir quelle partie pouvait se consumer. Je me suis même
sérieusement brûlé les mains au cours de l'opération [41]. »

C'est le seul résultat concret de l'expérience, et dans le doute,
il va falloir réorganiser entièrement le dispositif d'attaque. Il
n'est donc plus question de lancer l'offensive le 17 janvier, et
Hitler, la rage au cœur, se résout finalement à remettre au printemps sa grande offensive à l'Ouest. Quant à Goering, il est
particulièrement sombre lors de la célébration de son 47ᵉ anniversaire, ainsi qu'en témoignera le général Kesselring : « Je
n'avais jamais vu Goering aussi déprimé, [...] mais il avait de
bonnes raisons pour cela. [...] J'ai dû d'abord entendre une tempête d'invectives contre les commandants de la Luftwaffe ; Goering n'a pas pris le temps de se demander si l'on pouvait
vraiment rendre un officier de la Luftflotte II responsable de ce
qui s'était passé. Son commandant, le maréchal de l'Air Felmy,
et Kammhuber, son chef d'état-major, ont été limogés. Pour
notre part, nous avons eu droit à une engueulade en règle et à
quelques tâches supplémentaires. Goering m'a lancé hargneuse-
ment (il n'y a pas d'autre mot) : " Et vous, vous prendrez le
commandement de la Luftflotte II – une pause – parce que je
n'ai personne d'autre ! " [42]. »

Ayant de nombreuses fonctions à remplir, le maréchal a très
logiquement de multiples préoccupations, et en ce début de
1940, chacune d'elles semble lui apporter des tracas supplémentaires. C'est ainsi que sur ordre du Führer, le ministre de
l'Air Goering doit abandonner immédiatement toute entreprise
ne pouvant aboutir avant un an [43] ; voilà qui conduit à la mise en
sommeil de plusieurs projets majeurs, depuis l'avion à réaction
jusqu'au bombardier à long rayon d'action, en passant par les
recherches sur la haute fréquence – avec des conséquences
funestes pour la Luftwaffe au cours des années qui vont suivre *.
La diplomatie secrète n'est guère plus satisfaisante : à

---

* En tenant compte du fait que le développement d'un nouveau modèle d'avion
demande trois ans depuis sa conception initiale – et même quatre ans pour un
moteur –, et que la guerre vient à peine de commencer. En pratique, les constructeurs poursuivront leurs travaux dans tous ces domaines, mais avec des effectifs très
réduits, ce qui les retardera fatalement.

l'évêque d'Oslo Eivind Berggrav, qui lui rend visite le 27 janvier,
il avoue que « cette guerre est folle », mais lorsque l'évêque lui
demande s'il préfère la paix ou la victoire, il répond de façon
caractéristique : « La paix ! La paix, absolument ! », pour ajouter
immédiatement : « Mais j'aimerais beaucoup avoir la victoire
avant... » [44] – ce qui donne toute la mesure du dilemme. Pourtant, c'est sans doute le commissaire au plan quadriennal Goering qui connaît le plus de déboires : il lui faut prendre des
mesures immédiates en matière de finances, d'industrie, d'agriculture, de commerce, de fiscalité, d'investissements et de répartition de la main-d'œuvre – autant de domaines qui dépassent
déjà largement ses compétences en temps de paix. Mais à
présent, la pénurie de matières premières freine constamment ses
programmes, les Soviétiques sont des partenaires inquiétants et
des fournisseurs exigeants *, l'adaptation de l'industrie allemande à l'économie de guerre n'en est qu'à ses balbutiements, la
mobilisation des ressources et des travailleurs se fait dans la plus
grande confusion, et l'exploitation économique de la Pologne
occupée est constamment entravée par les exactions d'Himmler
contre les Polonais en général et contre les Juifs polonais en particulier. Pour Goering, c'est sans doute ce dernier élément qui
est le plus préoccupant ; dès la mi-janvier, il intervient auprès
d'Himmler pour l'inciter à la modération, et ses démarches restant vaines, il émet le 23 mars une circulaire interdisant à l'avenir tout déplacement de population sans son consentement [45].
Parce que tout cela nuit à une exploitation économique ration-
nelle du pays ? Parce que les traitements infligés aux Polonais
lui paraissent bien peu « chevaleresques » ? Parce qu'il est manifestement impossible de les justifier aux yeux du monde en
général et de son épouse en particulier ? Ou bien tout simplement parce que ce pragmatique assez peu fanatique n'approuve
que les crimes indispensables à sa sécurité et à sa promotion ?
Lui seul pourrait le dire... De toute façon, les massacres et
les déportations s'effectuant avec l'autorisation d'Hitler et la

---

* Ils ont attaqué la Finlande au début de décembre, et le maréchal Goering, qui
voudrait bien aider les Finlandais, ne peut risquer de mécontenter les fournisseurs du
commissaire au plan quadriennal Goering ... Par ailleurs, les Soviétiques exigent en
contrepartie de leurs fournitures des quantités considérables de machines-outils et de
matériel de guerre.

complicité de la Wehrmacht, Goering s'escrime en vain et finit par renoncer.

Au début de mars 1940, le sous-secrétaire d'Etat américain Sumner Welles, envoyé par le président Roosevelt en mission de paix dans les principaux pays européens, est reçu très froidement à Berlin par Hitler, Ribbentrop et Hess. Goering, qui l'accueille à Carinhall, se montre plus expansif, tout en lui faisant entendre « le même disque que les autres [46] », selon l'expression désormais consacrée : « L'Allemagne désire la paix, assure le maréchal avec la main sur le cœur. Qu'il faille se battre ou non, cela ne dépend pas de l'Allemagne, mais de ses adversaires [47]. » Goering ajoute qu'il ne voit pas en quoi la guerre en Europe pourrait affecter les intérêts vitaux des Etats-Unis, après quoi il fait visiter Carinhall à son hôte, qui notera dès son retour qu' « il serait difficile de trouver un édifice plus laid ou plus vulgaire dans ses exhibitions ostentatoires [48] ».

Dans l'intervalle, les réflexions stratégiques se sont poursuivies à la chancellerie du Reich, sans que le Führer ait jugé utile d'y associer son commandant en chef de la Luftwaffe. Avant même le report au printemps de sa grande offensive à l'Ouest, Hitler n'était guère satisfait du plan « Gelb », sans toutefois se décider à y apporter des modifications plus substantielles qu'un modeste renforcement de l'aile gauche passant par le sud de la Belgique. Mais le 17 février, Hitler est informé du plan conçu par le général von Manstein ; ce chef d'état-major du groupe d'armées A, cantonné au sud de l'Eifel, envisage un bouleversement complet du dispositif stratégique existant : au lieu de faire passer l'axe principal de l'offensive par les Pays-Bas et le nord de la Belgique, il propose de le déplacer vers les Ardennes pour frapper entre Sedan et Dinant, puis de lancer les divisions blindées en un grand mouvement de faux d'est en ouest pour gagner la Manche et prendre à revers les armées alliées engagées en Belgique. VonBrauchitsch et Halder avaient déjà rejeté ce plan *, mais le Führer, séduit par sa hardiesse, s'en empare sans délai : l'ensemble du plan « Gelb » sera modifié en conséquence [49].

---

* Tout comme l'état-major français, ils considéraient que les Ardennes étaient infranchissables par des divisions blindées ; en outre, ils estimaient que les panzers lancés vers Arras et Abbeville seraient très vulnérables à une contre-attaque française sur leur flanc sud.

Mais entre-temps, de nouvelles données sont venues modifier les priorités stratégiques : Hitler a appris que les Britanniques voulaient mettre à profit le conflit russo-finlandais pour débarquer en Norvège et couper les approvisionnements de l'Allemagne en minerai de fer. L'arraisonnement par des destroyers de la Royal Navy du navire allemand *Altmark* dans un fjord norvégien le 16 février 1940 * est venu confirmer cette menace, en démontrant clairement que la Norvège était hors d'état de faire respecter sa neutralité [50]. Dès lors, Hitler, voulant à tout prix devancer un débarquement allié, ordonne la préparation d'un plan d'invasion de la Norvège – sans savoir encore s'il sera lancé avant ou après l'attaque à l'Ouest [51]. Ce sera le plan « *Weserübung* », qu'il va faire préparer par un état-major spécial au sein de l'OKW, le « Groupe 21 », composé d'officiers des trois armes travaillant sous la direction du général von Falkenhorst – généralement à l'insu de leurs commandants en chef respectifs **... A cela, il y a au moins deux raisons : d'une part, Hitler conçoit « *Weserübung* » comme une opération combinée, devant être préparée et mise en œuvre sous sa supervision personnelle ; d'autre part, depuis un mois au moins, on sait qu'il y a des fuites au sein de l'état-major allemand : le major Deyhle, aide de camp d'Hitler, notait en effet dans son journal dès le 15 janvier 1940 : « Au cours des dernières semaines, les dates fixées successivement pour l'attaque à l'Ouest ont été connues en Belgique et en Hollande ; ceci est inexplicable [52]. » Or, Hitler est pleinement conscient du fait que l'invasion de la Norvège, qui comporte une phase navale particulièrement délicate du fait de la supériorité écrasante de la Royal Navy en mer du Nord, échouerait immanquablement si l'ennemi en était informé....

Voilà pourquoi Hitler va passer largement au-dessus de la tête de ses principaux responsables militaires. L'OKW ordonne à l'état-major de l'armée de terre de fournir des troupes au général

---

* L'*Altmark* était le navire auxiliaire du croiseur *Graf Spee*, et il transportait vers l'Allemagne 299 marins britanniques rescapés des navires marchands coulés par le croiseur dans l'Atlantique sud. Tous ces hommes ont été libérés lors de l'abordage, ce qui a décuplé la rage d'Hitler.

** La question était déjà examinée depuis le début de l'année, notamment par le *Sonderstab*, l'état-major spécial de l'amiral Krancke, mais il s'agissait alors d'études purement prophylactiques (IFZG, ZS 979, « *Vernehmung Admiral Krancke* », 15/6/48).

von Falkenhorst, sans que Brauchitsch ou Halder aient le moindre mot à dire dans l'affaire. Le 21 février, ce dernier note dans son journal : « Pas un mot n'a été échangé entre le Führer et le commandant en chef de l'armée sur cette affaire. Cela restera inscrit dans les annales de l'histoire militaire [53]. » Il y a bien une entrevue orageuse entre von Brauchitsch et le général Keitel, mais ce n'est rien encore comparé à la tempête qui se lève lorsque le maréchal Goering finit par avoir vent de l'affaire. Jodl note le 2 mars : « Le *Generalfeldmarschall* s'emporte et s'en prend au chef de l'OKW ; il va voir le Führer à 13 heures [54]. »

Il est vrai que Goering a été encore plus négligé que le chef de l'armée de terre : l'OKW a convoqué des responsables de l'aviation et les a affectés à l'opération « *Weserübung* » en leur donnant pour consigne formelle de ne rien révéler à leurs supérieurs. Mieux encore, le chef d'état-major de la Luftwaffe, Jeschonnek, a été mis dans le secret dès le début, avec ordre très strict de ne pas en parler à Goering. L'entrevue du 2 mars à 13 heures a donc dû être particulièrement orageuse... Mais à cette époque, Hitler recule instinctivement devant les affrontements en tête à tête, et il perd l'essentiel de son ascendant sur Goering lorsque celui-ci est aveuglé par la rage ; c'est sans doute pourquoi le maréchal obtient que l'aviation reste sous son contrôle durant toute l'opération « *Weserübung* » ; le général von Falkenhorst devra *demander* le concours de l'aviation, et ne pourra lui donner aucun ordre direct. Mais Goering sait lui aussi jusqu'où il peut aller : même si ce plan d'invasion « ne lui paraît pas parfait [55] » et s'il n'a pas renoncé à le faire modifier, il est trop avisé pour attaquer de front un travail élaboré sous la direction personnelle du Führer *. D'ailleurs, dès le 3 mars, Brauchitsch, Halder et Goering sont rappelés à l'ordre en termes non équivoques : « Le Führer, note Jodl, souligne avec la plus grande insistance qu'il est nécessaire d'agir avec force et rapidité en Norvège. *Pas de retards à cause des différentes armes.* Il s'agit d'accélérer les choses au

---

* De nombreux auteurs, s'appuyant sur les déclarations de Goering lui-même, ont affirmé que le maréchal avait obtenu que la Suède soit exclue du plan d'invasion, sauvant ainsi ce pays si cher à son cœur. Mais l'examen de l'ensemble des plans de « *Weserübung* » entre février et avril 1940 montre clairement qu'il n'a jamais été question d'une invasion de la Suède. Par contre, Goering obtiendra que les navires allemands restent dans les ports norvégiens après l'occupation, au lieu de regagner l'Allemagne.

maximum. » Et Jodl ajoute : « Le Führer décide de lancer *Weserübung* avant *Gelb*, à quelques jours d'intervalle [56]. »

De fait, il compte déclencher l'invasion de la Norvège le 15 mars, et l'attaque à l'Ouest « quatre ou cinq jours plus tard [57] ». C'est évidemment beaucoup présumer des forces de la Wehrmacht que de vouloir attaquer presque simultanément dans deux directions opposées, mais de toute façon, la situation stratégique et les conditions climatiques vont rapidement imposer de nouvelles échéances : « *Weserübung* » ne sera mis en œuvre que le 9 avril 1940, et pour quelques semaines au moins, les difficultés de l'opération dans le Nord vont exclure tout déclenchement prématuré de la grande offensive à l'Ouest.

Minutieusement préparée, l'invasion de la Norvège est brillamment exécutée. Ayant échappé à la Royal Navy qui domine la mer du Nord, les six escadres de la Kriegsmarine font débarquer leurs groupes d'invasion à Oslo, Arendal, Stavanger, Bergen, Trondheim et Narvik, de sorte qu'au matin du 9 avril 1940, toutes ces villes sont prises * . Or, du fait de la géographie très particulière de la Norvège, étirée sur 2 700 kilomètres et très montagneuse, celui qui tient les six principaux ports contrôle pratiquement tout le pays. Mais comme toujours à la guerre, rien ne se passe exactement comme prévu : la Royal Navy s'étant ressaisie, elle bloque à présent toutes les entrées des fjords donnant accès aux ports, de sorte qu'à Trondheim et à Narvik, les divisions allemandes débarquées sont rapidement isolées et privées de renforts. A Oslo, où les forces navales allemandes ont été quelque peu malmenées aux premières heures du 9 avril **, le roi de Norvège et son gouvernement sont parvenus à s'échapper et à lancer un appel à la résistance. L'armée norvégienne, mobilisée à la hâte, va donc entreprendre d'empêcher les Allemands de pénétrer dans l'arrière-pays, en les contenant au nord d'Oslo, à l'est de Bergen, au nord et à l'est de Trondheim et tout autour de Narvik, dans l'attente de l'arrivée des renforts promis par les Français et les Britanniques.

---

* Voir carte, p. 345. Pour faciliter les opérations aériennes, il a été décidé d'envahir simultanément le Danemark.

** Le croiseur *Blücher,* qui remontait le fjord d'Oslo à la tête des unités navales d'invasion, a été coulé devant la forteresse d'Oscarsborg, ce qui a retardé de plusieurs heures la prise de la ville.

Dès lors, ce que le Führer concevait comme une opération éclair de quelques heures * va se prolonger démesurément, l'obligeant à mobiliser des ressources et des effectifs sur lesquels il comptait pour mener sans délai l'attaque à l'Ouest. Le 13 avril, ses dix destroyers aventurés dans le fjord de Narvik sont coulés par la Royal Navy, ce qui achève d'isoler les 1 500 chasseurs alpins autrichiens du général Dietl qui sont retranchés dans la ville. Au sud, les soldats allemands qui tentent de relier Oslo à Trondheim en remontant les grandes vallées transversales du Gudbrandsdal et de l'Østerdal se heurtent entre Elverum et Lillehammer à des unités régulières et à des formations de réservistes de l'armée norvégienne. Elles sont peu entraînées, très mal équipées, sans blindés ni artillerie, mais elles exploitent à merveille les embûches d'un terrain boisé, montagneux et enneigé pour retarder l'avance des colonnes motorisées de la Wehrmacht.

Lorsque les premiers contingents britanniques et français débarquent au nord de Narvik et au sud de Trondheim le 14 avril, la situation des troupes allemandes aventurées en Norvège commence à devenir critique. Pour la première fois de la guerre, Hitler perd entièrement son sang-froid, et il ordonne le jour même l'évacuation de Narvik par les troupes du général Dietl ; puisqu'il n'est pas possible de leur envoyer des renforts ou de l'artillerie lourde par mer ou par voie aérienne, elles devront faire retraite vers l'est et passer en Suède, afin d'y être internées. Mais l'ordre est si manifestement déraisonnable que l'OKW en retarde la transmission [58]. A ce stade, Goering, toujours prompt à se faire valoir, propose à Hitler quelques solutions aussi radicales que chimériques : l'envoi à Narvik d'un paquebot porteur d'une division de renfort, le parachutage d'artillerie lourde, l'évacuation de la garnison à l'aide d'hydravions – autant d'idées qui sont fermement repoussées par les militaires compétents [59]. Mais Goering a encore une carte à jouer pour montrer à son Führer ce qu'il sait faire...

Narvik se trouvant à proximité immédiate de la frontière suédoise, le maréchal comprend rapidement que la clé de la situation se trouve en Suède. Considéré depuis longtemps à la chancellerie du Reich comme le *Schwedenreferent* – responsable des relations avec la Suède – il demande à Stockholm d'envoyer

---

* Comme au Danemark, où le pays entier s'est rendu dans la matinée du 9 avril.

une délégation à Berlin, et le ministère suédois des Affaires étrangères, passablement intimidé par le coup de force allemand au Danemark et en Norvège, s'exécute sans tarder : le lendemain même, une délégation suédoise débarque donc à Berlin ; elle comprend l'amiral Tamm, chef d'état-major de la marine suédoise, le professeur Tunberg, l'inévitable Birger Dahlerus et le diplomate Gunnar Hägglöf, qui racontera la suite en ces termes : « Dans l'après-midi du 15 avril, nous avons été reçus par Goering dans son gigantesque ministère de l'Air à Berlin. Il était entouré de deux de ses plus hauts responsables. [...] Goering paraissait plus large et plus lourd qu'auparavant. Son uniforme blanc était trop ajusté à la taille. J'étais fasciné par l'énorme rubis qui ornait le majeur de sa main gauche. Le bijou brillait de tous ses feux lorsqu'il balayait l'air en exposant sa version de la situation militaire. [...] Lorsqu'il en est venu à la Suède, il nous a expliqué que l'Allemagne n'avait aucun intérêt à ce que notre pays se transforme en champ de bataille. Le Danemark et la Norvège étaient à présent solidement tenus par l'Allemagne, et formeraient désormais un rempart contre les alliés occidentaux. Toutefois, il était possible que les troupes allemandes autour de Narvik se retrouvent dans une situation difficile, du fait des rigueurs de l'hiver et du caractère accidenté du terrain [60]. »

Goering entre ensuite dans le vif du sujet : d'une part, il veut s'assurer que la Suède restera neutre dans le conflit, et défendra sa neutralité contre les Britanniques. D'autre part et surtout, il demande que les Suédois autorisent le passage d'un train de la Croix-Rouge transportant des vivres, des médicaments, des vêtements et du personnel médical à destination de Narvik. Les Suédois donnent immédiatement les assurances voulues concernant la défense de leur neutralité contre tout envahisseur, et ne s'opposent pas à un « transit à caractère humanitaire » à destination de Narvik ; mais Goering dévoile ensuite ses batteries : « Au train de la Croix-Rouge, il faudrait ajouter quelques wagons transportant du matériel de guerre, qui porteraient des marques particulières afin qu'ils ne fassent pas l'objet d'inspections en Suède [61]. » Cette supercherie ne correspond pas du tout à la neutralité telle qu'on la conçoit à Stockholm, et Goering essuie un refus catégorique [62] ; il va donc falloir trouver autre chose...

C'est malgré tout l'intervention de la Luftwaffe qui va en grande partie redresser la situation. Dès l'aube du 9 avril, le 10ᵉ corps aérien commandé par le général Hans Geisler avait déjà conduit quelques opérations décisives en larguant des parachutistes et en faisant atterrir des transports de troupes sur les aéroports d'Oslo et de Stavanger *, puis en acheminant des renforts à bord de Junkers 52 venus de Kiel, de Hambourg et des aérodromes danois occupés. Mais devant la résistance inattendue des Norvégiens et l'annonce d'une contre-offensive franco-britannique, Goering avait décidé de créer une 5ᵉ flotte aérienne, et d'en confier le commandement temporaire au général Milch en personne. Etait-ce pour apporter aux opérations aériennes un surcroît d'efficacité, ou bien pour se débarrasser de son secrétaire d'Etat à la veille du déclenchement de « *Gelb* » ** ? Toujours est-il que Milch, après être resté bloqué quatre jours à Hambourg du fait des intempéries, débarque à Stavanger au matin du 16 avril. Cette prise de commandement, jointe à une amélioration certaine des conditions météorologiques en Norvège du Sud, va donner une forte impulsion à l'activité de la Luftwaffe : depuis Stavanger jusqu'à Narvik, les navires britanniques sont bombardés sans relâche par les Stuka et les Heinkel 111 de la 4ᵉ Kampfgeschwader basée à Kjeller et à Fornebu, près d'Oslo. L'amirauté britannique apprendra à cette occasion que ses bâtiments de guerre ne disposent d'aucune protection antiaérienne efficace : devant Stavanger, Bergen, Ålesund, Molde et Narvik, elle perdra six destroyers, tandis que le croiseur *Suffolk*, qui bombardait l'aéroport de Stavanger, va rentrer à Scapa Flow avec la proue entièrement rasée, après avoir été harcelé pendant sept heures par l'aviation ennemie.

Sur instructions d'Hitler et de Goering, Milch a donné l'ordre à ses bombardiers de se concentrer sur les ports de débarquement des troupes alliées : à partir du 18 avril, Aandalsnes, Molde, Namsos et Harstad sont soumis à d'intenses bombardements qui détruisent les quais, dévastent les entrepôts et incendient la plus grande partie des villes, après quoi les Stuka et les Messerschmitt

---

* C'est notamment grâce à ces opérations aéroportées qu'Oslo a été capturé vers midi le 9 avril, alors que les forces navales avaient dû rebrousser chemin après le naufrage du croiseur *Blücher* dans le fjord d'Oslo.

** Les relations de Milch avec Udet étant très mauvaises à cette époque, Goering avait là une raison supplémentaire d'éloigner le général Milch...

110 peuvent s'attaquer aux chemins de fer, aux routes... et au corps expéditionnaire allié qui les emprunte. Entre le 21 et le 23 avril, la Luftwaffe, réorganisée par Milch, va jouer un rôle capital dans la déroute de la brigade du général Morgan au nord de Lillehammer et dans l'échec des bataillons du général Carton de Wiart au sud de Namsos *. Cette intervention, jointe au bombardement intensif des positions norvégiennes à Dombas, Opdal, Støren et Bangsund, permet de desserrer l'étau autour de Trondheim, tout en ouvrant la voie aux deux divisions allemandes qui remontent le Gudbrandsdal et l'Østerdal en direction du nord-ouest **. Après cela, leurs bases détruites, leurs lignes de communications harcelées et leurs arrières menacés, les rescapés de la brigade Morgan doivent faire retraite vers la côte sous la mitraille des chasseurs et les bombes des Stuka ; entre le 1er et le 3 mai, ils parviennent à rembarquer d'extrême justesse, tout comme les forces du général Carton de Wiart plus au nord. Dès lors, les forces allemandes venues d'Oslo peuvent faire leur jonction avec celles de Trondheim. Toute la Norvège du Sud est aux mains de la Wehrmacht, et Milch fait aménager en hâte de nouveaux aéroports au nord de Trondheim, afin de soutenir au mieux la garnison allemande de Narvik.

De fait, celle-ci se trouve dans une situation de plus en plus précaire, étant désormais assiégée par une armée anglo-franco-polono-norvégienne forte de 30 000 hommes bien entraînés et équipés, soutenus en outre par les canons de la marine et par deux escadrilles de la RAF. La Luftwaffe, elle, ne peut intervenir que ponctuellement et brièvement, le secteur de Narvik se trouvant à l'extrême limite de son rayon d'action. Avec le dégel et l'arrivé des chalands de débarquement réclamés par les Britanniques, on peut s'attendre à un assaut imminent contre les 4 000 hommes défendant la ville ***. Le 3 mai, le général Dietl câble même à Berlin : « Au vu des forces concentrées par l'adversaire, on ne peut

---

* Mais non le seul. Les contingents anglais, formés en grande partie de territoriaux inexpérimentés, très mal armés et dépourvus de moyens de transport, ont été attaqués par des éléments motorisés de deux divisions allemandes, appuyés par des détachements de skieurs, des tanks et de l'artillerie légère très mobile.

** Voir carte ci-contre.

*** Aux 1 500 chasseurs de montagne se sont ajoutés les 2 500 marins rescapés des destroyers coulés dans le fjord, qui ont été armés et équipés pour participer à la défense de la ville.

L'INVASION DE LA NORVÈGE, AVRIL 1940

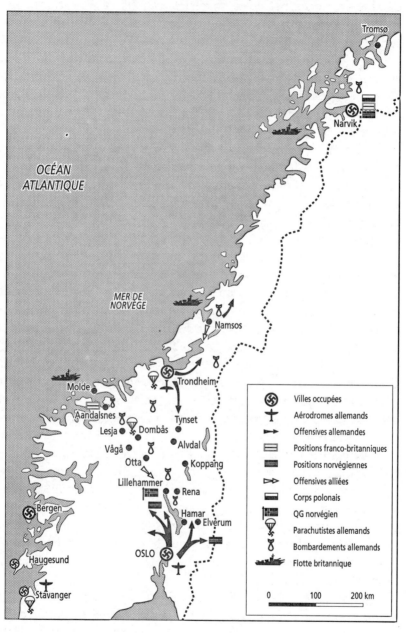

OCÉAN ATLANTIQUE

MER DE NORVÈGE

Tromsø

Narvik

Namsos

Molde

Trondheim

Aandalsnes

Tynset

Lesja • Dombås

Vågå

Alvdal

Otta

Koppang

Lillehammer

Rena

Bergen

Hamar

Elvérum

Haugesund

OSLO

Stavanger

☸	Villes occupées
✝	Aérodromes allemands
➤	Offensives allemandes
▱	Positions franco-britanniques
▰	Positions norvégiennes
⊳	Offensives alliées
▭	Corps polonais
⌘	QG norvégien
☤	Parachutistes allemands
☡	Bombardements allemands
⛴	Flotte britannique

0   100   200 km

espérer tenir plus de dix à quatorze jours sans un renfort considérable en personnel et en matériel (canons et munitions) [63]. »

Voilà qui provoque une nouvelle crise à la chancellerie du
Reich, et Goering mobilise une fois encore ses relations pour
débloquer la situation : Dahlerus est donc rappelé à Berlin, où il
atterrit au matin du 6 mai. Aussitôt introduit auprès de Goering, l'émissaire suédois est soumis à une harangue de deux
heures, dont il rendra compte à Stockholm le lendemain :
« Goering a souligné qu'Hitler avait donné l'ordre formel
qu'aucun effort ne soit épargné pour éviter une défaite à Narvik,
où les troupes allemandes manquaient d'artillerie. Il a répété ses
propositions antérieures d'envoi de matériel de guerre dans des
wagons plombés et marqués de l'emblème de la Croix-Rouge. »
Dahlerus répond à Goering qu'il n'y a guère plus de chances
qu'auparavant pour qu'une telle violation de la neutralité suédoise soit acceptée par son gouvernement, mais il suggère un
autre plan qui permettrait de sauver la face − et les troupes du
général Dietl par la même occasion : « La Suède pourrait
occuper le nord de la Norvège et veiller à sa neutralité pendant
toute la durée de la guerre, tandis que les troupes allemandes
seraient rapatriées en Allemagne. » Après une longue discussion,
Goering se déclare prêt à soumettre le plan à Hitler : « Si Hitler
l'acceptait, comme il le croyait, le gouvernement suédois devrait
recueillir l'assentiment des Alliés et de la Norvège. Mais il a
conclu en répétant sa proposition initiale de livraison de matériel de guerre à Narvik et ses déclarations sur le caractère insensé
de tout conflit entre la Suède et l'Allemagne. Il faudrait qu'une
délégation suédoise soit envoyée à Berlin pour répondre aux propositions et négocier sur cette affaire [64]. » Bien entendu, le gouvernement suédois n'est pas en position de refuser l'invitation...
Mais avant même qu'une telle délégation ne parvienne à Berlin,
la Norvège du Nord va devenir pour les belligérants un théâtre
d'opérations secondaire ; car la grande attaque à l'Ouest est sur le
point de se déclencher.

Bien sûr, toute la partie aérienne a été organisée avec le plus
grand soin par l'état-major du général Jeschonnek, mais cette
fois, Goering s'intéresse de près aux préparatifs, et les officiers
qui font appel à lui après s'être heurtés à des difficultés matérielles sont stupéfaits par l'intelligence acérée, la rapidité de

compréhension et la puissance de raisonnement qui se dissimulent sous l'apparente indolence, les replis de graisse et les déguisements baroques du sybarite de Carinhall [65]...

Tout comme en Pologne, l'attaque à l'Ouest commence par un engagement massif de la Luftwaffe : 1 360 chasseurs et 1 480 bombardiers attaquent par surprise 70 champs d'aviation en France, aux Pays-Bas et en Belgique, détruisant au sol près de 1 000 avions. Peu avant l'aube, les défenses anti-aériennes de l'aéroport de Schipol, près d'Amsterdam, sont bombardées et mitraillées par des Ju 87 et des Me 109, après quoi les troupes aéroportées de la 7ᵉ Fliegerdivision s'emparent du terrain et de la tour de contrôle. Au même moment, les ponts de Rotterdam sont occupés par les parachutistes du général Student, et une partie de la ville est rasée par des He 111 durant les négociations devant conduire à sa reddition. En Belgique, le fort d'Eben-Emael, contrôlant l'accès aux ponts de la Meuse et au canal Albert, est capturé par 500 commandos de l'Air débarqués de planeurs, qui font sauter ses canons à l'explosif et forcent la garnison à capituler. Ainsi, au cours des premières heures de l'opération « *Gelb* », c'est la Luftwaffe qui remporte les succès les plus spectaculaires ; dès le soir du 11 mai, on annonce à Goering que les forces aériennes alliées au nord de la Somme ont été pratiquement anéanties, et que sa Luftwaffe a déjà conquis la maîtrise du ciel ! Au milieu d'un tel triomphe, les nouvelles de Londres annonçant l'accession au pouvoir de Winston Churchill sont passées pratiquement inaperçues...

Si Hitler est parti dès le 10 mai pour son QG de guerre près d'Aix-la-Chapelle, Goering, lui, est resté à Potsdam, où il accueille les nouvelles du front avec un ravissement certain. C'est ce que constate le diplomate suédois Gunnar Hägglöf, qui lui rend visite avec sa délégation au matin du 11 mai : « Goering était radieux, et nous supposions qu'il avait entendu les derniers rapports sur les raids gigantesques menés par l'aviation allemande en Belgique et en Hollande. A la manière nazie habituelle, il s'est lancé dans un long monologue : après vingt-quatre heures seulement, il était clair que la Hollande était en train de s'effondrer ; la Belgique suivrait bientôt. Simultanément, cent divisions allemandes traverseraient le Luxembourg et écraseraient les armées françaises. Ce serait chose faite en six ou huit semaines. L'aviation allemande pourrait dominer la Manche depuis ses bases sur la côte française, après quoi l'Angleterre ferait la paix. L'Allemagne n'avait pas l'intention de détruire l'Angleterre ou l'Empire britannique. En tout cas, elle avait la ferme intention de conclure la guerre avant la fin de l'année [66]. » Après ces propos passablement indiscrets, Goering en revient aux affaires scandinaves – pour sommer une nouvelle fois ses interlocuteurs de permettre le transit par la Suède d'artillerie et de munitions à destination de Narvik *...

Ce même jour, le consul de Suède à Paris Raoul Nordling, surpris par l'ouverture des hostilités, a dû faire escale à Berlin ; au soir du 11 mai, il se voit proposer par son compatriote Dahlerus de rencontrer le maréchal Goering, qui désire discuter avec lui de la « possibilité d'un armistice avec la France ». Nordling, quelque peu interloqué, finit par accepter, mais l'invitation de Goering ne viendra jamais. A-t-il entre-temps consulté Hitler, qui a naturellement rejeté une telle idée ? S'agissait-il seulement d'une lubie passagère du maréchal, rapidement dissipée par l'euphorie des premières victoires ? Toujours est-il que le consul Nordling racontera la suite en ces termes : « Le lendemain 12 mai, Dahlerus m'apporta un message de sa part : il me remerciait de mon obligeance et comprenait fort bien qu'à l'heure présente, il n'y avait aucune chance de décider les Français à engager des négociations séparées. Les conditions de l'Allemagne ne comportaient aucune clause déraisonnable. La France garderait ses frontières, sauf peut-être l'Alsace-Lorraine. Les colonies feraient l'objet de négociations ultérieures. A la suite de cette paix séparée s'ouvrirait l'ère d'une collaboration économique intime entre l'Allemagne et la France. Mais les événements avaient été si vite, poursuivait le message du maréchal Goering, que ces conditions ne présentaient déjà plus d'intérêt à l'heure actuelle. Goering comptait être à Calais dans onze jours et il entamerait alors des négociations directes avec la France, sur des bases plus sévères. Il terminait en disant

---

* Il essuiera le même refus catégorique que les fois précédentes ; bien qu'impressionnés par les victoires allemandes, les Suédois refusent de compromettre leur neutralité à ce point.

que l'Allemagne possédait 30 000 avions, et la France pas un seul : l'issue du conflit était certaine [67]. »

On retrouve là cette propension familière de Goering à exagérer au-delà de toute mesure ; mais son enthousiasme s'explique sans doute par la nouvelle qui vient de lui parvenir : la 1re armée française et les sept divisions du corps expéditionnaire britannique, en se portant vers le nord pour barrer la route aux Allemands en Belgique, ont fait exactement ce que leur adversaire attendait d'eux : « Lorsque j'ai appris que l'ennemi avançait sur l'ensemble du front, dira plus tard Hitler, j'aurais pu en pleurer de joie. Ils étaient tombés dans le piège [68] ! »

C'est exact : alors que les troupes franco-britanniques se portent à la rencontre des vingt-neuf divisions allemandes du groupe d'armées B commandé par le général von Bock, c'est sur leurs arrières, à la charnière du dispositif allié, que la Wehrmacht va frapper. Franchissant les Ardennes et débouchant à l'extrémité de la Ligne Maginot, les sept divisions blindées du groupe d'armées A, commandé par le général von Rundstedt, traversent la Meuse, bousculent les 2e et 9e armées françaises à Sedan et amorcent dès le 14 mai un large mouvement tournant en direction de l'ouest. C'est l'exécution parfaite du *Sichelschnitt*, le coup de faux prescrit par le général von Manstein. La rapidité du mouvement et la faiblesse de l'opposition surprennent les Allemands eux-mêmes : suivies par trente-sept divisions d'infanterie motorisée et précédées de bombardiers en piqué qui ouvrent le chemin en répandant la terreur et la dévastation, les colonnes blindées du général Guderian ont dépassé Rethel, Vervins et Laon au soir du 15 mai, et poursuivent leur route à un train d'enfer en direction de l'Oise et de la Somme ; pendant ce temps, en Belgique, les divisions françaises, britanniques et belges, déjà durement accrochées à l'est, hautement vulnérables au nord du fait de la capitulation de l'armée néerlandaise et désormais menacées au sud par la rupture du front de Sedan, doivent faire précipitamment retraite vers l'ouest... Les chars français, utilisés en accompagnement d'infanterie, sont inefficaces devant les masses groupées des panzers, l'aviation française n'a pas de bombardiers en piqué pour intervenir dans les combats terrestres, ses chasseurs sont surclassés en nombre comme en qualité par les Me 109, et les vieux bombardiers britanniques Battle constituent une proie facile pour la Luftwaffe *.

C'est le moment que choisit Goering pour paraître sur le théâtre des opérations. Au soir du 15 mai, il quitte Potsdam avec toute sa suite à bord de son nouveau train spécial, *Asien* ; c'est un convoi interminable tiré par les deux plus puissantes locomotives du Reich, comportant un wagon-salon lambrissé de bois précieux et orné de tapisseries, un wagon-lit avec deux chambres moquettées et tendues de velours **, une gigantesque salle de bains *** et des penderies contenant l'essentiel de sa vaste garde-robe, deux wagons-restaurants, plusieurs autres avec cuisine, cinéma, salle des cartes, infirmerie, salon de coiffure, théâtre, bibliothèque, PC de transmissions, ainsi que deux wagons pour sa garde personnelle, deux autres pour ses bagages, un pour les invités de marque, un « wagon de travail », deux trucks blindés équipés chacun de canons de DCA de 37 mm à quadruple affût aux extrémités du train, et plusieurs plateformes portant ses plus belles voitures – une Buick et une Lasalle réquisitionnées, deux Ford Mercury, une Citroën, une camionnette et deux Mercedes, dont une à six roues tout-terrain et l'autre entièrement équipée pour la chasse. Equipage total du convoi : 171 hommes, sans compter les invités [69]...

Ce palace sur rail s'arrête au matin du 16 mai près d'un tunnel derrière Euskirchen, à proximité immédiate du *Felsennest*, le QG de campagne d'Hitler. Le colonel Warlimont, de l'OKW, décrira clairement l'action de Goering à cette occasion : « En tant que commandant en chef de l'aviation et prince héritier du national-socialisme, il était résolu à juguler toute gloire militaire que l'armée " réactionnaire " pourrait acquérir aux yeux du peuple. Son train était stationné à proximité, et aux moments critiques, sa voix se faisait entendre au téléphone, ou l'on voyait son imposante personne pénétrer dans le QG. Comme toujours, il parlait généralement à Hitler sans témoins [70]. »

---

* Seul le Dewoitine D 520 est en mesure de rivaliser avec le Me 109, mais il n'est engagé que trop tard et en nombre insignifiant.

** Ces deux derniers wagons étant lestés de plomb pour éviter les secousses...

*** Lorsque le maréchal prend son bain, il faut arrêter le train, car il déteste le clapotis de l'eau dans sa baignoire. Peu importe si la voie est bloquée pendant des heures pour les convois de troupes, de blessés ou de munitions...

LA CAMPAGNE DE FRANCE, MAI 1940

Axes d'offensives allemandes	☐	Principaux bombardements
Terrains d'aviation avancés	☐	Parachutistes

Mais à la différence de Goering, qui ne quitte son train que pour rejoindre le QG du Führer, le général Milch part chaque matin pour suivre les opérations à bord de son Dornier 17 ou d'un avion léger Fiesler Storch. Survolant l'ensemble des champs de bataille entre le 16 et le 24 mai, il assiste successivement à la prise de Saint-Quentin, d'Amiens et d'Arras, puis à la chute d'Abbeville, qui va achever d'isoler les divisions alliées aventurées en Belgique. Il observe aussi les quelques tentatives de contre-attaque françaises sur le flanc sud du groupe d'armées A, et constate qu'elles sont brisées à chaque fois par les canons de 88 de l'infanterie et les Stuka de la Luftwaffe. Chaque soir, Milch vient faire à Goering un rapport sur l'irrésistible progression des colonnes de panzers en direction de la Manche, et chaque matin, Goering va triomphalement exposer au Führer les succès de la veille. Sur la base de ces renseignements et de ceux de l'OKW, Hitler intervient personnellement dans la conduite des opérations, bien davantage qu'il ne l'a fait en Pologne et en Norvège. Mais le 23 mai, le glorieux maréchal, grisé par les succès de son aviation, va se départir de son rôle de messager pour assumer celui de conseiller, et bien des choses s'en trouveront changées...

A ce stade, les ports de Boulogne et de Calais sont cernés et dépassés par les éléments avancés du groupe d'armées A, tandis que les divisions d'infanterie du groupe d'armées B avancent inexorablement en Belgique et aux Pays-Bas. Dès lors, les rescapés de la 1re armée française et des sept divisions britanniques refluent vers Dunkerque, qui va se trouver rapidement pris en tenaille par des offensives allemandes venues du sud, de l'est et du nord. En cet après-midi du 23 mai, la désorganisation des armées alliées en retraite est telle que rien ne semble devoir empêcher les panzers de réduire entièrement la poche de Dunkerque, en capturant les centaines de milliers de soldats français et britanniques qui s'y sont réfugiés. C'est compter sans l'intervention de Hermann Goering auprès du Führer ; le colonel Walter Warlimont, de l'OKW, décrira la suite en ces termes : « Tard dans l'après-midi du 23 mai, Goering était assis à sa lourde table de chêne avec son chef d'état-major, le général Jeschonnek, et son chef des transmissions, lorsqu'il a été informé du fait que l'ennemi en Flandres était pratiquement cerné. Goering a réagi en un éclair ; en abattant son gros poing sur la table, il s'est écrié : " Voilà une occasion magnifique pour la Luftwaffe. Je dois parler au Führer immédiatement. Passez-moi la communication ! " Lors de la conversation téléphonique qui a suivi, il a utilisé toutes sortes d'arguments pour persuader Hitler qu'il y avait là une occasion unique pour son aviation. Que le Führer donne l'ordre de laisser la Luftwaffe mener seule l'opération, et il se faisait fort d'anéantir ce qui restait des forces ennemies. Tout ce qu'il demandait, c'était qu'on lui laisse le champ libre ; en d'autres termes, les tanks devaient être suffisamment éloignés de l'extrémité occidentale de la poche pour ne pas risquer d'être bombardés par nos propres avions. Hitler s'est empressé d'approuver le plan sans y réfléchir davantage. Jeschonnek et Jodlse sont rapidement occupés des détails, y compris du retrait de certaines unités blindées et du moment précis du déclenchement de l'attaque aérienne [71]. »

Ce récit des événements est amplement confirmé par les journaux de guerre des généraux Jodl et Halder, ainsi que par celui du major Engel, aide de camp d'Hitler, qui écrit à la date du 23 mai : « Conversation téléphonique du Führer avec Goering. Le *Feldmarschall* considère que la Luftwaffe a une grande tâche à remplir : celle d'anéantir les Britanniques dans le nord de la France. L'armée n'aura plus qu'à occuper le terrain. [...] Le Führer est enthousiaste [72]. » Le commandant en chef de l'armée l'est nettement moins, ainsi que le notera le lieutenant-colonel von Lossberg : « Aux protestations indignées de Brauchitsch, le Führer a répondu que Goering écraserait toute tentative d'embarquement et coulerait avec sa Luftwaffe les navires qui réussiraient malgré tout à quitter la côte. Toutes les objections sont restées sans effet. Brauchitsch était furieux quand il a quitté le bunker [73] *. »

A l'évidence, l'intervention de Goering a été décisive ; mais depuis longtemps déjà, Hitler ne lui fait plus qu'une confiance relative, et pour tout dire, il ne se range aux avis de son imposant maréchal que dans la mesure où ils coïncident avec ses propres préjugés. Or, en l'occurrence, Hitler a été dépassé par la

---

* Le général Kesselring, commandant de la Luftflotte II, a pourtant prévenu ce jour-là : « Mes effectifs épuisés sont hors d'état de remplir une telle mission. » Peine perdue...

rapidité du mouvement de ses divisions, et tout comme lors de l'affaire de Narvik, il a commencé à perdre son sang-froid *. D'une part, il craint que le terrain inondable de la région de Dunkerque, où il a combattu durant la Grande Guerre, soit impropre à l'engagement de chars lourds, qui pourraient s'enliser ou rester bloqués sur des routes étroites battues par l'artillerie ennemie. D'autre part, il redoute une contre-offensive soudaine des armées françaises du sud, qui prendrait à revers ses chars engagés sur le front de Dunkerque. Enfin, tout comme le général von Rundstedt, il voudrait conserver ses divisions blindées intactes pour la confrontation imminente avec le reste de l'armée française concentrée derrière la Somme : « Hitler, se souviendra son aide de camp Nicolaus von Below, tenait essentiellement à un mouvement rapide en direction du sud de la France. L'armée britannique lui paraissait sans importance [74] **. » Une dernière considération a pu jouer un rôle dans le processus de prise de décision purement instinctif du Führer : en laissant à la Luftwaffe tout le crédit de la victoire finale à Dunkerque, il privilégiera cette arme national-socialiste par excellence, aux dépens d'une armée de terre réactionnaire et imparfaitement nazifiée [75]. Quoi qu'il en soit, Hitler impose ses vues à Brauchitsch, les panzers doivent s'immobiliser le 24 mai à 15 kilomètres seulement de Dunkerque, sur une ligne Gravelines-Saint-Omer-Béthunes, et Goering a désormais carte blanche pour montrer ce qu'il sait faire...

Malheureusement, le *Feldmarschall* est enclin à trop présumer de ses forces, et le grand-veneur du Reich semble bien vouloir vendre la peau de l'ours avant de l'avoir tué. Alors que la situation de l'ennemi paraît sans espoir, les réalités de la guerre, les fluctuations du rapport de force et une malchance persistante

---

* Le 16 mai, il avait déjà donné l'ordre aux panzers de von Rundstedt de s'arrêter pour laisser à l'infanterie le temps de les couvrir sur leur flanc gauche – alors que les reconnaissances allemandes n'avaient détecté aucun signe d'une contre-offensive imminente des armées françaises.

** La thèse selon laquelle Hitler aurait ordonné l'arrêt par pure bonté et pour faciliter une négociation ultérieure avec les Britanniques peut difficilement être prise au sérieux, si l'on considère les témoignages de Halder, Guderian, von Below, Warlimont, von Lossberg, Engel, Kesselring, Galland, « Beppo » Schmidt, etc. En fait, dans l'esprit d'Hitler, il n'y aurait pas eu de meilleur moyen d'obtenir la capitulation de la Grande-Bretagne que de capturer ou d'anéantir l'ensemble de son corps expéditionnaire...

vont se liguer pour contrecarrer toutes les initiatives de l'Homme de fer. Pour commencer, il ne peut mettre immédiatement ses promesses à exécution : entre le 23 et le 26 mai, sa Luftwaffe doit soutenir les troupes terrestres qui s'emploient à réduire les poches de résistance subsistant dans les secteurs portuaires de Boulogne et Calais ; le 26 mai encore, alors que le Führer vient d'autoriser ses blindés à reprendre l'offensive au sud de Dunkerque, la Luftflotte II du général Kesselring, par ailleurs réduite à près de 50 % de ses forces par les opérations des deux semaines précédentes [76], ne peut mener qu'une seule opération de bombardement sur la ville, avec des résultats pour le moins mitigés : en s'attaquant au principal dépôt de carburant du port, elle provoque un gigantesque embrasement, dont les épaisses volutes de fumée formeront un écran opaque au-dessus de Dunkerque − gênant ainsi considérablement les raids ultérieurs au-dessus de la ville et de ses installations portuaires. A partir du 27 mai, alors que les blindés allemands ont repris leur mouvement, les Dornier 17, les Heinkel 111 et les Junkers 87 des 2e et 3e flottes aériennes, escortés de chasseurs Messerschmitt 109 et 110, pilonnent méthodiquement la ville, sans pour autant interrompre les premières opérations de rembarquement des troupes britanniques, qui s'effectuent sur l'avant-port et sur les plages.

Dans la soirée du 27 mai, Goering, qui revient d'une visite éclair d'inspection et d'acquisition d'œuvres d'art aux Pays-Bas *, rend compte au Führer de la situation à Dunkerque et lui annonce que « seuls des cotres de pêche parviennent à passer », en ajoutant avec mépris : « J'espère que les Tommies savent bien nager [77] ! » Mais ce triomphalisme même montre bien que ses avions de reconnaissance n'ont pas détecté les premiers grands mouvements de navires depuis les ports anglais dans le cadre de l'opération « Dynamo ». Il est vrai que les avions d'observation allemands ne se risquent que très prudemment au-dessus de la Manche, car depuis le 23 mai, les Hurricane, les Bolton et les Spitfire du Coastal Command et du Fighter Command patrouillent régulièrement entre le sud-est de l'Angleterre et le Pas-de-Calais. A partir du 28 mai, ils se heurtent aux chasseurs et aux bombardiers allemands opérant

---

* Des Rubens, des Rembrandt, des Cranach et des Brueghel provenant des collections royales.

au-dessus de Dunkerque, ce qui va réserver de bien mauvaises surprises à une Luftwaffe déjà surmenée : pour la première fois, elle rencontre des appareils aussi performants et des pilotes aussi expérimentés que les siens. Le Hurricane est sans doute moins rapide que le Me 109, mais celui-ci est à son tour moins maniable que le Spitfire, tandis que le Stuka, beaucoup trop lent, est une proie facile pour les Spitfire comme pour les Hurricane *. Enfin et surtout, les bombardiers Do 17 et He 111, venus de leurs bases en Allemagne, ne peuvent passer au-dessus de l'objectif qu'un temps limité, et la précision de leur bombardement s'en ressent nettement − surtout lorsqu'ils sont harcelés de surcroît par la RAF. Or, la coordination entre les bombardiers et leurs chasseurs d'escorte laisse beaucoup à désirer, d'autant qu'ils n'ont aucun moyen de liaison radio en vol. Enfin, le temps lui-même se met de la partie : entre le 29 et le 31 mai, les conditions météorologiques se dégradent sur le nord de la France, ce qui perturbe fortement l'activité des avions allemands, dont beaucoup de sorties doivent être annulées.

Lorsque le temps s'améliore à partir du 1er juin, la Luftwaffe se trouve écartelée entre plusieurs missions difficilement conciliables : l'attaque des navires de toutes tailles qui approchent du littoral ; l'appui direct aux panzers qui tentent de forcer le périmètre de Dunkerque ** ; l'interception des chasseurs Spitfire et Hurricane, mais aussi des bombardiers Hudson et Wellington, qui s'efforcent d'enrayer l'offensive des blindés allemands ; le harcèlement du dispositif de défense en profondeur établi par les Britanniques depuis le 24 mai sur une ligne Fort Mardyk-Bergues-Furnes-Nieuport ***, et enfin, le détournement d'une partie des effectifs de la Luftflotte II pour participer à l'opération « Paula », une attaque massive des champs d'aviation de la région parisienne...

Au milieu de tout cela, il n'y a guère de missions visant exclusivement à empêcher le rembarquement. Pour Goering, en effet, les soldats alliés sont désormais pris au piège, et leur cap-

---

* Voir annexe, p. 783 et suivantes.
** Une tactique qui avait assuré le succès de toutes les offensives depuis Sedan jusqu'à Calais, mais avait été quelque peu négligée après le 23 mai au profit d'une stratégie aérienne indépendante.
*** Qui résiste efficacement, sous la direction de quelques prodigieux généraux comme Brooke, Alexander et Montgomery.

ture n'est plus qu'une question de jours : ils devront bien se rendre lorsque le périmètre de Dunkerque aura cédé sous les coups de boutoir de sa Luftwaffe *. Il est vrai que les avions d'observation allemands, gênés par le mauvais temps, les écrans de fumée et les patrouilles de la RAF, n'ont pu mesurer l'ampleur des opérations d'évacuation : 7 600 hommes le 27 mai, 17 800 le 28, 47 300 le 29, 53 800 le 30 et 68 000 le 31. Mais même lorsque la Luftwaffe lance son effort maximum à partir du 1er juin, coule deux destroyers et concentre ses attaques sur les plages comme sur l'avant-port, elle se heurte à de nouvelles difficultés : les patrouilles de Hurricane et de Spitfire des Coastal et Fighter Commands se succèdent désormais à une cadence presque ininterrompue, forçant les bombardiers allemands à se disperser et leur occasionnant de lourdes pertes. Lorsque les Stuka parviennent à s'en prendre aux colonnes de soldats rassemblées sur les plages, l'effet destructeur de leurs bombes est considérablement amorti par le sable. En outre, les pilotes de bombardiers n'ont pas l'entraînement nécessaire pour attaquer efficacement les petits navires qui se présentent par milliers aux abords des plages. Enfin, l'essentiel des embarquements s'effectue désormais de nuit, échappant ainsi aux coups de la Luftwaffe : 64 000 soldats sont encore évacués le 1er juin, 26 000 le 2, 28 300 enfin dans la nuit du 3 au 4 juin. Alors que l'opération « Dynamo » s'achève dans la journée du 4 juin, 215 573 membres du corps expéditionnaire britannique et 123 037 soldats français ont rejoint l'Angleterre...

Lorsque les Allemands pénètrent enfin dans Dunkerque, ils sont persuadés d'avoir remporté une éclatante victoire, principalement attribuable à la Luftwaffe : 62 grands navires alliés coulés, 106 chasseurs britanniques abattus **, des milliers de prisonniers français prostrés au milieu des ruines, tous les véhicules et l'armement lourd de la British Expeditionary Force détruits ou capturés... Au soir du 5 juin, Erhard Milch, qui revient de Dunkerque, rejoint dans son train spécial le maréchal vainqueur, qui se félicite bruyamment de la destruction de

---

* Les leçons de la guerre d'Espagne ont manifestement été oubliées. Voir note *, p. 194.

** Contre la destruction de 105 chasseurs et 29 bombardiers allemands – des pertes pratiquement égales, mais plus sensibles pour la RAF du fait de son infériorité numérique à ce stade.

l'armée britannique. Mais le rapport de Milch va le faire déchanter : « L'armée britannique ? J'ai vu peut-être vingt ou trente
cadavres. Le reste de l'armée a tout bonnement traversé la
Manche. Elle a abandonné son équipement et s'est échappée [78]. »
A un Goering très dépité qui lui demande ce qu'il conviendrait
de faire, Milch recommande tout simplement... l'invasion
immédiate de l'Angleterre, pour profiter de la confusion consécutive à la débâcle de Dunkerque ! Il suffirait selon lui de procéder à un bombardement massif du sud de l'Angleterre,
d'envoyer des parachutistes pour occuper les principaux aéroports, puis d'acheminer au plus tôt des renforts par mer. La solution semble séduire Goering, mais ce sont les moyens qui
manquent le plus : « Je n'avais qu'une seule division de parachutistes, dira-t-il plus tard. Si j'en avais eu quatre au moment de
Dunkerque, je serais immédiatement allé en Angleterre [79]. »

Pure vantardise ! Même avec quatre divisions de parachutistes,
ce genre d'opération éclair, sans préparation, sans chalands de
débarquement, sans artillerie, sans protection navale et sans maîtrise du ciel aurait sans doute provoqué un désastre sans précédent. Mais au fond, peu importe, car une décision stratégique
de cette ampleur ne pourrait être prise que par Hitler ; or,
celui-ci, qui a transféré son QG de campagne à Brûly-de-Pesche,
près de Rocroi, ne songe qu'à poursuivre sa campagne contre le
reste de l'armée française massé au sud de la Somme et derrière
la Ligne Maginot. Dès le 5 juin, l'offensive reprend donc sur
tous les fronts : à l'ouest, le groupe d'armées B du général von
Bockenfonce les défenses françaises entre Abbeville et Péronne ;
le 8 juin, il a dépassé Neufchatel, Montdidier et Soissons, pour
se diriger vers Rouen et Le Havre. Au centre, von Rundstedt a
lancé les panzers des groupes Kleist et Guderian sur l'Aisne en
direction de Langres, Dijon et Besançon, contournant ainsi les
défenses françaises sur la Meuse. Le 10 juin, l'Italie, volant au
secours de la victoire, déclare la guerre à la France ; Paris tombe
quatre jours plus tard, les armées françaises de l'Ouest et du
Centre font précipitamment retraite vers le sud, tandis qu'à l'est,
la 1re armée de von Leeb perce la Ligne Maginot à la hauteur de
Sarrebruck, pour foncer ensuite vers Belfort.

Partout, des soldats français en déroute se mêlent aux civils,
dont l'exode encombre toutes les routes menant vers le sud. En

mitraillant constamment les axes routiers, les voies de chemin de fer, les ponts et les nœuds de communications, la Luftwaffe désorganise la résistance et paralyse toute amorce de contre-offensive. L'aviation française, assez agressive durant les premières semaines, commence à se faire rare, et l'as de la chasse allemande Adolf Galland racontera ainsi ses derniers jours de campagne, alors que les cocardes tricolores ont pratiquement disparu du ciel de France : « Nous n'opérions plus que contre des cibles terrestres, ce qui nous amenait à détruire sur toutes sortes de terrains d'innombrables avions de types antédiluviens, qui de toute façon ne pouvaient plus servir à personne [80]. » La coopération des aviateurs avec l'armée de terre est exemplaire : les pilotes effectuent jusqu'à six sorties par jour, les avions de transport acheminent du carburant et des munitions jusqu'aux positions les plus avancées, et les éléments de pointe de la Wehrmacht peuvent bénéficier d'un soutien aérien massif moins d'une demi-heure après l'avoir demandé [81]. Dunkerque n'est déjà plus qu'un lointain souvenir...

A Bordeaux, où se sont réfugiées les autorités françaises, le défaitisme règne en maître ; le président du Conseil Paul Reynaud démissionne, et le maréchal Pétain est chargé de former un nouveau gouvernement. Dès le 17 juin, il demande à l'Allemagne ses conditions d'armistice, et c'est bientôt la fin de toute résistance organisée en métropole. Lorsqu'enfin l'armistice est signé à Rethondes le 22 juin, Hitler savoure son troisième triomphe en dix mois, et Goering se tient naturellement à ses côtés. Cette victoire, comme les deux précédentes, c'est aussi la sienne – ex officio du moins...

Alors que la France dépose les armes, plusieurs personnalités demandent au Führer ce que sera l'étape suivante. L'aide de camp von Below se souviendra ainsi d'un entretien du commandant en chef avec Hitler le 20 juin au QG de Brûly-de-Pesche : « Brauchitsch a mentionné presque en passant que si la Grande-Bretagne n'était pas disposée à demander la paix, il serait probablement nécessaire de l'envahir dès que possible. Hitler s'est déclaré d'accord, mais a dit qu'il préférerait voir comment les choses allaient tourner à court terme [82]. » Ce même jour, l'amiral Assmann est témoin d'une conversation d'Hitler avec l'amiral Raeder, qui avait fait étudier la possibilité d'une invasion des îles Britanniques : « Il s'est avéré à cette occasion qu'Hitler ne pensait pas à une invasion, car [...] il ne la considérait pas comme praticable [83]. » Le colonel Warlimont, de l'OKW, en retirera même une impression plus personnelle : « Quelques jours avant la fin de la campagne, j'ai assisté à une conversation remarquable entre Hitler et Goering, qui s'est déroulée sur la place centrale du village. Ils discutaient des attaques britanniques contre les quartiers résidentiels de certaines villes allemandes, qui commençaient juste à produire quelque effet. Goering [...] a déclaré qu'il n'était plus disposé à tolérer cela, et voulait " leur rendre dix bombes pour une des leurs ". Sans une seconde d'hésitation, Hitler a expressément interdit toute initiative de ce genre. Il a dit qu'il était tout à fait possible que le gouvernement britannique ait été si secoué après Dunkerque qu'il en ait passagèrement perdu la tête, ou encore que les bombardiers britanniques aient des viseurs imprécis et des équipages mal entraînés. De toute façon, il pensait que nous devions attendre un moment avant de prendre des contre-mesures [84]. »

Que faut-il donc attendre ? Que les Anglais prennent conscience de ses bonnes intentions à leur égard et rendent les armes, bien sûr ! « Je savais, se souviendra Albert Kesselring, que son action lui était dictée autant par la prévoyance politique que par une prédilection secrète pour les Anglais, que j'avais déjà eu l'occasion d'observer [85]. » Eh bien oui : les Anglais sont un peuple germanique, l'Empire britannique est nécessaire à l'équilibre du monde... et Adolf Hitler est un anglophile impénitent *! Au lendemain de l'armistice, il tient même à ses chefs militaires des propos qui laisseront une impression durable au général Günther Blumentritt, chef d'état-major de von Brauchitsch : « Le Führer nous a ensuite surpris en parlant avec admiration de l'Empire britannique, de la nécessité de son existence et de la civilisation que la Grande-Bretagne avait apportée au monde. [...] Il a conclu en disant que son but était de sceller

---

* On relèvera par exemple cette confidence d'Hitler au Norvégien Vidkun Quislingle 14 décembre 1939 : « J'ai toujours été anglophile, et je le suis encore aujourd'hui, malgré la guerre que je suis contraint de mener. [...] De ce point de vue, il m'arrive parfois de n'être pas compris de mon entourage » (MGFA, N 172/14, Rapport de Hans Wilhelm Scheidt, 16/12/39, p. 3). Pendant toute la guerre, bien des visiteurs médusés entendront des propos similaires.

avec elle une paix sur la base de conditions qu'elle pourrait accepter comme compatibles avec son honneur [86]. »

Hitler reste donc étrangement hésitant, et dès lors, il ne cessera d'ordonner tout et son contraire : Goering reçoit rapidement l'autorisation de mener une guerre aérienne de basse intensité au-dessus de la Manche et le long des côtes anglaises, mais il lui est interdit d'attaquer à l'intérieur des terres. L'amiral Raeder va pouvoir rassembler des renseignements et élaborer des plans en vue d'une opération de débarquement en Angleterre, mais « pour l'heure, il ne doit procéder à aucune préparation matérielle [87] ». C'est que le Führer, qui a toujours tendance à sous-estimer l'adversaire, a bien précisé au commandant en chef von Brauchitsch que « l'Angleterre est si faible que des opérations d'envergure sur terre après le bombardement ne seront pas nécessaires ; l'armée n'aura plus qu'à occuper [88] ». Et Goering en conclut qu'à ce stade, « Hitler veut simuler des préparatifs d'invasion de la Grande-Bretagne, un bluff gigantesque destiné à faire céder les Britanniques ». Au général Otto Hoffmann von Waldau, chef de la section des opérations de la Luftwaffe, le maréchal confie le 22 juin que « rien d'important au point de vue militaire n'est prévu avant le discours (du Führer) au Reichstag, qui n'aura lieu que dans deux ou trois semaines [89] ». Ainsi donc, les choses s'éclaircissent quelque peu – pour Goering tout au moins : Hitler veut intimider les Britanniques par des attaques et des bombardements limités dans le secteur de la Manche, tout en se les conciliant par une offre magnanime lors du discours qu'il prononcera à Berlin le 19 juillet. Il s'agit donc de manier à la fois la carotte et le bâton, une judicieuse conjonction qui décidera certainement Churchill à capituler – ou son peuple à l'y contraindre...

Goering le croit-il vraiment ? C'est peu probable : il sait parfaitement ce que l'on peut attendre de Churchill, et l'aurait-il oublié que l'épisode de Mers-el-Kébir au début de juillet viendrait à point nommé pour le lui rappeler. Malgré tout, on sait déjà que lorsque le Führer a parlé, son fidèle maréchal cesse de réfléchir. Mais Hitler lui-même pense-t-il faire céder les Britanniques par de tels procédés ? Cela dépend apparemment des jours et des heures... Le 16 juillet, en tout cas, il signe sa « Directive n° 16 pour la conduite de la guerre », qui débute ainsi : « Puisque l'Angleterre, en dépit de sa situation militaire désespérée, ne manifeste toujours pas la moindre volonté de parvenir à un accord, j'ai décidé de préparer une opération de débarquement en Angleterre, et de la mettre à exécution en cas de nécessité. » Suit une série d'instructions sur la façon de mettre en œuvre l'opération (nom de code : « *Seelöwe* » – « Otarie ») : « Le débarquement doit se faire par surprise, sur un large front allant à peu près de Ramsgate au secteur ouest de l'île de Wight. [...] L'aviation anglaise doit être suffisamment réduite moralement et matériellement pour ne plus pouvoir opposer de résistance significative à l'opération. [...] Il est souhaitable de neutraliser les forces navales anglaises peu avant la traversée, en mer du Nord comme en Méditerranée. [...] Tous les préparatifs devront être terminés pour le milieu du mois d'août [90]. »

Vaste programme ! Il n'est indiqué nulle part comment s'y prendre pour « neutraliser les forces navales anglaises », sans compter que débarquer « par surprise » sur une telle longueur de côte après avoir franchi la Manche en pleine vue de l'ennemi confine à l'exploit, et que préparer un débarquement d'une telle ampleur en moins d'un mois relève de la magie pure et simple *. Mais le Führer n'a jamais cessé d'improviser, et il a depuis toujours une tendance certaine à prendre ses désirs pour des réalités...

Trois jours plus tard, le pendule oscille déjà en sens inverse, et lors de son discours au Reichstag du 19 juillet, Adolf Hitler, anglophile frustré et conquérant insatiable, tend à Londres un rameau d'olivier au bout d'un sabre d'abordage : « Peut-être, pour une fois, M. Churchill devrait-il me croire lorsque je prédis qu'un grand empire sera détruit – et pourtant, je n'ai jamais voulu le détruire, ou même lui nuire. [...] En cette heure, je considère comme mon devoir d'en appeler une fois de plus à la raison et au bon sens, en Grande-Bretagne comme ailleurs. Je crois pouvoir lancer cet appel parce que je ne suis pas le vaincu

---

* La question avait déjà été étudiée en novembre et décembre 1939 par la Kriegsmarine et l'armée de terre, qui en étaient arrivées séparément à la conclusion qu'un débarquement sur la côte est était préférable, malgré les dangers d'une longue traversée de la mer du Nord. Par contre, le général Jodl, chef du bureau des opérations de l'OKW, avait remis le 12 juillet 1940 un rapport recommandant une attaque par le sud, en traversant la Manche (opération « *Löwe* »). Tout cela était resté purement théorique.

qui quémande des faveurs, mais le vainqueur qui parle au nom de la raison. Je ne vois pas pourquoi cette guerre devrait se prolonger. » Rarement offre de paix aura été formulée avec tant d'arrogance, et Goering lui-même, qui préside cette séance du Reichstag, reconnaîtra plus tard qu'Adolf Hitler n'a fait là que « jeter de l'huile sur le feu [91] ». Mais pour l'heure, le fidèle paladin du Führer n'y prête guère attention, car il atteint ce jour-là le sommet de la gloire : Hitler le nomme en effet *Reichsmarschall* – une distinction unique, qui fait de lui le supérieur hiérarchique de tous les militaires du Reich *, et lui permet de recevoir un bâton de maréchal de 70 cm en ivoire, incrusté de platine et d'or massif ; une nouvelle décoration et un nouvel uniformes de parade surchargé d'or et d'argent viennent naturellement compléter l'ensemble. De retour d'une réception à Carinhall trois jours plus tard, le général von Richthofen notera : « Goering était radieux ; les félicitations du Führer, sa maison, ses peintures, sa fille, bref, il n'en pouvait plus [92] ! »

Sa fille ? Elle a deux ans et elle est magnifique. Ses peintures ? Il fait la navette depuis deux mois entre Paris, Bruxelles et Amsterdam pour réquisitionner et acheter à vil prix des collections entières de Cranach, de Brueghel, de Rembrandt, de Rubens et de Velazquez. Ses décorations ? Il en a déjà 118, et même en changeant d'uniforme quatre fois par jour, il ne peut plus les porter toutes ; pourtant, le comte Ciano vient enfin de lui faire remettre le Collier de l'Annonciade, une décoration vieille de six cents ans, n'existant qu'en vingt exemplaires et composée d'une série de mailles plates en or avec blason de Savoie et reproduction de la scène de l'Annonciation – ce qui a procuré au nouveau *Reichsmarschall* une joie presque enfantine [93]. Sa maison ? Elle a encore doublé de volume ! Les nouveaux travaux d'agrandissement commencés en janvier 1939 viennent de s'achever, et le bâtiment en U autour d'une cour intérieure s'est transformé en un bâtiment en E autour de *deux* cours intérieures. Dans la prolongation du bâtiment principal, on trouve désormais deux salles de réception, une salle à manger de 411 m² soutenue par douze colonnes de marbre noir, avec au centre une table pour 70 convives, et à l'extrémité ouest, donnant sur le Döllnsee, « la

---

* Sont en outre nommés maréchaux à cette occasion Sperrle, Kesselring et Milch, ainsi que neuf généraux d'infanterie, dont Keitel et von Brauchitsch.

plus grande baie vitrée d'Europe » – 12 mètres par 4 ; dispersés un peu partout, des Cranach et des italiens de l'école de Léonard de Vinci plus ou moins authentiques [94]. A droite et à gauche de cette salle, un « cabinet d'or » et un « cabinet d'argent » (85 m² chacun) pour exposer les cadeaux offerts au *Reichsmarschall*, et deux « salles de jeux » de 70 m² chacune, avec à l'étage une grande salle de conférences pour les réunions de chefs d'état-major, d'industriels ou d'anciens acolytes, ainsi qu'une immense galerie aux murs tapissés de toiles de maîtres néerlandais. Au rez-de-chaussée de la nouvelle aile sud, dite « de bibliothèque », une salle des fêtes de 288 m², prolongée par un salon de musique de 154 m² où trône un gigantesque piano de concert noir, le tout donnant accès à une bibliothèque de 315 m² avec des rayons de livres escaladant deux étages, un retable de bois sculpté et des divans en cuir de Cordoue et velours de Gênes ; la pièce débouche à son extrémité sur un modeste « salon des dames » – 92 m² seulement – et sur la nouvelle « chambre de Carin », avec vue au sud-est sur son mausolée. Au sous-sol, une piscine de 7 m par 9,50 m (2,5 m de profondeur, température constante à 25°), un nouveau sauna, une salle de massages, une « *Fitnessraum* » avec des dizaines d'appareils d'exercice, et sous la bibliothèque, une salle de 240 m² abritant un nouveau jeu de trains miniatures, avec 1 800 mètres de voies en six anneaux, parcourus par dix-sept modèles de trains électriques et à vapeur télécommandés, serpentant à travers des paysages de forêts, de montagnes, de vallées et de villes parfaitement reconstitués *. Il n'est pas certain que la petite Edda ait jamais eu l'occasion de s'intéresser à cette merveille de la technique, destinée avant tout au divertissement de son père, mais elle n'a pas été oubliée non plus : dans le parc, à 200 mètres au nord-ouest des bâtiments principaux, Hermann lui a fait construire une reproduction au 1/10ᵉ du château de Sans-Souci : 50 m de long, 7 m de large et 3,5 m de haut **, avec toutes les pièces et tous les meubles à la dimension d'un enfant [95].

Il reste malgré tout un petit souci, qui va venir gâcher intempestivement le plaisir de l'heureux *Reichsmarschall* : le 22 juillet, les Britanniques déclinent poliment mais fermement l'offre de

---

* Le tout fabriqué (et offert gracieusement) par la société Siemens AG.
** Naturellement financé par l'industrie aéronautique allemande...

paix magnanime du Führer, et ils le font même par la voix de LordHalifax, l'un des chantres de l'apaisement ! A l'évidence, ceux qui misaient sur l'effondrement du moral britannique et l'isolement de Winston Churchill se sont lourdement trompés. Goering n'en reçoit pas moins dès le 24 juillet le directeur de la KLM Albert Plesman, qui se propose comme intermédiaire de paix entre Londres et Berlin, ainsi que Birger Dahlerus, à qui il suggère le 28 juillet de faire intervenir le roi de Suède Gustav V comme médiateur entre Hitler et le roi George VI [96] *. Mais rien n'y fait et il va bien falloir en découdre. Puisque la Kriegsmarine est encore trop faible pour se mesurer à la Royal Navy ** et que l'armée de terre est arrêtée par la Manche, c'est la Luftwaffe qui va assumer tout le poids de l'offensive...

Ce sera l'affaire de la Luftflotte II du maréchal Kesselring au nord de la Seine et de la Luftflotte III du maréchal Sperrle au sud. Depuis la Bretagne jusqu'à la Hollande, leurs appareils sont dispersés sur cinquante-deux aérodromes, à partir desquels ils vont pouvoir mener des raids sur le sud de l'Angleterre, provoquer en duel les chasseurs de la RAF et les écraser sous le nombre, accentuer leurs attaques contre les navires britanniques dans la Manche, miner les approches des côtes anglaises et bloquer les ports pour couper l'île de ses approvisionnements vitaux. Pendant dix jours, les Stuka s'en prennent donc à la navigation et les Me 109 se livrent à la « chasse libre » au-dessus des côtes anglaises. Mais les résultats ne sont pas à la hauteur des espérances : les chasseurs allemands n'ayant qu'une autonomie de vol de quatre-vingts minutes et la traversée de la Manche prenant déjà une demi-heure dans chaque sens, il ne leur reste plus que vingt minutes pour des actions offensives contre la chasse britannique. Or, le Fighter Command, ayant reconnu les intentions adverses, garde ses forces en réserve pour contrer les incursions des bombardiers et attaquer les chasseurs sur le chemin du retour, lorsqu'ils sont pratiquement à court d'essence. Quant aux dommages causés aux ports, ils restent modérés, du

---

* Le roi de Suède entreprendra effectivement une démarche en ce sens, mais l'affaire tournera court le 17 août, lorsque les Britanniques rejetteront à nouveau toute idée de négociation.
** Et a en outre été sévèrement étrillée pendant la campagne de Norvège.

CARINHALL : ÉTAPES D'UNE MÉGALOMANIE

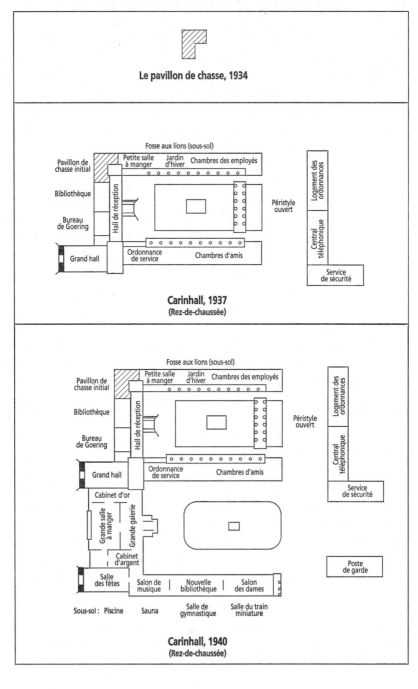

Le pavillon de chasse, 1934

Fosse aux lions (sous-sol)

Pavillon de chasse initial

Petite salle à manger

Jardin d'hiver

Chambres des employés

Bibliothèque

Hall de réception

Bureau de Goering

Péristyle ouvert

Logement des ordonnances

Central téléphonique

Grand hall

Ordonnance de service

Chambres d'amis

Service de sécurité

Carinhall, 1937
(Rez-de-chaussée)

Fosse aux lions (sous-sol)

Pavillon de chasse initial

Petite salle à manger

Jardin d'hiver

Chambres des employés

Bibliothèque

Hall de réception

Bureau de Goering

Péristyle ouvert

Logement des ordonnances

Central téléphonique

Grand hall

Ordonnance de service

Chambres d'amis

Service de sécurité

Cabinet d'or

Grande salle à manger

Grande galerie

Poste de garde

Cabinet d'argent

Salle des fêtes

Salon de musique

Nouvelle bibliothèque

Salon des dames

Sous-sol : Piscine   Sauna   Salle de gymnastique   Salle du train miniature

Carinhall, 1940
(Rez-de-chaussée)

fait du petit nombre de bombardiers engagés et du caractère sporadique de leurs interventions. Enfin, l'attaque des convois dans la Manche cause certes des pertes sensibles à la marine britannique *, mais les Stuka sont eux-mêmes harcelés par la RAF, et comme l'admettra le maréchal Kesselring lui-même, « nous ne pouvions faire davantage que perturber la navigation au départ et à destination de l'Angleterre [97] » — ce qui reste très loin de l'effet de blocus escompté. Enfin, si la Luftwaffe a pu abattre 145 avions ennemis, elle en a perdu 270, ce qui n'est pas exactement un triomphe.

Le 30 juillet, il faut bien se rendre à l'évidence : à l'issue du *Kanalkampf* **, la Luftwaffe n'a pas même conquis la maîtrise du ciel au-dessus de la Manche, et rien n'indique que les défenses ou le moral britanniques aient été sérieusement affectés... Mais dans la mesure où Hitler ne semble pas s'intéresser de très près aux progrès de l'entreprise, Goering lui-même n'exerce guère de pressions sur Sperrle et Kesselring. C'est qu'il sait une chose que ses deux maréchaux ignorent encore — et qu'ils seraient extrêmement surpris d'apprendre en cette fin de juillet 1940...

Dès le 28 juin, trois jours après l'entrée en vigueur de l'armistice, l'architecte Albert Speer, venu prendre congé d'Hitler après sa visite éclair à Paris, avait surpris la fin d'une conversation entre le Führer et son chef de l'OKW : « Croyez-moi, Keitel, maintenant que nous avons montré de quoi nous sommes capables, une campagne contre la Russie ne serait en comparaison qu'un jeu d'enfant dans un bac à sable [98]. » On se souvient effectivement qu'en octobre 1939, Hitler voulait attaquer la France sans retard, parce qu'il envisageait déjà une campagne contre l'URSS *au printemps de 1940* ***. Depuis lors, la mainmise de l'URSS sur les pays baltes, la Bessarabie et la Bukovine du Nord n'a fait que le confirmer dans ses résolutions. Mais tout de même : se retourner à présent contre l'Est, en laissant la

---

* Dix-huit cargos et quatre destroyers.
** La bataille de la Manche. Le colonel Fink, responsable du secteur de la Manche, a été affublé du titre passablement baroque de *Kanakafü* (*Kanalkampfführer*).
*** Voir *supra*, p. 328, note ***.

Grande-Bretagne invaincue dans son île, est-ce bien raisonnable ? C'est pourtant très exactement ce que veut faire le
Führer, si l'on se réfère aux notes de ses généraux, à commencer
par celles du chef d'état-major de l'armée Franz Halder :

« *13 juillet 1940* : La question qui occupe principalement
l'esprit du Führer est de savoir pourquoi l'Angleterre persiste à
refuser de faire la paix. Il pense comme nous que c'est parce
qu'elle compte sur une action de la part de la Russie.

« *21 juillet 1940* (Instructions à von Brauchitsch) : Objectif :
écraser l'armée russe ou au moins prendre autant de territoire
russe qu'il est nécessaire pour empêcher un bombardement de
Berlin ou des industries silésiennes. Il est souhaitable de pénétrer assez loin pour rendre notre armée de l'air capable de frapper
les centres névralgiques soviétiques.

« *22 juillet* : (Von Brauchitsch) semble avoir résumé
dans l'instruction suivante ses impressions d'une conversation
de la veille avec le Führer : " Il faut s'occuper du problème de la
Russie. Nous devons commencer à y penser " [99]. »

Et même à y penser sérieusement, ainsi que l'apprend avec
stupéfaction le colonel Warlimont au matin du 29 juillet, lors
d'une réunion des officiers de la section L dans le train spécial de
l'OKW stationné en gare de Bad Reichenhall : « Jodl s'est
assuré que toutes les portes et les fenêtres du wagon-restaurant
étaient fermées, après quoi il nous a révélé sans préambule
qu'Hitler avait décidé de débarrasser " définitivement " le
monde du danger bolchevique par une attaque surprise de la
Russie soviétique, à lancer le plus tôt possible, c'est-à-dire en
mai 1941. [...] Notre consternation n'en a été que plus grande
lorsque nous avons compris, d'après ses réponses à nos questions,
que la lutte contre l'Angleterre ne devait pas nécessairement être
achevée au préalable, mais qu'au contraire, la victoire sur la Russie [...] était censée être le meilleur moyen de forcer l'Angleterre
à faire la paix, si cela s'était révélé impossible par d'autres
moyens [100]. »

C'est bien en effet de cela qu'il s'agit, puisque deux jours plus
tard, l'aide de camp von Below note ces propos d'Hitler lors
d'une conférence réunissant les chefs militaires au Berghof :
« Hitler a parlé de l'Union soviétique, qui avait récemment éta-

bli de nouveaux liens avec Londres *. Il considérait comme probable que la Russie attaquerait à partir de l'automne de 1941.
Mais si elle était écrasée auparavant, la Grande-Bretagne perdrait un grand espoir. Il a déclaré que sa décision d'envahir
l'Union soviétique au printemps de 1941 était définitivement
arrêtée [101]. » C'est également ce qu'entend ce jour-là le général
Halder, qui note dans son journal les paroles du Führer : « Si la
Russie est battue, c'est le dernier espoir de l'Angleterre qui disparaît. L'Allemagne sera alors maître de l'Europe et des Balkans.
[...] Décision : la destruction de la Russie doit être partie inté-
grante de cette lutte. Printemps 1941. Plus vite la Russie sera
écrasée, mieux cela vaudra. [...] Si nous commençons en mai
1941, nous aurons cinq mois pour finir le travail [102]. »

Tout cela paraît bien tortueux, mais on comprend mieux dès
lors pourquoi Goering ne s'intéresse guère aux plans d'invasion
de l'Angleterre. « J'avais remarqué, se souviendra von Below,
que les formations de la Luftwaffe dans le secteur nord de la
France étaient rangées en ordre de bataille et prêtes à lancer un
assaut aérien contre la Grande-Bretagne, mais aucune information ne leur avait été fournie quant à la date d'une telle opération, si tant est qu'il devait y en avoir une. Jeschonnek m'a dit
qu'il avait transmis les ordres opérationnels à Goering quelques
jours plus tôt, mais qu'à sa connaissance, Goering les avait enfermés dans un coffre. Il avait eu plusieurs conversations avec Goering au cours des quatre dernières semaines, principalement au
sujet du bombardement de l'Angleterre, et le *Reichsmarschall*
semblait penser qu'il n'en serait plus question. Il ne songeait
qu'à 1941 et à l'attaque prochaine de l'Union soviétique [103]. »

C'était manifestement une erreur, car lors de la conférence du
31 juillet au Berghof, Goering s'aperçoit que le Führer peut parfaitement courir deux lièvres à la fois : passant sans transition de
l'URSS à l'Angleterre, il fixe la date de « *Seelöwe* » au 15 septembre, et ajoute que « la question de savoir si l'invasion pourra
être déclenchée ce jour-là dépendra de la Luftwaffe ; au cours des
prochains jours, elle va accentuer ses attaques contre les champs
d'aviation, les ports et les unités navales anglaises. Si ces

---

* C'est beaucoup dire : il est vrai qu'au début de juillet, Churchill a fait remettre
à Stalineun message l'incitant à rejoindre le camp des ennemis d'Hitler, mais Staline
l'a transmis presque aussitôt à l'ambassadeur d'Allemagne à Moscou...

attaques sont couronnées de succès, alors nous irons de l'avant. Sinon, l'invasion sera reportée à 1941 [104] ». Le général Halder notera des propos très similaires : « Si les résultats de la guerre aérienne ne sont pas satisfaisants, les préparatifs d'invasion seront annulés. Mais si nous avons l'impression que les Anglais sont écrasés [...], nous passerons à l'attaque [105]. » Dès le lendemain, en effet, Hitler signe sa « Directive n° 17 sur la poursuite de la guerre aérienne et navale contre la Grande-Bretagne ». Il y est précisé que la mission de la Luftwaffe est d'« écraser l'aviation britannique aussi rapidement que possible avec tous les moyens à sa disposition. Les offensives devront être dirigées en premier lieu contre les formations ennemies en vol, contre leurs installations au sol et leurs bases de ravitaillement, puis contre l'industrie aéronautique. [...] La guerre aérienne intensive pourra commencer le 5 août * ». Von Below rapporte que ce brusque regain d'intérêt du Führer – et surtout l'échéance très prochaine du 5 août – ont provoqué un branle-bas de combat général au ministère de l'Air : « La Directive n° 17 a pris Goering par surprise, et il a dû informer sur-le-champ les Luftflotten [106]. » Plus encore : il va devoir se rendre sur place pour diriger les opérations en personne – ou du moins en donner l'impression...

C'est donc une véritable armada qui attend l'*Adlertag*, le « Jour de l'Aigle », pour fondre sur la Grande-Bretagne. Il y a maintenant trois flottes aériennes prêtes à donner l'assaut : la Luftflotte II du maréchal Kesselring, déployée dans le nord-est de la France, en Belgique, aux Pays-Bas et en Allemagne du Nord ; la Luftflotte III du maréchal Sperrle, concentrée dans le nord-ouest de la France, depuis le Cotentin jusqu'à la vallée de la Loire ; la Luftflotte V du général Stumpff, basée au Danemark et en Norvège du Sud. Elles sont à même de couvrir tout le sud des îles Britanniques jusqu'aux Midlands, et tout le nord-est depuis Newcastle jusqu'à Aberdeen. A cet avantage stratégique s'ajoute une supériorité numérique écrasante : 227 chasseurs bimoteurs lourds Me 110, et surtout 702 monomoteurs Me 109, qui surclassent en vitesse et en capacité ascensionnelle tous les chasseurs existants ; 875 bombardiers He 111, Do 17 et Ju 88, ainsi que 316 bombardiers en piqué Ju 87 Stuka – près de 2 200

---

* Toutefois, il est expressément interdit de bombarder Londres à ce stade.

appareils en tout, contre une aviation anglaise que les services de renseignement de la Luftwaffe estiment à quelque 800 avions de première ligne – dont un tiers au moins de bombardiers, inutilisables en défense. Et puis, du côté allemand, la qualité s'ajoute à la quantité : les services de renseignement de la Luftwaffe font valoir que le chasseur Me 109 équipé de deux canons de 20 mm est supérieur en puissance de feu aux chasseurs ennemis armés seulement de mitrailleuses, et que le dernier modèle sorti des usines Messerschmitt, le Me109F, surclasse nettement le Spitfire à tous égards ; par ailleurs, les pilotes allemands ont déjà toute l'expérience des combats aériens en Espagne, en Pologne, aux Pays-Bas et en France ; enfin, la formation de combat adoptée par la Luftwaffe est bien meilleure que celle de la RAF *, et les reconnaissances photographiques montrent que la DCA ennemie reste très insuffisante pour défendre tous les objectifs stratégiques – d'autant que la plupart des postes de commandement et des centres de communications britanniques ne sont même pas enterrés. Le général Josef « Beppo » Schmid, chef du service de renseignement de Goering, peut donc écrire dans son rapport du 16 juillet 1940 : « La Luftwaffe est nettement supérieure à la RAF du point de vue de la puissance, du matériel, de la formation, du commandement et de l'emplacement de ses bases [107]. »

C'est en se fondant sur tous ces éléments que le maréchal Goering, pleinement confiant dans l'issue de la confrontation, estime qu'il faudra quatre jours pour éliminer la chasse anglaise au sud d'une ligne Londres-Gloucester, et quatre semaines pour écraser entièrement la RAF, avec ses aérodromes, ses stations radar, ses quartiers généraux et ses usines de production [108]. Après cela, avec une Luftwaffe maître du ciel, les Britanniques s'empresseront de capituler... C'est ce qu'il confirme à l'ambassadeur d'Italie Alfieri, qui notera : « Goering assurait qu'avec ses avions, en quatre ou cinq jours de beau temps, il mettrait hors de combat les forces aériennes de l'adversaire, pilonnant si durement les Anglais que le débarquement serait relativement facile et que tous les objectifs seraient atteints. Un geste violent, précis, du bras droit et du poing fermé renforçait les éclats de

---

* Les Anglais volent en formation serrée, dite « de défilé en V », alors que les Allemands ont adopté la formation en « Schwarm » (« essaim »), plus ample et plus adaptée à l'attaque surprise.

sa voix tranchante et métallique lorsqu'il proférait ces menaces [109]. »

Il y a tout de même quelques failles dans ce bel ordonnancement ; d'une part, les chiffres peuvent être trompeurs : la Luftwaffe qui s'apprête à fondre sur l'Angleterre a été très diminuée par la campagne de France, qui a englouti 1 239 de ses appareils * et mis le reste à très rude épreuve ; les sept semaines suivantes ne lui ont pas permis de reconstituer son potentiel, d'autant qu'elle a été réaffectée presque aussitôt à la bataille de la Manche. Lors d'une conférence des chefs de la Luftwaffe à La Haye, le général Osterkamp, chef de la 51ᵉ escadre de chasse **, s'aperçoit avec effroi que le commandant suprême, revêtu d'un magnifique uniforme de gala tout blanc, ne connaît même pas le nombre de bombardiers disponibles dans le secteur de la Manche : « Je fus consterné d'entendre que les deux flottes aériennes réunies pouvaient aligner tout au plus sept cents bombardiers en état de combattre ***. Goering lui-même parut totalement et authentiquement surpris. Il regarda autour de lui comme pour chercher de l'aide, et murmura pitoyablement : " Est-ce donc là mon aviation ? " [110] »

A côté de l'usure du matériel, il y a celle des pilotes, qui ont été presque constamment en action depuis trois mois ; au cours de la campagne de France, les pertes ont été sensibles, près de 1 000 aviateurs ont été faits prisonniers, et s'ils ont été libérés après l'armistice, la plupart d'entre eux ne participeront pas à la bataille qui s'annonce. En outre, les appareils allemands doivent désormais décoller de terrains d'aviation français, belges et néerlandais qui ont été constamment bombardés par la Luftwaffe pendant cinq semaines, et souvent sabotés avant évacuation par leurs précédents occupants. Par ailleurs, les estimations de la Luftwaffe concernant les effectifs de l'aviation britannique sont certes assez exactes pour la période du rembarquement de Dunkerque, mais elles sont entièrement dépassées deux mois plus

---

* En combat, lors de bombardements, par accidents à l'atterrissage, au décollage ou au convoyage, et par usure excessive lors des opérations – jusqu'à 5 000 sorties certains jours.

** Theo Osterkamp est le seul as de la Grande Guerre, décoré du « Pour le Mérite », à voler encore en 1940.

*** Ceci correspond effectivement au chiffre de 875 bombardiers cité plus haut, si l'on y ajoute les effectifs de la Luftflotte V, basée au Danemark et en Norvège.

tard : sous la direction de Lord Beaverbrook, le nouveau ministre de la Production aéronautique, la quantité de Spitfire et de Hurricane sortie des usines a pratiquement doublé, et la RAF aligne désormais 710 chasseurs opérationnels et 293 appareils de réserve *, ce qui la met pratiquement à égalité numérique avec la chasse allemande. Et à partir d'août, les Britanniques produisent 470 chasseurs par mois, contre 178 seulement pour les Allemands [111]...

Enfin, il y a autre chose : en dépit des avertissements de ses techniciens, Goering se fait quelques illusions sur la supériorité qualitative des avions allemands ; c'est que le rapport de son service de renseignement pêche comme toujours par excès d'optimisme : le nouveau modèle de chasseur Me 109F a sans doute des performances remarquables, mais il ne parviendra pas aux escadrilles avant plusieurs mois ; les Me 109E armés de canons de 20 mm sont certes redoutables, mais ils sont peu nombreux, les autres étant seulement dotés de quatre mitrailleuses, pour affronter des Spitfire auxquels leur *huit* mitrailleuses donnent une puissance de feu nettement supérieure [112]. En outre, le rayon d'action de 660 km du monomoteur Me 109 est nettement trop faible ; le bimoteur Me 110 a une bien meilleure autonomie de vol (1 100 km), mais il est trop lourd et trop peu maniable pour faire un bon chasseur. Parmi les bombardiers, le He 111 est trop lent (410 km/h), le Dornier 17 emporte une charge de bombes insuffisante **, tous deux ont des viseurs peu fiables, et ils sont très vulnérables aux attaques venant de l'arrière et du dessous ; le tout nouveau Ju 88 est rapide et a un rayon d'action satisfaisant pour un bombardier moyen, mais il sort tout juste de sa période d'essais, qui a été très raccourcie ; le redoutable Ju 87 Stuka, qui a semé la dévastation de Varsovie jusqu'à Sedan en passant par Namsos, s'est trouvé hors d'état de faire face aux Spitfire et aux Hurricane de Dunkerque, sans que Goering en ait tiré la moindre conclusion. Plus généralement, l'ensemble de la Luftwaffe a été conçu depuis 1936 pour des missions courtes, en appui des forces terrestres, et non pour une campagne prolongée à longue distance, comme l'aurait souhaité le regretté Wever. Enfin et surtout, le désintérêt de Goering pour les techniques

---

* Pour l'ensemble de la chasse : deux tiers de Hurricane et un tiers de Spitfire
** 1 000 kg, contre 2 500 pour le He 111 et le Ju 88.

modernes lui fait sous-estimer fatalement les inconvénients de l'absence de tout système de guidage radio à partir du sol, qui rend impossible la réception de toute nouvelle instruction après le décollage des avions ; il ne saisit pas non plus tout l'avantage que procure à l'adversaire sa ceinture de radars de basse altitude, qui couvre toute la Grande-Bretagne jusqu'aux extrémités est, sud et sud-ouest du pays, de même que ses radars de haute altitude, dont la portée s'étend jusqu'aux côtes françaises, belges et néerlandaises *. Et bien entendu, il ne soupçonnera jamais l'existence d'« Ultra », qui commence à décrypter les communications militaires allemandes transmises par la machine à encoder « Enigma »...

Mais en réalité, ce n'est pas le *Reichsmarschall* qui va diriger l'immense offensive aérienne à venir ; il se contentera de transmettre les instructions d'Hitler, de donner quelques consignes générales, de rendre visite à l'improviste aux centres de commandement des Luftflotten II et III, d'intervenir intempestivement dans la conduite des opérations, de passer ses nerfs sur les météorologues, de s'entretenir longuement avec les aviateurs devant les objectifs des caméras et d'observer les blanches falaises de Douvres devant une longue-vue installée au cap Gris-Nez. Son photographe officiel, qui le suit comme une ombre, pourra dire plus tard : « Mes observations me conduisaient au moins à une conclusion : si l'Angleterre devait être vaincue, cet homme-là, planté devant la longue-vue, cette silhouette massive qui collait son œil à la lorgnette, n'y serait pour rien. Lui, il avait une vie privée à mener [113]. » C'est également le cas de son vieil ami le général Bruno Loerzer, promu « commandant de corps aérien », qui ne quitte guère son château de Gand, fait suivre à l'occasion les instructions du ministère de l'Air, et se préoccupe surtout de bien déjeuner [114]. Dans la bataille décisive qui s'annonce, le travail sérieux reviendra donc à Kesselring, Sperrle et Stumpff, appuyés au besoin par Milch et Jeschonnek...

L'opération est lancée pour de bon le 13 août 1940, avec six grands raids de 485 bombardiers escortés d'un millier de chasseurs Me 109 et Me 110. Les premiers objectifs sont des terrains

---

* En fait, ce n'est qu'après le lancement de l'offensive aérienne que les Allemands comprendront, par leurs interceptions radio, que les chasseurs britanniques sont guidés vers leurs cibles par les radars.

d'aviation, des stations de radar sur la côte sud et des navires dans l'estuaire de la Tamise. Sur les six stations de radar attaquées, cinq sont endommagées et une seule détruite, celle de Ventnor dans l'île de Wight. Deux aérodromes avancés du Fighter Command sont touchés dans le Kent, mais ils sont remis en état dans les vingt-quatre heures. Le « Jour de l'Aigle » a été quelque peu perturbé par les mauvaises conditions météorologiques, qui ont souvent détourné les agresseurs de leurs cibles *, et dans cette première offensive, ils ont perdu 31 appareils et les Anglais 22. Le lendemain 14 août, par un temps toujours aussi couvert, l'attaque se développe sur deux axes : la Luftflotte II bombarde le Kent et l'estuaire de la Tamise, tandis que la Luftflotte III s'en prend à trois aérodromes du Hampshire, du Dorset et du Wiltshire, avant de bombarder de nuit une usine de Spitfire près de Birmingham. Bilan : 45 appareils allemands abattus **. Mais c'est le 15 août que Sperrle, Kesselring et Stumpff lancent leur attaque la plus massive, avec sept raids coordonnés des trois *Luftflotten* sur tout le pourtour de l'île, depuis le Northumberland jusqu'au Dorset : le matin, une quarantaine de Stuka couverts par la chasse attaquent les aérodromes de Lympne et de Hawkinge, dans le Kent ; à midi, 65 He 111 et 76 Ju 88 venus de Norvège et du Danemark avec une escorte de Me 110 s'en prennent à plusieurs terrains d'aviation situés sur la côte du Northumberland, et détruisent douze bombardiers au sol. A 14 h 30, une nouvelle escadre venue de Belgique attaque le terrain de Martlesham au nord de l'estuaire de la Tamise, tandis que la seconde vague bombarde les bases de chasseurs de Hawkinge et d'Eastchurch, ainsi que les usines d' aviation de Rochester. Peu après 17 heures, 80 bombardiers venus de Normandie s'en prennent d'abord au port de Portland, puis au QG de secteur et aux terrains d'aviation de Middle Wallop et de Worthy Down. Enfin, à 18 h 30, une soixantaine de He 111 basés dans le Pas-de-Calais reviennent au-dessus du Kent et dévastent la base aérienne de West Mailing, ainsi que l'aérodrome et les usines d'aviation de Croydon. Ce jour-là, les dégâts occasionnés

---

* C'est ainsi qu'ils ont attaqué les terrains d'aviation d'Eastchurch, Andover et Detling, dont aucun n'abrite de chasseurs du Fighter Command. Par contre, l'épaisse couverture nuageuse leur a fait manquer les aérodromes de Manston et Rochford.
** Contre treize chasseurs anglais, dont six pilotes sont sauvés.

LA BATAILLE D'ANGLETERRE, ÉTÉ 1940

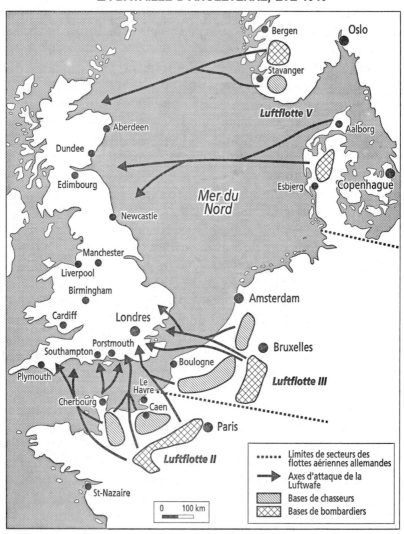

Bergen

Oslo

Stavanger

Luftflotte V

Aberdeen

Aalborg

Dundee

Edimbourg

Esbjerg

Copenhague

Mer du Nord

Newcastle

Manchester

Liverpool

Birmingham

Amsterdam

Cardiff

Londres

Portsmouth

Bruxelles

Southampton

Boulogne

Luftflotte III

Plymouth

Le Havre

Cherbourg

Caen

Paris

Luftflotte II

St-Nazaire

0   100 km

Limites de secteurs des flottes aériennes allemandes

Axes d'attaque de la Luftwafe

Bases de chasseurs

Bases de bombardiers

sont considérables, mais les chasseurs anglais ont harcelé toutes les formations ennemies, les forçant souvent à abandonner leur objectif initial, comme Kenley ou Biggin Hill; certaines escadrilles ont même été interceptées avant même d'avoir atteint les côtes anglaises, et les Me110 comme les Stuka se sont révélés hautement vulnérables aux attaques des Spitfire et des Hurricane. Ce 15 août, généralement considéré comme le point culminant de la bataille d'Angleterre, la Luftwaffe perd 55 appareils et la RAF 34 chasseurs seulement.

Nullement découragés, les Allemands repartent dès le lendemain 16 août à l'assaut des terrains d'aviation de la côte sud; ils rasent le PC de secteur de Tangmere mais, gênés par le brouillard et attaqués par les Spitfire, ils perdent 45 avions, contre 21 appareils anglais abattus ou détruits au sol. Après l'annulation des opérations du lendemain en raison du mauvais temps, la Luftwaffe lance une nouvelle attaque générale le 18 août, principalement contre les aérodromes du Kent, du Surrey et du Sussex; la base de Kenley et le PC de secteur de Biggin Hill sont gravement endommagés, mais les bombardiers en piqué se trouvent séparés de leurs chasseurs d'escorte, et 71 d'entre eux sont abattus *.

Les jours suivants, le mauvais temps limite à nouveau les opérations, et Goering fait avec ses chefs de flottes aériennes le bilan des sept jours écoulés. Reconnaissant que les pertes subies par la Luftwaffe sont sensibles, il cherche comme toujours des boucs émissaires et s'étonne que la RAF ne faiblisse pas, en dépit du nombre de ses chasseurs abattus et des dégâts subis par son organisation au sol et ses unités de production [115]. En fait, cela s'explique à la fois par l'habituelle exagération des rapports de victoires aériennes, par la faiblesse de l'aviation de reconnaissance allemande et par un troisième facteur que décrira très précisément l'as de la chasse allemande Adolf Galland : « En dehors du fait qu'il fallait un pur hasard pour que l'escadrille visée se trouve justement au sol lors de l'attaque de son terrain, la quantité de bombes larguée sur chaque cible était tout à fait insuffisante. Les pistes d'envol et les bâtiments n'étaient la plupart du temps que légèrement endommagés et pouvaient le plus souvent être remis en état dans la nuit. Mais au QG de la Luftwaffe, on prenait d'une main le rapport de

---

* Au prix de vingt-sept chasseurs britanniques.

mission de l'escadre de bombardiers ou de Stuka concernée, de l'autre main un gros crayon rouge, et l'escadrille ennemie en question était tout simplement rayée des rôles. Elle n'existait plus – en tout cas sur le papier. Comme les rapports de victoires des chasseurs étaient également exagérés, on en est arrivé un beau jour à ce que, d'après les calculs de Berlin, il ne devait plus y avoir un seul chasseur britannique dans le ciel [116]. »

Mais si le calcul des dommages causés à l'ennemi est sujet à caution, celui des avions allemands abattus ne l'est pas : il y en a eu 363, avec la perte complète des équipages tués ou faits prisonniers *. C'est déjà beaucoup pour une seule semaine, mais les conditions dans lesquelles ces pertes ont été subies sont sans doute plus inquiétantes encore : les Stuka, trop lents et très mal armés, ont été une proie facile pour les chasseurs britanniques ; les Me 110, trop lourds et difficiles à manœuvrer, se sont révélés aussi vulnérables que les bombardiers qu'ils étaient censés escorter ; les Ju 88, trop récemment sortis des usines, ont montré des défauts techniques impressionnants, avec des décollages de nuit pénibles et des moteurs ayant tendance à prendre feu en vol ; les Me 109, malgré leurs superbes performances, ont été fatalement handicapés par leur faible autonomie ** et par la nécessité d'escorter des bombardiers volant lentement et à basse altitude ***, ce qui les privait de leurs principaux atouts : la vitesse et la maniabilité. Enfin, l'impossibilité de communiquer entre les chasseurs et les bombardiers du fait de fréquences radio différentes s'est révélée désastreuse ****, et les insuffisances de la reconnaissance aérienne ont conduit à bombarder de nombreux terrains d'aviation de moindre importance.

---

* Les pilotes de chasseurs anglais endommagés pouvaient sauter en parachute et reprendre le combat les jours suivants, mais les aviateurs allemands abattus au-dessus du territoire ennemi étaient faits prisonniers et invariablement portés manquants.

** Milch avait depuis longtemps recommandé que des réservoirs supplémentaires larguables soient fixés sous les ailes, mais l'exécution avait tardé et la formation avait été négligée, de sorte que les pilotes étaient réticents à employer ces éléments encombrants et peu familiers.

*** 300 km/h, entre 5 000 et 6 000 m. En combat aérien, celui qui attaque depuis une altitude plus élevée a un avantage initial considérable.

**** Dans plusieurs cas, des He 111 ont été abattus par leurs propres chasseurs, faute d'avoir été reconnus...

Mais trois autres éléments devraient inquiéter encore davantage l'état-major du *Reichsmarschall* Hermann Goering : d'une part, la plus grande partie de la capacité de production et des points d'appui de la RAF est concentrée dans les régions du centre, du nord et du nord-ouest des îles Britanniques, difficiles à atteindre par des bombardiers de la Luftwaffe au rayon d'action très limité. D'autre part, si les chasseurs britanniques repèrent les assaillants avec une remarquable précision et peuvent anticiper la plupart de leurs attaques, c'est bien parce que le sud et le nord-est de l'Angleterre sont équipés d'un réseau de veille radar, dont les Allemands commencent à mesurer l'importance ; les installations dont les antennes étaient aisément identifiables ont donc été bombardées, mais le nombre de Stuka abattus pour ce faire a été si considérable que l'effort s'est beaucoup relâché après les premiers jours. Enfin, il paraît évident que l'industrie aéronautique allemande n'est pas en mesure de remplacer les pertes qui viennent d'être subies : elle produit 178 chasseurs par mois, alors que 217 de ces appareils ont été abattus en *une semaine*...

Tout cela préoccupe épisodiquement le *Reichsmarschall*, qui multiplie les visites aux commandants des flottes aériennes et aux pilotes de chasse — ce qui dérange les premiers et démoralise les seconds. « Goering, se souviendra Adolf Galland, ne voulait pas comprendre que sa Luftwaffe, cette épée étincelante et jusque-là toujours victorieuse, menaçait de s'émousser et de s'ébrécher entre ses mains. Il pensait qu'elle manquait de combativité et de confiance en la victoire. Et par son intervention personnelle, il voulait nous faire donner le maximum de nous-mêmes. D'après moi, il s'y est pris aussi mal que possible. Il a accablé la chasse de reproches. [...] Le thème de l'escorte de bombardiers a été ressassé pour la nième fois [...] et il a exigé que nous nous en tenions à une protection très rapprochée. Les bombardiers, a-t-il dit, étaient plus importants que nos palmarès de victoires aériennes. J'ai essayé de lui expliquer que le Me 109, un avion de chasse supérieur en attaque, se prêtait moins bien aux tâches purement défensives que le Spitfire, qui était moins rapide mais bien plus maniable. Il n'a rien voulu savoir, et nous avons encore eu droit à bien des paroles acerbes. Sur le départ, il s'est fait plus conciliant, et il

s'est enquis de ce que nous souhaitions pour nos escadres. Mölders * a demandé un modèle de Me109 équipé de moteurs plus
puissants. Accordé. " Et vous ? " m'a interrogé Goering. Je n'ai
pas réfléchi longtemps : " Je demande que mon escadre soit
équipée de Spitfire ! " [...] Une telle insolence a coupé le souffle
à Goering lui-même. Il est parti en grommelant [117]. »

En fait, les pilotes comme les maréchaux peuvent constater
que Goering s'intéresse assez peu aux questions techniques, et
que les problèmes de rodage du Ju 88, par exemple, ne
semblent pas l'émouvoir outre mesure. Ils s'aperçoivent également que l'ancien capitaine de la Grande Guerre est plus
enclin à vivre sur ses souvenirs qu'à se familiariser avec les
conditions du combat aérien moderne ; c'est ainsi qu'il conseille
aux pilotes de chasse de ne pas paniquer s'ils entendent derrière
eux le bruit d'un Spitfire. Réaction d'un commandant d'escadrille : « J'aurais voulu que le sol s'entrouvre et m'engloutisse.
Donnerwetter, quelle ignorance ! Dans le cockpit d'un avion,
vous n'entendez même pas *vos propres mitrailleuses* [118] ! » Et puis,
chacun sait que le *Reichsmarschall* minore effrontément les
pertes de la Luftwaffe, tout en exagérant démesurément celles
de la RAF ; depuis son nouveau poste d'observation au sein de
l'Abwehr, Hans Bernd Gisevius en sera le témoin amusé : « Le
commandement de l'armée de l'air s'acharnait à multiplier ses
victoires, tout au moins sur le papier. Une bagarre s'engageait
chaque matin à l'Abwehr lorsque le délégué du ministère de
l'Air apportait ses communiqués de victoires, auxquels Canaris
opposait froidement le résultat de ses propres renseignements.
[...] On s'en tenait avec précision aux chiffres d'avions abattus
donnés par nos pilotes ; on signalait chaque matin le nombre de
chasseurs ennemis qui restaient : 200, 150, 80, 50 et 20. Ce
jeu cruel fut interrompu lorsque l'on parvint au chiffre de
moins 100 [119]. » Enfin, le plus démoralisant pour les aviateurs
est sans doute de ne pas connaître l'utilité réelle de leur mission ; le maréchal Kesselring écrira ainsi : « Mes conversations
avec Goering et les commandants militaires et navals de
" *Seelöwe* " dans mon PC de campagne tenaient plutôt de la
discussion informelle [...]. J'étais même laissé dans l'ignorance

---

* Le commandant Werner Mölders, un autre as de la chasse allemande.

du rapport entre nos raids sur l'Angleterre et le plan d'invasion [120]. »

Il faut dire à la décharge de Goering qu'il ignore lui-même ce qu'est ce rapport... A la différence des campagnes de Pologne et de France, qui dépendaient de l'OKH, et de celle de Norvège, dirigée par l'OKW, « Seelöwe » n'a pas de responsable unique : les commandants en chef des trois armes sont censés coordonner eux-mêmes la stratégie d'une opération dont le lancement reste fixé au 15 septembre, mais à laquelle Hitler ne semble pas s'intéresser de près — ce qui est très inhabituel. « Si Hitler avait vraiment voulu pousser le projet, écrira Kesselring, il se serait mêlé de chaque détail et aurait imposé sa volonté aux trois services [121]. » Le maréchal Kesselring, tout comme l'amiral Raeder du reste, ignore manifestement les raisons de ce désintérêt du Führer, et c'est sans doute préférable *. Mais en vérité, Hitler ne cesse d'hésiter entre un blocus impraticable, une guerre aérienne coûteuse et une invasion à haut risque — sans jamais se résoudre à trancher entre les trois, tant il est absorbé par d'autres préoccupations. « Dès cette époque, se souviendra von Lossberg, personne dans notre état-major ne croyait plus à l'éventualité d'une invasion. Il se murmurait qu'Hitler avait confié à Goering qu'il ne la lancerait que dans des conditions particulièrement favorables, comme le déclenchement d'une révolution en Angleterre — une possibilité qu'il prenait tout à fait au sérieux. [...] En tout cas, jusqu'à une date avancée de l'été, il a tablé sur le fait que l'Angleterre serait disposée à s'entendre avec lui, ce qu'il souhaitait de toutes les fibres de son corps, eu égard à ses plans concernant la Russie [122]. » Et puis, ainsi qu'il l'a dit à l'amiral Raeder le 21 juillet, Hitler ne sous-estime nullement les difficultés de l'opération : « L'invasion de la Grande-Bretagne est une entreprise particulièrement audacieuse, parce que même si le trajet est court, ce n'est pas un simple franchissement de rivière ; c'est la traversée d'une mer dominée par l'ennemi. Il ne s'agit pas d'un aller simple comme en Norvège ; on ne peut compter sur l'effet de surprise. Un ennemi prêt à la défensive et très déterminé nous fait face

---

* Effectivement, Raeder n'a pas été informé du fait qu'Hitler avait décidé de frapper à l'Est. Le Führer a sans doute pensé que l'enthousiasme du Grand Amiral pour « Seelöwe » s'en serait trouvé quelque peu affecté.

et domine le secteur maritime que nous devrons emprunter. Pour l'armée, il faudra quarante divisions. [...] S'il n'est pas certain que les préparatifs puissent être terminés avant le début de septembre, il faudra envisager d'autres plans [123]. »

Pour l'heure, en tout cas, il résulte de l'abstention du Führer que les discussions entre l'armée et la marine achoppent sur un désaccord persistant : pour avoir les meilleures chances d'effectuer une percée, l'armée veut aborder sur un front très large allant de Ramsgate à Portsmouth, tandis que la marine se déclare hors d'état de protéger un débarquement d'une telle ampleur des attaques de la Royal Navy. Par contre, une opération sur un secteur plus limité – entre Margate et Brighton – serait plus facile à couvrir lors de la traversée, mais l'étroite tête de pont ainsi conquise serait très vulnérable à une contre-attaque concentrée des divisions blindées ennemies. Il y a bien d'autres sujets de dissension, notamment au sujet des effectifs à engager : conformément aux souhaits d'Hitler, l'armée veut engager quarante divisions – dont treize pour le premier échelon, ce qui demanderait déjà dix jours de transport maritime ininterrompu à protéger contre la Royal Navy et la RAF... Et puis, il faut encore déposer les troupes : la marine ne veut pas les faire débarquer dans les ports anglais, trop bien défendus, tandis que l'armée, elle, considère qu'elle n'est pas équipée pour débarquer *en dehors* des ports. Pour finir, l'armée et la marine ne s'accordent que sur un point : il ne faut rien faire avant que la Luftwaffe ait conquis la maîtrise du ciel. Evidemment, cela revient à faire reporter toute la responsabilité du succès de « *Seelöwe* » sur Hermann Goering – qui est suffisamment vaniteux pour l'endosser.

Pourtant, le *Reichsmarschall* ne s'intéresse pas vraiment à « *Seelöwe* », tant il est convaincu que sa victoire aérienne amènera à elle seule la capitulation des Britanniques. Lorsqu'il reçoit des messages concernant la coopération avec la Kriegsmarine lors du débarquement, il les tend à son aide de camp en lui disant : « Lisez ça et parlez-m'en plus tard. De toute façon, on n'en arrivera jamais là. » Et lorsque les navires et les barges s'accumulent dans les ports français et belges en vue de l'invasion, il commente sarcastiquement : « Les Anglais gaspilleront beaucoup de bombes pour essayer de les détruire. Ces joujoux ne serviront à rien d'autre [124] ! »

Seulement, pour les rendre inutiles, il faut encore vaincre la RAF... Et justement, Goering vient d'approuver une profonde modification de la stratégie d'offensive aérienne : il s'agit de passer à des attaques de nuit contre les usines d'aviation, les aérodromes et les postes de commandement, exécutées par des bombardiers en formations serrées, escortées de nombreux chasseurs ; le jour, ces chasseurs mèneront des raids en profondeur, avec tout juste assez de bombardiers pour attirer massivement la chasse ennemie et permettre de la détruire. Les pertes de la Luftwaffe s'en trouveront nécessairement augmentées, mais Goering est prêt à payer ce prix pour vaincre. Par contre, les Stuka, décimés par les dernières offensives, n'opéreront plus au-dessus de la Grande-Bretagne avant le jour de l'invasion, et les Me 110 seront réaffectés à la chasse de nuit. Enfin, les pilotes de chasseurs d'escorte qui s'aviseraient de s'écarter des formations de bombardiers sont promis à la cour martiale [125]...

A partir du 24 août, l'amélioration des conditions météorologiques permet de relancer les opérations, et c'est toute la ceinture d'aéroports et d'usines d'aviation du sud de l'Angleterre qui est frappée en priorité : North Weald, Hornchurch, Biggin Hill, Kenley, Debden, Redhill, West Malling, Gravesend, Northolt et Croydon sont la cible d'attaques répétées jour après jour, ce qui aboutit à interdire toute réparation. Pour la seule journée du 30 août, la RAF perd trente-neuf chasseurs. Entre le 4 et le 6 septembre, les attaques se concentrent sur les usines Vickers et Hawker, près de Weybridge ; or, Hawker produit la moitié des Hurricane de la RAF... Entre le 24 août et le 6 septembre, les Allemands vont effectuer trente-trois raids majeurs, dont plus des deux tiers contre les bases de chasseurs. La résistance anglaise est mise à rude épreuve : 286 avions abattus, 171 autres endommagés, 103 pilotes tués et 128 blessés sur un effectif total de 984, six des sept principales bases de chasseurs de la région sud sont sévèrement atteintes, et deux stations radar sur six sont rendues inutilisables ; les pertes en hommes et en matériel dépassent les capacités de remplacement, la production de Spitfire et de Hurricane est considérablement ralentie, les lignes de communications sont souvent coupées, les réserves s'épuisent, les pilotes sont éreintés, la RAF a pratiquement perdu la maîtrise du ciel au-dessus du Kent et du Sussex, et son usure s'accentue jour après jour. Les bombardiers allemands notent dès le 1ᵉʳ septembre un net fléchissement des défenses britanniques [126], et l'OKW est informé que les effectifs des escadrilles de la RAF sont passés de douze à sept appareils. Pour Goering, la victoire semble donc être à portée de main ; mais l'intervention d'Hitler va tout remettre en question.

C'est un événement fortuit qui vient d'infléchir le cours du destin : dans la nuit du 24 au 25 août, à la suite d'une erreur de navigation, des appareils allemands ont lâché leurs bombes sur l'East End de Londres. Hitler avait expressément interdit le bombardement de la capitale, mais Churchill n'a pas pu ni voulu le savoir ; tant par pugnacité que par volonté instinctive de soutenir le moral de ses concitoyens, il a ordonné un raid de représailles immédiat sur Berlin. Des 81 bombardiers Hampden et Wellington partis dans la nuit du 25 au 26 août, 29 seulement ont atteint Berlin, pour n'y provoquer que des dégâts insignifiants. Mais contre toute raison, Churchill s'est obstiné, les bombardements se sont répétés durant les jours suivants, et Hitler a fini par perdre patience : « Nous raserons leurs grandes villes ! » hurle-t-il lors de son discours du 4 septembre au Sportpalast... Mais ce n'est pas seulement une question de représailles : dès la fin du mois d'août, le Führer, prenant acte des incertitudes de la bataille d'Angleterre et des délais de rassemblement des navires dans les ports de la Manche, a reporté le lancement de « Seelöwe » du 15 au 21 septembre. Or, pour que ce nouveau délai soit respecté, la Luftwaffe doit conquérir sans retard la maîtrise absolue du ciel anglais, et à cet égard, Londres semble s'imposer comme une cible de choix : son attaque provoquera d'intenses combats aériens, susceptibles de venir à bout de la chasse ennemie. Du reste, un assaut contre la capitale, renforcé par des raids de nuit sur d'autres grandes villes, est susceptible de désorganiser les structures gouvernementales du pays avant l'invasion, et même de terroriser les populations civiles, qui s'empresseront de se soumettre *. N'est-ce pas après tout l'effet obtenu par les bombardements de Varsovie et de La

---

* A ce stade, il ne s'agit pas de s'en prendre directement aux populations civiles, mais de bombarder les installations portuaires, les dépôts de carburant et les centres administratifs de la capitale. Toutefois, la précision très relative des bombes laisse prévoir d'importants dégâts collatéraux.

Haye ? Le 5 septembre, Goering reçoit donc l'ordre de lancer sa Luftwaffe contre la cible suprême.

Derrière quelques vantardises de façade, le *Reichsmarschall* se montre peu enthousiaste [127] ; peut-être ne voit-il pas vraiment le rapport opérationnel entre l'attaque de Londres et les préparatifs d'invasion, et sans doute ne voit-il que trop bien le détournement d'effectifs qui résultera immanquablement d'un tel changement de stratégie : « J'ai essayé de persuader le Führer de me laisser d'abord attaquer le premier cercle d'aérodromes autour de Londres, mais il a affirmé catégoriquement qu'il voulait que l'on s'attaque à Londres même, pour des raisons politiques et aussi par mesure de rétorsion [128]. » Ce jour-là, le jeune chef d'état-major Jeschonnek, qui est un des plus chauds partisans du bombardement de Londres, est invité à dîner dans le wagon-restaurant de Goering. Au dessert, son hôte lui demande : « Pensez-vous que l'Allemagne capitulerait si Berlin était en ruines ? » Jeschonnek se récrie : « Certainement pas ! » ; puis, se rendant compte des implications de ses paroles, il s'empresse d'ajouter : « Mais le moral des Britanniques est plus fragile que le nôtre... » A quoi Goering répond : « C'est là que vous vous trompez [129] ! »

Ainsi, le *Reichsmarschall* a toujours des éclairs de lucidité... Mais lorsque le Führer ordonne, il n'y a plus à réfléchir : le train spécial repart donc pour le Pas-de-Calais, où Goering va assister au lancement de l'opération. Le 7 septembre en fin d'après-midi, 300 bombardiers allemands escortés par 600 chasseurs survolent le Kent et le Sussex pour se présenter au-dessus de l'estuaire de la Tamise en vagues impressionnantes. Quelques appareils bombardent la raffinerie de Thameshaven, tandis que le gros de la formation poursuit sa route jusqu'aux faubourgs de la capitale, où il déverse ses bombes explosives et incendiaires avant d'être attaqué par trente-trois escadrilles de la chasse britannique. L'est de la ville et les docks sont dévastés, tandis que d'immenses incendies ravagent les entrepôts du port, ce qui sert de balises aux raids qui se poursuivent dans la nuit ; au matin, on comptera 380 morts et 1 337 blessés... « Goering, se souviendra Kesselring, était si impressionné par la vue de toutes ces escadrilles en vol et par les effets du raid tels qu'ils étaient rapportés à son QG de campagne qu'il s'est répandu en fanfaronnades lors d'un discours au peuple allemand [130]. » Mais la propagande est une chose, les réalités en sont une autre : Goering repart aussitôt pour Paris, et il est tout sauf optimiste : les Britanniques capituleraient sans doute si leur aviation était vaincue, mais ils ne se laisseront sûrement pas impressionner par quelques amas de ruines. « Je considérais que les attaques contre Londres étaient inutiles, dira-t-il plus tard. On pouvait faire plier les Hollandais par de telles méthodes, mais pas les Anglais [131]. »

C'est un fait ; et si pour les civils de Londres, Manchester, Birmingham, Liverpool, Hull et Newcastle, le calvaire commence, les officiers du Fighter Command y voient d'emblée l'annonce du salut ; alors que les forces aériennes britanniques du sud de l'Angleterre, avec de lourdes pertes et un système d'appui au sol fortement désorganisé, sont sur le point de fléchir, la Luftwaffe se détourne brusquement de la plupart de ses objectifs militaires. Ce répit providentiel va permettre à la RAF de réparer ses lignes de communications, de réapprovisionner ses aérodromes, de rebâtir ses postes de commandement et de reconstituer ses escadrilles décimées. « Bien que nous ayons pris l'ascendant sur l'ennemi dans une zone restreinte au début de septembre, confirmera Kesselring, nous n'avons pu le conserver après le début des raids sur Londres [132]. » C'est une litote : en moins d'une semaine, les « lords * » se ressaisissent et provoquent un véritable carnage parmi les assaillants ; le 15 septembre, 300 Hurricane et Spitfire prennent l'air, et les formations de Do 17, de He 111 et de Ju 88 sont accrochées bien avant d'avoir atteint leur cible. Ce jour-là, 59 avions allemands sont abattus, dont 34 bombardiers **, tandis que deux douzaines d'autres sont sévèrement endommagés. « Nous ne pouvons continuer à ce rythme, téléphone Kesselring à son chef ; nous sommes en dessous des normes de sécurité [133]. »

Pour Hitler aussi, ce sont là des pertes insupportables – d'autant que même s'il n'en dit mot, le Führer comprend bien que les bilans de victoires aériennes fournis par son *Reichsmarschall* sont hautement fantaisistes : « Goering, se souvien-

---

* « *Die Lords* » : c'est ainsi que les pilotes allemands ont baptisé – avec un certain respect – leurs jeunes adversaires de la RAF.
** Contre vingt-six chasseurs de la RAF, avec seulement treize pilotes tués.

dra von Below, avait calculé que l'aviation britannique devait en être à sa dernière extrémité. Mais Hitler ne paraissait pas convaincu. En septembre, sur sa demande, je me suis enquis auprès des membres de l'état-major de la Luftwaffe des effectifs estimés de la chasse britannique. D'après eux, la RAF avait 600 chasseurs dans ses escadrilles de première ligne, et 600 appareils plus anciens en réserve [134]. » En d'autres termes, il lui en resterait davantage que ce qu'elle était censée avoir au début de la bataille *! Sans compter les bombardiers, que les Britanniques envoient justement depuis une semaine pilonner les concentrations de péniches de débarquement entre Ostende et Le Havre — avec des résultats dévastateurs...

Ce sont ses maréchaux qui travaillent vingt heures par jour, mais c'est Goering qui est à la limite de l'épuisement... Il ne peut dormir qu'avec de puissants somnifères, ce qui le rend amorphe le lendemain matin ; le seul mot de « *Seelöwe* » suffit à le faire transpirer abondamment, et il n'est pas rare que le valet Robert Kropp soit appelé pour changer sa chemise au milieu d'une conférence d'état-major ; le soir, le général Jeschonnek lui apporte les derniers rapports sur les pertes anglaises et allemandes de la journée, et il lui faut refaire de douloureux calculs sur la base de chiffres incertains : « Combien de temps peuvent-ils tenir ? Combien de temps pouvons-nous continuer ? » demande constamment un *Reichsmarschall* de plus en plus déprimé [135]. Il absorbe jusqu'à trente comprimés de paracodéine par jour, et en prend même deux à la fois lorsque Hitler l'appelle au téléphone [136]. « Déchiré entre ses nombreux doutes et le désir de plaire à son Führer, écrira Frischauer, Goering gesticulait, faisait des courbettes et rampait même devant le combiné qui lui transmettait la voix d'Hitler [137]. » Comme le dira un capitaine du régiment de la garde personnelle du maréchal : « Nous savions quand il parlait à Hitler. Il faisait exactement comme si le Führer se tenait devant lui [138]. » Or, Hitler lui reproche amèrement l'insuccès de son aviation, au moment même où la propagande de Goebbels ne cesse de répéter : « Les opérations se déroulent sous la direction personnelle du *Reichsmarschall* » — une exagération manifeste, que l'intéressé préférerait désormais passer sous silence...

---

* Voir *supra,* p. 370.

Décidément, les éléments nécessaires au succès de l'invasion ne sont toujours pas réunis, et les conditions de vents et de marées vont rapidement devenir défavorables. « Sur terre, a coutume de dire le Führer, je suis un héros ; sur mer, un lâche [139] » ; et le colonel Warlimont de confirmer : « Je l'ai moi-même entendu dire qu'il acceptait que des soldats allemands meurent pour l'Allemagne, mais qu'il refusait de prendre la responsabilité de les envoyer par milliers au fond de l'eau avant qu'ils aient pu tirer un coup de fusil [140]. » D'autant que le Führer en a besoin pour une autre opération qui lui tient bien plus à cœur : le 15 septembre, au Berghof, il parle à nouveau d'« attaquer la Russie, pour retirer à l'Angleterre toute nouvelle possibilité d'alliance [141] ». C'est dit : deux jours plus tard, Hitler décide de remettre « *Seelöwe* » jusqu'à nouvel ordre. Certes, il ne l'annoncera que le 12 octobre aux chefs de la Wehrmacht, les préparatifs d'invasion se poursuivront ostensiblement tout le long des côtes de l'Europe occupée, et les bombardements de nuit sur les villes anglaises vont redoubler d'intensité au cours de l'automne. Mais dès le début d'octobre 1940, trois faits sont tacitement admis à Londres comme à Berlin : Hitler a renoncé pour l'heure à l'invasion des îles Britanniques, Churchill a gagné la bataille d'Angleterre... et Goering l'a perdue.

XII

Un saut dans l'inconnu

Habitué à une décennie de triomphes ininterrompus, Hermann Goering avait depuis longtemps oublié le goût de la défaite. Il le retrouve avec amertume en cette fin de septembre 1940, lorsque l'abandon du plan de conquête de l'Angleterre apparaît aux yeux de tous comme une reconnaissance officielle de l'échec du *Reichsmarschall*. Mais Goering est un mauvais perdant, et d'ailleurs, Hitler n'a-t-il pas ordonné la poursuite de l'offensive aérienne contre les îles Britanniques ? On continue donc à frapper la capitale et les centres industriels, de préférence la nuit, lorsque les chasseurs de la RAF sont immobilisés ; mais la précision des attaques s'en ressent, et puisque les bombardiers sont lents et vulnérables, le Führer ordonne de transformer le tiers des chasseurs en chasseurs-bombardiers : les Me 109 emporteront 250 kg de bombes, et les Me 110 jusqu'à 700 kg. Le résultat est désastreux : ainsi alourdis, les Messerschmitt ne peuvent monter au-dessus de 5 000 mètres et sont pratiquement impuissants en combat aérien [1]. Mais pendant tout le mois de septembre, 741 attaques sont menées contre les îles Britanniques, dont 268 sur Londres, qui reçoit 6 224 des 7 300 tonnes de bombes larguées sur l'ensemble des cibles [2]...

C'est évidemment énorme, et Goering en attend un affaiblissement considérable des défenses ennemies − que sa propagande annonce déjà à grands cris *. A-t-il encore l'espoir de

---

* La plus grande faiblesse de la Luftwaffe pendant toute cette période est qu'elle est incapable d'évaluer les dommages causés à l'ennemi, et surtout de s'en tenir constamment à un nombre de cibles limité, ayant une importance économique et

vaincre ? C'est difficile à dire, tant se mêlent chez ce satrape habillé en maréchal la lucidité occasionnelle, la servilité récurrente et la vanité omniprésente. A l'évidence, il aime se voir et se montrer dans le rôle du stratège avisé et du commandant en chef conquérant – même si en l'occurrence, la stratégie lui échappe autant que la conquête. Au grand soulagement du maréchal Kesselring, Hermann Goering espace désormais ses visites au cap Gris-Nez, mais on le trouve souvent dans sa suite parisienne de l'hôtel Ritz, où l'un de ses officiers le verra se prélasser en robe de chambre de soie bleue sur un canapé bien rembourré : « Il expliquait au téléphone à son épouse qu'à ce moment précis, il se tenait sur la falaise de Calais, tandis qu'au-dessus de lui, ses escadres passaient dans un grondement de tonnerre, en route vers l'Angleterre [3]. »

En fait, ce n'est pas sa seule occupation, ni même la principale : depuis l'été de 1940, il parcourt la France, la Belgique et les Pays-Bas à la recherche d'œuvres d'art abandonnées, confisquées, récupérées ou vendues à vil prix. C'est qu'il veut constituer un grand musée à Carinhall, et bien sûr décorer son hôtel particulier de la Leipzigerplatz, son pavillon de chasse de Rominten et ses deux châteaux de Veldenstein et Mauterndorf. Ses agents Walter Andreas Hofer et Aloïs Miedl se chargent de repérer les collections les plus intéressantes, que Goering vient ensuite inspecter sur place pour prélever les meilleures pièces. Dès juillet 1940, il acquiert ainsi à Amsterdam les plus beaux tableaux de la collection Goudstikker *, comprenant des Cranach, des Gauguin et des Tintoret [4]. A Paris, l'*Einsatzstab Rosenberg*, une commission spéciale sous la présidence du *Reichsleiter* Rosenberg, est chargée de réunir les meilleures œuvres dans les salles de l'Orangerie ; elles sont destinées au musée que le Führer veut édifier à Linz après la guerre, mais Goering use de son autorité personnelle pour prélever sa dîme – généralement des tableaux de la Renaissance (avec une préférence particulière pour les maîtres flamands), des statuettes, des meubles anciens et des tapisseries des Gobelins. Il déteste l'« art dégénéré » de Braque

---

militaire déterminante. Entre juillet et octobre, elle n'a cessé de changer d'objectifs, ce qui l'a empêchée d'obtenir des résultats décisifs.

* Une fabuleuse collection de 1 300 œuvres de maîtres, appartenant à un Juif hollandais récemment décédé.

et de Picasso, mais s'en empare malgré tout pour l'utiliser comme monnaie d'échange. S'agissant des collections privées qui lui sont indiquées par ses agents, il insiste généralement pour payer, mais les prix étant dérisoires et les fonds provenant de la Reichsbank, l'exercice reste purement symbolique. Toutefois, les nombreux intermédiaires qui traitent avec lui sont pratiquement unanimes : le *Reichsmarschall* est un fin connaisseur, il marchande aussi âprement que s'il engageait ses propres deniers, et on ne le trompe pas aisément [5]...

Mais si Hermann Goering se contente de postures martiales et de frénésies d'acquisitions, Hitler, lui, prend la guerre au sérieux ; puisqu'il ne peut vaincre directement la Grande-Bretagne, il envisage désormais de l'attaquer à sa périphérie. N'est-ce pas d'ailleurs tout le sens du pacte tripartite d'assistance mutuelle signé le 27 septembre 1940 avec l'Italie et le Japon ? D'après les calculs de Ribbentrop, l'Italie pourrait aider l'Allemagne à chasser les Anglais des Balkans, de Cyrénaïque et d'Egypte, tandis que le Japon occuperait Hong-Kong, la Malaisie, la Birmanie et l'Inde, tout en tenant en respect les Etats-Unis, principal soutien de la Grande-Bretagne dans le monde... C'est précisément dans cette optique que l'amiral Raeder propose à Hitler un plan particulièrement ambitieux d'offensive en Méditerranée : il s'agit de lancer trois offensives vers le sud, dont la première passerait par l'Espagne pour conquérir Gibraltar, puis franchirait les détroits et s'emparerait de l'Afrique du Nord, tandis que la deuxième débarquerait en Tripolitaine à partir de l'Italie, et la troisième traverserait les Balkans, la Grèce et la Turquie, pour aller occuper la Syrie, l'Irak et le canal de Suez ! Après cela, les Britanniques seraient bien obligés de se soumettre [6]...

Hitler, qui distingue mal le possible du souhaitable et n'est guère troublé par des considérations de distance, de reliefs et d'intendance, voit tout cela d'un assez bon œil, et Goering s'empresse de l'approuver. Dans la conquête de Gibraltar, par exemple, il voit un rôle à sa mesure, qu'il exposera par la suite avec une fierté mal dissimulée : « Quinze divisions, dont deux de parachutistes * et trois corps de DCA, étaient alignées à

---

* Toujours cette tendance à l'exagération : il n'existe à l'époque qu'une seule division de parachutistes.

cet effet. Environ 600 canons de DCA de 88 mm et un certain nombre de pièces de campagne de 80 cm, ainsi que des " plus petits " calibres de 60 cm pilonneraient Gibraltar jusqu'à le pulvériser. On escomptait qu'il ne resterait plus âme qui vive dans les galeries du rocher après un tel bombardement. Les nouveaux canons de 80 cm étaient déjà montés sur des plateformes de wagons et prêts à traverser l'Espagne. [...] Les deux divisions de parachutistes n'auraient même pas eu à intervenir, car le bombardement incessant [...] aurait mis la garnison à genoux [7]. »

Malgré tout, le Führer considère que pour détruire les positions britanniques en Méditerranée, il lui faut la coopération de la France ou de l'Espagne – et de préférence celle des deux à la fois : la France, ses colonies et sa flotte lui permettraient de prendre pied sur les rivages africains, d'obtenir des bases en Algérie et en Tunisie, d'atteindre Alexandrie et le canal de Suez, et de chasser les gaullistes d'Afrique équatoriale ; avec l'aide de l'Espagne, il pourrait conquérir Gibraltar, verrouiller les approches occidentales de la Méditerranée et occuper le Maroc, avec sa précieuse façade atlantique. Voilà pourquoi Hitler va rencontrer le général Franco à Hendaye le 23 octobre et le maréchal Pétain à Montoire le lendemain. Mais il s'avère que le Caudillo pose des conditions exorbitantes pour rejoindre la croisade du Führer contre l'Angleterre, tandis que le maréchal Pétain est aussi réticent à entrer en guerre contre les Britanniques qu'à disputer l'Afrique équatoriale aux Français libres. Les deux entretiens se soldent donc par un échec, rendu plus cuisant encore par un message de Mussolini informant Hitler qu'il s'apprête à attaquer la Grèce... Décidément, tout semble se liguer pour contrer le projet de croisade contre les Britanniques en Méditerranée, et lors de son voyage de retour, le Führer en tire des conclusions prévisibles : « Hitler, notera l'aide de camp von Below, a eu plusieurs entretiens avec Keitel et Jodl. Il est maintenant plus convaincu que jamais que la Russie serait à même d'attaquer l'Allemagne en 1942, et que la guerre contre la Russie devra être déclenchée en 1941, entre mai et septembre, quand tout sera encore calme à l'Ouest. En 1942, il devra avoir à nouveau les mains libres pour combattre la Grande-Bretagne [8]. »

Ainsi, rien n'a vraiment changé depuis ce mois de juillet 1940 où Hitler déclarait : « Si la Russie est battue, c'est le dernier espoir de l'Angleterre qui disparaît. » Voilà donc le plan de Raeder remisé aux oubliettes. Mais avant de prendre une décision définitive, Hitler attend la visite à Berlin du ministre des Affaires étrangères soviétique Viatcheslav Molotov, à qui il compte proposer une alliance de fait contre la Grande-Bretagne : l'Allemagne contrôlerait l'Europe depuis la mer du Nord jusqu'à la Méditerranée orientale, tandis que l'URSS étendrait sa domination à l'Irak, à la Perse et à l'Inde, aux dépens de l'Empire britannique. Mais lors de son séjour à Berlin entre le 12 et le 14 novembre, Molotov indique clairement qu'il s'intéresse davantage à la Baltique et à la mer Egée qu'au golfe Persique et à l'océan Indien ; il fait même comprendre à ses interlocuteurs allemands que l'Union soviétique souhaite avoir les mains libres en Finlande, en Roumanie, en Bulgarie et en Turquie — autant de pays qu'Adolf Hitler considère comme des chasses gardées...

Dès lors, le Führer confie ses conclusions au major Engels, qui note ses propos le 15 novembre : « De toute façon, il n'attendait rien de cette visite. Les pourparlers ont montré dans quelle direction s'orientent les plans de la Russie. Molotov a dévoilé ses intentions. Lui (le Führer) est vraiment soulagé. Cela ne restera même pas un mariage de convenance. Laisser les Russes pénétrer en Europe, ce serait condamner l'Europe centrale. Les Balkans et la Finlande sont eux aussi dangereusement exposés. [...]. Il s'agit de faire établir d'extrême urgence des postes de commandement au sud, au centre et au nord. Le Führer veut un quartier général permanent en Prusse orientale [9]. » Tout cela est suffisamment éloquent ; du reste, la livraison d'armes à la Finlande, l'accession de la Roumanie au pacte tripartite à la fin de novembre et l'augmentation rapide du nombre de divisions sur les frontières du Reich laissent déjà deviner les intentions du Führer ; conforté par des rapports sur les grandes purges au sein de l'appareil militaire soviétique, par les observations faites lors de l'occupation russe de la Pologne orientale * et par les piètres performances de l'Armée rouge durant la guerre de Finlande, il considère manifestement l'URSS comme un colosse aux pieds d'argile.

---

* Les officiers allemands avaient remarqué à cette occasion la mauvaise tenue et l'équipement vétuste des soldats de l'Armée rouge, ce qu'ils avaient consigné dans leurs rapports.

Goering, lui, en est moins sûr, et il semble déjà avoir fait part de ses doutes au Führer, ainsi qu'il l'expliquera plus tard : « En août 1940, pendant trois longues heures, j'ai essayé de dissuader le Führer d'attaquer la Russie – en vain, malheureusement [10]. » Cela s'est-il réellement produit au mois d'août ? Goering a-t-il vraiment argumenté pendant trois heures ? Rien ne permet de le confirmer, mais il est exact qu'à l'automne de 1940, le *Reichsmarschall* voit cette campagne d'un mauvais œil – ce qui explique qu'il se soit enthousiasmé pour le grand plan de conquête méditerranéen que l'on sait... Bien entendu, Goering n'est pas opposé à l'invasion de l'URSS pour des raisons morales ou même politiques, mais uniquement parce qu'il la juge prématurée : après tout, la Wehrmacht n'a pas achevé son réarmement, et elle a subi depuis un an des pertes très sensibles ; et puis, l'Allemagne dépend encore de l'URSS pour ses livraisons de pétrole et de céréales. Enfin, les Etats-Unis ne manqueront sans doute pas d'entrer dans le conflit [11]. Pourquoi dès lors se précipiter dans une guerre sur deux fronts ? Car enfin, le Reich est loin d'avoir vaincu l'Angleterre à ce stade, et Hermann Goering le sait mieux que tout autre...

En octobre, 783 attaques aériennes ont été lancées contre la Grande-Bretagne, dont 333 sur la capitale, qui a reçu à elle seule la moitié des 8300 tonnes de bombes larguées ce mois-là. Tout cela a provoqué des dégâts difficilement mesurables, sans répercussions apparentes sur le moral des Britanniques ou sur leur capacité de résistance. Les bombardements de jour, trop coûteux, se sont limités à des attaques surprises par petites unités, provoquant des destructions limitées, tandis que les bombardements de nuit, effectués à haute altitude pour éviter la DCA et les ballons de barrage, ont manifestement manqué de précision [12]. Par ailleurs, les bombardiers de nuit ont été très souvent détournés de leurs objectifs, sans que les commandants d'escadre en aient compris la raison * – et sans qu'ils aient jugé bon d'en informer le *Reichsmarschall*, de peur d'être traités

---

* En fait, les Anglais avaient reconstitué le fonctionnement du système de faisceaux directionnels radioélectriques (*Knickebein*) qui guidait les avions allemands vers leurs objectifs la nuit, et ils avaient réussi à faire dévier ces faisceaux pour détourner les bombardiers vers des endroits inhabités.

d'incapables... Quant à l'innovation des chasseurs-bombardiers, elle s'est révélée aussi dangereuse qu'inutile, les pilotes ayant bien souvent largué leurs bombes n'importe où pour s'en délester au plus vite. Mais le plus préoccupant, ce sont encore les pertes subies par la Luftwaffe durant cette période : 147 tués, 108 blessés et 386 disparus, soit au total 641 aviateurs hors de combat et 578 avions détruits ou fortement endommagés en moins de deux mois [13]. Ce sont là des pertes très excessives au regard des résultats obtenus — et des capacités de remplacement *.

C'est là en effet que le bât blesse; car la production aéronautique stagne dans une Allemagne qui ne construit à ce stade que 625 avions par mois, dont 230 chasseurs. Ceux qui en rendent Goering responsable sont renvoyés au secrétaire d'Etat Milch, qui peut faire valoir que ce domaine lui échappe entièrement. De fait, le vrai coupable n'est autre qu'Ernst Udet, le flamboyant directeur des armements aériens, qui est à la fois jaloux de ses attributions et absolument hors d'état de les exercer. Ce virtuose de la compétition et de l'acrobatie aériennes reste en effet indolent, noceur, fantaisiste, cynique, désorganisé, fataliste, paranoïaque, alcoolique, opiomane et singulièrement inapte au travail de bureau **; son service au ministère de l'Air comprend vingt-six départements différents et emploie plus de 4 000 bureaucrates, qui se mêlent de tout, ne produisent rien et ne sont responsables devant personne [14]. Udet règne donc sans partage sur un empire ubuesque qui produit des statistiques truquées et des avions fabriqués en série avant même d'avoir achevé leurs périodes d'essais. « Tout se transforme en poussière entre les mains d'Udet », constate avec quelque raison un Erhard Milch désabusé [15]. Mais qu'en pense leur chef suprême, le *Reichsmarschall* et ministre de l'Air Hermann Goering ? Peu de chose, en vérité : lorsqu'il s'entretient avec Ernst Udet, les deux hommes ne parlent que... du bon vieux temps de la Grande Guerre [16]! Après quoi Goering communique à Hitler des rapports flatteurs sur les succès de

---

* La Luftwaffe a perdu en tout 1 733 appareils depuis le début de la bataille d'Angleterre (contre 915 avions britanniques abattus).

** Le juge von Hammerstein expliquera sobrement dix ans après la guerre : « Le *Generalluftzeugmeister* Udet n'avait aucune connaissance scientifique, il manquait aussi de sérieux et de sens des responsabilités. »

l'industrie aéronautique, le nombre, la qualité et les performances des avions devant sortir prochainement des usines, et
l'efficacité sur le terrain des appareils déjà en service [17].

Pourtant, il serait injuste de faire porter à Udet et à Goering
l'entière responsabilité des aléas de la construction aéronautique
allemande en cette fin de 1940 ; car le Führer, tout à son grand
dessein de liquidation du bolchevisme, a décidé de retirer la
priorité à la production d'avions, pour la donner à celle des
panzers et autres véhicules blindés qui mèneront l'offensive
contre l'Armée rouge au printemps de 1941. Dès lors, compte
tenu de la pénurie chronique de matières premières – et
notamment de cuivre, de zinc, de molybdène et de chrome –, il
va falloir utiliser au mieux les ressources existantes pour augmenter la production d'avions, et faire un choix judicieux
parmi les prototypes les plus prometteurs proposés par Heinkel, Messerschmitt, Junkers, Arado, Focke-Wulf, Dornier et
quelques autres. Mais Udet a d'autres préoccupations, Milch est
tenu à l'écart, les constructeurs sont peu encadrés... et Hitler
commence à se méfier des capacités d'organisateur de son maréchal du Reich.

A vrai dire, cette méfiance est due beaucoup moins aux
insuffisances de la production aéronautique allemande qu'à
l'intensité croissante des raids aériens britanniques. C'est que
les choses se sont beaucoup aggravées depuis les bombardements symboliques et inefficaces de Berlin à la fin du mois
d'août ; depuis le 20 septembre, les Blenheim et les Wellington
de la RAF multiplient les attaques contre les objectifs militaires autour des ports de la Manche, tandis que leurs raids sur
Berlin, Brême, Cologne et Essen se font de moins en moins
espacés et de plus en plus précis. Dès le début d'octobre 1940,
il devient évident que l'Allemagne va connaître pendant longtemps encore les désagréments qu'elle prétendait infliger à ses
adversaires ; il va lui falloir mettre au point un système de
DCA plus efficace, renforcer la chasse de nuit du général
Kammhuber, évacuer les enfants des grands centres urbains et
construire de nombreux abris publics à grand renfort de béton,
d'acier et de main-d'œuvre – 200 000 ouvriers et 4 000
camions pour la seule ville de Berlin [18] !

Comme toujours lorsqu'il s'agit de prendre en urgence des
mesures concrètes, Goering fait appel à Milch, qui est rétabli à

la tête de la Défense civile *. Ses responsabilités vont être démesurément élargies, puisqu'elles s'étendent à la DCA, aux dispositifs d'alerte, au camouflage, aux leurres et même à la chasse de nuit. Mais si amples soient-elles, les délégations de pouvoir ne mettent pas Goering à l'abri des critiques, car chacun se souvient de ses vantardises passées au sujet de l'inviolabilité du ciel allemand : « Je veux bien m'appeler Meyer si un seul avion allié survole le territoire du Reich ! » Et de fait, beaucoup d'Allemands commencent à l'appeler Meyer...

Malheureusement, le Führer est du nombre, et son sens de l'humour étant notoirement limité, on peut y voir une critique oblique mais acide de son fidèle paladin. L'impression se confirme lorsque le major Engel note dans son journal le 4 novembre : « Réunion déplaisante au QG du Führer, avec Goering, Halder et Keitel. Pour la première fois, sur la base d'informations de presse anglaises et autres, le Führer émet des doutes sur les succès et les communiqués de victoire de la Luftwaffe [19]. » En réalité, il en nourrit depuis longtemps déjà, mais c'est effectivement la première fois qu'il les exprime devant ses commandants en chef, et Goering comprend parfaitement l'allusion – ce qui explique probablement qu'il perde son calme à cette occasion et s'en prenne violemment à von Brauchitsch, accusé d'avoir « temporisé lors de l'affaire de Dunkerque [20] ». Goering est évidemment très mal placé pour évoquer Dunkerque, mais comme il ne peut s'en prendre à Hitler, il lui faut bien passer ses nerfs sur quelqu'un... De toute façon, il est assez réaliste pour comprendre que les contre-performances des trois derniers mois ont fait baisser vertigineusement sa cote à la chancellerie du Reich, et que ses conseils de prudence – ou du moins de patience – dans les relations avec l'URSS n'ont aucune chance d'être entendus. Pourtant, il semble bien avoir essayé de toutes ses forces, ainsi qu'en témoignera le général Bodenschatz : « Vous auriez dû voir avec quelle violence Goering s'est opposé à la campagne contre la Russie avant qu'elle ne se déclenche. Il a failli démissionner. Mais ces gens ne pouvaient tout jeter par-dessus bord tant ils étaient devenus dépendants. Lui, il avait Carinhall, c'était son cancer. Hess, lui,

---

* Cette responsabilité lui avait été retirée peu avant le début de la guerre.

n'avait rien – pas de château, mais un simple appartement. Il pouvait se dépouiller de ses biens [21]. »

C'est un fait : on est souvent possédé par ses possessions, et le *Reichsmarschall*, en tant que prince héritier et premier parvenu du Reich, ne peut qu'attendre servilement son heure en jouissant de ses nombreuses acquisitions. Mais devant sa perte de prestige et d'influence, il va réagir de façon caractéristique, en intensifiant le tir de barrage de la propagande, en se déchargeant sur Milch de la responsabilité des attaques aériennes contre la Grande-Bretagne... et en prenant deux mois de vacances! C'est en effet le 14 novembre 1940 que le maréchal Milch, convoqué à Carinhall, se voit remettre solennellement le commandement de la Luftwaffe par un *Reichsmarschall* très pressé de partir pour son pavillon de chasse de Rominten...

En réalité, Erhard Milch se préparait depuis des semaines à cette prise de commandement, et il avait fait affecter au théâtre de la Manche le Kampfgruppe 100, une escadre de bombardiers équipée du X *Gerät,* un nouveau faisceau radiodirectionnel plus difficile à contrer que le *Knickebein* déjà passablement éventé *. Le premier objectif attaqué à l'aide du nouvel équipement sera Coventry; dans la nuit du 14 au 15 novembre, 450 bombardiers venus de plusieurs directions à la fois déversent 600 tonnes de bombes explosives et 4 000 tonnes de bombes incendiaires sur la ville, provoquant des dégâts considérables et faisant près d'un millier de victimes. Entre le 19 et le 22 novembre, ce sera le tour de Birmingham, puis celui de Bristol, de Liverpool, de Southampton et enfin de Londres, une nouvelle fois dévasté le 30 novembre par 361 bombardiers [22]. Les nouvelles techniques d'attaque semblent plus efficaces et les pertes dans les rangs de la Luftwaffe diminuent sensiblement, sans que le moral des aviateurs allemands s'en trouve notablement amélioré; c'est qu'ils comprennent mal le sens de leurs missions et n'en voient pas les résultats : même avec un temps de retard, les Britanniques paraissent s'adapter à toutes les stratégies imaginées par l'assaillant, leur capacité de production ne semble guère entamée, et le renfort de l'industrie américaine augmente manifestement leur capacité de résistance sur mer comme dans les airs.

---

* Voir *supra*, p. 394, note *.

Pour l'heure, le *Reichsmarschall* est assez éloigné de toutes ces considérations ; dans son confortable pavillon de chasse au milieu de la lande de Rominten *, il coule des jours paisibles avec son épouse Emmy, sa fille Edda, ses deux sœurs Olga et Paula, ainsi que ses vieux acolytes Koerner, Udet, Loerzer et Richthofen. Au programme des réjouissances : jeux avec Edda, chasse à l'ours avec Olga, promenades à ski avec Paula, inspection des chevaux de race, banquets fastueux, parties de bridge, séances de cinéma, réception des ambassadeurs étrangers et conférences occasionnelles avec Jeschonnek et Bodenschatz pour évoquer les progrès de la guerre aérienne. En fait, l'intérêt épisodique de Goering pour les opérations en cours contre la Grande-Bretagne est toujours redouté au QG de la Luftwaffe à La Boissière ; il lui arrive en effet d'ordonner au dernier moment le détournement des raids vers des objectifs différents **, et même de faire transmettre les ordres par son infirmière, Christa Gormans [23] *** !

De fait, le personnel médical semble avoir joué un grand rôle durant ce séjour ; si le *Reichsmarschall* a autour de lui jusqu'à neuf médecins différents, c'est qu'il est sujet à des crises cardiaques auxquelles les excès de table, le surmenage, les cures d'amaigrissement et l'excès de bains de vapeur ne sont sans doute pas étrangers. Le 21 novembre, il écrit au comte Eric von Rosen : « Je m'octroie plusieurs semaines de convalescence, car j'étais vraiment au bout du rouleau. Je me repose ici à Rominten avec Emmy et Edda dans mon pavillon de chasse, éloigné de tout ce qui se passe et reprenant des forces pour l'année à venir [24]. » Le mot n'est pas trop fort : pendant ce temps, Milch s'occupe de la guerre aérienne, Udet organise tant bien que mal la production d'avions, Pilli Koerner gère plutôt mal que bien les innombrables ramifications du plan quadriennal, et Bodenschatz représente au mieux les intérêts de la Luftwaffe auprès d'un Führer de plus en plus distant...

---

* Et tout près de l'ancien château forestier de Guillaume II.

** Il a aussi de meilleures inspirations, comme celle d'accorder aux aviateurs des Luftflotten II et III un séjour de ski gratuit entre janvier et février 1941 – ce qui fera remonter à la fois leur moral et sa popularité.

*** Le médecin Ramon Ondorza faisant aussi fonction d'aide de camp militaire à l'occasion, en alternance avec les officiers Teske et Bernd von Brauchitsch...

C'est précisément ce qui inquiète le vaniteux *Reichsmarschall* : Hitler semble satisfait de le savoir en Prusse orientale et s'abstient de le consulter. Mais la chose s'explique aisément : le Führer, tout à ses plans d'attaque contre l'URSS, préfère à ce stade éviter les contradicteurs... Le 5 décembre, il déclare à Halder et à Brauchitsch : « Une fois l'armée russe battue en brèche, le désastre final est inévitable. » Le but de la campagne, précise-t-il, est d'« écraser les effectifs russes ». Il s'agit de frapper en priorité sur les flancs nord et sud, Moscou n'étant « pas très important », et la campagne devra être déclenchée « à la fin du mois de mai 1941 »[25]. Huit jours plus tard, Hitler ajoute qu'il faudra engager dans l'affaire « 130 à 140 divisions », et le 17 décembre, il explique au général Jodl : « Nous devrons régler tous les problèmes de l'Europe continentale en 1941, car les USA seront en mesure d'intervenir à partir de 1942[26]. » Ni Halder, ni Brauchitsch, ni Jodl ne protestent : depuis les campagnes de Pologne et de France, ils ont renoncé à douter des inspirations du Führer... Le 18 décembre, enfin, Hitler émet la Directive n° 21, qui commence ainsi : « La Wehrmacht allemande doit être prête, même avant la fin de la guerre contre l'Angleterre, à écraser la Russie soviétique au cours d'une campagne éclair[27]. » Il s'agit en premier lieu d'anéantir les armées soviétiques proches des frontières occidentales, en leur coupant toute possibilité de retraite vers les « immensités du territoire soviétique ». Les premiers plans de l'OKH soumis au Führer (« *Otto* » et « *Fritz* ») prévoyaient que le poids essentiel de l'attaque porterait sur Moscou, mais Hitler les modifie à présent pour en renforcer le flanc nord : l'offensive sur Moscou ne devra se poursuivre qu'après la capture de Leningrad et de Kronstadt *. Il est également prévu de s'assurer la coopération des Finlandais au nord de Leningrad et celle des Roumains à l'ouest d'Odessa. Nom de code : « Barbarossa ». Le sort en est jeté...

---

* « La possibilité de détourner vers le nord des unités mobiles puissantes doit être réservée pour anéantir, en coopération avec le groupe d'armées Nord opérant en direction générale de Leningrad, les forces ennemies combattant dans les zones littorales de la Baltique. C'est seulement après l'accomplissement de la mission la plus importante, qui doit se terminer par l'occupation de Kronstadt et de Leningrad, que les opérations offensives seront poursuivies contre le nœud de communications et le centre industriel de Moscou. »

Le 22 janvier 1941, Goering rentre à Carinhall, puis repart pour l'Obersalzberg, où Hitler s'est retiré pour méditer sur sa stratégie future. Après une journée entière de discussions, l'Homme de fer pense avoir persuadé son maître de renoncer à tout projet d'attaque à l'Est, ainsi qu'il le confie au commandant de sa division de parachutistes, le général Kurt Student : « Dieu merci, nous n'aurons pas de guerre avec la Russie ! » Mais il s'est réjoui trop tôt ; deux jours plus tard, Hitler lui dit au téléphone : « Goering, j'ai changé d'avis ; nous attaquerons à l'Est [28]... »

Comme toujours, le *Reichsmarschall* s'incline, et il rentre à Berlin pour exécuter au mieux un plan qu'il désapprouve. Mais une fois encore, Hermann Goering se trouve pris en tenaille entre les aspirations contradictoires du Führer, les incohérences de la politique économique du Reich, l'incompétence de beaucoup de ses subordonnés et son propre activisme désordonné. Qu'on en juge : d'une part, Hitler a beau être obsédé par la future campagne contre la Russie, il n'en exige pas moins que l'on achemine un corps aérien complet vers l'Italie méridionale, pour aider Mussolini à se tirer du mauvais pas dans lequel il s'est mis en attaquant la Grèce * ; il demande en outre que l'on prépare des plans détaillés d'offensive contre les Grecs pour le printemps de 1941 (opération « Marita »), avec naturellement le soutien massif de la Luftwaffe ; il veut également envoyer une division blindée commandée par le général Rommel pour renforcer les Italiens en Libye, avec bien entendu un fort soutien aérien ; il faut aussi expédier de nombreuses batteries de DCA en Roumanie, car les Britanniques ayant occupé la Crète après l'attaque italienne de la Grèce, ils se trouvent désormais à bonne portée des puits de pétrole roumains ** ; de plus, bien qu'ayant admis dès la fin du mois d'octobre qu'il était impossible de conquérir Gibraltar dès lors que Franco refusait d'accorder aux troupes allemandes la liberté de passage à travers l'Espagne, le Führer fait poursuivre pendant tout le mois de janvier 1941 l'étude d'un plan d'assaut du rocher, sous

---

* Loin de se laisser impressionner, les Grecs ont repoussé les troupes italiennes jusqu'en Albanie, en leur infligeant de lourdes pertes.

** Un corps expéditionnaire britannique de 50 000 hommes est également venu renforcer l'armée grecque en mars 1941.

le nom de code de « Felix » *. Et puis, il s'agit de poursuivre l'offensive aérienne contre la Grande-Bretagne, bien qu'elle soit toujours aussi coûteuse en matériel et en vies humaines, pour des résultats toujours aussi décevants. Enfin, il est nécessaire d'assurer la défense antiaérienne des centres industriels du Reich, de plus en plus souvent attaqués par les bombardiers de la RAF...

On se souvient que Goering est également le maître du plan quadriennal ; or, celui-ci reste prisonnier de contradictions absurdes auxquelles le *Reichsmarschall* est bien incapable de remédier. C'est ainsi que l'on produit toujours à grands frais de l'essence synthétique et du minerai de fer à basse teneur, alors que l'approvisionnement en pétrole roumain comme en minerai russe à haute teneur se poursuit sans interruption, et que l'on s'apprête à mettre la main sur les champs pétrolifères du Caucase et les mines de fer de l'Ukraine ; on s'obstine également à fabriquer un caoutchouc artificiel impropre à la fabrication des pneus de véhicules **, alors que le caoutchouc naturel parvient toujours en grandes quantités d'Asie du Sud-Est ; on reste sous le coup de l'instruction du Führer d'abandonner tous les projets de nouvelles armes ne pouvant aboutir avant la fin de 1941, alors qu'il est grand temps de prévoir ce qui sera disponible en 1942 – et bien au-delà... Enfin, du fait de la nonchalance du général Udet, la cadence de production aéronautique n'augmente pratiquement pas, le bombardier Ju 88 reste plus dangereux pour ses pilotes que pour l'ennemi, le chasseur Me109 F, équipé d'un moteur plus puissant, ne sort toujours pas des usines, et la version améliorée du Me 110 a été subrepticement remplacée par un tout nouveau modèle, le Me 210, que le professeur Messerschmitt fait produire en série avant la fin des essais, et qui ne pourra même pas équiper les escadrilles de la Luftwaffe avant 1942 ! Comme si tout cela ne suffisait pas, Goering est engagé dans une féroce lutte d'influence contre l'amiral Raeder pour conserver le contrôle de l'aéronavale, et contre l'OKH pour sauvegarder sa part de matières

---

* En décembre 1940, Franco a pourtant fait connaître son refus définitif à l'amiral Canaris, chef de l'Abwehr.

** En l'état du moins ; il faut le mélanger à une forte proportion de caoutchouc naturel.

premières industrielles *! Et bien entendu, le pays ne peut vivre uniquement d'avions, de navires et de chars; le plan quadriennal doit aussi s'occuper de la construction de logements, de la production de biens de consommation, de l'amélioration du réseau routier et ferroviaire, du développement de l'agriculture, bref, de la survie des populations civiles. Or, Goering n'a pas le temps de s'en occuper, Koerner n'en a pas les compétences, et leurs subordonnés n'en ont pas les moyens...

C'est au milieu de cet invraisemblable désordre que le *Reichsmarschall* prépare la future campagne contre l'Union soviétique. En tant que commandant en chef de la Luftwaffe, il n'a rien d'autre à faire que d'approuver le plan d'offensive élaboré par l'OKH, et consistant pour l'essentiel à détruire au sol l'aviation soviétique, avant de soutenir la ruée des chars vers l'intérieur du pays; mais en tant que maître du plan quadriennal, il lui faut aussi préparer l'exploitation économique des futurs territoires conquis. Bien sûr, c'est encore vendre la peau de l'URSS avant de l'avoir tuée, mais puisqu'il n'y a pas plus fanatique qu'un converti de fraîche date, Goering balaye systématiquement les doutes de ceux qui évoquent les faiblesses de la machine de guerre allemande ou soulignent l'absurdité de se créer sans cesse de nouveaux ennemis. C'est ainsi que le *Reichsmarschall* répond le 8 février 1941 au général Thomas, qui lui fait part de l'insuffisance manifeste des approvisionnements pour mener une nouvelle campagne : « Les décisions politiques du Führer ne sont pas influencées par des considérations économiques [29]. » C'est également ce qu'il déclare à Paul Koerner, qui lui présente à la même époque un mémorandum des services du plan quadriennal exposant tous les inconvénients économiques qu'entraînerait un conflit avec l'URSS **. Le 26 mars 1941 enfin, le maréchal Milch fait remarquer à son chef que les Etats-Unis entreront tôt ou tard dans le conflit, obligeant ainsi l'Allemagne à mener une guerre sur trois fronts. Mais Goering reprend les arguments d'Hitler : les Américains n'interviendront pas avant 1942, ce qui donne au Reich une année entière pour

---

* On se souvient qu'à l'automne de 1940, le Führer a retiré sa priorité à la Luftwaffe au bénéfice de l'armée de terre, dont le rôle sera décisif lors de l'opération « Barbarossa ».
** Notamment l'interruption des livraisons de matières grasses et de caoutchouc d'Extrême-Orient.

éliminer la menace soviétique. Milch ayant exprimé des doutes sur le fait qu'une seule année puisse suffire à vaincre l'URSS, Goering le rassure : « Si nous frappons assez fort, la Russie s'écroulera comme un château de cartes, car le système communiste est méprisé par les masses. » Il ajoute que le Führer étant un chef unique et providentiel, « le reste d'entre nous, humbles mortels, ne peut que le suivre avec une foi totale dans ses capacités. Ainsi, nous ne risquons pas de nous égarer ».

Milch a beau être un fervent admirateur d'Hitler, c'est aussi un homme froidement rationnel qui mesure les risques au plus juste, et il conjure Goering d'intervenir : « *Herr Reichsmarschall*, c'est pour vous une occasion historique. Vous devez empêcher cette attaque contre la Russie – vous êtes le seul à pouvoir convaincre le Führer d'accepter votre point de vue. Si vous parvenez à empêcher cette guerre à l'Est, vous aurez rendu à la patrie le plus grand service de votre vie. » Mais Goering le détrompe aussitôt : « Le Führer a pris sa décision, et personne au monde ne le fera changer d'avis [30]. » Milch ayant proposé de s'y essayer, Goering se fâche pour de bon et menace de le faire passer en cour martiale : « Je ne tolérerai pas qu'un haut responsable de la Luftwaffe soit accusé de défaitisme [31]. » La cause est entendue...

Mais le *Reichsmarschall* a encore bien d'autres missions ; ainsi, pour détourner l'attention et faire croire à une reprise imminente de l'offensive contre les îles Britanniques, Hitler l'envoie à la mi-mars en tournée d'inspection sur les côtes de la Manche. N'écoutant que son devoir, ce serviteur zélé se rend à Paris et à Amsterdam, ce qui lui permet de charger à bord de son train spécial de nouvelles caisses remplies de tableaux de maîtres. A son retour en Allemagne, il est également mobilisé sur le front diplomatique ; c'est que le ministre des Affaires étrangères japonais Matsuoka est en visite à Berlin depuis le 27 mars, et Goering l'invite à Carinhall pour lui répéter subtilement ce que Hitler et Ribbentrop ont essayé de lui faire comprendre plus lourdement : dans le cadre de la lutte sans merci de l'Axe contre la Grande-Bretagne, le Japon ne saurait mieux faire que d'attaquer Singapour, ce qui permettrait en outre de maintenir les Etats-Unis en dehors de la guerre. Matsuoka sera fort impressionné par Carinhall, ses meubles précieux, ses tableaux, ses Gobelins, ses sculptures, ses trains électriques et son magnifique environnement, mais nettement moins par Goering et ses démonstrations géopolitiques. Lors du banquet dans la grande salle de réception, le ministre japonais murmure à l'interprète Paul Schmidt, en désignant son hôte : « Savez-vous qu'à l'étranger, on dit de lui qu'il est fou ? Oh, mais si, c'est vrai, il y a en circulation des documents portant son nom, qui proviennent d'asiles d'aliénés [32]. » Ce n'est pas faux, et c'est peut-être pourquoi Matsuoka ne sera pas plus persuadé par les arguments de Goering que par ceux d'Hitler et de Ribbentrop *...

C'est le 27 mars 1941, le jour même de l'arrivée à Berlin du ministre japonais des Affaires étrangères, que le Führer a été informé d'un événement susceptible de bouleverser tous ses plans : le régent Paul de Yougoslavie, qui venait d'accepter l'adhésion de son pays au pacte tripartite, a été renversé à Belgrade par le général Simovitch. Hitler, qui considère ce coup d'Etat comme un affront personnel, n'attend même pas de savoir ce que sera la politique du jeune roi Pierre, successeur du régent ; il ordonne sur-le-champ que l'on retarde la mise en œuvre du plan « Marita », pour le faire précéder d'une invasion de la Yougoslavie à partir de l'Autriche et de la Bulgarie. Dans l'esprit du Führer, il s'agira de « démanteler l'Etat » et de « détruire l'armée yougoslave » ; la Luftwaffe devra jouer un rôle déterminant dans l'opération en bombardant Belgrade, avant de fournir un appui tactique aux divisions blindées [33]. Un plan de campagne est produit par l'OKH dans le temps record d'une semaine, les bombardiers des 2ᵉ et 51ᵉ Kampfgeschwader, ainsi que les chasseurs de la 54ᵉ Jagdgeschwader et les bombardiers en piqué de la 77ᵉ Stuka quittent d'urgence leurs bases normandes pour venir renforcer la Luftflotte IV sur les aéroports autrichiens, et l'attaque contre la Yougoslavie et la Grèce est déclenchée à l'aube du 6 avril 1941.

Une fois encore, des armées peu aguerries ploient sous le redoutable impact des panzers et des Stuka, tandis que le bombardement de Belgrade par 300 He 111 et Ju 88 fait plus de 10 000 morts. Et comme en Pologne, en Norvège, en Belgique et en France, la Luftwaffe va jouer un rôle déterminant dans le

---

* Ces derniers ont également expliqué à demi-mot au ministre japonais des Affaires étrangères qu'une guerre germano-soviétique était inévitable, ce qui n'a pas non plus produit l'effet désiré : Matsuoka s'est ensuite rendu à Moscou pour signer un traité de non-agression avec Staline...

succès de l'offensive, sous le commandement très symbolique de Hermann Goering. Le *Reichsmarschall* installe son QG dans un charmant hôtel de tourisme du col de Semmering, au sud de Wiener Neustadt, tandis que la direction effective des opérations aériennes est exercée par le général autrichien Alexander Löhr, commandant la Luftflotte IV. Les 17 et 21 avril, après seulement deux semaines de campagne, les armées yougoslaves et grecques capitulent, tandis que le corps expéditionnaire britannique évacue précipitamment la Grèce. Dès la fin du mois d'avril, le Reich domine l'ensemble des Balkans.

Cette impressionnante série de victoires est complétée au-delà de la Méditerranée par l'avance fulgurante de l'Afrika Korps du général Rommel, qui bouscule les troupes britanniques, traverse toute la Cyrénaïque et occupe le 12 avril la bourgade de Bardia, à quelques kilomètres seulement de la frontière égyptienne. C'est le moment que choisit le Premier ministre irakien Rachid Ali pour mener une révolte contre les faibles contingents britanniques stationnés dans le pays, et faire appel à l'aide allemande au début du mois de mai. Ainsi, sur les deux rives de la Méditerranée, rien ne semble pouvoir s'opposer à l'avance victorieuse de la Wehrmacht.

Pourtant, derrière ces brillantes apparences, les déconvenues s'accumulent : en mars 1941, c'est l'annonce du vote par le Congrès américain de la loi prêt-bail, qui donne à la Grande-Bretagne un accès pratiquement illimité aux ressources américaines, tout en rapprochant nettement les Etats-Unis de l'entrée en guerre. Hitler ne s'y trompe pas, qui déclare le 24 mars : « Si l'on voulait, on pourrait déjà y voir un *casus belli*. [...] De toute façon, une guerre avec les Etats-Unis est inévitable. [...] Il est seulement regrettable qu'il n'existe pas encore d'avions qui puissent bombarder les villes américaines. En tout cas, cette loi prêt-bail me cause de nouveaux problèmes [34]. »

Sans doute, mais il y en a bien d'autres, comme ce bombardement de Berlin dans la nuit du 9 au 10 avril, qui endommage fortement l'université, la bibliothèque d'Etat, le palais du Kronprinz... et le Staatsoper, l'Opéra de Prusse si cher à Goering. Il y a en outre quelques dégâts collatéraux, comme le notera vonBelow : « Hitler était hors de lui, et il s'en est pris violemment à Goering. Je l'ai entendu lui reprocher ces Ju 88 inutiles que l'on imposait aux escadrilles. Elles préféreraient récupérer les He 111. Goering ne l'a pas contesté, mais il a expliqué à Hitler que le directeur responsable chez Junkers, Koppenberg, venait de lui faire savoir que les défauts avaient été corrigés sur les nouveaux appareils et que les modèles sortant des chaînes de production en 1942 auraient des moteurs plus puissants. Goering avait généralement le don d'apaiser Hitler [35]. »

C'est un fait, et l'un des moyens qu'il utilise à cet effet est de promettre des représailles exemplaires contre les villes britanniques. Elles s'exerceront effectivement avec férocité au cours des semaines suivantes, en causant des dégâts considérables à la City de Londres et en détruisant partiellement le Parlement de Westminster. Mais les chasseurs de nuit de la RAF sont devenus beaucoup plus performants, les systèmes de brouillage, de leurres et de décryptage britanniques ont atteint un haut niveau de perfection, et le coût de ces bombardements sans utilité stratégique est devenu prohibitif pour la Luftwaffe. Le premier à s'en désoler n'est autre que le maréchal Milch, qui sait déjà que ses précieux appareils vont être transférés en Pologne dans le cadre de l'opération « Barbarossa ». Cette attaque de l'URSS, Milch persiste à la considérer comme suicidaire, mais il a renoncé à en persuader Goering – qui a d'ailleurs pris de nouvelles vacances dès le 6 mai 1941, en lui abandonnant à nouveau la direction de la Luftwaffe...

Dans l'après-midi du 11 mai, pourtant, le *Reichsmarschall* est brusquement rappelé de sa villégiature au château de Veldenstein par un nouveau désastre : au soir du 10 mai, le ministre du parti Rudolf Hess, troisième homme du Reich, s'est secrètement envolé pour l'Ecosse à bord d'un Me 110, et il a laissé une lettre expliquant au Führer son intention de négocier une paix séparée avec certaines personnalités britanniques. Hess ayant emprunté pour son périple solitaire un appareil de la Luftwaffe, la fureur d'Hitler s'abat en priorité sur son chef de l'aviation [36], qui tente de le calmer au soir du 11 mai en l'assurant que le fugitif n'a pas pu atteindre les côtes du Royaume-Uni : le Me 110 est un appareil complexe à manœuvrer, et le carburant a dû lui manquer. Mais Hitler n'est guère convaincu : Hess est un pilote émérite, et son appareil a l'autonomie nécessaire pour parvenir à destination *... De fait, Londres annonce dès le 13 mai que Rudolf Hess a été fait prisonnier, et Hitler est livide : c'est une énorme perte de prestige pour son gouvernement **, et personne ne sait ce que le *Parteiminister* Hess a pu dire aux autorités britanniques au sujet de l'opération « Barbarossa », qui n'est éloignée que de six semaines. Mais pour le *Reichsmarschall*, cette fuite aura une conséquence plus catastrophique encore, car c'est Martin Bormann qui est appelé à succéder à Rudolf Hess ; et Bormann est un ennemi implacable de Hermann Goering...

Pour l'heure, en tout cas, le numéro deux du régime estime que son heure de gloire est arrivée, car la 7e division de parachutistes, commandée par le général Student, s'apprête à reprendre l'île de Crète aux Britanniques. « Hitler, dira plus tard Kurt Student, voulait clore la campagne dans les Balkans lorsqu'il aurait atteint le sud de la Grèce. En apprenant cela, j'ai pris un avion pour aller voir Goering et lui proposer de prendre la Crète au moyen de troupes aéroportées. Goering, toujours facile à enflammer, a été prompt à voir les possibilités du projet et m'a envoyé à Hitler [...]. Quand je lui ai expliqué mon idée, Hitler a dit : " Ce projet est attrayant, mais je doute

---

* Dans ses Mémoires, *Die Ersten und die Letzten*, p. 124, le commandant d'escadre Adolf Galland raconte qu'il a reçu dans la soirée du 10 mai un appel téléphonique urgent du *Reichsmarschall* : « Il était visiblement dans un grand état d'excitation, et il m'a donné l'ordre de faire décoller toute mon escadre. Cela m'a paru insensé, car d'une part, le crépuscule était déjà tombé, et d'autre part, il n'y avait pas la moindre annonce d'incursions ennemies. Je l'ai fait remarquer à Goering." Des incursions ? a-t-il répété ; qui parle d'incursions ? C'est une excursion qu'il s'agit d'empêcher ! Le représentant du Führer est devenu fou et vole vers l'Angleterre à bord d'un Me 110. Il faut à tout prix l'en empêcher. " [...] En posant l'écouteur, je ne savais plus si c'était le représentant du Führer, le *Reichsmarschall* ou moi-même qui était fou. En tout cas, l'ordre que je venais de recevoir l'était certainement. [...] J'ai ordonné à mes chefs d'escadrille de faire décoller un ou deux avions chacun, sans leur dire pourquoi. Ils ont dû me prendre pour un fou. » En ce cas, ils auraient eu raison, car cet appel téléphonique du maréchal Goering est manifestement inventé de toutes pièces ! En effet, le Führer n'a été informé de la fuite de Hess que le 11 mai vers midi, et Goering neuf heures plus tard, soit vingt-quatre heures *après* la conversation rapportée ci-dessus, et *vingt-sept heures* après le décollage de Hess du champ d'aviation d'Augsbourg... Dès lors, les ordres prétendument donnés par Goering n'auraient plus eu le moindre sens.

** La propagande de Goebbels n'arrangera pas les choses en annonçant que le numéro trois du Reich a perdu la raison...

qu'il soit réalisable. " Finalement, j'ai réussi à le convaincre. Participaient à l'opération : notre seule division de parachutistes, notre unique régiment de planeurs et la 5ᵉ division de montagne, transportée pour la première fois par avion. [...] Les bombardiers en piqué et les chasseurs du 8ᵉ corps d'aviation de Richthofen devaient apporter leur appui [37]. »

C'est finalement le 20 mai 1941 qu'est déclenchée l'opération « *Merkur* ». Mais Goering, dans son enthousiasme, a négligé de s'informer des effectifs ennemis présents en Crète, et il les a sous-estimés des deux tiers ; d'autre part, les Britanniques ont décrypté les messages de la Luftwaffe et organisé un comité de réception en conséquence ; enfin, Student ayant insisté pour que ses parachutistes soient largués en premier sur les aéroports, ils y subissent de très lourdes pertes, avant d'être renforcés par des atterrissages continus de planeurs à Maleme, Suda et Heraklion. Pendant dix jours, les 22 000 défenseurs de l'île, commandés par le général néo-zélandais Freyberg, résistent avec acharnement, tandis que la Royal Navy coule la plupart des renforts et du matériel lourd que la Wehrmacht tente d'acheminer par mer. Le 31 mai, enfin, les 15 000 soldats britanniques et néo-zélandais survivants sont contraints d'évacuer l'île, et les parachutistes allemands restent maîtres du terrain ; mais ils ont perdu 4 500 hommes – plus du tiers de leurs effectifs –, ainsi que 271 avions Ju 52 détruits ou irréparables, soit la moitié de la flotte de transport opérationnelle du Reich [38]. Pour Goering, c'est une victoire bien amère : « Le Führer, se souviendra Student, a été très troublé par les lourdes pertes des unités de parachutistes, et en a déduit qu'elles ne produisaient plus le même effet de surprise. Par la suite, il m'a dit souvent : " L'ère des parachutistes est révolue " [39]. » De fait, ils ne seront plus jamais engagés dans des opérations aéro-terrestres...

Un malheur venant rarement seul, Goering connaît à la même époque une nouvelle déconvenue, en Irak cette fois. Les choses avaient pourtant bien commencé ; on se souvient qu'à Bagdad, Rachid Ali avait pris la tête d'une révolte contre les Britanniques, qui s'étaient trouvés cernés dans la base d'aviation de Habbaniya, à l'ouest de Bagdad. Les Allemands, appelés à l'aide, avaient obtenu de Vichy le droit d'utiliser les

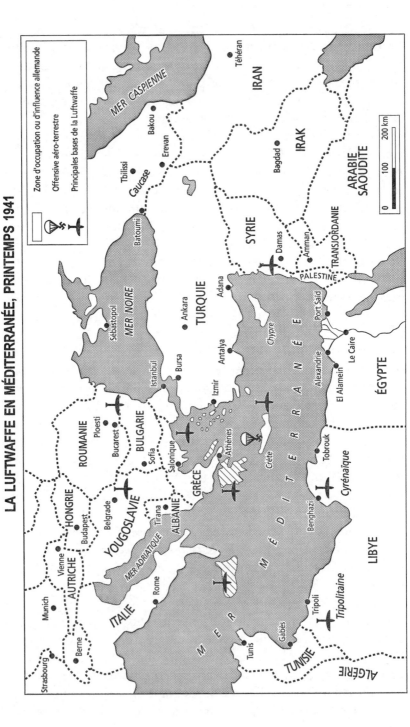

LA LUFTWAFFE EN MÉDITERRANÉE, PRINTEMPS 1941

Zone d'occupation ou d'influence allemande

Offensive aéro-terrestre

Principales bases de la Luftwaffe

aéroports syriens, et la Luftwaffe s'est mise en devoir d'acheminer des renforts aux insurgés. Mais à partir de là, rien ne se passe
comme prévu : les 2 200 militaires britanniques cernés à Habbaniya, loin de se rendre, contre-attaquent et mettent les Irakiens
en déroute, puis les poursuivent jusqu'à Bagdad ; les premiers
avions allemands et italiens qui se posent à Mossoul le 13 mai
sont immédiatement pris sous le feu des avions de la RAF venus
de Bassora et de Palestine ; l'officier allemand chargé de coordonner l'action des escadrilles de l'Axe avec les forces irakiennes
– un fils du général von Blomberg – atterrit à Bagdad avec une
balle dans la tête *, son successeur, le général d'aviation Felmy,
ne peut rien faire faute de renforts, et le 30 mai, alors que les
Britanniques sont aux portes de Bagdad, Rachid Ali s'enfuit
avec ses conseillers allemands et italiens [40]. La rébellion ira-
kienne s'écroule, les positions de Vichy en Syrie sont directement menacées, et le Reich perd une occasion unique de chasser
les Anglais de la région. Il est vrai que l'essentiel des forces
aériennes allemandes dans le secteur méditerranéen est mobilisé
au même moment par les opérations de Crète, que le reste est
engagé en Cyrénaïque, et surtout que le Führer se désintéresse
très largement du Moyen-Orient : « On ne peut pas être partout
à la fois, dit-il à son aide de camp Gerhard Engel ; l'Orient en
soi ne serait pas un problème, s'il n'y avait cet autre plan, qui est
irrévocable [41]. »

L'autre plan, c'est bien sûr « Barbarossa », qui occupe désormais les pensées du Führer au détriment de tout le reste **.
Depuis le 1er mai, il a fixé la date de son déclenchement au
22 juin, pour tenir compte des délais nécessaires au retour des
blindés descendus jusqu'au sud de la Grèce [42]. Le plan d'attaque,
lui, est définitivement arrêté depuis la mi-mars : au cours des
premières soixante-douze heures, la Luftwaffe détruira au sol
l'aviation soviétique, les divisions de l'Armée rouge stationnées
derrière la frontière seront cernées et anéanties, après quoi trois
armées passeront à l'offensive, la première au Nord en direction
de Leningrad, la deuxième au Sud vers Rostov, tandis que la

---

* L'avion du major Axel von Blomberg semble avoir été pris par erreur sous le feu
des Irakiens.
** C'est ainsi que le major Engel est surpris de constater à quel point Hitler
semble peu affecté par la perte du navire de ligne *Bismarck*, coulé le 27 mai par la
Royal Navy à 400 milles à l'ouest de Brest.

troisième marchera sur Moscou en passant par Minsk et Smolensk. Hitler considère toujours que seuls les deux premiers
objectifs sont essentiels, celui du Nord pour son importance
politique, celui du Sud pour son blé et son pétrole. La capitale,
elle, peut attendre : « *Moskau ist völlig gleichgültig* *! » a-t-il
même décrété le 17 mars[43]. Le but final sera d'occuper
l'ensemble du territoire jusqu'à une ligne Astrakhan-Arkhan-
gelsk, ce qui permettra de mettre le Reich hors d'atteinte de
l'aviation ennemie, tout en restant à portée de bombardier des
zones industrielles de l'Oural[44].

Comme toujours, le Führer a tendance à sous-estimer l'adversaire : les forces soviétiques, explique-t-il à ses chefs militaires,
sont supérieures en nombre à celles de la Wehrmacht – 155
divisions contre 121 –, mais elles restent très inférieures en qualité ; de même, les chars et l'aviation russes ne soutiennent pas la
comparaison avec les panzers et la Luftwaffe **... La campagne
ne devrait donc pas durer plus de trois à quatre mois[45]. Le Führer en est tellement certain qu'il a évoqué pour l'*automne de 1941*
la possibilité d' « une offensive en Afrique du Nord sur une
grande échelle », ainsi que celle d'un « mouvement à travers la
Turquie et la Syrie »[46] ***. En fait, il est tellement sûr de son
fait qu'il a éconduit le commandant en chef de l'armée von
Brauchitsch, qui voulait que l'on prépare des vêtements chauds
pour les forces armées engagées en Russie. A quoi bon ? Il est
évident que la campagne sera terminée bien avant l'hiver...

A première vue, rien n'indique que Goering ait été d'un autre
avis ; devant la plupart de ses subordonnés, il déborde d'assurance et reprend assez exactement les propos du Führer au sujet
de la faiblesse des armées soviétiques. Le 2 mai, au QG parisien
de la Luftwaffe, il évoque la prochaine campagne aérienne contre
l'Angleterre, mais à l'issue de la conférence, il prend Mölders et

---

* « Moscou n'a pas la moindre importance ! »

** Les renseignements dont dispose le Führer sont très approximatifs : le nombre
de divisions soviétiques à l'époque est de 303, dont 258 sont à distance opérationnelle de la Russie occidentale, tandis que l'Armée rouge dispose de trois fois plus
de chars que la Wehrmacht, et que les avions soviétiques sont quatre fois plus nombreux que ceux de la Luftwaffe. Il est vrai toutefois que ce sont pour l'essentiel des
modèles périmés, les nouveaux types d'avions et de chars n'étant encore sortis qu'en
petit nombre des usines russes.

*** A cet égard, Hitler n'a pas varié : après la destruction du bolchevisme et
l'acquisition des ressources de l'URSS, son but final reste la défaite de l'Angleterre.

Galland en aparté et leur dit : « Rien de tout cela n'est vrai ! » ; après quoi il les met dans le secret, avant d'ajouter avec enthousiasme : « A l'Est, la Luftwaffe va encore pouvoir se couvrir de gloire. L'aviation rouge est certes forte en nombre, mais son personnel et son équipement sont absolument inférieurs. Il suffit d'abattre le chef d'escadrille, pour que les autres analphabètes ne puissent même pas trouver le chemin du retour. On peut les descendre comme des pigeons dans un tir forain. [...] En deux mois, trois mois au plus, le colosse russe sera terrassé [47]. »

Ce sont là des assertions purement gratuites, et il n'est pas certain que Goering y ait cru lui-même ; c'est qu'il continue à avoir une attitude passablement schizophrène, ainsi qu'en témoignera le général Josef Kammhuber, commandant des chasseurs de nuit aux Pays-Bas. Convoqué au château de Veldenstein quelques jours après la conférence de Paris, Kammhuber constate avec surprise que le *Reichsmarschall* a beaucoup changé depuis lors : « Son visage était très rouge, il avait des cernes profonds sous les yeux et il semblait être à la limite de l'épuisement. » Goering a aussi du mal à respirer, mais s'étant ressaisi à la fin du dîner, il introduit Kammhuber dans son bureau, au mur duquel est accrochée une immense carte de l'Europe. « L'ayant contemplée un moment d'un air sombre, se souviendra le visiteur, il a fini par me dire : " Kammhuber, je vous ai convoqué ici pour vous dire très confidentiellement que ma conférence à Paris était du bluff, du bluff pur et simple. La campagne contre l'Angleterre n'est plus importante ; c'est ceci qui l'est. " D'un geste brusque de sa main grassouillette, il a désigné l'est de l'Europe. " Le Führer a décidé que le moment était venu d'attaquer la Russie. Des dispositions ont été prises en ce sens, et les forces nécessaires vont être transférées en prévision de l'offensive. C'est ici que vous intervenez. Je veux que vous commenciez immédiatement à retirer de Hollande assez de chasseurs de nuit pour répondre à nos besoins sur le front russe, et pour protéger l'est de l'Allemagne de toutes représailles aériennes de la part des Rouges. Combien d'escadres pouvez-vous me fournir ? " » Kammhuber, stupéfait, répond machinalement : « Mais, *Herr Reichsmarschall,* les chasseurs de nuit en Hollande sont en nombre insuffisant pour assurer leurs missions. Les attaques de la RAF se multiplient, et nous manquons d'appareils pour y faire face ; il nous en faut davantage. Nous ne pouvons absolument pas en affecter au front russe. » Sur quoi Goering se retourne et lui dit d'un ton courroucé : « Ecoute, Kammhuber : cette guerre contre la Russie, je n'en veux pas. Je suis le seul à être contre. Pour moi, c'est ce que nous pourrions faire de pire. C'est une erreur économique, c'est une erreur politique et c'est une erreur militaire *. Mais Ribbentrop la veut, Goebbels la veut, et ils ont convaincu le Führer qu'il la voulait aussi **. Je me suis tué à les persuader d'y renoncer, mais ils n'ont rien voulu entendre. Maintenant, je me lave les mains de toute cette affaire – de toute cette guerre ! Faites ce que vous pouvez. Faites transférer la moitié de vos chasseurs de nuit. Tout ça ne me concerne plus ! Je monte me coucher [48] ! » Et Goering disparaît, laissant planté là un Kammhuber médusé.

Il est vrai que le *Reichsmarschall* a reçu dès cette époque des renseignements plutôt déprimants : ainsi, le colonel Aschenbrenner, attaché de l'Air à Moscou, a exprimé une haute opinion de la valeur des aviateurs soviétiques ; et puis, il y a ce rapport d'une mission technique de la Luftwaffe revenue d'URSS, où elle a visité des aéroports, des centres d'essais et des usines d'aviation ***. Le colonel Dietrich Schwenke, chef de mission, a même expliqué au chef d'état-major Jeschonnek que « l'usine de moteurs d'avions de Kouïbychev est plus grande que l'ensemble des six usines les plus importantes du Reich », et qu'« Hitler s'en tirerait encore plus mal que Napoléon, son appareil militaire hautement compliqué n'étant pas adapté aux conditions russes » [49]. C'est le bon sens même, mais Jeschonnek, connaissant les préjugés de ses maîtres contre les mauvaises nouvelles, a refusé de transmettre le rapport, et a

---

* « *Es ist wirtschaftlich falsch, politisch falsch, militärisch falsch.* »

** C'est parfaitement inexact : Goebbels n'est guère favorable à une invasion de l'URSS, Ribbentrop l'est moins encore, et Hitler n'écoute personne en matière de haute stratégie. Mais le *Reichsmarschall* a beau avoir le meilleur service de renseignement d'Allemagne, il est très mal informé sur ce qui se dit à la chancellerie.

*** A l'issue de ces visites, les experts allemands ont été reçus par le constructeur de Mig Artem Mikoyan (frère d'Anastase), qui leur a dit en guise d'avertissement : « Nous vous avons montré tout ce que nous avons et tout ce que nous pouvons faire. Nous sommes en état de détruire n'importe quel agresseur. » (Franz Kurowski, *Balkenkreuz und Roter Stern,* Dörfler, Eggolsheim, 2006, p. 46.)

même fait en sorte que Schwenke ne soit pas reçu par Goering ! Pourtant, celui-ci reçoit le 6 mai un autre rapport détaillé du colonel Wodag, des services de renseignement de la Luftwaffe ; sur la base des écoutes et des décryptages de transmissions, ses experts évaluent à 14 000 le nombre des avions soviétiques opérationnels. Goering, toujours travaillé par ses démons contradictoires, fait venir le colonel, le tance vertement, déchire son rapport en deux et hurle : « Prenez ça, *Herr Oberst.* L'aviation soviétique vient d'être divisée par deux : le chiffre est maintenant de 7 000 avions [50] ! »

Qu'on se le dise ! Depuis quelque temps déjà, Goering a pris l'habitude de repousser les renseignements dérangeants *, et il retourne à ses occupations du moment ; celles-ci incluent la préparation d'une impitoyable exploitation économique de l'URSS dans le cadre du plan quadriennal ** [51], qui l'entraîne déjà dans une féroce lutte d'influence contre le *Reichsleiter* Rosenberg, nommé par le Führer « commissaire pour les régions de l'Est occupées » ; il poursuit également sa campagne de désinformation à l'Ouest, destinée à faire croire à une offensive aérienne imminente contre la Grande-Bretagne ; il s'entretient tour à tour avec des généraux, des diplomates, des orfèvres, des cardiologues, des pilotes d'essai, des gardes-chasses, des courtiers en œuvres d'art, des tailleurs, des visiteurs suédois et quelques vieux acolytes des temps héroïques ; il se préoccupe de gonfler toujours davantage les effectifs de sa Luftwaffe, qui compte déjà 1,7 million d'hommes *** – dont une écrasante majorité de rampants, de bureaucrates et de parasites ; il reçoit les rapports du maréchal Milch et du chef d'état-major Jeschonnek, qui ont préparé dans les moindres détails

---

* ... A l'imitation d'Adolf Hitler, naturellement.

** Ainsi, un mémorandum du 2 mai constate froidement : « La guerre ne peut être poursuivie que si nos forces armées sont nourries par la Russie au cours de la troisième année de guerre. Il ne fait guère de doute que cela entraînera la mort par famine de millions de Russes. » Et le 23 mai : « Toute tentative de sauver ces populations de la famine en faisant venir des surplus de la zone des terres noires ukrainienne s'effectuerait aux dépens de l'approvisionnement de l'Europe et affaiblirait l'effort de guerre allemand, tout en sapant la capacité allemande et européenne de résister au blocus. Cela doit être bien clairement compris. » Ces notes sont signées de Goering, mais il est très improbable qu'il ait pris la peine de les écrire lui-même ; par contre, il est *possible* qu'il ait trouvé le temps de les lire avant de les signer...

*** Soit 20 % des Allemands sous les armes !

l'offensive éclair destinée à éliminer d'emblée l'aviation soviétique massée aux frontières ; il supervise d'assez loin les derniers
mouvements vers l'est des Luftflotten IV (général Löhr, affectée
au groupe d'armées Sud), II (maréchal Kesselring, groupe
d'armées Centre) et I (général Keller, groupe d'armées Nord *).
Enfin, il est au premier rang le 14 juin, lorsque le Führer réunit ses chefs militaires à la chancellerie pour une dernière
conférence avant le déclenchement des hostilités ; après s'être
fait expliquer longuement par les divers commandants d'armées
la façon dont ils comptent accomplir leurs missions, Hitler
souligne l'importance du rôle de l'aviation : « La Luftwaffe
remportera des succès rapides, facilitant ainsi la tâche des
groupes d'armées. Le plus gros des combats aura pris fin au
bout de six semaines [52]. »

Voilà donc pour Goering un rôle essentiel à jouer au sein
d'une entreprise vouée inévitablement à un succès rapide : c'est
le Führer qui l'a dit, et le Führer n'est-il pas infaillible ? Certes,
mais le chef d'état-major adjoint von Waldau note ce jour-là le
« faible intérêt » du *Reichsmarschall*, et lorsque le lendemain,
Goering réunit ses commandants d'unités à Carinhall, le secrétaire d'Etat Milch le trouve « incertain quant à l'avenir [53] ».
Chose plus curieuse encore, Goering a prévenu Dahlerus de
l'imminence de « Barbarossa » [54], et il a même fini par lui en
révéler la date [55]. Même pour un homme dont la discrétion n'a
jamais été la vertu principale, c'est là faire preuve d'une
incroyable légèreté — et trahir un désarroi certain... Enfin, il y a
ce témoignage d'Emmy Goering sur ce qu'elle a entendu
l'avant-veille de l'attaque : « Au printemps de 1941, Hitler
installa son quartier général à l'Obersalzberg pendant un certain temps, ce qui permit à Hermann de vivre avec nous.
Lorsque je lui demandai ce qui le préoccupait tant depuis des
jours, il me répondit que le Führer ne l'avait pas reçu depuis
deux semaines, ce qui lui paraissait inexplicable.

« Le lendemain, Hitler le convoqua. A son retour, Hermann
ne put rien avaler au déjeuner et finit par me demander de sortir avec lui. [...] C'est seulement quand nous fûmes entièrement

---

* Il y a aussi la Luftflotte V, stationnée en Norvège, qui sera chargée d'opérer
depuis Tromsø et Kirkenes contre Mourmansk et la péninsule de Kola — avec une
soixantaine d'appareils...

seuls dans la forêt qu'il m'annonça lentement et avec réticence :
" Le Führer déclarera la guerre aux Russes après-demain ! " Je
l'ai regardé, décontenancée : " Est-ce pour cela qu'il ne t'a pas
reçu pendant quinze jours ? — Tu n'es pas une femme politique,
répondit-il en me caressant les cheveux, mais ton instinct est
très sûr. Oui, c'est pour cela ! Et quand j'ai employé tous les
arguments qui me venaient à l'esprit pour essayer de l'en dissuader, il m'a répliqué : ' Goering, je savais que vous tenteriez
de me retenir, et c'est pourquoi je ne voulais pas vous voir pendant tout ce temps. Je voulais être pleinement en accord avec
moi-même et prendre ma décision tout seul. C'était déjà assez
dur. Et maintenant, personne ne me fera changer d'avis. ' Là-
dessus, je n'ai pu que lui dire brièvement : ' Alors, prenez-en
seul la responsabilité ! ' Et Hitler m'a répondu : ' Oui, c'est ce
que je ferai, Goering. C'est ma guerre, à moi seul ! ' " [56]. »

Hélas ! Rien ne concorde dans cette intéressante conversation : Goering ne peut avoir dit le 20 juin 1941 que le Führer
ne l'avait pas reçu depuis deux semaines, puisque les deux
hommes se sont vus longuement le 14 juin ; et puis, l'avant-
veille du déclenchement de « Barbarossa », Hitler n'est pas sur
l'Obersalzberg, mais à Berlin ; enfin, on voit très mal Hermann
Goering, affecté du fatalisme que l'on sait, tenter encore de
dissuader Hitler quarante-huit heures avant le début de
l'attaque... A l'évidence, les faits se sont quelque peu télescopés
dans le souvenir d'Emmy Goering, qui rédige tout de même
ses Mémoires vingt-six ans après l'événement *. Ce qu'elle
décrit là s'est très probablement produit vers le 24 janvier
1941, alors que les plans définitifs n'étaient pas encore arrêtés,
que Goering et Hitler se trouvaient ensemble sur l'Obersalzberg, et que le premier avait encore quelque espoir de détourner le second de sa dangereuse entreprise. Mais par-delà cette
confusion chronologique, il est hautement vraisemblable que,
tout comme au soir du 31 août 1939, Hermann Goering ait
confié ses appréhensions à son épouse à la veille d'un nouveau
bond dans l'inconnu : après tout, les soldats du Reich sont déjà
disséminés du cap Nord aux Pyrénées et du Pas-de-Calais à la
mer Egée, la victoire leur échappe encore dans la Manche
comme dans les déserts de Cyrénaïque, leur patrie est attaquée

---

* Emmy Goering, *An der Seite meines Mannes*, K.W. Schütz, Göttingen, 1967.

presque chaque nuit par les bombardiers britanniques, leur machine de guerre s'est usée dans six campagnes en moins de vingt-deux mois, leurs ressources sont terriblement limitées et leurs lignes d'approvisionnement étirées à l'extrême... Et voilà que le Führer ouvre un second front *, ce qu'il s'était précisément promis de ne jamais faire lorsqu'il écrivait *Mein Kampf*! Comment ne pas être gagné par le doute en considérant tout cela ?

A l'aube du 22 juin, trois groupes d'armées s'ébranlent depuis la Baltique jusqu'aux Carpates ** : 148 divisions, 3 350 tanks, 7 184 pièces d'artillerie, 600 000 camions et autant de chevaux [57]. L'aviation, forte de 2 465 appareils, dont les chasseurs Me 109F et les tout nouveaux Focke-Wulf 190 ***, attaque soixante-six aérodromes de première ligne et prend l'ennemi entièrement par surprise : 1 800 avions soviétiques sont détruits dès le premier jour, 800 le lendemain, 557 le surlendemain, 351 le 25 juin et 300 le 26 juin [58]. S'étant assuré d'emblée la maîtrise du ciel, la Luftwaffe peut désormais se consacrer à sa seconde tâche : le soutien aux colonnes blindées qui déferlent vers l'est, après avoir étrillé les divisions de l'Armée rouge concentrées entre le Niemen et le Pripet. En trois semaines, 176 divisions allemandes et alliées s'enfoncent profondément à l'intérieur du territoire soviétique, en effectuant de vastes mouvements en tenaille qui permettent de faire des centaines de milliers de prisonniers ; au nord, le groupe d'armées de von Leeb traverse la Lituanie, la Lettonie et l'Estonie pour atteindre la Louga, à moins de 100 kilomètres de Leningrad ; au centre, les blindés de von Bock nettoient la poche de Minsk et parcourent 800 kilomètres pour prendre Smolensk, à moins de 400 kilomètres de Moscou ; au sud, les armées de von Manstein sont aux portes de Kiev dès le 11 juillet, après avoir balayé les armées soviétiques du maréchal Boudienny en Ukraine occidentale ****. Comme en Pologne, en France et

---

* Et même un troisième, si l'on considère que des hostilités sont en cours au-dessus de la Manche comme en Méditerranée.

** Près de 3,2 millions d'hommes, sur les 3,8 millions que compte l'armée. Il faut y ajouter 600 000 hommes des forces alliées et cobelligérantes, roumaines, finlandaises, hongroises et slovaques, soit 42 divisions supplémentaires.

*** 590 km/h, armés de deux canons de 20 mm. Mais les moteurs présentent des problèmes de rodage, et les canons tirent trop lentement. Le modèle sorti à l'automne de 1941 (Fw 190 A-3) sera doté d'un nouveau moteur plus performant et de *quatre* canons de 20 mm, en plus de deux mitrailleuses.

**** Voir carte, p. 420.

dans les Balkans, la Luftwaffe mitraille les colonnes de véhicules, bombarde les postes de commandement, dévaste les nœuds de communications et écrase les concentrations de troupes, contraignant les armées soviétiques à la reddition ou à la dispersion. « Enfin une vraie guerre ! » s'exclame le jeune et fougueux chef d'état-major Jeschonnek [59].

Ses supérieurs sont déjà moins enthousiastes : c'est le cas de Milch, par exemple, qui a servi sur le front de l'Est pendant la Grande Guerre et sait de quoi sont capables les Russes lorsqu'ils défendent leur patrie ; c'est aussi celui de Goering, qui persiste à penser que l'on aurait pu faire l'économie de cette campagne : alors que le front s'étend rapidement vers le nord, l'est et le sud, il n'a pour le couvrir que cent appareils de plus qu'au début de la bataille d'Angleterre ! Comme le Führer a établi son QG de campagne à proximité de Rastenburg, en Prusse orientale, le *Reichsmarschall* a installé le sien à quelque 60 kilomètres de là, près de Rostken, tandis que *Robinson*, le train de son chef d'état-major, est stationné à Goldap, où s'effectue le travail sérieux. Mais le train particulier du *Reichsmarschall*, lui, peut l'amener au *Wolfschantze* * en moins d'une demi-heure, dans d'excellentes conditions de confort : « Lorsque les chefs de l'armée venaient en visite au *Wolfschantze*, se souviendra le colonel Warlimont, ils arrivaient dans un petit convoi gris hors d'âge, [...] mais Goering, lui, s'annonçait dans le ronflement d'un train diesel tirant trois ou quatre des wagons les plus modernes, peints de couleurs vives et éclatants de lumières, avec des domestiques en livrée blanche et tout le confort moderne, l'ensemble occupant cent mètres ou plus de la ligne de chemin de fer à voie unique [60]. »

En fait, les visites de Goering au QG d'Hitler sont plutôt rares, car il ne s'intéresse que de loin aux opérations en cours ; durant les premières semaines de « Barbarossa », le *Reichsmarschall* s'occupe surtout de sa santé : le climat humide de la Prusse orientale ne lui convenant manifestement pas, il souffre de migraines, de maux d'estomac et de palpitations, qui vont mobiliser son cardiologue pendant la plus grande partie de l'été ; mais il y a aussi la chasse du côté de Rominten, la natation, le cheval, le tennis, les interminables promenades à pied,

---

* Le « Repaire du loup », nom donné par Hitler à son quartier général.

OPÉRATION « BARBAROSSA », JUIN-NOVEMBRE 1941

les retours à Carinhall et les escapades en avion pour faire ses emplettes à Paris ou rejoindre Emmy en Bavière. Par contre, le chef suprême de la Luftwaffe ne se rend pas une seule fois sur le front russe, et lorsque le général Stumpff, commandant de la Luftflotte V, se présente à Carinhall, il note avec stupéfaction que le *Reichsmarschall* écourte la séance de travail pour lui faire visiter sa propriété [61]. Encore ne sait-il pas que son chef suprême a pris l'habitude d'ajourner indéfiniment les décisions urgentes, de négliger les rapports qui lui parviennent et de signer de nombreux documents sans les avoir lus [62]...

Lorsque malgré tout, Hermann Goering prend le chemin de Rastenburg, c'est rarement pour y parler de haute stratégie : il s'inquiète surtout de sa position dans la hiérarchie nazie, qui pourrait se trouver menacée par l'influence croissante de Bormann ou d'Himmler. Le 29 juin, Goering obtient ainsi que Hitler signe un décret confirmant qu'en cas de décès du Führer, il lui succédera dans toutes ses fonctions *. Pour le reste, on s'entretient surtout au *Wolfschantze* de l'exploitation de l'Ukraine, de la Biélorussie et même du Caucase, dont Hitler considère la conquête comme imminente. En tant que maître des Forêts du Reich, Goering s'assure que la région de Bialystok, avec ses riches réserves de chasse, sera rattachée à la Prusse orientale ; en tant que commissaire au plan quadriennal, il s'engage à mobiliser les matières premières, les usines et la main-d'œuvre des territoires occupés au profit de l'économie de guerre du Reich. Pourtant, en raison du goût prononcé d'Hitler pour les chevauchements de pouvoirs, Goering va se trouver en concurrence avec Rosenberg, nommé le 16 juillet « ministre des Territoires de l'Est occupés », ainsi qu'avec le *Reichsführer* Himmler, chargé des « opérations de police » à l'Est contre les Juifs et les commissaires politiques – qui se traduisent déjà par des liquidations de masse dans les zones occupées par la Wehrmacht.

La barbarie n'en est pourtant qu'à ses prémices ; lors de son bref passage à Berlin le 31 juillet, Goering signe l'ordre de mission suivant, qui lui est présenté par l'*Obergruppenführer* SS Rein-

---

* Il y a en fait deux décrets signés le même jour, dont l'un fait de Goering le remplaçant du Führer au cas où celui-ci se trouverait temporairement empêché d'exercer ses fonctions, et le second nomme le *Reichsmarschall* successeur d'Hitler au cas où ce dernier viendrait à mourir. Les deux décrets sont dûment enregistrés par le docteur Lammers, chef de la chancellerie du Reich.

hard Heydrich : « En complément de la mission qui vous a été confiée par décret du 24 janvier 1939, visant à résoudre le mieux possible en fonction des circonstances du moment le problème juif par l'émigration ou l'évacuation, je vous charge par la présente de procéder à tous les préparatifs organisationnels, techniques et matériels nécessaires à une solution globale de la question juive dans la zone d'influence allemande en Europe. [...] Je vous charge en outre de me soumettre dès que possible un plan général exposant les mesures préparatoires organisationnelles, techniques et matérielles nécessaires à la mise en œuvre de la solution finale souhaitée de la question juive [63]. » L'ordre de mission émane-t-il à l'origine de la chancellerie du Reich ou du bureau de Heinrich Himmler ? Goering sait-il à quel usage est destiné ce sinistre document ? Le signe-t-il en tant que responsable de l'Office central pour l'émigration des Juifs *, ou en tant que commissaire au plan quadriennal, intéressé à la disposition économique des biens juifs ? L'euphémisme de « solution finale » a-t-il déjà le sens terrifiant qu'il prendra quelques mois plus tard ? Tout cela est-il au fond indifférent à un *Reichsmarschall* qui a bien d'autres préoccupations ? Ou bien s'interdit-il spontanément de faire obstacle au fanatisme raciste d'Hitler ? Quoi qu'il en soit, cette signature donnée à la légère va s'avérer funeste à plus d'un titre **...

Pourtant, s'il est au moins une chose dont le *Reichsmarschall* ne peut se désintéresser entièrement, c'est bien le déroulement de la guerre : Bodenschatz, son représentant permanent au QG du Führer, Milch, son secrétaire d'Etat à l'Aviation, et surtout Jeschonnek, son chef d'état-major, lui rappellent quotidiennement qu'une guerre aérienne est toujours en cours au-dessus de la Manche et de la Méditerranée, que les raids de la RAF sur les villes allemandes s'intensifient, que les besoins de l'armée en matière de soutien aérien se multiplient à mesure que le front russe s'élargit, et que la production aéronautique est hors d'état de compenser les pertes subies sur tous ces théâtres. Ainsi, même en l'absence d'opposition sérieuse de la part de la

---

* Voir *supra,* p. 266.
** Sur la genèse de ce document, voir l'analyse détaillée d'Edouard Husson dans *Heydrich et la solution finale, op. cit.,* p. 191-198.

VVS *, l'usure de la Luftwaffe a été telle qu'il ne lui reste dès le 5 juillet que 1 887 chasseurs et bombardiers en première ligne sur l'ensemble du front de l'Est [64]. Or, force est de constater que l'industrie aéronautique allemande produit désormais moins d'appareils chaque mois qu'à l'été de 1940 ! C'est évidemment un scandale majeur, qui ne pourra échapper longtemps à l'attention du Führer...

Les causes en sont multiples et les responsables aisément identifiables : le premier est sans doute Adolf Hitler lui-même, parce qu'il a engagé les hostilités deux ans au moins avant que le plan de réarmement aérien du Reich ne soit achevé, et parce qu'il a décidé d'accorder dès l'automne de 1940 une priorité absolue à la production de panzers en vue de l'opération « Barbarossa » ; le deuxième en est certainement Hermann Goering, parce qu'il n'a pas su donner de directives claires à l'industrie aéronautique sur ce qu'elle était censée produire, dans quels buts et avec quels moyens, parce qu'il a été incapable d'instaurer une concertation permanente entre ingénieurs, constructeurs, pilotes d'essai et « utilisateurs » du front, et surtout parce qu'il a installé à des postes stratégiques des hommes dont les capacités administratives et techniques ne dépassaient guère les siennes propres ; le troisième responsable est précisément l'un de ces hommes, le *Generalluftzeugmeister* Ernst Udet, parce qu'il s'est entouré de services pléthoriques et notoirement inefficaces, tout en laissant la bride sur le cou aux constructeurs **, en décourageant les innovations techniques, en présentant un minimum absolu d'exigences aux fournisseurs [65], en ignorant l'essentiel de ce qui se fait dans ses ateliers et ses centres de recherche, en promettant

---

* *Voenno-Vosdouchnye Sily*, littéralement : « Forces armées aériennes », l'armée de l'air soviétique.

** La firme Heinkel, censée produire des bombardiers, tente de construire des avions de chasse ; Dornier en fait autant, sans plus de succès ; Messerschmitt, chargé de produire des avions de chasse, consacre énormément de temps à la conception de planeurs de transport et de bombardiers lourds comme le Me 264 ; Junkers, spécialisé dans les bombardiers moyens et les avions de transport, décroche un contrat pour construire un autre bombardier lourd, le Ju 288 ; Focke-Wulf se disperse entre les chasseurs, les intercepteurs de nuit, les quadrimoteurs de reconnaissance et les appareils d'entraînement, tout en cherchant à mettre au point un troisième bombardier lourd, le TA 400, destiné à concurrencer le Me 264 et le Ju 288 — et qui n'aboutira pas plus que les deux autres ! Une lutte aussi acharnée et aussi dispendieuse règne entre les fabricants de moteurs, qui produisent séparément des moteurs équivalents — et présentant souvent les mêmes défauts : BMW 801, DB 603 et Jumo 213...

beaucoup plus qu'il ne peut tenir, et en dissimulant le tout sous des rapports flatteurs et des statistiques truquées.

Mais lorsque, au début de l'opération « Barbarossa », le Führer exige un quadruplement de la production aéronautique, Goering est forcé de prendre des mesures énergiques ; comme toujours dans de tels cas, il fait appel à Erhard Milch et le nomme « adjoint » du général Udet dès la fin de juin 1941. Milch est un ami d'Udet, il cherche avant tout à le guider dans sa tâche, se montrant même, selon le général Ploch, « comme un père pour lui [66] ». Mais Milch étant aussi un technicien sérieux, un administrateur rigoureux et un contremaître exigeant, il est triplement consterné en constatant la gabegie qui règne dans l'industrie aéronautique : elle manque cruellement de capacités de production, de main-d'œuvre et d'outillage spécialisé ; elle est dominée par des constructeurs qui se concurrencent férocement, gaspillent allègrement de précieuses matières premières * et produisent avec des méthodes largement artisanales 42 types d'avions en 437 variantes ; enfin, elle néglige superbement la mise au point de moteurs fiables, la fabrication des pièces de rechange, la constitution de réserves et la réparation des appareils endommagés [67]. Dès le mois de juillet 1941, Milch s'installe aux commandes et entreprend d'y mettre bon ordre. Le *Generalluftzeugmeister*, progressivement dépouillé de la plupart de ses fonctions et profondément blessé dans son amour-propre, appelle Goering à l'aide. Mais celui-ci ne connaît que trop bien les compétences de Milch et les incompétences d'Udet ** ; étant comptable des résultats de la production aéronautique devant le Führer, il doit à regret soutenir son secrétaire d'Etat : la guerre, après tout, n'est pas un dîner de gala – c'est même ce que lui reproche essentiellement le sybarite Hermann Goering...

Ce n'est pas le cas du Führer ; retranché dans son réseau de bunkers sombres et humides au milieu de la forêt de Görlitz, Hitler méprise son confort et savoure son triomphe. Il est vrai que les chiffres sont enivrants : autour de Minsk à la fin de

---

* Milch découvrira ainsi que la société Messerschmitt accumule des stocks d'aluminium, avec lesquels elle construit des échelles pour les vignerons et des baraquements de marine destinés à l'implantation dans les futures colonies...

** Dans sa biographie de Goering, Leonard Mosley appellera à plusieurs reprises Ernst Udet « le géant blond » – une bien curieuse description s'agissant d'un petit homme brun et chauve qui culmine à 1,56 m.

juin, 324 000 prisonniers, 3 300 tanks et 1 800 canons détruits ou capturés; devant Smolensk à la mi-juillet, 654 000 prisonniers, 1 800 tanks détruits, 1 300 canons pris à l'ennemi; au nord de Pskov, au sud de Jitomir, à l'ouest de Kiev, on fait état de bilans comparables, et les services de renseignement estiment dès la mi-juillet que 89 des 164 divisions soviétiques ont été partiellement ou entièrement anéanties, tandis que 9 seulement des 29 divisions blindées de l'Armée rouge sont encore en état de combattre [68]. Pour Hitler, l'issue ne fait plus de doute; au colonel Adolf Galland, il déclare ainsi : « L'Armée rouge sera détruite avant l'arrivée de l'hiver [69]. » Et sa secrétaire, Christa Schröder, l'entend dire au même moment : « Dans quatre semaines, nous serons à Moscou [70]. »

Mais en vérité, ce n'est pas Moscou qui intéresse le Führer; on se souvient que ses deux priorités lors de l'élaboration du plan « Barbarossa » étaient Leningrad et Kronstadt d'une part, Kiev et Rostov d'autre part. Bien sûr, le chef de l'OKH von Brauchitsch, son chef d'état-major Halder et le commandant du groupe d'armées Centre von Bock sont partisans d'une offensive immédiate en direction de la capitale : haut lieu du pouvoir bolchevique et principal nœud ferroviaire du pays, elle ne manquera pas d'être défendue par le gros de l'armée soviétique – ou par ce qu'il en reste –, ce qui permettra de remporter une victoire décisive. Mais Hitler a d'autres idées : en prenant Leningrad et Kronstadt, la Wehrmacht fermera la Baltique à la flotte soviétique et opérera sa jonction avec les forces finlandaises venues de Carélie; en s'emparant de Kiev, elle s'ouvrira le chemin de Kharkov et des bassins miniers du Donetz, et surtout, elle avancera vers Rostov, qui donne accès aux pétroles du Caucase...

Pendant plus d'un mois, Brauchitsch, Halder et von Bock, redoutant une dispersion excessive des forces armées, vont tenter de faire revenir le Führer sur sa décision. De fait, Hitler hésite, et il confie ses pensées le 28 juillet au major Gerhard Engel, qui note : « Le Führer ne dort pas la nuit, car beaucoup de choses lui échappent encore. Il est partagé entre le politique et l'économique. D'un point de vue politique, il serait tenté de crever les deux principaux abcès : Leningrad et Moscou. Ce serait aussi le coup le plus dur porté au peuple russe et au parti communiste. Goering l'a certes assuré qu'il était en mesure de s'en charger tout seul avec la Luftwaffe, mais depuis Dunkerque, le Führer est devenu quelque peu sceptique. D'un point de vue économique, il y a des cibles bien différentes. [...] Si Moscou est un grand centre industriel, le Sud est tout de même plus important, avec son pétrole, ses céréales et tout le nécessaire pour la sauvegarde de l'espace vital. [...] En tout cas, une chose est sûre : le fait d'éparpiller des tanks dans les villes constitue un péché contre l'esprit. Il faut les engager dans les vastes espaces du Sud. Il entend déjà les cris d'orfraie de ceux à qui on les enlèvera, mais cela lui est égal [71]. »

Certes, mais il n'en donne pas moins une succession d'ordres contradictoires : le « Supplément à la Directive n° 33 » du 23 juillet, qui prévoyait des offensives de blindés au Nord et au Sud, doublées d'une simple action d'infanterie au Centre, est annulé le 30 juillet et remplacé par une « Directive n° 34 » prévoyant que « le groupe d'armées Centre fera une pause de récupération en prévision d'une nouvelle attaque », sans plus de précisions. Mais le 12 août, un « Supplément à la Directive n° 34 » prévoit bien une offensive de blindés sur Moscou, « une fois éliminées les menaces qui pèsent sur les flancs » – ce qui est remis en question trois jours plus tard par un nouvel ordre de détacher des panzers du groupe d'armées Centre pour aider le groupe d'armées Nord à repousser une faible contre-attaque soviétique [72] ! Von Brauchitsch se plaint amèrement du désordre créé par ces interventions brouillonnes, considère qu'« il faut des instructions comportant des objectifs tout à fait clairs [73] », et fait parvenir au Führer le 18 août un mémorandum du général Halder exposant la nécessité d'une offensive immédiate en direction de Moscou – le groupe d'armées Centre ne pouvant plus opérer après le mois d'octobre du fait des conditions météorologiques [74].

Hitler, affaibli par une attaque de dysenterie, tarde à répondre, mais il fait donner la vieille garde ; dès le lendemain, Goering se présente au *Wolfschantze* et récite ce qu'on attend de lui, avec tous les accents de la plus vertueuse indignation : le maréchal von Brauchitsch, tonne-t-il, a joué un double jeu perfide en édulcorant les brillantes idées stratégiques du Führer [75]. Le 21 août, enfin, Hitler lui-même réagit brutalement : « Une journée noire pour l'armée, note le major Engel ; violentes attaques personnelles du Führer contre Brauchitsch et Halder [76]. » Par une directive péremptoire commençant par : « La proposition de l'armée [...] ne correspond pas à mes intentions... », Hitler met fin à toute discussion : le groupe d'armées Centre doit rester à Smolensk ; trois de ses divisions iront vers le nord pour prêter main-forte au groupe d'armées de von Leeb qui investit Leningrad, tandis que sa 2ᵉ armée blindée fera mouvement vers le sud pour rejoindre le groupe d'armées de von Manstein, qui tente d'encercler la Vᵉ armée soviétique autour de Kiev. Après cela seulement, le groupe d'armées Centre pourra se porter vers Moscou * [77]. Von Brauchitsch considère ce plan comme « inexécutable » : « On ne peut pas tout faire à la fois, et il est utopique d'engager des forces qui ne sont pas disponibles [78]. » Mais il faut bien s'incliner : Moscou attendra.

Cette stratégie semble payante : le 25 septembre, la bataille de Kiev s'achève par une destruction complète des divisions du maréchal Boudienny, prises en tenaille entre le 1ᵉʳ corps blindé de von Kleist et la 2ᵉ armée blindée de Guderian. La Wehrmacht capture à cette occasion 665 000 hommes, 884 tanks et 3 018 pièces d'artillerie, et voit s'ouvrir tout grand devant elle le chemin de l'Ukraine orientale, de la Crimée et du Caucase. Pour les chefs de l'OKW Keitel et Jodl, c'est une confirmation éclatante du génie de leur Führer ; lui-même n'a pas le triomphe modeste, et il prédit que dès la mi-octobre, « les bolcheviks seront en pleine déroute ». Par sa Directive n° 35, il ordonne la liquidation des forces ennemies devant Moscou avant l'arrivée de l'hiver [79] : 69 divisions attaqueront les forces soviétiques devant Moscou, après quoi les panzers lanceront une offensive en tenaille destinée à se refermer quelque 120 kilomètres à l'est de la capitale. Il y a certes de nouvelles protestations à l'OKH : deux mois ont été perdus, le temps ne va pas tarder à se gâter, et mieux vaudrait sans doute établir des positions fortifiées sur la ligne du Dniepr pour passer l'hiver. Von

---

* Selon von Below, Hitler aurait même dit à von Bock lors d'une visite au groupe d'armées Centre qu'après la chute de Leningrad et de Rostov, les groupes d'armées Nord et Sud convergeraient vers Moscou et feraient leur jonction à l'est de la capitale... Le Führer ne semble pas avoir pris en compte les distances impliquées.

Rundstedt et von Brauchitsch en sont fermement partisans, mais Hitler n'a que mépris pour une stratégie aussi timorée, et il est auréolé de ses dernières victoires ; il ne reste plus qu'à s'exécuter...

C'est donc le 2 octobre qu'est déclenchée la grande offensive des 67 divisions du groupe d'armées Centre contre les 55 divisions du maréchal Timochenko massées à l'ouest de Moscou. Le temps est splendide, l'ennemi est pris par surprise, et le 7 octobre, les 3e et 4e groupes blindés allemands cernent dans la région de Viazma d'importants éléments de six armées soviétiques ; plus au sud, la 2e armée blindée de Guderian participe à l'encerclement de Briansk, qui tombe le 6 octobre. Dès lors, ce sont neuf armées soviétiques qui sont prises au piège dans les poches de Viazma et de Briansk, et lorsqu'elles se rendront à l'infanterie dix jours plus tard, on comptera 673 000 hommes, 1 242 blindés et 5 412 pièces d'artillerie capturés. Mais à cette date, les panzers auront depuis longtemps dépassé Viazma et Briansk pour foncer vers Kalinin, Borodino, Volokolamsk, Toula et Kalouga * — la dernière grande ligne de défense avant Moscou. Pendant ce temps, les éléments avancés du groupe d'armées Nord de von Leeb sont parvenus à 16 kilomètres de Leningrad, ils ont fait 20 000 prisonniers dans la poche de Louga et ont traversé le fleuve Volkhov en direction de la bourgade stratégique de Tikhvin, sur la dernière ligne de chemin de fer approvisionnant Leningrad. Au sud de l'Ukraine, enfin, la 11e armée, opérant en conjonction avec le 1er groupe blindé, fait 106 000 prisonniers et capture 212 chars entre Orekhov et Ossipenko, tandis que les panzers de von Kleist foncent en direction de Rostov. Ainsi, de l'Arctique à la mer d'Azov, rien ne semble pouvoir endiguer la ruée des forces du Reich.

Il y a pourtant quelques failles dans l'armure : la première est manifestement la dispersion des forces allemandes sur un front de 2 700 kilomètres traversant d'immenses étendues de champs, de forêts, de marécages et de toundras **, où les

---

* Voir carte, p. 420.
** Au nord de la Finlande, une armée allemande venue de Norvège et couverte par la Luftflotte V tente d'atteindre Mourmansk, afin de couper l'URSS de tout approvisionnement extérieur par la voie arctique.

voies ferrées sont rares et les routes déplorables. Comme le dira le général Blumentritt, chef d'état-major de la 4ᵉ armée de von Kluge : « Le mauvais état des routes constituait le plus grand obstacle ; ensuite venait l'insuffisance des voies ferrées, toujours défectueuses [80]... » Les destructions opérées sur le réseau par l'ennemi au cours de sa retraite n'ont évidemment rien arrangé ; mais dans ces conditions, l'approvisionnement des armées en vivres, en munitions et en carburant présente des difficultés croissantes : le seul ravitaillement du groupe d'armées Centre nécessiterait l'arrivée à Smolensk de soixante-dix convois quotidiens ; il n'en parvient que vingt-trois * ! Or, l'usure de la Wehrmacht sur l'ensemble du front est considérable : elle est en action sans discontinuer depuis quatre mois, la puissance de combat de ses divisions d'infanterie est réduite du tiers, 40 % de ses panzers sont hors d'usage et le reste ne fonctionne qu'au prix d'exploits quotidiens ; c'est que les divisions ont *trente-huit* modèles différents de véhicules blindés, sans compter les variantes de fabrication pour chaque modèle, de sorte que l'obtention des pièces détachées constitue un cauchemar permanent [81].

Tout cela est vrai, mais reste sans influence notable sur la prise de décision stratégique allemande, car la seconde faille dans l'armure se situe manifestement au plus haut niveau du commandement : « A sa manière impulsive, écrira le lieutenant-colonel von Lossberg, Hitler prenait souvent des décisions [...] qui n'étaient nullement de la compétence du commandant suprême. [...] Grâce à l'excellent travail des services de renseignement, on pouvait voir sur la carte à chaque phase de la campagne l'emplacement exact de toutes les divisions, et même les positions prises la veille au soir par les détachements avancés. Hitler aimait s'absorber dans de tels détails, émettait des avis sur des questions dont il ne pouvait vraiment pas juger depuis son bunker en Prusse orientale, et passait même par-dessus la tête de von Brauchitsch pour donner directement des ordres par téléphone ou par radio aux postes de commandement sur la ligne de front [82]. »

---

* A titre de comparaison, 100 à 120 trains quotidiens approvisionnent au même moment les trois fronts défensifs de l'Armée rouge dans le secteur de Moscou.

C'est un fait : Hitler intervient intempestivement, change souvent d'avis, ne tient aucun compte des distances, des reliefs, de la nature du terrain, de l'état des routes, des conditions d'approvisionnement, de l'épuisement des hommes et de l'usure de leur matériel ; il ne se fie qu'à ses intuitions, dédaigne les rapports des services de renseignement, méprise ses généraux, rejette leurs conseils, confond le possible et le souhaitable, veut attaquer partout à la fois, croit aveuglément à la toute-puissance de la volonté et sous-estime constamment l'adversaire ; il exige que l'on crée sans cesse de nouvelles divisions, sans se préoccuper de compléter les effectifs et les armements des divisions existantes ; son but étant moins de renverser Staline que de réduire la Russie à l'état de colonie allemande, il interdit toute coopération avec les éléments nationalistes et antistaliniens baltes, ukrainiens et biélorusses qui avaient accueilli les Allemands en libérateurs au cours des premières semaines de l'invasion. Certaines de ses décisions sont prises impulsivement, tandis que d'autres font l'objet de très longues hésitations et se trouvent souvent dépassées par la tournure des événements ; la plupart sont fondées sur des considérations complexes, fluctuantes et contradictoires, qui déroutent invariablement ses subordonnés : « Le Führer, note ainsi le major Engel, ne cesse d'osciller entre des objectifs économiques, stratégiques — et raciaux aussi, malheureusement [83]. »

Les résultats en sont souvent déplorables, comme on peut le constater sur le front Nord dès la mi-septembre : les premiers éléments de la division blindée du général Reinhard ont occupé une hauteur dominant Leningrad, d'où l'on aperçoit déjà les coupoles dorées de l'Amirauté ; la prise de la ville semble imminente, lorsque le général reçoit un ordre téléphonique du chef d'état-major de von Leeb : la division doit renoncer à l'assaut, et même évacuer sa position avancée ! Reinhard proteste, mais s'entend dire que von Leeb lui-même a vainement tenté de faire rapporter l'ordre ; c'est qu'il émane directement de Rastenburg, et la raison en est proprement effarante : le Führer ne veut plus prendre Leningrad, il préfère l'assiéger et laisser mourir de faim sa population de 3 millions d'habitants, afin de ne pas avoir de bouches inutiles à nourrir... « On ne doit laisser personne sortir pendant l'hiver, note von Lossberg ;

la famine fera son office dans la ville, que la Luftwaffe de Goering viendra écraser. Des pionniers allemands et finlandais se
chargeront ensuite de faire sauter ce qui en restera [84]. » Pour
l'heure, en tout cas, cet excès de machiavélisme se paie très
cher : une occasion aussi favorable de prendre Leningrad et
Kronstadt ne se présentera jamais plus...

Au Sud, le manque de mesure et l'excès d'ambition
paraissent tout aussi évidents. Von Rundstedt a été chargé de
gagner Voronej sur le Don, puis de suivre le Donetz jusqu'à
Rostov – après quoi il devra s'emparer avec son aile droite des
gisements pétroliers caucasiens de Maïkop, et avec son aile
gauche de Stalingrad sur la Volga. En somme, une progression
supplémentaire de 650 kilomètres au-delà du Dniepr, pour
aboutir à une dispersion des effectifs entre le nord-est et le sud-
ouest, avec un flanc nord entièrement à découvert et d'incessantes diversions vers Orel au nord et la Crimée au sud *, le
tout devant être accompli avant le début de l'hiver ! Ce mépris
des distances, des contraintes de temps et des règles élé-
mentaires de la stratégie coûtera également très cher.

Mais pour la Wehrmacht, le troisième élément de vulnérabilité est constitué par les initiatives de l'Armée rouge : contrairement aux prévisions, ses soldats se battent pied à pied,
utilisent admirablement les embûches du terrain, établissent
des réseaux de défense en profondeur truffés d'obstacles antichars, et parviennent désormais à échapper par petites unités
aux manœuvres d'encerclement de la Wehrmacht. Pour une
armée que les Allemands croient avoir écrasée, ils en voient
reparaître trois autres, formées derrière Moscou, la Volga et
l'Oural, qui menacent leurs flancs à l'ouest de Kharkov, au
nord de Smolensk et à l'est de Leningrad. Et puis, ces nouvelles
armées sont puissamment aidées par les premières attaques de
partisans sur les arrières des panzers : ce sont des éléments de
divisions disloquées lors des premiers combats, qui se sont
réfugiés dans les forêts de Bialystok ou les marais du Pripet ; ils
y sont rejoints par un nombre croissant de paysans ukrainiens
et biélorusses, chassés de leurs foyers par les exactions économiques des gauleiters et les odieux massacres des *Einsatzgruppen*
d'Himmler. En outre, les nouvelles divisions soviétiques qui

---

* Sur ordre exprès du Führer, naturellement.

paraissent en nombre à l'est du Volkhov, du Dniepr et du Don sont accompagnées d'un petit nombre de tanks d'un modèle encore inconnu des Allemands, les KV1 et les T 34, qui surclassent les panzers en rapidité et en puissance de feu. Enfin, après avoir détruit au sol des milliers d'avions soviétiques de modèles périmés, les Allemands voient paraître dans le ciel de nouveaux appareils plus modernes, comme le chasseur Yakovlev 1, sorte de Hurricane compact *, le bombardier moyen Petliakov 2 extrêmement rapide **, et le redoutable chasseur-bombardier Iliouchine 2 Sthourmovik – un Stuka soviétique blindé, armé de deux canons, de trois mitrailleuses de 20 mm et de six roquettes ***.

Ce n'est là qu'un des nombreux problèmes qui se posent à Hermann Goering et à l'état-major de l'Air en cette fin d'octobre 1941... Les autres se résument simplement : du fait de la multiplication des missions de combat, de bombardement et de ravitaillement, du mauvais état des pistes d'envol, de l'usure constante du matériel et du manque de pièces détachées, il ne reste plus en Russie que 1 075 appareils de tous types, alors que le front ne cesse de s'étendre, que la chasse ennemie se fait plus agressive, et que les principaux aérodromes, centres industriels, postes de commandement et points de rassemblement de l'Armée rouge se trouvent désormais derrière la Volga – hors de portée des bombardiers He 111, Do 17 et Ju 88, à l'autonomie notoirement limitée et aux moteurs sévèrement éprouvés. C'est déjà à grand-peine qu'ils effectuent au-dessus de Moscou des missions de bombardement qui restent assez inefficaces, en raison du petit nombre d'avions engagés et de la redoutable efficacité des défenses anti-aériennes de la capitale ****.

---

* Avec des ailes en métal et bois, le petit Yak 1 « Komar » (« Moustique ») est très léger (2,3 t) et extrêmement maniable, mais son moteur est insuffisamment puissant. (Voir annexe, p. 783 et suivantes.) Il reste néanmoins plus performant que le lent et lourd LaGG en bois laqué (surnommé « Cercueil volant ») et le Mig 3, conçu comme un intercepteur à haute altitude mais très vulnérable en dessous de 5 000 mètres.

** 540 km/h.

*** Un appareil dont Staline dira qu'il « est aussi indispensable à l'infanterie que l'air et le pain ». (Voir annexe, p. 783 et suivantes.)

**** 127 bombardiers en juillet, réduites au cours de l'automne à 50, puis 30, puis 15, pour tomber à des missions de 3 à 10 appareils en octobre. Les Soviétiques réussiront même l'exploit de camoufler le Kremlin et la place Rouge.

Cette question sera d'ailleurs à l'origine d'une des premières grandes querelles entre Goering et Hitler : à la mi-septembre 1941, lors d'une de ses rares apparitions au *Wolfschantze* de Rastenburg, le *Reichsmarschall* est accueilli à bras ouverts par Hitler, qui lui expose un projet grandiose, propre à assurer la gloire éternelle du chef de la Luftwaffe. Il s'agit de monter la plus grande attaque aérienne de l'histoire de la guerre, en rappelant toutes les forces aériennes de France, de Scandinavie et de la Méditerranée pour écraser sous les bombes Leningrad et Moscou, jusqu'à ce qu'il ne reste plus âme qui vive au milieu des ruines [85]. « Ce n'est pas, poursuit le Führer, une attaque pour gagner la guerre contre la Russie, car la guerre est déjà gagnée ; non, il s'agit de préparer la paix. Après la fin des combats, tous les vivres produits en Russie seront nécessaires au peuple allemand ; il n'en restera pas pour nourrir les Russes. Certes, comme l'a dit naguère le *Reichsmarschall*, il serait toujours possible de les laisser mourir de faim, mais cela prendrait du temps et provoquerait des troubles, qu'il faudrait beaucoup d'effectifs pour réprimer. Tandis qu'un bombardement massif, exécuté par l'ensemble des flottes aériennes de la Luftwaffe, permettrait d'éradiquer une énorme proportion de la population, proprement et sans histoires [86]. »

Bormann approuve bruyamment, tandis que tous les généraux se tournent vers Goering. Bodenschatz racontera la suite : « Goering a commencé fort courtoisement, en disant qu'il trouvait que le projet du Führer méritait d'être examiné. Mais sa réaction immédiate était que ce serait une opération extrêmement difficile à mettre en œuvre. Hitler ayant demandé sèchement pour quelle raison, Goering s'est enhardi jusqu'à dire tout net que ce serait pure folie que de retirer la Luftwaffe de tous les autres fronts pour une unique opération. Et les attaques contre Londres ? Le Führer n'avait-il pas exigé qu'elles se poursuivent sans discontinuer ? [...] Hitler était resté de marbre, et toute son attitude amicale à l'égard du *Reichsmarschall* avait disparu. Soudain, il l'a interrompu en s'écriant qu'il savait pourquoi Goering critiquait ce plan. Les gens de la Luftwaffe avaient peur. C'est ce qu'il avait soupçonné pendant les attaques contre l'Angleterre, et il en avait maintenant la preuve. C'étaient des lâches ; ils ne voulaient pas attaquer

Leningrad parce qu'ils craignaient ses défenses antiaériennes. Goering aurait pu lui dire ce que tout le monde savait, que les défenses de Leningrad étaient bien moins redoutables que celles de Londres, auxquelles nos aviateurs se heurtaient depuis des mois. Mais il s'est borné à répondre : " C'est impossible, *mein Führer*, on ne peut pas le faire. " Hitler l'a regardé d'un air glacial pendant un moment, après quoi il lui a tourné le dos et l'a ignoré pendant le reste de la conférence [87]. »

Mais outre les cruelles lubies du Führer, les incertitudes stratégiques, la combativité de l'ennemi, l'immensité du pays, l'usure du matériel et la désorganisation de l'approvisionnement, Hermann Goering a une dernière préoccupation, qui commence à dominer toutes les autres : ce sont les conditions atmosphériques qui se dégradent inexorablement, rendant les vols hasardeux, dissimulant les objectifs et transformant les pistes d'envol en champs de boue. Or, ce qui est gênant pour l'aviation est catastrophique pour l'armée de terre : à partir du 8 octobre, des pluies diluviennes s'abattent sur l'ensemble du front, détrempant les routes, transformant les pistes en fondrières et les champs en marécages, paralysant le ravitaillement en munitions et en carburant, et interdisant toute nouvelle avance. A la mi-octobre, le 4ᵉ groupe blindé piétine toujours près de Kalouga et de Mojaïsk, la 9ᵉ armée reste immobilisée au sud de Kalinin, et la 2ᵉ armée blindée de Guderian ne peut dépasser Mtsensk, à 100 kilomètres de Toula ; au Sud, le 1ᵉʳ groupe blindé de von Kleist doit emprunter des pistes inondées et des routes minées qui freinent considérablement sa progression vers Rostov ; sur le front Nord, enfin, c'est le blizzard qui contient les troupes allemandes au sud-est de la ville, les empêchant de faire leur jonction avec les forces finlandaises et d'isoler entièrement Leningrad *.

A partir du 22 octobre, les pluies cessent, les températures baissent, les sols se durcissent et l'offensive peut reprendre sur l'ensemble du front. Au Sud, la 6ᵉ armée prend Kharkov le 24 octobre ; au Centre, les forces allemandes font un nouveau bond qui les mène à Kalinin, Volokolamsk, Borovsk et Aleksin, tandis que les avant-gardes blindées de Guderian par-

---

* Voir carte, p. 420.

viennent le 30 octobre jusqu'à la lisière de Toula, sans pouvoir y pénétrer; au Nord, enfin, les divisions de pointe de la 16ᵉ armée s'emparent le 9 novembre du nœud ferroviaire de Tikhvin, coupant ainsi la dernière ligne de chemin de fer qui approvisionne Leningrad. Pour soutenir cet effort décisif, la Luftwaffe engage tout ce qui est en état de voler entre Tallin et Odessa, et elle accomplit de véritables prodiges : l'action d'Erhard Milch a manifestement porté ses premiers fruits... Mais elle va également provoquer un redoutable enchaînement de tragédies.

Personne ne peut nier l'efficacité de la reprise en main par le maréchal Milch de la production et de l'approvisionnement des forces aériennes allemandes. Alors que le général Udet, épuisé et dépité, est entré en sanatorium pour y subir une cure de désintoxication, Milch a passé l'été à réorganiser la Luftwaffe de fond en comble : fixation de priorités, rationalisation à outrance, fin de la concurrence suicidaire entre constructeurs, généralisation du travail à la chaîne, standardisation des pièces de rechange, réduction des goulots d'étranglement, chasse au gaspillage des matières premières, abandon des prototypes les moins prometteurs au profit des modèles éprouvés *, mise en construction de nouvelles usines pour augmenter la capacité de production, création d'un « Conseil industriel » comprenant les grands magnats de l'industrie de la Ruhr, introduction d'experts et de techniciens à tous les niveaux de la production, suppression de tous les services inutiles, et surtout licenciement des innombrables parasites entourant Udet − à commencer par son ingénieur en chef Tschersich et son chef d'état-major Ploch **. A la différence d'Udet − et de Goering −, Milch s'est immédiatement rendu en Russie, a visité les postes de commandement de la Luftwaffe, inspecté les bases aériennes et les terrains d'aviation les plus proches du front, et fait prendre de nombreuses mesures correctives − comme celle de créer des équipes mobiles d'ingénieurs et de techniciens chargées d'organiser la récupération des épaves de chasseurs, de bombardiers et

---

* C'est ainsi que la construction du chasseur-bombardier Me 210 est suspendue et celle du bombardier Ju 288 reportée, tandis que les commandes de Me 109 et de Ju 88 améliorés sont considérablement augmentées.

** Ce compagnon de beuveries et joueur compulsif étant envoyé sans délai sur le front de l'Est par Goering en personne.

de Stuka jonchant les pistes, pour remise en état ou extraction des pièces détachées [88].

Le général Udet, revenu prématurément de convalescence au début d'octobre 1941, trouve au ministère un paysage profondément modifié, des pratiques d'une déroutante efficacité, des visages très peu familiers et bien des questions embarrassantes concernant sa gestion passée ; en outre, il mesure au plus juste le gouffre béant que représente pour la Luftwaffe un engagement prolongé en URSS, la menace latente que fait peser sur l'Allemagne l'essor prodigieux de la construction aéronautique américaine, l'inanité des ordres d'un Führer qui veut faire construire toujours plus de bombardiers aux dépens des chasseurs, et le caractère velléitaire d'un *Reichsmarschall* perpétuellement déchiré entre le bon sens et l'incohérence ; enfin, Udet continue à souffrir de délires paranoïaques, de maux de tête, d'acouphènes, d'alcoolisme chronique et de dépendance morphinique, à un moment où sa maîtresse vient de le quitter. C'est sans doute beaucoup pour un seul homme... Le 17 novembre 1941, cinq jours après une pénible conférence au ministère de l'Air où son incompétence et la duplicité de ses adjoints sont apparues au grand jour, Ernst Udet se suicide. Il laisse derrière lui quelques diatribes d'une rare violence contre Milch et Goering, le second étant accusé de l'avoir trahi en le livrant au premier [89]. Mais ces écrits vengeurs sont rapidement effacés, et tous deux ayant pour Udet une réelle affection au-delà de leurs différends professionnels, ils sont consternés par ce départ brusqué. Ils le seront plus encore cinq jours plus tard, lorsque Werner Mölders, devenu général et commandant en chef des chasseurs, périra dans un accident d'avion en se rendant à l'enterrement.

Mais les tragédies individuelles vont s'estomper rapidement devant la menace d'un grand désastre collectif. Le 13 novembre 1941, alors que la neige commence à tomber sur le front de l'Est, une conférence réunit le général Halder et les chefs d'état-major des trois groupes d'armées, afin de mettre au point la suite des opérations : faut-il poursuivre le mouvement ou se retrancher pour l'hiver ? Le représentant du groupe d'armées Sud estime qu'une offensive doit se limiter à la prise de Rostov-sur-le-Don ; celui du groupe d'armées Nord exclut toute nouvelle attaque, en considération de l'épuisement des hommes et de l'usure du matériel, et il préconise seulement de conserver les positions conquises ; par contre, le maréchal von Bock veut poursuivre l'offensive au Centre, car il estime que la prise de Moscou est devenue une nécessité militaire, matérielle et psychologique : on ne peut rester longtemps immobile dans la neige et le froid à 70 kilomètres seulement de la capitale. C'est évidemment aussi l'opinion d'Hitler, qui attend toujours que l'ennemi s'effondre, faute de ressources pour continuer le combat... Mais Goering, lui, a reçu un rapport d'Alfred Krupp sur l'état de l'industrie en Ukraine occupée, ainsi que plusieurs notes du maréchal Milch sur la vulnérabilité de la Luftwaffe derrière la ligne de front ; il tente donc de persuader le Führer d'arrêter son offensive : « Le mieux serait de s'accrocher à ce que nous avons conquis, sans tenter de pénétrer plus avant. Faisons construire un *Ostwall* * par les millions de travailleurs qui sont désormais à notre disposition. Aucune armée russe ne pourra le percer, parce que notre aviation est supérieure à la leur [90]. » Peine perdue : en matière de stratégie, Hitler ne prend pas Goering au sérieux ; dans ce domaine, du reste, il n'écoute jamais que lui-même...

Le 15 novembre 1941, les forces du groupe d'armées Centre repartent donc à l'offensive au nord et au sud de Moscou, afin d'entamer l'encerclement de la capitale. Sur l'aide droite, les panzers de Guderian, contournant Toula, se portent vers Gorlovo à l'est, Mikhaïlov au nord-est et Kachira au nord. Sur l'aile gauche, le 3ᵉ groupe blindé coupe la ligne de chemin de fer reliant Moscou à Kalinin et enfonce les lignes soviétiques pour atteindre Klin et Iakhroma à l'est, Istra et Krasnaïa Poliana au sud-est. A la fin de novembre, le mouvement d'enveloppement se dessine clairement, et les éléments avancés de la 2ᵉ division de panzers ne sont plus qu'à 35 kilomètres au nord-ouest de Moscou, tandis que l'armée blindée de Guderian atteint Kachira, à 110 kilomètres au sud-est de la capitale **.

---

* « Mur de l'Est », comme le *Westwall* de la Ligne Siegfried.
** Comme pour Leningrad, Hitler ne veut toujours pas prendre Moscou, mais seulement « l'encercler, puis l'abandonner à la famine et à la dévastation », ainsi qu'il le confie à Goebbels le 22 novembre. Fabian von Schlabrendorff, lieutenant à l'état-major du groupe d'armées Centre, fait état de propos analogues du Führer, en visite au QG de son groupe d'armées à la même époque : « Pas un seul soldat alle-

Plus au sud, d'autres attaques se développent depuis Orel en direction de Voronej. Partout, les Allemands conservent une supériorité numérique en hommes, en chars et en canons, mais ils sont devenus terriblement vulnérables : les soixante-sept divisions du maréchal Bock, dispersées sur près de 800 kilomètres, n'ayant plus que 40 % de leurs effectifs de départ et 35 % de leurs chars, ne reçoivent plus que le tiers de l'approvisionnement nécessaire pour affronter un ennemi qui s'accroche résolument au terrain, reçoit constamment des renforts et commence à harceler les flancs du dispositif allemand. Et puis, pour la première fois dans cette campagne, la Luftwaffe se trouve confrontée à des avions soviétiques qui sont bien moins éloignés de leurs bases, plus modernes, mieux approvisionnés en munitions et en carburant, et surtout nettement plus adaptés aux conditions climatiques...

C'est justement cet élément qui va s'avérer décisif lors de l'affrontement qui se dessine ; car la température descendant à − 20°, puis à − 30°, les avions allemands ne peuvent plus décoller, les tourelles des panzers se figent, les mitrailleuses s'enrayent, l'huile des moteurs gèle, les locomotives s'immobilisent, les convois de ravitaillement n'arrivent plus et les fantassins, vêtus et équipés pour l'été, résistent très mal à ces conditions extrêmes : beaucoup meurent de froid avant même d'affronter l'ennemi. Dès le 1er décembre, le maréchal von Bock avait informé l'OKH que toute poursuite de l'offensive serait aussi insensée qu'inutile, ses blindés manquant d'essence et ses troupes étant à la limite de l'épuisement. Mais entre le 5 et le 6 décembre, alors qu'un large mouvement de retraite s'amorce de Kalinin à Toula par − 35°, dix-sept armées soviétiques commandées par le général Joukov passent brusquement à la contre-offensive, avec à leur tête les troupes fraîches venues de Sibérie et parfaitement équipées pour la guerre d'hiver *. Pour

---

mand ne devait mettre le pied dans la ville. Il s'agissait d'opérer un vaste encerclement. [...] Il avait, disait-il, fait le nécessaire pour que de gigantesques installations permettent d'inonder Moscou et ses environs, et les fassent disparaître sous les eaux. A la place de Moscou se formerait un immense lac, qui soustrairait pour toujours la métropole de la Russie aux yeux du monde civilisé. »

* Les renseignements communiqués par l'agent Richard Sorge depuis Tokyo ont convaincu Staline que l'expansion japonaise se ferait aux dépens de l'Asie du Sud-Est plutôt que de la Sibérie.

les divisions allemandes aventurées à l'est du Dniepr et de l'Ougra, la situation devient rapidement dramatique, et les autres groupes d'armées ne sont guère mieux lotis : en Ukraine, le 1er groupe blindé de von Kleist * a bien pris Rostov le 21 novembre, mais il doit l'évacuer précipitemment huit jours plus tard pour échapper à l'encerclement par trois armées soviétiques. Sur le front du Nord, les Allemands abandonnent Tikhvin le 9 décembre sous la pression des armées du général Meretskov, qui libèrent ainsi la principale voie d'approvisionnement de Leningrad ; en se retirant, la Wehrmacht perd 7 000 hommes et laisse sur le terrain des quantités de chars et de pièces d'artillerie. Ainsi, dès le 10 décembre 1941, avec ou sans ordres du Führer, les armées allemandes sont en retraite sur l'ensemble du front.

A ce stade, la Luftwaffe est sollicitée en permanence pour attaquer les concentrations de troupes, les locomotives et les tanks soviétiques T 34 **, pour larguer des conteneurs de vivres, de munitions et de carburant à de nombreuses divisions isolées, et même pour tenter d'interrompre la navigation ennemie dans la mer Noire, en Baltique et en mer de Barents [91]. Au vu du surmenage des pilotes, de l'usure de leurs avions, de l'état des pistes d'envol et des conditions atmosphériques détestables, on peut considérer qu'elle livre là un combat héroïque — d'autant que c'est le moment choisi par l'aviation soviétique pour passer à l'offensive : entre le 15 novembre et le 5 décembre, celle-ci effectue près de 16 000 sorties contre le groupe d'armées Centre, entre Toula, Rjev, Kalinin et Smolensk [92]. Les champs d'aviation allemands, mal protégés, subissent de violents bombardements, et les attaques à basse altitude des shtourmoviks contre les panzers accélèrent considérablement la retraite de la Wehrmacht. Or, c'est à ce moment précis que le Führer fait retirer du front central une bonne partie de la Luftflotte II pour l'envoyer en Méditerranée, où les convois de l'Axe et les forces du général Rommel sont sévèrement malmenés par les Britanniques *** ! Ainsi, en ce début

---

* Réduit à 300 chars, soit la moitié de son effectif. Le reste a été détruit durant les combats de Kiev et de Kharkov, est resté embourbé ou a été mis hors d'usage du fait de l'état du terrain et des distances parcourues.

** Pratiquement invulnérables aux canons antichars de 37 mm.

*** A la mi-décembre, les restes de la Luftflotte II qui couvrent l'ensemble du

de décembre 1941, les responsables de la Luftwaffe engagée sur le front de l'Est, avec 1 260 appareils très éprouvés opérant de Mourmansk à Odessa, se sentent de plus en plus impuissants et ne connaissent pas le moindre répit ; mais leur supérieur, lui, est de nouveau en congé, car la période de Noël approche et quelques emplettes s'imposent...

A cet égard, le premier théâtre d'opérations du *Reichsmarschall* reste naturellement Paris, où il séjourne depuis le début de décembre pour lancer sa grande offensive d'hiver en direction du musée du Jeu de Paume et des galeries d'art de la capitale. Le butin est considérable, et il est chargé sans délai à bord du convoi à destination de Carinhall. Le bijoutier Cartier, le couturier d'Emmy et de nombreux antiquaires font également l'objet d'incursions prolongées, mais le 1er décembre 1941, Hermann Goering trouve tout de même le temps de rencontrer le maréchal Pétain à Saint-Florentin-Vergigny. Cette rencontre de trois heures tourne au dialogue de sourds, Goering demandant à Pétain de défendre plus fermement les colonies françaises contre les Britanniques, et Pétain répondant qu'il lui faudrait pour cela davantage de troupes et d'armement [93]. Le vieux maréchal se plaint de la « politique du diktat » pratiquée par l'Allemagne, et Goering répond avec morgue : « Mais dites, Monsieur le Maréchal, quels sont maintenant les vainqueurs, vous ou bien nous [94] ? »

Le 5 décembre, Goering se rend également à Abbeville pour s'incliner devant la tombe de son neveu Peter, jeune pilote de chasse abattu trois semaines plus tôt au-dessus de Saint-Omer. A cette occasion, le *Reichsmarschall* remet à Adolf Galland ses deux étoiles de colonel, tout en lui confirmant sa nouvelle affectation : il remplacera Mölders au poste de commandant en chef des chasseurs [95]. Ainsi, Hermann Goering s'obstine à placer aux principaux postes de direction des as de la chasse qui, n'ayant aucune formation d'état-major, atteignent dans des bureaux très éloignés du front leur plus haut niveau d'incompétence...

Mais le maréchal du Reich est déjà reparti pour Anvers, La Haye et Amsterdam, où l'attendent d'autres campagnes d'achats.

---

secteur Centre ont moins de 200 appareils de tous types en état de voler – un affaiblissement catastrophique, qui va devoir être compensé par le renfort de deux escadres de bombardement retirées en toute hâte du front de la Manche. Ces déplacements désordonnés et ces fractionnements incessants d'unités aériennes et terrestres sont typiques de la stratégie erratique du Führer.

Lorsqu'il rentre en Allemagne le 7 décembre 1941, c'est pour apprendre que les Japonais ont attaqué la base navale américaine de Pearl Harbor et entraîné les Etats-Unis dans la guerre. Hitler est pris par surprise, mais dès le 11 décembre, à l'étonnement général, il déclare lui-même la guerre aux Etats-Unis. Dès lors, le conflit devient véritablement mondial.

Rien n'indique que le Führer ait consulté Goering avant de prendre une telle décision ; comme toujours, il a réagi sous le coup de l'inspiration, « avec l'assurance d'un somnambule ». C'est apparemment cette même inspiration qui lui dicte que les armées engagées à l'Est ne doivent pas reculer, en dépit de la situation impossible dans laquelle se trouve une Wehrmacht soumise au double choc de l'hiver russe et de la contre-offensive soviétique. Goering, qui est à 1 500 kilomètres du front, encourage Hitler dans ses préjugés et traite d'incapables les chefs de l'armée de terre ; après quoi il prend congé du Führer et part rejoindre son épouse à Berchtesgaden, où l'atmosphère est nettement plus salubre...

Pendant ce temps, Hitler ordonne une reprise de l'offensive à des maréchaux qui ramènent tant bien que mal leurs troupes sur des positions plus faciles à défendre. Dès le 1er décembre, le Führer a retiré son commandement à von Rundstedt, coupable d'avoir fait évacuer Rostov pour éviter l'encerclement * ; les deux autres commandants de groupes d'armées, von Leeb et von Bock, vont être également limogés, de même que le général Guderian ; et le 19 décembre, c'est le commandant en chef de l'armée von Brauchitsch qui est contraint de céder la place ! Comme toujours, Hitler a besoin de boucs émissaires pour dissimuler ses erreurs...

Alors que Hermann Goering s'apprête à fêter joyeusement Noël à Carinhall en compagnie de sa famille, de ses amis et de ses trésors, il peut difficilement ignorer les dures réalités du moment : depuis le 22 juin 1941, la Wehrmacht combat sur un front de 3 600 kilomètres entre la Laponie et la Crimée, et elle a déjà perdu 743 112 hommes – soit 23 % des effectifs engagés [96] –,

---

* Son successeur, von Reichenau, maintiendra l'ordre de retraite derrière la rivière Mius, et Hitler, après s'être rendu sur place pour consulter son fidèle général SS Sepp Dietrich, devra reconnaître que l'ordre de von Rundstedt était justifié. Mais il n'en maintiendra pas moins le limogeage du maréchal, le Führer ne pouvant en aucun cas s'être trompé.

ainsi qu'un matériel de guerre considérable détruit, hors d'usage
ou abandonné à l'ennemi ; la Luftwaffe se trouve dispersée entre la
Norvège, la Finlande, les pays baltes, la Pologne, la Biélorussie,
l'Ukraine, la Crimée, les côtes de la Manche, la Sicile, la Grèce, la
Crète et la Cyrénaïque, alors que la campagne à l'Est ne cesse
d'absorber ses ressources et qu'elle y a déjà perdu 568 chasseurs,
758 bombardiers, 170 Stuka et 200 avions d'observation * [97] ; sur
la Manche comme sur la Méditerranée, les forces allemandes ne
sont pas plus proches de la victoire que sur la Baltique ou la mer
Noire ; la bataille de l'Atlantique s'avère coûteuse et indécise,
faute d'une coopération étroite entre la Luftwaffe et la Kriegsmarine ** ; en Libye, les forces de Rommel viennent d'être
repoussées jusqu'à leurs bases de départ près d'El Agheila ; depuis
l'attaque de l'URSS, l'Europe occupée devient de plus en plus difficile à tenir, et de la Carélie jusqu'à la Yougoslavie, des mouvements de partisans commencent à harceler les forces allemandes ;
le territoire même de l'Allemagne est soumis à des bombardements britanniques de plus en plus sévères ; l'approvisionnement
de l'industrie en matières premières stratégiques reste un casse-
tête permanent pour le maître du plan quadriennal ; l'exploitation économique de la Russie, qui promettait tant de richesses, se
révèle décevante, et les puits de pétrole du Caucase restent hors
d'atteinte ; les relations commencent à se tendre avec un Führer
qui s'est mis à donner des ordres directement à la Luftwaffe, sans
même en avertir son maréchal du Reich *** ; enfin, l'entrée en
guerre des Etats-Unis vient concrétiser une menace que Goering a
toujours redoutée : quelles que soient ses rodomontades en
public, il sait pertinemment que l'ouverture d'un nouveau front
d'une telle importance ne peut rien apporter de bon.

---

* Soit 40 % de ses forces initiales.

** On pourrait même parler de concurrence en maintes occasions, la Kriegsmarine étant largement privée des avions de reconnaissance et de la couverture
aérienne qui lui permettraient de prendre l'avantage sur l'ennemi. Il s'agit toujours
d'un problème d'ego entre les chefs des deux armes, ce qui est évidemment catastrophique au milieu d'une guerre mondiale.

*** Après avoir fait envoyer une partie de la 2ᵉ flotte aérienne et son chef le maréchal Kesselring en Méditerranée, Hitler ordonne personnellement aux escadrilles de
la Luftwaffe le 20 décembre de détruire tout espace habité pouvant être utilisé par
l'Armée rouge lors de son avance. Goering n'en sera informé qu'*a posteriori*.

XIII

Turbulences

Alors que commence l'année 1942, Hitler est pleinement satisfait de son action et entièrement confiant dans la victoire finale : ses vaillantes troupes n'occupent-elles pas toute la Russie d'Europe jusqu'au-delà du Dniepr ? Ne sont-elles pas parvenues aux portes de Leningrad, de Moscou et de Rostov, leurs trois buts initiaux ? Ne contrôlent-elles pas 40 % de la population russe, 70 % de tout le minerai de fer du pays, 63 % du charbon, 58 % de l'acier et 60 % de l'aluminium ? N'ont-elles pas mis hors de combat 7 millions de soldats de l'Armée rouge tués, blessés ou faits prisonniers ? Ne viennent-elles pas de détruire l'essentiel de l'aviation et des blindés soviétiques ? Dans toute l'histoire du monde, aucun régime n'a jamais survécu à une telle saignée...

Mais Adolf Hitler, dont la capacité d'autosuggestion est sans limites, choisit de négliger le revers de la médaille : le gros des forces soviétiques a échappé à toutes les tentatives d'encerclement, s'est regroupé derrière la Volga et a même repris l'offensive au cœur de l'hiver, avec des forces en constante augmentation ; les grandes usines d'armement que l'on s'attendait à capturer ont été démontées et transportées vers l'est au prix d'un effort surhumain, et elles ont recommencé à produire au-delà de l'Oural, hors d'atteinte de la Luftwaffe ; l'armée d'invasion a perdu un quart de ses effectifs, ainsi que la moitié de son aviation et de ses blindés ; enfin, si la Wehrmacht a atteint les trois objectifs qui lui avaient été fixés, elle n'a pu y pénétrer et a même été obligée de s'en éloigner, sous l'action conjuguée des intempéries et de la contre-offensive soviétique. A cet égard, la situation est même si peu satisfaisante que le Führer vient de contraindre au départ trente-cinq de ses généraux, les commandants des trois groupes d'armées von Leeb, von Bock et von Rundstedt, ainsi que leur supérieur Walther von Brauchitsch en personne [1]...

Qui pourrait succéder à von Brauchitsch en tant que commandant en chef de l'armée ? Après mûre réflexion, Hitler n'a trouvé qu'une seule personne qui soit digne d'occuper ce poste : lui-même... Bien sûr, il cumule déjà les fonctions de ministre de la Guerre et de commandant suprême de la Wehrmacht depuis la démission de von Blomberg en 1938, mais ce n'est pas vraiment un obstacle, ainsi que l'expliquera le Führer lui-même : « N'importe qui peut faire le petit travail qui consiste à diriger les opérations en temps de guerre. La tâche du commandant en chef est d'éduquer l'armée dans un sens national-socialiste, et je ne connais aucun général d'armée qui soit capable de le faire comme je l'entends. C'est pourquoi j'ai décidé de m'en charger personnellement [2]. »

Voilà qui est assez clair, mais il se trouve qu'un commandant en chef a bien d'autres responsabilités ; le Führer n'ayant nullement l'intention de les assumer, elles retomberont par défaut sur le chef d'état-major de l'armée Halder et sur le chef de l'OKW Keitel. Or, le premier n'a pas le temps de s'en occuper et le second n'en a pas les compétences *. Et puis, le nouveau commandant en chef ayant en matière militaire les faiblesses que l'on sait, il faut s'attendre à ce que ses interventions intempestives de l'automne précédent soient doublées d'un contrôle étroit des commandants sur le terrain, aboutissant à paralyser toute initiative autonome en réponse aux actions ennemies. Pour l'heure, en tout cas, le premier ordre du Führer à l'armée est d'une simplicité biblique : « Plus un pas en arrière ! Tenir jusqu'au dernier homme [3] ! » Sur tout le front de l'Est, les troupes allemandes devront donc s'accrocher à leurs positions et

---

* Il y a dès cette époque une distinction très nette entre le front de l'Est, qui dépend de l'OKH, et tous les autres théâtres d'opérations depuis la Norvège jusqu'à la Libye, qui sont désignés comme « théâtres OKW ». En réalité, l'OKW ne fonctionnant que comme un secrétariat du Führer, avec des moyens limités à l'extrême, l'essentiel du travail opérationnel et logistique sur l'ensemble des théâtres doit être effectué par l'OKH.

former des « hérissons » autour des villes et des villages occupés, afin d'enrayer les contre-offensives soviétiques au cours de l'hiver ; pour Hitler, en effet, tout ordre de repli donnerait le signal d'une débandade générale, tant il garde en mémoire l'exemple malheureux de Napoléon cent trente ans plus tôt... Malgré tout, il y a deux autres branches des forces armées auxquelles, faute de temps et de connaissances spécialisées, le dirigeant suprême doit à regret laisser quelque autonomie : la Kriegsmarine et la Luftwaffe.

Le fringant maréchal du Reich, lui, est parfaitement disposé à laisser la bride sur le cou à ses commandants de flottes aériennes sur le théâtre des opérations, ainsi qu'à son secrétaire d'Etat au ministère de l'Air et à son responsable adjoint du plan quadriennal sur le front de la production. Après tout, un vrai chef doit savoir déléguer, et pour tout dire, la stratégie commence à l'ennuyer autant que l'intendance militaire et l'administration économique... Il y a pourtant fort à faire dans tous ces domaines : à l'Est, la Luftwaffe a perdu durant les six premiers mois près de 2 000 avions détruits par l'ennemi, le gel, la boue et l'usure excessive des moteurs *, ainsi que 100 000 véhicules terrestres de tous types, victimes des aspérités du terrain et du non-respect des procédures de démarrage par grand froid. En outre, si la stratégie d'Hitler interdisant tout recul permet à présent d'éviter une déroute majeure, elle fait également peser sur la Luftwaffe un poids très excessif, ainsi qu'en témoignera le général von Tippelskirch, commandant une division du 2e corps d'armées au sud de Leningrad : « On avait utilisé la Luftwaffe pour ravitailler les garnisons des " hérissons " et les positions avancées, isolées par les mouvements des Russes sur nos flancs. Le 2e corps absorbait 200 tonnes par jour, ce qui nécessitait une moyenne quotidienne de 100 avions de transport. [...] Un jour, il n'a pas fallu moins de 350 avions pour approvisionner ce seul corps. Les mauvaises conditions atmosphériques ont provoqué la perte de nombreux avions [4]. » C'est exact, et ce n'est là qu'un seul secteur du front : ainsi, pour ravitailler six divisions cernées dans le secteur de Demiansk, il faut également improviser un pont aérien de

---

* Les avions ont pu être remplacés dans une large mesure ; les aviateurs aussi, mais beaucoup plus difficilement : en six mois de campagne à l'Est, la Luftwaffe a déjà perdu 3 231 morts, 2 028 disparus et 8 453 blessés.

quatre mois, au cours duquel 14 000 missions déposent 24 000 tonnes de vivres [5]... En fait, le soutien aérien de tous les secteurs isolés sur l'ensemble du front et la protection rapprochée des troupes sur des centaines de kilomètres engendrent une dispersion et un surmenage de la Luftwaffe qui vont se révéler catastrophiques : au printemps 1942, elle a déjà perdu 265 Ju 52 supplémentaires, soit le tiers de sa flotte de transport, ainsi que 268 bombardiers et 194 chasseurs [6] ! Plus grave encore : pour pouvoir continuer à remplir ses missions, elle doit mobiliser les avions d'entraînement, et la formation des élèves pilotes s'en ressent cruellement : entre l'hiver et le printemps, les écoles d'aviation perdent 60 à 70 % de leur capacité de formation [7]... « La Luftwaffe, dira le général Rieckhoff, était un instrument affilé, une véritable lame de rasoir. A l'utiliser comme un couteau à pain, on devait l'ébrécher rapidement et la rendre inutilisable [8]. »

La production de nouveaux appareils est désormais du ressort d'Erhard Milch, qui l'a héritée de l'infortuné Ernst Udet. Milch bataille ferme pour accélérer les cadences, rationaliser la construction et augmenter le nombre d'appareils opérationnels, mais il doit faire face à des problèmes inextricables : les modèles d'avions éprouvés, comme le He 111, le Do 17, le Me 110 et le Me 109F, sont maintenant dépassés, alors que leurs successeurs sont loin d'être au point : parmi les chasseurs, l'excellent Me 109G est encore handicapé par un moteur Daimler Benz 605 présentant des problèmes de surchauffe ; le FW 190 serait également un appareil très performant, si son moteur radial BMW 801 ne cessait de caler lors des décélérations ; le Me 210, plusieurs fois reconfiguré et commandé en 1 000 exemplaires avant même d'avoir terminé ses essais, se désintègre en vol ou s'effondre à l'atterrissage, et Milch envisage d'en faire interrompre la production — bien que 370 appareils à demi achevés encombrent déjà les ateliers Messerschmitt, et que les pièces de 800 autres viennent s'entasser dans les hangars d'Augsbourg... Il reste bien sûr l'avion à réaction Me 262, un engin prodigieux que ses turboréacteurs Jumo font voler plus vite que n'importe quel chasseur existant *, mais il peine encore à décoller et atterrit rarement en un seul morceau — toutes choses qui

---

* 920 km/h à 10 000 mètres. Voir annexe, p. 783 et suivantes.

n'empêchent pas Goering de se précipiter chez le Führer pour lui annoncer qu'il tient l'arme miracle, dont 500 exemplaires seront opérationnels dans les trois mois [9] !

En ce qui concerne les bombardiers, la situation est plus déprimante encore : le He 177 à moteurs couplés, dont Udet s'obstinait à vouloir faire un bombardier en piqué, présente *depuis 1939* des problèmes insolubles au niveau de la voilure, tandis que ses moteurs DB 606 et DB 610 ont tendance à prendre feu en vol ; à l'issue de 1 300 modifications et de la perte de quarante pilotes d'essai, trois douzaines d'appareils seulement rejoindront les escadrilles – où ils vont s'avérer plus redoutables pour leurs équipages que pour l'ennemi ! Dans le cas du quadrimoteur Ju 288, qui devait constituer l'épine dorsale de la flotte de bombardement stratégique allemande, tous ces problèmes ne se posent pas : à la suite de nombreux délais et d'innombrables changements de spécifications, il ne verra jamais le jour. Le maréchal Milch en est réduit à faire construire en grande série un bombardier Ju 88 amélioré, rebaptisé Ju 188 – « afin de faire croire à l'ennemi que c'est un nouveau modèle [10] » –, et à tenter de faire accélérer la sortie du Do 217, remplaçant du Do 17 – lequel doit être maintenu en service sur le front russe dans l'intervalle, sans appareils de rechange ni pièces détachées, sa fabrication ayant définitivement cessé à l'automne de 1940 [11]...

Pourtant, les problèmes d'Erhard Milch ne s'arrêtent pas là : il lui faut aussi compter avec le chef d'état-major Jeschonnek, qui veut privilégier la perfection au détriment de la quantité, et assure qu'il n'aurait que faire d'une production de chasseurs excédant 360 appareils par mois ! Milch doit également s'accommoder de l'ordre du Führer donnant une priorité absolue à l'armée de terre pour l'allocation des ressources, faire admettre à ses supérieurs que la production aéronautique anglo-américaine dépasse déjà de beaucoup celle de l'Allemagne, mener un combat sans merci contre les bureaucrates de l'OKH qui tentent de mobiliser ses ouvriers spécialisés pour compenser les pertes subies au front, interdire strictement la production de voitures de luxe et autres équipements somptuaires au bénéfice des dignitaires du régime, et surtout tenter de détromper Hitler, qui compte avant tout sur un renforcement de la DCA pour défendre le territoire national *, ainsi que sur la construction de bombardiers lourds pour mener l'offensive en territoire ennemi. Or, Milch, lui, ne croit pas à l'efficacité de la DCA, il mise sur la production du plus grand nombre possible de chasseurs pour protéger le territoire allemand, et il considère que le bombardement stratégique reste très au-dessus des moyens de la Luftwaffe. Mais pour en persuader le Führer, il lui faudrait le concours de son supérieur direct, le maréchal du Reich, ministre de l'Air, commandant en chef de la Luftwaffe et commissaire au plan quadriennal Hermann Goering...

C'est justement à ce stade que les choses se compliquent ; car si le glorieux *Reichsmarschall* comprend et approuve les arguments de son secrétaire d'Etat, il n'en reste pas moins physiquement incapable de contredire son idole : que le Führer ait tort ou raison, là n'est pas la question ; si Hitler veut des bombardiers et de la DCA, il n'y a plus à discuter... Du reste, Goering reste en toute occasion la voix de son maître, dont il imite et anticipe les préjugés, les réactions et même les emportements – ainsi que le confirmera amplement le général SS Walter Schellenberg, chef de la section VI du Sicherheitsdienst, chargée de l'espionnage à l'étranger : « Au début de 1942, j'avais donné l'ordre de préparer un rapport d'ensemble sur la production de guerre américaine, [...] particulièrement sur la production totale d'acier et l'expansion de l'US Air Force. Il avait fallu deux mois pour constituer ce rapport, qui était basé sur les sources les plus fiables et rédigé avec une objectivité absolue. Je n'oublierai jamais la surprise de Heydrich lorsqu'en le feuilletant, il était tombé sur des statistiques telles que " production totale d'acier de 85 à 90 millions de tonnes ". Heydrich était allé lui-même remettre le rapport à Goering et à Hitler. [...] Par la suite, la conversation avec Goering a été des plus pénibles ; il m'a toisé avec mépris et m'a écrasé le rapport dans la main, en me disant : " Tout ce que vous avez écrit là est un monceau d'inepties. Vous devriez vous faire examiner par un psychiatre. " [...] J'ai appris quelques mois plus tard de la bouche d'Himmler que ce rapport avait rendu Hitler furieux. Il avait déclaré que son auteur ne

---

* Sans jamais prendre en compte les problèmes d'allocations de ressources : la construction d'un seul projecteur de DCA absorbe autant de cuivre que celle d'un bombardier He 111...

l'avait rédigé que pour se faire valoir, et avait ajouté qu'il n'en croyait pas un mot [12]. »

C'est un fait : Hitler refuse toujours de croire les renseignements défavorables, et ne veut entendre que ce qui coïncide avec ses idées du moment ; Goering, par mimétisme sans doute, est affecté du même travers : il ne cesse de répéter sans réfléchir les propos du Führer selon lesquels les Américains ne sont bons qu'à fabriquer des réfrigérateurs et des lames de rasoir. Du reste, le *Reichsmarschall* est prêt à aller beaucoup plus loin pour complaire à son maître : c'est ainsi qu'il accuse de lâcheté et de traîtrise les généraux de la Wehrmacht qui ont dû reculer sur le front de l'Est à la fin de 1941, et lorsqu'il préside une cour martiale qui juge au début de février 1942 le général Sponeck, accusé d'avoir fait évacuer sans autorisation ses troupes de la péninsule de Kertch, Goering insiste pour que soit prononcée la peine de mort. Hitler lui-même désavouera implicitement cet excès de zèle en commuant la sentence en une simple peine d'emprisonnement de sept ans [13] !

On voit dès lors pourquoi le maréchal Milch ne peut guère compter sur son supérieur pour faire entendre raison au Führer... Mais Milch n'en poursuivra pas moins sa propre voie, en pariant sur le fait que Goering est trop absorbé par ses multiples tâches pour s'intéresser de près aux activités de son subordonné. A l'évidence, son calcul n'est pas mauvais, car le *Reichsmarschall* est effectivement sollicité de toutes parts : en tant que commissaire au plan quadriennal, il est responsable à la fois de l'approvisionnement du Reich en matières premières stratégiques et d'une industrie lourde que la guerre sollicite chaque jour davantage ; s'il ne s'en occupe pas personnellement, il ne peut pas non plus s'en désintéresser entièrement, dans la mesure où Hitler le rend comptable des résultats obtenus... Il lui faut donc donner toutes les apparences d'une activité fébrile, et faire savoir *urbi et orbi* qu'il se charge de la planification, de la production, de la construction, de la recherche, de l'armement et de tout le reste... « Dès ce moment, écrira Albert Speer *, je m'étais aperçu que

---

* Speer n'est encore à cette époque que l'architecte personnel d'Hitler, mais il est chargé de diriger la reconstruction des édifices berlinois touchés par les bombardements alliés, ainsi que la construction des casernes.

Goering ne faisait rien pour traiter les problèmes. Lorsqu'il lui arrivait de s'y atteler, il ne parvenait qu'à créer un désordre total, car il ne prenait jamais la peine d'aller au fond des choses, préférant prendre ses décisions impulsivement, sous le coup de l'inspiration [14]. »

On se souvient que Goering a également été chargé *ex officio* de l'exploitation économique des territoires conquis à l'Est, ce qui n'est pas une mince besogne : d'une part, les pays baltes, l'Ukraine et la Biélorussie ont été dévastés par la guerre, et il faudra remettre en état les mines, les usines, les fermes, le matériel agricole et les voies de chemin de fer avant de songer à exploiter ces immenses régions au bénéfice de l'Allemagne. D'autre part, les fonctionnaires de Goering sur le terrain doivent compter avec les intempéries, avec l'hostilité croissante d'une population affamée et persécutée, avec les attaques de partisans le long des principales voies de communication, et enfin avec la concurrence de l'Ostministerium de Rosenberg, des *Einsatzstaben* d'Himmler, des commissaires du Reich de Bormann, des Affaires étrangères de Ribbentrop, du ministère de l'Armement, de la Reichsbahn et des services économiques de la Wehrmacht ! Goering réussit tout de même à faire envoyer en Allemagne 2 millions de civils et de prisonniers de guerre russes qui travailleront dans ses mines et ses usines d'armement, mais pour le reste, l'activité du *Reichsmarschall* va surtout consister à établir des rapports circonstanciés exposant au Führer les raisons pour lesquelles la spoliation des marches de l'Est donne de si maigres résultats...

Ce n'est pas encore tout : le Führer, qui se méfie de ses diplomates autant que de ses généraux, envoie Goering en Roumanie pour resserrer les liens avec Antonescu, en France pour déconseiller à Laval de revenir au pouvoir [15] et en Italie pour demander à Mussolini une participation accrue de ses troupes à la campagne contre l'URSS. Galeazzo Ciano décrira en ces termes le périple romain du *Reichsmarschall*, qui a gardé une façon très personnelle de pratiquer la diplomatie :

« *29 janvier 1942* : Le Duce s'est entretenu hier pendant près de trois heures avec Goering. [...] Celui-ci est très amer du fait des événements de Russie, et il s'en prend aux généraux de l'armée qui sont des nazis tièdes ou ne sont pas nazis du tout. Il pense que les difficultés dureront encore tout l'hiver, mais reste malgré tout convaincu que la Russie sera battue en 1942 et que l'Angleterre devra déposer les armes en 1943...

« *2 février* : Déjeuner avec Goering, chez Cavallero *. Comme d'habitude, il est orgueilleux et hautain. Il n'a rien dit qui vaille la peine d'être relevé. La seule chose, qui est très triste en vérité, c'est la servilité de nos chefs militaires à son égard. Suivant l'exemple de ce parfait bouffon de Cavallero, qui ferait la révérence même devant les urinoirs si cela pouvait lui être utile, nos trois chefs d'état-major se tenaient aujourd'hui devant cet Allemand comme s'ils étaient en face de leur patron. Et lui pontifiait béatement. Je sais bien que c'est inutile, mais j'ai avalé beaucoup de bile, plus de bile que d'aliments.

« *4 février* : Gœring quitte Rome. Nous avons déjeuné à l'Excelsior et pendant tout le repas, il a parlé surtout des bijoux qu'il possède. Il avait effectivement aux doigts des bagues d'une beauté exceptionnelle. Il a expliqué qu'il les avait achetées en Hollande pour des sommes faibles – relativement faibles –, après que les objets précieux eurent été séquestrés. On m'a raconté qu'il joue avec les pierres précieuses comme un petit enfant avec des billes ; pendant le voyage, il était nerveux ; ses adjudants lui ont alors apporté un petit vase plein de diamants ; il les a versés sur la table, les a comptés, les a alignés, les a mélangés et est redevenu heureux. Un officier de grade élevé disait de lui hier soir : « Il a deux amours : les belles choses et la guerre. » Ce sont tous deux des plaisirs coûteux. A la gare, il portait une grande pelisse de zibeline et il ressemblait à quelque chose entre un chauffeur de 1906 et une cocotte à l'Opéra. Si l'un de nous s'habillait de cette façon, il se ferait lapider. Lui, en revanche, est accepté ainsi en Allemagne, et peut-être même est-il aimé – parce qu'il y a en lui un peu d'humanité [16]. »

De l'humanité chez Hermann Goering ? Sans doute à l'état de traces... Deux mois plus tôt, après tout, le même Ciano notait : « Goering était impressionnant quand il a parlé des Russes qui

---

* Le maréchal-comte Ugo Cavallero, chef d'état-major général de l'armée italienne.

se mangent entre eux et qui ont même dévoré une sentinelle allemande dans un camp de prisonniers. Il racontait cela avec l'indifférence la plus absolue [17]. » Bien sûr, Goering est intervenu à plusieurs reprises pour soustraire aux séides d'Himmler des techniciens et des ouvriers juifs venus des territoires de l'Est occupés, mais il ne s'agissait alors que de sauvegarder la main-d'œuvre productive des Reichswerke Hermann Goering ; il est vrai aussi que le *Reichsmarschall* s'est employé – non sans risques pour sa personne – à protéger des poursuites de la Gestapo certains acteurs et régisseurs juifs amis de son épouse, ainsi que le directeur de théâtre Gruendgens, traqué par la SS au titre de l'article 175 * – qu'il mettra définitivement à l'abri en l'incorporant dans la Luftwaffe [18]. Mais dans le cas de toutes les autres victimes, Hermann Goering s'incline devant les cruels édits du Führer [19] ; et puis enfin, le camp de concentration d'Oranienburg n'est qu'à 40 kilomètres de Carinhall, et il n'a jamais eu la curiosité de le visiter ? Comment ne pas repenser au diagnostic du médecin suédois de Langbro dix-sept ans plus tôt : « Sentimental envers les siens, mais totalement insensible aux autres » ?

Quatre jours après son retour de Rome, un accident va se produire dont le flamboyant *Reichsmarschall* est loin de soupçonner les répercussions. Au soir du 7 février 1942, Hitler reçoit à son quartier général de Rastenburg l'ingénieur Todt, ministre des Armements et grand constructeur du Reich. L'entretien se prolonge jusque tard dans la nuit, et lorsque Todt repart pour Berlin le lendemain matin, son avion s'écrase au décollage, tuant tous les hommes à bord. L'architecte Albert Speer, qui est présent à Rastenburg ce matin-là – et aurait dû prendre le même avion –, racontera la suite : « Vers 1 heure de l'après-midi, j'ai été reçu par Hitler [...]. Je lui ai exprimé mes condoléances, il m'a répondu brièvement, puis il a dit sans plus de façons : " Herr Speer, vous succéderez au ministre Todt dans toutes ses fonctions. " J'étais médusé. Il me serrait déjà la main et était sur le point de me congédier. Je pensais qu'il s'était mal exprimé et j'ai donc répondu que je ferais de mon mieux pour remplacer l'ingénieur Todt dans ses missions de construction, mais Hitler m'a repris : " Non, dans toutes ses fonctions, y compris celles de ministre des Armements. – Mais, ai-je protesté, je ne connais

---

* Réprimant l'homosexualité.

rien aux... " Il m'a interrompu : " J'ai confiance en vous, je sais que vous vous en sortirez. D'ailleurs, je n'ai personne d'autre ! Contactez le ministère immédiatement et prenez la relève ! " [...]

« Alors que je me dirigeais vers la porte, Schaub * est entré en disant : " Le *Reichsmarschall* est ici et désire vous parler en urgence, *mein Führer*. Il n'a pas de rendez-vous... " Hitler a pris un air morose et contrarié : " Faites-le entrer. " Puis il s'est retourné vers moi : " Restez encore un moment. "

« Goering est entré en trombe, et après quelques mots de condoléances, il en est venu au fait avec véhémence : " Mieux vaut que je reprenne les fonctions du Dr Todt dans le cadre du plan quadriennal. Cela permettra d'éviter les frictions et les dif- ficultés que nous avons connues dans le passé, du fait de sa position vis-à-vis de moi. "

« Goering était sans doute venu avec son train spécial de son pavillon de chasse de Rominten, à environ 100 kilomètres du quartier général d'Hitler. Comme l'accident s'était produit à 9 h 30, il avait vraiment dû se dépêcher. Hitler a négligé sa pro- position : " J'ai déjà nommé le successeur de Todt. Le ministre du Reich Speer ici présent vient de reprendre toutes les fonc- tions du Dr Todt, avec effet immédiat. "

« Le propos était si catégorique qu'il excluait toute objection. Goering semblait effaré et consterné à la fois. [...] A l'évidence, il avait tenté de l'emporter en prenant Hitler par surprise ; j'avais l'impression qu'Hitler s'attendait à une telle manœuvre, et que cela expliquait la rapidité de ma nomination [20]. »

C'est très probable, en effet. Le Führer estime-t-il que son fidèle paladin cumule déjà suffisamment de fonctions, ou bien a-t-il de sérieux doutes sur sa capacité à les exercer ? Probable- ment les deux à la fois, mais tout de même : confier le ministère des Armements à un jeune architecte sans la moindre expérience militaire, est-ce bien raisonnable ? C'est en tout cas très caracté- ristique : le Führer n'a-t-il pas déjà nommé un marchand de champagne ministre des Affaires étrangères, un capitaine d'avia- tion commissaire au Plan, un philosophe ministre des Territoires de l'Est, un éleveur de poulets chef de la police politique et un journaliste alcoolique ministre de l'Economie ? Pour exercer des

---

* Le *Gruppenführer SS* Julius Schaub, aide de camp principal d'Hitler.

fonctions de responsabilité au sein du Troisième Reich, l'amateurisme semble bien être un atout décisif...

Il y a toutefois des amateurs plus talentueux que d'autres, et Albert Speer est de ceux-là ; doué d'une intelligence aiguë et de grandes capacités d'organisation, fort du soutien d'Hitler et de la coopération de Milch, profitant de la vanité de Goering et des haines tenaces entre dignitaires du parti, le nouveau ministre de l'Armement accomplit rapidement des prodiges : il associe les industriels à la gestion de son ministère, crée un comité chargé de l'allocation des matières premières, quadruple la capacité de production d'armements, fait nommer un secrétaire d'Etat capable de résoudre l'épineux problème du blocage des voies ferrées et met sur pied un Conseil de la recherche du Reich. Avec une grande finesse tactique, il va subordonner le tout – ainsi que son propre ministère – au chef du plan quadriennal Hermann Goering, en pariant sur le fait que le *Reichsmarschall* est aussi avide de cumuler les fonctions que réticent à les exercer.

Il y aura bien sûr quelques ratés : l'administration de la main-d'œuvre, confiée au protégé de Martin Bormann Fritz Sauckel, échappera à Speer comme elle avait échappé à Goering ; l'utilisation de précieuses matières premières pour réaliser des constructions somptuaires au profit des gauleiters va se poursuivre et s'amplifier jusqu'à l'extrême fin de la guerre, et rien ne pourra jamais se faire contre les préjugés obstinés du Führer en matière technique, économique, politique ou militaire. Mais le fait demeure que la production d'armements vient de passer entre les mains de techniciens responsables, pour le plus grand bénéfice de la Wehrmacht en général et de la Luftwaffe en particulier...

Si Goering parvient à préserver les apparences, le Führer, qui est bien informé, sait que son *Reichsmarschall* ne s'intéresse plus qu'épisodiquement au déroulement de la guerre. « Goering, confirmera le général Schellenberg, semblait avoir pratiquement perdu tout intérêt pour les grands événements militaires. Beaucoup attribuaient cela à une dépendance morphinique accentuée, tandis que d'autres y voyaient les effets de la jouissance croissante et de plus en plus morbide d'une vie de luxe absolu [21]. » Il est vrai que Goering ne se présente plus que rarement au quartier général de Rastenburg, où l'air est humide, l'ambiance déprimante et l'ordinaire très médiocre. Le fidèle Bodenschatz l'y représente auprès du Führer, car en ce magnifique printemps de 1942, Goering préfère de beaucoup faire la navette entre Carinhall, Rominten, l'Obersalzberg, Veldenstein, Mauterndorf... et bien sûr Paris, où la grande cuisine et l'art bon marché exercent toujours sur lui un irrésistible attrait. Mais si Hermann Goering a tendance à s'éloigner du front, le front, lui, a tendance à se rapprocher de Hermann Goering ; c'est que la RAF intensifie constamment ses raids de bombardement, en frappant Francfort, Essen, Nuremberg, Lübeck et Rostock. Pourtant, ce qui se produit dans la nuit du 30 au 31 mai 1942 est d'une tout autre envergure : 1 046 bombardiers dévastent la ville de Cologne...

« Il s'est trouvé, écrira le ministre Speer, que Milch et moi avions été convoqués chez Goering le matin suivant le raid. A cette époque, il n'était pas à Carinhall, mais au château de Veldenstein, en Franconie. Nous l'avons trouvé de mauvaise humeur, refusant encore de croire les rapports sur le bombardement de Cologne : "Impossible, on ne peut pas larguer autant de bombes en une seule nuit", grondait-il en s'adressant à son aide de camp. "Passe-moi le gauleiter de Cologne !" Nous avons ensuite été les témoins d'une conversation téléphonique absurde : "Le rapport de votre commissaire de police est un foutu mensonge !" Le gauleiter semblait vouloir le contredire. "Je vous dis, moi, en tant que *Reichsmarschall*, que les chiffres cités sont trop élevés. Comment osez-vous rapporter de telles affabulations au Führer ?" A l'autre bout du fil, le gauleiter s'en tenait manifestement à ses chiffres. "Comment voulez-vous compter les bombes incendiaires ? Tout ça, ce ne sont que des estimations. Je vous répète qu'elles sont beaucoup trop élevées. C'est entièrement faux ! Envoyez immédiatement un autre rapport au Führer, avec des chiffres rectifiés. Ou bien essayeriez-vous par hasard d'insinuer que je mens ? J'ai déjà fait parvenir mon rapport au Führer, avec les chiffres réels. On en reste là !" [22]. »

C'est pourtant impossible... Au même moment, à son QG de Rastenburg, Hitler reçoit les derniers rapports sur la situation militaire. Après l'exposé des officiers de la marine et de l'armée, il se tourne vers le général Jeschonnek : « La Luftwaffe ? » Le jeune chef d'état-major a un moment d'hésitation, puis il rassemble ses papiers et dit : « Cologne, *mein Führer*... Il y a eu une

attaque de la RAF sur Cologne...Une attaque assez sévère. »
Hitler reprend, sur un ton glacial : « Qu'entendez-vous par
sévère ? » Jeschonnek : « Nous estimons que deux cents avions
ennemis ont pénétré nos défenses. Les dégâts sont importants...
Nous attendons encore les estimations définitives. » Hitler
commence à élever la voix : « Vous attendez encore les estimations définitives... Et la Luftwaffe croit qu'il n'y a eu que deux
cents avions ennemis ! » Puis il vocifère : « La Luftwaffe était
probablement endormie la nuit dernière... Mais moi pas ! Je
reste éveillé quand une de mes villes est en feu ! » Les cris se
transforment en hurlements : « Et je remercie le Tout-Puissant
de pouvoir compter sur mon gauleiter, quand ma Luftwaffe me
trompe ! Laissez-moi vous dire ce que m'a rapporté le gauleiter
Grohe – écoutez – écoutez bien – IL Y AVAIT MILLE AVIONS
ANGLAIS OU PLUS ! – Vous entendez : MILLE, MILLE
DEUX CENTS AVIONS, PEUT-ÊTRE PLUS ! » Puis il baisse
la voix, manifestement hors d'haleine, et poursuit d'un ton plus
menaçant encore : « Evidemment, Herr Goering n'est pas là...
Evidemment [23]... »

Bodenschatz, qui a assisté à cette scène pénible, se glisse hors
de la pièce et appelle Goering sur la ligne personnelle du Führer :
« Chef, vous devriez venir... ça va mal... » C'est bien peu dire, et
Goering se met immédiatement en route. Depuis Veldenstein
jusqu'à Rastenburg, le trajet est long et l'arrivée inconfortable :
« La suite a été lamentable, se souviendra le général Bodenschatz ; quand Goering est entré, il a tendu la main à Hitler,
mais celui-ci l'a ignoré. Devant les officiers subalternes, il a
grossièrement battu froid le *Reichsmarschall*. C'est un Goering
bégayant, déconcerté, qui s'est retrouvé perdu au milieu du
quartier général du Führer, où il comptait peu d'amis. Jeschonnek, son favori, n'osait même pas le regarder dans les yeux [24]. »

Bien sûr, pour peu que le Führer ait consenti à l'écouter, Hermann Goering aurait pu lui expliquer que sa Luftwaffe était
conçue à l'origine comme un simple instrument de dissuasion
psychologique et comme une force de soutien à l'offensive terrestre – encore avait-elle été engagée prématurément dans ce
dernier rôle ; par contre, personne ne pouvait imaginer qu'elle
devrait un jour défendre le territoire du Reich contre des
incursions massives de bombardiers – nocturnes de surcroît. Le
Reichsmarschall aurait même pu s'enhardir jusqu'à ajouter que les

appareils de la RAF auraient été interceptés bien avant d'atteindre le territoire allemand, si la malheureuse campagne contre l'Union soviétique n'avait laissé qu'un mince rideau de chasseurs le long des côtes de la Manche... Enfin, il aurait pu faire valoir que la production aéronautique alliée était désormais très supérieure en quantité et en qualité à celle de l'Allemagne – encore que ce dernier argument paraisse terriblement incriminant pour son auteur... Mais au fond, qu'importe tout cela ? Hitler doit absolument trouver un bouc émissaire pour chaque revers, et le *Reichsmarschall* constitue en l'occurrence une victime expiatoire toute désignée. Mais le Führer prend sa mauvaise foi très au sérieux, et il gardera à Goering une rancœur certaine ; l'aide de camp von Below, de retour de Libye trois jours plus tard, note dans son journal : « Quand j'ai rapporté au Führer mes impressions sur la situation en Afrique du Nord, il a répondu en déplorant amèrement l'attaque sur Cologne. [...] C'était la première fois que je l'entendais critiquer Goering. Hitler n'a jamais retrouvé une confiance absolue dans le *Reichsmarschall*[25]. »

Pourtant, l'autosuggestion aidant, Hitler considère la situation stratégique avec un optimisme certain. Il est vrai que pendant tout l'hiver, les Soviétiques ont harcelé les positions défensives de la Wehrmacht, mais en voulant attaquer partout à la fois, ils n'ont réussi à percer nulle part. Le Führer considère donc que sa décision d'interdire tout recul était la bonne, et il s'en vante à tout propos ; le fait qu'il ait pratiquement ruiné son aviation de transport et considérablement affaibli son armée pour tenir le front lui paraît manifestement secondaire... Et puis, il faut bien reconnaître que partout ailleurs ce printemps-là, l'affrontement semble tourner en faveur de l'Axe : à Malte, en Libye, en Malaisie, en Birmanie, dans l'Atlantique nord comme dans le Pacifique sud, les Britanniques et leurs alliés sont sur la défensive ou en pleine retraite *. Avec Rommel aux portes de l'Egypte et les Japonais aux confins de l'Inde, les plus grands espoirs sont permis ; il ne reste plus qu'à porter l'estocade.

---

* Depuis février 1942, l'état-major de la Luftwaffe préparait une attaque décisive contre Malte, avec des troupes aéroportées et la collaboration de l'aviation, de l'infanterie et de la marine italiennes. Goering et Kesselring attendaient beaucoup de cette opération – nom de code « Hercules » –, mais en mai, Hitler l'annule au motif que les effectifs mobilisés seront plus utiles en Libye – et en Russie, naturellement.

C'est précisément ce que le Führer se propose de faire sans retard ; dès le 6 avril 1942, il a fixé son plan d'attaque pour l'été : le « *Fall Blau* » (« Plan bleu »), tenant compte de l'échec de l'année précédente contre Moscou, prévoit de faire partir l'attaque de Koursk et de Kharkov, pour frapper à l'est en direction de Voronej, puis de faire porter tout l'effort vers le sud et le sud-est, afin de détruire les armées soviétiques concentrées entre le Don et le Donetz. Ceci permettra de constituer tout le long du Don une vaste ligne de défense allant de Rostov à Voronej en passant par Stalingrad. Une fois parfaitement couvert au nord, on entreprendra la conquête du Caucase, avec ses champs pétrolifères de Grozny, Maïkop et Bakou...

Ce plan fort bien conçu ne présente que trois faiblesses : d'une part, il comporte de nouvelles diversions, en prévoyant une occupation de la Crimée au Sud et une poursuite de l'attaque contre Leningrad au Nord (opération « *Nordlicht* »). D'autre part, après la perte de 1,3 million de soldats depuis le déclenchement de « Barbarossa », l'OKW lui-même estime à cette époque qu'il manque 620 000 hommes sur l'ensemble du front ; or, il faudra des effectifs considérables pour conquérir – et occuper – les immenses territoires s'étendant de la mer d'Azov à la mer Caspienne et de la Volga à la frontière turque. Enfin, les conditions matérielles de l'entreprise laissent quelque peu à désirer : il n'y a sur le front Sud que 1 300 chars disponibles, et le carburant leur est chichement compté ; en dehors des divisions blindées, une bonne partie de l'infanterie progresse encore à pied, et l'artillerie reste essentiellement hippomobile ; et puis, la Luftflotte IV, commandée à présent par le général Wolfram von Richthofen, ne comprend plus que 260 bombardiers, 180 chasseurs, 140 Stuka, 200 avions d'observation et 250 Ju 52 opérationnels [26]. C'est plus que n'en comptent les groupes d'armées Centre et Nord, mais bien moins qu'il n'en faudrait pour soutenir une aussi vaste offensive *. Si Goering, Jeschonnek ou Milch s'en sont rendu compte au stade de la planification, rien n'indique qu'ils en aient fait part au commandant suprême de la

---

* D'autant qu'une fois parvenu à Bakou, il faudra tenir un front de 6 200 kilomètres entre le Caucase et la Laponie ! Entre-temps, les 205 appareils de la Luftflotte V vont s'attaquer aux convois alliés dans l'Arctique, tout en étant pris à revers par l'aviation soviétique opérant depuis la péninsule de Kola !

Wehrmacht. Il est vrai que l'on ne conteste pas sans risques les inspirations du Führer...

Mais les sceptiques en seront pour leurs frais, car entre mai et juillet 1942, les victoires vont se succéder à un rythme impressionnant : au milieu de mai, un début de contre-offensive du maréchal Timochenko au sud de Kharkov est pris en tenaille par la 1re armée blindée de von Kleist et la 6e armée de Paulus, qui détruisent à cette occasion 27 divisions soviétiques et font 240 000 prisonniers, tandis que la Luftwaffe abat près de 500 appareils ennemis et détruit une centaine de chars ; en Crimée, la 11e armée du général von Manstein, puissamment soutenue par l'aviation *, occupe la presqu'île de Kertch et enlève la forteresse de Sebastopol au début de juillet, capturant un imposant matériel et faisant 260 000 prisonniers. Au même moment, sur le Don, la 2e armée et la 4e armée blindée s'emparent de Voronej, tandis que la 17e armée et la 1re armée blindée foncent au sud vers Rostov, en rencontrant une très faible opposition. Enfin, conformément au plan, la 6e armée longe le Don en direction du sud-est, avec Stalingrad pour objectif ; là encore, la résistance de l'ennemi est dérisoire : les divisions soviétiques se sont retirées vers l'est pour échapper à l'encerclement.

Pour Hitler, qui ne cesse de prendre ses désirs pour des réalités, tout cela ne peut signifier qu'une seule chose : l'Armée rouge, saignée à blanc et privée de réserves opérationnelles, est en train de s'écrouler. Ayant déplacé son QG vers Vinnitsa, en Ukraine, pour se rapprocher du front, il dirige la campagne jusque dans ses moindres détails. Un camp de baraques en rondins et de bunkers de béton parfaitement camouflé dans la forêt lui a été aménagé, et c'est là que son *Reichsmarschall* vient le rejoindre le 20 juillet, pour partager la gloire du conquérant et se montrer sur le front – ou du moins à 800 kilomètres du front, ce qui est une distance de sécurité acceptable. La Luftwaffe lui a naturellement aménagé son propre QG à Kalinovka ** pour la modique somme de 2 millions de marks –, et Goering y restera huit jours, principalement pour admirer le paysage, tirer le pigeon et visiter la ville de Vinnitsa, dont le théâtre l'intéresse [27]...

---

* Qui détruit encore 300 avions soviétiques.
** Par coïncidence, c'est le lieu de naissance de Nikita Khrouchtchev.

Mais le Führer, lui, n'est pas venu en touriste, et il va de nouveau infléchir brutalement sa stratégie ; par sa Directive n° 45 du 23 juillet 1942 (plan « Braunschweig »), il ordonne que les attaques en direction de la Volga et du Caucase s'effectuent *simultanément*. Cela revient certes à diviser ses forces pour les faire combattre au même moment sur deux fronts opposés – et séparés par plus de 700 kilomètres de steppes, de forêts et de montagnes ! Pourtant, l'armée allemande peut encore faire des prodiges : le groupe d'armées A du maréchal List, puissamment soutenu par 108 bombardiers du 4ᵉ corps aérien, s'enfonce dans la plaine du Nord-Caucase et traverse le Kuban en direction de Maïkop ; le 8 août, le groupe d'armées B du général von Weichs lance vers l'est la 6ᵉ armée du général Paulus ; avançant à marches forcées entre le Don et le Tschir *, elle parvient à encercler et à détruire deux armées soviétiques devant Kalatch, à seulement 70 kilomètres de Stalingrad. Sur les deux fronts, l'aviation soviétique est restée pratiquement inactive.

Hitler exulte et affirme déjà que « le Russe est fini ». Le 19 août, il confie à Goebbels que le grand assaut contre Stalingrad va commencer dans les soixante-douze heures et que la ville sera capturée en huit jours, après quoi elle sera « entièrement rasée ** ». Il ajoute qu'au Caucase, il compte s'emparer des champs pétrolifères de Maïkop, Grozny et Bakou au cours de l'été, assurer définitivement les approvisionnements pétroliers de l'Allemagne et interrompre ceux de l'URSS, pour ensuite « faire irruption au Proche-Orient, occuper l'Asie Mineure, envahir l'Irak, l'Iran et la Palestine, et priver les Britanniques de leur ravitaillement en pétrole [28] ». A l'évidence, le Führer n'est toujours pas troublé par des considérations de temps, de distance et de moyens matériels...

Ses généraux le sont davantage, et à juste titre : l'offensive de la 6ᵉ armée en direction de la Volga présente déjà des faiblesses inquiétantes ; ses lignes d'approvisionnement le long du Don s'étirent démesurément à mesure qu'elle progresse vers Stalin-

---

* Avec le soutien de trois groupes de bombardiers et de deux groupes de chasseurs du *Luftwaffenkommando Don*, soit 176 appareils au total. Ils sont approvisionnés par neuf groupes de Ju 52 (264 appareils).

** Hitler a également déclaré à l'ambassadeur d'Italie Alfieri qu'il coupera ensuite les communications soviétiques passant par la Volga et procédera à la prise d'Astrakhan, sur la mer Caspienne.

grad, et il lui faut les couvrir par des divisions hongroises et italiennes assez peu aguerries et très mal équipées. Par ailleurs, la 4ᵉ armée blindée du général Hoth, qui devait appuyer la 6ᵉ armée avec ses chars, a été détournée vers le couloir du Donetz au début de juillet sur ordre personnel d'Hitler ; il s'agissait alors d'accompagner le mouvement vers Rostov de la 1ʳᵉ armée blindée de Kleist – qui n'avait nul besoin de ce renfort. Une fois ce fait établi à la fin de juillet, la 4ᵉ armée blindée, parvenue à Tsimliansk, reçoit l'ordre de remonter vers le nord-est pour atteindre Kotelnikovo, traverser l'Aksaï et investir Stalingrad par le sud *. C'est un détour considérable de 350 kilomètres, qui va nécessiter près de trois semaines supplémentaires, user le matériel à l'extrême, permettre aux forces soviétiques de se regrouper devant la Volga, et ralentir considérablement la progression de la 6ᵉ armée. Dès le 15 août, en effet, celle-ci se heurte à une résistance nettement accrue au nord-ouest de Stalingrad, soutenue cette fois par une offensive résolue des petliakovs, shtourmoviks, Yak 1 et LaGG 3 de la 8ᵉ armée aérienne soviétique.

Les revirements stratégiques d'Hitler compromettent également les mouvements du groupe d'armées A du maréchal List dans le Caucase. Ainsi, la 11ᵉ armée du maréchal von Manstein, ayant conquis la Crimée, devait à l'origine passer le détroit de Kertch, s'emparer du Kouban et assister les armées du groupe A en occupant le rivage nord-ouest de la mer Noire, à partir de Novorossisk et de Krasnodar ; mais sur ordre du Führer, ses blindés, son artillerie... et son commandant en chef lui sont retirés au début d'août, pour être envoyés sur le front de Leningrad, à 2 000 kilomètres plus au nord ! Privées de cet appui, la 17ᵉ armée et la 1ʳᵉ armée blindée du groupe A parviennent néanmoins à occuper Stavropol, Armavir et Maïkop entre le 5 et le 9 août.

Mais de désagréables surprises les y attendent : d'une part, les Soviétiques ont coulé du ciment dans les puits de pétrole et incendié les raffineries de Maïkop avant d'évacuer la région, de sorte que les unités de la Wehrmacht n'obtiendront pas un litre de carburant supplémentaire ; d'autre part, les ordres d'offensive reçus par le groupe d'armées A prévoient une nouvelle disper-

---

* Voir carte, p. 462.

OFFENSIVE D'ÉTÉ DE LA WEHRMACHT, 1942

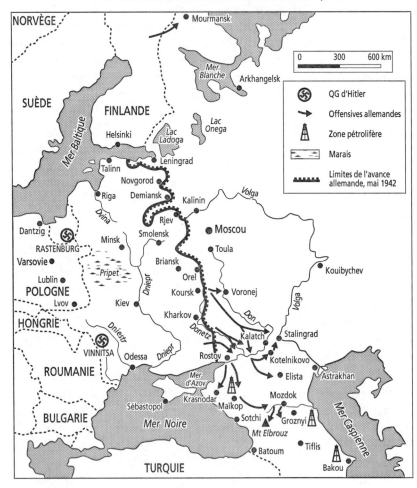

sion des effectifs, visant à poursuivre au Caucase trois objectifs à
la fois : occuper toute la côte occidentale de la mer Noire entre
Touapsé et Batoum pour immobiliser la flotte soviétique, franchir simultanément les monts du Caucase pour occuper Tiflis au
centre et Grozny à l'est, puis investir Bakou sur les rives de la
Caspienne ; en d'autres termes, une avancée en trident de
500 kilomètres au sud-ouest et de 850 kilomètres au sud-est à
vol d'oiseau. Or, les divisions blindées, l'infanterie et l'artillerie
ne pourront progresser à vol d'oiseau pour franchir les Monts du
Caucase : les vivres, les munitions, les pièces de rechange et le
carburant nécessaires à vingt-cinq divisions devront être acheminés par rail jusqu'à Rostov, pour gagner ensuite Stavropol ou
Elista, puis traverser les steppes à dos de chameau et franchir les
cols à dos de mulet, jusqu'à atteindre les hauteurs de Piatigorsk
et de Mozdok ! C'est de là que partira l'offensive vers Grozny et
Bakou. Mais à ce moment, la résistance soviétique le long de la
côte et derrière le Terek s'est considérablement durcie. Bien sûr,
il faudrait au groupe d'armées A, déjà très éprouvé par deux
mois de combats incessants, un engagement aérien massif pour
assurer l'approvisionnement des troupes et bombarder les lignes
de communications ennemies ; mais en cette fin du mois d'août,
le maréchal List s'aperçoit que ses avions d'appui et l'ensemble
de son corps de DCA ont été progressivement détournés vers le
nord – plus précisément vers la boucle occidentale de la
Volga [29]...

C'est en effet le 19 août 1942 qu'a commencé la première
attaque sérieuse contre Stalingrad, menée par la 6ᵉ armée et
la 4ᵉ armée blindée enfin réunies. Dès le 22 août, une brèche
est ouverte dans le périmètre défensif soviétique au niveau des
faubourgs nord de la ville, et un corps blindé atteint même le
lendemain les rives de la Volga ; l'objectif consiste à repousser
les défenseurs vers l'est, au-delà du fleuve, mais la résistance est
opiniâtre, l'offensive s'enlise, et Paulus va solliciter l'aide de la
Luftwaffe.

L'assaut aérien qui débute dans la nuit du 23 au 24 août 1942
n'a rien de tactique ; il s'agit manifestement de faire subir à Stalingrad le sort de Varsovie, de Rotterdam et de Belgrade. Par le
nombre d'appareils engagés et le tonnage d'explosifs déversés,
c'est le bombardement le plus massif exécuté depuis le début de

l'opération « Barbarossa » *. Après plusieurs jours de raids ininterrompus, menés par des He 111, des Ju 88 et des Stuka à partir de terrains d'aviation aussi éloignés qu'Orel et Kertch, les
logements en bois des faubourgs de Stalingrad ont entièrement
brûlé, les immeubles modernes du centre-ville sont un vaste
champ de ruines, et les grandes usines d'armements sur les rives
de la Volga n'abritent plus que des amas de ferrailles tordues. La
VVS, qui perd 208 avions en sept jours, est balayée du ciel
par des Me 109G et des Fw 190 enfin convenablement motorisés **. Mais le fantassin soviétique s'accroche toujours au terrain, et une ville en ruines s'avère bien plus difficile à conquérir
qu'une ville intacte ; l'infanterie allemande n'est pas entraînée
au combat de rues, et les tanks, conçus pour manœuvrer dans
les grands espaces, s'usent en pure perte au milieu des gra-
vats...

Adolf Hitler devrait en être parfaitement conscient, puisqu'il
disait un an plus tôt : « Une chose est sûre : le fait d'éparpiller
des tanks dans les villes constitue un péché contre l'esprit ***. »
Mais on sait que le Führer a l'habitude d'oublier ses résolutions :
ne s'était-il pas promis en 1938 de ne pas déclencher de guerre
avant 1943 au plus tôt ? N'avait-il pas écrit dans *Mein Kampf*
qu'il ne faudrait jamais mener de guerre sur deux fronts ? Pour
l'heure, en tout cas, Stalingrad est devenu son obsession : la ville
porte le nom de Staline et elle est stratégiquement située sur la
Volga entre Saratov et Astrakhan, deux villes dont Hitler
compte bien s'emparer ultérieurement ; il pousse donc la Wehrmacht à multiplier les assauts vers le centre de Stalingrad, et
ordonne à von Weichs de « nettoyer complètement la rive droite
de la Volga ». Il est vrai que l'emplacement du QG d'Hitler a
été plutôt mal choisi : Vinnitsa est très chaud le jour, très froid
la nuit, humide et infesté de moustiques en permanence – toutes
choses propres à affecter le tempérament d'un Führer qui est
désormais sujet à de fréquents accès de rage et enclin à prendre
des mesures radicales : le 24 août, le général Halder, qui

---

* Plus de 500 avions larguent 1 000 tonnes de bombes.

** Le Lavochkin LaGG 3, comme le Yak 1 et le Mig 3, a encore des performances
très inférieures à celles des chasseurs allemands. Il ne reste à l'aviation soviétique que
192 appareils dans le secteur de Stalingrad ; mais ils vont être rapidement renforcés
entre septembre et octobre.

*** Voir *supra*, p. 427-428.

recommandait un retrait limité de la 9ᵉ armée face à une contre-offensive soviétique dans la région de Rjev, est vertement insulté devant tout son état-major ; au début de septembre, le maréchal List, jugé coupable de n'avoir pas poussé avec suffisamment d'énergie les attaques contre Grozny et Touapsé, est limogé sans préavis, et remplacé à la tête du groupe d'armées A par... Hitler lui-même * ! Et le 24 septembre, c'est le chef d'état-major de l'armée Halder qui est destitué à son tour, pour être remplacé par un personnage plus docile, le général Zeitzler.

Pourtant, de nombreux officiers généraux se présentent devant Hitler pour l'adjurer de limiter ses ambitions et de rétré-cir la ligne de front le long du Don comme au Nord-Caucase, mais ils se heurtent toujours à un mur. Les services de renseigne-ment de l'armée et de la SS font état de concentrations de troupes soviétiques derrière la Volga et devant l'Oural, mais Hitler continue à réfuter les renseignements qui le dérangent, et il y est encouragé par le *Reichsmarschall* lui-même, qui lui a communiqué à la fin du mois d'août exactement ce qu'il souhai-tait entendre : « On ne peut pas parler de puissantes forces enne-mies. Dans leurs reconnaissances vers le Nord, mes forces aériennes ont eu du mal à repérer une seule troupe ennemie sur un terrain absolument découvert [30] **. » A cette époque, du reste, Goering sert à Hitler de faire-valoir pour impressionner ses généraux, ainsi que le rapportera le ministre Albert Speer, qui a observé attentivement leur manège : « Après son arrivée au QG du Führer, Goering avait l'habitude de se retirer quelques minutes dans ses quartiers, le temps que le général Bodenschatz, son officier de liaison auprès d'Hitler, puisse quitter la salle de conférences pour informer Goering par téléphone de l'état des discussions [...] sur les problèmes en suspens. Un quart d'heure plus tard, Goering entrait dans la salle de conférences et expri-

---

* Un cas véritablement unique, et qui frise la caricature : Hitler est désormais commandant de l'ensemble des forces armées, commandant de l'armée de terre, et commandant d'un groupe d'armées au sein de cette armée de terre... Il remplit donc simultanément les fonctions de trois hommes, sans en avoir le temps ni les capacités.

** C'est exact, mais cela ne prouve absolument rien : les avions d'observation allemands opèrent peu la nuit, lorsque s'effectuent les concentrations soviétiques – qui sont en outre parfaitement camouflées. Par ailleurs, le *Reichsmarschall* a parlé de « reconnaissances vers le Nord », sans mentionner les reconnaissances vers l'Est et le Nord-Est...

mait d'emblée exactement le point de vue que venait de
défendre Hitler face à l'opposition de ses généraux. Hitler par-
courait alors son entourage d'un regard satisfait : " Vous voyez,
le *Reichsmarschall* est exactement du même avis que moi " [31]. »
Le subterfuge s'avère efficace... au début du moins.

Les critiques incessantes de Goering contre les généraux de
l'armée de terre, accusés d'être faibles et défaitistes, sont évidemment très mal ressenties à l'OKW comme à l'OKH, où
l'on s'empresse d'allumer des contre-feux ; ainsi, Jodl et Keitel font discrètement valoir que la Luftwaffe comporte des
sureffectifs parfaitement grotesques, au moment où règne sur le
front de l'Est une effrayante pénurie de soldats. L'argument est
imparable, et dès le mois de septembre 1942, Goering reçoit
du Führer l'ordre de mettre 200 000 de ses hommes à la disposition de l'armée de terre. Mais pour le *Reichsmarschall*, ce serait
là une perte de prestige insupportable ; il parvient donc à biai-
ser en promettant à Hitler de mettre sur pied vingt « divisions
de campagne de la Luftwaffe ». Le Führer, pour qui une division en vaut une autre, se satisfait de cette parade, sans en
mesurer les inconvénients : les personnels de l'aviation incor-
porés individuellement dans des unités combattantes feraient
certainement de bons soldats ; mais engagés en masse dans des
divisions nouvelles, sans formation adéquate, sans camarades
de combat aguerris et sans un encadrement suffisant d'officiers de l'armée de terre, ils n'ont pas la moindre valeur militaire...

Comme bien d'autres généraux, Paulus a été convoqué à
Vinnitsa pour y être harangué par le Führer. De retour à Stalingrad le 13 septembre, il fait déclencher l'offensive « finale »
pour éliminer toute résistance soviétique sur la rive ouest de
Stalingrad. L'avantage numérique de la 6e armée reste impressionnant : elle engage onze divisions, dont trois blindées,
appuyées au sud par les divisions de tête de la 4e armée blindée
de Hoth et couverte sur l'ensemble du secteur par les bombardiers et les Stuka de la Luftflotte IV. En face, adossées à la
Volga, il n'y a que sept divisions d'infanterie incomplètes et
deux brigades de chars déjà très éprouvées, sous le commandement des généraux Tchouikov et Yeremenko. L'issue ne paraît
donc pas faire de doute, mais trois facteurs au moins jouent

contre la Wehrmacht : d'une part, elle choisit d'adopter une tactique de rouleau-compresseur lente et coûteuse, visant à réduire chaque quartier de la ville, pour progresser systématiquement vers l'est et atteindre la Volga en autant de points que possible ; d'autre part, elle sous-estime fortement la capacité de résistance des Soviétiques, qui s'accrochent au centre-ville, minent tous les accès à la Volga, transforment chaque ruine en fortin et concentrent une impressionnante artillerie sur les berges du fleuve ; enfin, l'armée de Paulus est mal desservie par la Luftwaffe, qui s'obstine à bombarder les ruines pour assister l'infanterie, au lieu de s'en prendre aux canons soviétiques massés sur les deux rives de la Volga et aux embarcations qui la traversent en permanence pour acheminer des renforts.

Certains généraux en sont parfaitement conscients, mais la Luftwaffe du *Reichsmarschall* préservant farouchement son indépendance, il ne saurait être question de donner des ordres au commandant de la Luftflotte IV. Le chef d'état-major de l'aviation Jeschonnek pourrait bien sûr le faire, mais certainement pas sans en référer à Goering, dont le principal souci est de plaire à Hitler — lequel ne reconnaît que deux missions aux forces aériennes : le soutien tactique à l'armée de terre et le bombardement massif des villes pour anéantir la volonté de resistance de l'ennemi. Dès lors, rien ne change et le combat menace de s'enliser : à la mi-octobre, les Allemands occupent les trois quarts de Stalingrad et parviennent à cerner les défenseurs le long d'une étroite bande de terre jouxtant la Volga, mais ils sont incapables de les déloger des carcasses de trois grandes usines d'armement et d'un silo à grain, face au feu nourri de l'artillerie soviétique et au harcèlement constant des détachements d'infanterie infiltrés sur leurs arrières. Pendant ce temps, les rapports inquiétants s'accumulent au QG des forces aériennes : les services de renseignement de l'OKH décèlent de nombreux mouvements de troupes dans la région de Serafimovitch, à 160 kilomètres au nord-ouest de Stalingrad [32], les commissaires du Reich font état d'une activité accrue des partisans le long des lignes d'approvisionnement de la Wehrmacht, l'état-major s'inquiète de la vulnérabilité de l'aile nord du groupe d'armées B, défendue le long du Don par des troupes hongroises, italiennes et roumaines toujours aussi mal équipées, le général Zeitzler demande au Führer s'il ne faudrait pas mettre un terme aux combats de rues à Stalingrad pour libérer les troupes nécessaires à la protection des lignes d'approvisionnement du groupe d'armées A en difficulté au Caucase [33], tandis que les escadrilles de reconnaissance de la Luftwaffe, qui signalent de fortes concentrations de troupes au nord de la grande boucle du Don *, rapportent en outre des clichés de plusieurs milliers d'avions massés sur des aéroports soviétiques très en arrière de la ligne de front. Pourtant, le général Josef « Beppo » Schmid, chef des services de renseignement de la Luftwaffe, s'empresse de minimiser l'importance des informations recueillies [34]...

C'est qu'il connaît bien les faiblesses de Hermann Goering qui, à l'imitation de son maître, continue à rejeter les renseignements défavorables. D'ailleurs, le *Reichsmarschall* s'intéresse toujours aussi peu au déroulement des opérations à l'Est ; après tout, il y a bien d'autres priorités : les questions d'approvisionnement en matières premières, par exemple, que le commissaire au plan quadriennal Goering tient à superviser personnellement lors de ses passages occasionnels à Berlin. Il y a surtout les séjours à Carinhall, qui tiennent toujours une place démesurée dans son agenda : les nouveaux plans d'agrandissement, l'ameublement, la décoration et l'accumulation des œuvres d'art continuent de l'occuper, mais c'est désormais la sécurité des lieux qui est prioritaire : depuis le début de la guerre, Goering a fait creuser un second bunker souterrain « privé » de 60 m^2 sous la façade ouest du bâtiment transversal, avec puits d'aération et sortie de secours sur la berge du Döllnsee ; il a également fait installer aux environs de la propriété neuf batteries de canons antiaériens de 88, avec bunkers, projecteurs et plateformes d'observation hautes de 18 à 22 mètres ; le chaume des toits, trop inflammable, a été remplacé par des tuiles sur tous les bâtiments au début de 1942, après quoi l'ensemble des murs et des toits a été recouvert de filets de camouflage géants [35]. Tout cela n'étant pas encore suffisant, le *Reichsmarschall* a fait construire à 7 kilomètres plus au nord

---

* Dans la région de Kletskaïa. A la mi-novembre, ils signalent même que les troupes du génie soviétique construisent des ponts sur le Don. (*Voir carte*, p. 486).

une réplique parfaite de Carinhall en bois, toile et métal, pour tromper les aviateurs alliés! Et comme décidément la sécurité n'a pas de prix, des abris antiaériens bétonnés ont été construits à intervalles réguliers le long des 65 kilomètres de route reliant Carinhall à Berlin [36]...

Voilà qui traduit à l'évidence un profond sentiment d'insécurité chez cet homme qui affiche en public une confiance inébranlable... Du reste, un incident qui se produit à l'époque montre bien que le premier fanfaron du Reich sait garder la tête froide en privé : « Lors d'un raid au-dessus de Carinhall à l'automne de 1942, racontera Thomas von Kantzow, nous sommes descendus dans l'abri que Hermann avait fait construire sous la maison. Emmy était là, ainsi que la sœur de Hermann, Olga. Elle s'était engagée dans la Luftwaffe comme nurse, et revenait tout juste de Russie. Sa description des conditions hivernales qui y régnaient était terrifiante, et nous en étions tous affectés. Hermann semblait très déprimé. Emmy, qui était toujours la plus gaie et la plus optimiste, a dit tout d'un coup : " Savez-vous ce que je ferai quand nous aurons gagné la guerre ? " Nous ne l'avons jamais su, parce que Hermann l'a interrompue. En parlant à voix basse pour n'être pas entendu des serviteurs qui se tenaient dans la pièce d'à côté, il a dit : " Tu ne comprends pas que nous n'allons pas gagner cette guerre ? Elle est déjà perdue – mais le Führer refuse de le reconnaître. " Tante Olga a paru très choquée, et Emmy a fondu en larmes. Il s'est tout de suite précipité vers elle, parce qu'il détestait lui faire de la peine, il l'a prise dans ses bras et s'est mis à pleurer aussi [37]. »

Bien entendu, rien de tout cela ne transparaît dans ses discours publics, destinés à encourager le peuple et à entretenir sa popularité ; celui du 4 octobre 1942 au Sportpalast est un modèle du genre : « Si, du fait des mesures prises par l'ennemi, il devait y avoir un jour une famine quelque part, chacun doit savoir que ce ne sera jamais en Allemagne. [...] On attribue à l'industrie de guerre américaine des chiffres de production astronomiques. Eh bien, je suis le dernier à sous-estimer cette industrie. Il est clair que les Américains ont de très bons résultats dans certains domaines techniques. Nous savons qu'ils produisent une quantité colossale de voitures rapides. Et le

développement de la radio est une de leurs réalisations spéci-
fiques – de même que les lames de rasoir. Mais n'oubliez
pas qu'il y a un mot dans leur langue qui s'écrit avec un B
majuscule, c'est le mot Bluff[38]. » Trois jours plus tard seulement, les faits se chargent de démentir cet orateur visionnaire :
Les « forteresses volantes » B 17 américaines font leur apparition au-dessus du ciel allemand ; l'un de ces appareils abattus
est transporté pour examen au centre d'essais de Rechlin, où les
experts sont très impressionnés par ses performances, son blindage et son armement *. Il y a aussi le bombardier B 24 Liberator, avec son rayon d'action de 3 380 kilomètres, dont on
attend l'arrivée en nombre sur les aéroports britanniques. A
l'évidence, l'Allemagne doit se préparer à subir en 1943 des
bombardements d'une ampleur sans précédent, de jour comme
de nuit. Le 11 octobre, le maréchal Milch présente à son supérieur un dossier qui expose l'ensemble du problème. La réaction
de Goering est prévisible, et Milch, assez effaré, en fait part
peu après à son état-major : « Le *Reichsmarschall* m'a dit qu'il
n'y avait pas à s'en faire pour les avions américains, même s'ils
étaient quadrimoteurs, et que nous pouvions envisager l'avenir
avec sérénité[39]. »

Trois jours plus tard, Goering, donnant l'exemple de la sérénité, part rejoindre son épouse à Naples, et le ministre des
Affaires étrangères italien Ciano note dans son journal : « Goering a fait savoir qu'il ne restera que deux heures à Rome, qu'il
ne veut personne à la gare et qu'il désire être reçu par Mussolini lundi à 11 heures. *Sic !* » Mais même très en arrière de la
ligne de front, le valeureux maréchal du Reich reste exposé aux
aléas de ces temps difficiles, ainsi que le relève Ciano dès le
19 octobre : « Mussolini s'apprêtait à se rendre au Palais de
Venise pour y recevoir Goering, lorsque Mackensen l'a informé
que le maréchal avait été pris la nuit dernière d'un accès de
dysenterie si violent qu'il " ne lui a pas été possible de quitter
son trône, même pour dix minutes ". L'expression n'est pas très
respectueuse, mais elle est textuelle[40]. » Certes, et lorsque Goe-

---

* On le serait à moins : ce quadrimoteur extrêmement robuste, armé de 13
mitrailleuses de 12,7 mm, emporte 1,7 tonne de bombes, vole à 460 km/h avec un
plafond de 9 000 mètres et couvre aisément une distance de 2 000 kilomètres.
Encore n'est-ce que le modèle E ; en 1943, le B 17 G aura des performances très
supérieures. (Voir annexe, p. 783 et suivantes.)

ring est finalement reçu par Mussolini quatre jours plus tard, il se montre tout sauf optimiste sur l'évolution de la guerre, en déclarant même avec une ironie amère : « Pour remporter la victoire dans les meilleurs délais, il faudrait théoriquement prévoir une guerre de trente ans [41]. » Le Duce, qui n'est guère plus optimiste, l'informe que Gênes a été sévèrement bombardé par la RAF, que Malte résiste à tous les assauts, et qu'en Egypte, le maréchal Rommel se trouve en grande difficulté devant les lignes de défense britanniques.

Le mot n'est pas trop fort : depuis le 23 octobre, l'Afrika Korps a été durement accroché à l'ouest d'El Alamein par la 8e armée du général Montgomery, massivement soutenue par les blindés, l'artillerie et l'aviation * ; le combat est resté incertain, mais le 2 novembre, une percée des troupes néozélandaises et de deux brigades blindées au centre du front contraint le maréchal Rommel à opérer une retraite précipitée, fortement compliquée par la pénurie d'essence et la faiblesse de la Luftwaffe. Le 7 novembre, ses troupes ont déjà gagné Mersa Matrouh, abandonnant derrière elles 30 000 prisonniers, 350 tanks et 400 canons. Mais le lendemain, une nouvelle plus désastreuse encore parvient à Munich, où séjournent le Führer et sa suite : les Alliés viennent de débarquer en Algérie et au Maroc ! Faute d'appareils de reconnaissance en nombre suffisant dans le secteur, la Luftwaffe n'avait pas détecté l'approche des 850 navires de l'armada alliée.

La première stupeur passée, Hitler conjure Rommel de s'accrocher au terrain à n'importe quel prix et ordonne d'établir immédiatement une tête de pont en Tunisie pour bloquer l'avance des troupes américaines venues d'Algérie ; en même temps, il fait préparer l'invasion de la zone libre, qui sera exécutée le 11 novembre. Goering, qui est présent à Munich en même temps qu'Hitler, reconnaît sportivement que « l'occupation de l'Afrique du Nord est le premier but marqué par les Alliés depuis le début de la guerre [42] ». A cette occasion, l'aide de camp von Below croit remarquer une certaine froideur dans

---

* Rommel a pourtant eu le soutien de 76 Ju 88, 124 Stuka et 162 Me 109 lors de son offensive victorieuse du printemps 1942, mais ceux-ci se sont beaucoup usés depuis, ils ont été bombardés sans relâche par la RAF... et ils manquent cruellement d'essence. Au moment d'El Alamein, la Luftwaffe a 260 appareils opérationnels dans le secteur, alors que la RAF en a 600.

les relations entre le Führer et le *Reichsmarschall* : « J'ai été frappé par le fait qu'ils ne s'entretenaient plus comme auparavant. » Von Below en aura l'explication quelques jours plus tard, alors qu'Hitler s'est retiré sur l'Obersalzberg pour se reposer : « La Luftwaffe paraissait le préoccuper *. [...] Hitler a dit que, du fait que Goering ne se tenait pas informé comme il le devrait, il préférait discuter des affaires courantes avec Jeschonnek. Il m'a parlé avec véhémence de la défense aérienne du Reich. Il fallait produire davantage de canons de DCA, car les chasseurs étaient rarement disponibles en nombre suffisant, ils ne se trouvaient pas dans les bons secteurs, ou encore ils étaient gênés par le mauvais temps. [...] Il espérait qu'il n'y aurait pas de nouvelles surprises en provenance du front de l'Est [43]. »

Il est vrai qu'au milieu de toutes ces alarmes, la Russie est passée au second plan – à tel point même que la Luftflotte IV, qui s'use depuis quatre mois entre les rives du Don et les contreforts du Caucase **, a reçu l'ordre d'envoyer quatre de ses escadrilles de chasseurs en Méditerranée... Le réveil sera donc difficile : au matin du 19 novembre, au milieu d'une furieuse tempête de neige, trois corps blindés soviétiques, soutenus par 3 500 canons, percent les lignes de la 3ᵉ armée roumaine entre Serafimovitch et Kletskaïa, au nord-ouest de Stalingrad, pour converger sur Kalatch, au centre du dispositif allemand ; dès le lendemain, deux autres corps blindés soviétiques enfoncent les positions de la 4ᵉ armée roumaine au sud-est de Stalingrad, puis remontent vers le nord-ouest en direction de Sovietski et de Kalatch ***. C'est bien une manœuvre d'encerclement qui se dessine sur les arrières de la 6ᵉ armée, à

---

* C'est qu'il venait d'ordonner le bombardement d'Oran, avant d'apprendre que la Luftwaffe ne disposait pas de bombardiers ayant un rayon d'action suffisant pour ce faire. Ceci avait provoqué une explosion du Führer contre la Luftwaffe, accusée d'avoir « bricolé en rond » (« *herumwurstelen* » dans le patois autrichien d'Hitler) pendant des années, au lieu de construire un bombardier à long rayon d'action. A cette époque, la Luftwaffe a moins de 200 bombardiers moyens opérationnels en Sicile, ainsi qu'une vingtaine en Crète.

** Et dont les effectifs se trouvent réduits à 950 appareils – qui sont loin d'être tous opérationnels. Voir carte, p. 462.

*** C'est le début de l'opération « Uranus », conçue dès le mois de septembre par les généraux Joukov et Vassilievski, et exécutée à présent par le front du Sud-Ouest (Vatoutine), le front du Don (Rokossovski) et le front du Sud-Est (Yeremenko). Voir carte, p. 486.

partir de ses deux flancs les plus vulnérables; mais l'effet de surprise, l'ampleur de l'offensive, son déclenchement très à l'ouest de Stalingrad, le temps exécrable, la multiplication des attaques de diversion et la mauvaise coordination entre Allemands et Roumains provoquent à l'état-major du général Paulus une confusion certaine, qui se reflète dans les premiers rapports envoyés à l'état-major du groupe d'armées B comme au quartier général du Führer...

La nouvelle de l'offensive soviétique trouve le haut commandement allemand très largement dispersé : l'OKH est en Prusse orientale, de même que l'état-major de la Luftwaffe, mais Goering est à Berlin, l'OKW à Salzbourg et Hitler à Berchtesgaden... Albert Speer, qui séjourne au Berghof en compagnie du Führer, racontera la suite : « Hitler a commencé par expliquer et minimiser le désastre en dénigrant les qualités martiales de ses alliés. Mais peu après, les troupes soviétiques ont commencé à écraser également les divisions allemandes. Le front commençait à s'écrouler. Hitler faisait les cent pas dans le grand hall du Berghof : " Voilà que nos généraux refont leurs vieilles erreurs. Ils surestiment toujours la force des Russes. D'après tous les rapports en provenance du front, les effectifs ennemis ne sont plus suffisants. Ils sont affaiblis; ils ont été saignés à blanc. Mais bien sûr, personne ne veut tenir compte de ces rapports. Et puis, l'entraînement des officiers russes est exécrable ! Des officiers pareils ne peuvent organiser une offensive. Nous savons bien, nous, ce qu'il faut pour cela ! A court ou à long terme, les Russes seront obligés de s'arrêter; ils s'épuiseront. Pendant ce temps, nous jetterons dans la bataille quelques divisions fraîches; cela rétablira la situation. " Au milieu de l'atmosphère paisible du Berghof, il ne saisissait pas ce qui était en train de se produire [44]. »

Il commence tout de même à le faire dans l'après-midi du 22 novembre, lorsque lui parvient la nouvelle de la jonction près de Kalatch des armées soviétiques du Nord-Ouest et du Sud-Est; cela signifie que l'ensemble de la 6ᵉ armée a été repoussée vers les ruines de Stalingrad, où elle se trouve désormais encerclée, en compagnie d'éléments de la 4ᵉ armée blindée, des débris de deux armées roumaines et de la 9ᵉ division de DCA – vingt-deux divisions et 270 000 hommes en tout.

Hitler, qui n'a pas une vue très claire de la situation, s'obstine à donner aux commandants de groupes d'armées des instructions détaillées qui sont aussitôt dépassées par les événements, pour s'indigner ensuite du fait qu'elles n'aient pas été exécutées. Au soir du 22 novembre, le Führer et sa suite reprennent le train pour Rastenburg...

Le voyage va durer vingt heures. « Toutes les trois ou quatre heures, notera von Below, nous faisions une longue halte pour que le Führer puisse entrer en communication téléphonique avec Zeitzler. Celui-ci demandait instamment la permission d'extraire la 6ᵉ armée avant que la nasse ne se referme. Mais Hitler refusait que l'on fasse un seul pas en arrière [45]. » C'est un fait : la stratégie d'Hitler consiste à refuser de céder un pouce de terrain, et le « succès » de l'hiver précédent a nettement renforcé ses préjugés à cet égard ; dès le 21 novembre, il a donc câblé au général Paulus : « La 6ᵉ armée doit tenir, malgré le danger d'un encerclement temporaire [46]. » Au cours des deux jours qui suivent, il ne fait que confirmer cette instruction, en dépit des objurgations de Zeitzler, du général von Richthofen et du maréchal von Weichs, commandant du groupe d'armées B. Il ordonne également au maréchal von Manstein de prendre le commandement d'une nouvelle « armée du Don », et câble au général Hoth, commandant la 4ᵉ armée blindée, de se porter au secours de la 6ᵉ armée. Mais tout cela prendra au moins dix jours, et Hitler veut s'assurer que Paulus tiendra tout le temps nécessaire ; or, il faut pour cela qu'il soit constamment ravitaillé en carburant, en vivres et en munitions. Ses lignes d'approvisionnement terrestres étant coupées, il ne reste que la possibilité d'un pont aérien... Hitler se tourne donc vers la Luftwaffe.

C'est entre le 22 et le 23 novembre que le Führer consulte les responsables de l'aviation allemande ; fidèle aux résolutions rapportées plus haut, il s'adresse en premier lieu au chef d'état-major Jeschonnek qui, fort de son zèle national-socialiste, lui répond que le ravitaillement de Stalingrad par voie des airs est parfaitement possible. Goering, consulté ensuite par téléphone et sachant bien ce que le Führer veut entendre, s'empresse de confirmer : « Hitler, expliquera-t-il plus tard à Pilli Koerner, avait eu le plan (de Jeschonnek) avant que je ne l'aie vu. Je ne pouvais que dire : " *Mein Führer*, c'est vous qui avez les chiffres. S'ils sont exacts, alors je suis à votre disposition " [47] *. » Bien entendu, les chiffres sont loin d'être exacts : Jeschonnek n'a eu ni le temps ni les moyens de calculer ce que représentait le ravitaillement quotidien, par une force aérienne très diminuée opérant sous le feu de la DCA ennemie, de vingt-deux divisions prises au piège à 1 000 kilomètres de leurs bases de départ, au milieu de l'hiver et pour une période de temps indéterminée. Il a seulement donné la réponse qu'Hitler attendait de lui – tout comme Goering, du reste. Pour ce dernier, ce n'est qu'une question d'ordres à donner, et il convoque immédiatement l'état-major de la Luftwaffe à bord de son train personnel ; « Lorsqu'il est entré, se souviendra le général Wolfgang Vorwald **, Goering nous a dit d'un ton abrupt que la 6e armée allait être approvisionnée par la Luftwaffe. Tous les avions de transport et les bombardiers disponibles seraient utilisés dans l'opération [48]. » Aussitôt après, le *Reichsmarschall* part pour Paris avec la satisfaction du devoir accompli ; dans la Ville lumière l'attendent des Van Gogh, un Corot, un Utrillo, un Cranach et cinq tapisseries qu'aucune guerre au monde ne lui ferait manquer...

C'est donc sur la base d'assurances bien fragiles que le Führer confirme à Zeitzler son interdiction de tout repli, car « une autre solution a été trouvée » ; il câble également à Paulus de tenir bon dans la « forteresse Stalingrad », en lui précisant qu'il sera « approvisionné par voie aérienne jusqu'à l'arrivée des secours » [49]. Mais dans l'intervalle, Hitler est parvenu à Rastenburg, d'où il a pu se faire une idée plus précise de la situation : « La carte stratégique, écrira Speer, montrait toute la région comprise entre Voronej et Stalingrad couverte de flèches rouges sur un front large de 210 kilomètres. Elles représentaient la progression des troupes soviétiques. Au milieu de toutes ces flèches, il y avait de petits cercles bleus, des poches de résistance formées des débris de divisions allemandes et alliées. Stalingrad était déjà cerné de cercles rouges. Hitler, troublé, a

---

* La version de la secrétaire de Jeschonnek, Lotte Kersten, est sensiblement différente : selon elle, Jeschonnek aurait d'abord répondu au Führer que le ravitaillement de Stalingrad par air était impossible, mais il aurait aussitôt été rappelé à l'ordre téléphoniquement par Goering.
** Chef de la section technique de la Luftwaffe.

ordonné que des unités soient détachées des autres secteurs du
front et des territoires occupés pour être dépêchées en toute
hâte vers le secteur sud. Il n'y avait pas de réserves opérationnelles disponibles [...]. Zeitzler, que les insomnies avaient
rendu hagard et écarlate, insistait pour que la 6ᵉ armée puisse
se frayer un chemin vers l'ouest. Il a bombardé Hitler de données sur les déficiences de l'armée en vivres comme en carburant. [...] Hitler est resté calme, impassible et circonspect,
comme pour montrer que l'agitation de Zeitzler n'était qu'une
réaction psychotique en face du danger. " La contre-attaque que
j'ai ordonnée à partir du sud va bientôt débloquer Stalingrad.
Cela nous permettra de nous rétablir. Nous avons déjà connu
de telles situations auparavant, vous savez. Et pour finir, nous
sommes toujours parvenus à maîtriser la situation. " [...] Zeitzler a contesté ces arguments, et Hitler l'a laissé parler sans
l'interrompre. Les forces disponibles pour la contre-attaque
étaient trop faibles, a dit Zeitzler ; par contre, si elles pouvaient
faire leur jonction avec la 6ᵉ armée qui avait percé vers l'ouest,
alors elles pourraient établir de nouvelles positions plus au sud.
Hitler a présenté des contre-arguments, mais Zeitzler est resté
inébranlable. Enfin, après une demi-heure de discussion, Hitler
a perdu patience : " Stalingrad doit être tenu. C'est impératif ;
c'est une position clé. En interrompant la circulation sur la
Volga à cet endroit, nous causons aux Russes les plus grandes
difficultés. Comment transporteront-ils leur grain depuis la
Russie méridionale vers le nord ? " L'argument ne paraissait pas
convaincant ; j'avais plutôt l'impression que Stalingrad était
pour lui un symbole. Mais pour l'heure, la discussion a pris fin
après cette controverse. [...] Le lendemain, la situation avait
encore empiré. Zeitzler s'est fait encore plus pressant. L'atmosphère dans la salle de conférences était lourde, et Hitler lui-
même paraissait épuisé et déprimé. Il a même parlé une fois
d'une tentative de percée. Il a demandé à nouveau des données
sur le tonnage de ravitaillement nécessaire au maintien de la
force combative de plus de 200 000 soldats. Mais vingt-quatre
heures plus tard, le destin de l'armée encerclée a été définitivement scellé, car Goering s'est présenté dans la salle de conférences, alerte et radieux comme un ténor d'opérette censé
incarner un maréchal du Reich victorieux. [...] Hitler lui a

demandé : " Qu'en est-il des possibilités de ravitaillement aérien de Stalingrad ? " Goering s'est mis au garde-à-vous et a déclaré solennellement : " *Mein Führer*, je me porte personnellement garant du ravitaillement de Stalingrad par avion. Vous pouvez compter là-dessus " [50]. »

Voilà qui rappelle étrangement le scénario bien rodé exposé plus haut *, et la scène est décrite de façon très semblable par l'aide de camp Gerhard Engel : « Goering s'engage à ravitailler l'armée, et déclare qu'il est possible de faire parvenir en moyenne 500 tonnes par voie aérienne. Tous les avions seront employés, même les Ju 90 empruntés à l'aviation civile. Zeitzler a des doutes, il pense que 500 tonnes ne suffiront pas, et fait état des conditions météorologiques et des pertes. Mais le *Reichsmarschall* déclare avec véhémence que les avions voleront *quel que soit le temps*. Le cas de Demiansk entre autres avait démontré que c'était possible [51] **... » Mais Zeitzler reste incrédule : « Jour après jour, 500 tonnes par voie aérienne ? – Je peux le faire, répond Goering. – C'est un mensonge ! » s'écrie Zeitzler. Goering s'empourpre, serre les poings et semble vouloir se jeter sur le chef d'état-major [52]. Engel, pétrifié par la scène et stupéfait par l'assurance de Goering, note encore : « Nous sommes effarés par son optimisme, qui n'est pas partagé par d'autres officiers de la Luftwaffe [53]. »

Rien n'est plus vrai : ainsi, le général von Richthofen a déjà fait savoir que les conditions météorologiques à elles seules rendraient un tel ravitaillement impossible [54], et l'état-major de l'OKW – manifestement sur la base de renseignements fournis par la Luftwaffe elle-même – a calculé qu'il faudrait pour tenir Stalingrad un apport quotidien de *700 tonnes* de ravitaillement en vivres, munitions et carburant ***, nécessitant l'emploi d'environ 500 avions de transport [55]. Or, la Luftflotte IV n'en a que 298, qui sont loin d'être tous opérationnels et doivent en

---

* Voir *supra*, p. 465.
** Ce passage du journal d'Engel s'accorde avec le témoignage de Speer et de von Below, ainsi qu'avec le journal de guerre de l'OKW, mais la date du 25 novembre est erronée : Goering était encore à Paris ce jour-là.
*** Ce chiffre est quelque peu exagéré, dans la mesure où l'OKW estimait à 400 000 au lieu de 270 000 le nombre de soldats cernés à Stalingrad. Le général Paulus fixera lui-même dans une lettre à von Manstein l'approvisionnement *minimum* nécessaire à 600 tonnes par jour – dont la moitié pour le carburant.

outre décoller des aérodromes de Morozovsk et Tadzinskaïa, respectivement à 180 et 220 kilomètres de Stalingrad. En fait, après la saignée de l'opération « *Merkur* » en Crète et les pertes de l'hiver en Russie, la Luftwaffe ne dispose plus que de 730 avions de transport *au total*, dont la plus grande partie est mobilisée au même moment pour ravitailler l'armée germano-italienne de Rommel en Libye et acheminer des troupes en urgence vers la Tunisie...

Mais lorsqu'il a une idée fixe, le Führer ne s'arrête pas à ces détails : « Hitler, d'ordinaire si pédant sur les questions de chiffres, n'a même pas demandé ce jour-là comment on se procurerait les avions nécessaires, écrit Speer ; les paroles de Goering semblaient l'avoir ranimé et lui avoir rendu toute son assurance : " Alors, Stalingrad peut être tenu ! Il est ridicule de continuer à parler d'une sortie de la 6ᵉ armée. Elle perdrait toutes ses armes lourdes et ne pourrait plus combattre. La 6ᵉ armée reste à Stalingrad ! " [56]. » Et le major Engel de noter : « Le Führer est enchanté de l'intervention du *Reichsmarschall*, et déclare qu'il réussira comme au bon vieux temps ; il n'a pas la pusillanimité de beaucoup de ces messieurs de l'armée [57]. " »

Il n'en a pas non plus l'expérience, mais là n'est pas la question *. A partir du 28 novembre, l'étau soviétique se resserre inexorablement autour de Stalingrad, rendant toute sortie en force de ses occupants très improbable et toute résistance prolongée bien incertaine. Le général Fiebig, commandant du VIIIᵉ corps aérien et responsable de l'approvisionnement de la ville, a mobilisé non seulement les 320 Ju 52 et Ju 56 de Tatzinskaïa, mais aussi les deux escadres de He 111 stationnées à Morozovsk. Seulement, un tiers seulement de ces appareils est opérationnel, la neige et le gel sur ces bases gênent considérablement les décollages, tandis que le brouillard et la couverture de nuages sur Pitomnik ** interdisent fréquemment l'atterrissage. On trouve donc dès le 27 novembre la mention suivante dans le journal de guerre de l'OKW : « 27 Ju 52

---

* Le Führer sait parfaitement depuis Dunkerque ce que valent les promesses de Goering, ainsi qu'il l'a encore rappelé récemment. Mais bien entendu, on vient d'assister là à une comédie destinée à faire accepter aux militaires la décision de s'accrocher à Stalingrad, qu'il avait déjà arrêtée le 23 novembre au plus tard.

** L'aéroport improvisé dans un champ à l'ouest de Stalingrad.

seulement ont atterri hier dans le secteur de Stalingrad » ; le 28 novembre : « 30 Ju hier seulement » ; le 1ᵉʳ décembre : « 30 Ju 52 et 35 He 111 hier » [58]. Le 2 décembre : « Seulement 15 Ju 52 et 25 He 111 pour le 1ᵉʳ décembre. » Un avion de transport Ju 52 emportant 2 tonnes d'approvisionnement et un bombardier He 111 1,5 tonne seulement, il en résulte que 54, 60, 112,5 et 67,5 tonnes ont été déposées à Stalingrad pendant ces journées *. Or, on se souvient que l'état-major de l'OKW avait estimé à 700 tonnes l'approvisionnement quotidien indispensable pour tenir la ville, tandis que Paulus l'avait fixé à un minimum absolu de 600 tonnes. On est donc très loin du compte, et il apparaît d'emblée que le *Reichsmarschall* s'est avancé bien inconsidérément...

Le 27 novembre, après un périple mouvementé depuis Vitebsk, le maréchal von Manstein est parvenu à Novotcherkask, au nord de Rostov, où il a établi le QG de la nouvelle « armée du Don ». S'étant mis en rapport avec von Weichs, Paulus, Hoth et von Richthofen, Manstein a pris la mesure de la situation et acquis plusieurs certitudes : premièrement, une percée en force de la 6ᵉ armée était sans doute possible entre le 19 et le 24 novembre, alors que l'ennemi n'avait pas encore consolidé ses positions à l'ouest et au sud-ouest de Stalingrad, mais elle est désormais exclue du fait de la situation stratégique et de l'état des forces en présence ; deuxièmement, il sera impossible à vingt-deux divisions allemandes sévèrement étrillées et mal ravitaillées, terrées dans une ville en ruines au cœur de l'hiver russe, de soutenir plus de quelques semaines le siège de soixante divisions ennemies parfaitement armées, équipées et approvisionnées, et jouissant de surcroît d'une pleine liberté de mouvement ; troisièmement, une opération de secours en direction de Stalingrad peut et doit être lancée, mais elle ne permettra en aucun cas de reconquérir les positions perdues : il s'agira seulement d'ouvrir un corridor jusqu'à la ville par le sud, afin

---

* Le 2 décembre, après intervention personnelle du général Fiebig, les avions parviennent à déposer 130 tonnes. Mais deux jours plus tard, on trouve dans le journal de l'OKW cette mention : « Du fait des conditions atmosphériques défavorables, [...] aucun avion de ravitaillement n'a pu atterrir hier dans le secteur de Stalingrad. » Les appareils qui parviennent à quitter la ville évacuent le plus de blessés possible – ce qui donne lieu à des scènes tragiques sur les pistes, le nombre de places disponibles étant dérisoire.

d'y acheminer des vivres, des munitions et du carburant en quantités suffisantes pour permettre à la 6ᵉ armée de recouvrer sa liberté de manœuvre et de se frayer un chemin vers le sud-ouest ; enfin, pour rompre même localement et très temporairement l'encerclement soviétique, il faudra des forces bien plus considérables que celles dont dispose l'« armée du Don » hâtivement constituée *... C'est tout cela que le maréchal von Manstein expose à Hitler dans un rapport du 28 novembre, qu'il conclut en sollicitant des instructions rapides et des renforts immédiats [59]. Mais à sa grande stupéfaction, il se passera un temps prolongé avant qu'il ne reçoive les unes comme les autres...

C'est qu'au quartier général du Führer, la Méditerranée a de nouveau fait passer la Russie au second plan... Depuis le 26 novembre 1942, en effet, on se préoccupe surtout à Rastenburg de mettre en œuvre l'opération « Lila », visant à mettre la main sur la flotte française de Toulon, de tenir tête aux forces américaines qui ont déjà atteint Bizerte et Gafsa en Tunisie, et surtout de soutenir en Libye l'Afrika Korps, qui a perdu 80 % de son armement et bat toujours en retraite devant les forces très supérieures de la 8ᵉ armée britannique. En fait, le maréchal Rommel se présente en personne au quartier général d'Hitler le 28 novembre et demande au Führer l'autorisation d'abandonner ses positions devant El Agheila, qu'il estime indéfendables, et d'en établir de plus solides devant Gabès, en Tunisie **. Mais que ce soit en Russie ou en Afrique, Hitler ne veut pas entendre parler de retraite, car ce serait « une perte de prestige [60] *** ». Il faut donc, dit-il, s'accrocher coûte que coûte et faire pression sur les Italiens pour qu'ils acheminent des approvisionnements supplémentaires par mer, en engageant massive-

---

* Elle ne comprend à l'arrivée de von Manstein qu'une partie de la 4ᵉ armée blindée et les restes des 3ᵉ et 4ᵉ armées roumaines. Son autorité sur la 6ᵉ armée assiégée est toute théorique, et il ne peut disposer de la 16ᵉ division motorisée stationnée à Elista, celle-ci formant l'unique protection des arrières du groupe d'armées A. Voir carte, p. 486.

** Sur la Ligne Mareth, construite par les Français en 1934 et considérée comme imprenable.

*** Le fait que le Führer ait jugé possible de résister victorieusement à la fois en Russie et en Afrique avec le peu de moyens disponibles – et que Goering n'ait présenté aucune objection – donne un aperçu de l'amateurisme stratégique vertigineux qui caractérise l'un comme l'autre.

ment leur marine de guerre. Mais Rommel ne cède pas facilement, et il suggère qu'Hitler vienne se rendre compte par lui-même de la situation en Afrique, ou envoie quelqu'un de son entourage pour donner l'exemple. Hitler s'emporte, se saoule de paroles et invective « les lâches et les défaitistes », mais pour finir, il demande à Goering de fournir à Rommel tout les moyens nécessaires à une résistance victorieuse en Libye. La réponse de Goering est typique du personnage : « Vous pouvez tout me mettre sur les épaules ! Je m'en charge personnellement [61] ! » Et puisqu'il s'agit de faire pression sur les Italiens pour qu'ils augmentent leur effort, le *Reichsmarschall* accompagnera personnellement Rommel en Italie à bord de son train particulier...

Le voyage va durer deux jours, avec arrêt à Munich pour prendre au passage l'épouse du maréchal Rommel. Comme ce dernier, Frau Rommel sera quelque peu interloquée par la tenue et le comportement de l'illustre numéro deux du Reich : il porte un costume gris aux revers de soie, une agrafe rehaussée de diamants sur sa cravate, il a les ongles vernis et exhibe une énorme bague en diamant à l'annulaire. « Elle doit vous intéresser, dit-il modestement au couple éberlué ; c'est une des plus belles pierres du monde. » Pendant le reste du voyage, il parle surtout de peinture, de ses nombreuses demeures et de ses innombrables trésors : « On m'appelle le Mécène du Troisième Reich ! » dit-il fièrement, et il raconte comment Italo Balbo lui a envoyé de Cyrène une statue d'Aphrodite [62]... Rommel parvient tout de même à ramener la conversation aux urgences de l'heure, et il explique à son encombrant compagnon de voyage que la seule solution raisonnable consisterait à contenir l'ennemi sur la ligne fortifiée devant Gabès, d'où l'on pourrait lancer par la suite une contre-offensive. Le *Reichsmarschall* se laisse persuader, promet de faire accepter cette stratégie par Mussolini, ordonne d'envoyer à l'Afrika Korps vingt exemplaires de son nouveau canon antiaérien de 88, téléphone à Milch de venir les rejoindre à Rome, et décore sur-le-champ Rommel de la *Flugzeugführerabzeichen*, la Croix (en diamants) des Forces aériennes [63]...

Arrivés à Rome le 30 novembre sans même en avoir avisé les autorités italiennes, les voyageurs descendent à l'hôtel Excelsior, et le *Reichsmarschall* se met aussitôt à l'œuvre : « Gœring, note Rommel avec consternation, passe son temps à rechercher des tableaux et des sculptures ! Seule l'intéresse la question de savoir s'il parviendra à en remplir tout son train spécial. Il n'essaie jamais de voir quiconque pour les affaires de guerre, et encore moins pour m'aider [64]. » De fait, ce serait plutôt l'inverse, car le grand Mécène du Troisième Reich a tout de même trouvé le temps de se rendre au quartier général des forces allemandes, où le maréchal Kesselring lui a fait observer qu'une retraite sur la ligne de Gabès mettrait à portée de l'aviation ennemie les principaux ports de Tunisie, qui sont indispensables à l'approvisionnement des forces de l'Axe... Sur quoi Goering effectue une volte-face immédiate, et après avoir promis à Mussolini le soir même l'envoi de trois nouvelles divisions allemandes en Libye – dont sa toute nouvelle « division Hermann Goering », il entreprend de lui expliquer la nécessité de s'accrocher à tout prix au secteur de Tripoli...

C'est ce qu'il répète le lendemain lors d'une réunion des principaux responsables militaires de l'Axe ; Rommel est atterré, d'autant qu'il doit entendre à cette occasion de nombreuses incitations à prendre des initiatives stratégiques plus délirantes les unes que les autres, comme « de repousser l'ennemi vers Oran, puis d'avancer sur le Maroc », ou encore de « barrer le détroit de Messine par deux énormes champs de mines pour permettre le passage des cargos de ravitaillement » [65]. Les Italiens sont consternés, et leurs homologues allemands ne le sont pas moins : « Bismarck, note le comte Ciano, a dit que les techniciens militaires de l'ambassade ont été surpris de la quantité de sottises que le *Reichsmarschall* a été capable d'accumuler. » Mais derrière ces incohérences, Ciano discerne clairement les motivations des visiteurs allemands : « La tâche principale de Goering est de créer la confusion et de prouver que toute la faute retombe sur notre organisation défectueuse des transports, sur nos navires, nos chemins de fer, etc. Pour cela, il a commencé par tarabuster tout le monde, y compris l'amiral Riccardi *. » Et Mussolini aussi, bien sûr, auquel il a déclaré : « Nous devons redoubler d'efforts, si nous ne voulons pas subir de nouveaux revers en Afrique » – ce qui

---

* Raffaelo Riccardi, commandant en chef de la marine italienne.

a suscité ce commentaire laconique de Ciano : « Nous étions déjà arrivés à cette conclusion nous-mêmes, sans avoir eu besoin de ses précieuses lumières [66]... » Mais si les responsables civils et militaires italiens souffrent en silence, Rommel, lui, s'effondre au bout de trois jours : « Je ne fais rien de bon ici, si ce n'est me mettre en colère. Il vaut mieux que je rejoigne l'Afrika Korps[67]. » Et il s'envole dès le lendemain pour la Libye, laissant derrière lui un *Reichsmarschall* plus tonitruant que jamais...

A son retour en Allemagne, Hermann Goering va devoir se faire plus discret ; c'est que dans le secteur de Stalingrad, les choses ont pris un tour nettement défavorable aux armées du Reich, et il faudrait une certaine candeur pour croire que le *Feldmarschall* se préoccupe quotidiennement, sérieusement et personnellement de mobiliser tous les avions de transport disponibles pour ravitailler les assiégés *. « Au quartier général du Führer, se souviendra Speer, Zeitzler faisait désormais un rapport quotidien sur les tonnes de rations et de munitions que la 6ᵉ armée recevait par la voie des airs. Elles se montaient à une fraction seulement des quantités promises. Goering, à qui Hitler demandait régulièrement des comptes, avait toujours des excuses : le temps était mauvais, le brouillard, les pluies verglaçantes ou les tempêtes de neige avaient empêché jusque-là d'engager autant d'avions que prévu, mais dès que le temps s'améliorerait, disait Goering, il serait en mesure de livrer le tonnage promis. Après cela, pourtant, les rations ont dû être encore réduites à Stalingrad, et Zeitzler a insisté pour se faire servir au mess des rations identiques, ce qui l'a fait maigrir à vue d'œil. Après quelques jours seulement de ce régime, Hitler lui a fait savoir [...] qu'une telle démonstration de solidarité avec les troupes était inconvenante de la part d'un chef d'état-major, et il a ordonné à Zeitzler de s'alimenter normalement [68]. » Bien entendu, il n'a pas été nécessaire de donner le même ordre à Goering...

Pendant ce temps, au sud de Stalingrad, le maréchal von Manstein a enfin obtenu du Führer la permission de passer à l'offensive pour dégager la 6ᵉ armée ; il a également reçu de

---

* Au 30 novembre, un quart seulement des avions de ravitaillement est encore opérationnel.

maigres renforts, de sorte qu'il dispose à présent de deux divisions de la 4ᵉ armée blindée et des restes de la 4ᵉ armée roumaine, ainsi que du 48ᵉ corps blindé dit « groupe Hollidt », composé de la 11ᵉ division de panzers, de la 336ᵉ division d'infanterie et des débris de la 3ᵉ armée roumaine. Le plan initial de von Manstein était de lancer la 4ᵉ armée blindée sur Stalingrad à partir de Kotelnikovo, en passant par la rivière Aksaï à l'est du Don, tandis que le 48ᵉ corps du groupe Hollidt, remontant à l'ouest du Don, franchirait la Tschir et s'emparerait de Kalatch *. Mais Hitler ayant refusé à von Manstein le soutien de la 1ʳᵉ armée blindée du groupe d'armées A, et même celui de la 16ᵉ division motorisée stationnée à Elista, il n'a manifestement pas les moyens de lancer deux attaques simultanées ; c'est donc la 4ᵉ armée blindée seule qui lancera l'offensive au nord-est, tandis que le groupe Hollidt restera sur la défensive plus à l'ouest, derrière la Tschir **. Mais avant même de déclencher l'attaque, von Manstein se trouve également gêné dans sa stratégie par une nouvelle intervention du Führer : la 6ᵉ armée a certes l'autorisation de tenter une sortie en force pour faire sa jonction avec l'armée de secours, mais elle n'a pas la permission de raccourcir ses lignes au nord de Stalingrad ; or, son état lui interdit de tenir l'ensemble du secteur nord de la ville et de tenter simultanément une sortie par le sud. L'ordre du Führer équivaut donc à l'empêcher de participer à sa propre délivrance ***...

En dépit de tous ces obstacles, auxquels s'ajoutent des conditions météorologiques déplorables, la 4ᵉ armée blindée entreprend le 12 décembre de franchir les 143 kilomètres qui la séparent de Stalingrad. Sa progression initiale est rapide et prend manifestement l'ennemi par surprise ; l'Aksaï est franchie le 15 et la Michkowa le 19, mais après cela, les deux divisions

---

* Voir carte, p. 486.

** Ce n'est pas une précaution superflue : en plus des 60 divisions ou groupes blindés soviétiques qui cernent Stalingrad, 83 autres ont été signalés au nord du Don, sans que l'on connaisse leurs objectifs.

*** Il existe en fait une divergence de stratégie inavouée mais fondamentale entre von Manstein et Hitler : le premier veut rétablir une liaison terrestre avec la 6ᵉ armée pour lui permettre d'évacuer Stalingrad au plus vite, tandis que le second veut rétablir la liaison pour réapprovisionner la 6ᵉ armée et lui permettre de tenir l'*ensemble* de Stalingrad *indéfiniment*.

UN HÉROS DE
LA GRANDE GUERRE

Héros de l'aviation de chasse allemande pendant la Grande Guerre,
le lieutenant Goering a abattu 22 avions alliés et reçu l'ordre « Pour le Mérite »,
la plus haute distinction conférée dans l'Allemagne impériale.

© BETTMANN/CORBIS

En uniforme de chef des SA, 1922.

Peu avant le putsch de Munich, le capitaine Goering, dignitaire zélé du parti nazi, arbore fièrement ses décorations.

LE MILITANT NAZI

1935, meeting politique au palais des Sports de Berlin.

6 septembre 1938, ouverture du congrès du NSDAP à Nuremberg. Le maréchal Goering salue son idole, Adolf Hitler.

Février 1933, Goering fait partie du cabinet du chancelier Hitler en tant que ministre sans portefeuille.

Août 1936, Goering montre son épée de cérémonie à Charles Lindbergh.

L'HOMME POLITIQUE

Avril 1942, discours d'Hitler au Reichstag de Berlin, dont Goering est le président.

Au début de 1943, avec son jeune chef d'état-major Hans Jeschonnek, qui se suicidera quelques mois plus tard.

Conversation avec Wilhelm Hohenzollern
lors d'une soirée mondaine.

La chasse au faucon.

LE MARÉCHAL DU REICH

Eté 1940, avec un pilote de retour
d'une opération aérienne contre l'Angleterre.

En uniforme de maréchal du Reich, 1941 ;
Goering porte la croix de fer, la croix
de chevalier et la croix bleu et or de
l'ordre Pour le Mérite.

L'HEURE DES COMPTES

Augsburg, 11 mai 1945. L'« accusé n° 1 » à la barre du tribunal
Première conférence de presse de Nuremberg, mars 1946.
de Goering après sa reddition.
A sa gauche, le major Kubala.

de tête se heurtent à une vigoureuse résistance de la 51ᵉ armée et de la 2ᵉ armée de la Garde, qui passent même à la contre-attaque. Or, plus de 50 kilomètres séparent encore les panzers du général Hoth de Stalingrad, et la 6ᵉ armée de Paulus ne tente aucune percée ; le voudrait-elle, du reste, que ses soixante-dix chars n'auraient d'essence que pour parcourir 30 kilo-mètres... Le dilemme sera bientôt résolu plus à l'ouest par une initiative fulgurante de l'Armée rouge : le 16 décembre, elle a déclenché l'opération « Petite Saturne », qui enfonce les posi-tions de la 8ᵉ armée italienne sur le cours supérieur du Don. Cette fois encore, les Soviétiques ont frappé au point le plus faible du dispositif ennemi, et l'ampleur de leur offensive sur un front aussi large a de nouveau créé la surprise. La déroute des Italiens contraint le groupe Hollidt à une retraite précipitée vers le sud, et dès lors, la 4ᵉ armée blindée, repoussée au nord, sans protection à l'ouest et menacée à l'est par la 28ᵉ armée soviétique, est contrainte de faire demi-tour. Le sort de Stalin-grad est scellé.

Comme toujours en pareil cas, Hitler cherche des respon-sables, et le ministre des Affaires étrangères Ciano, en visite ce jour-là au quartier général de Rastenburg *, constitue un bouc émissaire tout trouvé : « Hitler, se souviendra l'interprète Paul Schmidt, a reproché à Ciano la conduite des troupes italiennes sur le front de l'Est, en disant que c'était leur manque de combativité qui avait rendu possible la percée russe près de Stalingrad [69]. » L'ambassadeur Alfieri nuancera quelque peu le propos – du moins en ce qui concerne le Führer : « Ciano s'est entendu dire par Hitler avec une certaine discrétion, mais par Goering et Ribbentrop avec une clarté qui frisait l'impudence, que le recul inexplicable et peu héroïque des soldats italiens avait causé le repli de toute la ligne sur le vaste front de Stalin-grad [70]. » Ciano lui-même note dans son journal : « L'atmo-sphère est lourde. Peut-être qu'aux mauvaises nouvelles, il faut ajouter la tristesse de cette forêt humide et l'ennui de la vie collective dans les baraques du Haut Commandement. [...] Les

---

* Ciano a été envoyé par Mussolini pour proposer à Hitler de faire la paix avec la Russie, ou d'établir à l'Est une ligne défensive pouvant être tenue avec un minimum de troupes, afin de faire reporter tout l'effort de l'Axe sur la Méditerranée. Comme on pouvait s'y attendre, Hitler a refusé catégoriquement.

STALINGRAD ET LE FRONT SUD-EST, NOVEMBRE 1942-JANVIER 1943

	Légende
	Aérodromes allemands
	Offensives soviétiques
	Offensive allemande
	Retraites allemandes

Mer Caspienne

Astrakhan

Volga

Terek

Grozny

Mozdok

Elista

Volga

Stalingrad

Sovietski

Kletskaïa

Kalatch

Michkova

Aksaï

Kotelnikovo

Morozovsk

Tatsinskaïa

Don

Tchir

Don

Salsk

Kouban

Maïkop

Don

Novotcherkask

Rostov

Krasnodar

Zverevo

Donetz

Taganrog

Stalino

Mariupol

Mer d'Azov

Novorossiisk

Mer Noire

Kharkov

Dniepropetrovsk

Zaporojie

200 km

0

antichambres sont pleines de gens qui fument, qui mangent, qui bavardent. Odeurs de cuisine, d'uniformes, de bottes. Tout cela est en grande partie inutile, au moins pour une quantité de personnes qui n'auraient nul besoin d'être là, à commencer par Ribbentrop, qui oblige une grande partie de ses fonctionnaires à mener une vie de troglodytes qui ne rime à rien et qui complique plutôt la marche naturelle du ministère des Affaires étrangères. Lorsque je suis arrivé, on ne nous a pas caché, ni à moi ni à mes collaborateurs, le malaise causé par la nouvelle de l'effondrement du front allemand en Russie. On cherchait même ouvertement à nous en rendre responsables. Hewel, qui vit dans l'entourage immédiat d'Hitler, a eu la conversation suivante avec Pansa * : " Notre corps expéditionnaire a-t-il subi de lourdes pertes ? – *Hewel* : Pas de pertes du tout ; ils ont pris la fuite. – *Pansa* : Comme vous devant Moscou l'année dernière ? – *Hewel* : Précisément " [71]. »

Pour l'heure, le ravitaillement de Stalingrad reste dramatiquement insuffisant – surtout depuis que l'aviation soviétique a commencé à bombarder les aérodromes de Tatzinskaïa et Morozovsk, détruisant des dépôts de carburant et une vingtaine de Ju 52 immobilisés sur les pistes. 70 tonnes de ravitaillement seulement parviennent à Pitomnik dans la journée du 19 décembre, 90 pour le 23, 64 seulement pour le 26, et rien le 27 en raison des conditions météorologiques. Pourtant, Goering refuse résolument de prendre la situation au tragique : « Le problème de l'alimentation à Stalingrad n'est probablement pas aussi grave que le prétend le général Paulus », dit-il devant les généraux de l'OKW médusés, avant de passer à table... Il est vrai que les contraintes de la chasse au sanglier, les cours de danse de la petite Edda, la difficile acquisition de deux tapisseries flamandes provenant d'un château limougeaud, les projets d'agrandissement de Carinhall ** et la préparation du réveillon demandant une attention soutenue, mais il y aurait tout de même quelques autres problèmes assez pressants à régler : en Libye, la pression britannique s'est tellement accentuée que le Duce a dû autoriser un repli progressif des forces de l'Axe sur

---

* Sous-chef du protocole au ministère italien des Affaires étrangères.
** Pour lequel il demande une subvention de 2 millions de marks au ministre des Finances Schwerin von Krosigk...

Gabès ; au Caucase, le groupe d'armées A est menacé d'être coupé de Rostov et pris en tenaille entre les armées soviétiques du Sud remontant de Tiflis et celles du Nord-Est descendant d'Astrakhan ; en Allemagne même, les bombardements alliés continuent à faire des ravages, sans que la Luftwaffe soit parvenue à trouver une parade efficace. Le 4 janvier 1943, enfin, le maréchal Milch et le directeur technique Wolfgang Vorwald parviennent à rencontrer Goering pour lui communiquer les dernières statistiques de la production aéronautique ; elles sont plutôt décourageantes : en 1942, les Alliés ont construit chaque mois 1 378 bombardiers et 1 959 chasseurs, alors que l'Allemagne ne produisait que 349 bombardiers et 247 chasseurs. Mais le *Reichsmarschall* ne se laisse pas démonter pour autant, et il hurle : « Milch, avez-vous rejoint vous aussi le camp des rêveurs ? Croyez-vous vraiment tout cela ? Je ne veux pas qu'on m'ennuie avec de telles insanités ! » Et l'infortuné Milch déclare le lendemain devant son état-major : « Le maréchal du Reich ne voit pas exactement les choses comme moi à propos de ces chiffres [72]. »

Compréhension difficile, déni de réalité, optimisme de façade ou imitation servile du Führer ? Il y a de tout cela, mais il ne faudrait pas oublier l'essentiel : à cette date, le maréchal prépare fiévreusement la commémoration de son cinquantième anniversaire, ce qui tend à éclipser toute autre préoccupation ! Il est vrai que le premier demi-siècle du maréchal du Reich, ministre de l'Air, président du Reichstag, Premier ministre de Prusse, président du Conseil de défense, maître du plan quadriennal, grand-veneur de l'Allemagne, Mécène du Troisième Reich et premier paladin du Führer est un tournant essentiel qui ne se célèbre pas à la légère : les spectacles, les agapes, les costumes, les discours, les publications, les remises de cadeaux précieux et de décorations voyantes se préparent bien plus minutieusement qu'une opération militaire. Parmi les dignitaires du régime, personne n'oubliera la journée du 12 janvier 1943, et Hermann Goering moins que tout autre : est-ce l'émotion, le surcroît de fatigue ou les excès de table ? Toujours est-il que le jubilaire restera alité au cours des deux jours qui suivent, avec des palpitations cardiaques...

Pendant ce temps, la garnison de Stalingrad doit affronter des problèmes très différents : 90 divisions soviétiques cernent à présent la ville, les assiégés se terrent dans les ruines sous un feu d'artillerie ininterrompu, il ne leur reste plus que 150 000 hommes – dont un cinquième seulement en état de combattre –, le froid est intense à –30° et le moral très bas, la dysenterie sévit, de même que le typhus, l'hépatite, la jaunisse et la typhoïde ; l'aéroport de Tatzinskaïa étant tombé aux mains de l'ennemi *, les avions de transport décollent désormais de Salsk, à 260 kilomètres de Stalingrad ; opérant à l'extrême limite de leur rayon d'action, ils doivent réduire considérablement le nombre de leurs missions et sont très vulnérables à la DCA comme la chasse ennemies. Au 10 janvier 1943, le journal de l'OKW récapitule ainsi la ration quotidienne du soldat de la 6ᵉ armée : « 75 gr de pain, 200 gr de viande de cheval (os compris), 12 gr de matière grasse, 11 gr de sucre, 1 cigarette[73]. » Et ce même jour, les Soviétiques déclenchent l'opération « *Koltso* ** » visant à réduire définitivement l'enclave de Stalingrad : 57 divisions, 270 000 hommes et 457 chars partent à l'assaut, soutenus par 7 000 canons, mortiers et orgues de Staline...

Deux jours plus tard, le général Paulus fait sortir de la ville un jeune officier de panzer, le capitaine Winrich Behr, qu'il a chargé d'exposer au Führer toute la gravité de la situation. Behr est effectivement reçu le 13 janvier à Rastenburg, où il fait son rapport à Hitler en présence de tout l'état-major. Lorsqu'il mentionne les chiffres du ravitaillement aérien de Stalingrad, qui restent dérisoires, Hitler l'interrompt pour lui demander s'il est sûr de ce qu'il avance, puis il se tourne vers Jeschonnek pour lui demander des explications. Ce dernier répond : « *Mein Führer*, j'ai ici la liste complète des avions et des cargaisons expédiés chaque jour... » Sur le papier, en effet, il y a plus de 600 avions de transport, et la quantité de missions effectuées est réellement impressionnante, mais Behr reprend : « Ce qui est important pour la 6ᵉ armée, ce n'est pas le nombre d'avions envoyés, c'est ce que nous recevons effectivement. Nous ne sommes pas en train de critiquer la Luftwaffe [...], mais nous n'avons reçu que ce qu'indiquent les chiffres dont je viens de vous faire part[74]. » Hitler paraît troublé, mais il se dépêche de changer de sujet ;

---

* Avec 72 Ju 52.
** « Anneau ».

pour impressionner son visiteur, il lui révèle qu'une armée blindée SS se regroupe autour de Kharkov, afin de lancer une contre-offensive – après quoi il lui présente une grande carte piquée de petits drapeaux. Mais Behr sait que ces drapeaux représentent pour la plupart des divisions réduites à quelques centaines d'hommes, et il sait aussi par von Manstein que les divisions SS promises ne seront pas opérationnelles avant plusieurs semaines. « Je vis alors, dira-t-il plus tard, qu'Hitler avait perdu le contact avec la réalité. Il vivait dans un monde imaginaire de cartes et de petits drapeaux [75]. »

Rien n'est plus vrai, mais les déclarations de Behr à propos de l'approvisionnement reçu à Stalingrad ont malgré tout impressionné le Führer – à tel point même que le lendemain 14 janvier, il se décide à passer par-dessus la tête de son *Reichsmarschall*, en chargeant Erhard Milch de s'occuper personnellement du ravitaillement de la ville assiégée, avec pleins pouvoirs pour mener à bien sa mission... Bien sûr, Milch est déjà secrétaire d'Etat, inspecteur général des forces aériennes, commandant en chef adjoint de la Luftwaffe, directeur des Armements aériens et président de la Lufthansa ; mais à la différence de son vaniteux supérieur, il ne se contente pas de cumuler les fonctions – il tient aussi à les exercer...

La première initiative que prend le maréchal Milch est sans doute la dernière qui serait venue à l'idée du *Reichsmarschall* Goering : il se rend immédiatement sur le terrain. Atterrissant le 16 janvier 1943 avec son état-major près de Taganrog, au bord de la mer d'Azov, Milch se fait conduire au quartier général de von Richthofen, où il commence à prendre la mesure des choses : il n'y a pas 600 avions disponibles, mais 140 Ju 52, dont 15 seulement sont opérationnels, 143 He 111, dont 41 sont utilisables, et 20 FW 200 *, dont *un seul* est en état de voler [76] ! Le nouveau bombardier Do 217 tant attendu a fini par arriver, mais il était si sensible au froid et exigeait un terrain si bien entretenu qu'il a dû être renvoyé en Allemagne [77] ! L'aéroport de Salsk a été évacué devant l'avance ennemie, et sur celui

---

* Le Focke Wulfe 200 « Condor » est un gros quadrimoteur à long rayon d'action, qui peut emporter jusqu'à 7 tonnes de charge utile. Pour ravitailler Stalingrad, il a été retiré de la bataille de l'Atlantique – où il était pourtant indispensable en tant qu'avion de reconnaissance...

de Zverevo, les avions se trouvent pris dans des congères de 2 mètres de haut, leurs moteurs sont gelés, la condensation ruine leurs circuits électriques, les procédures nécessaires au démarrage par grand froid ne sont pas respectées, les pièces détachées se sont souvent égarées en chemin, on manque cruellement de mécaniciens, et rien n'a été prévu pour abriter les pilotes entre deux missions, alors qu'il souffle des bourrasques de 80 km/h par une température de −25 ° *. En outre, l'aéroport de Pitomnik vient de tomber aux mains de l'ennemi, et il ne reste plus que le champ d'aviation de Goumrak, qui est inadapté aux atterrissages de nuit, très mal équipé pour les atterrissages de jour, et dépourvu de tout matériel lourd pour décharger les appareils sur la piste... La plupart des aviateurs, dont beaucoup ont été hâtivement transférés du service civil, se contentent donc de larguer précipitamment leurs conteneurs et de faire demi-tour, afin d'échapper au feu d'enfer de la DCA et de la chasse soviétiques. Enfin, lorsque Milch se fait ouvrir quelques-uns de ces conteneurs, il y découvre du poivre, de la marjolaine et de la farine de poisson... Le maréchal ordonne sur-le-champ de renvoyer les sacs − et de pendre l'officier d'intendance ** [78] !

Au cours des jours qui suivent, il fait bien davantage, et les instructions fusent de toutes parts : déblayer un nouveau terrain d'atterrissage près de Goumrak, y faire parachuter des radiophares et des dispositifs de balisage, convoyer d'urgence vers Taganrog un grand nombre de mécaniciens d'aviation, dépêcher de Pologne une escadrille de chasseurs Me 109G et d'Allemagne 200 planeurs de transport, faire acheminer par train à Novotcherkask des conteneurs de vivres préremplis, des dispositifs de préchauffage pour les moteurs et des baraques en bois préfabriquées avec poêle intégré. Pour faire bonne mesure, Milch ordonne à von Richthofen de limoger son chef d'état-major ***,

---

* Le soir même du 16 janvier, ce terrain d'aviation construit à la hâte sur un champ de maïs subit un bombardement massif de l'aviation soviétique, qui détruit douze Ju 52 et en endommage quarante-deux autres.

** Pendant tout le mois de décembre, les provisions déposées étaient également inadaptées : des tonnes de légumes en boîte avec 80 % d'eau, de la viande gelée avec des os, du pain noir et... des arbres de Noël. L'idée d'envoyer des rations d'aliments concentrés, disponibles par tonnes dans les réserves des parachutistes et des sous-mariniers, n'était apparemment venue à personne...

*** Le colonel von Rohden.

promet à la cour martiale les pilotes qui refusent d'atterrir à Stalingrad, et au peloton d'exécution les officiers qui tardent à obéir à ses ordres. Moyennant cela, l'approvisionnement de la ville assiégée s'améliore notablement : 51 avions parviennent à Stalingrad le 19 janvier, 67 le 20, 81 le 22 et 116 le 23 * [79]...

Il est vrai que Milch peut compter sur l'entière coopération du maréchal von Manstein ; car si le commandant en chef du groupe d'armées du Don a perdu tout espoir de libérer les défenseurs de Stalingrad, il a le plus grand intérêt à ce que leur résistance se prolonge indéfiniment. C'est qu'en fin stratège, le maréchal voit bien au-delà de la bataille acharnée qui se livre dans l'étroit couloir séparant le Don de la Volga. Or, les 120 000 hommes retranchés dans les ruines de Stalingrad retiennent désormais 107 divisions ennemies, au moment où les groupes d'armées Don et A sont en bien mauvaise posture entre Vorochilovgrad, Rostov, Mozdok et Maïkop. Sur ce gigantesque front s'étendant du Donetz aux contreforts du Caucase, plus d'un million d'hommes se trouvent menacés d'encerclement et de destruction, pour peu qu'ils tardent à se désengager – et que les armées soviétiques soient soudainement libérées par la chute de Stalingrad. Ce serait là une tragédie de bien plus grande ampleur que la perte des restes de la 6ᵉ armée, et elle mettrait sans doute un terme définitif à la campagne de Russie.

En l'occurrence, ce sont les arrières du groupe d'armées A qui sont les plus exposés sur le front du Caucase, ainsi que le déclarera le général Kleist, commandant la 1ʳᵉ armée blindée : « Bien que notre offensive au Caucase eût atteint son point mort en novembre 1942, Hitler a insisté pour que nous conservions cette dangereuse position avancée dans les montagnes. Au début de janvier, un péril plus grave que les contre-attaques russes sur mes avant-postes près de Mozdok a menacé l'arrière de mon flanc quand les Russes ont lancé une attaque partant d'Elista, dirigée vers l'ouest au-delà de l'extrémité sud du lac Manych. Toutefois, la coulée russe qui s'effectuait [...] le long du Don jusqu'à Rostov, à une bonne distance derrière mon arrière-garde, constituait une menace encore plus angoissante. Alors que les Russes ne se trouvaient plus qu'à 70 kilomètres de Rostov et que mes armées étaient à 650 kilomètres à l'est de cette ville, Hitler

---

* Avec respectivement 102, 118, 162 et 212 tonnes de vivres.

m'a envoyé l'ordre de ne reculer sous aucun prétexte. Cela équivalait à une condamnation à mort [80]. »

C'est exact ; nous savons d'ailleurs que le Führer est coutumier du fait. Mais von Manstein ne peut se résigner à laisser faire ; tout en ordonnant la retraite vers l'ouest de sa 4e armée blindée et en barrant à l'Armée rouge la route de Rostov, il assume également la tâche délicate de couvrir les arrières du groupe d'armées A. Ne pouvant le faire indéfiniment face à la pression croissante des armées soviétiques, il persuade le chef d'état-major de l'OKH, Zeitzler, d'intervenir auprès du Führer pour qu'il autorise enfin le désengagement et la retraite vers Rostov du groupe d'armées A *. Zeitzler, bien conscient de la gravité de l'enjeu, s'exécute sur-le-champ, comme le montre la note suivante de l'aide de camp von Below : « Le 27 décembre, Zeitzler a exigé que le front du Caucase soit ramené en arrière. Hitler a accepté, mais s'est rétracté peu de temps après. Mais Zeitzler n'avait pas perdu de temps pour communiquer par téléphone la première décision d'Hitler, et il a fait savoir au Führer que la retraite ne pouvait plus être annulée [81]. » De fait, le général von Kleist recevra l'ordre de commencer à se retirer, mais non le contre-ordre. « Cette opération hérissée d'embûches se compliquait encore des rigueurs de l'hiver russe, se souviendra von Kleist. [...] Aidés par von Manstein, nous avons réussi à passer par l'étranglement de Rostov avant que les Russes ne nous coupent la retraite. A un moment donné, von Manstein s'est trouvé dans un tel péril que j'ai dû moi-même lui envoyer quelques divisions pour l'aider à contenir la poussée russe le long du Don, vers Rostov. La retraite a traversé sa phase la plus critique dans la deuxième quinzaine de janvier [82] **. »

On comprend mieux pourquoi, durant ce mois de janvier 1943, il est essentiel de prolonger le plus longtemps possible la défense de Stalingrad – une défense qui touche maintenant à sa

---

* Dès le 30 novembre, von Manstein s'était adressé directement à Hitler, mais avait essuyé un refus. Les motifs invoqués à l'époque par le Führer étaient caractéristiques : « Nous devons marcher sur le Caucase au printemps prochain, et je pense vous remettre le commandement de l'offensive du printemps. Vous allez alors joindre en Palestine l'armée du feldmaréchal Rommel, qui va venir vous rencontrer depuis l'Egypte. Nous marcherons ensuite avec nos forces réunies vers l'Inde, où nous scellerons notre victoire sur l'Angleterre. » Un mois après la défaite d'El Alamein !

** Voir carte, p. 486.

fin. Après quinze jours d'offensive ininterrompue, les divisions allemandes, décimées et à court de munitions, sont débordées à l'ouest comme au nord de la « forteresse », et forcées de se replier sur une étroite poche adossée à la Volga ; c'est le quartier des grandes usines et de la gare — celui-là même que les Allemands avaient mis tant d'acharnement à conquérir pendant plus de trois mois... L'aérodrome de Goumrak une fois tombé aux mains des Soviétiques le 22 janvier, il ne reste plus que la piste de Stalingradski ; 81 avions de transport la survolent et 26 y atterrissent — pour se disloquer presque aussitôt dans les cratères de bombes dissimulés sous la neige. Le lendemain, l'ennemi occupe ce dernier terrain, coupant ainsi l'ultime voie de salut. Dès lors, l'approvisionnement ne peut plus se faire que par parachutages ; les Ju 52 et les He 111 font encore des prodiges, mais leurs conteneurs tombent au hasard sur les carcasses de bâtiments, et les 100 000 hommes qui se terrent dans les ruines au milieu des blessés et des cadavres sont le plus souvent hors d'état de les récupérer. Il n'y a plus de médicaments ni d'eau potable, les munitions sont pratiquement épuisées, et lorsque les chars de la 21ᵉ armée soviétique font leur jonction avec la 13ᵉ division de la Garde près du Kourgane de Mamaï, la poche de résistance allemande se trouve effectivement coupée en deux[83].

Milch, lui-même harcelé au téléphone par un Goering dont l'arrogance est à la mesure de l'oisiveté, continue à aiguillonner ses aviateurs. Dans la nuit du 25 au 26 janvier, 45 tonnes de vivres et de munitions sont larguées au-dessus des deux réduits, dont les périmètres ne cessent de rétrécir ; la nuit suivante, ce sont 100 tonnes qui sont parachutées par 124 appareils, principalement des He 111. On tente même d'utiliser les tout nouveaux He 177, dont quarante sont stationnés sur l'aéroport de Zaporoje, mais leurs moteurs ont gardé une fâcheuse tendance à prendre feu en vol, et sur les sept appareils opérationnels, cinq s'écrasent en dix-neuf missions — sans la moindre intervention de l'ennemi *. Dans la nuit du 27 au 28 janvier, 87 avions larguent leurs conteneurs sur la place Rouge elle-même, à l'extrémité du réduit sud où s'est replié le QG de Paulus ; il y aura encore 109 tonnes parachutées le lendemain et 124 le surlendemain. Milch,

---

* Le major Scheede, commandant de l'escadre, disparaît dès la première mission.

qui ne fait jamais les choses à moitié, demande même à Hitler la permission de participer à une mission de ravitaillement à bord d'un bombardier. Permission refusée [84].

Le 30 janvier, les pilotes revenant de Stalingrad signalent que des incendies font rage tout autour de la place Rouge, et que l'immeuble abritant le quartier général est en flammes. Dans l'ensemble du réduit sud, des unités entières commencent à se rendre, et au matin du 31 janvier, Paulus et son état-major se résignent à faire de même. Milch ordonne de poursuivre les parachutages au-dessus du réduit nord, et les pilotes vont accomplir l'impossible : 98 tonnes larguées en une nuit sur les 800 mètres du quartier des usines – que 300 canons de campagne soviétiques pilonnent presque à bout portant ! Mais au matin du 2 février 1943, les aviateurs allemands survolant les ruines ne voient plus aucun signe de combat : le réduit nord s'est rendu à son tour.

C'est la pire défaite de l'histoire militaire allemande ; les forces de l'Axe ont perdu dans l'aventure plus de 400 000 hommes, morts, blessés ou faits prisonniers *. La Luftwaffe, elle, a vu disparaître dans le maelström plus de 500 appareils **, près de 1 000 aviateurs et autant de personnel au sol, ainsi que l'ensemble de sa 9ᵉ division de DCA [85]. Goering, qui a prononcé dès le 30 janvier 1943 l'oraison funèbre de la 6ᵉ armée, se fait désormais le plus discret possible ; il sait que le Führer ne va pas tarder à chercher un bouc émissaire, et qu'il est tout désigné pour ce rôle. De fait, Bodenschatz se souvient des premiers éclats qui ont résonné dans le sombre bunker de Rastenburg : « Les gens de la Luftwaffe ont encore échoué... Mieux vaut poursuivre la guerre sans eux. Je n'ai que faire de ces lâches... Terminé ! Il faudrait les fusiller [86] ! » « Ce n'était pas une situation agréable », commentera sobrement Bodenschatz, persuadé que Goering était le premier visé. De fait, Hitler, ayant également passé sa rage sur l'infortuné Jeschonnek, l'a ensuite pris par les épaules en lui disant : « Ce n'était pas à *vous* que cela s'adressait [87] ! »

---

* Les pertes soviétiques ont été de près d'un million d'hommes, dont la moitié de morts. Mais l'Armée rouge est restée en possession du terrain, et la Wehrmacht a subi un coup d'arrêt dont elle ne se remettra pas.

** Dont 266 Ju 52, 165 He 111, 37 Me 109, 5 He 177, 42 Ju 86 et 9 Fw 200 Condor.

Mais Hitler, que son aide de camp Engel décrit dès le 1er février 1943 comme « profondément déprimé et cherchant partout des fautes et des négligences [88] », choisit ensuite la subtilité : Le 5 février, lorsqu'il reçoit le maréchal von Manstein, il lui déclare : « Je suis *seul* responsable de Stalingrad ! Je pourrais peut-être dire que Goering m'a mal informé des possibilités de ravitaillement par la Luftwaffe, et lui faire porter au moins une partie de la responsabilité. Mais l'ayant moi-même choisi pour successeur, je ne puis lui faire endosser la responsabilité de Stalingrad [89]. »

En somme, le Führer n'est pas seul responsable, mais comme le coresponsable est son successeur désigné, il a la bonté de l'épargner ! Même venant d'Hitler, c'est d'une tartuferie sans nom ; car en l'occurrence, l'*unique* responsable de Stalingrad, depuis son commencement hasardeux jusqu'à sa fin lamentable, n'est autre que le Führer en personne. Goering, lui, s'est borné à jouer son rôle habituel de comparse et de faire-valoir, tout en se montrant parfaitement incompétent. Il n'y a donc là rien de bien nouveau, si ce n'est qu'en ces temps de guerre totale, l'amateurisme devient beaucoup plus dangereux et les erreurs de calcul se paient infiniment plus cher...

XIV

Chute libre

« L'énorme choc de Stalingrad avait saisi la Luftwaffe comme l'ensemble du pays, se souviendra le photographe officiel Eitel Lange ; mais je me suis intéressé à une chose qui sautait aux yeux : à partir de là, les officiers et les soldats de la Luftwaffe se sont mis à ne plus prendre leur commandant en chef tout à fait au sérieux [1]. » De fait, lors des visites d'inspection, Lange surprend des sourires, des murmures, des silences, des inflexions et des sous-entendus qui lui font mesurer l'étendue des dégâts...

Si Hermann Goering y est également sensible, il n'en laisse rien paraître : « Nous avons subi le plus grave revers possible à l'Est, dit-il à ses généraux rassemblés à Rominten le 16 février 1943, avant d'ajouter : Ne parlons pas des responsabilités. » Mieux vaut effectivement ne pas en parler... Mais durant son discours, Goering ne cesse d'avancer des justifications : « Après que sur nos flancs trente-six divisions alliées se furent simplement volatilisées, la totalité de notre front beaucoup trop étendu ne pouvait que s'effondrer. [...] Si les hommes s'étaient battus avec plus d'acharnement, particulièrement à Stalingrad même, nous occuperions toujours la ville aujourd'hui, et elle n'aurait pas été reprise. Paulus a été trop faible, il n'a pas fait de Stalingrad une vraie forteresse. Il a nourri en même temps que ses troupes des milliers de civils russes. Il aurait dû les sacrifier impitoyablement, afin que ses soldats aient assez de provisions pour survivre, et les blessés incurables, on n'aurait pas dû les transporter jusqu'au bout, mais leur permettre de disparaître *... L'armée de Paulus comptait seulement sur la Luftwaffe et attendait d'elle qu'elle fasse des miracles... Et maintenant voici que le chef de l'état-major de cette armée, ce général Schmidt, a le culot de dire : " La Luftwaffe a commis la plus grande trahison de l'histoire parce qu'elle n'a pas réussi à ravitailler l'armée de Paulus. " Or, l'armée avait perdu tous les terrains d'aviation ! Comment après cela un pont aérien pouvait-il encore fonctionner [2] ? »

Comment, en effet ? Mais Goering omet l'essentiel : dès la fin de novembre 1942, son état-major à Potsdam et son commandant de flotte aérienne à Rostov l'avaient averti qu'il était hors de question de ravitailler indéfiniment la 6e armée par voie aérienne. Mais Goering ayant engagé sa parole inconsidérément, il ne pouvait ensuite se déjuger – par vanité, certes, mais surtout par *peur*. Car tout indique depuis longtemps déjà que Goering redoute fort les réactions de colère hystérique d'Adolf Hitler, qui sont d'autant plus épouvantables que les nouvelles se font plus défavorables ; et pour s'éviter ce genre d'épreuves, le *Reichsmarschall* s'ingénie justement à épargner au Führer toutes les informations déplaisantes. En l'occurrence, dès le début du « pont aérien », Jeschonnek avait avoué au *Reichsmarschall* qu'il s'était trompé dans ses calculs ; il venait en effet de découvrir que le conteneur standard dit « de 250 kg » ne pouvait contenir 250 kg de vivres : il portait uniquement ce nom parce qu'il occupait sur le râtelier des Junkers 52 l'emplacement d'une bombe de 250 kg ! Mais Goering lui avait interdit d'en informer Hitler : « Je ne peux pas faire ça au Führer... pas maintenant [3]. » Ni plus tard, du reste : lorsqu'il s'est rendu compte de l'impossibilité absolue de ravitailler l'armée prise au piège, Goering n'a pas davantage osé l'avouer à Hitler ; il s'est contenté d'en charger Jeschonnek : « Dites au Führer que nous ne pouvons continuer ainsi [4] ! ** »

Ce manque de courage moral se manifestera encore bien des fois au cours des mois à venir – et même dès le 15 février 1943. Ce

---

* En plus d'être cynique, Goering est mal informé ; car les commandants de secteurs à Stalingrad avaient justement « permis aux blessés incurables de disparaître ». Quant aux civils russes, ils avaient leurs propres sources de ravitaillement – et en faisaient souvent bénéficier les soldats allemands !

** Mais Jeschonnek, craignant lui aussi de susciter la colère d'Adolf Hitler, a préféré garder le silence. Se serait-il exprimé, du reste, que cela n'aurait fait aucune différence...

jour-là, le lieutenant-colonel Warlimont, de l'OKW, se présente
à la conférence quotidienne au QG du Führer. Il revient d'une
tournée d'inspection en Méditerranée, et ses conclusions
rejoignent celles de Rommel : il ne sera pas possible de résister
longtemps en Tunisie ; mieux vaudrait l'évacuer sans tarder, pour
éviter d'y subir un nouveau désastre. « J'avais à peine prononcé
ma première phrase, se souviendra Warlimont, qu'Hitler m'a
interrompu, en mettant fin à la discussion par sa formule habituelle dans ces cas-là : " Y a-t-il autre chose ? " J'ai immédiatement quitté la salle de conférences, non sans essuyer au passage
une réprimande de Goering [...] pour avoir " incommodé " le
Führer [5]. » Dire que ce genre de servilité augmentera la considération d'Hitler à l'égard de son *Reichsmarschall* serait évidemment
très excessif... « Après Stalingrad, reconnaîtra Goering, ma relation avec Hitler n'a fait que se détériorer. Le Führer donnait des
ordres et les annulait si fréquemment que j'étais incapable de me
tenir au courant de la situation. Il arrivait que j'aie une conférence
avec lui dans l'après-midi, et que je retourne chez moi le soir pour
trouver un nouvel ordre qui n'avait pas été mentionné pendant la
conférence. Du reste, beaucoup de ces ordres étaient impossibles à
exécuter [6]. »

Pour l'heure, en tout cas, Hitler tente surtout de limiter les
dégâts occasionnés par la défaite de Stalingrad. C'est que les
armées soviétiques, désormais libérées par la chute de la ville, ont
lancé une offensive tout le long du Don, en direction de Kharkov,
Pavlograd, Vorochilovgrad et Rostov – un immense mouvement
en éventail destiné à encercler toute l'armée allemande entre le
Dniepr et le Donetz *. La supériorité numérique de l'Armée
rouge sur les groupes d'armées A, B et Don est de huit contre un,
et dès la mi-février, elle s'est emparée de Bielgorod, Koursk et
Kharkov. Mais le maréchal von Manstein, qui a finalement obtenu
d'Hitler le commandement de l'ensemble des forces du front Sud,
parvient à faire remonter vers le nord-ouest les 1re et 4e armées
blindées, à constituer une ligne de défense sur le Mius, et enfin
à contre-attaquer sur le Donetz les forces soviétiques exagérément dispersées sur un front de 350 kilomètres. La Luftflotte IV
de Richthofen parvient à s'assurer la maîtrise de l'air au-dessus
du théâtre des opérations, au prix de 1 000 sorties par jour avec

---

* Voir carte, p. 486.

ses 480 avions encore opérationnels. Dès lors, la brillante manœuvre de von Manstein permet de reprendre Kharkov et Bielgorod à la fin de mars 1943, avant que la *raspoutitsa* – le dégel – ne mette fin à toute possibilité d'opérations sur l'ensemble du front. Ainsi se trouve reconstituée une solide ligne de défense tout le long du Donetz et du Mius, depuis Bielgorod jusqu'à Taganrog. Hitler, qui est allé « superviser » les opérations depuis son QG de Vinnitsa, revient à Rastenburg avec, dira Warlimont, « la mine d'un chef de guerre victorieux [7] ». De fait, le Führer dira à son chef de presse Otto Dietrich : « C'est moi qui ai reconquis Kharkov [8] ! »

En dehors de l'absurdité manifeste du propos, Hitler néglige trois éléments essentiels en ce début de printemps 1943 ; d'une part, après neuf mois d'offensives, des pertes considérables et un désastre majeur, la Wehrmacht est revenue presque exactement à son point de départ du mois de juillet 1942 ; d'autre part, le rapport de forces est devenu nettement favorable à l'Armée rouge : celle-ci compte désormais 5,8 millions d'hommes, répartis en 500 divisions et soutenus par 6 000 tanks et 23 700 canons, tandis que la Wehrmacht ne compte plus sur le front de l'Est que 2,7 millions d'hommes groupés en 152 divisions *, avec seulement 6 470 canons et 1 427 blindés très éprouvés ; enfin, l'aviation allemande s'est pratiquement brisée en Russie au cours des vingt derniers mois : pour couvrir les trois fronts du Nord, du Centre et du Sud, il ne lui reste plus pour l'heure que 370 chasseurs et 485 bombardiers opérationnels ** [9]. Les Soviétiques en ont déjà cinq fois plus ***...

Si Hermann Goering ne semble pas s'alarmer de ces chiffres, c'est peut-être parce qu'il a décidé depuis un certain temps de se désintéresser du front de l'Est. Mais c'est aussi parce qu'il a fort à faire ailleurs ; car en ce printemps de 1943, il est véritablement

---

* En tenant compte du fait qu'une division allemande compte presque deux fois plus d'effectifs qu'une division soviétique.

** Soit moins de 40 % du total des effectifs théoriquement présents sur le front, le reste étant hors d'état de voler pour diverses raisons allant de l'usure complète des appareils jusqu'au manque de pièces détachées, en passant par les dégâts causés par les intempéries et les bombardements ennemis. A l'été 1943, la Luftwaffe sur le front de l'Est sera suffisamment reconstituée pour atteindre 2 000 appareils opérationnels.

*** Leurs pilotes restent certes moins performants que les aviateurs allemands, mais ils sont déjà nettement plus expérimentés – et beaucoup plus agressifs.

assailli de toutes parts – et pour tout dire, la chute catastrophique de ses actions n'est pas seulement due au désastre de Stalingrad. Il y a d'abord eu l'affaire Pieper, du nom d'un escroc notoire qui a révélé après son arrestation avoir servi d'intermédiaire pour des industriels de renom désireux de faire des cadeaux au *Reichsmarschall*, en échange de menus avantages [10]. Bien entendu, on s'est empressé d'étouffer l'affaire, mais Himmler y a trouvé largement de quoi étoffer ses dossiers : dans l'impitoyable guerre interne que se livrent les hauts dignitaires du Troisième Reich, même les munitions de petit calibre ne se dédaignent pas, et Goering en est parfaitement conscient...

Mais l'affaire de l'Orchestre rouge est infiniment plus grave : au début de septembre 1942, la Gestapo a arrêté à Berlin 115 membres d'un réseau d'espionnage qui transmettait à Moscou depuis l'été de 1941 des renseignements de toute première importance sur la production allemande de blindés et d'avions, sur les effectifs de la Wehrmacht, ses vulnérabilités, ses mouvements et sa stratégie future. C'est ainsi que dès novembre 1941, les Soviétiques ont reçu les plans détaillés de l'offensive vers le Caucase prévue par Hitler pour le printemps de 1942 ! Tout y était spécifié, depuis le dernier délai de mise en place des troupes (1ᵉʳ mai) jusqu'à l'emplacement du futur quartier général (Kharkov) [11]. Au cours des six mois suivants, chaque addition au plan « *Blau* » parvenait également à Moscou, notamment les axes d'offensives prévus en direction de Voronej, Rostov, la boucle de la Volga et le Kouban, avec indication précise du nombre de divisions engagées, de leurs effectifs et de leurs matériels... Ceci permet d'expliquer *a posteriori* pourquoi les divisions blindées allemandes opérant le long du Don et du Donetz à l'été de 1942 avaient échoué dans leurs manœuvres d'encerclement, et pourquoi elles s'étaient trouvées en difficulté à l'approche de la Volga : elles étaient manifestement attendues...

Mais le plus consternant pour Goering, c'est encore l'identité du chef de réseau : il se nomme Harro Schulze-Boysen, c'est un petit-neveu de l'amiral von Tirpitz, il est jeune, beau, blond, polyglotte, charmeur, cultivé, téméraire, libertin, idéaliste, communiste, mais surtout... c'est un lieutenant de la Luftwaffe, qui a travaillé au Forschungsamt de Goering de 1937 à 1940, avant d'être affecté à la section des attachés de l'Air du Luftministerium – tout en gardant ses entrées au Forschungsamt. En d'autres termes, peu de choses pouvaient lui échapper concernant les plans militaires allemands, d'autant qu'il avait également recruté des agents à l'Abwehr et à l'OKW, ainsi qu'aux ministères de l'Economie, de la Propagande et des Affaires étrangères. Le fait que Goering ait servi de témoin au mariage du jeune Harro Schulze-Boysen en 1936, et qu'il ait insisté ensuite pour l'incorporer dans ses services malgré l'avis négatif du général Stumpff *, ne plaide pas non plus en faveur du glorieux *Reichsmarschall*, qui redoute bien des révélations lors du procès des membres du réseau... « Hitler, écrira Gisevius, s'émut fort de cette affaire d'espionnage. [...] Goering fulmina ; il avait cessé depuis longtemps de participer activement à la conduite de la guerre pour revenir à ses dîners de gala et à ses collections de tableaux à Carinhall, lorsque ce scandale vint porter une grave atteinte à l'auréole de confiance absolue dont s'entourait son ministère de l'Air [12]. »

De fait, il n'est pas facile d'expliquer tout cela au Führer, mais Goering parvient à limiter les dégâts en détournant l'attention d'Hitler sur un autre dirigeant du réseau, Arvid von Harnack, qui occupait un poste important au ministère de l'Economie, ainsi que sur une complice mineure, Ilse Stöbe, qui travaillait fort opportunément au ministère des Affaires étrangères [13]. Pour achever d'enterrer l'affaire, Goering obtient que les membres du réseau soient jugés par une cour martiale de la Luftwaffe, et promptement exécutés. Pourtant, toute l'affaire laisse un goût amer, et Goering y laisse encore un peu de son crédit – d'autant que le Führer n'est pas convaincu que les sources d'information de Moscou au sein du haut commandement militaire allemand aient été entièrement taries **...

Mais décidément, les désagréments continuent à s'accumuler, d'autant que les luttes entre hauts responsables du Troisième Reich se poursuivent avec une férocité décuplée. C'est ainsi que Goering est à l'époque en conflit quasi permanent avec Ribbentrop, Keitel, Lammers, Sauckel, Darré, Himmler, Goebbels et Bormann, pour ne citer que les principaux. Himmler, par exemple, le fait espionner et écouter en permanence, accumule les

---

* Stumpff avait découvert le passé communiste de Harro Schulze-Boysen.
** Ce en quoi il a entièrement raison : les secrets militaires les plus sensibles continueront à parvenir aux Soviétiques, en passant par la Suisse.

dossiers sur ses pratiques corrompues, et informe le Führer des efforts d'Emmy Goering pour protéger ses amies juives. Depuis son discours du 18 février 1943 sur la « guerre totale », Goebbels, lui, s'est mis en tête d'imposer au pays une façade d'austérité, notamment en faisant fermer les boîtes de nuit et les restaurants de luxe de la capitale ; ayant naturellement commencé par Horcher, il s'est heurté de front à Goering, qui a immédiatement fait à son restaurant favori un rempart de son corps *. Sur ce, une foule de citoyens excités par Goebbels est allée briser les vitres de Horcher, mais dès le lendemain, le restaurant a été placé sous la protection d'une escouade de soldats de la Luftwaffe, baïonnette au canon ! Hitler n'ayant pas apprécié ces péripéties, il a bien fallu trouver un compromis : Horcher a donc été fermé – et a rouvert dès le lendemain en tant que club des officiers de l'aviation ! Bormann, lui, poursuit un patient travail de sape contre son ennemi juré, en rapportant presque quotidiennement au Führer des informations et des rumeurs concernant les faits et méfaits du *Reichsmarschall* ; et comme tout labeur inlassable, celui-ci finira par porter ses fruits...

Sans le savoir, pourtant, Goering a contre Bormann un allié potentiel aussi puissant qu'entreprenant : c'est le ministre de l'Armement Albert Speer, qui a forgé avec Milch, Goebbels, Funket Ley une sorte d'alliance visant à briser l'influence exclusive exercée sur Hitler par Bormann et Lammers dans le domaine de la politique intérieure. Leur idée consiste à faire revivre le Conseil des ministres pour la défense du Reich, qui n'a cessé de stagner depuis plus de trois ans sous la direction de son très indolent président Hermann Goering. Si ce Conseil reprenait ses activités et utilisait à fond les prérogatives qui lui étaient reconnues en 1939, y compris celle d'émettre des décrets, alors le pouvoir politique et organisationnel dans le pays passerait entre des mains plus compétentes et moins inquiétantes, tandis que le Führer pourrait continuer à guerroyer depuis son bunker de Prusse orientale.

Tout cela est bel et bon, mais il reste à persuader le président Goering de se joindre au mouvement... « Etant donné que Goeb-

---

* Goering était un client habituel, et il se faisait livrer ses repas par le restaurant jusqu'en Prusse orientale – où ils étaient acheminés par avion en priorité absolue.

bels et Goering étaient en mauvais termes du fait de l'affaire du restaurant Horcher, note Albert Speer, c'est moi qui ai été chargé par le groupe d'aller parler à Goering. [...] Il séjournait à ce moment dans sa résidence d'été de l'Obersalzberg, [...] où il s'était délibérément retiré pour de longues vacances, parce qu'il était offensé par les critiques d'Hitler sur sa façon de diriger la Luftwaffe. Il s'est immédiatement déclaré prêt à me recevoir dès le lendemain 28 février 1943. L'atmosphère de notre discussion, qui a duré de nombreuses heures, a été amicale et décontractée, [...] mais j'ai tout de même été étonné par ses ongles laqués et son visage manifestement fardé, encore que la broche en rubis démesurée qui ornait sa robe de chambre en velours vert ait été pour moi un spectacle familier. Goering a écouté notre proposition en silence, [...] tout en extrayant de temps à autre de sa poche une poignée de diamants, qu'il jouait à faire glisser entre ses doigts. Il semblait heureux que l'on ait pensé à lui. Il voyait bien lui aussi le danger que représentaient les activités de Bormann, et s'est déclaré d'accord avec nos plans. Mais il en voulait toujours à Goebbels pour l'affaire du Horcher [14]. »

C'est ce qui s'appelle être rancunier... Mais Speer a quelques talents de diplomate, Goering consent à recevoir Goebbels dès le lendemain, et tous trois finissent par s'accorder sur une stratégie commune ; Goering est même tellement remonté que ses acolytes craignent qu'il en fasse trop ! La première offensive sera donc menée par Speer et Goebbels, qui s'entretiennent longuement avec Hitler le 8 mars 1943, sans toutefois pouvoir évoquer leur projet de réactivation du Conseil de défense du Reich ; c'est que le Führer s'énerve à la seule mention du nom de Goering, et les deux compères jugent plus prudent de battre en retraite. Mais une nouvelle occasion se présente dès le mois suivant, ainsi que l'expliquera Albert Speer : « Depuis longtemps déjà, le nombre de travailleurs que Sauckel présentait à Hitler comme ayant été mis à la disposition de l'industrie avait cessé de correspondre à la réalité. La différence se montait à plusieurs centaines de milliers de travailleurs. J'ai donc proposé à notre coalition d'unir ses forces pour contraindre Sauckel, qui était en quelque sorte la sentinelle avancée de Bormann sur notre territoire, à fournir des données exactes [15]. »

Bref, il s'agit d'atteindre Bormann en discréditant entièrement son affidé Sauckel. Rendez-vous est donc pris pour le 12 avril 1943 à l'annexe de la chancellerie du Reich près de Berchtesgaden, où Lammers a convié Speer, Goering, Goebbels, Milchet Sauckel. « Avant la réunion, écrira Speer, Milch et moi-même avons de nouveau rappelé à Goering ce que nous désirions obtenir ; il a répondu en se frottant les mains : " Je vais vous arranger ça ! " Mais nous avons eu la surprise de constater qu'Himmler, Bormann et Keitel étaient également présents dans la salle de conférences – et pour comble de malheur, notre allié Goebbels s'était fait excuser : sur le chemin de Berchtesgaden, il avait été pris d'une crise de colique néphrétique. [...] Cette séance a marqué la fin de notre alliance. Sauckel a contesté notre exigence de 2,1 millions de travailleurs supplémentaires pour l'ensemble de l'économie, a prétendu avoir fourni tous les effectifs nécessaires, et s'est fâché tout rouge lorsque je l'ai accusé d'avoir produit des chiffres inexacts. Milch et moi nous attendions à ce que Goering demande des explications à Sauckel et l'oblige à changer de politique en matière d'affectation des travailleurs. Au lieu de cela, à notre grande épouvante, Goering s'est lancé dans une violente attaque contre Milch, et donc indirectement contre moi. Il était scandaleux, a-t-il dit, que Milch crée tant de difficultés. Notre bon camarade du parti Sauckel faisait vraiment de son mieux et avait obtenu tant de succès... Lui, Goering, avait en tout cas une grande dette de gratitude envers Sauckel, dont Milch était incapable d'apprécier les exploits. C'était comme si Goering s'était trompé de disque. Lors de la discussion prolongée qui s'est ensuivie au sujet des travailleurs manquants, chacun des ministres présents, sans y connaître rien, a proposé sa théorie pour expliquer la différence entre les chiffres réels et les données officielles. Himmler a déclaré avec un calme parfait que les centaines de milliers de travailleurs manquants étaient peut-être décédés. En fin de compte, la conférence a été un échec : la lumière n'avait pu être faite au sujet du déficit de main-d'œuvre, et de plus, notre grand assaut contre Bormann avait échoué. [...] Quelques jours après cette affaire, Milch m'a dit que Goering avait retourné sa veste parce que la Gestapo avait des preuves de sa dépendance à la morphine. Il m'avait déjà conseillé longtemps auparavant d'observer ses pupilles. [...] De toute façon, notre tentative de mobiliser Goering contre Bormann était sans doute condamnée à l'avance pour de simples raisons financières : Bormann avait fait à Goering un don de 6 millions de marks en provenance du Fonds Adolf Hitler [16]. »

Quel meilleur moyen de neutraliser ses ennemis que de les compromettre, en jouant sur leur avidité naturelle ? Martin Bormann est passé maître en la matière... En vérité, le *Reichsleiter* Bormann n'a pas vraiment besoin de forcer son talent pour noircir Goering aux yeux du Führer : depuis plusieurs mois déjà, ce sont les aviateurs alliés qui s'en chargent... On se souvient du violent accès de rage d'Hitler à la suite du bombardement de Cologne le 31 mai 1942. Or, depuis cette époque, les choses se sont beaucoup aggravées au-dessus du ciel allemand : il y a eu successivement le premier bombardement de jour par des B 17 américains * sans escorte le 27 janvier 1943, un raid massif sur Hambourg par la RAF la nuit suivante, 600 tonnes de bombes larguées par 250 quadrimoteurs sur Berlin le 1er mars, un nouveau bombardement de Hambourg le 3 mars, l'attaque du 5 mars qui a dévasté la ville d'Essen et ses usines d'armement **... Et puis, aux petites heures du 8 mars 1943, à Rastenburg, Goebbels et Speer s'entretenaient paisiblement au coin du feu avec un Hitler très détendu, lorsque « soudain, se souviendra Speer, cette conversation idyllique devant la cheminée a été interrompue par la nouvelle d'un puissant raid aérien sur Nuremberg. [...] Hitler a fait une scène comme j'en ai rarement vue. Il a immédiatement ordonné que l'on tire du lit et qu'on lui amène le général Bodenschatz, principal aide de camp de Goering. Le pauvre homme a dû subir une terrible engueulade en lieu et place de l'"' incompétent *Reichsmarschall* " [17]. »

C'est que l'intéressé est en villégiature à Rome depuis dix jours, ce qui décuple la rage du Führer. Lorsque Munich est bombardé le 9 mars et Stuttgart le 11, Hitler n'y tient plus et ordonne le retour immédiat de Goering. Il s'ensuit naturellement quelques scènes aussi pénibles qu'inutiles, car après cela, il y aura

---

* Voir annexe, p. 783 et suivantes.
** C'est le premier résultat de la politique de bombardement à outrance décidée par les alliés anglo-américains à Casablanca en janvier 1943 (opération « *Point Blank* »).

encore les attaques de Duisburg, de Berlin * et d'Essen au début d'avril, suivies en mai d'une intervention croissante des bombardiers de jour américains B 17 lourdement armés, des Wellington de la RAF qui s'en prennent de nuit à Dortmund, Bochum, Wuppertal et Düsseldorf, et même des Mosquito qui détruisent l'usine d'optique Karl Zeiss à Iena, au cours d'une attaque à basse altitude... A chaque fois, la production industrielle s'en ressent et les pertes civiles sont considérables. La « Ligne Kammhuber », avec sa ceinture de radars et ses bases de chasseurs de nuit s'étendant de la frontière danoise aux côtes françaises, s'avère impuissante à interrompre le flot des bombardiers qui pénètre en Allemagne ; toutefois, certaines tactiques expérimentales, comme le « *Wilde Sau* », consistant à éclairer le ciel au-dessus des zones cibles avec tous les projecteurs de la DCA, devraient permettre aux chasseurs allemands d'attaquer les bombardiers comme en plein jour, et le major Hermann, responsable du projet, attend impatiemment le moment d'expérimenter cette technique.

A chaque nouveau désastre, le Führer s'en prend à Goering, qui se défend très maladroitement. « Hitler, se plaint le *Reichsmarschall* à l'aide de camp von Below, me traite comme un enfant demeuré [18]. » C'est un fait, mais cela ne change rien à la situation, car les causes de la vulnérabilité du Reich restent évidentes : les Alliés attaquent de jour comme de nuit avec des masses compactes de bombardiers lourdement armés et équipés de radars perfectionnés, et les Allemands ne peuvent opposer aux « *Viermots* ** » qu'une DCA peu efficace et un nombre de chasseurs cruellement insuffisant. Il est vrai qu'un certain désordre continue à régner au niveau de la planification allemande : Messerschmitt insiste pour produire comme successeur au Me 109 un Me 209 dont les performances sont inférieures à celles des chasseurs existants ; le FW 190 et le Me 109 restent d'excellents avions, mais ils sont immédiatement absorbés par le front de l'Est, ils commencent à être surclassés par les nouveaux chasseurs alliés, et surtout, ils sont produits en quantités insuffisantes,

---

* Chose stupéfiante, l'un des très rares bâtiments à rester indemne jusqu'à la fin de la guerre sera... le colossal ministère de l'Air du *Reichsmarschall*, au coin de la Leipziger Strasse et de la Wilhelmstrasse ! C'est aujourd'hui le ministère des Finances de la République fédérale allemande – après redécoration des façades.
** Contraction de *Viermotorige* (quadrimoteurs) dans le jargon des pilotes de chasse allemands.

notamment parce que les ouvriers et les ingénieurs de l'industrie aéronautique sont de plus en plus mobilisés pour servir au front ou transférés d'autorité aux usines de chars *. Milch proteste énergiquement, et parvient parfois à persuader Goering d'en faire autant, mais il n'y a rien à faire : ce sont les ordres d'Hitler...

En y regardant de près, on constate d'ailleurs que le principal facteur de désorganisation reste le Führer lui-même, qui intervient de façon intempestive dans la stratégie de la Luftwaffe, nomme des officiers responsables sans consulter le *Reichsmarschall* ou le secrétaire d'Etat, et fixe arbitrairement les priorités de l'industrie aéronautique. Ainsi, au lendemain de Stalingrad, il dit à Milch : « Je veux des avions de transport, des avions de transport, et encore des avions de transport [19] ! » Mais après l'évacuation du Caucase et le regroupement en Crimée, il veut également que l'on donne la priorité aux hydravions, et à chaque nouveau bombardement, il exige un renforcement de la DCA, ainsi qu'une priorité absolue à la production de bombardiers capables d'atteindre l'ensemble des îles Britanniques ; c'est que le Führer reste un partisan inconditionnel de la politique de *Vergeltung* – représailles –, dans la conviction que des bombardements suffisamment violents des îles Britanniques contraindront les Alliés à cesser leurs raids sur le Reich. Pourtant, on se souvient que les meilleurs projets de quadrimoteurs conçus par Junkers et Dornier ont été enterrés six ans plus tôt, et que le He 177 construit depuis lors s'est révélé pour le moins décevant. Mais dès lors, Hitler exige que tout nouveau modèle soit un bombardier, et si c'est un chasseur, il doit pouvoir emporter des bombes – ce qui pose des problèmes techniques parfaitement insolubles...

Dès le 5 mars 1943, Milch, qui a pris l'habitude de s'entretenir seul avec le Führer, tente de lui expliquer clairement les choses : l'offensive aérienne alliée ne pourra être contrée que par des chasseurs intervenant en grand nombre au-dessus du Reich,

---

* Mais aussi parce que les constructeurs ne cessent de modifier les modèles en cours de construction, ce qui provoque des retards considérables à la livraison. Le général Baumbach résumera le problème par cette maxime radicale : « Toute modification même infime d'un modèle de grande série revient à le tuer. »

et il faudrait pour cela en produire 5 000 par mois * ; pour 1943 au moins, mieux vaudrait rester sur la défensive et accumuler des ressources permettant de reprendre l'offensive en 1944 ; il faudrait aussi envisager de mettre fin à la guerre : « *Mein Führer,* Stalingrad a été la plus grave crise qu'aient connue à ce jour la nation et les forces armées. Vous devez entreprendre quelque chose de radical pour faire sortir l'Allemagne de cette guerre. Il n'est pas encore trop tard... » C'est évidemment une proposition hardie, et qui n'a pas la moindre chance d'être entendue... Mais Milch en fait une dernière, qui est bien plus proche de son domaine de compétence directe : il faudrait réorganiser la structure de commandement de la Luftwaffe et en retirer la direction à Goering, pour le nommer par exemple commandant en chef sur le front de l'Est : « Mais une fois qu'il sera sur place, il vous faudra tracer une ligne sur la carte, qu'il ne pourra pas franchir sans votre permission. Sinon, il retournera immédiatement à Paris pour y faire ses emplettes [20]. »

Pour d'évidentes raisons pratiques, politiques, psychologiques, hiérarchiques et honorifiques, le Führer s'abstiendra également de suivre ce conseil, et Goering restera le grand patron de la Luftwaffe, pour le meilleur et pour le pire. Comme à l'ordinaire, ce sera surtout pour le pire : une fois tancé vertement par le Führer, Goering se retourne vers les généraux et les industriels, pour les sermonner à son tour : il est honteux que l'on ne produise pas de nouveaux types d'avions, scandaleux que l'on soit incapable de construire un quadrimoteur performant, déshonorant que les Alliés puissent bombarder l'Allemagne en toute impunité, leur dit-il dès le 22 février. Le 18 mars, ce sont les professeurs Messerschmitt, Heinkel et Dornier qui subissent à Carinhall une diatribe de 90 minutes : « Le minimum que l'on puisse exiger, hurle-t-il à Messerschmitt, c'est que vos avions décollent et atterrissent sans que les pilotes risquent à chaque fois de se briser le cou » ; et à Heinkel : « Vous m'aviez promis un bombardier lourd, le Heinkel 177. [...] Au cours des essais opérationnels, les pertes ont été catastrophiques, et pas à cause

---

* A cette époque, la production allemande a déjà commencé à augmenter substantiellement : en février 1943, pour la première fois, elle atteint 2 000 avions par mois, dont 860 chasseurs.

de l'ennemi ! Alors, monsieur Heinkel, qu'avez-vous à me dire aujourd'hui ? Et combien de vos engins sont partis en fumée ? La moitié ! Comme nous nous sommes moqués du sous-développement de l'ennemi, de la lourdeur de leurs " caisses à quatre moteurs ", etc. Messieurs, je serais heureux si seulement vous pouviez me copier l'une de ces caisses à quatre moteurs ! Allez-y ! Et au pas de course ! Il y aurait au moins un avion dont je pourrais être fier ! [...] Ce qui m'exaspère, c'est qu'ils peuvent lancer leurs bombes à travers une chape de nuages et atteindre un tonneau de cornichons dans une gare de chemin de fer, alors que nos messieurs n'arrivent même pas à trouver Londres ! [...] Quel que soit l'équipement que nous ayons, l'ennemi le dépasse en un tour de main ! Nous acceptons tout cela comme si c'était la volonté de Dieu, et quand je m'énerve, on me répond que c'est à cause du manque d'ouvriers... Messieurs, ce n'est pas de main-d'œuvre que vous manquez, c'est de cervelle ! » [21].

Mais Erhard Milch remarque ce même jour que les propos du *Reichsmarschall* se font hésitants par moments, qu'il a tendance à confondre les modèles d'avions, et que son regard prend des reflets vitreux [22]... On se souvient que Milch avait déjà fait allusion devant Speer à la dépendance morphinique persistante du *Reichsmarschall*. « Goering, confirmera le général Koller, était en mauvais état. Nous savions qu'il prenait trop de ses pilules [23]. » Le général Walter Schellenberg, chef de l'*Amt VI* du RSHA *, ajoutera que « Goering semblait avoir perdu tout intérêt pour les grands événements militaires. Beaucoup attribuaient cela à une dépendance croissante à l'égard de la morphine [24] ». Ils n'avaient sans doute pas tort, si l'on considère ce témoignage du général d'aviation Förster : « J'ai personnellement constaté que lorsque les discussions duraient trop longtemps et que la morphine cessait de faire son effet, le *Reichsmarschall* s'endormait pendant la conférence [25]. » Toutes choses confirmées par le ministre de l'Armement Albert Speer, qui évoque une réunion mémorable sous la présidence du tout-puissant commissaire au plan quadriennal en mai 1943 : « Goering m'avait demandé

---

* *Reichsicherheitshauptamt,* l'ensemble des services du *Reichsführer SS* Heinrich Himmler. La section VI était chargée de l'espionnage à l'étranger.

d'inviter les dirigeants de l'industrie sidérurgique à une conférence sur l'Obersalzberg. [...] A son arrivée, il était d'humeur euphorique, avec des pupilles visiblement rétrécies, et devant les spécialistes de la sidérurgie ébahis, il s'est lancé dans un long discours sur la fabrication de l'acier, en étalant toutes ses connaissances sur les hauts fourneaux et la métallurgie. Ceci a été suivi d'une série de lieux communs : il fallait produire davantage, ne pas craindre d'innover, [...] aller résolument de l'avant, etc. Après deux heures d'un torrent de forfanteries, le débit de Goering s'est mis à ralentir et son expression s'est faite de plus en plus absente. Pour finir, il a brusquement posé la tête sur la table et s'est endormi paisiblement. Il nous a paru plus avisé de paraître ignorer le maréchal du Reich dans son splendide uniforme pour ne pas l'embarrasser, et nous avons poursuivi la discussion de nos problèmes, jusqu'à ce qu'il se réveille et déclare sur-le-champ la conférence terminée [26]. »

Le réveil sera rude : entre le 10 et le 13 mai 1943, les forces anglaises et américaines, effectuant une percée jusqu'à Tunis, capturent 250 000 soldats allemands et italiens, 250 chars et 1 000 canons. Von Arnim, Rommel et von Below demandaient depuis des mois l'évacuation de la Tunisie, mais exactement comme en Russie, le Führer avait interdit toute retraite ; il se trouve donc confronté à une défaite moins spectaculaire mais tout aussi coûteuse que celle de Stalingrad – et plus dangereuse encore du point de vue stratégique, car une fois l'Axe entièrement chassé d'Afrique du Nord, rien n'empêchera les Alliés de débarquer en Italie... Pour l'heure, la Luftwaffe a pu évacuer *in extremis* son personnel de Tunis, mais elle a perdu beaucoup d'appareils dans l'opération, et la division Hermann Goering a été presque entièrement capturée – une nouvelle atteinte au prestige de son chef, qui se terre à Veldenstein pour se ressourcer, s'isoler des mauvaises nouvelles et échapper aux colères dévastatrices de son Führer vénéré...

Mais la guerre persiste à s'inviter dans le ciel allemand, et il est bien difficile de l'ignorer : le 17 mai, une vingtaine de bombardiers britanniques parvient à détruire le barrage de Möhne, qui retient les réserves d'eau alimentant le bassin industriel de la Ruhr. Il s'ensuit une inondation de la vallée, une mise hors service des installations électriques et un ralentissement sensible de la production sidérurgique *. Goering, qui ne songe même pas à se rendre sur place, préfère se promener dans les forêts bavaroises en ressassant ses rancœurs et son indignation, tout en méditant sur de nouvelles techniques pour contrer les armadas de B 17, de Wellington et de Mosquito, pour améliorer l'efficacité du bombardement de l'Angleterre et pour attaquer les arsenaux de l'Oural [27].

Le 25 mai, pourtant, un rayon de soleil pénètre les sombres remparts de Veldenstein : ce jour-là, le général Galland vient apporter à Goering le rapport d'expérimentation du chasseur Me 262 : « Il vole comme si un ange le poussait », s'exclame-t-il avec ravissement. De fait, à 900 kilomètres/h **, ce premier avion à réaction opérationnel au monde vole plus vite que n'importe quel appareil existant, et Galland conclut son rapport par ces mots : « « Cette supériorité technique presque incroyable est un moyen décisif de compenser notre infériorité numérique et de prendre l'ascendant en combat aérien au-dessus du Reich, et plus tard sur le front [28]. » Galland recommande donc de mettre fin au programme de fabrication du Me 209, pour ne plus construire que des chasseurs à réaction. Devant l'enthousiasme de Galland et l'avis favorable de Milch, Goering ne peut que donner son accord. Il reste naturellement à convaincre Hitler...

Pour l'heure, le Führer a bien d'autres préoccupations, ainsi que le constatera l'aide de camp von Below : « Le 14 juin, [...] lorsque je me suis présenté à Hitler au Berghof, celui-ci en est venu directement à l'essentiel : le bombardement ininterrompu. Ils avaient ruiné la Ruhr, et il était impossible de savoir quand cela finirait. La Luftwaffe n'avait à peu près rien pour les contrer.

---

* Seul le fait que les Britanniques n'aient pas répété le bombardement du site et aient négligé les trois autres réservoirs de la vallée a permis à l'industrie de la Ruhr de continuer à fonctionner. (Le barrage d'Eder, bombardé en même temps que celui de Möhne, était un simple ouvrage de régulation.) Comme les Allemands en 1940, les Alliés commettent l'erreur de disperser leurs attaques sur les villes et les cibles secondaires, au lieu de les concentrer et de les renouveler régulièrement sur les sites d'importance vitale pour la production industrielle. Les travaux de réparation du barrage de Möhne seront achevés à la fin de septembre 1943.

** C'est la vitesse maximale ; la vitesse de croisière est plus proche de 780 km/h. L'autre avantage du Me 262 « Schwalbe » est qu'il n'utilise pas l'essence à haut indice d'octane nécessaire aux chasseurs à piston, mais du fuel ordinaire pour moteurs diesel. Il est vrai qu'il en consomme beaucoup...

Puis il est passé à la Sicile, qui le préoccupait beaucoup parce qu'il ne faisait aucune confiance aux Italiens et manquait de troupes allemandes pour défendre l'île. Il comptait avant tout sur la Luftwaffe pour les épauler. [...] Si la Luftwaffe ne parvenait pas à interdire un débarquement américain en Sicile, il n'avait pas d'espoir pour la péninsule italienne dans son ensemble. [...] J'ai pris la liberté de lui rappeler ce que je pensais de la Luftwaffe, qui ne pourrait plus jamais égaler les Britanniques, les Américains et les Russes. Il a mentionné Goering qui, comme lui, était capable de faire l'impossible. J'ai laissé entendre que ce n'était peut-être plus le cas. Nous manquions de modèles d'avions conçus en 1941 et 1942, et nous volions à présent avec à peu près les mêmes types d'avions qu'au début de la guerre en 1939. Il n'a rien répondu à cela, mais j'ai remarqué qu'il avait repris confiance en Goering [29] *. »

Tout est relatif, bien sûr : Hitler continue à s'appuyer sur Jeschonnek, fait déplacer des escadrilles vers la Grèce sans consulter Goering **, ordonne à la Luftwaffe de livrer des quantités de chasseurs Me109 aux Italiens « pour des raisons politiques », convoque les ingénieurs de l'aéronautique pour les interroger sur le chaos qui règne dans leur industrie, et envoie de sa propre autorité von Richthofen commander la Luftflotte II en Italie ***. Le *Reichsmarschall*, revenu de son long congé, est manifestement très peu au fait de la situation : c'est même le ministre de la Propagande qui se charge de le mettre au courant ! « Je lui ai fait un exposé de la situation dans le domaine de la guerre aérienne, note Goebbels le 26 juin. L'essentiel de ce que je lui ai dit était pour lui une révélation. Il se plaint que le Führer lui fait trop de reproches [30]. »

Sans que son chef paraisse le savoir, la Luftwaffe a déployé des efforts héroïques depuis Stalingrad : entre l'hiver et le printemps

---

* De fait, Goebbels note à la même époque que le Führer « ne peut se passer de Goering, ni le jeter inconsidérément par-dessus bord. [...] Le Führer est d'autant plus déprimé par l'échec de Goering qu'il sait que celui-ci est le seul qui puisse prendre sa place s'il devait lui arriver quelque chose ».

** A cette époque, Hitler s'attend à un débarquement en Grèce plutôt qu'en Sicile – un résultat tangible de la célèbre opération de désinformation « Mincemeat ».

*** Afin de permettre à Kesselring de se concentrer sur ses fonctions de commandant en chef de toutes les forces terrestres allemandes en Italie – qui sont encore très réduites à l'époque. C'est également le cas des forces aériennes, du reste.

de 1943, elle a approvisionné la tête de pont du Kouban, tout en soutenant les retraites et les contre-offensives sur le Donetz et le Mius, autour de Kharkov et de Bielgorod, avant que le front ne se fige au moment du dégel. Mais depuis lors, Hitler ne songe qu'à reprendre l'initiative, en menant une puissante attaque contre le saillant de Koursk. Dans sa directive du 15 avril 1943, il annonçait déjà : « J'ai décidé de lancer l'opération " Zitadelle " comme première offensive cette année dès que le temps le permettra. [...] L'objectif est d'encercler les forces ennemies déployées dans la région de Koursk par une attaque directe et conduite sans merci... » Il s'agit donc de commencer l'offensive d'été par la manœuvre que von Manstein n'avait pu effectuer à la fin de mars : prendre au piège et détruire les armées soviétiques du front du Centre et du front de Voronej dans le saillant de Koursk, par une attaque en tenaille menée depuis Orel au nord et Kharkov au sud. Une manœuvre classique qui amènera la 9e armée du général Modelet la 4e armée blindée du général Hoth à faire leur jonction à l'est de Koursk, en éliminant près d'un million de soldats soviétiques pris dans la nasse à l'ouest de la ville.

Hitler a tout misé sur cette offensive, dans laquelle il va engager 700 000 hommes, 1 600 chars, 600 canons d'assaut et 1 800 avions des Luftflotten IV et VI, puissamment renforcées pour l'occasion avec tout ce qui a pu être amené du Reich et des territoires occupés. Bien sûr, les armées soviétiques sont très supérieures en effectifs – 1,3 million d'hommes répartis en cinq Fronts à l'ouest, au centre et à l'est du saillant –, et elles peuvent mobiliser 3 200 chars, 2 900 avions et 20 000 canons dans ce secteur. Mais Hitler, comme toujours, pense pouvoir compenser son infériorité numérique par une « farouche volonté de vaincre », par la supériorité qualitative de ses nouveaux blindés « Tigre » et « Panther », et bien sûr par l'effet de surprise. Comme toujours, il n'envisage pas que l'ennemi puisse lui aussi être animé d'une farouche volonté de vaincre, il oublie que les Soviétiques ont eux aussi perfectionné leurs chars *, et surtout, il s'illusionne beaucoup en comptant sur l'effet de surprise...

---

* Notamment en introduisant les premiers T 34/85 de 32 tonnes, avec leur canon de 85 mm, et leur blindé d'assaut automoteur géant Su 152 « Zvierboï » (« Chasseur de fauve »), armé d'un obusier de 152,4 mm capable de détruire n'importe quel char existant.

De l'avis de la plupart de ses généraux, Hitler devrait lancer l'opération « Zitadelle » dès le mois de mai, avant que les Soviétiques aient le temps de se regrouper et de compenser leurs pertes du printemps. Mais Hitler n'en fait rien, à la fois parce qu'il attend la sortie en nombre de ses nouveaux chars Tigre et Panther, et parce qu'il redoute un débarquement des Alliés en Sicile ou dans les Balkans aussitôt après leur victoire en Tunisie. Il laisse donc passer le mois de mai, puis le mois de juin, sans mesurer les dangers d'un tel ajournement. C'est que les Soviétiques ont été informés au plus tard à la fin d'avril des grands traits de l'opération, si l'on en juge par le fait qu'ils ont mobilisé dès cette époque les populations de la région pour établir un réseau de tranchées et de fortifications autour de Koursk. Entre mai et juin, ce sont trois ceintures défensives principales qui sont constituées autour de la ville, avec points d'appui bétonnés, villages fortifiés, fossés antichars, champs de mines et artillerie enterrée – 3 700 kilomètres de réseaux défensifs sur 40 kilomètres de profondeur –, derrière lesquels sont disposées des réserves de chars et de canons automoteurs venus en toute hâte du Nord-Ouest et du Sud-Est. On a même eu le temps de construire une nouvelle voie de chemin de fer pour acheminer vers l'ouest les approvisionnements et les renforts...

C'est seulement au début de juillet 1943 qu'Hitler se décide à ordonner l'offensive. De retour à Rastenburg le 1er juillet, il rassemble ses responsables militaires pour les soumettre à l'une de ses harangues coutumières. Le général Otto von Knobelsdorff, qui assiste à la séance, racontera plus tard : « Hermann Goering était assis à côté du Führer et semblait s'affaiblir de quart d'heure en quart d'heure, jusqu'à sombrer complètement dans l'hébétude. De temps à autre, il se bourrait de pilules et se redressait alors pendant un moment [31]. » Von Richthofen, en visite à Rastenburg le 3 juillet, note pourtant dans son journal : « Führer et *Reichsmarschall* formidablement optimistes quant à l'avenir de la guerre [32]. » Chez le Führer, cela s'explique par le fanatisme et par l'autosuggestion ; chez son *Reichsmarschall*, par la soumission et par la morphine...

L'opération « Zitadelle » est déclenchée à l'aube du 5 juillet : les 1 000 chars de la 9e armée percent la première ligne de défense au bout de deux jours et entament la deuxième dès le 8 juillet, mais après une avance de 10 kilomètres, ils sont arrêtés le lendemain devant les hauteurs d'Olkhovatka, et doivent reculer devant une puissante contre-attaque. Au sud, les 1 500 panzers et canons d'assaut de la 4ᵉ armée blindée franchissent en deux jours les deux premières ceintures défensives, progressent de 30 kilomètres en infligeant des pertes sévères à l'ennemi, mais se trouvent ensuite ralentis dans leur avance par plusieurs contre-attaques locales, jusqu'à ce qu'ils atteignent le 12 juillet la ville de Prokhorovka, sur la troisième ligne de défense soviétique ; là, ils se heurtent à la 5ᵉ armée blindée de la Garde, et il s'ensuivra un duel de chars aussi confus que meurtrier, qui se prolongera pendant trente-six heures.

Au sud comme au nord de Koursk, l'affrontement des chars se double d'une féroce bataille aérienne : les bombardiers soviétiques ont d'abord attaqué en masse les aérodromes allemands de Kharkov et d'Orel, mais ils ont été interceptés et décimés par les chasseurs des Luftflotten IV et VI combinées ; ensuite, la Luftwaffe effectue plus de 37 000 sorties contre les blindés soviétiques, en employant notamment cinq nouvelles escadrilles de *Panzerjäger*, les chasseurs de chars Henschel Hs 129. Mais les FW 190 comme les Me 109 se trouvent confrontés aux nouveaux chasseurs Lavochkin La 5 et Yak 3 *, dont les performances égalent largement les leurs, et à mesure que les combats progressent, la VVS, sans cesse renforcée, commence à prendre le dessus. L'Il 2 Shtourmovik fait parmi les chars allemands les mêmes hécatombes que le Hs 129 au milieu des chars soviétiques, et surtout, il s'attaque de préférence aux convois de ravitaillement en essence et en munitions qui tentent d'atteindre la ligne de front. C'est une tactique habile, qui permet à maintes reprises d'immobiliser les panzers de pointe, mais que les aviateurs allemands ne paraissent

---

* Le La 5, successeur du LaGG 3 équipé du nouveau moteur Shvetsov et de deux canons de 20 mm, est redoutable à basse altitude ; le Yak 3, dérivé du Yak 1 « Moustique », est désormais plus rapide et plus maniable que tous les chasseurs allemands sur le front de l'Est. Il est engagé pour la première fois en juillet 1943, et sera choisi par les pilotes de l'escadrille Normandie-Niémen de préférence à tous les autres modèles de chasseurs soviétiques existants. Voir annexe, p. 783 et suivantes. (Les Mig 1 et 3, qui se sont montrés constamment inférieurs en performances à leurs concurrents, ont été retirés du front. Ce n'est qu'avec l'avion à réaction que le tandem Mikoyan-Gurevitch connaîtra la gloire dans l'après-guerre.)

pas tentés d'imiter. Enfin, le fait que le *Reichsmarschall* donne des ordres, que le Führer lance des contre-ordres et que le chef d'état-major Jeschonnek se trouve pris entre les deux ne facilite pas exactement le travail des responsables de la Luftwaffe sur le terrain...

Le 13 juillet 1943, sur la plaine de Prokhorovka, les Allemands n'ont perdu qu'une cinquantaine de chars et les Soviétiques plus de 300 *. Von Manstein estime donc que l'offensive pourra reprendre dès qu'il aura reçu le renfort de ses divisions blindées de réserve, mais ce même jour, il est informé de deux développements décisifs : les fronts de l'Ouest et de Briansk de l'Armée rouge ont lancé l'offensive « Koutouzov » au nord et à l'est d'Orel, sur les arrières de la 9ᵉ armée. Par ailleurs, les Anglo-Américains, débarqués en Sicile avec huit divisions à l'aube du 10 juillet, n'ont pu être repoussés et progressent rapidement vers l'intérieur des terres **. Dans ces conditions, de nouvelles dispositions stratégiques s'imposent, et le Führer décide de mettre fin à l'opération « Zitadelle ». A partir du 14 juillet, les armées allemandes vont se replier vers leurs positions de départ, suivies de près par les divisions blindées de cinq fronts soviétiques. Dans ce duel de titans, les Soviétiques ont perdu près de la moitié de leurs chars, 1 100 avions *** et deux fois plus d'hommes que les Allemands. Mais ils sont restés maîtres du terrain, ils ont brisé la capacité offensive de la Wehrmacht et pris pour la première fois l'ascendant dans les airs. Sur le front de l'Est, l'armée allemande n'a pas encore perdu la partie, mais elle ne peut déjà plus la gagner...

Pourtant, Hitler s'est déjà détourné de la Russie pour faire face à la menace venue du Sud, et il décide sur-le-champ d'aller conférer avec le Duce. Les deux dictateurs se rencontrent donc le 19 juillet 1943 à Feltre, près de Trévise. Bien entendu, le Führer a toujours besoin d'un bouc émissaire, et l'interprète Eugen Doll-

---

* Les optiques de tir des chars soviétiques restent très inférieures en précision à celles des panzers.

** Cette fois, l'armada alliée a été repérée par l'aviation allemande, mais ses effectifs en Sicile étaient bien trop faibles pour qu'elle puisse s'opposer au débarquement, couvert en permanence par un millier d'avions.

*** Contre 687 appareils allemands abattus ou détruits au sol. Mais à la différence des Allemands, les Soviétiques peuvent remplacer immédiatement leurs pertes.

mann racontera la suite en ces termes : « Hitler s'est lancé dans une énumération fastidieuse de toutes les bourdes militaires et de tous les péchés d'omission commis jusque-là par son allié italien. Au lieu de recevoir de l'aide, des avions, de la DCA, de l'artillerie lourde, des tanks et des mortiers, le Duce a été contraint d'entendre pendant des heures qu'il avait été invariablement trompé par ses propres généraux quant à la force militaire de l'Italie et à son état de préparation depuis le début de la guerre. Le mot calamiteux de " Grèce " a été prononcé, et pour la première fois, le caporal allemand a dit au caporal italien sans mâcher ses mots que cette malheureuse campagne était responsable de toutes les difficultés rencontrées en Russie. » A ce stade, la diatribe du Führer est interrompue par l'irruption d'un messager qui annonce que Rome a subi son premier grand bombardement de la guerre. « Mussolini, poursuit Dollmann, s'est dressé d'un bond, mais son ami, habitué depuis longtemps à ce genre de nouvelles désagréables, est resté assis. [...] Se rendant compte du fait qu'il lui fallait faire quelque chose pour ragaillardir un Mussolini effondré, le Führer a murmuré quelque chose sur sa confiance inébranlable en la victoire et sur l'envoi d'escadrilles et de divisions en Sicile, sans toutefois entrer dans le détail [33]. »

C'est sans doute plus sage, car Hitler n'a guère de renforts à envoyer aux cinq divisions italiennes et aux deux divisions allemandes qui s'efforcent de contenir la poussée alliée en Sicile : à l'est de l'île, la 8e armée britannique de Montgmomery a pris Syracuse et progresse vers Catane par la route côtière ; à l'ouest, la 7e armée américaine de Patton a établi une tête de pont sur le golfe de Gela, d'où elle a lancé une puissante offensive en direction de Palerme. Les divisions italiennes sont assez peu combatives, la Panzerdivision Hermann Goering récemment reconstituée, tout comme la 15e division de Panzergrenadier, est trop dispersée au sud du pays et très vulnérable aux salves incessantes des canons de la Royal Navy, tandis que la Luftflotte II de von Richthofen, usée par ses innombrables missions en Méditerranée, harcelée par 3000 avions alliés et privée de ses principaux aérodromes siciliens, ne peut fournir qu'un appui sporadique aux défenseurs de l'île. « Au quartier général, note Goebbels le 16 juillet, Goering est bien embarrassé. Le Führer le prend violemment à partie, de même que la Luftwaffe, et cela devant les généraux de l'armée [34]. »

Lorsque les Américains prennent Palerme le 22 juillet, personne ne doute que les Alliés seront bientôt maîtres de toute la Sicile, d'où ils ne manqueront pas de prendre pied sur la péninsule italienne. C'est ce qui explique les événements du 25 juillet à Rome : Mussolini, mis en minorité la veille au Grand Conseil fasciste, désavoué par le roi, remplacé par le maréchal Badoglio en tant que chef du gouvernement, est arrêté et incarcéré sur l'île de Ponza. Hitler, qui ne se fait aucune illusion sur la détermination de Badoglio à poursuivre le combat aux côtés de l'Allemagne, ordonne l'évacuation de la Sicile, l'occupation des cols alpins et la préparation d'une opération éclair pour mettre la main sur Rome *. En même temps, il charge Himmler de retrouver à n'importe quel prix le lieu de captivité de Mussolini...

Il y a pourtant une menace plus immédiate encore, dont le haut-commandement allemand peut difficilement se désintéresser : c'est celle des bombardements alliés au-dessus du Reich et des territoires occupés, qui ont atteint une intensité véritablement alarmante **. Depuis la mi-juin, la RAF s'était attaquée successivement à Krefeld, Mülheim, Oberhausen, Gelsenkirchen, Wuppertal, Bochum et Düsseldorf, tandis que l'US Air Force venait la relayer le 22 juin, en bombardant de jour la raffinerie de pétrole synthétique de Hüls. Mais c'est le 24 juillet que la situation devient tragique : cette nuit-là, dans la première phase de l'opération « Gomorrah », 700 bombardiers pilonnent Hambourg et ses installations portuaires avec des bombes explosives et incendiaires. La DCA se révèle impuissante, car les avions lancent pour la première fois des milliers de petites bandes d'aluminium, les *windows,* qui saturent les radars allemands. Les bombardements, répétés au cours des jours suivants, provoquent des « tempêtes de feu », aggravées par la sécheresse de l'air et la destruction des canalisations d'eau. L'opération prend fin le 2 août, laissant une ville dévastée, 40 000 morts et un million de sans-abri. L'aver-

---

* Il pense même faire enlever le roi, sa suite et le général Badoglio par une division parachutiste stationnée dans le sud de la France.

** Ces bombardements vont provoquer une dispersion accélérée de l'industrie aéronautique allemande : les 27 usines principales seront fractionnées en 300 unités plus réduites, elles-mêmes déplacées vers l'est de l'Allemagne, la Prusse orientale, la Silésie, la Pologne et la Tchécoslovaquie. Ceci limitera les effets des bombardements, mais retardera considérablement la production des nouveaux appareils.

tissement est clair : les Alliés ont la possibilité de rayer une ville allemande de la carte sans rencontrer d'opposition notable *...

Dès le 29 juillet, Albert Speer présente ses conclusions au Comité central de planification : « Si les raids aériens se poursuivent avec cette ampleur, nous serons déchargés dans les trois mois d'un certain nombre de questions dont nous discutons actuellement. Nous descendrons simplement la pente en douceur et assez rapidement [35]. » Au Führer, Speer ne dit pas autre chose : « J'ai informé Hitler du fait que la production d'armements était en train de s'effondrer, et je l'ai prévenu qu'une série d'attaques de ce genre visant six autres grandes villes amènerait un arrêt complet de la production allemande d'armements [36]. »

Il faut comme toujours des boucs émissaires, et les habituelles récriminations se font entendre à la chancellerie du Reich – avec Goering pour première cible. Il est vrai que le *Reichsmarschall* s'est rendu très vulnérable à la critique en donnant à Hitler des renseignements exagérément optimistes sur l'état de la Luftwaffe [37], en multipliant les séjours de villégiature ** et en s'abstenant de rendre visite à la ville de Hambourg dévastée, ce qui a fait le plus mauvais effet dans l'opinion : « Le Führer, note Goebbels, regrette vivement que Goering ne soit pas à la hauteur de ses responsabilités [...]. Ce dernier laisse les choses aller à vau-l'eau, ne s'en préoccupe guère, et le Führer est très malheureux de l'évolution prise par la Luftwaffe. » Suit cette mention inquiétante : « Le Führer a pris en charge une part des responsabilités du commandement de la Luftwaffe [38]. »

Goering ne va pas tarder à s'en apercevoir, si l'on en croit le témoignage d'Adolf Galland, devenu commandant en chef de la chasse allemande : « Dans les premiers jours d'août, Goering a convoqué ses plus proches collaborateurs à une importante réunion au *Wolfschantze*, en Prusse orientale. [...] Il s'agissait d'éviter une répétition de la catastrophe de Hambourg. [...] En présence du chef d'état-major Korten, successeur de Jeschonnek ***, du

---

* C'est que les opérations de Koursk ont mobilisé une grande partie de la chasse et de la DCA allemandes, qui ne sont plus disponibles pour la défense du Reich.

** C'est à cette époque que l'amiral Dönitz demande au général Baumbach : « Où chasse donc le *Reichsmarschall* en ce moment ? Voilà des semaines que j'essaie de le joindre... »

*** Il y a là une évidence erreur de chronologie : au début d'août, le chef d'état-major de la Luftwaffe était encore le général Jeschonnek.

Generalluftzeugmeister Milch, du commandant de la Luftwaffe secteur Centre, du chef des services de renseignement de la Luftwaffe, du colonel commandant les bombardiers Peltz, du général
commandant les chasseurs * et d'innombrables officiers d'état-
major de la Luftwaffe, les problèmes résultant de l'attaque de
Hambourg ont été évoqués. Après quoi Goering a fait la synthèse
des débats : après sa phase offensive, qui lui a permis d'obtenir de
grands succès, la Luftwaffe devait désormais passer à une phase
défensive dans sa guerre contre l'Ouest, en rassemblant toutes les
forces disponibles pour porter un coup d'arrêt aux attaques
alliées. Il s'agissait non seulement de préserver les biens et les personnes, mais aussi le potentiel d'armement du Reich. Du reste,
sous la protection des forces rassemblées pour la défense de
l'espace aérien, le potentiel offensif de la Luftwaffe ne tarderait
pas à se renforcer. [...] Je n'ai jamais été témoin, auparavant ou par
la suite, d'une telle concordance de vues et d'une telle résolution
parmi les hauts responsables de la Luftwaffe. C'était comme si la
catastrophe de Hambourg avait fait passer au second plan toutes
les ambitions personnelles ou professionnelles. [...] Il n'y avait
qu'une volonté commune de tout faire et de ne rien négliger pour
éviter que se reproduise une tragédie de cette ampleur. Goering
lui-même semblait être gagné par cette atmosphère. Il nous a
laissés seuls un moment pour faire son rapport dans le bunker
du Führer, et obtenir les pleins pouvoirs afin de mettre en œuvre
sans délai les mesures envisagées [39]. »

Les responsables attendent le retour de Goering avec confiance :
à l'évidence, le Führer va entériner le changement de stratégie et
donner une priorité absolue à la production de chasseurs, qui
seront affectés à la défense du Reich. Comment pourrait-il en être
autrement ? Comment retrouver une capacité offensive si l'on
devait perdre le contrôle de son propre espace aérien ? Du reste, la
plupart des officiers présents pensent que Goering a conservé une
très forte influence sur le Führer — en matière de stratégie
aérienne tout au moins. « Soudain, poursuit Galland, la porte
s'est ouverte et Goering nous a rejoints, suivi de son principal
aide de camp. Il est passé parmi nous sans dire un mot, en regardant fixement devant lui, et il est entré seul dans ses apparte-
ments voisins. Nous nous sommes regardés avec consternation.

---

* Adolf Galland lui-même.

Que s'était-il passé ? [...] Après un moment, Peltz et moi avons été convoqués chez Goering. Nous avons été témoins d'un spectacle effarant. Goering était complètement effondré. Assis à une table, le visage caché dans les mains, il laissait échapper des paroles inintelligibles. Nous sommes restés plantés là un moment, dans le plus grand embarras. Puis il s'est tourné vers nous et nous a dit que nous assistions à un des moments les plus désespérés de sa vie. Le Führer lui avait retiré sa confiance. Il avait rejeté toutes ses propositions. [...] Il n'était pas question de passer à une phase défensive vis-à-vis de l'Ouest. La Luftwaffe avait complètement échoué. Il allait lui donner une dernière occasion de se réhabiliter, en reprenant de plus belle ses attaques contre l'Angleterre. Le mot d'ordre restait d'attaquer. On ne pouvait briser la terreur qu'au moyen de la contre-terreur. Ce n'est qu'ainsi que le Führer lui-même avait triomphé de ses ennemis en politique intérieure. Lui, Goering, avait compris son erreur ; le Führer avait toujours raison. Il s'agissait désormais de concentrer toutes les forces pour exercer sur l'ennemi de telles représailles à l'Ouest, qu'il s'abstiendrait de prendre le risque d'un second Hambourg. Comme première mesure, le Führer avait ordonné la nomination d'un responsable en chef de l'attaque aérienne contre l'Angleterre *. Goering s'est levé : " Colonel Peltz, s'est-il écrié, je vous nomme à compter d'aujourd'hui responsable en chef de l'attaque aérienne contre l'Angleterre " [40]. » Ainsi, alors que la Luftwaffe est engagée à l'extrême limite de ses possibilités en Sicile, en Russie, au cap Nord et au-dessus du Reich lui-même, on s'apprête à renouer résolument avec la stratégie qui a échoué trois ans plus tôt : le bombardement systématique des îles Britanniques, qui sont infiniment mieux défendues qu'à l'été de 1940 ! Comme toujours, Hermann Goering a renoncé sur-le-champ à toute réflexion personnelle, pour s'incliner servilement devant la féroce volonté du Führer...

Befehl ist Befehl ** ! Mais enfin, il faut bien essayer de protéger l'Allemagne du fléau des bombardements, et Milch, tout comme Galland, Speer, Jeschonnek et quelques autres, ne croit pas un instant que les maigres représailles que le Reich est en mesure

---

* *Angriffsführer England.*
** Les ordres sont les ordres ! Le colonel Peltz, aussitôt nommé général, n'a que 29 ans.

d'exercer auront le moindre effet dissuasif sur le Bomber Command britannique ou sur la 8th Air Force américaine. Les ordres d'Hitler et de Goering sont donc appliqués cinq mois plus tard, avec un zèle modéré et des résultats insignifiants ; c'est qu'à cette époque, la Luftflotte III en France ne peut aligner que 500 bombardiers vétustes et 100 chasseurs d'escorte, pour aller affronter plus de 4 000 chasseurs britanniques et américains basés outre-Manche. Lors de l'opération « Capricorne » le 21 janvier 1944, 300 bombardiers sont lancés contre Londres, mais 30 seulement atteignent l'objectif – en provoquant des dégâts insignifiants. En janvier et février 1944, les bombardiers allemands parviendront à larguer 1 700 tonnes de bombes sur les îles Britanniques – soit moins que le total de bombes déversées sur l'Allemagne par les Alliés *pendant vingt-quatre heures* * !

La Luftflotte Reich s'ingénie donc à rassembler le plus possible de chasseurs de nuit pour contrer les armadas alliées qui dévastent l'Allemagne. La tactique de « *Wilde Sau* » (« Sanglier ») du major Hermann a été appliquée avec un certain succès au-dessus de Cologne le 2 juillet, et un nouveau procédé, le « *Zahme Sau* » (« Verrat »), consistant à infiltrer des chasseurs au milieu des escadres de bombardiers alliés semble plus prometteur encore. Dès lors, les attaques se font plus coûteuses, la RAF pouvant perdre jusqu'à soixante appareils en un seul raid. Cela n'empêche pourtant pas la dévastation des usines aéronautiques allemandes, et Milch doit faire des prodiges pour continuer à augmenter la production des précieux chasseurs. D'autant qu'il ne s'agit pas seulement d'une question de quantité : Milch et Speer, après avoir arraché l'autorisation de Goering, ont tout misé sur la construction en un temps record de l'avion à réaction Me 262 ; or, au début d'août, le Führer ordonne de remettre en chantier l'avion à piston Me 209, abandonné trois mois plus tôt du fait de ses performances décevantes ! Il faut donc réviser tous les plans, et le Me 262 à réaction ne représentera plus dès lors qu'un quart de la production totale [41]. Il faut aussi protéger un programme ultra-secret, celui de la bombe volante Fi 103 (le futur V1) en cours de production à Peenemünde, et que le Führer considère avec le plus grand scepticisme : « La guerre est trop sérieuse pour que l'on bricole avec des joujoux, et je ne suis pas convaincu que ce qui se fait

---

* Les Britanniques surnomment cela le « *Baby Blitz* ».

dans les ateliers de bricolage de Peenemünde * puisse se révéler décisif pour l'économie de guerre. 100 chasseurs et 500 panzers sont plus importants qu'une fusée tirée en l'air, et qui retombe le plus souvent au mauvais endroit [42]. »

Ce ne sont pas seulement les fusées qui retombent aux mauvais endroits : Hanna Reitsch, pilote d'essai émérite, s'est écrasée aux commandes de l'avion-fusée expérimental Me 163 « *Kraftei* ». Lors de sa convalescence, elle est invitée à déjeuner dans le chalet de Goering sur l'Obersalzberg au début du mois d'août – une visite qu'elle racontera en ces termes : « Nous étions trois à table : Goering, son épouse et moi. Pour entamer la conversation, Goering a tenu à renseigner son épouse sur l'avion dans lequel j'avais été blessée. " Sais-tu, lui dit-il, que le Me 163 est notre dernier modèle d'avion-fusée, qui monte presque à la verticale, à une vitesse ascensionnelle vertigineuse. Nous en avons maintenant des milliers, prêts à nettoyer le ciel et à abattre les formations de bombardiers partout où nous les trouverons. " J'étais abasourdie et j'avais du mal à en croire mes oreilles. Je savais qu'à ce moment précis, nous n'avions pas un seul Me 163 prêt au combat, et que même dans le meilleur des cas, nous ne pouvions espérer en avoir un avant la fin de l'année. [...] Les chiffres qu'il énonçait étaient irréels. Je me demandais si Goering plaisantait ou s'il essayait seulement de rassurer son épouse. Il me paraissait ridicule qu'il puisse croire ce qu'il venait de dire. Avec un demi-sourire, j'ai dit : " Ce serait bien, si seulement c'était vrai. " Goering a semblé ébahi, et il m'a demandé ce que j'entendais par là. C'est alors que je me suis rendu compte avec stupéfaction qu'il croyait réellement que nous avions des milliers de Me 163. Pensant qu'il était de mon devoir de lui dire la vérité, je lui ai expliqué ce que je savais des chiffres de production, et ce que nous pouvions attendre en termes de rendement des chaînes de montage. Sur ce, Goering est entré dans une rage folle, il a hurlé en tapant violemment du poing sur la table que je parlais sans savoir, que je n'y connaissais rien, et il a quitté la pièce dans une fureur noire. [...] J'étais tombée en disgrâce, et jamais plus je n'ai été invitée par le *Reichsmarschall*, ou consultée en matière aéronautique [43]. »

---

* C'est également à Peenemünde qu'est construite la fusée A4, qui deviendra le V2.

LES BOMBARDEMENTS STRATÉGIQUES DE L'ALLEMAGNE

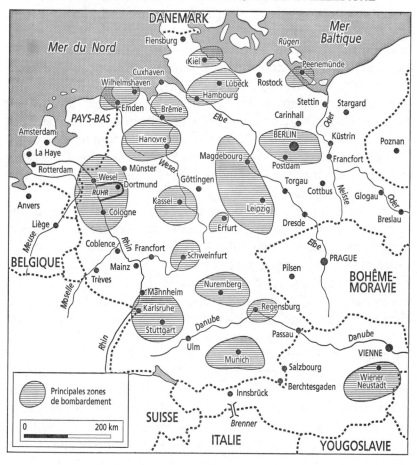

DANEMARK

Mer du Nord

Mer Baltique

Flensburg
Rügen
Kiel
Peenemünde
Cuxhaven
Rostock
Wilhelmshaven
Lübeck
Stettin
Stargard
Emden
Brême
Carinhall
PAYS-BAS
Elbe
Amsterdam
Hanovre
BERLIN
Küstrin
Poznan
La Haye
Magdebourg
Francfort
Rotterdam
Münster
Postdam
Wesel
Göttingen
Torgau
Anvers
Dortmund
Kassel
Leipzig
Cottbus
Glogau
RUHR
Cologne
Breslau
Liège
Erfurt
Dresde
Coblence
Francfort
Schweinfurt
PRAGUE
BELGIQUE
Mainz
Pilsen
BOHÊME-
MORAVIE
Trèves
Nuremberg
Mannheim
Regensburg
Karlsruhe
Passau
Danube
Stuttgart
VIENNE
Ulm
Munich
Salzbourg
Wiener
Neustadt
Berchtesgaden
Innsbrück
SUISSE
Brenner
ITALIE
YOUGOSLAVIE

Principales zones
de bombardement

0   200 km

Malgré tout, le fait demeure qu'il n'y a pas un seul Me 163 pour nettoyer le ciel, et la production industrielle allemande doit donc se poursuivre sous un effrayant déluge de bombes. Le 13 août, les forteresses volantes B 17 attaquent en plein jour et sans escorte les usines d'aviation de Wiener Neustadt, provoquant un terrible accès de rage du Führer, qui passe ses nerfs pendant une heure sur l'infortuné chef d'état-major Jeschonnek – son supérieur s'étant prudemment absenté. Le 17 août, ce sont encore 230 appareils américains qui bombardent les usines métallurgiques de Schweinfurt, provoquant une chute de 38 % de la production de roulements à billes – un élément vital pour la construction des tanks, des avions et des sous-marins. Le même jour, 146 autres bombardiers s'en prennent aux usines Messerschmitt de Regensburg, détruisant une partie des ateliers et tuant 400 ouvriers. Soixante B 17 américains sont abattus ce jour-là, mais cette fois encore, Hitler tance violemment Jeschonnek, et Goering fait de même depuis Berchtesgaden [44]. Ils n'auront même pas le temps de reprendre leur souffle : cette même nuit, les Mosquito de la RAF apparaissent au-dessus de Berlin pour y larguer des fusées éclairantes, destinées à marquer les objectifs des escadres alliées. Aussitôt, les cinquante chasseurs de nuit du major Hermann décollent en direction de la capitale, le ciel est illuminé comme en plein jour par tous les projecteurs de DCA de la ville, mais tout cela est en vain : ayant détourné l'attention des défenseurs, les appareils britanniques sont allés bombarder Peenemünde, provoquant de gigantesques incendies et la mort de 700 savants et ingénieurs [45].

Dès le lendemain matin 19 août, il y aura une victime supplémentaire dans le petit blockhaus de Goldap, à proximité du train *Robinson* : le jeune chef d'état-major Jeschonnek, persuadé d'être rendu responsable d'un enchaînement de désastres, lassé de servir de bouc émissaire, frustré de n'avoir pu être affecté à la tête de la Luftflotte II [46], déprimé par la situation militaire sur tous les fronts *, profondément dégoûté par l'incompétence et la veulerie de Goering, se tire une balle dans la tête. Près du cadavre, une feuille de papier avec ces simples lignes : « *Ich kann mit dem Reichsmarschall nicht mehr zusammenarbeiten. Es lebe*

---

* Qu'il avait toujours considérée jusqu'en 1942 avec un optimisme juvénile.

der Führer * [47] *!* » Dans son coffre-fort, on trouvera deux lettres adressées à l'aide de camp von Below, que ce dernier s'abstiendra soigneusement de montrer au *Reichsmarschall* : « Jeschonnek, se souviendra von Below, avait consigné dans ces lettres tous ses griefs à l'égard de Goering – ses appels téléphoniques insultants après chaque raid aérien britannique, et d'autres affaires pour lesquelles Goering l'avait injustement pris comme bouc émissaire. Il décrivait également ses propres tentatives infructueuses pour mettre sur pied une Luftwaffe efficace [48]. » L'aide de camp Leuchtenberg est également en possession d'un rapport accusateur pour Goering, dicté par Jeschonnek peu avant sa mort **. Le document est remis au *Reichsmarschall* sur sa demande, et il disparaît bien avant l'enterrement de l'infortuné chef d'état-major [49]. Mais tout de même : deux suicides en deux ans parmi les proches collaborateurs de Hermann Goering, c'est du plus mauvais effet...

Dans l'intervalle, la situation stratégique s'est considérablement dégradée : en Russie, l'Armée rouge a repris Orel le 8 août 1943, Briansk le 18, Kharkov le 23, Yelnia le 30, et elle menace désormais Smolensk, avec sur l'ensemble du secteur une forte supériorité en effectifs : 1,2 million d'hommes contre 850 000, 20 700 pièces d'artillerie contre 8 900, 1 400 chars contre 500, et même 900 avions contre 700... En Sicile, les Alliés se sont emparés de Catane le 5 août, avant de traverser le détroit de Messine pour prendre pied en Calabre, et à l'aube du 9 septembre, ils débarquent en force à Salerne, au sud de Naples. La Luftflotte II de Richthofen, qui dispose encore de 350 bombardiers et de 250 chasseurs, leur fait payer un lourd tribut, mais elle ne peut les empêcher d'établir une tête de pont et de l'élargir vers le nord. Presque simultanément, l'annonce de la signature d'un armistice entre le maréchal Badoglio et les Alliés précipite l'action allemande : les huit divisions du maréchal Rommel s'emparent de tous les points stratégiques du nord de l'Italie et y désarment les forces italiennes, deux divisions aéroportées occupent Rome, tandis que plus au sud, les six divisions

---

* « Je ne peux plus travailler avec le *Reichsmarschall*. Vive le Führer ! »

** A en croire le maréchal Kesselring, qui a pu lire le document, « les lourdes accusations se portaient à 75 % contre Goering, à 25 % contre Hitler et Milch » (BA-MA, Lw 104/5, *Bericht über eine Auskunft des Generalfeldmarschalls Kesselring*, Wiessee, 14/7/55, p. 1).

de Kesselring prennent position pour interdire aux Alliés toute progression en direction de Naples *.

Les nouvelles de l'Ouest ne sont pas rassurantes non plus : « Le Führer, note Goebbels, s'attend à un débarquement anglo-américain aux Pays-Bas, où nos positions sont les plus faibles. [...] Les raids aériens massifs que les Anglais mènent depuis plusieurs jours contre les voies de communication occidentales sont suspects : serait-ce l'annonce d'une tentative d'invasion [50] ? » A tout cela s'ajoute que la résistance intérieure s'est considérablement renforcée en Norvège, en Yougoslavie et en Grèce, que les sous-marins allemands ont pratiquement perdu la bataille de l'Atlantique, que les Britanniques s'efforcent au même moment d'entraîner la Turquie dans la guerre, et que les Américains, forts de leurs nouvelles bases aériennes au sud de Naples, lancent des raids contre des cibles industrielles en Allemagne du Sud et en Autriche, à commencer par la grande usine Messerschmitt de Wiener Neustadt, qui est presque entièrement détruite. Par contre, les attaques de nuit des bombardiers britanniques sur Berlin cessent au début de septembre, la RAF ayant subi des pertes jugées excessives au regard des résultats.

A la mi-septembre, Goering, de retour d'un séjour de chasse à Rominten, décide d'accomplir un petit exploit personnel : il va monter à bord d'un de ses deux Ju 52 luxueusement aménagés – ce qu'il ne fait pratiquement jamais, car il déteste voler ! –, pour aller se rendre compte depuis les airs des dégâts infligés à la capitale par les bombardements alliés. Le lieutenant-photographe Eitel Lange l'accompagne lors de son retour à Carinhall : « Ses dames l'ont accueilli comme s'il revenait d'une mission de combat sur le front. L'une d'elles [...] lui a dit : " Eh bien, oncle Hermi, comment était-ce ? Aussi atroce qu'on le dit ? " Et le *Reichsmarschall* a répondu : " Ach, les enfants, maintenant, j'ai pu le constater par moi-même : ce n'est vraiment pas si terrible ! " [51]. » Inconscience ou fanfaronnade ?

Durant ce même mois, Milch et Speer se sont réunis à Rechlin pour étudier les dernières statistiques disponibles sur la production aéronautique américaine. « Des graphiques nous

---

* Le 12 septembre, Mussolini a été délivré de sa prison du Gran Sasso par un commando de parachutistes et ramené à Munich.

étaient présentés pour tous les types d'avions, notera Speer, l'accent étant mis tout spécialement sur les courbes de production américaines comparées aux nôtres. Ce qui nous inquiétait le plus, c'étaient les statistiques prévisionnelles pour la construction de bombardiers quadrimoteurs de jour. Si ces chiffres étaient exacts, ce que nous endurions en ce moment ne constituait qu'un simple prélude. [...] Milch me dit avec amertume qu'il tentait depuis des mois de faire présenter un rapport à Goering par ses experts en armement ennemi. Mais Goering ne voulait pas en entendre parler. Le Führer lui avait dit que tout cela n'était que de la propagande, et Goering s'en tenait là [52]. » Et comme toujours, le *Reichsmarschall* pousse la servilité jusqu'à l'absurde : « Goering, note Goebbels le 10 septembre, fait un rapport sur la réorganisation de la chasse. Celle-ci est très disloquée et doit intervenir partout à la fois. Goering a désormais une vision plus optimiste de la guerre aérienne, et même un peu trop optimiste à mon goût. Mais il est bon qu'un responsable considère sa mission avec optimisme [53]. »

Sauf bien sûr si cet optimisme de façade se double d'un grotesque déni de réalité, ce qui est manifestement le cas en l'occurrence : « C'est à cette époque, notera Speer, que j'ai été le témoin d'une scène dramatique entre Goering et le général Galland, qui commandait ses avions de chasse. Galland avait informé Hitler ce jour-là que plusieurs chasseurs américains accompagnant les escadrilles de bombardiers avaient déjà été abattus au-dessus d'Aix-la-Chapelle. Il avait averti en outre que nous serions en grave péril si les chasseurs américains, grâce à une plus grande autonomie, devenaient capables d'escorter les flottes de bombardiers encore plus profondément à l'intérieur du territoire allemand. Hitler avait fait passer ces informations à Goering. Celui-ci s'apprêtait à partir pour Rominten à bord de son train spécial lorsque Galland est venu lui dire au revoir. Goering lui a dit sèchement : " Qu'est-ce qui vous a pris de dire au Führer que des chasseurs américains avaient pénétré le territoire du Reich ? – *Herr Reichsmarschall*, a répondu Galland avec un calme imperturbable, ils pénétreront bientôt encore plus loin. " Goering a repris avec plus de véhémence : " Ce sont des foutaises, Galland, qu'est-ce qui vous fait croire des choses pareilles ? C'est de la tromperie pure et simple ! "

« Galland a hoché la tête, en gardant délibérément une posture décontractée, la casquette un peu de travers et un long cigare au coin des lèvres : " Ce sont les faits, *Herr Reichsmarschall*. Des chasseurs américains ont été abattus au-dessus d'Aix-la-Chapelle, cela ne fait aucun doute ! " »

« Goering n'en démordait pas : " C'est tout bonnement inexact, Galland, c'est impossible ! " »

« Galland a pris un ton quelque peu ironique : " Mais vous pourriez faire vérifier vous-même, *Herr Reichsmarschall*, s'il y a des avions abattus près d'Aix-la-Chapelle. " »

« Goering a fait une tentative d'apaisement : " Allons, Galland, laissez-moi vous dire une chose : je suis moi-même un pilote de chasse expérimenté. Je sais ce qui est possible et ce qui ne l'est pas. Reconnaissez que vous vous êtes trompé. " »

« Galland s'est borné à secouer la tête en signe de dénégation, et Goering a fini par dire : " Il ne reste qu'une explication, c'est qu'ils ont été abattus beaucoup plus à l'ouest. Je veux dire que s'ils volaient très haut lorsqu'ils ont été abattus, ils ont pu parcourir une grande distance en vol plané avant de s'écraser. " »

« Galland est resté de marbre : " En vol plané vers l'est, *Herr Reichsmarschall* ? Si mon avion était abattu... " »

« Goering l'a interrompu en fulminant pour tenter de mettre fin à la discussion : " Bon, *Herr Galland,* je vous donne un ordre officiel : les chasseurs américains n'ont pas atteint Aix-la-Chapelle. " »

« Galland a risqué une ultime objection : " Et pourtant, ils y étaient ! " »

« Là, Goering a craqué : " Ils n'y étaient pas, et c'est un ordre ! Vous comprenez ? Les chasseurs américains n'étaient pas là ! Enfoncez-vous ça dans la tête ! C'est ce que j'ai l'intention de faire savoir au Führer. " »

« Sur ce, il a tourné les talons en laissant Galland planté là. Mais en partant, il s'est retourné et a crié d'une voix menaçante : " C'est un ordre officiel que je vous donne ! " »

« Avec un sourire inoubliable, le général a répondu : " A vos ordres, *Herr Reichsmarschall* ! " [54]. »

Tout cela n'étonnera pas ceux qui se souviennent de la diatribe du 31 mai 1942. Mais Speer ajoute ce jugement très perspicace : « En fait, Goering n'était pas aveugle aux réalités du moment. Je l'entendais à l'occasion commenter la situation en termes fort sensés. Mais il avait tendance à se comporter comme un homme en faillite qui veut jusqu'au dernier moment abuser ses créanciers, tout en s'abusant lui-même [55]. »

Il y a beaucoup de cela, bien sûr, mais la situation du débiteur galonné se détériore à mesure que les aviateurs alliés se font plus envahissants. En septembre, la RAF frappe principalement Bochum, Kassel, Magdeburg et Hagen, avec ses usines de moteurs d'avions ; en octobre, les cibles sont Emden, Munich, Francfort, Brême, Münster, Schweinfurt, Hanovre, Leipzig et Marienburg, où les ateliers de montage Focke-Wulf sont détruits à 90 %. Le début de novembre voit un bombardement en tapis sur Ratisbonne, où l'usine Messerschmitt est durement touchée, ainsi qu'un retour des appareils alliés au-dessus de Berlin, où ils dévastent de nombreux bâtiments officiels, dont l'immeuble du Forschungsamt... Les bombardiers britanniques sont équipés de viseurs perfectionnés, et surtout du nouveau radar centimétrique H2S. Mais les scientifiques allemands rivalisant d'ingéniosité avec leurs homologues britanniques, les chasseurs de nuit He 219 et Me 110 sont bientôt équipés du brouilleur d'émissions « Roderich » et du radar de bord « Liechtenstein S-2 », qui permet de repérer l'ennemi en dépit du largage des *windows* ; ils emportent aussi des lance-roquettes de 21 cm, installés à la hâte mais remarquablement efficaces. Les raids alliés deviennent donc de plus en plus coûteux en appareils et en personnels *, mais ils ralentissent sensiblement l'activité industrielle allemande : c'est ainsi qu'après le second bombardement de Schweinfurt le 14 octobre, le Reich a perdu 67 % de sa production de roulements à billes. Il lui faut donc transférer d'urgence ses usines hors des villes ou dans les territoires occupés de l'Est, ce qui désorganise nécessairement une activité déjà fortement perturbée.

Pourtant, Milch et Speer peuvent accomplir des miracles : 7 600 chasseurs ont été produits au cours des huit premiers mois de 1943 [56], et de nouveaux modèles encore plus performants enta-

---

* C'est ainsi que les Américains perdent 88 bombardiers et près de 900 hommes d'équipage entre le 8 et le 10 octobre, et 60 B 17 pour la seule journée du 14 octobre. Mais pour la Luftwaffe, le coût de ces succès est également très élevé : entre juin et octobre 1943, elle perd 15 % de ses pilotes par mois, et faute d'entraînement suffisant, leurs remplaçants sont de moins en moins performants.

ment leurs vols d'essai : l'intercepteur de nuit He 219 « *Uhu* » avec ses huit canons de 20 et 30 mm, le chasseur à double hélice frontale et caudale Do 335 « *Pfeil* » avec sa vitesse maximale de 763 kilomètres/h, le bimoteur lourd Ju 388 qui peut voler jusqu'à 13 400 mètres – hors d'atteinte de n'importe quel chasseur ennemi –, ainsi que le chasseur-bombardier d'attaque au sol Me 410 « *Hornisse* » (« Frelon »), avec ses quatre mitrailleuses et ses quatre canons de 20 mm. Ce sont également les premiers vols du chasseur à réaction Me 262 qui dépasse les 850 km/ h, de l'avion-fusée compact Me 163 « *Kraftei* » qui atteint les 1000 km/ h, et du bombardier à réaction Arado 234, avec sa vitesse de croisière de 780 kilomètres/h à une altitude de 11 000 mètres – des performances inégalées même par le dernier modèle de « Superforteresse » B 29 américain. Mais certains de ces appareils perfectionnés sont encore à l'état de prototypes *, d'autres restent au banc d'essai, et ceux qui sont mis en service prématurément, comme le He 219 ou le Me 410, présentent des problèmes de rodage inquiétants... Quant aux modèles éprouvés, ils commencent à montrer leurs limites : avec des blindages renforcés et des équipements sans cesse plus nombreux, les Me 109 et les FW 190 voient décroître leur vitesse et leur capacité ascensionnelle **, tandis que leurs moteurs de plus en plus puissants consomment toujours davantage d'essence, limitant ainsi une autonomie déjà beaucoup trop faible...

Sans doute le secrétaire d'Etat à l'Air et le ministre de l'Armement auraient-ils obtenu de meilleurs résultats en cette fin de 1943 s'ils n'avaient dû affronter que les attaques de l'ennemi ; mais il leur faut également parer les coups venant de leurs propres supérieurs, qui sont tout aussi redoutables... A cette époque, Hitler est décrit par son entourage comme étant particulièrement morose, et il a de bonnes raisons pour cela : à l'Est, la barrière du

---

* Le tout premier Ar 234 s'est écrasé en août, tuant le meilleur pilote d'essai de la firme. Quant au Do 335, il a été modifié treize fois en un an et essayé dans toutes les variantes possibles : chasseur léger, chasseur lourd, chasseur-bombardier, avion d'assaut de jour et de nuit, chasseur de nuit monoplace et biplace, bombardier léger, avion d'observation lointaine et rapprochée, ainsi que les différentes combinaisons de toutes ces variantes. Pour finir, il ne verra jamais le front (mais ornera plusieurs musées de son étrange silhouette)...

** Ils peinent à atteindre 10 000 mètres, et doivent consommer près de la moitié de leur essence à cet effet – une faiblesse fatale pour l'interception de bombardiers volant à haute altitude.

Dniepr n'a pas tenu, et l'Armée rouge a occupé Zaporojie le 14 octobre, Dniepropetrovsk le 25 et Kiev le 6 novembre ; les 1 150 appareils de la Luftwaffe concentrés autour de Kiev n'ont rien pu faire contre les armadas de la VVS, d'autant que leurs terrains d'aviation ont dû être évacués les uns après les autres devant l'avance de l'Armée rouge, qui a également liquidé les dernières positions allemandes dans le Kouban – écrasant au passage plusieurs « divisions de campagne » de la Luftwaffe *. En Italie, les forces alliées, ayant pris Naples et franchi le Garigliano, ont atteint au début de novembre la « Ligne Gustave », dernier obstacle sérieux avant Rome, que la Luftflotte II n'a plus les moyens de couvrir. Au Sud, comme à l'Est et à l'Ouest, la Luftwaffe a désormais perdu la maîtrise de l'espace aérien.

Tout cela peut paraître catastrophique pour les armées du Reich, et pourtant, ce qui préoccupe le plus Adolf Hitler, ce sont les bombardements des villes allemandes, qu'il ressent comme une offense personnelle – parce qu'ils sapent sa base industrielle, bien sûr, mais surtout parce qu'ils détruisent certains de ses édifices favoris ** et montrent quotidiennement à la population allemande que le Grand Reich millénaire est impuissant à les protéger. D'où les habituelles réactions impulsives de la part du Führer : il ordonne de renforcer considérablement la DCA, qui est peu efficace mais fait beaucoup de bruit, prouvant ainsi au peuple qu'il est défendu ; il veut aussi – encore et toujours – consacrer l'essentiel des ressources de la Luftwaffe à la construction de bombardiers, car il persiste à croire que la RAF abandonnera ses raids si les représailles sur le territoire britannique sont suffisamment dissuasives. Enfin, bien sûr, chaque bombardement allié réussi est inscrit par le Führer au débit des responsables de la Luftwaffe en général, et du *Reichsmarschall* en particulier...

A l'automne de 1943, Hermann Goering semble bien être sorti de sa léthargie ; s'il se présente toujours aussi peu au quartier général du Führer, il séjourne en revanche bien plus souvent dans le sien. Ce n'est pas nécessairement une bonne nouvelle pour le secrétaire d'Etat Erhard Milch et le nouveau chef d'état-major

---

* Les autres avaient déjà été étrillées devant Vitebsk en septembre.

** Assez curieusement, c'est surtout la destruction des opéras, des théâtres et des cinémas de Berlin et Munich qui semble affecter le plus Adolf Hitler.

Günther Korten *, car le *Reichsmarschall* a conservé une fâcheuse tendance à intervenir à tout propos et hors de propos, avec de brusques sursauts d'énergie et un minimum absolu de compétence. Ceci conduit à des affrontements homériques avec le commandant en chef des chasseurs Adolf Galland, qui offre plusieurs fois sa démission **, ainsi qu'au limogeage du général Kammhuber, qui dirigeait de main de maître la chasse de nuit. Par ailleurs, les relations de Goering avec Milch, déjà tendues depuis des années, sont devenues franchement détestables ; exerçant en pratique toutes les responsabilités d'un ministre, le secrétaire d'Etat se considère comme le véritable chef de la Luftwaffe, il affiche un certain mépris pour l'amateurisme pompeux de Goering, et c'est lui que le Führer consulte en priorité sur toutes les questions techniques concernant l'aviation. Dire que Goering en prend ombrage serait verser dans la litote... Le *Reichsmarschall* s'entoure donc d'une équipe de jeunes gens à sa dévotion, ne manque aucune occasion de rabaisser son secrétaire d'Etat et s'abstient de l'informer de beaucoup de ses décisions – toutes choses qui n'améliorent pas précisément l'efficacité des forces aériennes du Troisième Reich.

A vrai dire, les interventions personnelles du *Reichsmarschall* peuvent être parfaitement judicieuses ou absolument catastrophiques. Ainsi, au début d'octobre 1943, sous le coup d'une soudaine inspiration, il fait modifier les conditions d'interception des bombardiers alliés : les chasseurs de la Luftwaffe les attaqueront à *trois* reprises durant leur passage au-dessus du territoire allemand, en se posant sur les aéroports militaires les plus proches pour réarmer et refaire le plein de carburant, avant de repartir à l'assaut. Cette tactique, appliquée pour la première fois le 14 octobre, donne des résultats stupéfiants : 300 forteresses volantes B17 menant un raid sans escorte sur Schweinfurt sont harcelées sans interruption par 200 chasseurs allemands, qui les poursuivent ensuite jusqu'à leurs bases en Angleterre. Bilan : 60 bombardiers américains abattus, 17 autres sérieusement touchés et irrépa-

---

* Ancien chef d'état-major du général Löhr à la Luftflotte IV, cet officier immense et massif avait fait l'impossible en 1941, pour dissuader ses supérieurs d'envahir l'URSS.
** Refusée à chaque fois, parce qu'on ne trouve personne pour le remplacer.

rables * [57]. Cette victoire-là est à mettre au crédit du *Reichs-marschall*, même si elle ne pourra être répétée **. Mais d'autres interventions sont nettement moins réussies : lors d'un bombardement américain sur Düren, en Rhénanie, au début d'avril 1943, Goering, qui séjourne à Carinhall, croit pouvoir mieux estimer la trajectoire ultérieure des assaillants que le PC de la Luftwaffe, et il envoie ses chasseurs en masse vers Schweinfurt, puis Leipzig, puis Pilsen. La confusion est totale, jusqu'à ce que l'on constate que les bombardiers américains ont depuis longtemps quitté le territoire du Reich... et que les chasseurs allemands ont abattu dix de leurs propres bombardiers [58].

Continuant à s'activer, Goering va rendre des visites très médiatisées à ses jeunes pilotes, et le lieutenant Heinz Knöke racontera en ces termes la visite du *Reichsmarschall* à Achmer le 17 novembre 1943 : « Goering fait une curieuse impression. Il porte un uniforme gris de fantaisie unique en son genre. Sa casquette et ses épaulettes sont couvertes de galon doré. Ses jambes proéminentes émergent de bottes en daim écarlates. Avec son visage bouffi, il me donne l'impression d'un homme malade. En le voyant de près, je suis forcé d'admettre qu'il se maquille. Mais il a une voix agréable et il se montre extrêmement cordial à mon égard. Je sais qu'il s'intéresse vraiment au bien-être de ses équipages [59]. »

C'est exact ; depuis toujours, Goering fait du confort, de la sécurité, de l'équipement et du moral de ses aviateurs une affaire personnelle, et il compte à présent sur leur prestige pour rehausser le sien... Le *Reichsmarschall* entreprend même pour la première fois de visiter les villes dévastées par les bombardements, et il se rend successivement à Nuremberg, Munich, Stuttgart, Cologne, Krefeld, Bochum, Wuppertal, Kiel, Mannheim et Paderborn, avant de rentrer à Berlin. Partout, les citadins sinistrés lui réservent un accueil chaleureux, dont le général Galland sera le

---

* Chaque bombardier ayant dix hommes d'équipage, ce sont 617 aviateurs américains perdus en une seule journée. Mais dès le 10 novembre 1943, les formations de B 17 qui survolent Wilhelmshaven, Hanovre et Berlin sont escortées par des chasseurs Thunderbolt P 47, lourds mais puissamment armés de huit mitrailleuses, et pouvant voler à 689 km/h avec un plafond de 12 800 mètres (voir annexe, p. 783 et suivantes).

** Goering n'avait pas pris en compte l'épuisement des pilotes de chasse opérant dans de telles conditions.

témoin stupéfait : « Lorsque Goering s'est mêlé à la population dans le marché couvert de Berlin, les femmes du marché, au lieu de le bombarder de tomates mûres, l'ont interpellé par son prénom et lui ont tapé sur l'épaule. Du point de vue de la psychologie des masses, il était intéressant de constater que la population, au lieu de décharger son amertume sur le responsable de la Luftwaffe, exprimait plutôt sa reconnaissance du fait qu'un des " gros bonnets " soit venu s'informer de leur misère et de leur détresse [60]. » Goering, tout aussi étonné, déclare à ses généraux : « J'aurais compris que, sans peut-être me jeter des œufs pourris, ils me regardent de travers ou me lancent des injures. Vous avez vu comment tout ce peuple continuait à se précipiter vers moi ! Quel accueil ! J'en aurais pleuré ! Et cela après quatre ans de guerre [61] ! »

Ce que le bon peuple ignore, c'est l'état des relations entre Hitler et son étincelant bras droit. On sait que le Führer a des vues bien arrêtées en matière de stratégie aérienne, basées sur la priorité donnée aux bombardiers et l'exécution de représailles massives contre les bases de départ des attaquants alliés. Dûment chapitré par tous les responsables militaires, depuis le secrétaire d'Etat jusqu'au commandant en chef des chasseurs en passant par le chef d'état-major et le ministre des Armements, Goering sait parfaitement que la stratégie d'Hitler est erronée : la seule solution pour mettre fin aux bombardements anglo-américains, ce serait de les rendre trop coûteux, en multipliant l'engagement des chasseurs au-dessus de l'Allemagne. Avec le consentement tacite de son chef, l'état-major de la Luftwaffe a d'ailleurs discrètement rappelé des escadrilles de Norvège, de France, d'Italie et même de Russie pour participer à la défense du Reich. L'autre solution serait d'accélérer au maximum la production de chasseurs à réaction Me 262, capables, pense-t-on, de nettoyer le ciel allemand grâce à leurs performances inégalées. Mais Goering, dont le courage moral n'est pas la vertu principale, n'oserait jamais contredire un Führer déjà très remonté contre lui. Le *Reichsmarschall* n'a-t-il pas confié un jour à Hjalmar Schacht : « Chaque fois que je me trouve en face d'Hitler, je fais dans mes culottes [62] » ? Et une fois que le Führer a parlé, Goering, abandonnant toutes ses convictions, se met en devoir d'appliquer aveuglément les consignes du maître – en se retournant férocement contre tous les sceptiques : le général Osterkamp, as de la Grande Guerre et ancien *Jafü* * devenu inspecteur général Ouest, a envoyé en octobre 1943 un rapport à ses supérieurs pour les conjurer de faire porter l'effort principal de l'industrie sur la production d'avions de chasse. Mal lui en a pris : Goering l'a fait arrêter et chasser de la Luftwaffe [63] ! Mais Milch ne se laisse pas impressionner, et il donne discrètement une priorité absolue à la production de chasseurs, tandis que les attaques de représailles des bombardiers de la Luftwaffe contre les bases de la RAF donnent des résultats dérisoires – et terriblement coûteux.

Goering, très affecté par son impuissance, se défoule alors sur ses subordonnés, qu'il traite d'incapables « ou pire », et il hurle à Milch en prenant connaissance des prévisions de construction de bombardiers : « Je veux que cette arnaque finisse une fois pour toutes [64] ! » Mais tout continue comme avant, les destructions s'aggravent dans les centres industriels, et Hitler s'en prend à nouveau au *Reichsmarschall* : « Le Führer, se souviendra Bodenschatz, insultait Goering d'une façon inimaginable. [...] Des capitaines étaient présents aux conférences de situation, et Zeitzler amenait son aide de camp, qui n'était que major. Ils étaient tous debout dans la pièce – une vingtaine au moins – quand Hitler engueulait Goering, en lui lançant : " Votre porcherie ! ", ou " Votre bande d'imbéciles ". Depuis 1942, Goering était entièrement tombé en disgrâce, et il avait coutume de me dire : " Je reconnais que le Führer est aux trois quarts responsable de mon effondrement nerveux " [65]. » Le maréchal brisé repart donc se réfugier à Carinhall, où son épouse lui demande : « Pourquoi supportes-tu cela ? Pourquoi ne démissionnes-tu pas [66] ? » La réponse tient en peu de mots : il n'en a pas le courage, le Führer ne l'accepterait jamais **, et Goering perdrait sa place de successeur désigné d'Hitler, ses multiples fonctions, et peut-être une partie de ses vastes richesses [67].

Mais le dauphin malmené pense avoir trouvé un moyen infaillible de redorer son blason : il va faire organiser par Milch une exposition des avions et des armes les plus modernes de la Luft-

---

* *Jagdführer*, commandant des escadres de chasse de la Luftflotte II.

** Pour d'innombrables raisons, à commencer par le fait que Goering est son successeur désigné, qu'il conserve une popularité unique dans le pays, et que son départ laisserait apparaître de graves dissensions qui doivent absolument rester ignorées de la population...

waffe, qui montrera au Führer que le ministre de l'Air Hermann Goering est un homme sur qui l'on peut toujours compter. Hélas ! L'exposition, qui se tient à Insterburg le 26 novembre 1943, sera désastreuse à plus d'un titre : d'une part, Goering, qui semble avoir oublié le précédent de Rechlin en 1939, fait exposer les modèles d'avions, de bombes volantes et de missiles guidés en cours de développement, dont beaucoup sont encore à l'état de prototypes. « Peu importe qu'ils volent, dit-il à ses ingénieurs. Il faut simplement que le Führer les voie [68]. » Les mêmes causes produisant les mêmes effets, Hitler pense que toutes ces armes sont déjà achevées ; s'arrêtant devant la bombe volante V1, il demande au responsable de l'unité de recherche de Peenemünde quand elle sera prête à l'emploi. « Fin mars 1944 », lui répond ce digne officier, en ajoutant benoîtement qu'il faudra quelques semaines supplémentaires pour qu'elle soit réellement opérationnelle. Hitler, qui avait reçu de Goering l'assurance qu'elle serait utilisable avant le nouvel an, fronce les sourcils et tourne les talons.

Les choses s'aggravent lorsqu'on passe aux nouveaux modèles d'avions : Goering, voulant se mettre en valeur, a fait passer d'emblée le maréchal Milch à l'arrière-plan et lui a pris des mains la liste des modèles exposés. Albert Speer, qui fait partie de la suite du Führer, est témoin de la scène : « Goering s'était réservé le privilège d'exposer personnellement à Hitler les différents types d'avions. Ses services l'avaient donc muni d'un aide-mémoire récapitulant dans l'ordre tous les modèles exposés, avec leurs noms, leurs performances en vol et autres données techniques. Mais un des avions n'avait pas été inclus à temps dans l'alignement, et Goering n'en avait pas été averti. A partir de là, il s'est mis à tout confondre allègrement, car il s'en tenait strictement à son papier [69]. » C'est exact : à la place de l'appareil manquant, il y a un bombardier bimoteur, que Goering décrit sans sourciller comme un chasseur monomoteur, avec toutes les caractéristiques de ce modèle. A mesure que l'on passe aux avions suivants, les erreurs deviennent de plus en plus grotesques, jusqu'à ce que le Führer, lassé, mette fin à la comédie en rectifiant sèchement les erreurs [70].

Mais le plus grave reste à venir ; le Führer, passant ensuite au chasseur à réaction Me 262, demande : « Cet avion peut-il emporter des bombes ? » L'ingénieur Messerschmitt s'empresse de répondre : « Bien sûr, *mein Führer,* en principe : 500 kg certainement, peut-être même 1 000. » Hitler s'en déclare enchanté et s'exclame : « Dans cet avion, que vous me présentez comme un chasseur, je vois le " bombardier éclair * " grâce auquel j'écraserai l'invasion dans sa phase initiale, la plus vulnérable. Il sèmera la panique, la mort et la destruction parmi les masses de troupes et de matériels débarqués. [...] Voilà enfin le bombardier éclair. Mais bien entendu, personne parmi vous n'y avait pensé [71] ! » Naturellement, Goering n'ose pas le contredire, et dès les jours suivants, il va insister énergiquement pour que l'on accomplisse ce qu'il déclarait aberrant quelques mois plus tôt : transformer le chasseur à réaction en bombardier...

Pourtant, lors de cette funeste journée, il reste encore au *Reichsmarschall* à connaître le comble de l'humiliation : ayant achevé son inspection des modèles exposés, Hitler doit encore les voir voler depuis le toit de la tour de contrôle. Mais seul Milch et son aide de camp sont invités à l'accompagner, le Führer désirant avoir « un commentaire d'expert » sur chaque modèle. Goering, mortifié, reste au niveau du tarmac, évitant ainsi d'entendre le prétexte invoqué par Hitler : « Le maréchal du Reich est trop gras pour passer à travers la trappe [72]. » Avant de repartir, le Führer tiendra à féliciter chaleureusement Erhard Milch pour la qualité de l'exposition...

Voilà évidemment une nouvelle étape dans la détestation que voue le *Reichsmarschall* à son secrétaire d'Etat ; mais de toute façon, les sujets de querelles ne cessent de se multiplier : l'empressement de Goering à exécuter les ordres d'Hitler concernant la transformation du Me 262 en « bombardier éclair », que Milch tourne en dérision et s'efforce de contrer en toute occasion ; les opérations de représailles aériennes contre l'Angleterre, que Milch juge inutiles et qui n'aboutissent qu'à affaiblir une Luftwaffe déjà insuffisante pour assurer la défense du Reich ; les débauches d'ouvriers de la Luftwaffe au profit du front et des usines de Speer, que Goering s'avère incapable d'empêcher malgré ses interventions auprès du Führer — ce que Milch lui reproche amèrement ; et bien sûr les frictions permanentes entre un subordonné aussi actif que compétent et un supérieur aussi

---

* « *Blitzbomber* ».

incompétent que soucieux des apparences : « Qui est en charge de la force aérienne allemande ? Vous ou moi ? » lui hurle constamment le *Reichsmarschall* exaspéré [73]... Bien entendu, le Forschungsamt enregistre toutes les conversations téléphoniques de Milch, et Goering note assidûment tous les propos de son secrétaire d'Etat, pour pouvoir les utiliser un jour contre lui...

Mais à cette époque, les conflits avec le général Galland deviennent tout aussi féroces : l'insistance de Goering à mettre en œuvre l'idée du Führer sur l'équipement des nouveaux chasseurs Me 410 « *Hornisse* » en canons de 50 mm est activement combattue par Galland, qui expose avec véhémence que ce canon pèse 850 kg, dépasse de 3 mètres du nez de l'avion, s'enraye après cinq coups et ne porte guère au-delà de 400 mètres * [74]. Comme toujours, Goering écoute, comprend, mais réfute toutes les conceptions qui s'opposent à celles du Führer, pour s'en prendre ensuite rageusement à ceux qui les défendent. Galland, tout comme Milch, résiste de son mieux à la conversion du Me 262 en bombardier, et prévoit que des B 17 américains escortés pénétreront de plus en plus loin à l'intérieur du Reich, ce qui nécessiterait des mesures de prévention énergiques ; Goering, lui, exclut entièrement cette éventualité et injurie Galland, coupable de l'avoir évoquée devant Hitler. Par ailleurs, le *Reichsmarschall* pousse toujours l'excès de zèle jusqu'à s'en prendre aux chefs d'escadrilles lorsque les bombardements alliés se font trop efficaces, ce qui finit par mettre Galland hors de lui : « Lors d'une attaque ennemie contre le sud de l'Allemagne [...], nos chasseurs n'avaient obtenu qu'un nombre de victoires insignifiant. Ayant passé en revue la situation générale, Goering s'est mis à parler du manque de zèle de nos pilotes de chasse **. [...] Il était tellement remonté qu'il n'a cessé de lancer des accusations à la cantonade : Ce qu'étaient devenus ses groupes de chasse était pitoyable ! On les avait privilégiés, gâtés, pourris ! Ils avaient été comblés d'honneurs et de décorations ! Ils ne s'en étaient pas montrés dignes ! Déjà lors de la

---

* Lorsque le Me 410, successeur de l'infortuné Me 210, entrera finalement en service, il s'avérera peu maniable et extrêmement vulnérable à la chasse alliée – avec ou sans canon de 50 mm.

** Comme toujours dans de tels cas, Goering passe sous silence ses erreurs de commandement, la vétusté de ses chasseurs, l'épuisement de leurs pilotes, les insuffisances de leur équipement comme de leur entraînement, et la supériorité manifeste de l'aviation ennemie.

bataille d'Angleterre, la chasse avait échoué ! Et à cette occasion, beaucoup de ses commandants les plus distingués n'avaient obtenu leurs croix de chevaliers que par escroquerie ! Je l'écoutais avec une indignation croissante. Enfin, n'y tenant plus, j'ai arraché ma croix de chevalier de mon cou et l'ai jetée avec fracas sur la table. Un silence de mort s'est fait dans la pièce, j'ai regardé droit dans les yeux le *Reichsmarschall* littéralement muet de stupeur, et j'étais prêt à toute éventualité. Mais il ne s'est rien passé. Goering a rapidement mis fin à son exposé en baissant d'un ton. Depuis ce jour-là, je me suis abstenu pendant plus de six mois de porter mes décorations de guerre [75]. » Et Adolf Galland offrira encore sa démission une bonne demi-douzaine de fois...

Comme si tout cela ne suffisait pas, les excès de zèle de Goering le font également entrer en conflit avec le ministre de l'Armement Albert Speer, sur des questions pouvant aller de la répartition de main-d'œuvre et de matériaux stratégiques à l'opportunité d'enterrer les usines d'aviation pour les soustraire aux bombardements alliés. Bien entendu, ce dernier projet résulte d'une nouvelle inspiration du Führer, que Goering entend faire exécuter à la lettre. Mais Speer — tout comme Milch, du reste — considère que l'entreprise prendrait beaucoup trop de temps et absorberait des ressources considérables, tout en retardant de quatre à cinq mois la production aéronautique. Il fait donc de son mieux pour enterrer le projet plutôt que les usines, et reste de marbre devant les accès d'indignation du *Reichsmarschall*. Le fait que le chef d'état-major Korten puisse indiquer à Milch neuf mois seulement après son entrée en fonction qu'il ne supportera plus très longtemps de travailler sous les ordres de Goering en dit davantage qu'un long discours [76]. C'est ce même Korten qui dira à ses chefs d'escadre au début de janvier 1944 : « Dans une année, la Luftwaffe sera de nouveau au point... si nous n'avons pas perdu la guerre d'ici là [77] ! »

Dès la mi-janvier, l'activisme du *Reichsmarschall* est déjà sensiblement retombé *, et il a repris le chemin de Veldenstein, de Rominten, et bien sûr de Carinhall, où il célèbre son 51e anniver-

---

* A ce stade, du reste, son commandement est en grande partie fictif : Speer planifie la production de chasseurs sans lui en référer, et Hitler donne ses ordres directement aux Luftflotten I et IV sur le front de l'Est – avec copies à Goering pour information ! Le reste est traité au niveau de l'état-major.

saire avec tout le faste habituel : « Nous sommes tous venus avec
les présents coûteux qu'attendait Goering, se souviendra Speer.
Des cigares de Hollande, des lingots d'or des Balkans, des
tableaux de maîtres et des sculptures. [...] Une table surchargée
de cadeaux avait été installée dans la grande bibliothèque. Goering la faisait admirer à ses invités et y étalait les plans de
construction établis par son architecte : sa résidence palatiale
devait plus que doubler de volume *. A la table magnifiquement
dressée au milieu de la luxueuse salle à manger, des valets en
livrée blanche servaient un repas plutôt austère, pour s'adapter
aux conditions du moment. Comme tous les ans, Funk a prononcé
le discours d'anniversaire lors du banquet. Il a chanté les louanges
de Goering, de ses capacités, de ses qualités, de ses distinctions, et
a porté un toast à " l'un des plus grands Allemands de son
époque ". Les paroles extravagantes de Funk offraient un contraste
grotesque avec la situation du moment. C'était une célébration
fantomatique qui se tenait sur un arrière-plan d'effondrement et
de ruines [78]. »

Il est vrai que ni l'effondrement ni les ruines n'empêchent le
glorieux *Reichsmarschall* de jouir d'un luxe ostentatoire, alimenté
par la corruption, les prébendes, le marché noir, les caisses du
parti, les salaires exorbitants, les cadeaux des diplomates étrangers et les gratifications officielles ou officieuses des dignitaires
allemands. Mais une fois retiré sous sa tente, il est saisi de dépression et se désintéresse ostensiblement de la conduite de la guerre.
« D'après ce que j'ai vu de lui après 1943, se souviendra le général
Guderian, je n'ai pu que conclure qu'à cette époque, il ne savait
pratiquement rien de l'état de la Luftwaffe [79]. » Le 25 janvier
1944, Joseph Goebbels le déplore également dans son journal :
« Goering n'est au courant de rien, ne s'intéresse pas aux grands
problèmes de la guerre aérienne et laisse faire ses collaborateurs.
[...] Le Führer se plaint qu'on ne puisse lui en parler sans qu'il
monte sur ses grands chevaux. » Six jours plus tard, Goebbels
ajoute : « Goering m'appelle à plusieurs reprises pour s'informer
de la situation aérienne [80]. » Que le ministre de l'Air, maréchal
du Reich et chef de la Luftwaffe téléphone au ministre de la

---

* C'est exact : Goering a prévu d'y adjoindre une nouvelle aile sud, le long du
Wückersee. Ce sera un musée où l'on exposera toutes les œuvres d'art qui ne peuvent
plus trouver place dans les bâtiments existants...

Propagande pour s'informer de la situation aérienne, voilà qui en dit très long ! Mais le 21 février 1944, en assistant à un raid de l'aviation américaine sur Braunschweig, il aura une information de toute première main lorsqu'un de ses assistants lui désignera les chasseurs Mustang P 51 * qui escortent les bombardiers. Ne pouvant plus nier l'évidence, Goering se contente de murmurer : « *Mein Gott, ja* [81] *!* »

Peut-être terrassé par cette révélation, il part le 24 février se reposer trois semaines au château de Veldenstein. Le 4 mars, Goebbels notera encore ce passage significatif : « Goering n'a aucun lien avec le Parti et ne supporte pas qu'on lui fasse des critiques à ce sujet. Ni le Führer ni les dirigeants du Parti ne peuvent donc dire à Goering ce qu'il faudrait maintenant lui dire. Il se retrouve isolé, ce qui est d'autant plus regrettable pour lui qu'il traverse actuellement la plus grande crise de sa vie. [...] Le Führer comprend fort bien que Goering soit maintenant un peu nerveux. A son avis, c'est une raison de plus pour lui venir en aide. Actuellement, Goering ne supporte aucune critique : on doit donc prendre des gants pour lui faire des remarques [82]. »

L'aide de camp von Below est également témoin de ce curieux regain de mansuétude du Führer à l'égard de son fidèle paladin : « J'ai été surpris de constater qu'Hitler le tenait toujours en haute estime. J'avais souvent été présent ces derniers temps quand Hitler l'avait fait venir pour l'apostropher violemment. Lorsque j'ai dit à Hitler que j'avais du mal à faire le lien entre ces faits et les jugements favorables qu'il portait sur Goering, il a répondu qu'il lui fallait se montrer sévère à l'occasion avec le *Reichsmarschall*, celui-ci ayant tendance à émettre des ordres sans s'assurer qu'ils étaient exécutés [83]. » C'est sans doute pourquoi Hitler se charge d'en donner lui-même – et de les faire exécuter : dans la nuit du 24 au 25 mars 1944, quatre-vingts aviateurs britanniques emprisonnés au Stalag Luft III de Sagan parviennent à s'évader, mais ils sont repris presque aussitôt, et Hitler ordonne l'exécution de cinquante d'entre eux. Le camp se trouve sous la responsabilité

---

* Le North American Mustang P 51 a commencé à escorter les bombardiers de la 8e et de la 9e Air Force en Europe dès le mois de décembre 1943. Ce chasseur fabuleux, trois fois moins lourd que le Thunderbolt P 47, vole à 700 km/h avec un plafond de 12 700 mètres ; il est extrêmement maniable et a un rayon d'action inégalé de 1 530 kilomètres. Pour l'aviation allemande, le Mustang est encore plus redoutable que le dernier modèle de Spitfire (Voir annexe, p. 783 et suivantes).

de la Luftwaffe, et donc de Goering, mais ce dernier, en villégiature à Berchtesgaden, ne semble avoir été informé des exécutions
qu'*a posteriori* – et en avoir conçu un effarement certain : « Jamais
je n'ai vu mon mari dans un pareil état, se souviendra Emmy Goering. Il vociférait, répétant sans cesse avec désespoir : " Mon Dieu,
que va-t-il arriver à *mes* aviateurs prisonniers en Angleterre ? Sans
compter que de tels actes sont une violation flagrante de la vieille
tradition des aviateurs, qui est de respecter leurs ennemis. Comment une telle chose a-t-elle pu se produire ? Les aviateurs,
anglais ou allemands, en temps de guerre comme en temps de
paix, sont tous des camarades ! " [84] *. » Quant à savoir si Hermann Goering a conservé la même véhémence en s'adressant au
Führer, c'est évidemment une autre affaire...

Depuis le début de l'année 1944, en dépit des ordres d'Hitler
de combattre « sans esprit de recul », les armées allemandes ont
dû faire retraite précipitamment sur les deux ailes du front russe.
Au Nord, entre le 14 et le 27 janvier, six armées soviétiques ont
lancé une puissante offensive qui a fait reculer les Allemands de
160 kilomètres en direction du sud-ouest et permis de reprendre
Novgorod, puis de mettre fin au siège de Leningrad. Au Sud, les
forces en présence étaient comparables **, mais l'offensive d'hiver
lancée le 23 décembre 1943 par les quatre fronts d'Ukraine a
bousculé le groupe d'armées Sud de von Manstein et le groupe
d'armées A de von Kleist, et permis aux Soviétiques d'occuper dès
la fin de février 1944 une vaste bande de territoire allant de Sarny
à Nikopol, en passant par Korsoun et Vinnitsa – l'ancien QG du
Führer... Les Allemands s'attendaient ensuite à la pause tradi-
tionnelle de printemps, lorsque la *raspoutitsa* rend les routes
impraticables, mais cette fois, les armées soviétiques poursuivent
leur avance : entre mars et mai 1944, l'« offensive de la boue »

---

* Ce témoignage sonne assez juste : Goering garde ses préjugés chevaleresques de
la Grande Guerre, et les aviateurs britanniques ont conservé à ses yeux un très grand
prestige. Voulant comme toujours soigner son image, il a insisté depuis le début de
la guerre pour que « ses » prisonniers soient correctement traités – dans l'attente
d'une réciprocité de la part de l'ennemi, bien entendu.

** 2,4 millions d'hommes pour l'Armée rouge contre 1,8 pour la Wehrmacht,
qui dispose en revanche de 2 200 tanks contre 2 000 seulement pour les Soviétiques.
Par contre, ces derniers ont une très nette supériorité en artillerie (29 000 pièces
contre 16 000) et en avions de combat (2 340 contre 1 460). A la fin de 1943, la
Luftwaffe n'a plus que 425 chasseurs opérationnels sur l'ensemble du front de l'Est,
et la reconstitution des escadrilles se fait de plus en plus lentement...

porte les armées soviétiques jusqu'au Boug, au Dniestr et au pied des Carpates. Les unes après les autres, les villes de Nikolaev, Odessa, Tarnopol, Rovno et Kovel doivent être évacuées, tandis que la 6ᵉ armée et la 1ʳᵉ armée blindée sont encerclées et sévèrement malmenées au nord de Nikolaev et au sud de Korsoun. Au début de mai, c'est également l'ensemble de la Crimée qui tombe sous l'assaut du IVᵉ front ukrainien, et lorsque l'Armée rouge marque une pause à la fin du mois, elle est parvenue aux frontières de la Roumanie et de la Pologne. Sur l'ensemble du secteur, les Soviétiques ont conquis la maîtrise du ciel, face à des Me 109 et des FW 190 désormais inférieurs en nombre et surclassés par les Yak 9, les La 7 et les Bell P 39 *. En outre, les pilotes soviétiques sont maintenant aussi aguerris et mieux entraînés que leurs ennemis allemands, dont les vétérans ont bien souvent disparu ; de décembre 1943 jusqu'à mai 1944, la Luftwaffe a perdu 1 146 appareils et 1 743 aviateurs entre les rives de la mer Noire et le sud de la Biélorussie...

Comme il faut bien – encore et toujours – trouver **des** responsables à cette succession d'échecs, von Manstein et von Kleist sont discrètement limogés au début d'avril. Mais assez curieusement, tous ces désastres, en comparaison desquels la défaite de Stalingrad sombre presque dans l'insignifiance, ne semblent pas affecter outre mesure le Führer. C'est d'abord parce qu'il reste persuadé, contre toute évidence, que l'armée soviétique est au bord de l'effondrement ** ; c'est ensuite et surtout parce qu'il a une autre préoccupation, exprimée très clairement le 3 novembre 1943 dans sa Directive n° 51 : « Le danger à l'Est demeure inchangé, mais un plus grand danger menace à l'Ouest – c'est un débarquement anglo-saxon. A l'Est, dans le pire des cas, les vastes espaces permettent de perdre du terrain même sur une large échelle sans que nous subissions un coup mortel. Mais c'est différent à l'Ouest ! Si l'ennemi parvient à percer nos défenses sur un large front, les conséquences à court terme seront imprévisibles. Certains indices laissent penser que l'ennemi lancera une invasion au

---

* Les redoutables « Airocobras », fournis par les Etats-Unis et très appréciés des pilotes soviétiques.

** Déclaration du Führer au début de janvier 1944 : « En 1943, les Russes ont subi beaucoup de pertes, et le pouvoir de Staline commence à se désintégrer. » Trois mois plus tard, le 2 avril 1944 : « L'ennemi a épuisé et divisé ses unités. Le moment est venu de lui porter un coup d'arrêt. » C'est ce qu'on appelle de l'autosuggestion....

plus tard vers le printemps, mais peut-être même avant. [...] J'ai donc décidé de renforcer les défenses à l'endroit où nous allons déclencher la grande bataille contre l'Angleterre [85]. »

Hitler, obnubilé dès la fin de 1943 par l'éventualité d'un débarquement anglo-américain, a nommé Rommel commandant en chef pour le secteur côtier de la Manche, avec mission d'en améliorer les fortifications. Il est vrai qu'entre novembre 1943 et avril 1944, le Führer reçoit d'Ankara des renseignements de toute première main sur les délibérations alliées à Moscou, Téhéran et Londres, qui laissent effectivement craindre l'ouverture d'un « deuxième front » à l'Ouest *. Mais de toute façon, plusieurs autres fronts se sont déjà ouverts depuis la Méditerranée jusqu'au Danube, en passant par l'Adriatique. En Italie, les Alliés, longtemps contenus devant Cassino et Anzio, ont repris leur avance, les partisans italiens commencent à s'agiter, les hommes de Kesselringsont débordés, les effectifs de la Luftwaffe dans le secteur sont cinq fois inférieurs à ceux de l'US Air Force, et au printemps de 1944, chacun sait que la prise de Rome n'est plus qu'une question de semaines **. En Yougoslavie, la résistance communiste ne cesse de progresser malgré de lourdes pertes, et son chef Tito demeure insaisissable en dépit de toutes les opérations montées pour le capturer. En Hongrie, le régent Horthy a tenté de faire sortir son pays de l'orbite allemande, ce qui a conduit la Wehrmacht à occuper Budapest dès la mi-mars.

Mais pour beaucoup, la plus grande menace qui plane sur le Reich à cette époque est encore celle qui vient du ciel. Il est vrai que les attaques contre les villes n'ont pas affecté sensiblement le moral des populations, et que le perfectionnement des tactiques et des radars de la chasse de nuit allemande a causé des pertes effrayantes aux Halifax et aux Lancaster britanniques lancés contre les centres industriels : 55 avions abattus sur 648 au-dessus de Magdeburg le 21 janvier 1944, puis 43 sur 683 à Berlin le 28 janvier, 78 sur 816 à Leipzig le 19 février, 72 sur 811 à Essen le 24 mars, 94 sur 781 à Nuremberg le 30 mars... De même, les Forteresses volantes B 17 et les Liberator B 24 qui ont attaqué les

---

* Ce sont les documents « empruntés » à l'ambassade de Grande-Bretagne en Turquie par le domestique Elyeza Bazna, alias « Cicéron ». Voir F. Kersaudy, *L'Affaire Cicéron*, Perrin, Paris, 2005.
** De fait, les Allemands devront l'évacuer le 4 juin, pour se replier sur la Toscane.

usines d'aviation de Halberstadt, Oschersleben, Brunswick et Magdeburg ont perdu 59 appareils en une seule journée, ce qui a contraint l'US Air Force à suspendre ses raids de jour pour un mois. Mais le 20 février, début du « *Big Week* » d'offensive ininterrompue, 1 000 bombardiers américains reparaissent au-dessus d'Augsburg, Stuttgart, Leipzig, Schweinfurt, Regensburg, Steyr et Wiener Neustadt, escortés cette fois de chasseurs P 51 Mustang à long rayon d'action. Dès lors, les pertes de bombardiers diminuent sensiblement, celles des chasseurs allemands montent en flèche, les usines d'aviation visées sont détruites à 75 %, des milliers d'ouvriers sont tués et la production de chasseurs baisse vertigineusement : 350 Me 109 en cours d'achèvement sont détruits à Leipzig, 200 à Wiener Neustadt et 150 autres dans le reste du Reich [86]. La moitié des 365 bimoteurs Ju 388 en cours de production disparaît également dans la tourmente, avant même que le premier exemplaire de ce type ait pu rejoindre les escadrilles...

Face à ce désastre, les dirigeants du Reich réagissent de façon caractéristique : Hitler tance vertement Goering, exige « un parapluie de chasseurs » au-dessus du Reich, ordonne des représailles immédiates contre la Grande-Bretagne, et demande où en sont le projet de construction d'usines d'aviation enterrées et le programme de fabrication du Me 262 ; Goering, toujours retranché dans son château de Veldenstein, s'indigne que les ordres du Führer n'aient pas encore été exécutés, interdit que l'on prenne la moindre initiative sans lui en référer, laisse les rapports et les demandes d'instructions sans réponse pendant dix jours [87], réclame une forte augmentation de la production de bombardiers Ju 88 et He 177 *, s'en prend systématiquement à Milch, puis intrigue ferme contre le ministre de l'Armement Speer, qu'une maladie respiratoire a éloigné fort opportunément de Berlin ; Milch, lui, se met en devoir de faire redémarrer la production dans les usines dévastées, de faire échec aux manigances de Goering, et de faire rentrer dans les bonnes grâces du Führer un Albert Speer dont il est le seul à apprécier l'efficacité. Le plus étonnant est qu'il réussira pleinement dans les trois entreprises – et particulièrement dans la première, puisque, au prix d'une collaboration étroite entre le ministère de l'Air et celui de

---

* Qui ne peut évidemment se faire qu'aux dépens de la production de chasseurs.

l'Armement, de l'introduction d'une semaine de 72 heures et d'innombrables primes distribuées aux ouvriers, l'industrie aéronautique renaît de ses cendres et parvient même à construire 2 021 chasseurs en avril [88] – un record absolu * ! Il est vrai que ce mois-là, les bombardiers alliés se sont faits plus rares, car ils concentrent leurs attaques sur les voies de communication et les rampes de lancement de V1 dans le nord de la France. Mais un rapport rédigé par Galland au mois d'avril expose déjà l'impasse dans laquelle est engagée la chasse allemande : « Actuellement, on se bat à environ un contre sept. Le niveau de formation des aviateurs américains est extraordinairement élevé. Notre chasse de jour a perdu au cours des quatre derniers mois bien plus de 1 000 pilotes. [...] Ce sont des pertes impossibles à compenser [89]. » De fait, les pilotes expérimentés disparaissent les uns après les autres, et leurs remplaçants, ayant reçu une formation accélérée, se montrent beaucoup plus vulnérables en combat aérien contre les nuées de chasseurs qui accompagnent désormais les bombardiers alliés.

Le 23 mai, alors que la production aéronautique allemande bat de nouveaux records **, Goering, Milch, Speer, Korten, Galland et le colonel Petersen, directeur de la recherche technique, sont convoqués au Berghof. Le Führer écoute distraitement leurs rapports sur les nouveaux plans de construction, en regardant au loin le panorama des montagnes ; mais il s'anime dès que Milch mentionne le chasseur à réaction Me 262 : « Je pensais, dit-il, que le Me 262 serait un bombardier à grande vitesse. Combien de Me 262 déjà construits sont capables d'emporter des bombes ? » Réponse de Milch : « Aucun, *mein Führer*. Le Me 262 est produit uniquement comme chasseur. » Au milieu d'un silence de mort, Milch explique que cet appareil ne pourrait emporter des bombes que moyennant d'importantes modifications techniques, et encore ne s'agirait-il que d'une bombe de 500 kg. Le Führer l'interrompt : « Aucune importance ! Une bombe de 250 kg me suffisait ! » Il s'enquiert du blindage et de l'armement de l'appareil, puis commence à s'échauffer : « Qui tient compte de mes ins-

---

* Elle construira également 680 bombardiers et 1 700 bombes volantes V1 ce mois-là.

** 2 212 chasseurs pour l'ensemble du mois de mai, et même 3 000 en comptant les réparations.

tructions ? J'ai donné un ordre sans ambiguïté, et personne ne pouvait douter que l'appareil devait être conçu comme un chasseur-*bombardier.* » Suit une énumération du poids des différents éléments embarqués, puis : « Pas besoin de canons. L'avion est si rapide qu'il n'a pas besoin de blindage non plus. Vous pouvez tout retirer. » Petersen, aussi dérouté qu'intimidé, bredouille que c'est faisable, Milch supplie le Führer d'écouter l'avis des autres, mais les autres restent muets... Galland finit par se risquer, mais Hitler le réduit au silence. Milch conjure Hitler de réfléchir avant de prendre une décision définitive, mais ses paroles sont aussitôt noyées sous un torrent d'injures. Pourtant, une fois l'orage passé, Milch ne peut réprimer un dernier mouvement de révolte : « *Mein Führer*, même un enfant peut voir que c'est un chasseur, pas un bombardier [90] *. »

Les suites de cette conférence sont prévisibles : les jours de Milch en tant que secrétaire d'Etat sont comptés, et la véritable cheville ouvrière de la Luftwaffe se trouvera progressivement écartée des conférences ultérieures sur les affaires de l'aviation ; le colonel Petersen informe Goering du fait que toutes les transformations demandées par le Führer posent des problèmes techniques **, que la première centaine de Me 262 ainsi que les pièces détachées déjà produites ne sont pas modifiables, et qu'il ne saurait y avoir de reconfiguration de l'appareil avant cinq mois au moins. Goering lui reproche amèrement sa lâcheté de la veille, oublie de mentionner la sienne propre, et ordonne que les ordres du Führer soient exécutés à la lettre : « Messieurs, vous semblez tous sourds. Je vous ai répété je ne sais combien de fois l'ordre du Führer, qui est parfaitement clair. Il se fout complètement du Me 262 en tant que chasseur. Dès le début, il a voulu un *Jagdbomber*, un chasseur-bombardier. » La responsabilité de l'emploi ultérieur du Me 262 sera donc retirée à Galland, pour être transférée aux services du général commandant les bom-

---

* Ce n'est pas seulement une question d'aspect : le rayon d'action du Me 262 est insuffisant pour un bombardier, il n'y a pas encore de viseurs pour un appareil de ce type, le train d'atterrissage est trop fragile pour supporter le poids des bombes, et le râtelier à bombes improvisé à la hâte fonctionne de manière aléatoire...

** Les 600 kg de blindage et d'armement étant concentrés à l'avant du Me 262, le fait de les retirer et de placer des bombes au centre déséquilibrera entièrement l'appareil, nécessitant une refonte totale de son fuselage – ainsi qu'un repositionnement des ailes !

bardiers, « afin d'éviter de nouvelles erreurs [91] ». Quant à la production de chasseurs, elle est retirée à Milch et transférée à un « *Jägerstab* * » sous l'autorité quasi dictatoriale du *Hauptdienstleiter* Karl Saur, un nazi bon teint dont le fanatisme dépasse de beaucoup la compétence [92].

Mais sans que Goering s'en rende bien compte, ces multiples reniements, ces grandes manœuvres et ces petites astuces n'ont plus guère d'importance, car le 12 mai 1944, 935 appareils de la 8th Air Force puissamment escortés larguent 20 000 tonnes de bombes sur plusieurs raffineries de pétrole et usines d'essence synthétique en Allemagne centrale et orientale, les rendant inutilisables pour près d'un mois. Dès la semaine suivante, Speer prévient Hitler : « L'ennemi nous a frappés sur l'un de nos points les plus faibles. S'il persiste dans cette voie, nous n'aurons bientôt plus de production significative de carburant. Notre seule chance réside dans le fait que l'état-major de l'Air ennemi ait aussi peu de suite dans les idées que le nôtre [93] ! » Vain espoir : dans la nuit du 28 au 29 mai, 400 bombardiers renouvellent l'attaque, tandis que la 15th Air Force basée en Italie mène simultanément un raid d'envergure sur les raffineries roumaines de Ploesti. Dès lors, la production d'essence du Reich, déjà très insuffisante, se trouve réduite de moitié **, avec des conséquences inéluctables ; une fois de plus, le Führer s'en prend violemment à Goering : « Cette mauviette se complaît dans la vie domestique, entouré de ses femmes. *Weiber ! Weiber* *** ! Pas étonnant que la Luftwaffe soit un tel merdier [94] ! » Ne se souciant plus de ménager la susceptibilité de son vieux compagnon, il ordonne que l'ensemble de la production aéronautique passe sans délai sous l'autorité du ministre de l'Armement Albert Speer. C'est sans doute nécessaire, mais sûrement insuffisant : le carburant étant le nerf de la guerre – et tout spécialement celui de l'aviation –, on peut prévoir pour le début de juin 1944 une réduction sensible de l'efficacité de la Wehrmacht en général, et de la Luftwaffe en particulier...

---

* « Service des chasseurs ».

** La production d'essence d'avion étant elle-même réduite des deux tiers entre mai et juin 1944.

*** « Des bonnes femmes ! Des bonnes femmes ! » (Hitler fait sans doute allusion à Emmy, à Ilse, à la sœur d'Emmy, ainsi qu'à Paula et Olga, qui entourent leur frère dès qu'il séjourne en Bavière.)

Depuis sept mois au moins, le Führer s'attend au grand débarquement à l'Ouest, et il s'y prépare sans crainte particulière : le 4 mars 1944, Goebbels note dans son journal : « De l'avis du Führer, nos chances de succès sont assurées en cas d'invasion. [...] A l'Ouest, notre aviation a, elle aussi, des chances de succès. Nous y avons rassemblé une grande quantité de chasseurs qui sont prêts à intervenir. » Et le 18 avril : « Le Führer est absolument sûr que l'invasion échouera, et même qu'elle sera repoussée avec pertes et fracas. [...] Celui qui débarque, lors d'une invasion, est toujours l'idiot, car il ne sait pas où il met les pieds. Rommel [...] est prêt à faire boire le bouillon aux Anglais et aux Américains [95]. » Le 2 juin, venu apporter un cadeau d'anniversaire à la petite Edda, Hitler dit à son père : « Vous verrez, Goering ! Nous allons remporter cette fois la plus grande victoire du siècle [96] ! »

Comme toujours, Hitler se saoule de chiffres : à l'Ouest, derrière cet imprenable Mur de l'Atlantique avec ses 12 000 bunkers et ses 6 millions de mines, il y a 52 divisions, 1,3 million d'hommes, 2 000 chars, 1 400 avions basés sur place ou immédiatement transférables depuis le Reich ! Mais la réalité est déjà moins rose : il n'y a guère plus de 850 000 soldats dispersés entre la Manche et la Méditerranée, leurs 42 divisions, de valeur très inégale et composées en majorité de jeunes recrues, de vétérans hors d'âge et de mercenaires étrangers, sont pour la plupart en sous-effectifs *, elles manquent cruellement de canons, de munitions, de moyens de transport et surtout d'essence, et elles n'ont au total que 1 215 chars en état de combattre, du fait de l'extrême rareté des pièces détachées. Le Mur de l'Atlantique n'est correctement fortifié qu'en une douzaine de points entre les Pays-Bas et la Gironde, mais pour le reste, il est formé d'ouvrages clairsemés, sans défenses en profondeur et immobilisant vingt divisions sous la protection illusoire de pièces d'artillerie étrangères hautement hétéroclites. La Luftflotte III du maréchal Sperrle n'est guère mieux lotie : elle dispose de 95 chasseurs, 130 bombardiers, 200 chasseurs-bombardiers et 64 avions de reconnaissance, qui sont

---

* Ainsi, il n'y a que quatre divisions de panzers à effectifs pleins et aptes au combat. Vingt divisions d'infanterie sont de simples unités de garnison, composées en grande partie de jeunes recrues, de vétérans et de convalescents. Dix autres sont des *Reserve Divisionen* en cours de formation. Quatre *Felddivisionen* de la Luftwaffe, formées sur ordre de Goering avec le personnel excédentaire de l'aviation, sont très peu fiables, leurs soldats étant sans expérience et très mal encadrés.

souvent cloués au sol par la pénurie d'essence et de pièces détachées, tandis que les terrains d'aviation prévus pour accueillir les
1 000 avions de renfort n'ont ni pistes d'atterrissage adéquates, ni
tours de contrôle, ni dépôts de carburant, ni moyens de transmissions, ni même un semblant de défense antiaérienne ; et sans que
le maréchal Sperrle le sache, l'emplacement de tous ces terrains a
été soigneusement noté par les services de renseignement britanniques, informés par la Résistance et par les décryptages
Ultra [97]... La chaîne de commandement elle-même est d'une dangereuse complexité : Rommel, sur qui le Führer fonde tant
d'espoirs, ne commande que le groupe d'armées B au nord de la
Loire, et il est en principe sous les ordres de l'*Oberbefehlshaber West*
vonRundstedt, avec toutefois la possibilité de faire appel directement au Führer – qui de toute façon interdit le moindre déplacement d'unités sans son accord... Et naturellement, ni Rommel ni
Rundstedt ne commandent l'aviation, qui reste contrôlée de loin
par un *Reichsmarschall* resté très jaloux de ses prérogatives – même
et surtout lorsqu'il ne les exerce pas...

A l'aube du 6 juin 1944, 5 000 navires déposent six divisions
alliées sur la côte normande, 20 000 hommes des troupes aéroportées atterrissent dans l'arrière-pays, et le tout est couvert par
8 400 chasseurs et bombardiers. A Klessheim, près de Salzbourg,
Goebbelsnote ce jour-là : « La grande action décisive de la guerre
vient donc de commencer. [...] Le Führer fait plus que se réjouir
du fait. [...] Goering est lui aussi à Klessheim. Comme toujours,
il est optimiste, pour ne pas dire ultra-optimiste. Peu s'en faut
qu'il n'ait déjà gagné la bataille [98] *. »

Pourtant, le triomphalisme n'est pas de mise : au soir du 6 juin,
les défenseurs allemands, ployant sous l'intensité du bombardement naval et aérien, ont été hors d'état d'empêcher les Alliés de
gagner l'intérieur des terres et d'y établir cinq solides logements
entre l'Orne et la Vire. La Luftwaffe n'a pu faire intervenir ce
jour-là que 175 avions, rapidement écrasés par les 3 000 Spitfire,
Mustang et Thunderbolt dominant l'ensemble du secteur – et
bien entendu, il n'y a pas un seul « bombardier rapide » Me 262

---

* Les reconnaissances aériennes au-dessus des ports britanniques ont dû donner à
Goering une bonne idée du théâtre probable de l'invasion, puisqu'il a fait diriger la
91e division aéroportée et la 5e division de parachutistes sur le Cotentin dès le mois
de mars 1944.

pour semer la panique et la mort sur les plages... Le 9 juin, 475 Me 109 et Fw 190 arrivent toute de même du Reich en renfort, mais ils se trouvent pris à leur tour dans le maelström de l'armada aérienne alliée. Cette fois encore, Goering est loin de soupçonner que les ordres qu'il envoie à ses escadrilles sont aussitôt interceptés et décryptés par les services britanniques de Bletchley Park. Au bout d'une semaine d'opérations, la Luftflotte III a déjà perdu 360 appareils au-dessus de la Normandie, tandis qu'au sol, les cinq têtes de pont font leur jonction, des renforts débarquent sans discontinuer et Bayeux tombe le 12 juin. Du côté de la Wehrmacht, la réaction se fait attendre, parce que ses voies de communication menant vers l'ouest sont systématiquement bombardées et sabotées, mais aussi parce que d'importantes forces aériennes et terrestres allemandes sont maintenues en réserve et même renforcées dans le Nord, le Führer s'attendant au débarquement principal dans le Pas-de-Calais *. Si les panzers et l'artillerie parviennent à bloquer l'offensive britannique en direction de Caen, les Américains, eux, s'emploient à verrouiller le Cotentin et avancent sur Cherbourg.

Le Führer tarde à saisir toutes les implications de la situation : « Je n'arrivais pas à comprendre l'attitude d'Hitler, notera von Below. Il semblait encore convaincu que les forces d'invasion pouvaient être rejetées à la mer, en dépit de l'énorme supériorité aérienne de l'ennemi et des immenses quantités de matériel qui lui parvenaient sans encombre. Le fait est que l'armée était seule, et Hitler était obligé pour la première fois de reconnaître la signification de la suprématie aérienne alliée [99]. » Au matin du 16 juin, le Führer se rend à Metz pour y conférer avec les maréchaux Rommel et von Rundstedt : « La réunion a été des plus désagréables, poursuit von Below. Ce matin-là, Rundstedt a fait un rapport sur les événements des dix jours précédents, et il a laissé entendre qu'il lui serait impossible de chasser les Alliés de France avec les forces dont il disposait. Hitler, hors de lui, a répondu avec sa fougue habituelle que les V1 et les Me 262 allaient bientôt faire leur apparition [100]. »

Mais les Me 262 tardent à arriver, les premiers V1 qui tombent sur Londres n'affectent pas la situation stratégique en France, les

---

* Aidé en cela par les spécialistes britanniques de la désinformation, qui ont intoxiqué les services secrets allemands dans le cadre du plan « *Fortitude.* »

Alliés élargissent progressivement leur tête de pont, Hitler dicte la stratégie de ses maréchaux en contemplant une carte à des centaines de kilomètres du front, et la Luftwaffe perd encore 268 avions durant la deuxième semaine de combats ; elle doit donc se résoudre à retirer du front des escadrilles qui sont hors d'état d'appuyer les troupes au sol, et ne servent plus qu'à défendre leurs terrains d'aviation. Pour expliquer cette succession d'échecs, Hitler a naturellement un responsable tout trouvé : « Le Führer, note Goebbels le 22 juin, déclare qu'il n'arrive pas à s'imposer aux gens de la Luftwaffe, car c'est un domaine où il n'est pas considéré comme un expert, à la différence de l'arme blindée, où il peut dominer entièrement. Les plus grandes fautes de Goering, c'est qu'il ne s'informe pas, [...] qu'il ne va pas au fond des choses, qu'il a dressé son entourage à ne lui apporter que de bonnes nouvelles et qu'il vit dans un monde plein d'illusions [101]. »

Sans que le Führer paraisse en prendre conscience, cela ressemble beaucoup à un autoportrait, mais il n'y a plus guère de temps à perdre en récriminations, car à l'Est, le front s'embrase à nouveau : le 22 juin 1944, pour le troisième anniversaire de l'invasion allemande, les généraux Bagramian, Rokossovski, Zakharovet Tcherniakovski lancent l'opération « Bagration » contre le groupe d'armées Centre, jusque-là relativement épargné par les offensives de printemps. Cette fois, ce sera tout différent : l'Armée rouge fait précéder son attaque d'un barrage d'artillerie de 24 300 canons, mortiers lourds et orgues de Staline, puis lance en avant 185 divisions et 4 000 chars, dont un grand nombre de redoutables T 34/85, armés d'un canon de 85 mm auquel nul blindage allemand ne résiste. L'offensive est soutenue par cinq armées aériennes totalisant 6 300 appareils, qui affrontent désormais la Luftwaffe à huit contre un *. Goering fait dépêcher en toute hâte vers la Russie cent chasseurs d'Italie et cinquante autres du Reich, mais c'est un renfort dérisoire pour la Luftwaffe, qui en perd le double durant la même période – le reste étant chroniquement à court d'essence. Au bout de douze jours, le front est crevé sur 300 kilomètres, le groupe d'armées Centre a perdu vingt-cinq divisions – 350 000 hommes –, Vitebsk et Minsk sont

---

* La Luftflotte VI n'a plus sur ce front que 839 appareils ! Le groupe d'armées Centre est tout aussi démuni : 533 chars et canons d'assaut, 3 000 pièces d'artillerie...

tombés, la Biélorussie est libérée et cinq fronts soviétiques convergent sur la Vistule.

Hitler réagit comme à son habitude, en interdisant toute retraite, en limogeant les commandants des groupes d'armées Centre et Nord *, et en tenant désormais à l'écart le chef d'état-major Zeitzler, coupable d'avoir tenté d'infléchir sa stratégie **. Lorsque le Führer réunit les responsables militaires à son QG de Rastenburg le 20 juillet, les mauvaises nouvelles affluent de partout : en Normandie, Caen et Saint-Lô sont tombés, le Cotentin est isolé par les Américains, tandis que les Britanniques progressent vers l'Orne ; en Italie, les Alliés ont pris Sienne, ils avancent sur Florence et approchent de la « Ligne Gothique », dernier barrage avant la plaine du Pô ; à l'Est, l'Armée rouge a repoussé les troupes allemandes en Estonie comme en Lituanie et pénétré profondément en Pologne orientale, de sorte que le front n'est plus qu'à une centaine de kilomètres de Rastenburg. En considérant les choses sobrement, il faut bien admettre que le Reich est menacé à présent depuis le nord-est, l'est, le sud-est, le sud et le sud-ouest... C'est évidemment beaucoup, mais ce 20 juillet 1944, Hitler affiche un optimisme à toute épreuve, manifestement destiné à impressionner ses généraux et à encourager Mussolini, qui est attendu au *Wolfschantze* dans l'après-midi.

L'impression sera désastreuse ; car peu après 12 h 40, une bombe placée par le colonel von Stauffenberg explose dans le baraquement où se tient la conférence de situation quotidienne, faisant quatre morts et vingt blessés. Lorsque Mussolini arrive deux heures plus tard, accompagné de l'interprète Paul Schmidt, il est témoin d'une scène dantesque : « Nous sommes allés droit à la salle de conférences, qui ressemblait à une maison dévastée par un bombardement aérien, se souviendra Schmidt. Dans un coin de la pièce, il y avait l'uniforme qu'Hitler portait ce matin-là, et il a montré à Mussolini le pantalon en lambeaux et la veste légèrement déchirée. [...] Mussolini était absolument horrifié. Dans les ruines de ce bureau, centre nerveux de l'alliance germano-italienne, il voyait sans doute les ruines de toute la structure poli-

---

* Buschest remplacé par Model au Centre, et Lindemann par Friessner au Nord. A l'Ouest, le Führer a également limogé von Rundstedt et l'a remplacé par von Kluge.
** Le général Zeitzler a déjà offert cinq fois sa démission...

tique de l'axe Rome-Berlin. [...] Mais il a fini par reprendre suffisamment ses esprits pour féliciter Hitler de sa bonne fortune. La réaction d'Hitler a été toute différente : " Quand je réfléchis à tout cela, dit-il, j'en retire la conviction que rien ne pourra m'arriver. Il est clair que mon destin est de poursuivre ma route et d'achever ma tâche " [102]... »

Physiquement, Hitler semble assez peu affecté *, mais chez cet homme à l'équilibre déjà fragile, les dégâts psychiques sont considérables ; sa paranoïa s'en trouvera décuplée, de même que sa haine pour l'humanité en général et les officiers de la Wehrmacht en particulier. Il décide pratiquement d'emblée de limoger son chef d'état-major Zeitzler, maintes fois démissionnaire, pour le remplacer par le général Guderian, inspecteur général des blindés. Ce dernier est donc convoqué à Rastenburg dès le lendemain et informé par le Führer de sa nomination au poste de chef d'état-major de l'armée, « avec interdiction formelle de donner sa démission à l'avenir [103] »....

Pour l'heure, la nouvelle de la survie du Führer fait échouer les plans des conjurés, qui avaient tenté d'occuper les centres du pouvoir à Berlin dès l'annonce de l'attentat. Goebbels, qui se précipite à Rastenburg, y croise Goering : « Le *Reichsmarschall* est encore sous le coup des événements qui se sont produits lors de l'attentat, d'abord parce que, au cours de la même journée, son chef d'état-major, le général Korten, est mort de ses blessures. [...] Le *Reichsmarschall* partage pleinement mon opinion sur les dessous de l'attentat. Il est furieux de ce que les généraux, croyant que le Führer n'avait pas survécu à l'attentat, aient osé s'approprier le pouvoir civil sans songer à lui une seule seconde. Il insiste avec force sur le fait que c'est lui le successeur légal du Führer et que c'est à lui que l'armée aurait dû aussitôt prêter serment. Le *Reichsmarschall* ressent naturellement de la haine contre ces traîtres de généraux [104]. »

Quoi de plus normal, puisque au crime de tentative d'assassinat contre Adolf Hitler s'ajoute le crime de lèse-majesté à l'encontre de Hermann Goering ? Les responsables du complot aggravent décidément leur cas... Mais Himmler, Bormann et Goebbels comptent bien profiter de la situation pour obtenir du Führer de vastes délégations de pouvoirs, leur permettant de

---

* Il n'a que les tympans crevés et le bras droit fortement contusionné.

contrôler respectivement la Wehrmacht, le parti et la vie publique – Goebbels avouant même être « candidat à la dictature intérieure de guerre ». Pourtant, il se heurte d'emblée à un obstacle de poids, ainsi qu'il le note dès le 23 juillet : « Tout ce processus prend une tournure déplaisante quand j'apprends dans la soirée que le *Reichsmarschall* compte prendre part aux pourparlers de dimanche afin de protester contre ces importantes délégations de pouvoirs, notamment en ce qui concerne la Wehrmacht. Ce serait le comble du dysfonctionnement. Jusqu'à présent, c'est Goering qui n'a pas cessé de torpiller les grandes politiques de guerre, quelles qu'elles soient, par peur que ses propres pouvoirs en soient entamés. Au moins, s'il faisait usage des pouvoirs qui lui ont été délégués ! Mais il n'en fait rien. Il procède selon le principe : " Je ne fais certes rien, mais du coup, les autres n'ont pas le droit de faire quoi que ce soit. " Evidemment, ce n'est pas ainsi qu'on peut faire la guerre, et encore moins la gagner [105]. »

La conférence de situation du dimanche 24 juillet au QG du Führer sera donc bien agitée : « La harangue de Goering est théâtrale, note encore Goebbels ; il a nettement l'impression que ses dernières compétences sont en passe de lui être rognées, et il se défend bec et ongles. [...] Goering ne peut pas le moins du monde renoncer à ses prérogatives sur la Luftwaffe en faveur d'Himmler ; il abandonnerait ainsi la dernière chose qui lui reste. » Mais le ministre de la Propagande finit tout de même par obtenir d'Hitler ses délégations de pouvoirs – moyennant une concession de dernière minute à l'orgueil du *Reichsmarschall* : « Goering déclare une nouvelle fois que, si le projet que nous avons établi est signé en l'état, il ne lui reste pratiquement plus qu'à démissionner. Il affirme en être capable et n'y être pas opposé, mais alors il faut le dire en toute transparence. Il faut toutefois que nous en soyons conscients : si cet événement avait lieu en ce moment, l'opinion établirait un lien entre lui et les putschistes. Pas un de nous ne le souhaite. [...] Je propose donc un compromis : le Führer chargera Goering de la mission d'utiliser à plein toutes les ressources guerrières de l'Allemagne et, à cette fin, me nommera plénipotentiaire du Reich pour la guerre totale ; j'aurai le droit de donner des directives et des instructions aux ministres et aux autorités supérieures du Reich, j'aurai un accès immédiat au Führer pour conférer avec lui en cas d'apparition de

difficultés, sans devoir partager ce droit avec le responsable secto-
riel concerné. [...] La modification que tout cela apporte au projet
n'est qu'affaire de forme, mais Goering saute sur l'occasion. Il est
enthousiasmé à l'idée qu'au moins les apparences soient préservées. Il explique par ailleurs qu'il a suffisamment à faire avec la
Luftwaffe pour n'avoir pas en plus à s'occuper de cette affaire. En
ce qui me concerne, j'obtiendrais, si le Führer signe bien le projet
en l'état, les pouvoirs les plus étendus jamais octroyés au sein du
Reich national-socialiste [106]. » De fait, Hitler nomme Goebbels
dès la fin de juillet « plénipotentiaire à la guerre totale ».

Goering fait contre mauvaise fortune bon cœur... D'ailleurs, il
n'a pas le choix, car sa position à l'époque est hautement inconfortable. « En août 1944 au plus tard, écrira le général Guderian,
Hitler avait reconnu l'incompétence du commandant en chef de
la Luftwaffe. En ma présence et en celle de Jodl, il l'avait apostro-
phé en termes très durs : " Goering ! La Luftwaffe ne fait rien. Elle
n'est plus digne d'être une arme indépendante. Et c'est ta faute.
Tu es paresseux ! " A ces mots, de grosses larmes ont coulé le long
des joues du ventripotent *Reichsmarschall*. Il n'a rien pu répondre.
La scène était si déplaisante que j'ai suggéré à Jodl de passer dans
une autre pièce pour les laisser en tête à tête [107]. » Après cela,
Goering se fait porter malade et va se réfugier à Carinhall, laissant
derrière lui quelques ennemis considérablement renforcés :
Himmler, nommé commandant en chef de l'armée de réserve en
remplacement du général Fromm * ; Goebbels, devenu plénipotentiaire à la guerre totale ; Burgdorf, qui remplace Schmundt
en tant que premier aide de camp ; et surtout Martin Bormann,
« le Méphistophélès du Führer [108] », dont l'attentat du 20 juillet
a considérablement accru l'influence. Et ces sinistres personnages
entourent un chef que Goering juge bien plus atteint qu'il n'y
paraît : « Après l'attentat, reconnaîtra-t-il, Hitler a beaucoup
changé, il perdait l'équilibre, ses mains et ses pieds tremblaient, il
n'arrivait plus à mettre de l'ordre dans ses idées. A partir de cette
époque, il ne sortait plus de son bunker et ne prenait plus l'air
frais, car la lumière de l'extérieur lui blessait les yeux. Il prononçait sans hésiter des condamnations à mort et ne faisait confiance à
personne [109]. »

---

* Impliqué dans le complot du 20 juillet et fusillé peu après.

C'est exact ; le juge militaire Freiherr von Hammerstein se souviendra ainsi que « le Führer s'élevait contre la clémence des sentences prononcées par les tribunaux de la Luftwaffe, et il disait : " Je veux voir enfin des peines de mort prononcées dans la Luftwaffe ! " Après cela, Goering me téléphonait quotidiennement pour me demander : " Où sont les peines de mort ? " [110] ». Une fois encore, chez Hermann Goering, la servilité étouffe l'humanité...

Au cours du mois suivant, alors que le *Reichsmarschall* est toujours porté malade, les combats qui se livrent aux quatre points cardinaux approchent dangereusement des frontières du Reich : le 1er août, à Helsinki, l'élection du maréchal Mannerheim à la présidence de la République laisse présager une défection imminente de la Finlande ; plus au sud, deux armées soviétiques convergent sur Riga et la côte baltique ; au centre, le Ier front biélorusse de Rokossovski atteint les faubourgs de Varsovie, tandis qu'au sud, les IIe et IIIe fronts d'Ukraine, partis de Moldavie, s'apprêtent à lancer leur grande offensive en direction de Ploesti et de Bucarest. A l'Ouest, la guerre de positions s'achève : les chars américains ont percé jusqu'à Avranches, et en conjonction avec les avant-gardes britanniques et canadiennes débouchant de Caen, ils menacent les défenses allemandes entre Falaise et Argentan. Comme toujours, le Führer interdit tout recul, et le 20 août, quinze divisions allemandes se trouvent encerclées dans la poche de Falaise, sans le moindre soutien aérien : la Luftflotte III est réduite à 75 chasseurs, et ils sont à court d'essence *... Au même moment, d'autres forces américaines progressent rapidement vers Chartes, Dreux et Orléans, traversent la Seine à Mantes et approchent de la capitale, qui se soulève le 19 août. Ce même jour, en Italie, les troupes alliées entrent dans Florence. Après cela, les mauvaises nouvelles parviennent en cascade au QG de Rastenburg : la garnison allemande de Paris capitule le 25 août, les armées alliées débarquées en Provence prennent Toulon et Marseille, puis remontent la vallée du Rhône en direction de Grenoble ; Bucarest tombe aux mains de l'Armée rouge le 28 août et la Roumanie change de camp, encourageant ainsi les mouvements

---

* A ce stade, une plaisanterie circule au sein de la Wehrmacht en Normandie : « Si tu vois un avion blanc, c'est un américain ; un noir, c'est un anglais ; si tu ne vois rien, c'est la Luftwaffe ! »

d'insurrection en Bulgarie, en Slovaquie et surtout en Yougoslavie, où la guérilla de Tito immobilise dix-huit divisions allemandes ; quant à la Turquie, elle vient d'annoncer la rupture de ses relations avec l'Allemagne *...

Mais alors que la situation stratégique se détériore, l'intrigue reste plus que jamais l'apanage du Troisième Reich, ainsi qu'en témoigne la note suivante de Goebbels en date du 3 août : « Les points faibles de notre façon de conduire la guerre, ce sont en ce moment Ribbentrop et Goering. [...] Goering est devenu complètement apathique. J'entends dire qu'il souffre à présent de troubles de la circulation. Ce qu'on lui reproche énormément, c'est d'avoir abandonné son quartier général de la lande de Rominten et d'être allé s'établir à Carinhall. Qu'il l'ait fait sous les yeux du Führer montre quelles dispositions d'esprit sont les siennes en ce moment. Tout récemment, le Führer n'a pas pu lui dire un mot au téléphone, parce que Goering souffrait justement d'un incident de circulation sanguine à ce moment-là. Goering n'est pas un homme fort. Personne ne mérite moins que lui le surnom de " l'Homme de fer ". Ribbentrop et Goering agissent comme des freins sur l'évolution national-socialiste de la guerre. [...] Je vais tenter d'approcher le Führer par une autre voie, afin d'introduire dans la discussion les problèmes que ces deux ratés laissent sans solution [111]. »

De fait, Goebbels s'en ouvre sans retard à Hitler, dont les premières réactions sont encourageantes : « Il parle de Goering en termes acerbes. Goering ne lui est actuellement d'aucun appui. [...] Avant tout, ce que le Führer lui reproche, c'est qu'il ait décampé à Carinhall sans tambour ni trompette. » Mais Hitler est imprévisible, ses relations avec Goering sont complexes, et Goebbels s'en aperçoit rapidement lorsqu'il tente de pousser son avantage. L'aide de camp von Below, alité à la suite d'une période de surmenage, fait la même constatation lorsqu'il reçoit la visite du Führer à la fin du mois d'août : « Lors de sa visite à mon chevet, Hitler m'a parlé des défauts de Goering. Pourtant, il ne voulait pas le laisser tomber : ses mérites étaient uniques, et il pourrait

---

* Un événement fatal à très court terme, la Turquie étant l'unique fournisseur du Reich en chrome – qui est un métal d'alliage indispensable à la sidérurgie comme à l'industrie d'armement.

bien avoir à nouveau besoin de lui un jour. Il se rendait bien compte du fait que Goering avait échoué à la tête de la Luftwaffe, notamment du fait de son oisiveté et de sa partialité envers ses vieux acolytes. Mais en cas de coup dur, il voudrait avoir Goering à ses côtés. Il lui faisait toujours confiance. J'ai répondu que je n'étais pas du même avis, mais Hitler a secoué la tête. La Luftwaffe avait reçu un nouveau chef d'état-major, qui allait rapidement se mettre à l'œuvre avec zèle [112]. »

C'est que le Führer compte encore sur la Luftwaffe pour redresser une situation stratégique passablement compromise * : il y est encouragé par le fait que des milliers de V1 continuent à s'abattre sur l'Angleterre et que les premiers V2 ont atteint Londres dès le 8 septembre ; il prévoit aussi que les Me 262 à réaction – qu'il s'obstine à considérer comme des bombardiers – vont semer la panique dans les rangs alliés, et il songe déjà à une contre-attaque décisive dans les Ardennes... Après tout, l'ennemi doit être au bord de l'épuisement, la propagande de Goebbels semble galvaniser les civils comme les militaires, et grâce à Speer, la production de tanks et d'avions hautement performants n'a jamais été aussi élevée...

Mais tout à sa poursuite effrénée de l'autosuggestion et de la stratégie théorique, Hitler a négligé l'essentiel : les bombardements alliés. Après une accalmie de deux semaines en juin, durant laquelle l'essentiel des forces aériennes anglo-américaines soutenait l'opération « *Overlord* », les raids massifs ont repris au-dessus du Reich, et ils se sont concentrés sur les centres de fabrication d'essence synthétique : « Le 22 juin, note Albert Speer, les neuf dixièmes de la production de carburant d'aviation sont partis en fumée ; il ne restait plus qu'une production journalière de 632 tonnes. Puis les attaques ont quelque peu baissé d'intensité, et le 17 juillet, nous sommes revenus à 2 370 tonnes, soit 40 % de notre production normale. Mais le 21 juillet, quatre jours plus tard seulement, nous étions redescendus à 120 tonnes

---

* Au cours de la première moitié de septembre, les armées alliées venues de l'ouest et du sud de la France font leur jonction en Bourgogne, les Britanniques pénètrent en Belgique et les Américains approchent de la Ligne Siegfried. La Finlande signe une paix séparée avec l'URSS, les Soviétiques avancent sur Riga et les rivages de la Baltique, la Prusse orientale est menacée, Varsovie est assiégée et l'Armée rouge vient d'entrer à Sofia.

– c'était pratiquement la fin. 98 % de nos usines de carburant d'aviation étaient hors d'usage. Après cela, l'ennemi nous a permis de reconstruire partiellement les grandes usines chimiques de Leuna, de sorte qu'à la fin de juillet, la production était remontée à 609 tonnes. A ce stade, nous considérions comme un triomphe le fait d'atteindre au moins le dixième de notre production antérieure *. Les attaques répétées avaient tellement affecté les systèmes de tuyauteries dans les usines chimiques que des coups au but n'étaient plus nécessaires pour occasionner des dégâts considérables. Le seul effet de choc des bombes explosant au voisinage suffisait à causer des fuites partout. Les réparations étaient quasiment impossibles à effectuer. En août, nous avons atteint 10 % de notre production normale, et en septembre 5,5 % seulement [113]. »

Pendant toute cette période, Speer multiplie les rapports à l'intention du Führer, pour l'avertir que les productions records de tanks et d'avions perfectionnés ne serviraient à rien si l'essence venait à manquer. Il propose donc qu'une quantité suffisante de chasseurs – 2 000 au moins – soit affectée prioritairement à la défense des usines d'essence synthétique. Hitler, qui avait exigé en avril un « parapluie de chasseurs » au-dessus du Reich, finit par accepter, et Goering promet solennellement que la nouvelle « flotte aérienne du Reich » ne sera pas envoyée au front. Mais l'avance alliée en France leur fait oublier toutes ces promesses, et les chasseurs partent pour l'Ouest – où ils sont rapidement engloutis dans la grande tourmente de la retraite, abattus, abandonnés ou capturés **. Une nouvelle force de protection de 2 000 chasseurs est donc promise pour septembre, mais dans l'intervalle, le Reich n'a plus guère que 200 appareils pour tenter de repousser les raids de jour des bombardiers alliés ! Encore les chasseurs de la Luftwaffe sont-ils de plus en plus vulnérables, car faute d'essence, l'entraînement des nouveaux pilotes est ramené de 210 heures de vol en juin à 110 en août, puis à 50 en septembre. Le mois suivant, leurs remplaçants ne seront plus

---

* Les réserves totales de la Luftwaffe, qui étaient de 175 000 tonnes de carburant en avril 1944, sont tombées à 35 000 tonnes en juillet.

** Sur la réserve opérationnelle de 800 chasseurs concentrée dans le nord de la France, 400 sont détruits ou capturés au cours des évacuations successives – le plus souvent avec leurs pilotes.

formés que par simulation au sol, et ils ne connaîtront leur baptême de l'air qu'en rejoignant les escadrilles, de sorte que les pertes par accident égaleront très vite les pertes au combat *... Quant aux premiers Me 262 reconvertis en bombardiers, ils iront jeter quelques bombes au hasard au-dessus des lignes ennemies, leurs viseurs n'étant pas encore au point, et ils reviendront bien vite à la base, leur autonomie restant très réduite... La triste vérité est que la Luftwaffe n'a plus que 7 000 avions de tous types pour faire face à l'ennemi sur quatre fronts différents – et que les Alliés en alignent déjà 35 000...

Mais le Führer, obsédé par la quête d'armes nouvelles, reste insensible à toutes ces considérations. Du reste, son comportement est de plus en plus erratique, il envoie à nouveau au front les chasseurs qui étaient sur le point d'être affectés à la protection des usines, réfute avec violence les protestations de Speer et de Galland, puis les convoque pour leur annoncer sa nouvelle décision : « Je ne veux plus que l'on produise d'avions. L'arme des chasseurs sera dissoute **! Arrêtez la production d'avions. Arrêtez-la immédiatement, compris ? Vous vous plaignez toujours du manque d'ouvriers spécialisés, hein ? Eh bien, affectez-les tout de suite à la production de DCA. Que tous les ouvriers fabriquent des canons antiaériens. Et que tout le matériel soit utilisé pour cela aussi ! C'est un ordre ! [...] Il faut décupler la production actuelle [114]. » Après quoi Galland et Speer sont pratiquement jetés dehors...

Bien entendu, tout cela n'a aucun sens : ni les ouvriers ni les machines des usines d'aviation ne sont adaptés à la production de DCA, et du reste, il y a bien assez de canons antiaériens ; ce qui commence à manquer, ce sont les obus, du fait de la pénurie croissante de matières premières pour la fabrication d'explosifs... Mais comme toujours, le Führer ne veut rien entendre ; les raids sur le Reich redoublent donc d'intensité, la production de car-

---

* La formation des conducteurs de panzers sera également écourtée pour les mêmes raisons, ce qui facilitera quelque peu la tâche des tankistes alliés durant les derniers mois de la guerre.

** Ce genre de décision impulsive est à rapprocher de celle de janvier 1943, lorsque Hitler, mécontent des performances de la Kriegsmarine, s'était mis en tête de faire démanteler tous les navires de surface, pour ne plus conserver que des sous-marins.

burant synthétique diminue en conséquence *, la Luftwaffe, paralysée par les pénuries d'essence et les carences dans l'entraînement des pilotes, est hors d'état d'endiguer le flot des armadas alliées, et bien entendu, ce cercle vicieux s'inscrit inexorablement au débit de l'infortuné *Reichsmarschall*, dont les actions sont maintenant au plus bas : « Pendant combien de temps encore la maladie de Goering va-t-elle durer ? » demande le Führer hors de lui. « Goering compte désormais pour zéro », écrit triomphalement Goebbels le 17 septembre [115]...

C'est aller un peu vite en besogne ; le maréchal du Reich gardant un certain prestige, quelques moyens d'action, un service de renseignement redouté et des régiments suréquipés, il reste dangereux de l'attaquer de front, et ceux qui ont voulu lancer des investigations au sein de la Luftwaffe après l'attentat du 20 juillet s'en sont aperçus à leurs dépens **. Par contre, personne ne niera qu'une certaine gabegie règne au sein de la direction des forces aériennes : il y a une énorme inflation d'officiers inactifs dans les bureaux et un déficit considérable d'aviateurs en première ligne ; le maréchal Milch, destitué en juin de ses fonctions de secrétaire d'Etat à l'Air et de directeur des Armements aériens, occupe désormais un poste honorifique au ministère de l'Armement ***. Pour le remplacer au secrétariat à l'Air, Goering propose d'abord au Führer la candidature de l'ancien chef de chancellerie Bouhler, qui est immédiatement rejetée ; après quoi il avance celle de son vieil acolyte Bruno Loerzer, qui s'est distingué en Italie par son inefficacité, puis a été affecté au service du personnel de la Luftwaffe, où il s'est montré particulièrement indolent ****. Nouveau refus du Führer, qui sait assez

---

* La prise par les Soviétiques des puits de pétrole de Ploesti le 30 août a également privé le Reich de sa principale source de pétrole naturel ; il ne lui reste plus que de maigres approvisionnements venant d'Autriche et de Hongrie. L'usage généralisé d'essence synthétique à bas indice d'octane réduit considérablement les performances des chasseurs allemands lors des combats aériens de l'automne 1944.

** Il y avait pourtant des officiers de la Luftwaffe parmi les opposants à Hitler, et même des membres de la famille du *Reichsmarschall* – à commencer par son cousin Herbert et son demi-frère Albert, qui étaient en relations avec certains des conjurés.

*** Il est toutefois maintenu dans ses fonctions d'inspecteur général de la Luftwaffe, afin d'éviter de rendre la rupture publique.

**** C'est ainsi qu'à la fin de juillet 1944, ce chef du service du personnel ne connaît toujours pas à 300 000 hommes près les effectifs de la Luftwaffe ! Ses innombrables surnoms, allant de « *General Häppchen* » à « *Obertrottel* », indiquent assez précisément le degré d'estime dans lequel il est tenu au sein de la Luftwaffe.

précisément à qui il a affaire [116]. Au poste de chef d'état-major, le remplacement du général Korten, tué dans l'attentat du 20 juillet, pose également quelques problèmes : le général Karl Koller, chef d'état-major adjoint, était son successeur naturel et l'avait d'ailleurs remplacé provisoirement dans ses fonctions. Mais Goering, qui ne s'entend pas avec ce « Bavarois entêté », préfère nommer à la fin de juillet un officier plus accommodant, le général Werner Kreipe.

Voilà qui pose tout de même deux problèmes majeurs : d'une part, Goering, qui « a de la fièvre et avale sans cesse des pilules [117] », tarde à présenter Kreipe à Hitler, de sorte que Koller continue à remplir la fonction de chef d'état-major au QG du Führer – ce qui crée une confusion et un dédoublement d'autorité déplorables ; d'autre part, il se trouve que le général Kreipe a des manières passablement efféminées, à tel point qu'il est connu au sein de la Luftwaffe sous le sobriquet de « *Fräulein Kreipe* ». Ce n'est pas exactement du goût d'Hitler, qui déclare sur-le-champ qu'il « ne veut pas de femmes au quartier général [118] ». Faute de mieux, il va pourtant supporter quelque temps l'infortuné Kreipe, qui note le 5 septembre les dernières vociférations du Führer : « Rien que des injures à l'adresse de la Luftwaffe : elle ne fait rien, elle a beaucoup baissé au long des années, il [Hitler] a été constamment déçu par ses chiffres de production et ses performances. Echec total en France : l'organisation au sol et les troupes de signalisation ont tout simplement pris leurs jambes à leur cou... au lieu de se battre aux côtés de l'armée de terre. Puis retour à la discussion sur les opérations du Me 262. Mêmes arguments éculés... Ensuite, sous une autre forme, il a développé son idée de ne plus construire d'avions autres que le Me 262 et de tripler l'artillerie de la DCA [119]. »

Comme toujours, c'est Goering qu'Adolf Hitler apostrophe par personne interposée, et Goebbels note ses propos avec une évidente délectation : « Le Führer a déclaré qu'à la longue, il ne serait pas possible de maintenir Goering en fonction. Kreipe a transmis les propos du Führer à Goering, de façon très atténuée. Mais même ainsi, Goering en a été si déprimé qu'il a fait une attaque cardiaque [120]. » Le *Reichsmarschall* se tient donc prudemment à l'écart du *Wolfschantze*, et se rend même de moins en moins à son propre QG de Prusse orientale, même s'il a fait revenir d'Italie la division Hermann Goering pour en assurer la sécurité *. Il a aussi fait transférer en Allemagne juste avant la chute de Paris les dernières œuvres d'art conservées dans les dépôts nazis – pour les mettre à l'abri, naturellement. En France comme en Italie, des officiers de la Luftwaffe, à l'imitation de leur chef, rapatrient un butin impressionnant au moyen de camions et de carburant devenus rares, mais comme Himmler et Bormann s'empressent de rapporter les faits au Führer, Goering est obligé d'exiger des châtiments exemplaires contre les coupables – suprême hypocrisie, qui fait aussi mauvais effet au QG de la Luftwaffe qu'à celui du Führer [121]. Il est vrai qu'au niveau des états-majors, on ne prend plus guère le *Reichsmarschall* au sérieux, ainsi qu'en témoigne le commandant Bernd Freytag von Loringhoven, aide de camp du général Guderian : « Hermann Goering, étoile finissante du régime, avait des allures de personnage comique, vêtu comme un général d'opérette, avec un uniforme blanc en plein hiver et des bottes de cuir violet qui lui couvraient les genoux. L'excentricité du commandant en chef de la Luftwaffe, maquillé et parfumé, les doigts couverts de bagues, nous faisait rire. Son style de vie pompeux et la débâcle de l'aviation allemande l'avaient complètement discrédité [122]. »

L'opération aéroportée des Alliés à Arnhem, entre le 17 et le 27 septembre, devrait normalement redorer le blason de la Luftwaffe : le général Montgomery, péchant par excès de confiance, a lancé une offensive aux Pays-Bas pour s'emparer des ponts sur la Meuse et sur le Rhin ; après les succès initiaux de la 82e Airborne américaine à Eindhoven et Nimègue, la 1re division aéroportée britannique échoue à Arnhem, laissant 9 000 parachutistes à la merci de deux divisions blindées SS fortement retranchées devant les passages du Rhin. 240 avions et 139 planeurs alliés sont abattus par la Luftwaffe et la DCA [123], mais Hitler, perdant son sang-froid, ne voit que la menace qui pèse sur la Ruhr, il a reçu de Bormann d'innombrables rapports défavorables à l'aviation en général et à son chef en particulier, et dès le 18 septembre, il passe à nouveau ses nerfs sur le malheureux chef d'état-major : « Le Führer, note le général Kreipe, m'insulte violemment... Il dit que les forces aériennes sont incompétentes, lâches, et qu'elles l'abandonnent. Il

---

* Le QG de Goldap, trop exposé, a été déplacé vers l'ouest, dans la forêt de Rosengarten.

reçoit d'autres rapports sur des unités de l'armée de l'air qui reculent et repassent le Rhin. Je réclame des détails concrets. Le Führer répond : " Je refuse de m'adresser à vous. Je veux parler demain au maréchal du Reich " [124]. » Et lorsqu'il lui parle effectivement le lendemain, c'est pour lui ordonner de congédier tout l'état-major de la Luftwaffe, à commencer par le général Kreipe, accusé « de défaitisme * et d'incompétence ». Bien entendu, il n'y aura pas d'objections : « A cette époque, se souviendra Kreipe, Goering avait déjà une peur quasiment physique d'Hitler. [...] Lorsque je suis allé prendre congé de lui en quittant mes fonctions, je l'ai conjuré d'aller exposer à Hitler l'ensemble de la situation, sans rien déguiser. Il a catégoriquement refusé, [...] au motif qu'il ne voulait pas compromettre le reste de confiance qu'Hitler lui faisait encore [125] **. » Sans commentaire...

En fait, Hitler voudrait donner le contrôle effectif de la Luftwaffe à l'un de ses protégés, le général Ritter von Greim, commandant de la Luftflotte VI. Mais ne pouvant se permettre de laisser partir Goering, il songe à nommer von Greim « commandant en chef adjoint », avec naturellement la réalité du pouvoir. Le *Reichsmarschall*, qui n'est pas dupe, se prend immédiatement d'une violente aversion pour von Greim, avec qui il a un entretien orageux à Carinhall le 3 octobre : « Goering, écrira Kreipe, était fortement ébranlé, il a dit qu'on essayait de se débarrasser de lui, que Greim était un traître. Il déclare qu'il est et restera le commandant en chef. Pour lui, Greim est un homme fini. Il doit rejoindre immédiatement sa flotte aérienne [126]. » Ce sera bientôt chose faite, sans que le *Reichsmarschall* ait besoin de forcer son talent : après l'épouvantable scène à Carinhall et un long entretien avec le général Koller, von Greim, comprenant l'ambiance qui règne au sommet de la Luftwaffe, décline poliment l'offre d'Hitler et demande à rejoindre son unité [127]...

---

* Le mot de réalisme aurait été plus adéquat : Kreipe, constatant l'écrasante supériorité de l'aviation ennemie, a rédigé un rapport proposant le repli de la Luftwaffe sur l'espace aérien allemand, afin de concentrer les défenses du Reich sur un périmètre plus réduit, incluant les industries vitales.

** Le général Kreipe ajoutera ce propos révélateur : « Goering ne s'occupait plus guère des affaires. Il n'intervenait que sporadiquement. Du fait de ses connaissances lacunaires, il portait souvent des jugements erronés et prenait de mauvaises décisions. Dans ces conditions, il était difficile à ses collaborateurs de s'en tenir à une ligne bien définie. »

Mais pour Goering, le problème reste entier : Kreipe parti *, il lui faut trouver d'urgence un nouveau chef d'état-major. Plusieurs généraux pressentis refusent cet honneur douteux, à une époque où la Luftwaffe, prise entre le feu des dignitaires du parti et celui des forces alliées, semble condamnée à une impuissance croissante. Le 14 octobre, 1 000 bombardiers américains écrasent Cologne sous les bombes, tandis qu'autant d'appareils britanniques dévastent Duisburg. Deux jours plus tard, Goldap, l'ancien QG de la Luftwaffe en Prusse orientale, est directement menacé par une offensive du IIIe front biélorusse du général Tcherniakovski, qui enfonce deux lignes défensives allemandes et s'empare de Goldap, puis de Gumbinnen, avant de poursuivre son avance vers le nord-ouest. L'aide de camp du général Guderian, qui assiste à la conférence de situation ce jour-là, notera que « quand les Russes se sont approchés de Rominter Heide, son domaine de chasse en Prusse orientale, Goering s'est vanté de pouvoir en assurer la défense avec ses gardes forestiers. Le lendemain, on a appris que le domaine avait été occupé sans coup férir par les troupes russes. Goering a disparu de la réunion de situation pendant plusieurs jours [128] ». Mais les soldats de Tcherniakovski s'étant trop avancés, sept divisions allemandes, dont le corps blindé Hermann Goering, contre-attaquent à un contre cinq, et parviennent à les repousser vers l'est [129]. Hitler n'a pas daigné déplacer son QG de Rastenburg, et le *Reichsmarschall* finit par y retourner, à la fois pour montrer qu'il ne fuit pas devant l'ennemi et pour « surveiller les agissements de Bormann et d'Himmler ». Il est vrai que ce dernier intrigue ferme auprès du Führer pour obtenir la formation d'une aviation SS !

Goering parvient à l'en empêcher, mais il prend dans la foulée deux initiatives catastrophiques, qui vont lui faire perdre toute considération parmi ses propres officiers. Le 26 octobre 1944, il réunit ses principaux commandants d'unités au QG de la *Reichsluftschutzschule* ** à Wannsee. Le discours qu'il leur tient pendant trois heures est un torrent de reproches, d'accusations et de menaces qui laisse ses auditeurs pantois : « Sans perdre de temps en préliminaires, se souviendra le colonel Steinhoff, il s'est lancé dans une diatribe venimeuse contre nous, les pilotes de chasse :

---

* Il sera nommé le 28 octobre commandant de l'académie de l'Air.
** Ecole de défense aérienne du Reich.

" Je vous ai trop gâtés, je vous ai donné trop de décorations, vous êtes devenus gras et paresseux *. " Tout cela nous était déjà familier, mais là, il s'est surpassé dans le cynisme et l'arrogance, en nous désignant d'un doigt tremblant devant tous les autres pilotes et en nous traitant de lâches, de menteurs et de tire-au-flanc [130]. » Et Galland d'ajouter : « C'était toujours le même disque ; les missions contre l'Angleterre, au cours desquelles les vols d'escorte avaient échoué, puis reproche après reproche, l'Afrique, la Sicile, Malte, le front de l'Est, etc. Pour finir, il a mis en doute l'esprit combatif des pilotes de chasse, alors que c'était de *sa* faute si nous nous retrouvions dans une telle situation. Pas un mot sur le fait que nos appareils avaient une autonomie de vol insuffisante, qu'ils n'étaient pas techniquement à la hauteur, que nous n'en avions pas suffisamment, que notre temps de formation représentait le tiers de celui des Américains, etc. Toutes les questions pertinentes étaient escamotées [131]. »

Ce n'est pas la première fois que le *Reichsmarschall* se livre à ce genre d'exercice, surtout après avoir été pris à partie par le Führer, mais là, le moment est encore plus mal choisi que d'habitude : « Nous autres pilotes de chasse, poursuivra Galland, étions prêts à combattre et à mourir, [...] mais pas à nous laisser engueuler et à endosser la responsabilité de la situation aérienne catastrophique qui régnait au-dessus du Reich [132]. » Ajoutant la bêtise à l'insulte, le *Reichsmarschall* ordonnera que l'enregistrement de son discours soit diffusé sur toutes les bases aériennes du Reich [133].

La seconde initiative n'est guère plus heureuse : le 6 novembre, Goering fait rassembler les trente principaux commandants d'escadres et de flottes aériennes à l'académie de l'Air de Berlin-Gatow, pour y tenir ce qu'il appelle un « Parlement de la Luftwaffe » : les participants pourront débattre librement pendant deux jours des problèmes de l'aviation allemande, et faire au *Reichsmarschall* des recommandations en conséquence. Mais le chef d'état-major de l'Air ne sera pas présent **, et Goering, qui

---

* Manifestement une projection : il n'y a aucun aviateur gras et paresseux dans l'auditoire, en dehors de lui-même... En outre, pas plus qu'en 1940, Goering n'a trouvé le temps de se familiariser avec l'aviation qu'il commande : ne connaissant pas les noms des appareils de navigation et de radiodétection embarqués dans les chasseurs, il les appelle « vos gadgets », ce qui crée une consternation certaine parmi les pilotes.

** Et pour cause : il n'a toujours pas été nommé...

prononce le discours introductif dans un magnifique uniforme gris tourterelle avec des revers de soie blanche, fixe aux débats deux limites de taille : il ne pourra être formulé aucune critique à l'égard de sa personne ou de celle d'Hitler, et il ne pourra pas non plus être question de l'utilisation du Me 262 comme bombardier ! Bien entendu, les débats s'en trouveront entièrement faussés ; du reste, il n'y en aura pas vraiment : le général Peltz, président de séance, n'évoque que des projets chimériques d'offensive aérienne contre l'Angleterre, et un officier politique se lance dans une longue harangue national-socialiste [134]. « De cette entreprise manquée, dira Adolf Galland qui assiste aux séances en spectateur narquois, il ne sortira pas une seule proposition réalisable. Elle ne servira qu'à ébranler les fondements de la discipline militaire [135]. »

Pourtant, ce ne sont pas là les problèmes les plus graves qui s'abattent sur Goering à cette époque ; car le 2 novembre, plus de 700 bombardiers escortés par autant de chasseurs dévastent à nouveau le complexe chimique de Leuna *, les principales usines d'hydrogénation de la Ruhr sont ensuite détruites en succession rapide, et la production d'essence synthétique pour l'aviation, qui était remontée à 1 633 tonnes par jour, retombe brutalement à 400 tonnes. Bien entendu, Hitler en rend à nouveau responsable son premier paladin, accusé pour la centième fois d'être incapable de protéger les industries vitales du Reich ; et le Führer, perdant patience, somme Goering de régler une fois pour toutes la question du chef d'état-major de l'Air ; le *Reichsmarschall*, la rage au cœur, est donc contraint de nommer Karl Koller, qu'il avait tout fait depuis trois mois pour tenir à l'écart... Après quoi, écœuré, il retourne se réfugier à Carinhall **. C'est là que le sculpteur Arno Brecker lui rend visite à la mi-novembre. Le maître des lieux tient à lui faire visiter son vaste domaine en voiture attelée, et Brecker est aussi fasciné par le paysage forestier que par la familiarité de son hôte avec la faune qui l'environne : « Je me cramponnai à mon siège pour ne pas être éjecté, car la voiture cahotait sur le chemin pierreux. [...] De son regard extraordinairement perçant, Goering

---

* La Luftwaffe envoie 500 chasseurs pour les intercepter, et en perd 123. Seuls 40 bombardiers seront abattus ce jour-là, du fait de l'efficacité des Mustang d'escorte.
** Le pavillon de chasse de Rominten, trop exposé, a été évacué à la fin d'octobre et incendié sur ordre de Goering.

avait détecté le gibier et m'indiquait les endroits sans que j'eusse le temps de rien apercevoir. " Ici, en pleine nature, j'oublie toute la politique ; je vis en dehors du temps dans un univers encore intact. " Deux silhouettes surgirent. [...] Je reconnus bientôt un couple de jeunes forestiers. Goering tira sur les rênes. Assis à côté d'un homme politique, je crus bon de me conformer aux habitudes et les saluai d'un retentissant " *Heil Hitler !* ". Goering me jeta un regard de désapprobation qui m'étonna. Les chevaux repartirent. Les traits de Goering s'assombrirent. Puis, soudain, d'un air furieux : " Vous venez de commettre une erreur. Ici, dans la forêt, le salut est ' *Waidmanns Heil ! Waidmanns Dank !* ' et non ' *Heil Hitler !* '. " D'une voix sourde, comme s'il devait réprimer un tumulte intérieur, il s'écria, menaçant : " Je ne suis pas un national-socialiste ! " Stupéfait, je m'accrochai à mon siège pour ne pas perdre mon équilibre. L'aveu de Goering était si énorme que, dans ma confusion, j'omis de m'excuser pour mon faux pas. [...] Je me tus donc, en me risquant seulement à l'observer à la dérobée : je le vis grincer des dents ! Mon erreur semblait avoir soulevé de graves problèmes qu'il ruminait en son for intérieur. Nous rentrâmes à Carinhall à une allure forcée et sans échanger un seul mot. Lorsque nous fûmes arrivés, son humeur changea d'un coup : il devint aimable, joyeux, et me proposa même de me montrer sa collection d'armes, que je n'avais encore jamais vue. Nous pénétrâmes dans de petits cabinets qui m'avaient été fermés jusque-là [...] et atteignîmes enfin une des pièces dans lesquelles les armes étaient en partie exposées et en partie fixées aux murs entre d'énormes bois de cerfs. [...] Il parcourut le mur du regard, aperçut une lourde épée d'estoc et de taille, telle qu'en portaient jadis les lansquenets du Moyen Age. Il se dirigea vers elle, la décrocha et, la prenant de ses deux mains, il la fit siffler à ras de terre. La puissance musculaire de cet homme trapu était incroyable. Mais soudain furieux, il s'écria : " J'aimerais couper la tête à Bormann avec cette épée, et le plus tôt possible ! Il est en train d'isoler le Führer, il lui ménage les nouvelles, ce qui fait que celui-ci prend des décisions absolument aberrantes et catastrophiques en ce qui concerne le front... Nous, la vieille garde, nous ne pouvons plus passer, nous ne pouvons plus lui parler... Nous sommes ligotés " [136]... »

Il y a de cela, évidemment – à trois détails près : Goering s'est en grande partie ligoté lui-même, le Führer ne se laisse influencer par personne pour prendre des décisions stratégiques aberrantes, et si le ventripotent représentant de la vieille garde ne peut plus parler à Hitler, c'est que ce dernier a perdu beaucoup de sa considération pour le *Reichsmarschall* – ainsi qu'il le confie à Goebbels, qui note dans son journal le 2 décembre : « Le Führer n'éprouve que du mépris pour la méthode de Goering, qui consiste à s'accrocher des décorations de haut en bas et à croire qu'on grandit ainsi en rang et en autorité. [...] Le Fuhrer s'attriste des défaillances de Goering, tant sur le plan humain que sur le plan professionnel. Il n'arrive pas à comprendre qu'en ces temps de rigueur, Goering continue de cultiver son style de vie luxueux d'avant guerre et qu'il revête de pompeux uniformes. [...] Lors de la revue d'une division parachutiste, Goering est apparu soudain devant lui revêtu lui-même d'un uniforme de parachutiste, ce qui a été d'un effet grotesque et n'a eu pour résultat que de faire sourire les généraux de l'armée de terre présents. Le Führer est devenu, à juste titre, extrêmement sensible à ce genre de choses, qu'on pouvait trouver simplement bizarres en temps de paix. Il a également recommandé vivement à Goering de ne pas vivre autant à Carinhall avec sa famille. Le commandant en chef d'un secteur important des forces armées n'appartient pas à sa famille, mais à ses soldats. C'est tout le style de vie que cultive Goering en ce moment qui est devenu pénible et écœurant pour le Führer. Il s'agit manifestement là des effets d'un épicurisme particulier au *Reichsmarschall*, que celui-ci n'a tout simplement pas la force de dominer. Le Führer souligne fort justement que Goering n'est absolument pas la personnalité de fer qu'on a sans cesse décrite naguère ; c'est *au fond* un être fragile et hypersensible, qui est certes capable de prendre en charge une mission avec beaucoup d'ardeur, mais qui flanche dès qu'il y faut de la ténacité et de l'obstination. Le style de vie fastueux, pour ne pas dire sybaritique, de Goering s'est propagé de grade en grade au sein de la Luftwaffe, et c'est ce qui explique principalement la corruption et la fragilité morale de cette arme, qu'on peut considérer en grande partie comme pervertie. Goering n'a pas un seul vieux national-socialiste comme collaborateur ; au contraire, il s'est principalement entouré de ses anciens camarades de la Première Guerre mondiale, comme Loerzer et les autres. Naturellement, le national-socialisme est le cadet des soucis de ces compagnons ; mais ce qui est encore pire, c'est qu'ils ne sont pas à la hauteur de leurs tâches. À présent, le Führer est las de faire perpétuellement des remontrances à Goering. Il ne traite désormais avec la Luftwaffe et avec Goering que par la voie hiérarchique. Il donne à Goering des instructions claires et demande qu'il lui soit rendu compte de l'exécution de ces instructions. Le Führer pense que le meilleur service à rendre à Goering, c'est de lui dire en toute clarté ce qu'il en est actuellement de sa personne et de son secteur. Le Führer ne laisse subsister aucun doute [...] sur la fidélité de Nibelung qu'il porte à Goering : il ne songe pas une minute à le laisser tomber, mais il estime que l'on doit combattre les vilaines habitudes et les mauvaises passions de Goering quand c'est encore possible, et surtout lorsqu'elles commencent à devenir préjudiciables au Reich et au peuple allemand. De même, ce qui déplaît fortement au Führer, c'est que Goering ne s'entoure, à Carinhall, que de vieilles tantes, de cousines, de belles-sœurs qui, avec leurs bavardages, lui montent la tête et le poussent à la folie des grandeurs, ce qui ne peut être que néfaste à son évolution psychologique. [...] Tandis que le Führer, il y a encore quelques semaines, souriait avec indulgence de voir apparaître Goering vêtu de longues robes de chambre et chaussé de pantoufles de fourrure, il en est d'autant plus irrité aujourd'hui que Goering reçoit également ses généraux dans cet accoutrement grotesque, ce qui se répète rapidement jusqu'au front. [...] Aujourd'hui, Goering se rend ainsi impossible, non seulement auprès de ses propres généraux, mais aussi auprès des gauleiters et, par-delà ces généraux et ces gauleiters, auprès du front et du pays [137]. »

Il est bien exact que Goering se rend impossible auprès de ses propres généraux, mais ceux-ci n'en sont pas moins restés extraordinairement dévoués à la Luftwaffe : grâce à de prodigieux efforts de réorganisation, de décentralisation, de productivité et de camouflage, la chasse allemande peut aligner dès novembre 1944 un total de dix-huit escadres comprenant 3 700 appareils, pour la plupart des Me 109G et des FW 190 de dernière génération, ainsi que quatre escadrilles d'avions à réaction Me 262 *.

---

* C'est une alliance de Speer, Himmler, Galland et Baumbach qui a finalement persuadé Hitler de permettre l'utilisation d'une petite partie des Me 262 comme chasseurs. Ce sera le « Kommando Nowotny », devenu opérationnel au début

Avec une telle armada, les responsables de la Luftwaffe sont pleinement confiants dans la possibilité de nettoyer définitivement
le ciel au-dessus du Reich, dès que les conditions météorologiques le permettront. C'est ce que le général Galland appelle
« le grand coup ».

Mais Adolf Galland, maintes fois démissionnaire et resté
commandant de la chasse parce qu'on ne lui a pas trouvé de successeur, va rapidement s'apercevoir que le « grand coup »
médité par le Führer n'est pas du tout celui qu'il attendait : « A
la mi-novembre, écrira-t-il, j'ai reçu un ordre alarmant dont je
n'ai pas immédiatement saisi toute la portée. Il s'agissait de préparer la réserve de chasseurs à couvrir une grande bataille défensive de l'armée à l'Ouest. C'était là un défi inimaginable : toute
la formation des unités avait été conçue en fonction d'une mission de défense aérienne du Reich. Il aurait fallu assurer une formation des nouveaux pilotes à l'engagement sur le front, [...] et
cela en quatorze jours. C'était impossible, surtout au vu de la
pénurie d'essence. [...] Mais malgré mes protestations, l'ordre est
tombé le 20 novembre de déplacer toutes les unités vers l'Ouest,
en ne laissant dans le Reich que les escadres 300 et 301. Je dois
avouer que même alors, [...] je n'avais pas encore compris que
tous ces préparatifs étaient conçus en prévision d'une offensive
de notre part [138]. »

C'est pourtant bien de cela qu'il s'agit ; depuis plus de trois
mois, le Führer prépare dans le plus grand secret une contre-
attaque majeure destinée à écraser les troupes anglo-américaines
dans les Ardennes, ainsi qu'il s'en ouvre au ministre Speer à la
fin de novembre : « Une seule percée sur le front de l'Ouest !
Vous verrez ! Cela provoquera l'effondrement et la panique des
Américains. Nous passerons au beau milieu de leurs lignes et
nous prendrons Anvers. Comme cela, ils perdront leur port
d'approvisionnement, et toute l'armée anglaise se trouvera
enfermée dans une poche gigantesque, où nous ferons des centaines de milliers de prisonniers, tout comme avant, en Russie [139] ! »

---

d'octobre. En un mois et demi, ses 40 appareils abattront 22 avions alliés, mais au
prix de 26 Me 262 détruits – dont 8 par défaillances techniques. Le major Walter
Nowotny lui-même s'écrasera le 8 novembre 1944, et on ne retrouvera dans l'épave
calcinée que sa main gauche et une partie des diamants ornant sa Croix de Fer.

Speer est encore tenu au secret le plus absolu lorsqu'il rencontre l'industriel Albert Vögler pour discuter des dévastations provoquées dans la Ruhr par les bombardements alliés. Vögler lui demande quand le Führer va se décider à jeter l'éponge. « J'ai répondu, se souviendra Speer, qu'Hitler avait l'intention de tout jouer sur un dernier coup de dés. Vögler m'a regardé d'un air sceptique : " Evidemment, il joue sa dernière carte, maintenant que notre production s'effondre partout. Est-ce que cette opération va être dirigée contre l'Est, pour soulager la pression là-bas ? " J'ai évité de répondre. " Bien sûr, a repris Vögler, ce sera sur le front de l'Est. Personne ne serait assez fou pour dégarnir le front de l'Est et tenter de retenir l'ennemi à l'Ouest " [140]. »

Personne, en effet... C'est d'ailleurs à cette époque que le chef d'état-major de l'armée Guderian attire quotidiennement l'attention du Führer sur les concentrations de troupes soviétiques massées aux confins de la Haute-Silésie, et l'adjure de faire porter toutes les réserves de la Wehrmacht sur les frontières orientales du Reich. Mais Hitler ne respecte pas davantage le jugement de Guderian que celui de ses prédécesseurs : à l'Est comme à l'Ouest, les offensives alliées marquent le pas *, et seules les conditions météorologiques défavorables empêchent le Führer de déclencher immédiatement l'opération « Herbstnebel » – « Brouillard d'Automne ». A son entourage, il explique que l'entreprise ne peut échouer : il y dans le secteur des Ardennes 80 000 soldats alliés dispersés à l'extrême et ne disposant que de 400 chars ; avec ses 200 000 hommes et 600 panzers surgis de l'Eifel, il les balaiera, atteindra la Meuse au sud de Liège, puis poussera jusqu'à Bruxelles et Anvers, provoquant ainsi une rupture de la coalition anglo-américaine – ce qui lui permettra ensuite de se retourner vers l'Est pour vaincre l'Armée rouge. Hitler a tout planifié jusque dans les moindres détails, laissant à ses commandants sur place un minimum absolu de marge d'initiative [141]. Les trois armées qui mèneront l'offensive sous le haut commandement du maréchal von Rundstedt manquent certes du carburant nécessaire à une opération de cette ampleur **,

---

* Tout est relatif : les Soviétiques ont pris Belgrade en octobre, et la Wehrmacht est en train d'évacuer la Serbie, l'Albanie et la Grèce. En décembre, l'Armée rouge a pénétré profondément en Hongrie et assiégé Budapest.
** Elles n'ont d'essence que pour cinq jours de combat.

mais c'est sans importance : elles se réapprovisionneront dans les dépôts d'essence ennemis capturés en chemin... Quant à l'écrasante supériorité aérienne des Alliés, elle est aisément surmontable : il suffira d'attaquer par temps couvert, lorsque l'aviation ennemie sera clouée au sol.

C'est finalement le 16 décembre 1944 qu'est déclenchée l'offensive : au nord, la 6ᵉ Panzerarmee SS du général Sepp Dietrich perce le long de l'Amblève en direction de Stavelot et de Spa ; au centre, la 5ᵉ armée blindée du général von Manteuffel fait route vers Dinant, en passant par Houffalize et Bastogne ; elle est couverte au sud par la 7ᵉ armée du général Brandenberger, qui doit occuper Diekirch et Neufchâteau. Tout se déroule comme prévu : la surprise est totale, les premières lignes américaines sont enfoncées et le mauvais temps paralyse l'aviation alliée. Dès le 18 décembre, la 6ᵉ armée de panzers SS atteint Stavelot et la 5ᵉ armée blindée, dépassant Houffalize, encadre Bastogne. Le 22 décembre, la 6ᵉ armée prend Saint-Vith, tandis que la 5ᵉ armée blindée, dépassant Rochefort, est déjà en vue de la Meuse. A l'évidence, la plus grande confusion règne dans le camp allié, et Hitler, qui a établi son QG au « nid d'aigle » de Ziegenberg, près de Bad Nauheim, savoure déjà son triomphe...

Il s'est réjoui trop tôt : la rareté, l'exiguïté et le mauvais état des routes, la destruction des ponts et le manque de carburant entravent le mouvement des renforts et de l'approvisionnement, ce qui compromet fatalement l'offensive des deux armées blindées du Nord et du Centre. Sur leurs arrières, Stavelot, Spa et l'important carrefour routier de Bastogne résistent toujours ; le 24 décembre, les divisions de pointe de la 5ᵉ armée blindée sont repoussées à l'est de la Meuse, tandis qu'une contre-offensive américaine qui se développe au sud menace le flanc gauche de la 7ᵉ armée. Entre le 24 et le 25 décembre, le ciel s'éclaircit brusquement, et les panzers, les concentrations de troupes et leurs lignes d'approvisionnement sont harcelés sans interruption par 5 000 avions alliés, qui s'en prennent également aux terrains d'aviation avancés le long de la frontière. Le jour même de Noël, des centaines d'appareils de la Luftwaffe sont détruits au sol ou abattus en tentant de défendre leurs bases : certains pilotes allemands n'avaient que quelques heures de vol, et beaucoup d'autres n'avaient jamais livré de combat aérien...

Goering, lui, ne voit cela que de loin, car il est à Carinhall pour passer les fêtes en famille. Tous les vieux acolytes ont été invités, et il y a même un convive de dernière heure : « Le soir de Noël, se souviendra Emmy Goering, Goebbels est venu nous voir seul. Jamais je ne l'avais trouvé si déprimé, si épuisé, si abattu, lui qui pourtant, même à cette époque, était capable de trouver les paroles et les écrits qui enflammaient des millions de gens en leur donnant l'espérance de la victoire !

— J'éprouve une angoisse indicible à l'idée qu'il me faudra tuer mes enfants, a-t-il déclaré.

— Allons donc ! a répliqué assez rudement mon époux. Ce ne sera certainement pas nécessaire.

— J'ai déjà brûlé tous mes écrits.

— C'était sans doute un peu prématuré, a fait observer mon époux presque tranquillement, mais avec beaucoup d'assurance.

— Vous me rendez un peu d'espoir ! a répondu Goebbels en le regardant intensément.

Je suis alors intervenue en demandant à Hermann :

— En toute franchise, crois-tu que nous puissions encore gagner cette guerre ?

Hermann a eu un moment d'hésitation :

— Je ne sais pas ! Je ne sais vraiment pas ! Mais je n'arrive absolument pas à imaginer que nous la perdions ! Hitler a certainement encore une carte dans sa manche — très certainement [142]... »

Mais Emmy Goering se souvient d'un autre épisode, qu'elle situe au cours de la troisième semaine de décembre : son époux serait allé à la chancellerie en compagnie de Goebbels, et aurait dit à Hitler : « La guerre est perdue. Il faut entrer en contact avec le comte Bernadotte pour qu'il serve d'intermédiaire à des négociations d'armistice. » Et Emmy Goering poursuit : « Hitler s'est emporté, a parlé de lâcheté et de trahison. Il a été impossible d'en tirer un mot raisonnable. " *Mein Führer,* a repris tranquillement mon mari, je suis venu pour vous parler calmement et franchement. Je ne pourrai jamais rien faire derrière votre dos. Aujourd'hui, plus que jamais, je reste fidèle à mon engagement d'être à vos côtés pour le meilleur et pour le pire. Mais je ne serais pas votre ami, si je ne vous exposais pas nettement la situation actuelle et si je ne vous expliquais pas pourquoi il faut prendre une décision. Nous avons besoin — et tout de suite — d'un armistice ! Mais encore une fois, je vous jure de ne rien entreprendre sans votre assentiment. " Hitler s'est un peu calmé, mais il a repris ensuite très âprement : " Je vous interdis formellement toute action en ce sens. Si vous passez outre, je serai obligé de vous faire fusiller ! " Jamais je n'oublierai l'expression de Hermann quand il est rentré de cette réunion et m'a répété, mot pour mot, ce qui s'y était dit. " C'est la rupture, a-t-il ajouté. Assister à la conférence de situation n'a plus de sens pour moi. Il ne me croit plus. Il ne m'écoute plus.

— Et si tu le faisais quand même ? ai-je demandé après un moment.

— Si je faisais quoi ? L'affaire de l'armistice ?

— Oui.

— Et que deviendriez-vous alors, toi et Edda ?

— Ne pense pas à nous. "

Il y a eu un silence, et puis je l'ai rompu en disant : " Hermann, tu dois savoir ce que tu as à faire ! " En fait, il était inconcevable pour lui de briser son serment de fidélité, [...] même au moment où Hitler n'était plus un ami et ne lui faisait plus confiance comme avant [143]. »

La date mentionnée par Emmy Goering n'est manifestement pas la bonne : depuis le 10 décembre 1944, le Führer a quitté Berlin pour établir son QG près de Bad Nauheim, et il ne le quittera qu'à la mi-janvier 1945. Mais sur le fond, la teneur de l'entretien, la servilité de Goering et la morgue d'Hitler rendent cette version hautement vraisemblable — d'autant qu'elle est largement confirmée par le journal du chef d'état-major de l'Air Karl Koller : « Vers l'automne de 1944, une démarche a été entreprise auprès de Goering par l'intermédiaire de la Suède, et Goering, qui jugeait bon d'explorer toutes les voies pouvant conduire à la paix, s'est également empressé de saisir cette occasion. Mais il en a informé Hitler, qui lui a strictement interdit toute démarche de ce genre, en le menaçant très grossièrement de le destituer sur-le-champ. Goering n'a donc plus osé s'occuper de cette affaire, et il a rejeté toute nouvelle approche de l'étranger [144] *. »

---

* A la fin d'avril 1945, Hitler lui-même mentionnera cet entretien en des termes qui permettent de le situer entre la fin d'octobre et le début de novembre 1944. Mais

La guerre se poursuit donc, et elle tourne décidément au désavantage de la Wehrmacht : le 26 décembre, lorsque la 3ᵉ armée du général Patton perce les défenses allemandes et rompt l'encerclement de Bastogne, il est clair que l'offensive des Ardennes a échoué *. Mais Hitler, refusant de s'incliner, ordonne une offensive de diversion en direction du nord-est de l'Alsace, dans l'espoir de prendre à revers les forces américaines engagées au sud des Ardennes. Déclenchée le jour de l'An 1945, l'opération « *Nordwind* » est la dernière offensive organisée de la Wehrmacht à l'Ouest – et la moins efficace : les colonnes allemandes n'avancent que d'une vingtaine de kilomètres, sont arrêtées avant d'atteindre Strasbourg, et ne soulagent en rien le front des Ardennes. Mais ce même jour, Goering fait déclencher l'opération « *Bodenplatte* », qui doit assurer la gloire impérissable de la Luftwaffe : plus d'un millier de chasseurs et de bombardiers attaquent les aérodromes britanniques en France, en Belgique et aux Pays-Bas, où des centaines d'appareils sont parqués à découvert, sans camouflage ni protection particulière. A première vue, c'est une grande victoire : 400 avions ennemis entièrement détruits et 170 autres fortement endommagés. Mais en réalité, le coût de ce succès est prohibitif, car les attaquants se sont heurtés à la barrière de DCA mise en place pour abattre les V1, puis aux escadrilles de Mustang et de Spitfire appelées en renfort, pour enfin être pris à partie sur le chemin du retour par leur propre DCA, qui n'avait pas été avertie de cette opération ultra-secrète... Le bilan réel sera donc désastreux : la RAF et l'US Air Force n'ont subi que des dégâts matériels insignifiants au regard de leurs capacités productives et logistiques, tandis que la Luftwaffe a perdu trois cents de ses meilleurs pilotes, et elle ne s'en remettra pas.

C'est donc un *Reichsmarschall* passablement contrit qui suit les derniers développements de la campagne des Ardennes depuis son train spécial garé à proximité du QG de campagne d'Hitler. Une fois encore, il va servir à Hitler de victime expiatoire, et il avouera plus tard : « C'était si insensé que je me suis dit : espérons que tout cela se termine rapidement, pour que je puisse fuir

---

il est très improbable que Goebbels ait été associé à cette démarche, dont il ne fait d'ailleurs aucune mention dans son journal.

* Elle aura coûté à la Wehrmacht 100 000 hommes, 500 chars et 800 avions.

de cet asile de fous [145]. » Mais la campagne s'éternise, car Hitler refuse de reconnaître sa défaite et il reste de nombreuses poches de résistance allemandes dans les Ardennes comme en Alsace ; Goering se sent donc obligé de rester à proximité du Ziegenberg, en faisant de son mieux pour rentrer dans les bonnes grâces du Führer : le 9 janvier 1945, le général Guderian, venu une nouvelle fois conjurer Hitler d'affecter des renforts au front oriental, est accompagné de son aide de camp, qui racontera la suite en ces termes : « Guderian a évoqué les reconnaissances aériennes du général Seidemann, [...] indiquant qu'environ 8 000 avions soviétiques s'étaient rassemblés sur les aéroports à proximité des fronts de la Vistule et de la Prusse orientale. Goering a alors interrompu Guderian, en tapant du poing sur la carte : " Ne croyez pas cela, *mein Führer*, les Soviétiques n'ont plus autant d'avions. Ce ne sont que des leurres. " Peu informé de la situation, mais comme toujours soucieux de plaire à Hitler, Keitel a frappé du poing au même endroit sur la carte, en disant : " Le *Reichsmarschall* a raison ! " Hors de lui, Hitler a qualifié de " complètement idiotes " les estimations des services de renseignements militaires. Leur auteur, quel qu'il fût, méritait d'être enfermé dans un asile de fous. Guderian a répondu qu'il s'agissait du général Gehlen, un de ses meilleurs officiers d'état-major, et que si Hitler voulait le faire interner, il faudrait l'interner avec lui. Une fois de plus, Hitler rejetait toutes les propositions de repli et de transfert de troupes [146]. »

Cet habituel jeu de dupes et cette éternelle soumission aux préjugés de son maître ne profitent guère au *Reichsmarschall*, qui se fait encore grossièrement insulter à plusieurs reprises au cours des jours qui suivent ; il doit même rester debout sans broncher pendant que le Führer offre courtoisement un fauteuil au maréchal von Rundstedt... C'est qu'Adolf Hitler reste très remonté contre son fidèle paladin, ainsi qu'il l'a confié à son ministre de la Propagande : « Le Führer, note Goebbels le 4 janvier 1945, qualifie Goering d'illusionniste invétéré, qui n'est même plus capable de reconnaître les réalités *. Au lieu d'avouer ses erreurs, il essaie de les masquer, ce qui ne fait qu'en aggraver les consé-

---

* Mais Goebbels ayant alors suggéré à Hitler de « faire entourer Goering de collaborateurs nationaux-socialistes d'envergure », le Führer lui a répondu que c'était inutile, car « Goering n'aimait pas avoir de fortes personnalités dans son entourage ».

quences [147]. » D'où de nouvelles explosions, et le 10 janvier au soir, n'y tenant plus, le *Reichsmarschall* prend le chemin du retour. Il est vrai que la date de son 52ᵉ anniversaire n'est plus éloignée que de quarante-huit heures, une considération dont l'importance ne saurait être sous-estimée...

De fait, l'événement est célébré à Carinhall avec tout le faste habituel. Outre la famille, les proches collaborateurs, les anciennes connaissances, les habituels courtisans, les industriels inféodés et quelques diplomates de l'Axe, il y a là le maréchal Milch, venu à l'improviste et assez mal accueilli par le maître des lieux *. Les invités font de leur mieux pour créer une ambiance chaleureuse, les cadeaux s'entassent, le champagne, le cognac, le whisky et les grands crus coulent à flots, les discours fleuris se succèdent, et en cette sixième année de guerre, le banquet n'est pas exactement spartiate : caviar russe, canard et faisan de la Schorfheide, saumon de Dantzig, pâté de foie gras de France – pour ne parler que des entrées [148]... Pourtant, Goering paraît sombre et pensif ; échappant un moment à la foule des convives, il rejoint son épouse et lui dit : « Emmy, la situation est désespérée. La guerre est perdue. Si je décide d'en finir, viendras-tu avec moi ? » A quoi Emmy répond : « Bien sûr, Hermann, je te suivrai où que tu ailles... » Mais Goering l'interrompt : « Il est lâche de fuir... Je tiendrai jusqu'à la fin [149] ! »

La fin ne peut être bien éloignée : ce même jour du 12 janvier 1945, on apprend que les Soviétiques viennent de déclencher leur grande offensive d'hiver sur un immense front s'étendant de la Baltique aux Carpates...

---

* Trois jours plus tard, Milch reçoit une lettre l'informant qu'il est destitué de son dernier poste, celui d'inspecteur général de la Luftwaffe. Le *Reichsmarschall* est décidément un homme vindicatif...

XV

Atterrissage forcé

Les services de renseignement allemands avaient prévu la grande offensive soviétique du 12 janvier 1945, mais son ampleur va prendre tout le monde par surprise : sur plus de 1 200 kilomètres, à partir de la Vistule et du Narew, 2,5 millions d'hommes et 7 000 blindés, couverts par 6 500 avions, s'élancent en direction de la Bohême-Moravie, de la Silésie, de la Poméranie et de la Prusse orientale. Pour endiguer ce flot, la Wehrmacht n'a plus que 500 000 hommes et 500 panzers, tandis que la Luftwaffe, au prix d'un suprême effort, aligne 1 875 avions, dont seulement 360 chasseurs disséminés entre la Lituanie et la Tchécoslovquie. La progression soviétique sera donc foudroyante : au sud, le IVe Front ukrainien de Petrov traverse la Slovaquie et progresse en direction de la Bohême ; depuis Baranov sur la Vistule, le Ier front ukrainien de Koniev avance sur Cracovie et Kielce ; au centre, le Ier front biélorusse de Joukovfonce vers Lodz et Varsovie ; plus au nord, le IIe front de Rokossovski franchit le Narew et remonte vers la Prusse orientale, en liaison avec le IIIe front de Tcherniakovski, parti de Kovno et Tilsit en direction de Königsberg. Au cœur du dispositif allemand s'ouvre donc une brèche de 320 kilomètres de large, par laquelle s'engouffrent plus de 200 divisions...

C'est seulement le 16 janvier que le Führer quitte le nid d'aigle de Ziegenberg pour rentrer à Berlin, et les ordres qu'il donne dès son retour manquent singulièrement de cohérence : aucune retraite n'est permise ; le corps d'armée *Gross Deutschland* fera mouvement depuis la Prusse orientale vers Kielce, afin de

prévenir une percée de l'Armée rouge en direction de Poznan * ;
la 6ᵉ armée blindée de Sepp Dietrich, retirée du front de l'Ouest,
ne sera pas dépêchée sur l'Oder, mais affectée à la défense de
Budapest, qui est isolé par une offensive de l'Armée rouge au
nord-ouest de la Hongrie ; les 22 divisions allemandes immobi-
lisées en Courlande doivent rester sur leurs positions, malgré le
manque criant d'effectifs en Haute-Silésie, en Poméranie et en
Prusse orientale ** ; Hitler exige la création immédiate d'une
division de cyclistes armés de grenades et de *Panzerfaust* ***
pour combattre les tanks soviétiques [1] ! Enfin, les généraux coupables d'avoir ordonné des replis tactiques sont limogés ****, et
le commandement du « groupe d'armées Vistule » est confié à
Heinrich Himmler, un spécialiste de la répression policière sans
la moindre expérience militaire...

La suite est prévisible : entre le 16 et le 31 janvier, Varsovie,
Cracovie, Radom, Lodz, Kielce, Eylau, Bromberg, Thorn, Kulm,
Marienwerder, Insterburg et Landsberg sont perdus, Poznan est
isolé, Königsberg est attaqué par le nord et les avant-gardes
des armées de Joukov et de Koniev atteignent les rives de
l'Oder, au sud de Francfort et au nord de Breslau *****. A la fin
de janvier, la plus grande partie de la région industrielle et
charbonnière de Haute-Silésie est aux mains des Soviétiques, et
on se bat désormais en territoire allemand.

Pour l'heure, le *Reichsmarschall* ne semble pas prendre la situation au tragique : « Goering, note Goebbels le 23 janvier, se
réjouit que, pour la première fois, la faute ne puisse en être attribuée à la Luftwaffe, alors que c'était devenu une habitude. La

---

* Un déplacement de 370 kilomètres, qui prendrait au mieux quinze jours,
laisserait la Prusse orientale sans défense – et arriverait trop tard pour redresser la
situation.

** Il y a aussi 350 000 hommes en Norvège, qui n'y font absolument rien,
mais que le Führer tient à maintenir sur place par crainte d'un débarquement
britannique...

*** Sortes de bazookas rudimentaires.

**** En l'occurrence, les généraux Harpe, Reinhardt et Hossbach.

***** Voir carte, p. 602. Les services du Forschungsamt, qui avaient été réinstal-
lés à Breslau pour échapper aux bombardements alliés, sont à nouveau évacués sur
Berlin le 22 janvier, après destruction de l'essentiel de leurs archives. A la fin de
février, l'essentiel des services se transportera à Kaufbeuren et à Glücksburg, et leur
efficacité s'en trouvera considérablement réduite. La « branche sud » d'une centaine
de responsables des diverses sections échouera finalement à Rosenheim – le lieu de
naissance de Goering –, où elle végétera quelque temps avant d'être dissoute...

Luftwaffe est totalement innocente de cette débâcle : d'après les documents que produit Goering, les divisions se sont lamentablement débandées en faisant retraite. [...] Avec cet état de choses, les généraux de l'armée de terre se sont faits nettement plus discrets vis-à-vis de la Luftwaffe [2]. » Mais Goering n'avait pas prévu que ses problèmes pourraient venir *de l'intérieur* de la Luftwaffe, ce qui est justement en train de se produire ; car le *Reichsmarschall* a fini par se décider à limoger pour de bon le général Galland, ce qui a causé de forts remous dans une aviation déjà traumatisée par l'échec de l'opération « *Bodenplatte* », par la comédie du « Parlement de la Luftwaffe » et par le renvoi arbitraire de plusieurs commandants d'escadre. Un groupe de pilotes, emmené par le colonel Günther Lützow, un as de la chasse décoré de la Croix de Fer avec feuilles de chêne, a donc résolu de débarrasser la Luftwaffe de « *der Dicke* », en tentant d'abord de persuader le général Ritter von Greim de prendre sa place. Mais von Greim, déjà échaudé *, a catégoriquement refusé. Rapidement mis au courant de leur démarche, Goering a convoqué le 19 janvier les cinq « meneurs ** » à la Haus der Flieger, mais avant d'avoir pu se lancer dans une de ses harangues habituelles, il s'est vu présenter une sorte de cahier des doléances et apostropher par le colonel Lützow : « Nous savons que vous êtes très critiqué en raison du prétendu échec de la Luftwaffe, et que vous n'hésitez pas à faire retomber cette critique sur nous, en nous accusant de pusillanimité et même de lâcheté à l'occasion. [...] Mais votre aviation de chasse est encore en mesure de soulager le pays en mettant un terme au moins temporaire à la terreur des bombardiers. »

Lützow énumère ensuite tout ce qui y fait obstacle, à commencer par les nombreux parasites formant l'entourage du commandant suprême, le limogeage du général Galland et le refus de transférer tous les Me 262 aux escadrilles de chasse : « L'aviation de chasse se sent profondément humiliée. [...] Elle ne peut accepter ni les accusations de lâcheté ni le spectacle de formations complètes de bombardiers – le 9e corps, par exemple

---

* Voir *supra*, p. 567.
** Lützow, Trautloft, Neumann, Rödel et Steinhoff – cinq des plus grands as de la chasse encore en vie.

— tenues en réserve et équipées d'avions à réaction, pendant que ce qui reste de la *Jagdwaffe* * est saigné à blanc. »

Le visage de Goering commence à s'empourprer dangereusement, et il frappe sur sa table du plat de la main : « Une seconde, Messieurs, c'est quand même du gros calibre que vous tirez là ! »

Le *Reichsmarschall* entame ensuite son sermon habituel sur l'indiscipline des pilotes de chasse, leur popularité usurpée, l'admirable organisation des escadres de bombardiers, et il s'apprête à parler de sa propre expérience de pilote de la Grande Guerre, lorsque Lützow, très remonté, l'interrompt d'une voix forte : « *Herr Reichsmarschall*, nous avons déjà entendu cela bien des fois. Vous oubliez que nous volons maintenant depuis plus de cinq ans, et que vous pouvez pratiquement compter les survivants de ces cinq années de combats sur les doigts d'une seule main. [...] Nos jeunes pilotes accomplissent au maximum deux ou trois missions de défense du Reich avant d'être tués. Le transfert à la chasse des groupes de bombardement avec leurs réserves encore intactes de personnel est vital pour nous et pour l'ensemble de notre défense aérienne — s'il n'est pas déjà trop tard. »

Cette fois, Goering, cramoisi, se met à hurler : « Comme si le chef de la Luftwaffe n'était pas au courant de tout cela ! Mais plutôt que de voir mes pilotes de bombardiers éreintés comme mes pilotes de chasse, je continuerai à les garder en réserve. [...] Quand je pense au temps où je combattais dans les Flandres... »

Lützow l'interrompt à nouveau, en criant encore plus fort que lui : « *Herr Reichsmarschall*, vous avez tout simplement oublié complètement l'existence des bombardiers quadrimoteurs. Vous ne nous avez pas donné de nouveaux avions, pas de nouvelles armes... »

Goering reste un instant décontenancé, puis la rage reprend le dessus : « Vous, Lützow, ne prenez pas ce ton avec moi ! Je n'ai que faire de vos conseils. Ce qu'il me faut, ce sont des pilotes qui rivalisent d'ardeur pour s'attaquer à l'ennemi. »

Lützow, découragé, se rassoit, mais il a un brusque sursaut : « *Herr Reichsmarschall*, vous avez lu notre mémorandum. Nous serions heureux d'avoir votre opinion à son sujet... »

---

* L'aviation de chasse.

C'est exactement ce que Goering cherchait à éviter. Prenant le document entre le pouce et l'index, il le jette devant lui avec mépris : « Qu'est-ce que c'est que cette connerie — ces bouts de papier absurdes avec des " Thèmes de discussion " ? Qu'est-ce qui vous a pris ? »

Les autres officiers prennent la parole pour soutenir Lützow, mais Goering les interrompt presque aussitôt : « Messieurs, votre insolence dépasse l'entendement. Vous prétendez me dire comment administrer ma Luftwaffe ? Vous n'arrêtez pas de répéter la même chose, alors que je vous ai dit ce qui était possible et ce que je refusais de faire. Vous voulez le Me 262 et vous ne l'aurez pas, parce que je le donne aux gens qui savent s'en servir, les pilotes de bombardiers en l'occurrence ! »

Goering en vient à évoquer le cas du général Galland, qui « a besoin de repos », ce qui fait bondir Lützow : « *Herr Reichsmarschall...* » Mais il est rabroué : « C'est moi qui parle maintenant, Lützow, c'est moi qui parle ! Je vais vous dire ce que je pense de toute cette affaire ! C'est de la trahison, Messieurs — de la mutinerie ! Il est monstrueux que vous complotiez derrière mon dos. [...] Je prendrai toutes les mesures qui s'imposent. [...] Vous exigez que je change de collaborateurs et vous osez me critiquer ? Au lieu de rester assis sur vos culs à comploter, vous devriez être à la tête de vos unités pour courir sus à l'ennemi. [...] Qu'est-ce que vous cherchez, Lützow, vous voulez vous débarrasser de moi ? [...] Vous avez une conception incroyable de votre devoir de soldat... »

Le colonel Steinhoff rapportera la fin de l'audience en ces termes : « Posant ses mains grassouillettes à plat sur la table, Goering a repoussé sa chaise et s'est levé. Son visage était écarlate. " Lützow, vous... vous... Je vous ferai fusiller ! " [3]. »

Bien entendu, Goering n'en fera rien *, mais Lützow est envoyé sur le front italien, les autres sont mis à pied et Galland, considéré comme l'inspirateur de la « mutinerie », est consigné à son domicile, avec interdiction de se rendre à Berlin. Commentaire de ce dernier, qui ignore d'ailleurs superbement la sanction : « L'intention de me désigner publiquement comme

---

* C'est que Günther Lützow n'est pas seulement un des as les plus décorés du Reich, c'est également le fils de l'amiral Lützow, une icône à laquelle il serait très imprudent de s'attaquer.

bouc émissaire pouvait s'expliquer par la situation désespérée dans laquelle se trouvaient à l'époque la Luftwaffe en général, et Goering en particulier [4]. » Dans ce cas, le remède était manifestement inadapté : Speer, Milch, von Below, Koller et von Greim s'élèvent contre la victimisation d'un des grands héros de l'aviation de chasse, et ils ont les moyens de se faire entendre en haut lieu * : Hitler, alerté, ordonne « qu'il soit immédiatement mis fin à cette idiotie [5] », et Goering est contraint de battre en retraite. Galland se voit donc offrir le commandement d'une escadrille constituée uniquement de Me 262 ; il pourra choisir lui-même ses pilotes et ne dépendra même pas de son successeur nouvellement nommé, le très fanatique colonel Gordon Mac Gollob [6]. C'est un triomphe pour Galland, qui va s'empresser de recruter tous les « mutins » pour monter une escadrille d'élite, la Jagdverband 44 **. C'est surtout une cuisante humiliation pour Goering, qui est une nouvelle fois désavoué par le Führer ***...

Il ne faudrait pourtant pas exagérer la disgrâce du *Reichsmarschall* à cette époque : le compte rendu sténographique de la conférence de situation du 27 janvier 1945 montre qu'il a toujours l'oreille d'Hitler et qu'il s'exprime longuement sur toutes sortes de problèmes, allant des capacités du général Student aux grades des officiers de la *Volksturm*. Certains autres propos sur l'avance de l'Armée rouge montrent même qu'il subsiste un certain degré de complicité entre le Führer et son vieux compagnon :

« *Hitler* : Pensez-vous qu'au fond, les Anglais soient si enthousiasmés par toute cette progression russe ?

Goering : Ils n'avaient certainement pas prévu que nous les tiendrions en échec pendant que les Russes s'empareraient de la totalité de l'Allemagne. Si les choses continuent ainsi, nous recevrons un télégramme dans quelques jours.

---

* Milch aurait même menacé de revéler à Hitler *une partie* de ce qu'il savait sur Goering...

** « Unité de chasse 44 », désignée sous le sigle « JV 44 ».

*** C'est précisément à cette époque que le général Baumbach, pourtant commandant des bombardiers, envoie à Goering une lettre de démission... et ne reçoit même pas de réponse !

Hitler : A cet égard, il est possible que le Comité national *, cette organisation de traîtres, puisse avoir quelque signification. Si les Russes proclament vraiment un gouvernement national, les gens en Angleterre vont prendre peur pour de bon. [...] J'ai ordonné qu'on fasse tomber entre leurs mains un rapport indiquant que les Russes mettent sur pied une force de 200 000 hommes, encadrés par des officiers allemands et entièrement infectés par l'idéologie communiste, qui pénétreront ensuite en Allemagne. [...] Cela leur fera l'effet d'une aiguille enfoncée dans la chair.

Goering : Ils sont entrés en guerre pour nous empêcher d'aller vers l'Est, mais pas pour permettre à l'Est d'aller jusqu'à l'Atlantique. »

Hitler : C'est évident. Il y a là quelque chose d'anormal. Les journaux anglais demandent déjà avec amertume : " En fin de compte, à quoi sert la guerre ? ". » [7]

C'est sans doute cette complicité qui explique que le ministre de la Propagande, qui vient d'être paré du titre creux de « défenseur de Berlin », puisse noter avec dépit au début de février : « En son for intérieur, [Hitler] a fait une croix sur Goering. Le seul argument qui plaide encore en faveur de ce dernier, c'est que nous sommes tous dans le même bateau et qu'il ne veut jeter aucun lest par-dessus bord. En tout cas, je souligne à l'intention du Führer que le peuple est unanimement opposé à Goering, dont la malchance, jointe à son incapacité et à sa propension aux illusions, a abouti aux échecs retentissants de la Luftwaffe. Toutefois, le Führer ne veut pas opérer de modifications à la tête de la Luftwaffe, d'autant plus qu'il n'a pas de successeur approprié à lui donner. Il me dit qu'il a réuni récemment tous les hommes qui comptent dans la Luftwaffe, et qu'il ne s'en est pas trouvé un seul qui puisse remplacer Goering [8]. » Irremplaçable, Hermann Goering ? Professionnellement, certainement pas ! Politiquement, sans aucun doute... Comme toujours, le Führer ne voit les choses que sous l'angle politique : même et surtout à ce stade, il n'est pas question de bouleverser l'équilibre des forces antagonistes sur lequel repose son pouvoir absolu...

---

* Le comité Freies Deutschland, formé à Moscou et constitué d'officiers allemands prisonniers, qui ont accepté de coopérer à la défaite d'Hitler.

Dans l'intervalle, les avant-gardes soviétiques s'étant beaucoup rapprochées de Carinhall, Goering a fait évacuer sa famille sur Berchtesgaden *. Lui-même est resté sur place, protégé par un bataillon de parachutistes, pour superviser l'emballage et l'expédition des innombrables trésors de la résidence. C'est au milieu de ces activités essentielles qu'il reçoit la visite d'Albert Speer : « Ce soir-là à Carinhall, racontera Speer, Goering nous a fait servir au coin du feu un excellent rotschild-lafite, et il a ordonné au domestique de ne pas nous déranger. Je lui ai franchement exposé à quel point j'avais été déçu par Hitler. Tout aussi franchement, Goering m'a répondu qu'il me comprenait bien et qu'il avait souvent ressenti quelque chose de très semblable. Pourtant, a-t-il ajouté, les choses étaient plus simples pour moi, car j'avais rejoint Hitler bien plus tard, et je pouvais m'en libérer d'autant plus aisément. Lui, Goering, avait avec Hitler des liens bien plus étroits ; ils étaient unis par de nombreuses années d'épreuves et de luttes communes − et il ne pouvait plus se détacher [9]. »

En fait, Speer était venu sonder Goering dans l'espoir de l'enrôler dans une entreprise visant à mettre fin aux hostilités : « Si Goering, en tant que second personnage de l'Etat, s'était joint à Keitel, Jodl, Dönitz, Guderian et moi-même pour présenter un ultimatum à Hitler, [...] celui-ci aurait été contraint de révéler ses intentions [10]. » Hélas ! Les intentions d'Hitler sont parfaitement claires : il refuse de négocier avec les Alliés, et plus personne, à l'exception de Guderian et de Speer, n'a le courage de l'y inciter **. En fait, le Führer songe plutôt à une résistance acharnée jusqu'à ce que ses ennemis de l'Est et de l'Ouest se divisent et relâchent leur étreinte − et dans l'intervalle, il n'envisage rien d'autre qu'une politique de la terre brûlée : « Nous ne laisserons qu'un désert aux Américains, aux Anglais et aux Russes ***. » Mais quelles que soient leurs divergences politiques et idéolo-

---

* Hitler confie à Goebbels le 1ᵉʳ février qu'il se réjouit du départ d'Emmy Goering, car ainsi, « il pourra mieux avoir Goering à l'œil ». Hitler avait déjà déclaré plusieurs fois à Goebbels qu'Emmy avait « une mauvaise influence sur son époux ». Goebbels note également le 1ᵉʳ février que « pour la première fois, le Führer exprime de très forts doutes sur la capacité de Goering à lui succéder s'il devait lui arriver quelque chose ».

** Il en faut beaucoup : le Führer a menacé du peloton d'exécution tout responsable qui parlerait de défaite, de négociation ou de capitulation.

*** C'est justement cette politique désespérée que le ministre de l'Armement Speer va entreprendre de saboter.

giques, Churchill, Roosevelt et Staline semblent plus résolus que jamais à coordonner leurs stratégies pour venir à bout du Troisième Reich – ainsi qu'ils viennent de l'exprimer très officiellement à l'issue de la conférence de Yalta.

Les Anglo-Américains, contraints de réorganiser l'ensemble de leur dispositif après la contre-attaque des Ardennes, n'avancent que lentement en direction du Rhin, sur un large front allant de la Sarre au sud des Pays-Bas. Mais ils compensent leur relative inactivité terrestre par une recrudescence de l'offensive aérienne : elle se concentre sur Berlin, sur la Ruhr, sur Dresde * et surtout sur les dernières usines d'essence synthétique encore en activité : le 13 février à Pölitz, près de Stettin ; le lendemain, à Magdebourg, Derben, Ehmen, Brunswick et Heide, dans le Schleswig-Holstein ; le surlendemain, ce sera le tour des usines de Bochum et de Recklingshausen **. La DCA est de plus en plus clairsemée, car Hitler a ordonné le transfert de plusieurs centaines de batteries lourdes vers l'est pour constituer une ligne de défense antichars le long de l'Oder. Les Anglo-Américains ont tout de même perdu 57 avions dans les dernières opérations de bombardement, mais au prix de 236 avions allemands abattus. La plupart des escadrilles restantes ont été engagées sur le front de l'Est par le chef d'état-major Koller, qui assume l'essentiel des responsabilités à la place de son supérieur, absorbé par d'autres tâches...

Il faut bien reconnaître que celles-ci ne sont que rarement en rapport avec les activités de la Luftwaffe, même si Goering vient de confier à son valet Robert : « J'aimerais me remettre à voler. Si seulement j'étais plus jeune et moins gros [11]. » Au même moment, sans qu'il le sache, son Führer est précisément en train de confier à Goebbels que « Goering est repoussant aux yeux du peuple allemand du fait de sa corpulence ». Et il ajoute : « Où en serions-nous aujourd'hui, si Goering était à ma place. Pour des

---

* Un bombardement catastrophique de cette ville d'art, encombrée d'un million de réfugiés. D'après les recherches les plus récentes, il y aurait eu à cette occasion entre 25 000 et 40 000 morts.

** C'est pratiquement la fin de la production de carburant synthétique allemande, et le Reich ne peut plus compter que sur la maigre production des puits de pétrole de Zisterdorf, en Autriche, et de ceux des environs du lac Balaton, en Hongrie – deux sources elles-mêmes menacées par l'avancée de l'armée soviétique. La Luftwaffe ne recevra que 400 tonnes de carburant durant le mois de février 1945... Avec une réserve totale de 6 000 tonnes, elle est condamnée à renoncer dès lors à toute opération d'envergure.

temps ordinaires, il ferait peut-être l'affaire, mais dans l'époque agitée que nous vivons, il serait complètement inconcevable de le voir endosser le rôle de Führer de la nation. Il est aussi inadapté physiquement que moralement pour affronter une telle épreuve de force [12]. »

Sans doute, mais à la différence d'Hitler, Goering tient à se montrer dans la zone des combats ; il se rend donc sur le front de l'Oder, à moins de 100 kilomètres de la capitale. Ce n'est pas sans danger, mais Goering estime n'avoir plus rien à perdre : « Hitler criait que la Luftwaffe était inutile avec un tel mépris et une telle méchanceté que je devenais rouge de colère et étais au supplice. J'ai préféré partir pour le front pour éviter de telles scènes [13]. » Peine perdue : Hitler, informé par Bormann et Goebbels, tempête contre les « excursions ridicules » du *Reichsmarschall*, et lui ordonne de rentrer à Berlin [14]. Il devra désormais assister régulièrement aux conférences de situation, dans le bunker enterré sous la chancellerie du Reich *...

Elles sont déprimantes à plus d'un titre : Hitler continue à s'absorber dans ses exercices favoris de stratégie théorique, à prononcer des réquisitoires impitoyables contre la Luftwaffe, à proclamer sa volonté de poursuivre le combat « avec une détermination fanatique », et à menacer de mort tous ceux qui « feraient des déclarations pessimistes » [15]. Pourtant, les rapports qui parviennent à la chancellerie montrent une détérioration inexorable de la situation stratégique ; s'il est vrai que les Soviétiques semblent être contenus sur l'Oder, c'est à la fois parce qu'ils doivent regrouper leurs forces après l'offensive de janvier, et parce qu'ils veulent réduire tous les points fortifiés allemands qui se sont trouvés isolés sur leurs arrières, depuis la Baltique jusqu'au Danube. En dépit de quelques contre-attaques assez inefficaces du groupe d'armées de la Vistule commandée par Himmler et du groupe d'armées Centre du général Schörner, les Ier et IIe fronts biélorusses s'emparent entre la mi-février et le début de mars des « citadelles » de Poznan, Stargard, Elbing et Graudentz, tout en isolant entièrement Gdansk, Gdynia et Königsberg ; plus au sud, Breslau et Glogau sont encerclés par les divisions de tête du Ier front ukrainien de Koniev, tandis que les

---

* Voir carte, p. 203. Le bunker enterré est marqué d'une croix, entre la nouvelle chancellerie et le ministère des Affaires étrangères.

IIe et IIIe fronts ukrainiens de Malinovski et Tolboukhine prennent Budapest à la mi-février, avant de poursuivre leur avance en direction de Vienne au nord et du lac Balaton au sud. Dans les airs, seuls les restes de la flotte aérienne de von Greim peuvent encore mener quelques actions ponctuelles pour soutenir les ébauches de contre-offensives et pour ravitailler les défenseurs de Gdynia, Gdansk, Königsberg et Küstrin. Mais face aux quinze armées aériennes soviétiques, les escadrilles de la Luftwaffe sont surclassées et écrasées sous le nombre, les Ju 52 constituent une proie facile pour les chasseurs ennemis, et la pénurie croissante de carburant cloue au sol un nombre croissant d'appareils, au moment précis où ils seraient le plus utiles sur le front de l'Est...

Ou sur le front de l'Ouest, du reste ; car à partir du 7 mars, la chute de Trèves et la capture par les Américains du pont de Remagen vont donner une impulsion décisive aux opérations anglo-américaines. Hitler, hors de lui, donne l'ordre de fusiller les responsables, d'anéantir la tête de pont américaine à l'est du Rhin et de limoger le commandant en chef des armées de l'Ouest, von Rundstedt [16] ; il sera remplacé par le maréchal Kesselring, rappelé d'Italie, sans que la situation s'en trouve sensiblement améliorée. C'est que le nouveau commandant en chef ne dispose que de 55 divisions durement éprouvées * et très mal approvisionnées, pour enrayer l'avance de 85 divisions alliées tout le long du Rhin, depuis Arnhem jusqu'à la frontière suisse... En outre, il ne peut compter que sur le soutien très épisodique d'une Luftwaffe qu'il ne contrôle pas, qui est à court d'essence et de pièces détachées, et doit encore se partager entre le soutien aux troupes terrestres et la protection des centres industriels.

Entre le 23 février et le 5 mars 1945, la Finlande et la Turquie, sentant le vent tourner, ont déclaré la guerre à l'Allemagne, isolant encore davantage un Reich aux abois. Le caractère manifestement désespéré de la situation stratégique d'ensemble décide Goering à s'enhardir jusqu'à conseiller à nouveau au Führer de négocier la paix avec les Alliés anglo-américains. Après tout, lui, Goering, dispose encore de quelques relations en Suède qui

---

* Réparties en trois groupes d'armées : H (Blaskowitz) au nord, B (Model) au centre, et G (Hausser) au sud. Les divisions d'infanterie ne comptent plus que 5 000 hommes, contre 12 000 à l'origine – ce dont Hitler ne tient aucun compte dans ses évaluations stratégiques.

seraient disposées à servir d'intermédiaires... Mal lui en prend : Hitler refuse avec indignation, en s'écriant que « Frédéric le Grand n'a jamais accepté de compromis » ; il rapporte à Goebbels le 11 mars que Goering vient de lui recommander de créer « une nouvelle atmosphère » dans ses relations avec l'ennemi. « Je lui ai répondu, ajoute Hitler, qu'il ferait mieux de s'occuper de créer une nouvelle atmosphère dans l'armée de l'air [17]. » Le Führer a manifestement perdu toute confiance dans sa Luftwaffe, qu'il qualifie rageusement de « boutique de brocante [18] ». Pourtant, il fonde encore de grands espoirs sur les avions à réaction Me 262...

Ils ne sont qu'en partie justifiés ; les Me 262 sont encore fragiles et d'une maintenance complexe, il leur faut des pistes d'envol très longues, ils sont extrêmement vulnérables en phase de décollage et d'atterrissage, leur approvisionnement en carburant est aléatoire et leur autonomie limitée à 90 minutes, leurs redoutables canons de 30 mm s'enrayent facilement, leurs pilotes manquent d'expérience, et les accidents dus à des maladresses ou à des défauts techniques provoquent davantage de pertes que les chasseurs ennemis *. Surtout, les bases de Me 262, comme tous les champs d'aviation et toutes les grandes villes, sont désormais soumises à des bombardements ininterrompus : pour sa 400ᵉ attaque contre Berlin, l'aviation alliée largue 2 879 tonnes de bombes sur la capitale ; la nuit du 12 mars, la RAF en déverse 4 899 tonnes sur Dortmund – un record absolu... Le lendemain, Hitler, au comble de l'indignation, demande ce que fait Goering. On lui répond que le *Reichsmarschall* est retourné à Carinhall, où il organise le départ d'un train spécial pour Berchtesgaden, avec une cargaison de 739 tableaux, 60 sculptures et 50 tapisseries. « Goering, hurle Hitler, n'est pas un national-socialiste. C'est un sybarite ! » Et il ajoute : « Nous devons procéder lentement, en le dépouillant progressivement de ses pouvoirs, jusqu'à en faire une simple potiche [19]. » A ses secrétaires Christa Schröder et Johanna Wolf, il confie également le 16 mars : « S'il m'arrivait quelque

---

* C'est ainsi que les turbines Junkers Jumo 004B de l'appareil ont tendance à caler au-dessus de 6 000 tours / minute, et à prendre feu en cas de remise des gaz trop brutale ; en outre, elles doivent être remplacées après vingt heures de vol en moyenne ; enfin, si la vitesse de l'appareil est inégalée, il lui manque les aérofreins nécessaires pour la descente en piqué ; or, en approchant la vitesse du son, l'appareil se désintègre...

chose, l'Allemagne serait perdue, car je n'ai pas de successeur [20]. »

En attendant, la colère d'Hitler s'abat une fois de plus sur l'infortuné chef d'état-major du *Reichsmarschall*, Karl Koller ; et dès lors, comme il le fait depuis longtemps pour l'armée, le Führer entreprend de commander lui-même la Luftwaffe : « J'en ai maintenant pris en main personnellement la direction technique, et je garantis le succès », annonce-t-il fièrement au maréchal Kesselring [21]. Pour commencer, Hitler charge un protégé d'Himmler, le *Gruppenführer SS* Hans Kammler, de la livraison et la répartition sur les aéroports des Me 262 ; il ordonne l'engagement immédiat des « *Volksjäger* » He 162, ces avions rudimentaires pilotés par des jeunes gens n'ayant reçu qu'un entraînement sommaire au maniement des planeurs * ; enfin, il donne à Keitel des instructions pour que tous les équipages de bombardiers ennemis capturés, ainsi que ceux qui le seront à l'avenir, soient « livrés par la Luftwaffe aux services de sécurité pour exécution ». Mais le major Büchs, représentant de la Luftwaffe à l'état-major de l'OKW, proteste auprès de Keitel ; peu après, il reçoit un appel téléphonique de Goering, qui tonne : « Dites-moi, le Führer a-t-il entièrement perdu l'esprit ? » Et le *Reichsmarschall* outré de conclure avant de raccrocher : « C'est tout à fait dément ! Hors de question [22] ! » De fait, au milieu des flots de sang qui coulent depuis tant d'années, le peu scrupuleux Goering a tout de même gardé quelques préjugés chevaleresques ; or, le fait d'abattre de sang-froid des aviateurs alliés prisonniers ne le serait manifestement pas... L'ordre du Führer restera donc lettre morte. A la même époque, le général Bodenschatz entend son chef évoquer le camp de Dachau : « Le *Reichsmarschall* m'a dit que beaucoup de Juifs avaient dû périr là-bas, et que nous aurions à le payer cher [23]. »

Dans l'intervalle, Hitler a pu mesurer tous les inconvénients de l'amateurisme en matière de conduite des opérations terrestres : en tant que commandant en chef du groupe d'armées

---

* D'autres projets extrêmes, comme le plan « *Werwolf* » de missions suicides à bord de chasseurs Me 109, seront en grande partie sabotés par leurs responsables mêmes, et ne donneront que des résultats dérisoires.

Vistule, Himmler a lamentablement échoué devant l'ennemi, et s'est d'ailleurs fait porter malade... Comme le plus grand désordre semble régner à son QG, le général Guderian décide de s'y rendre à la mi-mars : « Arrivé au quartier général d'Himmler près de Prenzlau, [...] j'ai demandé où se trouvait le *Reichsführer*, on m'a répondu qu'il avait la grippe et était en traitement [...] au sanatorium de Hohenlychen. Je m'y suis rendu aussitôt, et j'y ai trouvé un Himmler apparemment en excellente forme. » Guderian fait remarquer diplomatiquement au grand maître de l'Ordre noir qu'en raison de ses nombreuses fonctions de *Reichsführer SS*, chef de la police allemande, ministre de l'Intérieur et commandant en chef de l'armée de réserve, il ne peut sans doute pas se consacrer entièrement à la direction d'un groupe d'armées : « Il avait dû se rendre compte dans l'intervalle que le commandement des troupes au front n'était pas chose facile. Je lui ai donc proposé de renoncer à la direction du groupe d'armées pour se consacrer pleinement à ses autres fonctions [24]. » Himmler, qui a perdu beaucoup de sa superbe et tremble devant Hitler, répond qu'il « ne peut aller annoncer une chose pareille au Führer », mais Guderian propose de le faire à sa place, et Himmler accepte avec soulagement *.

Le soir même, Hitler, impressionné par l'ampleur du désastre entre la Vistule et l'Oder, se rend aux raisons de son chef d'état-major et consent à remplacer Himmler par le général Heinrici. C'est un excellent officier, mais il ne peut pas faire de miracles : les Soviétiques, repoussant toutes les contre-attaques, resserrent inexorablement leur étreinte en Poméranie, en Prusse orientale et en Haute-Silésie. Comme toujours, Hitler s'en prend aux commandants d'armées sur le terrain – en l'occurrence au général Busse, accusé de n'avoir pas su mener la contre-attaque visant à dégager Küstrin. Mais Guderian n'a pas la servilité de ses prédécesseurs : il défend énergiquement Busse et une violente dispute s'ensuit, avec des résultats prévisibles : le 28 mars, Guderian est limogé « pour raisons de santé ». Son successeur au poste de chef d'état-major sera le général Hans Krebs. Il est

---

* Commentaire fort perspicace du chef d'état-major Guderian : « Il était totalement irresponsable de sa part de vouloir exercer une telle fonction ; et de la part d'Hitler, il était tout aussi irresponsable de la lui confier. »

jeune, intelligent, diplomate, très professionnel et sans la moindre illusion : en prenant ses nouvelles fonctions, il confie à son aide de camp von Loringhoven : « La guerre sera terminée dans quatre semaines [25]. »

Au vu de la situation sur le terrain, ce pronostic semble assez raisonnable : depuis le 24 mars, les Alliés ont élargi leur tête de pont à l'est de Remagen, puis franchi le Rhin à Oppenheim au sud et à Wesel au nord. Dès lors, on voit se dérouler à l'Ouest une nouvelle version de la guerre éclair : entre le 27 mars et le 4 avril, les Américains s'emparent de Mannheim, Francfort-sur-le-Main, Fulda et Kassel, les Canadiens occupent Arnhem et progressent méthodiquement vers le nord des Pays-Bas, et les Britanniques de la 2e armée percent en direction de Bochum et de Lippstadt, où ils font leur jonction avec les avant-gardes de la 1re armée américaine. Ils encerclent ainsi le bassin de la Ruhr, où se trouve concentré le groupe d'armées B du maréchal Model. Comme toujours, Hitler interdit toute retraite et ordonne une résistance à outrance dans la « forteresse de la Ruhr », condamnant ainsi l'ensemble du groupe d'armées B à la destruction ou à la captivité *. Entre-temps, Gratz, Hambourg, Brême et Wilhelmshaven ont à nouveau été écrasés sous les bombes, et cent Me 262 sortant des chaînes de montage ont été détruits à Augsburg. Le 4 avril, au sortir d'une conférence de situation, Goebbels note : « Critique très acerbe de la Luftwaffe. Goering doit tout entendre sans broncher [26]. »

Mais tout cela est désormais dérisoire ; les armées américaines et britanniques poursuivent leur route en éventail vers le nord et l'est, en direction d'Emden, Brême, Hanovre, Göttingen, Erfurt et Magdebourg sur l'Elbe, qui est atteint dès le 11 avril. Des régiments entiers se rendent sans combattre, et la plupart des villes hissent le drapeau blanc dès l'arrivée des avant-gardes alliées. Au sud, ce sont les Français qui occupent Karlsruhe et font mouvement vers Tübingen et Stuttgart, couverts sur leur flanc gauche par la 7e armée américaine. Sur l'ensemble du front entre la mer du Nord et la Forêt Noire, les armées allemandes désorganisées, à court de munitions et de carburant, tentent

---

* Il y aura là 340 000 prisonniers – trois fois plus qu'à Stalingrad...

d'endiguer les percées des armées blindées, suivies d'infanterie motorisée et couvertes par 3 000 chasseurs, qui écrasent toute opposition. Voilà qui rappelle étrangement la campagne de mai 1940 – à ce détail près que les rôles sont inversés... Les bombardiers B 17, B 24 et B 26 eux-mêmes, privés de cibles valables après la destruction systématique des centres industriels, ont reporté leurs attaques sur les casernes, les concentrations de troupes, les postes de commandement, les nœuds de communications et les chemins de fer, achevant ainsi de désorganiser la résistance des groupes d'armées H au nord et G au sud. « Et bien sûr, notera le maréchal Kesselring, là comme ailleurs, nous n'avions absolument aucun soutien aérien [27]. »

Ce n'est pas tout à fait vrai : à Heilbronn sur la Neckar, entre le 9 et le 13 avril, cent FW 190 et Ju 88 contiennent les Alliés en mitraillant les routes et en bombardant les ponts ; et puis, entre Munich, Nuremberg, Leipzig et Berlin, les Me 262 de la Verband 44, armés de missiles R4M, font des ravages parmi les bombardiers et leurs chasseurs d'escorte *, provoquant une panique certaine au sein du haut commandement de l'aviation alliée. Mais tout cela reste épisodique : les bombardements massifs ont entièrement désorganisé le réseau de transport, d'alerte et de guidage de la Luftwaffe, qui doit combattre sur deux fronts opposés avec moins de 2 000 appareils, tandis que son approvisionnement en munitions, en pièces détachées et en carburant est devenu très aléatoire, qu'elle perd ses champs d'aviation les uns après les autres, et que les rares pistes encore disponibles sont si défoncées que les atterrissages et les décollages sont devenus aussi dangereux que les missions de combat **... Tout cela échappe en grande partie à Goering, qui se soucie avant tout de préserver son apparence d'autorité, d'échapper à la colère du Führer, de mettre ses trésors à l'abri et de trouver une issue négociée à la guerre – autant de préoccupations passablement vaines et largement contradictoires...

---

* Par contre, les Me 262 « *Sturmvogel* », transformés en bombardiers et affectés à la KG 54, subissent des pertes effroyables : le 4 avril 1945, dix-sept des vingt et un appareils engagés sont détruits.
** Particulièrement pour les avions à réaction, qui nécessitent des pistes d'envol parfaitement régulières. Beaucoup d'entre eux s'écraseront ainsi dans des cratères de bombes.

Pourtant, le chef d'état-major Koller et les commandants des *Luftflotten* mesurent quant à eux toute la gravité de la situation, et ils vont bientôt en comprendre le caractère désespéré ; car entre le 16 et le 19 avril 1945, le front de l'Est s'anime à nouveau : tout le long de l'Oder et de la Neisse, vingt-deux armées soviétiques passent à l'offensive. Au nord, le IIe front biélorusse de Rokossovski enfonce la première ligne de défense allemande près de Stettin et menace Prenzlau ; au centre, le Ier front biélorusse de Joukov attaque Seelow et Prötzel, pour aborder la capitale par le nord ; plus au sud, le Ier front ukrainien de Koniev s'élance vers Cottbus et Spremberg, avant de remonter vers le nord-ouest, en direction de Potsdam et de Berlin *. Mais au-delà de ces objectifs immédiats, les Soviétiques cherchent à atteindre l'Elbe au plus tôt, pour isoler Berlin et couper l'Allemagne en deux. Ils en ont les moyens : 2 millions d'hommes, 6 250 chars, 42 000 canons et 7 500 avions... Les groupes d'armées Vistule de Heinrici et Centre de Schörner n'ont à leur opposer que des débris de divisions et des volontaires de la *Volksturm*, pratiquement dépourvus d'artillerie, menacés sur leurs arrières par les armées anglo-américaines parvenues à Magdebourg, Halle et Leipzig, et progressivement abandonnés par une Luftwaffe qui s'amenuise et se délite, prise en tenaille entre les forces de l'Est et celles de l'Ouest. Dans l'ensemble, on pourrait difficilement concevoir une situation plus désespérée **...

Ce n'est pas l'avis du Führer, qui se montre résolument optimiste : le peuple allemand tout entier ne pense qu'à combattre jusqu'à la dernière minute ; les V1, les V2, les avions à réaction et les nouveaux sous-marins vont inverser le cours de la guerre ; la mort du président Roosevelt, survenue le 12 avril, va entièrement changer la donne ; les Anglo-Américains seront repoussés

---

* Voir carte, p. 602.

** Dès la mi-avril, l'OKW a émis des instructions détaillées pour le cas où l'Allemagne serait divisée en son centre par des offensives simultanées à partir de l'Est et de l'Ouest : il est prévu de constituer deux haut commandements : un QG Nord, sous la direction de l'amiral Dönitz, avec autorité sur l'Allemagne du Nord, le Danemark, la Norvège et la Luftflotte Reich ; un QG Sud, commandé par le maréchal Kesselring, en charge de l'Allemagne du Sud, de la Tchécoslovaquie, de la Hongrie, de l'Italie et de la Luftflotte VI. Mais tout cela ne devrait entrer en application que dans le cas où le Führer serait empêché d'exercer le commandement suprême. Hitler a également envisagé de prendre lui-même le commandement au sud, en allant se retrancher dans l'Obersalzberg.

derrière le Rhin par une puissante contre-offensive du groupe d'armées Hausser et de la 12ᵉ armée du général Wenck, en cours de formation dans le massif du Harz ; quant aux Soviétiques, ils seront rejetés à l'est de l'Oder par des contre-attaques résolues au nord et au sud de Berlin : « Les Russes, dit-il à la conférence de situation du 17 avril, vont connaître devant Berlin la plus sanglante défaite de tous les temps [28]. »

Le scepticisme de l'entourage est palpable, mais personne ne se hasarde à l'exprimer – excepté à l'occasion l'infortuné général Koller, qui s'attire immédiatement les foudres du Führer : « La Luftwaffe est un ramassis d'oisifs, de fainéants, de planqués... Aucun de ses généraux ne se rend sur le front... Galland, l'acteur de théâtre, et bien d'autres encore, sont des fumistes... Knipfer, l'ancien chef de la protection civile au ministère de l'Air, est un porc... A la Luftwaffe, il faudra bien finir par en fusiller quelques-uns, alors les choses changeront [29] ! »

Tout cela est évidemment destiné à être rapporté à Goering, qui se prépare au même moment à quitter Carinhall. Trois trains entiers d'œuvres d'art sont déjà partis pour Berchtesgaden, mais il reste des quantités imposantes de meubles, de sculptures et de tapisseries, dont une partie est chargée à bord d'un convoi de camions, tandis que l'autre est laissée dans les bâtiments ou enterrée dans la forêt et la lande alentour. Le 19 avril au soir, Goering a bouclé ses valises et les a fait charger dans trois voitures ; il a également fermé tous ses comptes en banque à Berlin et fait transférer un demi-million de marks sur son compte personnel de la Bayerische Hypotheken und Wechsel Bank de Berchtesgaden. Il est déjà triste d'être vaincu ; si en plus il fallait se priver ! Au petit matin du 20 avril, après avoir été méditer dans le mausolée de Carin au bord du lac, Hermann Goering quitte à jamais ce domaine si cher à son cœur. Sur son ordre, un commando de parachutistes va miner les fondations de tous les bâtiments, et l'un des membres de l'équipe dira plus tard : « Nous avons réparti plus de 40 tonnes d'explosifs dans le complexe, et le régisseur Schulz n'arrêtait pas de nous répéter de bien prendre soin de ne rien endommager, car il pourrait encore y avoir un contre-ordre. [...] La vue de tous ces trésors accumulés était confondante. Et pourtant, Carinhall ayant été largement vidée au préalable, il ne s'agissait là que d'un petit reliquat [30]. »

Le commando fera tout exploser huit jours plus tard, à l'arrivée des premiers éclaireurs de l'Armée rouge *...

Depuis douze ans, le 20 avril est un jour qui se célèbre dans le Troisième Reich : c'est celui de l'anniversaire d'Hitler, à l'occasion duquel des processions de dignitaires nazis et de diplomates étrangers viennent présenter leurs félicitations au Führer. Mais en ce matin du 20 avril 1945, toute congratulation est manifestement déplacée, et les habitués de la conférence de situation, Keitel, Jodl, Goering, Himmler, Dönitz, Speer, Krebs, Burgdorf, Kaltenbrunner, Ribbentrop, Koller et von Below se présentent à la chancellerie au début de l'après-midi, comme à l'ordinaire. L'adjoint de Dönitz, Walter Lüdde-Neurath, décrira un Führer « brisé, bouffi, voûté, épuisé et nerveux [31] » ; Albert Speer, lui, se souviendra que « personne ne savait vraiment que dire. Hitler a reçu nos vœux avec une certaine froideur et presque avec réticence, compte tenu des circonstances [32] ».

Celles-ci sont effectivement assez sombres : déjà soumise aux raids quotidiens des Mosquito et des B 17, la capitale est désormais sous le feu sporadique de l'artillerie soviétique à longue portée ; au nord, les Britanniques approchent de Brême et d'Emden ; au sud, les Américains viennent d'entrer dans Nuremberg, les Français campent dans les faubourgs de Stuttgart et les Russes sont à Vienne ; au centre, la 9ᵉ armée du général Busse a été mise en déroute sur l'Oder entre Francfort et Küstrin, tandis qu'au sud-est de Berlin, les Soviétiques ont dépassé Lübben et poursuivi leur avance en direction de Jüterbog à l'ouest et de Potsdam au nord-ouest. C'est précisément ce qui inquiète le général Koller, qui notera dans son journal : « La dernière route vers le sud menace d'être coupée. C'est pourquoi, avant que ne

---

* Il n'en restera qu'un vaste champ de ruines, pillé et vandalisé par l'Armée rouge, puis par les chercheurs de trésors. Le plus curieux est que le précieux mausolée n'avait pas même été recouvert lors du départ de Goering, de sorte que le cercueil de Carin sera profané par les soldats soviétiques à la recherche de butin. Ses ossements se retrouveront éparpillés autour du mausolée, et la conservatrice française Rose Valland se souviendra d'avoir trouvé à cet endroit le crâne de Carin. En 1947, les ossements épars seront enfin enterrés à proximité, devant un menhir en granit portant les armes de la famille von Fock. C'est cette même famille qui chargera quatre ans plus tard le pasteur de la communauté suédoise de Berlin, Heribert Jansson, de les faire discrètement exhumer. Rapatriés en Suède, ces restes mortels retrouveront en octobre 1951 leur place dans le caveau familial du petit cimetière de Lovö. Ainsi, Carin von Fock-Kantzow Goering aura eu l'honneur douteux d'être enterrée quatre fois et déterrée trois fois.

commence la mise en scène des vœux d'anniversaire, je préviens Goering, Keitel et Jodl que c'est la toute dernière occasion de rejoindre le Sud par voie terrestre, et qu'en considération de la situation aérienne et de la pénurie de carburant, j'exclus toute possibilité d'évacuation ultérieure par la voie des airs. [...] Tous partagent mon avis, mais Hitler n'a pas encore tranché. Pour finir, Keitel m'informe peu avant la conférence de situation qu'Hitler a décidé de rester à Berlin jusqu'au bout [33]. »

Voilà qui est clair... « Un moment plus tard, rapportera Speer, nous nous tenions comme d'habitude autour de la carte de situation, dans l'espace confiné du bunker. Hitler avait pris place en face de Goering. Ce dernier, d'ordinaire si préoccupé de son accoutrement, avait récemment opéré un changement d'uniforme très remarquable. Nous avons eu la surprise de constater que le tissu gris argenté avait fait place au vert olive de l'uniforme américain. En outre, les épaulettes dorées larges de cinq centimètres avaient été remplacées par de simples pièces d'étoffe, auxquelles étaient épinglés ses insignes de grade, avec l'aigle doré de *Reichsmarschall.* " Comme un général américain ", m'a soufflé un des participants. Mais même ce changement-là, Hitler ne semblait pas l'avoir remarqué. La discussion portait sur l'assaut imminent contre le centre de Berlin. La nuit précédente, il avait été question de renoncer à défendre la capitale, pour aller se retrancher dans le réduit alpin *. Mais Hitler venait de décider qu'il mènerait la lutte pour la ville dans les rues de Berlin. Alors, tout le monde s'est mis à clamer qu'il fallait absolument transférer le QG vers l'Obersalzberg, et que c'était le dernier moment pour le faire. Goering a fait remarquer que nous ne tenions plus dans la forêt bavaroise qu'une seule route nord-sud, et que la dernière voie d'accès à Berchtesgaden pouvait être coupée à

---

* L'*Alpenfestung* est un concept en grande partie chimérique : l'extrémité sud-ouest des Alpes bavaroises, face à la Suisse, a été dotée de quelques ouvrages défensifs et de garnisons SS. Mais les versants nord et nord-est ne sont pas fortifiés, il n'y a dans le massif aucun dépôt de vivres, d'armements ou de munitions, pas la moindre industrie et aucune troupe de montagne pour défendre l'ensemble. Le terme de *Festung* (« forteresse ») fait donc manifestement partie de ces constructions sémantiques irréelles dont le Troisième Reich a toujours été friand. Mais dès le 10 avril, Hitler a bien envoyé des domestiques pour préparer ses quartiers sur l'Obersalzberg, et l'OKW comme l'OKH ont déjà transféré à Berchtesgaden une grande partie de leur personnel et de leur équipement.

L'INVASION DE L'ALLEMAGNE AU 20 AVRIL 1945

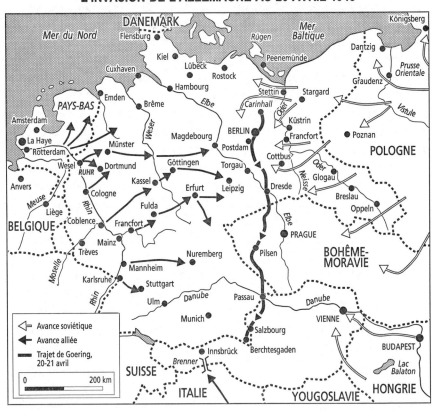

DANEMARK

Mer du Nord   Flensburg   Rügen   **Mer Baltique**   Königsberg

Kiel   Peenemünde   Dantzig

Cuxhaven   Lübeck   Rostock   **Prusse Orientale**

Hambourg   Graudenz

Emden   Brême   Elbe   Stettin   Stargard   Vistule

PAYS-BAS

Amsterdam   Weser   Carinhall   Küstrin

La Haye   Münster   Magdebourg   **BERLIN**   Poznan   **POLOGNE**

Rotterdam   Postdam   Francfort

Wesel   Dortmund   Göttingen   Torgau   Cottbus

RUHR   Oder   Glogau

Anvers   Cologne   Kassel   Erfurt   Leipzig   Dresde   Neisse   Breslau

Meuse   Liège   Rhin   Fulda   Oppeln

BELGIQUE   Coblence   Francfort   Elbe   **PRAGUE**

Mainz   Pilsen   **BOHÊME-MORAVIE**

Trèves   Nuremberg

Moselle   Mannheim

Karlsruhe   Stuttgart   Danube   Passau   Danube   **VIENNE**

Rhin   Ulm   Munich   **BUDAPEST**

Salzbourg   *Lac Balaton*

Innsbrück   Berchtesgaden

Brenner

SUISSE   **ITALIE**   **YOUGOSLAVIE**   **HONGRIE**

Avance soviétique
Avance alliée
Trajet de Goering, 20-21 avril
0   200 km

tout moment. Hitler a répondu avec indignation : " Comment puis-je demander aux troupes de livrer la bataille décisive pour Berlin si je me mets moi-même en sûreté ? " Goering, assis en face de lui les yeux écarquillés, pâlissait et transpirait dans son nouvel uniforme, tandis qu'Hitler continuait à discourir, emporté par sa propre rhétorique : " C'est le destin qui décidera si je mourrai dans la capitale ou si je m'envolerai au dernier moment pour l'Obersalzberg. " Une fois la conférence terminée et les généraux congédiés, Goering, en grande détresse, s'est tourné vers Hitler [34]. »

C'est pour remettre sur le tapis la question du transfert des autorités du Reich vers l'Obersalzberg. Le *Reichsmarschall*, manifestement pressé de retrouver son épouse et ses trésors à Berchtesgaden, fait valoir qu'il faut bien qu'un haut responsable de la Luftwaffe parte aussitôt pour le Sud, car la situation là-bas nécessite un commandement unifié de la Luftwaffe. Hitler, dont le bras gauche tremble violemment, lui répond : « Eh bien, allez-y. Kollerrestera ici [35] ! » Et Speer, qui observe la scène à quelque distance, de noter : « Hitler considérait Goering d'un air absent. J'avais l'impression qu'il était profondément ému par sa décision de rester à Berlin et d'y jouer sa vie. En prononçant quelques paroles creuses, il a serré la main de Goering [...]. Je ne me tenais qu'à quelques pas, et j'avais l'impression d'assister à un moment historique. La direction du Reich était en train de se désagréger [36]. » Von Below, également témoin de la scène, ajoutera : « Il m'a semblé qu'en son for intérieur, Hitler avait déjà rejeté Goering. Cela a été un moment désagréable [37]. »

Pour l'heure, en tout cas, le *Reichsmarschall* est manifestement soulagé en émergeant du bunker *, même s'il sait parfaitement que ses ennemis intimes – Himmler, Bormann, Burgdorf, Goebbelset Ribbentrop – seront désormais seuls à entourer le Füh-

---

* Après la guerre, Goering assurera avoir longuement conféré avec Himmler à l'issue de la conférence de situation. A cette occasion, le *Reichsführer* lui aurait révélé être en contact avec le comte Bernadotte pour négocier la fin des hostilités, et s'être proposé comme chancelier au cas où Goering succéderait à Hitler en tant que président du Reich. Tout cela paraît bien peu vraisemblable un 20 avril 1945 : Himmler est un homme très méfiant, qui redoute par-dessus tout que ses contacts avec la Suède soient révélés prématurément, et le *Reichsmarschall* est sans doute la dernière personne à qui il aurait confié ses desseins : un seul mot de Goering à Hitler au sujet de ses négociations et de ses ambitions politiques aurait conduit sans retard le *Reichsführer* Himmler devant un peloton d'exécution...

rer retranché dans son réduit souterrain *... Mais pour l'heure, c'est du ciel que vient le péril, et le départ pour Berchtesgaden est retardé par plusieurs raids aériens au-dessus de la capitale. Goering et sa suite n'ont que le temps d'abandonner leur voiture et de se réfugier dans un grand abri antiaérien, où ils se trouvent bien involontairement mêlés à la population berlinoise. Mais quoi qu'ait pu en dire Goebbels, la popularité du *Reichsmarschall* a survécu à toutes les épreuves : l'accueil est étonnamment chaleureux, Goering, retrouvant tous ses talents de comédien, se présente en disant : « Bonjour, je m'appelle Meyer ! », et les occupants des abris voisins envoient bientôt des émissaires pour l'inviter à leur rendre visite [38]. Cet attachement persistant au deuxième personnage du Reich de la part d'une population brimée, trompée et ruinée s'explique difficilement, Goering lui-même en est stupéfait, mais son orgueil comme son assurance s'en trouveront singulièrement renforcés.

Le cortège quitte tout de même Berlin à la faveur de l'obscurité, et il parvient à 2 h 20 du matin au QG de la Luftwaffe à Wildpark-Werder. Goering ne trouve même pas le temps d'échanger un mot avec son chef d'état-major Koller, qui voit la limousine blindée du *Reichsmarschall* passer en trombe devant sa résidence à 3 heures du matin, direction plein sud ; elle est suivie de plusieurs voitures emmenant son aide de camp von Brauchitsch, ses assistants, son secrétaire, son valet Robert, son médecin Ramon Ondarza, son infirmière Christa Gormans, ses gardes du corps, ses mallettes de médicaments et ses quarante-sept valises ; un convoi de sept camions remplis d'œuvres d'art suit à quelque distance. Le passage de l'Elbe à l'ouest de Jüterbog, par l'étroit corridor entre les avant-gardes américaines et soviétiques, est une opération des plus délicates, mais le convoi se faufile entre les colonnes de réfugiés, les carcasses de voitures et les chars abandonnés, échappe par miracle à l'attention des chasseurs alliés, passe par Dresde, Pilsen, Passau et Salzbourg, pour parvenir enfin à l'Obersalzberg au soir du 21 avril. L'Allemagne nazie est au bord de l'effondrement, mais Hermann Goering a l'immense joie

---

* Les autres, sans éprouver autant de haine pour Goering, l'estiment médiocrement ou le méprisent ouvertement ; c'est en particulier le cas de Dönitz, Keitel, Jodl, Speer, von Loringhoven, Krebs, Keller et von Below.

de se retrouver parmi les siens : Emmy, Edda, Paula, Else *, leurs neveux et leurs nièces, le *Reichsleiter* Bouhler ** et son épouse sont tous là pour l'accueillir....

Le général Koller, resté au QG des environs de Berlin pour représenter la Luftwaffe auprès du Führer, se retrouve rapidement au centre du grand maelström qui menace d'emporter les restes du Grand Reich millénaire. Au cours de la journée du 21 avril, depuis un quartier général déjà menacé par l'avance soviétique, il reçoit sans cesse des appels téléphoniques du Führer : « Envoyez des avions pour faire cesser les tirs de l'artillerie soviétique sur Berlin ! » ; « Pourquoi les Me 262 n'ont-ils pas décollé de leur aéroport de Prague ? » ; « Faites parachuter sans délai des vivres et des munitions au groupe de combat Spremberg, cerné au sud de Cottbus ! » ; « Il faudrait immédiatement faire pendre toute la direction de la Luftwaffe ! » ; « Le *Reichsmarschall* entretient une armée privée à Carinhall. Il faut la dissoudre immédiatement et l'engager au front. Goering n'a pas besoin d'une armée privée ! » Lorsque Koller parvient à placer un mot, il tente d'expliquer qu'il n'y a pas à Carinhall d'armée privée, mais un unique bataillon de la division Hermann Goering, tout le reste étant parti au front. Mais Hitler l'interrompt : « Faites immédiatement mettre ce bataillon à la disposition de l'*Obergruppenführer SS* Steiner [39] ! »

C'est que le Führer compte absolument sur le « groupe opérationnel Steiner », stationné à l'ouest d'Eberswalde, pour lancer une grande contre-offensive en direction du sud-est et desserrer l'étau soviétique qui se referme inexorablement sur Berlin. Or, cette unité, majoritairement composée de troupes de garnison, de volontaires, d'éléments de la Luftwaffe et de jeunes gens sans expérience du combat, est en outre dépourvue d'armes lourdes, ses véhicules manquent d'essence, et elle ne reçoit pas les renforts attendus de la Wehrmacht et de la SS. Son offensive se fait donc attendre, et Hitler harcèle l'OKW, l'OKH et l'OKL pour faire accélérer le mouvement. Mais rien ne se produit, les Soviétiques pénètrent déjà dans les faubourgs de la capitale, et les nerfs du Führer finissent par craquer... Le 22 avril à 20 h 45, le général Eckhard Christian, officier de liaison de la Luftwaffe, vient au QG

---

* La sœur d'Emmy.

** L'ancien chef de la chancellerie d'Hitler, largement responsable du programme d'euthanasie à la fin des années trente, et depuis longtemps tombé en disgrâce.

de Wildpark-Werder pour informer Koller des derniers développements à l'intérieur du bunker : « Le Führer, lui dit-il, s'est effondré ; il considère maintenant le combat comme désespéré. Mais il ne veut pas quitter Berlin. [...] Quand les Russes arriveront, il en tirera les conséquences et se suicidera. [...] Il a fait brûler tous ses dossiers, papiers et documents dans le jardin. [...] Il reste sur place, mais les autres peuvent quitter Berlin et aller où ils veulent. L'OKW se retire de Berlin et s'installe cette nuit à Krampnitz [40]. »

Le général Koller, incrédule, cherche à obtenir confirmation auprès de l'OKW ; il se rend donc peu après minuit à la caserne de Krampnitz, près de Potsdam, où le général Jodl lui explique la situation au petit matin du 23 avril : « Ce que vous a dit Christian est exact. Hitler a jeté l'éponge, il a décidé de rester à Berlin, de diriger la défense de la ville et de se tirer une balle dans la tête au dernier moment. Il a dit qu'il ne pouvait combattre pour des raisons physiques, et aussi parce qu'il ne voulait pas risquer d'être blessé et de tomber entre les mains de l'ennemi. Nous avons tout fait pour le dissuader, et lui avons proposé de faire reporter l'effort des armées de l'Ouest vers le front de l'Est. Mais il a répondu que tout était en train de s'écrouler, qu'il ne pouvait rien faire, et que le *Reichsmarschall* n'avait qu'à s'en charger. Quelqu'un parmi nous ayant fait remarquer qu'aucun soldat n'accepterait de combattre sous les ordres du *Reichsmarschall*, Hitler a répondu : " Qui parle de combattre ? Il n'y a plus guère de combat à livrer, et s'il s'agit de négocier, le *Reichsmarschall* peut faire cela mieux que moi * ! " Les derniers développements de la situation militaire l'ont beaucoup affecté, et il ne cesse de parler de trahison, d'abandon et de corruption au sein du commandement et de la troupe. Même les SS le trompent, même Sepp Dietrich ; Steiner n'est pas intervenu, et cela lui a donné le coup de grâce [41] ** . »

---

* Après la guerre, le maréchal Keitel confirmera entièrement la version de Jodl : « Le Führer nous a répondu : " J'abandonne, et c'est définitif. [...] S'il faut vraiment négocier avec l'ennemi, ce qui est le cas à présent, alors Goering est plus qualifié que moi pour le faire. Je livrerai le combat pour Berlin et je le gagnerai, ou alors je serai tué dans Berlin. C'est ma décision définitive et irrévocable. " »

** Selon Albert Speer, qui le tenait d'Eva Braun et du général SS Gottlob Berger, Hitler aurait eu l'intention de se suicider ce même 22 avril, avant de se raviser dans la soirée.

Devant le renoncement d'Hitler, le plan de l'OKW est de retourner toutes les troupes encore disponibles contre les armées soviétiques, en dégarnissant entièrement le front de l'Elbe. Mais Koller répond que l'on ne peut abandonner toute résistance à l'Ouest sans négocier avec les Anglo-Américains, faute de quoi les Allemands combattant à l'Est seront pris à revers et écrasés sur leurs arrières. Sa conclusion : il est urgent d'informer le *Reichsmarschall* de la situation ; lui seul a la possibilité de négocier, et les récents propos du Führer le désignent à l'évidence pour cette tâche... A 3 h 30 au matin du 23 avril, le général Koller s'envole donc de l'aéroport de Gatow à bord de son He 111, cap au sud. Cet officier consciencieux et compassé ne se doute pas qu'il s'apprête à déclencher une redoutable réaction en chaîne...

Après un voyage quelque peu mouvementé entre les incursions de chasseurs américains et les salves de la DCA soviétique, Koller parvient au Berghof le 23 avril à midi. « Arrivé chez Goering, note-t-il, je trouve l'aide de camp en chef von Brauchitsch et le *Reichsleiter* Bouhler. J'annonce que je suis porteur de nouvelles de la plus haute importance, mais Goering répond : " Bouhler peut tout entendre. " Je lui rapporte les propos de Christian et la teneur exacte de l'entretien avec Jodl. Goering paraît déconcerté, mais j'ai l'impression qu'il s'attendait à quelque chose de ce genre. Lui et Bouhler ont des paroles sévères à l'égard d'Hitler, et qualifient son comportement d'"abomination abyssale * ". [...] Goering considère qu'il se trouve dans une situation très difficile, et se demande ce qu'il doit faire à présent. Il me demande une description détaillée de la situation militaire à Berlin, dans ses environs et dans tout le secteur nord. [...] Il veut aussi savoir si le Führer est encore en vie, s'il peut encore changer d'avis, et s'il n'a pas nommé entre-temps Bormann comme successeur [42]. »

Bien entendu, Koller ne peut lui fournir que des informations vieilles de dix heures, ce qui est beaucoup dans la conjoncture du moment : le Führer était encore en vie à son départ, les Russes ont pratiquement cerné Berlin, mais les communications terrestres avec Potsdam restent ouvertes, et oui, bien sûr, le Führer peut encore changer d'avis, ainsi qu'il l'a souvent fait par le passé. Mais Koller ajoute : « C'est maintenant à vous d'agir, *Herr Reichsmarschall*. Par sa décision d'hier après-midi, Hitler s'est fait

---

* « *Abgrundtiefe Gemeinheit.* »

commandant de la place de Berlin, en renonçant ainsi, pratiquement de lui-même, à la conduite de l'Etat et à la direction
suprême de la Wehrmacht. » Goering approuve, mais hésite
encore : « Sa hantise, poursuit Koller, est que, du fait des relations tendues qu'ils entretiennent de longue date *, Hitler ait pu
nommer Bormann comme représentant ou comme successeur.
"Bormann est mon ennemi mortel, dit Goering, il n'attend
qu'une occasion pour m'abattre. Si j'agis maintenant, je serai qualifié de traître, et si je n'agis pas, on me reprochera de m'être
dégonflé au moment le plus difficile. " Il tire d'une cassette en
acier le texte du décret du 29 juin 1941, qu'il lit à haute voix.
[...] : " Au cas où je serais empêché d'agir ou incapacité pour toute
autre raison, je désigne le *Reichsmarschall* Hermann Goering
comme représentant ou successeur dans toutes mes fonctions à la
tête de l'Etat, du Parti et de la Wehrmacht " [43]. »

Cela paraît parfaitement clair, mais Goering, qui hésite encore,
fait appeler le *Reichsleiter* Lammers. Ce chef de la chancellerie,
récemment écarté par Bormann et réfugié sur l'Obersalzberg, se
montre catégorique : le décret du 29 juin 1941 reste en vigueur ;
s'il y en avait eu un autre, Lammers en aurait été le premier
informé. Mais Goering, resté très prudent, déclare ne pouvoir agir
de sa propre autorité que si tout contact avec Hitler est devenu
impossible. « Le temps presse, note Koller, il faut faire quelque
chose. Je propose donc à Goering ce qui suit : " Si vous voulez
avoir une assurance absolue, envoyez à Hitler un radiogramme
pour lui poser carrément la question. Il ne peut tout de même pas
se formaliser d'une question. Après tout, c'est lui-même qui vous
a mis dans cette situation. " Goering saisit la proposition au vol et
dicte un long message, passablement pompeux et ampoulé. [...]
J'interromps pour dire que dans les circonstances actuelles, seul
un message court et précis pourrait parvenir à destination. Goering charge donc Brauchitsch et moi-même de rédiger chacun un
texte. Le mien est conçu en ces termes : " *Mein Führer*, acceptez-
vous qu'à la suite de votre décision de rester à Berlin et de
défendre Berlin, j'assume désormais la direction du Reich conformément au décret du 29 juin 1941 ? " Goering me demande
d'ajouter : " avec les pleins pouvoirs à l'intérieur comme à l'extérieur ". » Mais la situation militaire se dégradant d'heure en

---

* Goering fait allusion à ses propres relations avec Hitler.

heure, il n'y a manifestement plus de temps à perdre, et Koller propose de conclure par la phrase suivante : « Si je ne reçois pas de réponse avant 22 heures, je présumerai que vous n'avez plus votre liberté d'action, et j'agirai de ma propre initiative [44] *. »

Sans doute effrayé par la hardiesse du propos, Goering s'empresse d'ajouter : « Vous savez ce que j'éprouve pour vous en cette heure, qui est la plus pénible de mon existence. Les mots me manquent pour l'exprimer. Que Dieu vous protège et vous permette malgré tout de sortir de Berlin pour venir ici le plus tôt possible. Votre fidèlement dévoué, Hermann Goering [45]. » Ceci fait, le message est envoyé par radio depuis le centre de transmissions de l'OKL près de Berchtesgaden, en même temps qu'une instruction au colonel von Below de veiller à ce qu'il soit présenté sans délai à Hitler en personne [46]. Il y a également un radiogramme pour Keitel et un autre pour Ribbentrop, qui commencent par : « J'ai demandé au Führer de me transmettre ses instructions avant le 23/4, 22 heures », rappellent ensuite les termes du décret du 29 juin 1941, et se terminent ainsi : « Au cas où, avant 24 heures le 23/4, vous n'auriez reçu aucune autre instruction du Führer directement ou de moi-même, vous devrez me rejoindre sans délai par la voie des airs [47] **. » Il y a un dernier télégramme pour le général Jodl, qui précise en guise de justification qu'« il faut bien que l'Etat ait une autorité, si l'on ne veut pas que le Reich s'écroule [48] ».

Après l'effort, le réconfort : Goering, Bouhler et Koller prennent un déjeuner tardif, au cours duquel ils envisagent les mesures à prendre en cas d'acceptation d'Hitler – ou de silence de sa part : « Dans les deux cas, note Koller, Goering est résolu à agir promptement et énergiquement. Il ne capitulera pas devant les Russes, mais le fera immédiatement devant les puissances occidentales ; c'est pourquoi il a l'intention de se rendre en avion dès demain (24/4) auprès du général Eisenhower. Goering pense que lors d'un entretien d'homme à homme, il parviendra rapidement à un accord, et il me charge de tout préparer pour que le vol

---

* Dans la version définitive, cette dernière phrase deviendra : « Je présumerai que vous n'avez plus votre liberté d'action, je considérerai les conditions de votre décret comme réunies, et j'agirai pour le bien du peuple et de la patrie. » On remarquera que le mot de « négociation » a été soigneusement évité.
** D'après Koller, il aurait également envoyé un second message à Keitel pour lui dire de faire en sorte que le Führer quitte Berlin. Celui-ci n'a pas été retrouvé.

puisse s'effectuer dans les plus brefs délais. [...] Il parle ensuite d'un remaniement immédiat du cabinet du Reich, à commencer par le remplacement de Ribbentrop. Il déclare qu'il aimerait se charger lui-même du ministère des Affaires étrangères, mais que ses autres responsabilités rendent cela impossible. » Pour l'heure, en tout cas, il charge Koller de rédiger une proclamation au peuple et à la Wehrmacht. En quels termes ? « Il faut faire croire aux Russes que nous continuons le combat contre l'Est et l'Ouest, mais les Américains et les Anglais doivent pouvoir comprendre que nous n'envisageons plus de poursuivre la guerre à l'Ouest, tandis que nos soldats doivent en déduire que la guerre continue, mais aussi en retirer l'impression qu'elle touche à son terme, avec des perspectives plus favorables que prévu. » Koller lève les bras au ciel : « Voilà un chef-d'œuvre diplomatique qui dépasse de beaucoup mes capacités de rédaction. » Goering : « Je n'ai personne d'autre. Il vous faut essayer, Koller [49] ! »

En fait, le chef d'état-major ne reconnaît plus vraiment son supérieur : « Maintenant que les dés sont jetés, il est très dispos et entreprenant, comme soulagé d'un grand poids. [...] Auparavant, lorsque après avoir vainement argumenté avec Hitler, Goering me répétait avec conviction les mots et les expressions du Führer, exactement comme s'il s'agissait des siens propres, je le surnommais " la Voix de son Maître ". A présent, il est comme transformé. Au cours du repas, il rayonne et se réjouit des nouvelles tâches qui l'attendent [50]. »

Engouement passager ou optimisme de façade ? Toujours est-il que lorsque Hermann Goering rejoint son épouse, il est déjà un peu moins enthousiaste : « Je vais enfin être en charge de l'Allemagne, maintenant que tout est détruit et qu'il est déjà trop tard. C'est en décembre que le Führer aurait dû me donner les pleins pouvoirs pour négocier. Je l'en avais pourtant conjuré à l'époque ! [...] Mais peut-être qu'il n'est pas encore trop tard. Je ferai l'impossible pour éviter à l'Allemagne une paix humiliante. Peut-être obtiendrai-je malgré tout des conditions acceptables. » Et Emmy Goering d'ajouter : « Il comptait tout faire pour entrer en contact avec Churchill, Eisenhower et Truman dès qu'il aurait en main l'accord d'Hitler. » Elle se souvient également que son époux lui a dit en passant : « Le ministre Lammers m'a prié d'agir sans fixer d'échéance au Führer. Mais j'ai refusé [51]. »

C'est sans doute une erreur : après tant d'années passées à la chancellerie, Lammers connaît suffisamment la mentalité du Führer pour que son avis soit pris sérieusement en considération. Mais dans l'émotion du moment, la question de l'échéance paraît bien inoffensive ; d'ailleurs, chacun à Berlin doit comprendre que cette précaution est rendue nécessaire par l'urgence de la situation et la précarité des communications radio entre la capitale et l'extérieur. Seulement, cela suppose qu'il subsiste à la chancellerie du Reich un semblant de rationalité...

Ce même après-midi du 23 avril, le ministre de l'Armement Albert Speer, qui n'a plus la moindre industrie d'armement à diriger, atterrit en avion léger devant la Porte de Brandebourg et se présente à la chancellerie, qui est déjà sous le feu sporadique de l'artillerie soviétique. Après avoir descendu les quelque cinquante marches conduisant au bunker, il est introduit par Bormann dans le bureau du Führer, qui le frappe par son expression apathique : « Il ne manifestait aucune émotion, il me semblait vide, épuisé, sans vie. [...] Ce jour-là, il ne m'a plus parlé d'un renversement de situation imminent, d'un espoir qui subsisterait. D'un air las, comme s'il s'agissait déjà d'une évidence, il s'est mis à me parler de sa mort : " J'ai décidé de rester ici. [...] Je n'irai pas moi-même participer au combat. Je risquerais d'être blessé et de tomber vivant aux mains des Russes. Je ne veux pas non plus que mes ennemis profanent mon corps, c'est pourquoi j'ai ordonné qu'il soit incinéré. Mademoiselle Braun souhaite quitter la vie avec moi, et je tuerai Blondi au préalable *. Croyez-moi, Speer, il m'est facile de mettre fin à ma vie. Un bref instant et je serai libéré de tout, délivré de cette douloureuse existence " [52]. »

Mais le haut commandement du Reich continue à fonctionner sous sa propre impulsion : le chef d'état-major Krebs se présente au rapport et la conférence de situation débute comme à l'accoutumée ; il est vrai que les principaux dignitaires et chefs militaires sont absents, qu'il ne reste plus que quelques officiers de liaison, qu'il n'y a sur la table qu'une carte de Berlin et que les renseignements disponibles sur l'avance soviétique sont des plus fragmentaires, mais le rituel se poursuit immuablement, chacun joue son rôle, et le Führer exprime même un certain optimisme : la 9e armée de Busse va faire mouvement vers l'ouest et rejoindre la

---

* Son berger allemand.

12ᵉ armée de Wenck, qui déclenchera son offensive vers le nord pour briser le siège de Berlin. Pourtant, la conférence se termine plus tôt qu'à l'ordinaire, et Speer, interloqué par ce qu'il vient d'entendre, sort dans l'étroit couloir du bunker. Il y croise Goebbels, dont le fanatisme paraît intact, et il rend une dernière visite à son épouse Magda, qui est venue avec ses six enfants pour mourir « dans ce site historique ».

Alors qu'il prend congé de l'infortunée Frau Goebbels, Speer perçoit une grande agitation dans le corridor, et il en découvre bientôt l'origine : « Un télégramme de Goering venait d'arriver, et Bormann se précipitait pour l'apporter à Hitler. Je l'ai suivi discrètement, surtout par curiosité. Dans son télégramme, Goering se contentait de demander à Hitler si, conformément au décret de succession, il devrait assumer la direction de l'ensemble du Reich au cas où Hitler demeurerait dans la forteresse de Berlin. Mais Bormann a prétendu que Goering venait de lancer un coup d'Etat. [...] Au début, Hitler a réagi à la nouvelle avec la même apathie qu'il avait manifestée toute la journée. Mais la thèse de Bormann s'est trouvée renforcée lorsque est arrivé un second message radio de Goering [53]. » C'est la copie du télégramme adressé ce même après-midi à Ribbentrop, qui commence par « J'ai demandé au Führer de me transmettre ses instructions avant le 23/4, 22 heures. », et se termine par : « Au cas où, avant 24 heures le 23/4, vous n'auriez reçu aucune autre instruction du Führer directement ou de moi-même, vous devrez me rejoindre sans délai par la voie des airs. » Et Speer poursuit : « Bormann a pensé y trouver un nouvel argument : " Goering est en train de trahir ! " s'est-il écrié au comble de l'excitation. Voilà maintenant qu'il envoie des télégrammes aux membres du gouvernement, pour leur dire qu'aux termes de ses pleins pouvoirs, il assumera vos fonctions cette nuit à 24 heures, *mein Führer.* " Si Hitler était resté plutôt calme lors de l'arrivée du premier télégramme, Bormann a eu cette fois partie gagnée. Son vieux rival Goering allait être dépouillé de ses droits de succession par un télégramme rédigé de la main de Bormann lui-même [54]. »

De fait, cette première réponse, aussitôt signée par le Führer, est libellée ainsi : « Je déciderai moi-même du moment de l'entrée en vigueur du décret du 29/6/41. Ma liberté d'action demeure entière. J'interdis donc toute démarche dans le sens que vous indiquez. Signé : Adolf Hitler [55]. » Mais les choses n'en resteront pas là : « Bormann, poursuit Speer, avait enfin réussi à tirer Hitler de sa léthargie. Une explosion de rage a suivi, où s'entremêlaient des expressions d'amertume, d'impuissance, de désespoir et d'auto-apitoiement. Le visage écarlate et les yeux hagards, il semblait avoir oublié la présence de son entourage : " Je le sais depuis longtemps. Je sais que Goering est paresseux. Il a laissé la Luftwaffe aller à vau-l'eau. Il est corrompu. Son exemple a permis à la corruption de se répandre dans l'Etat. En plus, il est morphinomane depuis des années. Je l'ai toujours su " [56]. » Bormann fait naturellement écho aux paroles du Führer, et pousse même son avantage : « Il doit être fusillé ! » Mais la manipulation a ses limites : « Non, non, pas cela ! répond Hitler ; je lui retire toutes ses fonctions et il est déchu de ses droits de succession. » Bormann est donc chargé de rédiger sur-le-champ un second télégramme : « A Hermann Goering, Obersalzberg. Par votre action, vous vous êtes rendu coupable de haute trahison contre le Führer et le national-socialisme. La trahison est punie de mort. Toutefois, du fait des services rendus au Parti, le Führer ne vous infligera pas le châtiment suprême, à condition que vous renonciez à toutes vos fonctions. Répondez par oui ou par non [57]. »

Le radiogramme part aussitôt, tandis que le psychodrame se poursuit dans le bureau du Führer. Mais Speer n'est pas au bout de ses surprises : « D'un seul coup, Hitler est retombé dans sa léthargie : " Après tout, pourquoi pas ? Goering n'a qu'à négocier la capitulation. Au fond, peu importe qui le fait, si la guerre est perdue ". [...] Une fois la crise passée, Hitler était à bout de forces. Il a repris ce ton harassé qu'il avait un peu plus tôt dans la journée [58] *. »

Le Führer, dont l'attitude est manifestement devenue incohérente, a certes changé d'avis quatre fois en vingt-quatre heures, mais pour Martin Bormann, l'essentiel est acquis : son ennemi mortel est enfin écarté du pouvoir. Pourtant, cela ne suffit pas encore au très malfaisant chef de la chancellerie du parti, puisqu'il

---

* Von Below confirme que le Führer a décidé à ce moment de « faire consigner Goering à son domicile de l'Obersalzberg », et il ajoute : « Lorsque je me suis entretenu ce soir-là en privé avec Hitler au sujet de Goering, j'ai constaté qu'il montrait quelque compréhension pour sa conduite, mais qu'en tant que son adjoint, Goering avait le devoir d'agir selon les instructions d'Hitler. Il n'y avait aucune possibilité de négociation avec l'ennemi. »

se sert de son propre émetteur pour envoyer un radiogramme à l'*Obersturmbannführer* * Bernhard Frank ; ce commandant du détachement SS sur l'Obersalzberg reçoit l'ordre d'arrêter Goering pour haute trahison... L'état-major et les conseillers du *Reichsmarschall*, y compris Koller et Lammers, doivent également être emprisonnés ou placés en résidence surveillée ; et le message se termine par cet avertissement menaçant : « Vous en répondrez sur votre tête [59]. »

Le soleil se couche sur l'Obersalzberg. Dans la villa du *Reichsmarschall*, la réception du premier télégramme d'Hitler annonçant que « sa liberté d'action demeure entière » fait l'effet d'une bombe ; Goering envoie immédiatement à Ribbentrop, Keitel et Himmler un nouveau message pour tenter de limiter les dégâts : « Le Führer m'informe qu'il a conservé son entière liberté d'action. J'annule donc mes radiogrammes d'aujourd'hui midi. *Heil Hitler !* Signé : Hermann Goering [60]. » Bien entendu, il accepte également de renoncer à toutes ses fonctions. Mais la machine infernale est déjà lancée... Comme son époux, Emmy Goering a du mal à suivre l'implacable enchaînement des événements : « Que s'était-il passé à Berlin dans l'intervalle, pour que Hitler reprît tout en main ? Nous sommes restés ensemble pendant de longues heures, et soudain, un domestique a fait irruption dans la pièce en criant : " *Herr Reichsmarschall*, les SS sont dehors et viennent vous arrêter ! " Mon mari a souri avec incrédulité, s'est levé et est allé dans son bureau. Je l'ai suivi. [...] " Ne te fais pas de souci, m'a-t-il dit. Ce doit être un malentendu ! C'est *forcément* un malentendu ! " Sur ce, des SS armés sont entrés et ils m'ont ordonné d'aller dans ma chambre [61]. » De fait, à partir de 21 heures ce 23 avril, le *Reichsmarschall*, sa famille, ses amis, ses quatre aides de camp et ses domestiques sont prisonniers d'une centaine d'hommes de la SS, sous la direction de l'*Obersturmbannführer* Bernhard Frank. « Je suis sûre que Bormann leur a donné l'ordre de tuer mon mari ! » crie Emmy Goering à son domestique Robert [62].

Cinq heures plus tôt, le général Koller était redescendu dans la vallée pour rejoindre son PC provisoire de Haus Geiger, près de Berchtesgaden. Il n'a pratiquement pas dormi depuis trois nuits, mais l'heure n'est pas au repos : le téléphone sonne sans inter-

---

* Lieutenant-colonel.

ruption, l'état-major de l'Air doit gérer les innombrables escadrilles qui viennent s'entasser sur les aéroports de Bavière, d'Autriche et de Bohême pour échapper à l'avancée des armées alliées, et il faut rédiger d'urgence le « chef-d'œuvre de diplomatie », cette fameuse proclamation à la Wehrmacht qui doit tout dire à tous en dissimulant l'essentiel à la plupart... Mais vers 21 heures, le quartier général de l'OKL à Berchtesgaden appelle pour signaler une anomalie : les communications téléphoniques avec la villa du *Reichsmarschall* au Berghof sont interrompues. L'officier envoyé en reconnaissance sur l'Obersalzberg ne revient pas, et peu après, Koller reçoit une copie du premier radiogramme envoyé dans l'après-midi depuis le bunker de Berlin. Nouveaux appels téléphoniques de l'OKL, des services du maréchal Kesselring, de Munich, de Prague, de Salzbourg, et enfin, peu après minuit, alors que Koller et son épouse ont enfin trouvé un instant pour dîner, l'*Obersturmbannführer* Bredow se fait annoncer, se met au garde-à-vous et annonce :

« *Herr General*, je vous prie de m'excuser. A mon grand regret, je dois vous mettre aux arrêts sur ordre du Führer...

Koller : Savez-vous pour quelle raison ?

Bredow : Non.

Koller : Où est le *Reichsmarschall* ?

Bredow : Arrêté.

Koller : Brauchitsch et l'entourage du *Reichsmarschall* ?

Bredow : Arrêtés.

Koller : Le ministre du Reich Lammers et le *Reichsleiter* Bouhler ?

Bredow : Arrêtés.

Koller : Alors, vous savez aussi pourquoi on m'arrête ?

Bredow : Oui.

Koller : Je dois vous faire remarquer que ce qui est en train de se faire est une folie. Le *Reichsmarschall* a agi tout à fait correctement, et n'a fait que poser une question au Führer [63]... »

Pour finir, Koller apprend qu'il n'est que « consigné à son domicile ». Ayant protesté avec vigueur et fait valoir que c'était là le meilleur moyen de paralyser la Luftwaffe au moment où elle était le plus nécessaire à l'effort de guerre, Koller se rend compte du fait qu'il a sur son bureau le fameux projet de proclamation à la Wehrmacht et au peuple, péniblement rédigé quelques heures plus tôt. On pourrait difficilement concevoir un document plus compromettant, et Koller l'empoche discrètement avant d'être conduit à sa chambre sous escorte...

Il n'aura guère l'occasion d'y dormir : à 5 heures au matin du 24 avril, Bredow entre en trombe et lui annonce que, sur ordre du Führer, il doit aussitôt se rendre à Berlin. Koller : « Comment cela, à Berlin ? Je suis aux arrêts, et si je prends l'avion pour Berlin, je pourrais m'échapper. A moins que je sois escorté par des SS ? Hors de question ! D'ailleurs, il est déjà trop tard : je ne pourrais décoller qu'à 7 heures du matin, et il est impossible de rallier Berlin en plein jour. Si mon avion était abattu, cela ne rendrait service à personne... » Bredow va demander de nouvelles instructions, puis revient en annonçant qu'il n'est effectivement pas question que Koller vole en plein jour, et que le Führer vient de lever son ordre d'arrestation. Par contre, il lui est toujours strictement interdit d'entrer en contact avec Goering [64].

C'est que sur l'Obersalzberg, la détention se prolonge, et dans des conditions nettement plus dures : les occupants de la villa sont étroitement surveillés, et Goering ne peut parler que furtivement à son épouse, qu'il s'efforce de rassurer : « Tu verras, tout cela s'arrangera demain. C'est un fichu malentendu. [...] As-tu vraiment cru un seul instant que c'est Hitler qui m'a fait emprisonner ? Moi, qui lui ai été fidèle pendant vingt-trois ans pour le meilleur et pour le pire ? Crois-moi, je sais bien qui a donné cet ordre d'emprisonnement [65]. »

Emmy le sait aussi, mais c'est justement cela qui l'inquiète... La journée du 24 avril s'écoule ainsi sans la moindre nouvelle du monde extérieur, chacun restant consigné dans sa chambre sous étroite surveillance. Mais au matin du lendemain, un léger tremblement se fait sentir, qui s'amplifie peu à peu. Soudain, la sirène d'alerte retentit, au moment précis où les premières bombes commencent à tomber ; c'est un raid massif de quadrimoteurs Lancaster sur le Berghof. Les SS poussent précipitamment Goering, son épouse, sa fille et ses aides de camp vers la cave de la villa. Même dans ce refuge, le *Reichsmarschall* n'a pas le droit de communiquer avec son entourage. Mais peu après le départ de la première vague de bombardiers, un officier SS ordonne à tous d'aller jusqu'au grand abri antiaérien bétonné, creusé dans la montagne. C'est un ouvrage inachevé et très inconfortable, mais à

30 mètres sous terre, il est à l'épreuve des bombes, ce qui est déjà plus rassurant au moment où commence la seconde attaque. Au bout de vingt minutes, l'alerte est levée, et en émergeant à l'air libre, les rescapés peuvent constater les dégâts : la caserne des SS et la villa du Führer ont été touchées de plein fouet ; quant à celle de Goering, elle est à moitié effondrée. Il va donc falloir se résoudre à emménager dans l'abri bétonné...

C'est là que l'*Obersturmbannführer* Frank apporte à Goering un nouveau télégramme radio de Berlin : « En considération des grands services rendus par le *Reichsmarschall*, le Führer a décidé de ne pas le condamner à mort. Mais il l'a démis de toutes ses fonctions et exclu du parti. Le Führer annoncera au peuple allemand que le *Reichsmarschall* s'est retiré pour raisons de santé. » Selon Emmy Goering, ce message plonge son époux dans une profonde léthargie ; jusqu'au lendemain, il ne cesse de le relire, puis il demande à l'un des gardiens SS, le dentiste Post, d'envoyer à Hitler la réponse suivante : « Si Adolf Hitler me croit déloyal, il doit me faire fusiller. Mais il doit enfin faire remettre en liberté ma famille et mon entourage. » Emmy, ne voulant pas être en reste, tient à ajouter la phrase suivante : « Si Adolf Hitler croit possible que mon mari ait pu manquer à son devoir de fidélité envers lui, alors il doit également me faire fusiller, ainsi qu'Edda *. » Le message est envoyé, et l'*Obersturmbannführer* Frank leur lit la réponse quelques heures plus tard : « Oui, tous les coupables de haute trahison sont à fusiller, de même que ceux qui les accompagnent. » Il y a pourtant deux mentions supplémentaires : « le valet Robert, l'infirmière Christa et la servante Elsa sont exemptés du châtiment ** », et surtout : « la sentence ne devra être exécutée qu'après la chute de Berlin » [66].

Cette dernière phrase est révélatrice : pourquoi « après la chute de Berlin » ? Parce qu'à ce moment, le Führer aura disparu ! Ce n'est donc pas lui qui est à l'origine du message ***. C'est sans doute aussi ce qu'a pensé Emmy Goering, qui s'adresse un peu plus tard à l'*Obersturmbannführer* Frank : « Je lui ai demandé de réfléchir au fait que mon mari allait être fusillé sur la foi d'un

---

* Hitler est le parrain de la petite Edda.
** Les trois intéressés déclareront aussitôt vouloir être fusillés en même temps que leurs maîtres !
*** Qui contredit d'ailleurs le précédent, annonçant que « le Führer a décidé de ne pas condamner (le *Reichsmarschall*) à mort ».

message radio, qui n'était au fond qu'un document anonyme. Dans la situation confuse qui régnait au sein de la chancellerie du Reich, n'importe qui pouvait envoyer un message radio. Pour moi, il n'était nullement établi que le message radio provenait vraiment d'Adolf Hitler. » Selon Emmy, cela semble faire hésiter quelque peu son geôlier, mais Frank, dressé à l'obéissance sans être porté aux excès de réflexion, finit par répondre que le moment venu, il exécutera les ordres [67].

Pourtant, il n'y a pas de nouveaux ordres en provenance de Berlin ce jour-là ; c'est que l'attention des occupants du bunker de la chancellerie est entièrement concentrée sur la défense de Berlin, qui est tenu par 44 600 soldats, 42 500 hommes de la *Volksturm* sans entraînement et misérablement équipés, 2 700 adolescents des Jeunesses hitlériennes, et quelques centaines d'employés de l'Arbeitsfront et de l'Organisation Todt, chargés de la défense des ponts sur la Spree et la Havel. Face à eux, les armées de Joukov et Koniev : 2 millions d'hommes soutenus par l'artillerie, les chars et l'aviation, qui ont occupé les faubourgs sud de Berlin dès le 24 avril, puis contourné la ville par l'ouest et le nord, encerclant entièrement la capitale au soir du 25 avril ; c'est ce même jour que les forces soviétiques et américaines ont fait leur jonction à Torgau, sur l'Elbe. Dès lors, l'Allemagne est effectivement coupée en deux, et la chute de Berlin n'est plus qu'une question de jours.

Mais les Soviétiques n'avancent que prudemment vers le centre de la capitale en ruines, et le 26 avril, Hitler compte encore sur une percée de la 12ᵉ armée de Wenck en direction de Berlin : venue de l'ouest, elle est déjà signalée aux abords de Potsdam, tandis que la 9ᵉ armée de Busse a ordre de rompre le combat à l'est pour venir renforcer l'offensive de Wenck, et que les troupes du général Holste au nord-ouest doivent se frayer un chemin vers le sud pour opérer leur jonction avec l'armée Wenck devant Berlin. Ainsi, l'encerclement sera brisé, et les Soviétiques connaîtront une défaite historique devant la capitale du Reich ! Bien entendu, tout cela relève de la chimère pure et simple : l'armée Wenck ne comprend plus que trois divisions d'infanterie, sans blindés ni artillerie ; la 9ᵉ armée de Busse, avec treize divisions sévèrement étrillées, est pratiquement cernée à l'ouest de l'Oder et n'a plus aucune de chance de se frayer un chemin jusqu'à Potsdam ; et puis, on ignore où se trouvent exactement les troupes du général Holste... Les quelques escadrilles de Me 109 et de FW 190 encore opérationnelles mènent bien quelques raids contre les concentrations soviétiques autour de Berlin, mais elle ne peuvent plus opérer qu'à partir de l'aérodrome de Rechlin, le carburant leur est sévèrement rationné, et leurs pertes sont considérables. Gatow et Tempelhof sont bombardés sans interruption par l'artillerie soviétique, et on ne peut plus rallier Berlin qu'en utilisant l'axe est-ouest comme piste d'atterrissage – après avoir franchi le rideau de feu de la DCA ennemie...

C'est précisément l'exploit qu'accomplit le général Ritter von Greim, qui a répondu sans hésiter à une convocation du Führer. Parvenu au bunker de la chancellerie au soir du 26 avril – avec un éclat d'obus dans le pied * –, von Greim est amené à l'infirmerie, où Hitler lui rend visite :

« *Hitler* : Savez-vous pourquoi je vous ai convoqué ?

Von Greim : Non, *mein Führer*.

Hitler : Parce que Hermann Goering m'a trahi et abandonné, moi et la patrie. Il a pris contact avec l'ennemi derrière mon dos. Son initiative est une preuve de lâcheté ! Il s'est mis en sécurité à Berchtesgaden, contre ma volonté, et de là, il m'a envoyé un télégramme insolent, disant que je l'avais jadis nommé comme successeur, et qu'à présent que je ne pouvais commander depuis Berlin, il était prêt à diriger depuis Berchtesgaden à ma place. Il terminait son télégramme en disant que si je n'avais pas répondu avant 9 h 30 cette nuit-là **, il considérerait mon assentiment comme acquis ! »

Hitler tend le télégramme à von Greim d'une main tremblante et regarde dans le vague, la respiration haletante et le visage crispé de tics nerveux. Soudain, il hurle : « Un ultimatum ! Un grossier ultimatum ! Rien ne m'aura été épargné ! Aucun serment n'est respecté, l'honneur ne compte plus ! J'aurai connu toutes les amertumes, toutes les trahisons ; et maintenant, voici la pire ! Non, il ne me reste rien. J'ai tout subi. » Puis, les yeux mi-clos, il ajoute en abaissant la voix : « J'ai fait arrêter Goering comme traître au Reich ; je l'ai relevé de toutes ses fonctions et exclu de toutes les instances [68]. »

---

* Son avion léger a été touché au-dessus de Grünewald par des tirs de DCA soviétiques, mais la femme pilote d'essai Hanna Reitsch, qui l'accompagnait, a pris les commandes de l'appareil et réussi un atterrissage acrobatique devant la Porte de Brandebourg.

** 10 heures, en fait.

Mais le Führer finit par se ressaisir, et il informe von Greim qu'il l'a convoqué pour le nommer commandant en chef de la Luftwaffe, avec le grade de maréchal, à la place de Goering. Evidemment, un message radio aurait suffi pour annoncer cette nomination, d'autant qu'il sera encore plus dangereux pour le nouveau commandant en chef de décoller de Berlin que d'y atterrir – à supposer qu'un avion puisse encore s'y risquer...

Le lendemain 27 avril, le général Koller, qui a enfin pu quitter Berchtesgaden, atterrit à Rechlin et se fait conduire au nouveau quartier général de l'OKW – un ensemble de baraquements camouflés dans la forêt entre Rheinsberg et Fürstenberg *. Il y rencontre Dönitz, Himmler, Keitel et Jodl, qu'il tente d'intéresser à la cause de Goering, toujours emprisonné pour un crime de trahison qu'il n'a pas commis. Mais que ce soit par peur du Führer ou par mépris pour le dauphin déchu, personne ne semble disposé à prendre parti : Himmler se contente de dire que « c'est une affaire malheureuse », Keitel invoque une surcharge de travail et prend aussitôt congé, tandis que l'amiral Dönitz se déclare « persuadé que Goering a voulu faire pour le mieux », avant de s'éclipser... Koller appelle ensuite la chancellerie au téléphone, mais s'entend répondre que le Führer ne peut être dérangé ; par contre, il parvient à joindre von Greim : « Je lui annonce mon arrivée et le félicite pour sa promotion au grade de maréchal ; j'ajoute que je ne puis le féliciter pour sa nomination en tant que commandant en chef de la Luftwaffe, mais seulement lui exprimer ma compassion, tant la tâche est désespérée. Il me répond : " Oui, là, vous avez raison. " [...] Je lui dis que j'ai reçu du réseau Bormann l'ordre de me présenter devant Hitler, [...] et que j'ai l'intention de me rendre à Berlin cet après-midi ou dans la nuit. Greim me répond : " Je ne suis pas au courant. [...] Cela me paraît très suspect, et je vais tenter d'éclaircir cette affaire. [...] En attendant, ne venez en aucun cas à Berlin. D'abord, ce serait superflu, ensuite vous ne passeriez pas, et même si vous y parveniez, vous ne pourriez sans doute pas repartir. Moi-même, je ne pense pas pouvoir m'extraire d'ici, je dois rester avec le Führer, et si nous étions enfermés tous les deux dans le bunker, ce serait une situation parfaitement impossible " [69]. »

---

* A 80 kilomètres au nord de Berlin.

De fait, il faut bien que quelqu'un conserve sa liberté d'action pour commander la Luftwaffe – ou du moins ce qu'il en reste. La chancellerie est maintenant touchée à intervalles réguliers par les obus soviétiques, ce qui fait trembler le bunker et rend la conversation presque inaudible. Koller promet de faire en sorte que von Greim puisse malgré tout quitter la capitale, et ce dernier répond entre deux détonations : « Bien, essayez. [...] Mais la nuit prochaine, repartez pour le Sud, sinon, tout va se disloquer [70]. » A 3 h 10 au matin du 28 avril, Koller décolle donc de Rechlin en direction de Munich, où il atterrit peu après 6 heures. Mais en raison de la pression des affaires à traiter et de l'encombrement des routes, le chef d'état-major, qui a dormi un peu moins d'une heure et demi au cours des dernières soixante-six heures, ne parvient à Berchtesgaden qu'au petit matin du 29 avril ; et ce qu'il apprend à son arrivée le tire rapidement de sa somnolence : Goering et son entourage ont quitté l'Obersalzberg pour une destination inconnue...

Depuis le 25 avril, les prisonniers ont connu une vie difficile à 30 mètres sous terre, dans les galeries sombres, froides et humides de l'abri antiaérien du Berghof, en s'attendant constamment à être passés par les armes. Goering a été isolé de ses compagnons : « A la lueur tremblante d'une bougie, déclarera plus tard Fritz Görnnert, les SS l'ont jeté dans un des tunnels et l'y ont laissé. Ils ne nous ont rien donné à manger et personne n'a eu le droit de sortir. [...] Nous ne pouvions communiquer entre nous. Il y a eu des scènes terribles, où tout le monde pleurait, même les hommes. A la fin, tout cela est devenu carrément honteux [71]. » Goering, lui, souffre de l'isolement, du froid, de ses vieilles blessures et de la privation de ses pilules de paracodéine ; par contre, il a sur lui deux ampoules de cyanure, dissimulées dans des cartouches évidées, qu'il garde pour la dernière extrémité et contemple de temps à autre [72].

Mais les galeries bétonnées ne sont pas aérées, et les gardiens commencent à souffrir autant que leurs prisonniers ; en outre, une nouvelle unité SS prend la relève, et Frank est remplacé par le *Standartenführer* * Ernst Brausse, de l'état-major du *Reichsführer* Himmler. A-t-il reçu des instructions particulières de son supérieur ? Est-il déjà gagné par le flottement qui s'installe dans beau-

---

* Colonel.

coup d'unités militaires allemandes depuis l'encerclement de Berlin et la jonction américano-soviétique sur l'Elbe ? Toujours est-il que les aides de camp, la secrétaire, la femme de chambre et le couple Bouhler sont emmenés à Salzbourg [73], tandis que Goering se voit demander s'il a une préférence quant à son nouveau lieu de détention... Le filleul du chevalier von Epenstein propose spontanément le château autrichien de Mauterndorf, et c'est là que la famille Goering est emmenée, en limousine mais sous bonne garde, le 28 avril à 22 heures [74].

Goering passe donc sans déplaisir de la vie de troglodyte condamné à mort à celle de châtelain assigné à résidence. Il est vrai que le château est glacial, mais sa cave est bien garnie, et le maître des lieux en fait largement profiter le *Standartenführer* Brausse. Celui-ci tombe rapidement sous le charme de ce grand seigneur, qui a repris toute son assurance au milieu de l'écroulement général et se fait fort de négocier avec les Américains dès qu'il sera autorisé à les contacter ; deux autres officiers SS chargés de la garde des prisonniers ne cachent pas non plus leur sympathie pour la famille Goering. Du reste, la nouvelle tombée au soir du 28 avril a de quoi les faire tous réfléchir : la presse suédoise révèle au monde entier que Heinrich Himmler a tenté d'engager des négociations séparées avec les Alliés anglo-américains par l'intermédiaire du comte Bernadotte [75], ce qui est dénoncé dès le lendemain comme une trahison depuis le bunker assiégé, et entraîne la destitution immédiate du *Reichsführer SS*. Son subordonné immédiat est le chef du SD Ernst Kaltenbrunner, mais celui-ci, qui a fort à faire, ne donne aucune instruction concernant Goering. Par contre, un radiogramme de Bormann est reçu le 30 avril à Salzbourg comme à l'Obersalzberg : « La situation à Berlin s'aggrave. Si Berlin tombe et si nous disparaissons, les traîtres du 23 avril doivent être tous liquidés sur-le-champ. Vous en répondrez sur votre honneur, sur votre vie et sur celle de vos proches. Soldats, faites votre devoir [76] ! » L'*Obersturmbannführer* Frank se déplace en personne jusqu'à Mauterndorf pour apporter ce message au *Standartenführer* Brausse. Mais ce dernier, après avoir consulté ses deux lieutenants, semble résolu à n'en tenir aucun compte : « Pour moi, dira-t-il plus tard, c'était de la folie complète et du meurtre pur et simple. En plus, c'était politiquement insensé. Qui serait responsable du régime national-socialiste, si les hommes de Berlin et Hitler lui-même disparaissaient ? Lorsque nous avons ensuite discuté de cet ordre avec Goering, il s'est déclaré convaincu qu'il ne pouvait venir que de Bormann, et non d'Hitler [77]. »

Au moment où ce funeste message est reçu à Salzbourg, Hitler n'a plus que quelques heures à vivre. Les Soviétiques se sont emparés de l'Alexanderplatz, de la Potsdamerstrasse, de la Wilhelmstrasse, et ne sont plus qu'à 300 mètres du bunker. Le dernier message radio adressé la veille à 11 heures du matin au nouveau QG de l'OKW dans le Mecklembourg traduisait nettement le désarroi du Führer : « Au général Jodl, chef de la section des opérations de l'OKW : 1) Où est l'avant-garde de Wenck ? 2) Quand arrivera-t-elle ? 3) Où est la 9ᵉ armée ? 4) Où est le groupe de combat de Holste ? 5) Quand arrivera-t-il [78] ? » La réponse à ces questions tient en une phrase : toutes les unités qui n'ont pas été anéanties au sud de Potsdam et au nord de Berlin se sont repliées vers l'ouest pour pouvoir se rendre aux Américains ou aux Britanniques... A ce moment, en fait, Hitler a déjà perdu tout espoir : aux petites heures de la matinée du 29 avril *, il a même dicté son « testament politique », qui comprend ce passage : « Avant mon décès, j'expulse du parti l'ancien *Reichsmarschall* Hermann Goering, et lui retire tous les droits qui lui étaient conférés par le décret du 29 juin 1941 comme par mon discours au Reichstag du 1ᵉʳ septembre 1939. Je nomme à sa place le Grand Amiral Dönitz président du Reich et commandant suprême des forces armées. » Il expulse également du parti et déchoit de tous ses titres l'ancien *Reichsführer SS* Heinrich Himmler, avant cette ultime condamnation de ses deux vieux complices : « Goering et Himmler, par leurs négociations secrètes avec l'ennemi, à mon insu et sans mon approbation, ainsi que par leurs tentatives illégales de prendre le pouvoir dans l'Etat, sans parler de leur traîtrise à mon égard, ont couvert d'une honte ineffaçable le pays et le peuple tout entier [79]. » Ayant ainsi soldé ses comptes, le Führer a pris toutes dispositions pour mettre fin à ses jours dès l'arrivée du premier tank soviétique. Le 30 avril, au début de l'après-midi, il estime que l'échéance est venue...

A Berchtesgaden, au même moment, l'infortuné chef d'état-major Koller se débat avec d'innombrables problèmes : les Amé-

---

* Immédiatement après son mariage avec Eva Braun, célébré vers 2 heures au matin du 29 avril.

ricains ayant traversé le Danube entre Ulm et Ratisbonne, il lui faut organiser en catastrophe l'évacuation de l'aérodrome de Munich-Reim, qui tombe aux mains de l'US Army au soir du 30 avril. Les Me 262 de la JV 44 sont redirigés sur Salzbourg, après avoir livré leurs ultimes combats contre les bombardiers américains au-dessus de Landshut et de Neuburg * ; il doit aussi retarder sous divers prétextes l'exécution des ordres de la chancellerie, qui réclame depuis plusieurs jours l'envoi immédiat de toutes les forces aériennes disponibles pour « participer à la bataille finale de Berlin ** » ; il s'efforce d'empêcher l'incorporation immédiate dans la SS des aides de camp de Goering détenus dans la caserne de Salzbourg, que Kaltenbrunner veut faire participer à la défense de Vienne ; il fait rechercher le nouveau commandant en chef de l'aviation von Greim, échappé de Berlin au matin du 29 avril, mais injoignable depuis lors ; il doit compter avec la capitulation des armées allemandes d'Italie du Nord commandées par le général von Vietinghoff, devenue effective ce même 30 avril et qui menace sur leurs arrières toutes les forces du maréchal Kesselring entre Bregenz et Salzbourg ; il tente patiemment de décourager toutes les velléités de résistance improvisée dans un « réduit alpin » imaginaire aux limites de la Bavière et de l'Autriche ; et comme si tout cela ne suffisait pas pour une seule journée, il lui faut encore renouer le contact avec un ancien *Reichsmarschall* encore prisonnier, toujours menacé de mort, mais déjà entreprenant et foncièrement arrogant... Celui-ci vient en effet de faire connaître sa présence à Mauterndorf en accusant Koller de l'avoir abandonné, et en transmettant à sa secrétaire le message suivant : « Si Koller n'est pas un porc et s'il possède encore un soupçon de décence, il doit venir me rejoindre demain matin ***. »

---

* Depuis le 25 avril, ils ont abattu une douzaine de Marauder B 26, mais leur chef Adolf Galland, blessé au genou, a dû quitter la tête de la JV 44. Johannes Steinhoff, dont l'appareil s'est écrasé au décollage le 18 avril, a été grièvement brûlé à la face. (Il survivra pour devenir un des pères de l'aviation allemande d'après-guerre, inspecteur général des forces aériennes de la Bundeswehr en 1966 et même président du comité militaire de l'OTAN en 1971.) L'intrépide Günther Lützow sera abattu deux semaines avant la fin de la guerre.

** Ce qui n'a plus aucun sens, au vu de la disproportion des forces, de l'état des appareils et de la pénurie de carburant.

*** « *Wenn der Koller kein Schwein ist und nur einen Funken Anstand im Leibe hat, dann kommt er morgen früh zu mir.* »

C'est bien mal traiter un chef d'état-major harassé, qui s'efforce depuis une semaine de faire reconnaître l'innocence de Goering et d'obtenir sa libération ! Pour l'heure, en tout cas, Koller considère qu'il ne peut en aucun cas abandonner son poste en s'engageant pendant vingt-quatre heures sur les petites routes escarpées et verglacées qui mènent à Mauterndorf. C'est qu'en plus de ses propres fonctions – manifestement assez prenantes –, il remplit également celles du nouveau commandant en chef de l'aviation Ritter von Greim, qui reste introuvable, ainsi que celles de conseiller de l'*Oberbefehlshaber West* Kesselring, qui hésite entre la résistance à outrance et la capitulation définitive, dans l'attente d'ordres de Berlin qui n'arrivent plus... Koller se contente donc de faire mettre en route une compagnie motorisée de la Lufwaffe stationnée à Radstadt, avec ordre d'assurer la protection du château de Mauterndorf.

Le lendemain 1ᵉʳ mai à 14 heures, le général Koller reçoit une nouvelle stupéfiante, relayée par l'antenne de l'OKW à Berchtesgaden : le Führer est mort, et son successeur désigné est le Grand Amiral Dönitz *... Le soir même, la nouvelle parvient à Mauterndorf : « Je m'étais couchée de bonne heure, se souviendra Emmy Goering, [...] mais je n'étais pas encore endormie lorsque mon mari s'est approché de mon lit et a dit : " Adolf Hitler est mort. " Un étrange silence s'est fait. [...] Après un long moment, mon époux s'est mis à gémir, en répétant sans cesse la même chose : " Maintenant, je ne pourrai plus me justifier ; je ne pourrai plus jamais lui dire en face qu'il a été injuste envers moi, et que je lui suis resté fidèle. " Pendant un moment, j'ai cru qu'il avait perdu l'esprit [80]. » En fait, c'est son indépendance d'esprit qu'il a perdue, et depuis bien longtemps déjà ; ces paroles-là sont celles d'un homme resté sous influence... A-t-il au moins une pensée pour les 69 623 morts ou disparus, les 27 294 blessés et mutilés qui se sont sacrifiés pour « sa » Luftwaffe, au service d'un dangereux aliéné et d'un idéal chimérique ? Dans l'affirmative, il ne semble pas en avoir fait part à son entourage...

Au même moment, Koller reçoit un visiteur inattendu : « A 18 heures, note le général, je vois arriver à Haus Geiger un homme épuisé et couvert de poussière. Il se présente comme le *Standarten-*

---

* Le communiqué de la chancellerie est donc diffusé près de vingt-quatre heures après le suicide d'Hitler.

führer Brausse, commandant de l'unité SS assurant la garde de Goering à Mauterndorf, qui a pris trente-six heures pour parvenir jusqu'à Berchtesgaden. [...] Brausse m'informe qu'il a en quelque sorte sympathisé avec son prisonnier, et qu'il a été impressionné par ses déclarations. Il considère aussi que Goering a certainement été calomnié. Sur quoi il me demande : " Qu'avez-vous l'intention de faire, *Herr General* ? " J'évite de lui répondre directement, [...] puis il me demande : " Vous ne voulez pas libérer Goering par la force ? Vous avez plus de troupes que moi... " A quoi je réponds : " Je ne veux pas courir le risque de libérer un cadavre. " Brausse reprend : " Je vous en suis reconnaissant, car en cas d'attaque venue de l'extérieur, je ne puis me porter garant de chacun de mes hommes. Mais si vous, *Herr General*, n'entreprenez rien de votre côté, je puis vous garantir qu'il n'arrivera rien à Goering, et que je le protégerai avec tout son entourage. Mais je vous conjure de tout faire pour obtenir qu'il soit remis en liberté " [81]. » C'est précisément ce à quoi va s'employer le général Koller, qui téléphone au maréchal Kesselring pour le prier de faire libérer l'encombrant prisonnier. Kesselring, commandant en chef et plus haut gradé de toute l'Allemagne du Sud encore inoccupée, a certes l'autorité nécessaire pour le faire, mais la chape de plomb du national-socialisme étant loin d'être levée, le maréchal répond qu'il ne peut prendre aucune décision sans un ordre des nouveaux dirigeants du Reich. Toutefois, il interdit au chef de la garde SS toute exécution de la sentence de mort contre Goering et sa famille [82].

Ayant déplacé son QG le 3 mai de Plön à Flensburg, près de la frontière danoise, le Grand Amiral Dönitz n'a guère le temps de se soucier du sort de Hermann Goering : il est talonné par les forces britanniques, sa nomination au titre de successeur du Führer l'a pris entièrement au dépourvu, sa légitimité est incertaine *, son

---

* Elle ne repose à l'époque que sur trois messages radio provenant du bunker d'Hitler, le premier envoyé le 30 avril à 18 heures, pour l'avertir que le Führer l'a désigné comme successeur en remplacement du maréchal Goering ; le deuxième expédié le 1er mai à 7 h 40 pour lui signifier que « le testament est maintenant en vigueur », et le troisième, parti le même jour à 15 h 15, signé de Goebbels, qui commence ainsi : « Le Führer est mort hier à 15 h 30. Par son testament du 29 avril, il vous nomme président du Reich, le docteur Goebbels étant chancelier et le *Reichsleiter* Bormann ministre du Parti. » Le texte exact du testament en question ne parviendra jamais à Flensburg – Goebbels et Bormann non plus, du reste.

pouvoir fragile * et sa marge de manœuvre terriblement limitée. Entouré de quelques hommes modérément compromis dans les exactions du régime, il espère pouvoir négocier une capitulation honorable avec les Anglais et les Américains, tout en gagnant du temps pour faire évacuer vers l'ouest les millions d'Allemands menacés par l'avancée de l'Armée rouge. Dans cette entreprise particulièrement délicate au vu des circonstances **, la dernière chose dont le nouveau « président du Reich » a besoin, c'est de l'entrée en scène d'un personnage aussi compromettant que Hermann Goering. D'ailleurs, le *Reichsmarschall* lui a toujours témoigné un mépris souverain, et il persiste à se considérer comme le seul successeur légitime d'Adolf Hitler...

Dès lors, la réponse de Flensburg se fait attendre et Goering continue à se morfondre dans son château, en brûlant du désir de jouer un rôle dans les événements décisifs qui se déroulent très loin de là, entre Reims et Hambourg. Au matin du 4 mai, le général Koller envoie l'aide de camp von Brauchitsch *** demander une nouvelle fois au maréchal Kesselring la libération de Goering. Le maréchal a vainement tenté de joindre le nouveau gouvernement, puis il a promis qu'en l'absence de réponse dans les quarante-huit heures, il ferait libérer l'ancien commandant suprême de la Luftwaffe [83].

La veille, Dönitz a envoyé l'amiral von Friedeburg à Hambourg pour négocier avec le maréchal Montgomery. Les négociations aboutissent le soir du 4 mai à la signature d'un acte de reddition partielle, englobant toutes les forces armées allemandes de terre, de l'air et de mer stationnées dans le nord-ouest de l'Allemagne, les Pays-Bas et le Danemark. Après cela, von Friedeburg s'envole pour Reims, où se trouve le quartier général d'Eisenhower. Mais là, les négociations achoppent dès l'après-midi du 5 mai, car le commandant suprême américain

---

* Il ne dispose à Flensburg d'aucune force armée, tandis qu'Himmler a une escorte de 150 hommes et des régiments SS stationnés dans tout le Schleswig-Holstein (tout en restant commandant de l'armée de réserve)... Quant à la Wehrmacht, elle n'a juré fidélité qu'à Hitler, et son attitude après l'annonce de la disparition du Führer est difficilement prévisible.

** Churchill et Roosevelt s'étaient engagés envers Staline à ne négocier aucune capitulation séparée.

*** Qu'il vient de faire libérer de la caserne de Salzbourg, ainsi que tous ses compagnons.

ne veut pas entendre parler de reddition séparée : il exige une capitulation totale et sans conditions sur tous les fronts, y compris celui de l'Est. Dès lors, au matin du 6 mai, le Grand Amiral Dönitz envoie le général Jodl à Reims, muni des pleins pouvoirs.

Dans l'intervalle, les troupes américaines et françaises ont atteint Berchtesgaden, et l'OKW-Sud a évacué son QG sur Zell am See, bientôt suivi en cela par l'OKL et son chef d'état-major Koller. Celui-ci s'efforce tant bien que mal de limiter les destructions et les barouds d'honneur ; il lui faut aussi localiser son nouveau supérieur le maréchal Ritter von Greim, qui erre dans la campagne bavaroise avec des béquilles, une Hanna Reitsch hystérique et des projets de guérilla chimériques alternant avec des pensées suicidaires ; il doit enfin protéger son ancien supérieur le *Reichsmarschall* déchu, dont Kesselring vient enfin d'ordonner la libération *. Le 6 mai, Koller note dans son journal : « Je dois faire sortir Goering de Mauterndorf, car rien ne dit qu'il ne sera pas capturé par les Soviétiques plutôt que par les Américains. Le major Sandmann propose de le transférer à Fischhorn, sur la rive sud du Zeller See, [...] où il sera logé dans un château appartenant paraît-il au frère de Fegelein **. » Ce dernier refuse certes de loger « un traître », mais ses scrupules n'intéressent personne : la Luftwaffe réquisitionne son château, après quoi Goering est invité à quitter Mauterndorf pour se rendre sans délai à Bruck près de Zell am See, où se trouve le château de Fischhorn *** [84].

Mais avec Hermann Goering, rien n'est jamais simple : il répugne maintenant à quitter Mauterndorf, peste contre l'ostracisme dont il est victime et tient absolument à intervenir dans les négociations en cours avec les Alliés. Entre le 6 et le 7 mai,

* Toutes les histoires racontées ultérieurement par Goering au sujet de sa libération mouvementée par un régiment de la Luftwaffe ayant mis les SS en déroute relèvent de l'affabulation pure et simple. Lorsque Kesselring a émis l'ordre de libération, les SS ont simplement remis la garde de Mauterndorf au détachement de la Luftwaffe envoyé par Koller, et ils se sont égaillés dans la nature pour éviter d'avoir affaire aux troupes alliées.

** Le *Standartenführer* (colonel) *SS* Waldemar Fegelein, frère du *Gruppenführer SS* Hermann Fegelein, agent de liaison d'Himmler auprès d'Hitler et époux de Gretl Braun, la sœur d'Eva. Ce Hermann Fegelein, ancien commandant de la redoutable division SS Florian Geyer, individu carriériste et sans scrupules, a été fusillé au matin du 29 mai dans le jardin de la chancellerie pour désertion et trahison. Son frère Waldemar, personnage aussi peu recommandable, l'ignore encore le 6 mai 1945.

*** Voir carte, p. 635.

tout cela se traduit par une frénésie épistolaire de grande ampleur, dont l'amiral Dönitz est le premier bénéficiaire :

« Grand Amiral !

« Etes-vous au courant de l'intrigue, attentatoire à la sécurité de l'Etat, que le *Reichsleiter* Bormann a ourdie contre moi afin de m'éliminer ? [...] Les mesures prises contre moi l'ont été sur la foi d'un radiogramme signé de Bormann. [...] Je n'ai été interrogé par personne en dépit de mes requêtes, et aucune de mes tentatives de justifier ma position n'a été acceptée. Le *Reichsführer SS* Himmler vous confirmera l'extraordinaire démesure de cette intrigue. Je viens d'apprendre que vous avez l'intention d'envoyer Jodl à Eisenhower pour entamer des pourparlers. Je considère qu'il est important dans l'intérêt de notre peuple que, parallèlement aux négociations officielles menées par Jodl, j'approche officieusement Eisenhower, de maréchal à maréchal. Mes succès dans toutes les négociations à l'étranger que le Führer m'avait confiées avant la guerre témoignent amplement du fait que je peux espérer créer l'atmosphère personnelle propice aux négociations de Jodl. De plus, Britanniques et Américains ont montré, [...] par les déclarations de leurs hommes d'Etat au cours des dernières années, qu'ils avaient envers moi une attitude plus favorable qu'envers les autres dirigeants politiques allemands [85] *. »

Voilà un homme qui ne doute de rien... C'est bien pourquoi il écrit ensuite deux longues lettres au « maréchal » Eisenhower, dont la première commence ainsi :

« Votre Excellence !

« Le 23 avril, en tant qu'officier le plus élevé en grade de l'armée allemande, j'avais pris la décision de prendre contact avec vous, Excellence, et de faire tout mon possible pour discuter d'une base qui permettrait d'arrêter de verser encore plus de sang... Le même jour, les SS m'ont arrêté avec ma famille et mon entourage à Berchtesgaden, mais sans exécuter l'ordre qu'ils avaient de nous tuer... C'est seulement aujourd'hui que j'ai recouvré ma liberté par la force des circonstances et grâce à l'approche de mes propres troupes des forces aériennes.

« En dépit de tout ce qui s'est passé pendant mon arrestation, je vous prie, Excellence, de me recevoir sans aucun engagement de votre part, et de me permettre de vous parler de soldat à soldat.

---

* L'amiral Dönitz fera classer la lettre, sans daigner y répondre.

Je vous demande donc un sauf-conduit en vue de cette réunion et vous prie d'accepter que je mette en sûreté chez les Américains ma famille et mon entourage [86]... »

La seconde lettre suggère comme lieu de leur rencontre le château de Fischhorn près de Zell am See, celui-là même où il est attendu avec une certaine impatience par l'officier d'ordonnance du général Koller. Une troisième lettre, adressée au général commandant la 36e division d'infanterie américaine, le prie de bien vouloir transmettre les deux précédentes au général Eisenhower, et demande que lui soit accordée une protection dans sa future résidence de Fischhorn. C'est l'aide de camp von Brauchitsch qui est chargé d'aller porter le tout aux Américains. Après quoi Goering s'attarde dans le château de son enfance, au prétexte qu'il doit y attendre la réponse des Américains.

A Reims, le 7 mai 1945 à 2 h 41 du matin, la capitulation de toutes les forces allemandes est enfin signée : elle doit prendre effet le lendemain à 23 h 01 *. A 8 heures au matin du 8 mai, le général de brigade Robert Stack, commandant en second de la 36e division d'infanterie américaine cantonnée à Kufstein **, a la surprise de se voir remettre deux lettres adressées au général Eisenhower. Le messager est un certain colonel Bernd von Brauchitsch, fils de l'ancien commandant en chef de l'armée allemande, qui prétend remettre en mains propres les lettres destinées au général Eisenhower. Robert Stack, un vieux baroudeur aussi grisonnant qu'imposant, s'est frayé un chemin avec sa division depuis le sud de l'Italie jusqu'au nord de l'Autriche, et il n'est pas du genre à s'en laisser conter ; après avoir lu les lettres, il informe son supérieur, le général de division John E. Dahlquist, puis demande au jeune colonel allemand si Goering est disposé à se rendre. Von Brauchitsch ayant répondu par l'affirmative et indiqué où devait se trouver le maréchal, Stack mobilise un peloton d'éclaireurs, et vers 10 heures du matin, une dizaine de jeeps et de blindés légers de reconnaissance s'ébranlent à la suite de la limousine du général et du véhicule de von Brauchitsch, qui arbore un drapeau blanc ***.

---

* Pour les négociateurs allemands, c'est presque quarante-huit heures de gagnées.
** Au sud-ouest de Salzbourg, sur les bords du Danube.
*** A cette époque, la 36e division d'infanterie a déjà capturé quelques célébrités comme le maréchal von Rundstedt, le général SS Sepp Dietrich, le régent Horthy, le maréchal de l'Air Sperrle, le gouverneur général de Pologne Hans Frank et même Max Amann, l'éditeur de *Mein Kampf*.

L'expédition n'est pas sans danger, car à partir de Kitzbühl, il faut parcourir quelque 30 kilomètres en territoire ennemi. Mais les troupes allemandes qui tiennent les barrages routiers et défendent le col de Thurn ne sont guère combatives, et la présence du colonel von Brauchitsch suffit à les pacifier. Vers midi, le convoi parvient donc sans encombre au château de Fischhorn, près du Zeller See. C'est à ce stade que les choses se compliquent : « Arrivés au manoir, notera le général Stack, nous avons été accueillis par deux officiers SS, un colonel et un major ; l'un ressemblait à un gangster et l'autre à un sadique. Le manoir était occupé par les débris de la division SS Florian Geyer, qui avait été durement étrillée en Russie. [...] Lorsque von Brauchitsch a demandé où se trouvait Goering, le colonel SS a répondu qu'il n'en avait pas la moindre idée, qu'il n'était pas au courant d'une affaire de reddition, et que pour ce qui était de *sa* division, elle n'avait aucune intention de se rendre. La discussion commençait à s'envenimer, lorsque j'ai dit à mon sergent interprète de les interrompre pour leur dire que je voulais une bouteille de vin *sur-le-champ*, et un déjeuner au plus tôt. [...] Von Brauchitsch a trouvé des téléphones et a entrepris de localiser Goering. [...] Les heures passaient, mais le réseau téléphonique allemand était en si mauvais état qu'il n'arrivait pas à le contacter [87]. »

Au même moment, le général Koller note dans son journal : « Le major Sandmann me téléphone de Fischhorn pour me dire qu'un commando américain de trente hommes en jeeps, avec à sa tête un certain général Stack, est arrivé pour prendre Goering sous sa protection. Le général s'indigne du fait que Goering soit encore à Mauterndorf, puisqu'il avait précisé dans sa lettre à la division américaine voisine qu'il se trouverait à Fischhorn. Je donne pour instruction à Sandmann de calmer les visiteurs inattendus et de leur offrir un solide en-cas. J'appelle ensuite Mauterndorf, où on me dit que Goering a décidé de rester sur place. Je réponds que c'est hors de question, qu'il a donné rendez-vous aux Américains à Fischhorn et qu'il doit absolument s'y rendre [88]. » En maugréant, Goering fait préparer ses bagages, revêt son uniforme gris perle avec cinq médailles seulement, et quitte Mauterndorf avec femme et enfant, à bord de sa rutilante Mercedes blindée 12 cylindres ; une vingtaine de voitures le suivent avec sa belle-sœur, ses neveux et nièces, le couple Bouhler, le gauleiter de Bavière *, les aides de camp, la nurse, l'infirmière, le médecin, l'intendant, les domestiques, les cuisiniers et les gardes – 75 personnes en tout ! Deux camions remplis de bagages ferment la marche...

Au château de Fischhorn, l'en-cas ne suffit plus à faire patienter le général Stack : « Vers 17 heures **, exaspéré, j'ai demandé au colonel von Brauchitsch s'il savait où Goering pouvait se trouver, ou du moins quel itinéraire il chercherait à emprunter. Il a répondu par l'affirmative, et nous sommes donc partis à sa rencontre. J'ai laissé un demi-peloton au manoir et n'ai pris que la jeep de mon aide de camp et ma limousine. Nous nous sommes dirigés vers le sud-est, avons franchi un nouveau col et sommes descendus sur Radstadt. [...] Ayant dépassé la ville, nous avons encore roulé sur quelque 8 kilomètres, au milieu des troupes allemandes qui bivouaquaient le long de la route [89]. »

Après un parcours d'une heure en direction du nord-ouest sur une route escarpée et très enneigée, le convoi de Goering parvient à son tour aux abords de Radstadt, où il reste bloqué dans un gigantesque encombrement ***. Des officiers d'un régiment de la Luftwaffe reconnaissent leur maréchal et l'acclament longuement, après quoi le véhicule reprend péniblement sa route en direction de Zell am See. Il est déjà près de 17 h 30 lorsque soudain, le chauffeur Schulze saisit Goering par le bras et s'écrie : « *Herr Reichsmarschall*, voilà les Américains ! » Emmy Goering se souvient avec émotion de cet instant si redouté et tant attendu : « Le général américain a fait arrêter sa voiture et en est descendu. [...] C'était un homme d'un certain âge, de haute taille, qui s'est présenté sous le nom de Stack, en tendant la main à mon époux [90]. »

Le capitaine Harold L. Bond, aide de camp du général Stack, racontera la suite : « La porte de la Mercedes s'est ouverte, et le *Reichsmarschall* Hermann Goering [...] a hissé sa grosse carcasse hors du véhicule. [...] Il a été immédiatement entouré d'une

---

* Le général von Epp, arrêté par les SS le 28 avril et envoyé à Mauterndorf rejoindre les autres prisonniers. Il était soupçonné d'avoir trempé dans un complot séparatiste bavarois – dont il ignorait absolument tout.
** 16 heures, en réalité – mais le temps lui avait manifestement paru très long...
*** Voir carte, p. 635.

cinquantaine d'officiers de la Luftwaffe de divers grades, venus des vingt autres voitures. L'épouse de Goering est également descendue, et depuis l'intérieur sombre de la luxueuse limousine, j'ai entendu une petite fille qui pleurait. [...] Le général Stack a été présenté à Goering par l'aide de camp [von Brauchitsch], et il lui a demandé : " *Do you speak English ?* " A quoi Goering a répondu qu'il le comprenait mieux qu'il ne le parlait *. Puis, par l'intermédiaire de l'interprète, le potentat nazi a commencé à s'excuser de n'être pas revêtu d'un uniforme plus convenable ; il a expliqué que lorsque les bombardiers américains avaient rasé Berchtesgaden, il avait perdu la plupart de ses uniformes et de ses médailles. Le général et moi avons éclaté de rire devant cet accès de vanité, mais l'épouse de Goering a fondu en larmes. Goering s'est aussitôt penché vers elle et lui a pincé doucement la joue. Elle a fait un gros effort pour sourire, et au bout d'une minute, elle s'était reprise. Sur quoi le général a dit à Goering ce que nous allions faire de lui : il devait nous suivre jusqu'au château où nous avions laissé nos hommes. Comme il était tard, nous allions y passer la nuit. [...] Goering voulait rencontrer Eisenhower, et il a demandé s'il serait conduit jusqu'à lui. Le général lui a répondu qu'il n'en savait rien, ce qui n'était pas tout à fait vrai, mais il semblait préférable à ce stade de laisser Goering faire ses propres découvertes [91]. »

Pourtant, l'essentiel est acquis : Hermann Goering et les siens sont désormais sous protection américaine. Le long convoi repart pour Bruck, où il parvient finalement au soir du 8 mai ** ; une fois à Fischhorn, le général Stack et Goering sont témoins d'un

---

* Selon le général Stack, Goering aurait ajouté qu'il n'avait pas eu beaucoup l'occasion de le pratiquer au cours des cinq années précédentes – un humour typique du personnage.

** Assez curieusement, l'historien David Irving, pourtant surabondamment documenté, fixe la reddition de Goering au 7 mai, ce qui est matériellement impossible au vu des notes du général Koller et du colonel von Brauchitsch, des Mémoires d'Emmy Goering et de nombreux autres documents. Même le capitaine Bond, aide de camp du général Stack, qui ne cite pas de date, mentionne malgré tout qu'en revenant à Bruck, « il était possible pour la première fois de rouler avec les phares allumés, [...] car c'était la dernière nuit de guerre », et il ajoute plus loin que « les hostilités ont cessé à minuit » – toutes choses qui permettent de dater précisément l'équipée. Dans sa magistrale biographie d'Hitler, Ian Kershaw, lui, fixe la capture de Goering au 9 mai, ce qui est déjà plus compréhensible, car c'est la date de son annonce officielle.

spectacle irréel : à l'entrée du château, un soldat américain et un SS montent la garde côte à côte [92] ! Depuis le manoir, le major Sandmann fait son rapport au général Koller : « Goering et son entourage paraissent très soulagés, et tous sont d'humeur joyeuse. A l'arrivée, les femmes du groupe se sont embrassées et se sont mutuellement félicitées de leur sauvetage *. Goering échange des plaisanteries avec les soldats américains [93]. »

De fait, l'accueil des hommes du peloton de reconnaissance de la 36e division d'infanterie du Texas est plutôt bon enfant, et le général Stack a réservé aux rescapés le deuxième étage du château, qui n'a rien d'inconfortable. Goering peut donc prendre un bain avant le dîner, et lorsqu'au bout de trois quarts d'heure, il n'a pas encore émergé de sa baignoire, un jeune officier américain frappe discrètement à la porte en disant : « Dépêchez-vous, les photographes attendent ! » Goering se sent redevenu une vedette : « Ah, oui, les photographes, bien sûr [94] ! » Et comme il n'y a pas de vedettes sans caprices, le malheureux chef d'état-major Koller, qui cherche désespérément à joindre son ancien supérieur, tourmenteur et protégé, s'entend répondre que « Goering ne peut le recevoir ce soir, parce qu'il est en train de s'habiller, qu'il aura ensuite un entretien avec le général américain, puis dînera avec lui. Demain matin conviendrait mieux ; pour l'heure exacte, on verra plus tard [95] ». Goering descend ensuite en grand uniforme avec deux rangées de décorations, se prête avec complaisance à une interview et pose pour les photographes devant un drapeau du Texas. Le repas est animé et très correctement arrosé, le *Reichsmarschall* ne se fait pas prier pour raconter ses multiples exploits, et en rejoignant sa chambre cette nuit-là, il commence à se dire que la défaite est somme toute assez supportable. Sa capacité d'autosuggestion étant sans limites, il croit même comprendre qu'il sera reçu très rapidement par le général Eisenhower...

Les hostilités ont cessé depuis onze heures dans toute l'Allemagne, mais décidément, rien n'est jamais parfait : en entrant dans le château, Goering a eu la désagréable surprise d'y croiser le *Standartenführer SS* Waldemar Fegelein, qui ne compte pas

---

* Il s'agissait certainement d'Emmy, de sa sœur, d'Helga Bouhler, de la servante Cilly et de l'infirmière Christa.

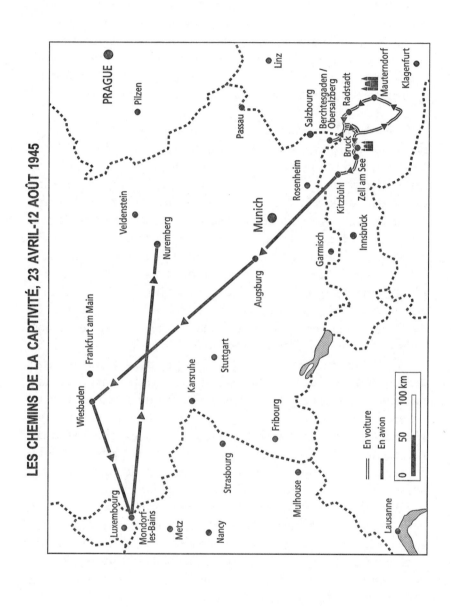

LES CHEMINS DE LA CAPTIVITÉ, 23 AVRIL-12 AOÛT 1945

précisément parmi ses amis, et il commence à craindre pour sa sécurité. Le général Stack, qui avait fait collecter tout l'arsenal embarqué dans le convoi du *Reichsmarschall*, consent donc à lui restituer quatre pistolets-mitrailleurs et à poster une sentinelle devant sa porte pour la nuit ; ce sera le lieutenant Jerome Shapiro [96]. La journée s'achève donc aussi follement qu'elle avait commencé : l'ancien dauphin d'Hitler, le deuxième homme du Troisième Reich, est désormais protégé des SS par un lieutenant juif !

Le lendemain matin 9 mai, Goering doit être conduit au QG de la 36ᵉ division d'infanterie américaine à Kitzbühl. Auparavant, il prend son petit déjeuner en compagnie du général Stack, qui déclarera plus tard : « J'ai dit à l'aide de camp de Goering que je voulais voir le *Reichsmarschall* dans ma chambre à 9 heures. L'aide de camp s'est récrié en disant que Goering dormait toujours tard, et que 11 heures conviendrait mieux. A quoi j'ai répondu : " Il ne dormira pas tard demain matin. Je le veux dans ma chambre à *9 heures.* " Il s'est présenté à l'heure. Goering craignait d'être capturé par les Russes, les communistes autrichiens et les SS, qui le tueraient probablement tous sans hésiter. Ce matin-là, je l'ai particulièrement questionné au sujet de la " forteresse alpine ". Nos services de renseignement, y compris au SHAEF, étaient persuadés que les jusqu'au-boutistes nazis avaient construit des usines souterraines, des hangars, des arsenaux, etc. dans les Alpes autrichiennes, et qu'ils y livreraient un baroud d'honneur, pendant des années peut-être. Mais Goering a répondu que non, il avait bien été question d'un tel plan l'année précédente, mais absolument rien n'avait été fait pour le mettre en œuvre. Et c'était la vérité ; nos services de renseignement avaient été entièrement abusés par cette histoire [97]. »

Le *Reichsmarschall*, d'excellente humeur, continue à pontifier, et il raconte par le menu toutes les mésaventures des deux dernières semaines ; ses talents de conteur lui valent cette fois encore un auditoire attentif, mais d'une naïveté limitée : « Goering, note le général Stack, ne semblait pas se douter le moins du monde qu'il serait considéré comme un criminel de guerre. Au moment où je l'ai congédié en lui disant de se préparer à partir dans une demi-heure, il a dit à mon sergent interprète : " Demandez au général Stack si je devrai porter mon pistolet ou ma dague de cérémonie lors de mon entretien avec le général Eisenhower. " Je savais qu'il ne verrait jamais le commandant allié, alors j'ai répondu : " *Das ist mir ganz wurst* * *!* " Goering a sursauté en constatant pour la première fois que je parlais allemand [98]. »

Du reste, le maréchal déchu a encore bien des choses à découvrir ; mais restant résolument optimiste, il lance joyeusement à son valet : « Tout va bien, Robert, je vais à une conférence avec le général Eisenhower [99]... » En prenant congé de son épouse, il lui dit : « J'ai une bonne impression, Emmy, pas toi ? – Si ! si ! » répond-elle après quelque hésitation, alors que Hermann se dirige déjà vers les voitures [100]. Le convoi, comprenant Goering, son chauffeur, le colonel von Brauchitsch, le capitaine Jansen et les domestiques chargés de veiller sur les valises du *Reichsmarschall*, se dirige vers le nord-ouest et atteint Kitzbühl peu avant midi. Il s'arrête devant le Grand Hôtel où est installé le général John E. Dahlquist, commandant de la 36ᵉ division, qui invite Goering à partager son déjeuner. Après cela, Goering ne peut résister à la tentation de se montrer au balcon, une coupe de champagne à la main. C'est une aubaine pour les photographes, mais l'opinion publique américaine prendra mal la chose, et le commandant suprême aussi. Pour l'heure, en tout cas, les entretiens avec Dahlquist et ses officiers se déroulent le mieux du monde, même si le général américain a l'impression que « Goering est irrité du retard apporté à le mettre en présence d'Eisenhower [101] ».

Le 10 mai, nouveau départ : le *Reichsmarschall* va quitter l'Autriche pour être transféré à Augsburg, quartier général de la 7ᵉ armée US. Le valet Robert, qui est chargé de convoyer un camion de valises jusqu'à l'aéroport, trouve son maître assez perturbé au moment de l'embarquement : « Quelque chose ne va pas, m'a-t-il dit. Pas d'escorte américaine, pas d'officier pour m'accompagner [102] ! » Pas de cérémonie non plus : l'avion est un petit Piper Cub, et il faut pousser sans ménagements le corpulent maréchal pour lui faire passer la porte d'embarquement. L'arrivée ne sera pas moins déprimante : aucun comité d'accueil,

---

* « Je m'en fous complètement ! », en patois austro-bavarois. Comme les généraux Eisenhower, Spaatz, Nimitz, Gruenther, Krueger, Willoughby, Lenzner, Kramer et quelques autres, Stack est d'origine allemande.

pas de château ni d'hôtel de luxe : Goering est conduit jusqu'à une ancienne cité ouvrière reconvertie en camp de prisonniers à la périphérie d'Augsburg. Son aide de camp, son valet et lui-même se partageront deux petites pièces, sans salle de bains et sans WC, donnant sur un corridor sombre gardé par un immense soldat noir, baïonnette au canon *. « Le chef faisait les cent pas dans cette pièce minuscule pendant des heures, se souviendra le valet Robert. " Eisenhower ", murmurait-il deux fois, trois fois. Il espérait toujours rencontrer le commandant suprême des armées alliées victorieuses [103]. »

Faute de cela, il peut s'entretenir avec les principaux chefs militaires américains du secteur : le général Patch, commandant la 7e armée, le général Spaatz, chef des forces aériennes stratégiques, et le général Vandenberg, de la 9th Air Force. On est entre professionnels, et il est surtout question de technique : les performances du Ju 88, le vol en formations lors de la bataille d'Angleterre, l'effet des bombardements de précision, la pénurie de carburant, les mérites comparés du canon de 55 mm et de celui de 76 mm, les performances de l'avion à réaction Me 262 [104]... A un moment, le général Spaatz lui demande s'il aurait des recommandations à faire en vue de l'amélioration des forces aériennes américaines, à quoi Goering répond en souriant : « Vous me demandez *à moi* comment utiliser vos forces aériennes ? » – ce qui provoque l'hilarité générale. En fait, Goering se sent toujours suprêmement à l'aise dans son rôle de conférencier, mais il est bientôt rattrapé par ses fanfaronnades de Fischhorn et de Kitzbühl, abondamment relatées par la presse américaine : le général Eisenhower ordonne que Goering soit désormais traité comme un prisonnier de guerre ordinaire. Pour commencer, on supervise strictement ses apparitions publiques et on lui retire toutes ses décorations et insignes de grade, de même que sa dague de cérémonie et son bâton de maréchal.

C'est donc bien encadré et dans un uniforme très dépouillé que le *Reichsmarschall* déchu est présenté le lendemain aux journalistes alliés, dans le jardin d'une villa des environs d'Augs-

---

* Selon le diplomate Charles Bewley, Hermann aurait rencontré son frère Albert dans le camp d'Augsburg, mais ils n'auraient pu se parler que le temps d'une demi-heure, pendant la promenade.

burg. Il répond calmement aux questions, tout en transpirant abondamment et en s'épongeant constamment le front : « Non, Hitler n'a pas laissé de texte spécifiant que Dönitz devait me remplacer » ; « J'ai rappelé à Hitler ce qu'il avait lui-même écrit dans *Mein Kampf* au sujet d'une guerre sur deux fronts [...], mais il croyait pouvoir écraser la Russie avant la fin de l'année, la tenir avec une petite force, puis poursuivre la guerre à l'Ouest » ; « Le plus grand regret d'Hitler a été de ne pouvoir coopérer avec l'Angleterre » ; « J'ai compris que nous avions perdu la guerre peu après le débarquement en France de juin 1944 [...], mais Hitler refusait de l'admettre. Il a même ordonné qu'il n'y soit plus jamais fait allusion » ; « Lorsque je l'ai vu pour la dernière fois vers le 20 avril, Hitler avait quelque chose d'anormal au cerveau, et il n'était pas en bonne santé ». A une question sur les camps de concentration, l'ancien dauphin du Führer s'efforce de répondre à côté : « Je n'ai jamais été assez proche d'Hitler pour qu'il me donne son avis sur ce sujet [105]... »

Mais c'est entre quatre murs que se passent les choses sérieuses : Goering est interrogé par les majors Kubala et Evans *, officiers de renseignement de l'US Army Air Force **, auxquels il explique par le menu les problèmes rencontrés par la Luftwaffe durant la guerre et les iniquités croissantes du Führer à son égard ***. Mais tout en le laissant parler très librement, ses interrogateurs ne portent qu'un intérêt limité aux évocations historiques ; leur mission est de recueillir dans les meilleurs délais toutes informations pouvant servir à la guerre aérienne contre le Japon, qui fait toujours rage au même moment. Goering se voit donc demander si les Allemands ont livré aux Japonais les plans de l'avion à réaction Me 262, comment les bombardements sélectifs affectent la production aéronautique, si le Japon possède des V1 et des V2, et bien d'autres choses encore [106]. Une relation professionnelle, humaine et superficiellement amicale s'établit entre le prisonnier et les officiers de renseignement américains, à tel point que le major Evans

---

* De son vrai nom Ernst Engländer, Juif d'origine allemande et banquier à Wall Street dans le civil.
** L'aviation de l'armée de terre américaine.
*** Le major Evans note au passage que son imitation des accès de rage d'Adolf Hitler est particulièrement réussie.

accepte d'aller à Veldenstein rendre visite à Emmy Goering, afin de la rassurer sur le sort de son époux *.

Après Augsburg, ce sera Wiesbaden, où Goering passe une semaine au centre d'interrogatoire de la 7ᵉ armée US. Le major Kubala écrit dans un rapport détaillé : « [Goering] n'est nullement le personnage comique si souvent décrit par les journaux. Ce n'est ni un imbécile ni un fou au sens shakespearien du mot, mais un homme généralement froid et calculateur. Il est capable de saisir immédiatement les aspects fondamentaux des questions en discussion. On ne doit certainement pas le sous-estimer. [...] C'est un acteur qui ne déçoit jamais son auditoire. Sa vanité confine au pathologique [107]. » Un autre officier confirme : « [Goering] est un grand acteur et un menteur professionnel, qui garde cachés dans sa manche quelques atouts qui lui permettront de marchander quand il en aura besoin. [...] Avec la plus grande sincérité, il a prétendu n'avoir jamais signé la condamnation à mort d'un homme et n'avoir jamais envoyé personne dans un camp de concentration. " Jamais, jamais, jamais ! A moins, naturellement, de cas de force majeure " [108]. »

En fait, Goering répond avec volubilité, ment souvent, se vante beaucoup et se surprend parfois à dire la vérité. Il a l'heureuse surprise de n'être que rarement contredit, et en déduit qu'il parvient à convaincre ses interlocuteurs. C'est une illusion, bien sûr ; à Wiesbaden comme à Augsburg, ces officiers qui l'écoutent patiemment ne sont là que pour le mettre en confiance, l'inciter aux confidences, noter ses propos et les rapporter aux autorités supérieures. D'autres se chargeront plus tard de les évaluer, d'en apprécier la cohérence et de les retenir contre lui. Mais au soir du 21 mai, Goering revient d'une de ces séances dans un grand état d'excitation : « Robert, dit-il à son valet, enfin ! Je prends l'avion pour aller rencontrer le général Eisenhower ! » Il commence immédiatement à superviser la préparation de ses valises — « mes pilules, Robert, n'oublie pas mes pilules ! » —, et pour finir, il lui dit : « Ecoute : j'ai reçu la per-

---

* En guise de lettre d'introduction auprès d'Emmy, Hermann Goering remet à l'officier une photo de famille portant au dos cette inscription : « *Major Evans hat mein Vertrauen* » (« Le major Evans a ma confiance »). Emmy et sa fille ont été autorisées à quitter Fischhorn pour résider temporairement au château de Veldenstein — qui n'est pas chauffé et a été vidé de tous ses meubles.

mission d'emmener un membre de mon entourage. Je n'aurai pas besoin de Brauchitsch pour cette mission ; j'ai demandé que ce soit toi qui m'accompagnes [109]. »

A l'aube du 22 mai, Goering et son valet embarquent donc dans un avion léger *, pour une destination inconnue. « Où allons-nous ? » demande Goering au pilote américain, qui répond après un temps d'hésitation : « Je regrette, mais je ne suis pas autorisé à vous le dire... » Goering reprend : « Est-ce que je vais être logé dans un hôtel ? – *Sure, sure !* » répond le pilote avec l'accent traînant du Sud profond. « Tout ira bien, Robert... » marmonne Goering, qui cherche surtout à se rassurer. Mais à l'atterrissage, le comité d'accueil n'est pas franchement engageant : ce sont des MPs, des policiers militaires américains casqués de blanc et armés de mitraillettes, qui lui indiquent un camion bâché stationné en bout de piste. « *Come on !* » hurle un sergent ; Goering se hisse avec peine dans le camion, deux policiers militaires le suivent, le repoussent dans un coin et crient au conducteur : « *Let's go !* » De ce trajet pénible, Goering conservera le souvenir du bruit monotone de deux mâchoires mastiquant du chewing-gum [110]. Il ne le sait pas encore, mais il est au Luxembourg...

Le pilote n'avait pas menti ; Goering est déposé devant le Grand Hôtel de Mondorf, à 18 kilomètres de Luxembourg. Mais ce n'est pas exactement un palace : les chambres sont sans électricité, avec des parquets arrachés, du grillage à la place des vitres et un mobilier rudimentaire. Le valet Robert prend l'exacte mesure de la situation : « Une cellule de prison aurait été préférable ! Goering m'a dit : " Ils m'ont tout pris. [...] Je leur ai donné une de mes capsules... J'ai gardé l'autre, tu sais ! " Ils avaient également confisqué quelques milliers de ses pilules, et je savais combien il en avait besoin [111] ! » Mais le colonel Andrus, commandant de cet hôtel-prison baptisé « *Ashcan ** *», ne veut pas le savoir : « Lorsqu'il m'est arrivé à Mondorf, dira-t-il, c'était une sorte d'ectoplasme pleurnichard avec deux valises

---

* Si léger même que l'ancien chef de la Luftwaffe commence à s'inquiéter pour sa sécurité, et demande s'il y a des parachutes à bord. En outre, la porte d'entrée étant trop étroite pour lui, il faut le charger par la soute à bagages...

** « Boîte à ordures ».

pleines de pilules de paracodéine. Je l'ai pris pour un représentant en pharmacie [112] *. »

En plus de l'inconfort des lieux, Goering va donc connaître les affres du sevrage ; c'est que le major Douglas M. Kelley, psychiatre de la prison, a commencé à réduire sa dose de paracodéine ** [113]. Il sera également privé de son valet, largement isolé du monde extérieur, laissé sans nouvelles de sa famille, surnommé « *Fat Stuff* *** » par ses gardiens, et soumis à un régime alimentaire plus que frugal – le docteur Kelley ayant également entrepris de lui faire perdre du poids : « Lors de sa capture, il pesait 127 kilos [...]. Quand je lui ai fait remarquer qu'il ferait meilleure impression au tribunal s'il maigrissait quelque peu, il a accepté de coopérer et s'est mis à manger modérément ****. [...] Tout ce qu'il demandait en échange, c'était que des prisonniers de guerre allemands retouchent son uniforme en conséquence. Nous avons accepté, non parce que son apparence nous importait, mais parce que sans retouches, son pantalon lui serait tombé sur les chevilles [114]. »

Le Reichsmarschall déchu est rejoint dès le 23 mai par la plupart des autres dignitaires nazis, y compris les membres du très éphémère « gouvernement de Flensburg » – Dönitz, Schwerin von Krosigk, Speer, Stuckardt, Wagner, Wegener, von Friedeburg –, mais aussi Keitel, Jodl, Kesselring, Ribbentrop, Brandt *****, Rosenberg, Frank, Funk, Darré, Ley, Kaltenbrunner, Daluege, Streicher, von Papen et Lammers. Or, Goering se considère comme très supérieur à tous ces personnages et enrage de se retrouver en leur compagnie ; le maréchal du Reich et dauphin d'Hitler n'ayant toujours pas accepté sa double destitution, il entretient avec le Grand Amiral Dönitz des relations

---

* Andrus signalera que lors de son arrivée, Goering avait les ongles des doigts et des orteils vernis en rouge.

** Lors de son arrivée à Mondorf, Goering prend deux fois vingt pilules par jour, mais cela ne représente que l'équivalent de 3 à 4 mg de morphine.

*** « Gros lard ». A cette époque, les cuisses de Goering sont si énormes qu'elles frottent l'une contre l'autre, ce qui provoque à la marche de douloureuses abrasions. Il perdra 27 kg en cinq mois, mais il lui en restera tout de même 100, un poids respectable pour une taille de 1,70 m.

**** En fait, le docteur Kelley, qui a pour consigne de livrer les prisonniers en bonne santé au tribunal, a surtout estimé qu'une forte réduction de poids améliorerait les problèmes cardiaques du patient.

***** Le docteur Karl Brandt, un des médecins d'Hitler.

particulièrement tendues : « Entre le nouveau chef d'Etat et le successeur déchu, écrira Albert Speer, il y a eu une sourde lutte pour la préséance et la direction du groupe. Faute d'accord, les deux hommes se sont mis à s'éviter, chacun présidant à une table différente dans la salle à manger. Goering surtout se montrait particulièrement soucieux de préserver son rang [115]. »

Ses geôliers ne vont pas tarder à s'en apercevoir ; car quelles que soient les vexations et les privations que doit subir l'orgueil-leux *Reichsmarschall*, il apparaît rapidement aux Américains comme « *a tough customer* » – un client difficile. Pendant près de trois mois, les interrogatoires vont se succéder avec une impi-toyable régularité, six à huit heures par jour, sans que son moral en paraisse notablement affecté *. Ses réponses aux questions montrent qu'il a conservé une effarante mémoire des détails, une combativité intacte, un certain sens de l'humour et une inconscience totale de ses responsabilités dans la tragédie des douze années passées. Il est vrai que la naïveté ou l'ignorance de certains interrogateurs lui donnent parfois le beau rôle. Ainsi, le 25 juin, le lieutenant Herbert Dubois lui demande :

« Savez-vous qu'Hitler, Himmler et Goebbels sont morts ?
Réponse : Oui.
Question : Vous êtes le dernier survivant ?
Réponse : Cela dépend de la façon dont on voit les choses... Mais il reste un grand nombre de nazis...
Question : Qui étaient vos concurrents pour le pouvoir ?
Réponse : Himmler, et plus tard Bormann.
Question : Ils sont morts tous les deux ?
Réponse : Peu importe. Je ne fais que répondre à votre ques-tion.
Question : Vous êtes le dernier grand nazi. Comment avez-vous fait pour rester en vie ? Pourquoi n'êtes-vous pas mort ?
Réponse : C'est un accident....
Question : Vous considérez-vous comme un modéré au sein du régime hitlérien ?
Réponse : J'ai toujours été modéré.
Question : Est-ce pour cela que vous êtes encore en vie ?

---

* Entre les interrogatoires, il passe beaucoup de temps à jouer à la bataille navale avec l'aide de camp de l'amiral von Friedeburg – et triche honteusement.

Réponse : Non, je ne crois pas, cela aurait tout aussi bien pu être l'inverse [116] *... »

Interrogé longuement au sujet du plan quadriennal, Goering, qui avait toujours fait preuve d'un grand amateurisme dans le domaine économique et s'était largement désintéressé de son commissariat après 1942, est en mesure de fournir un luxe de précisions stupéfiant sur les mécanismes, les procédés, les responsabilités et les résultats des industries chimiques, minières et pétrolières dépendant des Hermann Goering Werke, ainsi que sur des usines d'armement pourtant abandonnées à Speer depuis trois ans. Les indications qu'il fournit de mémoire sur les transactions financières au sein du Reich sont tout aussi précises, mais elles deviennent nettement plus vagues – et souvent mensongères ** – lorsqu'il s'agit des siennes propres. Il est extraordinairement disert sur la politique étrangère et la stratégie de guerre du Troisième Reich, même si ses récits sont émaillés de vantardises et d'exagérations. L'interrogatoire du 25 juillet par le major Kenneth W. Hechler, de la section historique de l'armée américaine, est un modèle du genre :

Hechler : Que pensiez-vous personnellement de notre potentiel de guerre ?

Goering : Je pensais que les Etats-Unis pouvaient constituer une force aérienne plus rapidement qu'une armée, et j'ai toujours mis en garde contre la puissance potentielle des Etats-Unis, avec leurs grandes avancées techniques et leurs importantes ressources économiques. [...]

Hechler : Qui a conçu ce plan [visant à prendre Gibraltar] ?

Goering : C'était mon plan à l'origine. [...] La perte de Gibraltar aurait pu inciter l'Angleterre à demander la paix. Le fait de n'avoir pas exécuté ce plan a été l'une des principales erreurs de la guerre.

Hechler : La prise de Dakar faisait-elle partie de vos projets ?

---

* Goering pense sans doute à la menace d'Hitler de faire fusiller tous ceux qui parleraient de négocier avec les Alliés.

** A la question d'un expert financier, le commandant Hiram Gans : « N'avez-vous rien caché dans une caverne ? », Goering répond par la négative, sans savoir que ses caches de trésors dans les galeries et les puits de mines des montagnes bavaroises ont déjà été découvertes. Quant aux renseignements qu'il fournit sur ses acquisitions d'œuvres d'art et ses revenus durant les douze années précédentes, ils sont extraordinairement parcellaires.

Goering : Notre plan consistait à mettre la main sur l'ensemble de l'Afrique du Nord, pour ôter à l'ennemi toute possibilité de pénétrer en Méditerranée. [...] Dakar était si loin au sud qu'il ne pouvait représenter un véritable danger pour la Méditerranée. Nous aurions pu prendre Chypre aussi ; j'étais partisan de le faire juste après la chute de la Crète. Nous aurions pu aussi prendre Malte aisément [117] *.

Il y a encore quelques morceaux de bravoure, comme celui-ci :

Question : Nous avons ici une longue liste de médailles, décorations étrangères, etc., elles remplissent huit pages. Est-il vrai que c'est la plus grande collection de décorations du monde ?

Réponse : Tous les alliés de l'Allemagne en ont envoyé.

Question : Qui a encore plus de décorations que vous en Allemagne ?

Réponse : Le Kronprinz. Hitler n'acceptait jamais les médailles, de sorte qu'elles me revenaient en tant que second dirigeant du Reich...

Mais il faut bien en venir aux sujets qui fâchent, et là, Goering perd beaucoup de sa superbe ; le lieutenant Dubois commence par lui demander si la loi du 3 décembre 1938, prévoyant la confiscation des biens juifs, avait quelque rapport avec le plan quadriennal.

Réponse : Il y avait tant d'illégalité à cette époque qu'il était nécessaire de légiférer sur les biens juifs. Comme en ce temps-là, toutes les lois étaient signées au titre du plan quadriennal, celle-là n'a pas fait exception. [...]

Question : Bon, il y a eu un autre décret signé de vous, qui imposait aux Juifs une amende d'un milliard de marks.

Réponse : C'était un ordre d'Hitler.

Question : En avez-vous honte ?

Réponse : Nous n'en avions pas conscience à l'époque.

Question : En avez-vous conscience à présent ?

---

* Pure forfanterie que tout cela : après la chute de la Crète, les forces parachutistes de Goering étant saignées à blanc, il ne pouvait être question de s'attaquer à Chypre, bien plus à l'est et mieux défendue par la Royal Navy. Quant à la minuscule île de Malte, elle ne pouvait être « prise aisément » : les Allemands et les Italiens s'y étaient essayés pendant quatre ans et avaient toujours échoué... Pour ce qui est de la première réponse, il s'agit manifestement d'une basse tentative de flatterie : on sait que Goering, à l'imitation d'Hitler, avait longtemps affiché le plus grand dédain pour l'industrie d'armement américaine.

Réponse : Je ne pense pas que cette loi ait été juste.

Question : Alors, vous avez tout de même honte de l'avoir signée ? Ou bien un maréchal allemand n'a-t-il jamais honte ?

Réponse : En vertu de la convention de Genève, je n'ai pas à répondre à cette question.

Question : Vous n'êtes plus un prisonnier de guerre. La guerre contre l'Allemagne est terminée. L'Allemagne s'est rendue sans conditions à la coalition des nations unies. Voulez-vous répondre à la question ?

Réponse : Je le regrette. Mais il vous faut penser à l'ambiance de l'époque [118].

Précisément, l'évocation de l'ambiance de l'époque entraîne de nouvelles questions sur la création de la Gestapo, sur les camps de concentration, sur l'affaire Roehm, sur les travailleurs forcés en Allemagne, sur l'assassinat des aviateurs alliés du Stalag Luft III et sur bien d'autres questions qui résonnent désagréablement aux oreilles du Reichsmarschall déchu. « On m'a fait porter trop de chapeaux », répond-il à ses interrogateurs sceptiques [119]. Le problème est précisément que l'on continue à lui en faire porter, et que même si certains sont manifestement trop grands pour lui, il n'y a plus personne pour les porter à sa place... Et puis, un beau matin, un officier portant l'uniforme américain entre dans sa chambre et lui dit dans un allemand impeccable : « Bonjour, Herr Goering, je me demande si vous vous souvenez de moi. Il y a longtemps que nous nous sommes vus pour la dernière fois [120]... » Goering le reconnaît en effet : c'est Robert Kempner, le jeune procureur qu'il avait brutalement congédié en 1933 ! Voilà qui complique singulièrement les choses : on peut raconter beaucoup de sornettes aux Américains, mais Kempner, lui, ne s'en laissera pas conter : c'est un juriste de talent, qui ne connaît que trop bien les exactions du régime nazi et les méfaits de l'ancien *Ministerpräsident*...

Peu à peu, Goering comprend qu'il ne sera pas jugé comme l'ancien maréchal d'une puissance vaincue, mais comme le plus haut responsable survivant d'un régime criminel. Pour peu que la chose soit établie, son entregent, son charisme et son éloquence risquent de ne pas peser bien lourd dans la balance. A Walter Lüdde-Neurath, l'aide de camp de l'amiral Dönitz, ce grand fanfaron déclare sans ambages : « Vous pouvez être certain que s'ils nous font faire le grand saut, c'est ma tête qui passera la première dans le nœud coulant [121] ! » Une question de préséance, en quelque sorte... C'est le 5 août 1945 que les prisonniers sont informés du sort qui les attend : ils vont être mis en accusation devant un tribunal militaire international *, et Hermann Goering figure effectivement en tête de liste. Il n'en est pas peu fier, et dit à ses compagnons de captivité : « Quoi qu'il arrive, vous pouvez compter sur moi. J'ai une ou deux choses à dire dans ce procès [122] ! »

A l'aube du 12 août, les pensionnaires du Grand Hôtel sont réveillés en sursaut, et Franz von Papen est du nombre : « J'ai été mené au-dehors et poussé dans un camion où, à ma grande horreur, je me suis retrouvé en compagnie de Goering, Ribbentrop, Rosenberg et leurs acolytes. Toute communication entre nous était interdite, et nous avons échangé un salut glacial. Goering n'exhibait plus son uniforme rutilant, et les autres avaient un air hagard et une piètre allure. La plupart portaient les mêmes vêtements depuis des mois, et leurs cravates et lacets de chaussures leur avaient été retirés. [...] Nous avons été amenés à l'aéroport de Luxembourg et embarqués dans deux avions de transport, sous forte escorte. [...] Le colonel Andrus assurait l'arrière-garde. Nous paraissions aller vers l'est, mais le ciel était très nuageux, et ce n'est qu'après l'atterrissage, alors que nous roulions au milieu des ruines, que j'ai reconnu la ville de Nuremberg [123]. »

---

* Une charte vient en effet d'être élaborée et signée à Londres par les procureurs des quatre puissances victorieuses de l'Allemagne. Elle établit à la fois les compétences de la nouvelle cour internationale et sa procédure, basée pour l'essentiel sur les pratiques juridiques anglaises et américaines : procédure écrite et accusatoire, instruction à l'audience.

XVI

Baroud d'honneur

La ville médiévale de Nuremberg, vitrine dix ans plus tôt du nazisme triomphant, est sur le point de devenir le théâtre de son agonie définitive. Par extraordinaire, l'imposant édifice de pierre du palais de justice et sa prison attenante sont restés intacts au milieu des ruines. Comme ses vingt compagnons * , Hermann Goering découvre sa cellule au soir du 12 août 1945 : 4 mètres sur 2, un plafond très bas, un lit de camp en acier avec un matelas usé et quelques couvertures sales ; à droite de la porte, un WC rudimentaire et une cuvette émaillée ; au milieu de la pièce, une table et une chaise branlantes, et sur le mur du fond, très en hauteur, une étroite fenêtre grillagée, vitrée de perspex. Un judas d'environ 40 cm^2 percé dans la porte à hauteur d'homme permet tout à la fois d'éclairer la cellule pendant la nuit, de passer les repas et de surveiller le prisonnier...

Dans la cellule d'en face, Albert Speer fait également connaissance avec son nouvel environnement : « Bien que les quatre étages de la prison aient tous été occupés, il y régnait un étrange silence, rompu à l'occasion par le fracas d'une lourde porte qui se refermait lorsqu'un prisonnier était emmené à l'interrogatoire. En face de moi, de l'autre côté du couloir, Goering ne cessait de faire les cent pas dans sa cellule ; à intervalles réguliers, je voyais une partie de son corps massif passer devant

---

* Rudolf Hess arrivera d'Angleterre quelques jours plus tard. Les autres accusés sont von Ribbentrop, Rosenberg, Keitel, Jodl, von Papen, Fritsche, Streicher, Raeder, Dönitz, Schacht, Speer, Funk, von Neurath, Kaltenbrunner, Sauckel, von Schirach, Frank, Seyss-Inquart, Frick et Ley.

le judas [1]. » Pour Goering comme pour les autres, le régime sera des plus spartiates : plusieurs heures d'interrogatoire par jour au palais de justice, repas militaires insipides *, aucun contact entre détenus, une seule lettre permise par semaine, un minimum absolu d'objets personnels, un uniforme défraîchi extrait des surplus de l'US Army, pas de ceintures, de bretelles ou de lacets, des fouilles complètes de la cellule effectuées à l'improviste, un quart d'heure d'exercice par jour, deux douches par semaine ** et une surveillance de chaque instant, exercée par les soldats sévères et truculents de la 1re division d'infanterie américaine.

Le 21 août, après avoir dû gravir trois étages pour accéder à la salle d'interrogatoire, Goering est victime de palpitations, qui nécessitent l'administration de phénobarbital et deux jours de repos au lit. Après cela, le médecin militaire américain avertit le colonel Burton C. Andrus, nouveau directeur de la prison, que faute d'un régime alimentaire amélioré et de trente minutes de marche quotidienne en plein air, des rechutes sont à craindre [2].

Au cours des deux mois qui suivent ***, le *Reichsmarschall* déchu se plie d'assez bonne grâce à la discipline de la prison, s'inquiétant seulement pour sa famille dont il est sans nouvelles. Le 22 octobre, il reçoit une copie de l'acte d'accusation, un gros document de quelque 24 000 mots qui vient d'être laborieusement traduit en allemand. Il comprend quatre chefs d'accusation contre les dirigeants nazis : conspiration en vue de mener une guerre d'agression, crimes contre la paix, crimes de guerre, crimes contre l'humanité – tous les quatre étant retenus contre Hermann Goering. Celui-ci, invité à choisir un défenseur, pense d'abord à son ancien avocat, Hans Frank, mais l'ancien gouverneur général de Pologne étant lui-même un accusé sur qui pèsent de très lourdes charges, Goering se rabat sur maître Otto Stahmer, de Kiel, un septuagénaire pugnace et redoutablement efficace.

---

* Sans couteau ni fourchette – une cuillère en fer-blanc seulement.

** Réduites à une seule à partir de novembre.

*** Ces deux mois avant l'ouverture du procès sont nécessaires à la réunion, au tri et à la traduction des innombrables documents allemands capturés, qui vont servir de base à l'accusation. Ils servent également à la sélection et à l'interrogatoire préliminaire des témoins de l'accusation et de la défense.

Le 23 octobre, trois jours après son arrivée à Nuremberg, le capitaine Gustave Gilbert, un psychologue appartenant aux services de renseignements militaires américains, commence à s'entretenir avec les prisonniers. Gilbert étant le seul visiteur à parler allemand en dehors de l'aumônier et du médecin *, il trouve la plupart des chefs nazis soulagés d'avoir un interlocuteur attentif après deux mois d'isolement. Ayant demandé à Goering de bien vouloir autographier sa copie de l'acte d'accusation, le capitaine Gilbert pourra y lire ceci : « Le vainqueur sera toujours le juge et le vaincu sera toujours l'accusé [3] ** ! » C'est un résumé assez fidèle de la position de l'ancien *Reichsmarschall*, dont il ne se départira pas substantiellement au cours des douze mois suivants. Les premières impressions de Gilbert sur l'attitude et la personnalité de Hermann Goering sont tout aussi intéressantes, et elles ne varieront pas davantage : « Il voulait apparaître comme un réaliste jovial qui avait joué gros et perdu, mais prenait tout cela en bonne part. Il considérait que toute évocation de sa culpabilité était adéquatement réfutée par son attitude cynique envers la " justice des vainqueurs ". Il produisait d'amples argumentations à l'appui de la conduite de la guerre, de sa prétendue ignorance des atrocités commises et de la " culpabilité " des Alliés ; son sens de l'humour était toujours calculé pour donner l'impression qu'un aussi aimable caractère n'aurait jamais sciemment fait de mal. Pourtant, il ne pouvait dissimuler un égotisme pathologique et une incapacité à supporter autre chose que la flatterie et l'admiration pour ses qualités de chef, tout en exprimant ouvertement son dédain pour les autres dignitaires nazis [4]. »

Voilà un diagnostic qui se trouve confirmé dès le 29 octobre, lorsque Goering apprend la nouvelle du suicide dans sa cellule de l'ancien chef de l'Arbeitsfront Robert Ley : « C'est mieux ainsi, parce que j'avais des doutes sur la façon dont il se conduirait pendant le procès. Il a toujours été si écervelé ***– il n'arrêtait pas de faire des discours chimériques et ampoulés. [...] Bon,

---

* Le psychiatre Douglas Kelley a également suivi les prisonniers à Nuremberg, mais il ne parle pas allemand et rentrera aux Etats-Unis dès le début de 1946.

** « *Der Sieger wird immer Richter und der Besiegte stets der Angeklagte sein !* »

*** Sans que Goering le sache, ce mot est à prendre au sens propre : Robert Ley souffrait d'une dégénérescence du lobe frontal, consécutive à une blessure de guerre reçue près d'Arras en 1917.

je ne suis pas surpris qu'il soit mort, parce que de toute façon, il creusait sa tombe en buvant comme une outre [5]. » Par la suite, ses commentaires sur Ribbentrop, Dönitz, Schacht, Speer, Streicher et von Papen seront à peine plus aimables. Mais lorsqu'il apprend à la fin d'octobre qu'Emmy a été arrêtée *, cet impitoyable matamore s'effondre brusquement : « C'est la seule chose que j'avais demandée lorsque je me suis constitué prisonnier, se lamente-t-il devant le major Kelley ; que ma famille soit protégée et convenablement traitée [6]. » Cela lui permet en tout cas de faire passer discrètement le message à ses compagnons de captivité : « Vous voyez, ils sont comme la Gestapo : ils s'en prennent aux familles. »

Mais la combativité reprend rapidement le dessus : à son avocat, Goering indique qu'il ne présentera pas d'excuses pour avoir suivi aveuglément Hitler, et qu'en tant que numéro deux du régime, il revendiquera la responsabilité de tous les ordres émis en son nom. Au psychiatre Kelley, il affirme : « Ce sera comme d'aller au combat, et je leur montrerai que je suis capable de frapper, mais aussi d'encaisser [7] ! » Au psychologue Gilbert, il confirme : « Ce jugement est une affaire politique décidée d'avance, mais je suis prêt à en assumer les conséquences. [...] Je peux endosser la responsabilité de tout ce que j'ai fait, mais non de ce que je n'ai pas fait. Pourtant, les vainqueurs sont les juges, et je sais ce qui m'attend. Aujourd'hui, j'écris même une lettre d'adieu à mon épouse [8]. »

Ce n'est que le début de la mise en scène : Goering, sachant qu'il n'a rien à perdre et que la presse sera présente en masse à Nuremberg, jouit à l'avance de la perspective de plastronner devant tous ses compatriotes. Il l'a d'ailleurs confié au major Kelley : « Oui, je sais que je serai pendu. Vous le savez aussi. Je suis prêt. Mais je suis décidé à entrer dans l'histoire allemande comme un grand homme. Si je ne puis convaincre la Cour, je convaincrai au moins le peuple allemand que tout ce que j'ai fait, je l'ai fait pour le Grand Reich allemand. Dans cinquante ou soixante ans, il y aura des statues de Hermann Goering dans

---

* Le 25 octobre, l'épouse de Goering, qui avait reçu la permission de séjourner au château de Veldenstein, a été transférée à la prison de Straubing. De même, l'épouse de von Schirach sera arrêtée et séparée de ses enfants. Il s'agissait manifestement de la part des autorités militaires américaines d'une tentative de pression psychologique.

toute l'Allemagne. Des petites statues, peut-être, mais une dans chaque foyer [9]. »

Tous ceux qui examinent cet étrange candidat à l'immortalité constatent que le sevrage forcé lui a restitué toutes ses capacités d'antan * ; les tests psychologiques qui lui sont administrés le 15 novembre en sont une preuve éclatante : ils font apparaître un QI de 138 ** ! « Peut-être auriez-vous dû devenir universitaire plutôt que politicien, lui suggère un Gilbert stupéfait. – Peut-être, répond modestement Goering. Je suis persuadé que j'aurais fait mieux que quiconque dans n'importe quelle carrière. Mais la destinée est insondable ; elle dépend de si petites choses. Voyez par exemple la broutille qui m'a empêché de devenir franc-maçon. J'avais rendez-vous avec quelques amis pour entrer dans la franc-maçonnerie en 1919. Mais en les attendant, j'ai vu passer une belle blonde, et je l'ai emmenée. Eh bien, du coup, je n'ai jamais rejoint les francs-maçons. Si je n'avais pas dragué cette blonde ce jour-là, il m'aurait été impossible d'entrer au parti, et je ne serais pas ici aujourd'hui [10]. »

Certes, mais on n'échappe pas à son destin, et le 20 novembre 1945, les vingt et un accusés pénètrent pour la première fois dans la salle d'audience lambrissée du palais de justice ***. Ils sont placés sur deux rangées de bancs au fond de la salle, huit soldats américains casqués de blanc se tiennent debout derrière eux, les avocats allemands en robe noire sont assis devant, les interprètes à leur gauche, les procureurs à leur droite **** et les

---

* Il ne prend plus du tout de paracodéine. Le médecin lui donne seulement des somnifères, et de l'aspirine à l'occasion.

** Seuls Hjalmar Schacht et Arthur Seyss-Inquart dépassent ce score, avec 143 et 141 respectivement ; mais le QI de Schacht a été augmenté d'une quinzaine de points pour tenir compte de son âge. Il y a également un test de Rohrchacht, dont il sera encore question plus loin.

*** Ils ont obtenu la permission de revêtir des costumes propres pour l'occasion, Goering s'étant fait apporter un simple uniforme gris extrait de ses nombreuses valises bleues entreposées dans le dépôt à bagages de la prison. Le vêtement a dû toutefois être considérablement retouché, afin de tenir compte de son changement de gabarit.

**** Les procureurs et leurs adjoints : Robert H. Jackson et le colonel Harlan Amen pour les Etats-Unis, sir Hartley Shawcross et sir David Maxwell-Fyfe pour la Grande-Bretagne, Auguste Champetier de Ribes, Charles Dubost et Edgar Faure pour la France, le général Roudenko et le colonel Pokrovski pour l'URSS. Leurs équipes comprennent de nombreux assistants très qualifiés, comme le colonel Taylor et le général Donovan, chef de l'OSS, pour la partie américaine.

huit juges en face sur une estrade, avec à leur tête le *Lord Justice* Lawrence, qui préside avec une autorité souveraine et un flegme tout britannique *. Les dignitaires nazis déchus entendent d'abord dans leurs écouteurs la lecture de l'acte d'accusation, puis les chefs d'inculpation retenus contre chacun d'eux, le tout étant interprété en allemand, en français et en russe. L'interprétation simultanée n'en est qu'à son enfance, et l'orateur n'est pas toujours facile à suivre : lorsqu'une lampe jaune s'allume devant lui, il lui faut ralentir ; lorsqu'elle est rouge, il doit s'interrompre. L'ensemble du processus prend beaucoup de temps, il est assez monotone, et Fritzsche notera qu'après le déjeuner, « la chaleur, les lumières et la faiblesse de leur état général provoquèrent chez tous les accusés une irrésistible envie de dormir. Les uns après les autres, ils s'assoupissaient. [...] Nous nous efforcions d'étouffer nos ronflements. Heureusement, les journalistes n'étaient guère plus réveillés que nous, et nous pûmes arriver au terme de cette journée sans trop de dommages [11] ».

Le lendemain 21 novembre, avant la première allocution du procureur Jackson, les accusés se voient demander s'ils plaident coupable ou non coupable. Goering, qui avait soigneusement préparé une première déclaration, commence par dire : « Avant de répondre à la question du tribunal concernant ma culpabilité, je... », mais il est aussitôt interrompu par le président Lawrence : « Vous devez plaider coupable ou non coupable ! » Nouvelle tentative, nouvelle interruption, et après un moment d'hésitation, le *Reichsmarschall* doit battre en retraite : « *Ich bekenne mich im Sinne der Anklage nicht schuldig* ** ! » jette-t-il enfin dans le micro [12].

Décidément, il va être plus difficile que prévu de monopoliser la tribune – d'autant que le discours d'ouverture du procureur Jackson qui suit immédiatement est d'une singulière élévation : « Le privilège d'ouvrir le premier tribunal de l'histoire pour juger les crimes contre la paix du monde nous fait porter une

---

* Les juges et leurs suppléants : Lord Lawrence et Lord Birkett pour le Royaume-Uni, Francis Biddle et John J. Parker pour les Etats-Unis, Henri Donnedieu de Vabres et Robert Falco pour la France, le général I.T. Nikitchenko et le lieutenant-colonel A.F. Voltchkov pour l'Union soviétique. (Voir plan, p. 654.)

** « Je plaide non coupable au sens de l'accusation ! »

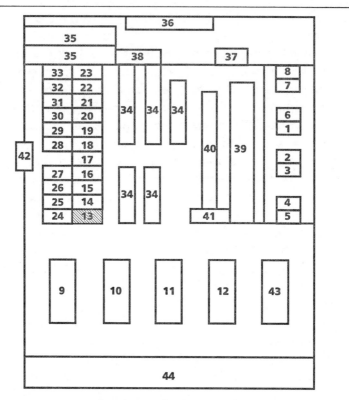

Plan de la salle d'audience

Le tribunal

1 Le président : Lord Geoffrey Lawrence, Grande-Bretagne
2 Francis A. Biddle, USA
3 John J. Parker, USA
4 Henri Donnedieu de Vabres, France
5 Robert Falco, France
6 Norman Birkett, Grande-Bretagne
7 Iola T. Nikitchenko, URSS
8 Alexandre F. Voltchkov, URSS

Accusation

9 Français (Champetier de Ribes)
10 Russes (Roman A. Rudenko)
11 Américains (Robert H. Jackson)
12 Anglais (Sir Hartley Shawcross)

Accusés

13 Goering	**24** Dönitz	**34**	Avocats allemands
14 Hess	**25** Raeder	**35**	Interprètes
15 Ribbentrop	**26** Schirach	**36**	Écran de projection
16 Keitel	**27** Sauckel	**37**	Barre des témoins
17 Kaltenbrunner	**28** Jodl	**38**	Huissier du tribunal
18 Rosenberg	**29** Papen	**39**	Greffiers
19 Frank	**30** Seyss-Inquart	**40**	Sténographes
20 Frick	**31** Speer	**41**	Pupitre pour l'accusation et la défense
21 Streicher	**32** Neurath	**42**	Ascenseur
22 Funk	**33** Fritzsche	**43**	Greffiers
23 Schacht		**44**	Presse

lourde responsabilité. Les méfaits que nous cherchons à condamner et à punir ont été si prémédités, si haineux et si dévastateurs que la civilisation ne peut en ignorer la commission, car elle ne pourrait survivre à leur répétition. » Après cela, Jackson se met en devoir d'énumérer la longue liste des exactions nazies contre les Eglises catholiques et protestantes, puis celle des crimes contre les Juifs ; il passe successivement en revue les lois de Nuremberg, la Nuit de Cristal, les exécutions de masse en Pologne, en Ukraine et en Biélorussie, les tortures, les gazages et les pseudo-expériences scientifiques dans les camps de concentration, pour conclure : « C'est à ce stade que la dégénérescence nazie a atteint son plus bas niveau. [...] C'est avec réticence que je consigne au procès-verbal un tel entassement de récits morbides, mais nous avons la sombre tâche de juger des hommes en tant que criminels, et toutes ces choses se sont produites de l'aveu même de leurs exécuteurs [13]. » Parmi les accusés, la consternation est palpable, et lors de la pause, Gilbert entend Baldur von Schirach demander à Goering qui a pu donner l'ordre de commettre autant d'horreurs. « Himmler, je suppose... » répond un Goering manifestement embarrassé [14].

Les repas de midi sont désormais pris en commun, ce qui va rapidement permettre à l'ancien dauphin d'Hitler de reprendre l'ascendant sur ses compagnons. Le psychiatre Kelley notera en effet : « Il a immédiatement occupé la place en tête de table. Personne ne s'y est opposé. Son droit de commander paraissait être accepté tacitement par tous les prisonniers, et dès lors, Goering s'est considéré comme le chef d'une défense organisée au bénéfice de ses compatriotes. Il m'a dit : " Nous sommes un peu comme une équipe, nous les accusés, et nous devons rester soudés pour organiser la défense la plus solide possible. Bien entendu, je suis le chef, c'est donc à moi de veiller à ce que chacun tienne son rôle " [15]. » C'est effectivement une assez bonne description du rapport de forces au début du procès, et Goering entend le mettre à profit pour imposer à tous la ligne de défense qu'il s'est fixée : le gouvernement du Reich avait la légitimité pour lui, et Hitler était un chef génial dont l'action ne saurait être remise en question par quiconque : « Le seul intérêt de ce procès, leur dit-il, c'est qu'il nous permet de présenter une légende positive [16]. » Et celui que ses coaccusés ont déjà baptisé l'*Ersatzführer* distribue la consigne : « Pas un mot contre Hitler ! »

C'est au cours des premières séances que le procureur adjoint français Edgar Faure prend la mesure des accusés : « Keitel, avec sa tête de capitaine-adjudant-major ; von Papen, qui aurait fait un maître d'hôtel énigmatique pour roman d'Agatha Christie ; Schacht, un principal de notaire ; Kaltenbrunner, dont la tête de bagnard pouvait illustrer le Chéri-Bibi de Gaston Leroux. [...] Ribbentrop exprimait un perpétuel ahurissement, et Hess gardait un aspect méditatif confinant parfois à l'hébétude. Mais il y avait Goering. Il aurait pu n'y avoir que lui. Il était l'incontestable vedette de cette longue et tragique représentation. Installé à la première place de la travée la plus basse, il attirait tout naturellement les regards et il les retenait, d'abord par la singularité de son apparence, ensuite par la vivacité de ses jeux de physionomie, qui faisait contraste avec sa corpulence massive. J'étais fasciné par l'incessante mobilité de ce visage. A défaut de parole, il exprimait constamment les réactions de l'écouteur muet. Etait-ce l'effet de son tempérament, son goût de l'ostentation et du cabotinage ? Il réagissait aux propos qui se succédaient sans relâche, et auxquels il apportait une attention scolaire, par une série de pantomimes et de grimaces qui l'auraient qualifié pour tous les Oscars du cinéma muet [17]. »

En fait, Hermann Goering est loin d'être toujours muet, comme le rapportera l'un des membres américains de l'accusation, le colonel Telford Taylor : « Le troisième jour du jugement, [...] Ralph Albrecht * était en train de faire sa présentation de la structure du gouvernement allemand, [...] lorsque je l'ai entendu dire que " les successeurs désignés d'Hitler étaient, dans l'ordre, l'accusé Hess et ensuite l'accusé Goering ". [...] Etant assis à moins de 6 mètres de ces deux messieurs, j'ai voulu voir si l'un ou l'autre avaient remarqué l'erreur, et ce que serait leur réaction. Goering était déjà en train d'agiter les bras, il se désignait avec insistance en répétant : " *Ich war der Zweite !* " – " le second, c'était moi ! ". Hess

---

* Avocat new-yorkais, autre membre américain de l'équipe du procureur.

s'est retourné et a éclaté de rire devant cet accès de vanité caractéristique [18] *. »

Dans l'après-midi du 29 novembre, on lit en séance la transcription de la conversation téléphonique de Goering avec Ribbentrop le 12 mars 1938, au lendemain de l'Anschluss. L'aspect théâtral des répliques provoque une hilarité certaine dans la salle, et Goering, flatté de cette reconnaissance implicite de ses talents d'acteur, est enchanté de l'effet produit. Mais les Américains montrent ensuite un film documentaire sur les camps de concentration tels qu'ils ont été découverts par les troupes alliées au printemps de 1945 ; on y voit des amoncellements de cadavres, le crématorium de Buchenwald, un abat-jour confectionné avec de la peau humaine, un médecin décrivant les expériences réalisées sur les prisonnières du camp de Belsen, et des monceaux de corps nus poussés dans une fosse par un bulldozer. Les accusés semblent accablés : certains s'agitent, toussent, écarquillent les yeux ; d'autres se mouchent, sanglotent ou s'épongent le front ; d'autres encore restent impassibles, baissent la tête ou enlèvent leurs écouteurs ; Goering, lui, serre la mâchoire, s'appuie sur son coude, jette de brefs coups d'œil vers l'écran et regarde ailleurs le reste du temps **. Lorsque la lumière revient, les prisonniers quittent la salle en silence, et Rudolf Hess s'exclame : « Je ne peux pas le croire ! » Goering lui murmure de se taire. Ce soir-là, il dira au psychologue Gilbert : « C'était un si bon après-midi. [...] Ils lisaient mes conversations téléphoniques sur l'affaire autrichienne, et j'avais tous les rieurs de mon côté. Et puis voilà qu'ils ont montré ce film abominable, et cela a tout gâché [19]. » C'est évidemment pousser très loin la vanité, l'amoralité... et l'inconscience.

Mais les choses vont encore se gâter lors de la séance du lendemain 30 novembre : le témoin de l'accusation ce jour-là n'est autre que le général Lahousen, l'un des rares survivants d'une Abwehr

---

* L'épisode a particulièrement intéressé l'accusation, dans la mesure où le tribunal s'était longtemps demandé si Rudolf Hess, apparemment amnésique, était suffisamment sain d'esprit pour passer en jugement. Cette manifestation d'hilarité apportait un élément de réponse...

** Sans que les accusés le sachent, un foyer lumineux discret éclaire les deux travées où ils sont assis.

décimée par Hitler après le 20 juillet 1944 *. Cet Autrichien grand, maigre et droit annonce d'emblée qu'il faisait partie d'une cellule antinazie constituée par l'amiral Canaris au sein de l'Abwehr, et sa déposition sera catastrophique pour les accusés ; Lahousen révèle entre autres que l'amiral Canaris s'étant élevé le 12 septembre 1939 contre le bombardement de Varsovie, Keitel lui avait répondu que la décision avait été prise directement par le Führer en concertation avec Goering, avec qui il était « en fréquente conversation téléphonique » ; que Keitel lui avait transmis l'ordre d'exécuter tous les commandos britanniques capturés, puis de faire assassiner le général Weygand, ainsi que le général Giraud après son évasion d'Allemagne (opération « Gustav ») ; enfin, que Ribbentrop avait ordonné l'enrôlement des nationalistes ukrainiens pour exterminer les Polonais et les Juifs [20]...

C'est donc une chronique de la barbarie ordinaire au plus haut niveau que le général déroule implacablement pendant toute la matinée, et les soldats américains doivent intervenir à plusieurs reprises pour maîtriser Ribbentrop, Kaltenbrunner et Goering, qui cherchent à quitter leur place pour s'en prendre au témoin [21]. A l'heure du déjeuner, Goering ne décolère pas : « Le traître ! éructe-t-il ; en voilà un qu'on a oublié le 20 juillet. Hitler avait raison – l'Abwehr était un repaire de traîtres ! Voyez-vous ça ! Pas étonnant qu'on ait perdu la guerre : notre propre service de renseignement était vendu à l'ennemi ! » Le capitaine Gilbert lui ayant fait observer que la seule question était de savoir si ce témoignage était véridique ou non, Goering répond : « Quelle peut être la valeur du témoignage d'un traître ? [...] Il sabotait notre effort de guerre. Je comprends maintenant pourquoi on ne pouvait pas compter sur lui pour obtenir des renseignements fiables [22] ! »

A l'évidence, Goering vit encore dans le passé et ne saisit pas l'aspect moral de la question. Au cours de l'après-midi, les avocats de la défense tenteront bien de discréditer le témoin, mais leurs questions susciteront des réponses de plus en plus incriminantes

---

* Le général Erwin von Lahousen-Viremont était le chef de l'Abwehr II, chargée des opérations de sabotage. Bien que fort maltraité par les Britanniques lors de son enfermement au camp de Bad Nenndorf, près de Hanovre, ce membre du cercle antinazi constitué autour de l'amiral Canaris avait insisté pour comparaître comme témoin à charge au procès de Nuremberg.

pour les accusés *, de la part d'un officier inébranlable qui déclare : « Il me faut parler pour tous ceux qu'ils ont assassinés. Je suis le seul survivant [23]. » L'effet produit dans le prétoire est considérable : c'est une première brèche de taille ouverte dans la stratégie de défense élaborée par Goering, et ses coaccusés eux-mêmes en sont manifestement conscients : le général Jodl se met à éviter la « table de commandement » où trônent Goering et Keitel, Fritsche et Frank s'écartent discrètement, Speer et Schacht prennent ostensiblement leurs distances...

Pourtant, lorsque le 10 décembre, l'accusation évoque les préparatifs d'agression contre l'Union soviétique, Goering y voit sa chance de redorer l'image du Troisième Reich : après tout, l'URSS a elle-même agressé la Pologne en 1939, elle a commis quelques crimes de grande ampleur à Katyn comme ailleurs, et ses relations avec les puissances occidentales commencent à se tendre sérieusement en cette fin de 1945. Lorsque les documents produits en séance montrent l'implication dans les préparatifs de « Barbarossa » des accusés Keitel, Jodl, Goering et Rosenberg, ces deux derniers paraissent en tirer une certaine fierté, et lors du déjeuner qui suit, Rosenberg dit même à Gilbert : « Attendez un peu : dans vingt ans, vous serez obligés d'en faire autant ! » ; peu après, Goering lui lance à son tour : « Bien sûr que nous voulions abattre le colosse russe ! Maintenant, ce sera à vous de le faire [24]. »

Le lendemain renforcera encore la cohésion du groupe : on projette un film de propagande nazi montrant l'irrésistible ascension du parti, plusieurs discours d'Hitler, de Hess, de Goebbels et de Rosenberg, des rassemblements de masse et des soldats marchant au pas de l'oie. Tous les dirigeants déchus revivent avec un visible ravissement leurs heures de gloire ; lors du déjeuner qui suit, Ribbentrop et Hess semblent avoir été hypnotisés par la réapparition du Führer, Dönitz vante la belle allure de ses marins, et Goering dit à Gilbert : « Après un tel film, le procureur Jackson va sûrement vouloir entrer au parti national-socialiste [25] ! » La séance se poursuit dans l'après-midi avec un film retraçant les victoires initiales de l'Allemagne, suivies des premiers revers, de la tentative

---

* Au cours d'une interruption de séance, Ribbentrop avait chargé son avocat de poser au témoin quelques questions supplémentaires, mais ce dernier lui avait répondu : « Il vaut mieux ne pas lui poser autant de questions, il ne fait que nous les renvoyer à la figure, en y ajoutant des renseignements encore plus compromettants. »

d'assassinat du 20 juillet 1944 et du procès des principaux conjurés devant le Tribunal du Peuple.

Ce soir-là, lorsque Kelley et Gilbert lui rendent visite dans sa cellule, Goering est d'excellente humeur : « Je pourrais épargner à l'accusation beaucoup de travail, leur dit-il. Ils n'ont pas besoin de montrer des films et de lire des documents pour prouver que nous avons réarmé en vue de déclencher la guerre. *Bien sûr* que nous avons réarmé ! J'ai donné des armes à l'Allemagne jusqu'à ce qu'elle en soit hérissée ! Je n'ai qu'un regret, c'est que nous n'ayons pas réarmé davantage. *Bien sûr* que je considérais vos traités comme autant de papier toilette – ceci dit entre nous. *Bien sûr* que je voulais la grandeur de l'Allemagne. Mes plans contre l'Angleterre étaient encore plus ambitieux qu'ils ne le soupçonnent eux-mêmes. Attendez que je prenne la parole et que je le leur dise. J'aimerais voir la tête qu'ils feront ! Je ne voulais pas la guerre contre la Russie en 1941, mais il est bien vrai que je voulais les attaquer avant qu'ils ne nous attaquent, ce qui serait arrivé de toute façon en 1943 ou en 1944. Quand ils m'ont dit que je jouais avec le feu en construisant la Luftwaffe, je leur ai seulement répondu qu'en effet, je n'administrais pas un pensionnat de jeunes filles. [...] *Bien sûr* que je leur dirai que j'étais prêt à partir en guerre pour rendre sa grandeur à l'Allemagne. Mais je veux me défendre sur un point d'honneur : je n'ai jamais ordonné l'exécution de telles atrocités [26]. »

Pour Goering, en effet, ces atrocités sont embarrassantes, compromettantes, incriminantes... et très peu chevaleresques. Or, les séances des 13 et 14 décembre sont précisément consacrées à l'entreprise d'extermination menée en Pologne, et l'accusation se fonde sur les rapports écrits du général SS Stroop, ainsi que sur le journal du gouverneur général Frank en personne. Certains passages sont difficilement supportables, et à l'heure du déjeuner, Hess et Ribbentrop se posent la question de savoir si Hitler était au courant de tous ces crimes – à quoi Frank répond d'un ton méprisant que non seulement il lui était impossible de les ignorer, mais qu'en outre il les avait ordonnés lui-même *. Keitel s'étant ensuite demandé si le Führer n'aurait

---

* Depuis son emprisonnement, Frank s'est abîmé dans la religion, et il est sujet à de fréquentes crises de mysticisme.

pas dû assumer la responsabilité de ses actes, Goering sent que la cohésion du groupe commence à se fissurer, et il intervient aussitôt : « De toute façon, il était notre souverain, et je ne pourrais tolérer qu'il comparaisse devant un tribunal étranger. [...] J'aimerais mieux mourir mille morts que de voir le souverain allemand soumis à une telle humiliation. » Mais Frank ne se contient plus, et il hurle : « D'autres souverains ont bien été jugés dans le passé. C'est lui qui nous a mis dans ce pétrin, et il ne nous reste plus qu'à dire la vérité [27]. » Sur quoi Keitel, Dönitz, Funk et von Schirach se lèvent brusquement et quittent la table, laissant Goering seul et passablement embarrassé. De toute évidence, son autorité sur les autres dignitaires nazis s'effrite à mesure que les témoignages s'accumulent...

Le nouvel an passé, les choses vont encore empirer ; le 3 janvier 1946, la Cour entend l'ancien chef du SD Amt III, Otto Ohlendorf *, qui comparaît en tant que témoin de l'accusation contre Ernst Kaltenbrunner. Il se trouve qu'en marge de ses fonctions, le *Standartenführer* ** Ohlendorf commandait en 1941 l'Einsatzgruppe D, une formation de quelque cinq cents hommes rattachés à la 11e armée en Ukraine, et il se montre à présent d'une brutale franchise : en un an, ses commandos ont liquidé 90 000 personnes, principalement des Juifs et des commissaires politiques soviétiques. Oui, les ordres venaient d'Himmler, qui les tenait directement du Führer ; oui, les femmes et les enfants étaient exécutés avec les hommes ; oui, ils étaient enterrés en couches successives dans des fossés antitanks ou des excavations naturelles ; oui, il y avait trois autres *Einsatzgruppen* qui exerçaient les mêmes fonctions que le sien et prétendaient obtenir de meilleurs résultats [28]... Venant d'une source aussi autorisée, le témoignage est irréfutable, et l'atmosphère s'en ressent à l'heure du déjeuner. « Ach, gronde Goering, en voilà encore un qui vend son âme à l'ennemi ! Qu'est-ce que ce porc espère y gagner ? Il sera pendu de toute façon [29]. » Mais Frank, Fritzsche et Funk semblent peu convaincus, et ils expriment même leur

---

* Comme l'*Amt IV* (Gestapo) de Heinrich Müller et l'*Amt VI* (*SD Ausland*) de Walter Schellenberg, l'*Amt III* (*SD Inland*) était une des sections du RSHA (*Reichssicherheitshauptamt*) d'Ernst Kaltenbrunner – lui-même subordonné au *Reichsführer SS* Heinrich Himmler. L'*Amt III* était chargé du renseignement à l'intérieur du Reich.
** Colonel.

admiration pour un homme qui accepte de signer son arrêt de mort en reconnaissant franchement ses crimes...

C'est pourtant au cours de l'après-midi que la bombe va éclater ; le remplaçant de l'avocat d'Albert Speer demande soudain au témoin Ohlendorf : « Savez-vous que l'accusé Speer préparait un attentat contre la vie du Führer à la mi-février de cette année [1945] ? » Ohlendorf répond par la négative à cette question, ainsi qu'à la seconde : « Savez-vous qu'il a tenté d'enlever Himmler pour le livrer aux Alliés ? » Dans le box des accusés, les anciens dignitaires nazis se regardent avec consternation – à l'exception de Goering qui, incapable de se maîtriser, gesticule et lâche un chapelet d'invectives. Lors de la pause, il se précipite sur Speer et lui demande comment il a osé avouer une telle trahison, rompant ainsi le front uni que tous les accusés s'étaient engagés à constituer. Il s'ensuit une violente dispute, au cours de laquelle Speer lui dit sans ménagement d'aller au diable. Goering, abasourdi, retourne à sa place, et la suite de l'audience achève de le démoraliser : le témoin suivant est le *Hauptsturmführer* * SS Dieter Wisliceny, de l'Amt IV A-4B du RSHA, chargé de mettre en œuvre la solution finale. Ses déclarations sont aussi accablantes que celles d'Ohlendorf : il a participé à la déportation des 54 000 Juifs de Grèce et des 450 000 Juifs de Hongrie, ils ont tous été gazés à Auschwitz, et les ordres venaient du Führer en personne [30]... Comment contester de tels aveux ?

Lorsque le capitaine Gilbert rend visite à Goering dans sa cellule ce soir-là, il le trouve las et déprimé : « Une mauvaise journée, me dit-il ; au diable cet imbécile de Speer ! Vous avez vu comment il s'est déshonoré devant la Cour aujourd'hui ? *Gott im Himmel ! Donnerwetter nochamal* ** ! Comment a-t-il pu s'abaisser à faire une chose aussi dégueulasse pour sauver sa misérable peau ! – J'ai failli en mourir de honte ! [...] Moi, je m'en fous complètement d'être exécuté, de me noyer, de m'écraser en avion ou de me saouler à mort ! Mais il y a encore une question d'honneur dans cette foutue vie ! Une tentative d'assassinat contre Hitler ! Pouah ! *Gott im Himmel !* J'aurais voulu disparaître sous terre ! Et vous croyez que j'aurais livré Himmler à l'ennemi, quelle que soit sa

---

* Capitaine.

** « Dieu du Ciel ! Tonnerre ! » Le « *nochamal* » additionnel est du pur patois bavarois.

culpabilité ? Enfer et damnation ! J'aurais liquidé ce fils de pute moi-même ! Ou s'il devait y avoir un procès, c'était à un tribunal allemand de le condamner ! Vous croyez que les Américains nous auraient livré leurs criminels pour que nous les condamnions [31] ? »

Le lendemain, à l'heure du déjeuner, Goering envoie von Schirach parlementer avec Speer : « Va parler à cet imbécile ! » lui dit-il, et von Schirach s'exécute docilement. Ce soir-là, Speer rapporte à Gilbert les paroles de l'émissaire – et ce qu'il lui a répondu : « [Von Schirach] a essayé de me dire que j'étais en train de me déshonorer et d'entacher ma réputation en Allemagne, que Goering était furieux, etc. Je lui ai dit que c'était lorsque Hitler menait la nation tout droit à sa perte que Goering aurait dû être furieux ! En tant que deuxième homme du Reich, il avait le devoir d'y faire quelque chose, mais il était trop lâche à l'époque ! Il préférait se droguer à la morphine et piller des œuvres d'art dans toute l'Europe. Je n'ai pas mâché mes mots. [...] Vous savez, Goering se prend toujours pour le grand chef et s'imagine qu'il continue à tout contrôler, même en tant que criminel de guerre. Il m'a même dit hier : " Tu ne m'as pas prévenu que tu allais dire ça ! " Vous vous rendez compte [32] ? »

En fait, c'est Goering qui ne se rend pas bien compte... Au cours des jours qui suivent, alors que l'accusation présente les documents et les témoignages qui incriminent les responsables de l'OKW Keitel et Jodl, l'ancien *Reichsmarschall* ne cache pas son impatience : on cherche à lui voler la vedette, il n'a pas encore le droit d'intervenir, et il lui faut se contenter de mimiques, de haussements d'épaules, de soupirs, de chuchotements, de ricanements, d'invectives et d'exclamations pendant les séances * , de harangues au moment du déjeuner et d'interminables plaidoyers *pro domo* devant ses visiteurs américains en fin d'après-midi. Au soir du 6 janvier 1946, alors que ceux-ci lui demandent ce qu'il pense des témoignages établissant clairement que les assassinats de masse ont été ordonnés par Hitler en personne, Goering a cette réponse révélatrice : « Ach, ces assassinats de masse ! Une foutue honte, tout ça. Je préfère ne pas en parler, et même ne pas y penser. Mais ces accusations de conspiration – hoho ! Attendez

---

* Bien que ses avocats l'aient prévenu que ces comportements étaient jugés très sévèrement par la presse allemande et étrangère.

que je m'exprime là-dessus ! Vous verrez comme ça va chauffer ! »
Et à ses compagnons de table, ce grand fanfaron clame très fort, en
tapant du poing sur la table : « Nom de Dieu, si seulement nous
avions tous le courage de nous limiter à quatre mots pour notre
défense : " *Leck mich am Arsch* * ! " Götz a été le premier à le dire,
et moi je serai le dernier [33] ! »

Le 8 janvier 1946, le procureur adjoint américain Ralph G.
Albrecht présente les premiers chefs d'accusation contre Goering,
et ils ne sont pas minces : « Associé à Hitler dès l'origine... A participé au putsch de Munich comme chef des SA... En tant que
ministre de l'Intérieur de Prusse, a entrepris d'établir un régime
de terreur... Désigné par Hitler comme son successeur... A fait de
la Luftwaffe un instrument d'agression... A participé à la planification de toutes les opérations militaires nazies en direction de
l'Est comme de l'Ouest... A dirigé une " armée de spoliation " en
URSS... Responsable de la déportation et de la mise en esclavage
des populations des territoires occupés... A employé des prisonniers de guerre dans ses industries d'armement... A pillé des
œuvres d'art... A procédé à la spoliation des pays envahis par les
nazis en tant que plénipotentiaire du plan quadriennal [34]... »
Tout cela est émaillé de citations extraites d'innombrables
documents capturés, y compris l'ordre du 5 novembre 1940 sur le
pillage des œuvres d'art par l'*Einsatzstab* Rosenberg (USA-368),
le mémorandum du 16 septembre 1941 sur l'impossibilité de
nourrir toutes les populations soviétiques et la priorité absolue à
donner aux besoins de la Wehrmacht (USA-318), et surtout
la redoutable lettre du 31 juillet 1941 concernant la « solution
finale de la question juive » (USA-509) [35]...

Au fil des jours, les documents et les témoignages incriminants
s'accumulent, les responsables SS se succèdent à la barre pour
détailler leurs crimes, les procureurs citent des passages entiers de
Mein Kampf et des divagations antisémites du *Stürmer* de Streicher, et le magnifique Reich millénaire que le premier paladin du
Führer veut faire passer à la postérité prend inexorablement
l'aspect d'un repaire d'assassins et d'aliénés. Si Hermann Goering
en a pris conscience, il n'en laisse rien paraître... Le 12 janvier
1946, jour de son 53e anniversaire, ce grand trublion consigné

---

* « Lèche-moi le c...! » Paroles prétendument prononcées par le légendaire
chevalier du XVe siècle Götz von Berlichingen, héros du drame éponyme de Goethe.

dans sa cellule * s'entretient au parloir avec le nouvel assistant de son avocat, Werner Bross, qui notera dans son journal : « [Goering] a beaucoup maigri **, mais son teint est très frais et ses joues sont d'un rouge marqué ; la peau sous les paupières et autour de la bouche est plutôt flasque, les yeux sont d'un bleu profond. Il porte un uniforme de la Luftwaffe défraîchi de couleur gris clair, qui est devenu beaucoup trop grand pour lui et pend autour de son corps. [...] Nous avons parlé des affaires du procès, en commençant par la déportation des Polonais et des Juifs vers le Gouvernement général. Goering a dit qu'il s'était opposé à toute initiative précipitée à cet égard : " J'étais partisan d'attendre, car j'avais besoin des Polonais comme ouvriers. Auparavant, la pénurie de devises m'avait toujours empêché de laisser entrer dans le Reich de grandes quantités de travailleurs étrangers, surtout des saisonniers. " [...] Passant à l'extermination des Juifs, il a déclaré qu'il avait toujours été question de leur *évacuation*, de leur logement et de leur transport. " Je n'ai pas même voulu une extermination partielle des Juifs. Ainsi, jusqu'en 1944, une actrice juive amie de mon épouse [...] n'a pas été inquiétée par la Gestapo, car je l'avais prise sous ma protection. Je l'ai aussi soutenue financièrement, mais par la suite, cela n'a plus été possible. Au sujet des assassinats de masse des Juifs, je n'en ai vraiment rien su. Depuis 1943, on me citait fréquemment des chiffres si énormes que je disais à ces messieurs d'écouter moins de radios étrangères. S'il s'était agi de chiffres plus modestes – 200 ou 2 000 –, cela aurait pu me paraître crédible, mais lorsqu'il était question de millions, cela me semblait parfaitement invraisemblable ! Je peux vraiment dire que de toute la guerre, je n'ai pas écouté *une seule fois* un émetteur étranger. [...] A partir de 1942, en fait, je ne me suis guère occupé que d'affaires concernant la Luftwaffe " [36] ***. »

Pour Goering, les semaines qui suivent vont être particulièrement difficiles : il lui faut entendre sans mot dire l'exposé détaillé de l'avocat général français Gerthofer, qui insiste avec force sur le

---

* Il a été temporairement interdit de promenade dans la cour par mesure disciplinaire : deux jours plus tôt, il avait insulté vertement en séance l'*Obergruppenführer SS* von dem Bach-Zelewski, qui venait de décrire les exécutions massives de partisans en URSS.

** C'est exact : il ne pèse « plus » que 88 kg.

*** Ce qui est doublement faux : il s'était occupé d'innombrables autres choses – et fort peu de la Luftwaffe...

pillage des œuvres d'art en France et sur leur acquisition par le *Reichsmarschall* « à des conditions extrêmement favorables », de sorte que « la collection personnelle de l'accusé Goering s'est considérablement développée » [37] – ce qui est presque un euphémisme. L'intervention de son collègue Pierre Mounier est plus embarrassante encore, car il fait mention d'un certain document RF-1407, qui n'est autre que le procès-verbal d'une conférence tenue les 15 et 16 mai 1944, au cours de laquelle Goering a suggéré au Führer que les aviateurs anglais et américains ayant attaqué sans discrimination les villes et les trains civils en mouvement soient mis à mort sur-le-champ [38]. A cela s'ajoute le document RF-1427, concernant les expériences conduites par un certain docteur Rascher, du Kaiser Wilhelm Institut, qui a utilisé les cerveaux de malades mentaux mis à mort pour conduire des expériences utiles à la Luftwaffe [39] *. A partir du 8 février, c'est le procureur soviétique Roudenko et son adjoint qui prennent le relais, en citant à leur tour des documents hautement incriminants pour l'ancien *Reichsmarschall* – à commencer par la Directive 42006/41 du 4 décembre 1941 sur l'utilisation de citoyens soviétiques pour le travail forcé, le protocole de la réunion du 6 septembre 1942 dans le bureau du grand maître du plan quadriennal **, et ses instructions pour le pillage systématique de tous les objets usuels dans les districts de Koursk et Orel [40]. Les Soviétiques ont même exhumé des déclarations de Goering vieilles de douze ans, comme celle de mars 1934 : « Nous dénions la protection de la loi aux ennemis du peuple. » L'intéressé, écœuré, dépose ostensiblement ses écouteurs...

Mais les choses vont encore se gâter à partir du 11 février 1946 ; c'est que les Soviétiques ont cité à comparaître Friedrich Paulus ***, qu'ils avaient capturé à Stalingrad. L'ancien maréchal fait l'historique de « Barbarossa », en énumérant tous les participants aux préparatifs de l'« attaque criminelle » contre l'URSS – à commencer par Keitel, Jodl et Goering [41]. Ses propos pro-

---

* C'est ce même docteur Rascher qui a conduit des expériences d'immersion dans l'eau glacée de prisonniers soviétiques pour observer le temps qu'ils mettaient à mourir – et en a tenu informée la Luftwaffe, afin qu'elle puisse utiliser les résultats pour prolonger la survie de ses pilotes abattus au-dessus de la mer.

** Document USSR-170.

*** Que les juges, les procureurs, les correspondants de presse et les historiens s'obstineront à affubler d'une particule, en dépit de ses origines plébéiennes.

voquent un tollé parmi les accusés, qui s'interpellent et apostrophent leurs avocats. Goering est naturellement le plus agité, et il crie à maître Stahmer : « Demandez à ce sale porc s'il sait qu'il est un traître ! Demandez-lui s'il a pris la nationalité soviétique ! » L'amiral Raeder tente de le calmer, mais Goering continue à vociférer : « Il faut faire honte à ce traître [42] ! »

C'est précisément ce qu'il va entreprendre de faire, en influençant le très faible Baldur von Schirach : celui-ci charge donc son avocat de mettre en cause le témoignage de Paulus dès la session du lendemain matin. Mais le manège de Goering n'a pas échappé aux autorités américaines, et dès le 15 février, sur ordre du colonel Andrus, les prisonniers se voient interdire de communiquer entre eux dans l'enceinte de la prison, même durant la promenade. Dans la soirée du 16 février, Gilbert rend visite à Goering, et il note dans son journal : « Abattu et tremblotant comme un enfant rejeté, [Goering] m'a demandé ce que signifiait cette punition. Il a émis l'hypothèse, parfaitement fondée, que son attitude railleuse, arrogante et dominatrice y était pour quelque chose. " Mais vous ne voyez pas que toutes ces pitreries et ces blagues de potaches servent à détendre l'atmosphère ? Vous croyez que ça m'amuse de rester assis à entendre toutes ces accusations qui se déversent sur nos têtes de tous côtés ? Il faut bien se défouler d'une façon ou d'une autre. Si je ne les stimulais pas, plusieurs d'entre eux s'effondreraient purement et simplement. " Il avait un ton soumis et contrit. Je lui ai dit que je comprenais bien qu'il se sente obligé d'agir autrement face aux autres que dans sa cellule, et que j'étais persuadé qu'il dissimulait beaucoup de honte derrière ses forfanteries. Il n'a pas protesté, et a même fait montre de plus d'humilité qu'il n'en avait jamais témoigné au cours de toutes nos discussions — même si à l'évidence, c'était en partie calculé. " Bien sûr, a-t-il concédé, un psychologue comprend ces choses-là ; mais le colonel n'est pas un psychologue. Vous ne croyez pas que je me fais suffisamment de reproches dans la solitude de cette cellule, en regrettant de ne pas avoir suivi une autre voie et de ne pas avoir vécu autrement — au lieu de me retrouver dans cet état ? " [43]. »

La nouvelle réglementation est malgré tout fort appréciée de certains prisonniers, à commencer par Albert Speer, qui confie à Gilbert : « Elle vient à point — juste au moment où certains commençaient à s'inquiéter quelque peu de la dictature de Goering, qui exerce une forte pression. Il y a quelques jours, il a dit à Funk dans la cour de promenade qu'il devait s'habituer au fait que sa vie était terminée, et qu'il n'avait d'autre issue que de le soutenir et de mourir en martyr. Goering avait ajouté qu'il ne devait pas s'en faire, parce qu'un jour – même si cela devait prendre cinquante ans –, le peuple allemand se redresserait, les reconnaîtrait comme des héros, et placerait leurs os dans des sarcophages de marbre au milieu d'un monument national. [...] Il a dit la même chose à von Schirach. Un sarcophage de marbre, vous vous rendez compte ? Maintenant, nous faisons tous de l'humour au sujet du sarcophage de marbre. [...] Le pauvre Funk est très préoccupé, et von Schirach lui-même n'est pas enthousiasmé à l'idée de mourir en martyr, tout bien réfléchi. Mais Goering sait bien qu'il est cuit, et il lui faut une escorte d'au moins vingt héros mineurs pour faire sa grande entrée au Valhalla [44]. »

Pour l'heure, en tout cas, l'ostracisme imposé se poursuit et se renforce ; au palais de justice, les accusés déjeuneront désormais dans cinq pièces séparées : une table de « jeunes » : Speer, Fritzsche, von Schirach et Funk ; une deuxième d'« anciens », comprenant von Papen, von Neurath, Schacht et Dönitz ; une troisième avec Frank, Seyss-Inquart, Keitel et Sauckel ; une quatrième avec Raeder, Streicher, Hess et Ribbentrop ; une cinquième avec Jodl, Frick, Kaltenbrunner et Rosenberg. Quant à Goering, il déjeunera dans une petite pièce sans chauffage, sans fenêtre et surtout sans auditoire *... C'est évidemment l'occasion de passer pour un martyr, mais les circonstances s'y prêtent mal : dans l'après-midi du 19 février, les Soviétiques font projeter un film sur les atrocités commises par les nazis en URSS, avec des champs couverts de cadavres de prisonniers de guerre, des corps de femmes mutilées, des paniers de têtes coupées, des corps pendus aux réverbères et des enfants aux crânes défoncés. Dès lors, le triste sort de Goering passe sans délai au second plan, ce qui le déprime profondément... Le film ? « Tout le monde peut faire un film avec des atrocités, explique-t-il ce soir-là à ses visiteurs, ce n'est pas une preuve [...]. Je ne crois à rien de ce que produisent les Soviétiques. Ils nous font porter la responsabilité de leurs propres exactions. » Puis il passe sans transition au seul sujet qui

---

* Ceci a été fait sur la recommandation expresse du capitaine Gilbert.

l'intéresse vraiment : son isolement, au sujet duquel il est intarissable : « Ce n'est pas parce que je suis le nazi numéro un de ce groupe que je suis le plus dangereux. De toute façon, le colonel devrait se rendre compte du fait qu'il a affaire à des personnages historiques. Quoi que nous ayons fait, nous sommes des personnalités historiques – et lui, il n'est rien du tout [45]. »

Après quoi Goering compare modestement sa personne à Napoléon, la prison de Nuremberg à Longwood et le colonel Andrus au gouverneur Hudson Lowe, qui a fini en disgrâce *... En dépit des apparences, Hermann Goering est loin de rester oisif ; il dicte à ses avocats de longues tirades sur sa carrière et ses initiatives passées, il lit tous les essais et Mémoires de guerre qui peuvent lui être favorables **, il étudie minutieusement l'acte d'accusation, les procès-verbaux de témoignages et les documents à charge, qu'il annote abondamment. « Il se réjouissait toujours, se souviendra l'avocat adjoint Werner Bross, lorsqu'il découvrait de petites inexactitudes dans les pièces de l'épais dossier d'accusation, et il voyait déjà son procès gagné lorsqu'il était en mesure de démontrer l'existence d'une contradiction [46]. » De fait, lorsque l'accusation évoque l'assassinat d'aviateurs alliés dans le Mecklembourg par des soldats de la 11e division de la Luftwaffe, Goering fait observer triomphalement qu'il n'a jamais existé de 11e division dans l'aviation allemande ; lorsque la Luftwaffe est mise en cause dans l'affaire des expériences sur des cerveaux d'aliénés mis à mort, l'ancien *Reichsmarschall* se retranche derrière un argument froidement technique : pour observer les effets de chutes d'avions sur les organismes humains, il fallait à ses experts des cerveaux *normaux*, pas des cerveaux d'aliénés [47]... Lorsque les Soviétiques inscrivent parmi les chefs d'accusation l'invasion de la Pologne, ils se déconsidèrent entièrement, s'exclame-t-il, puisqu'ils ont fait la même chose à la même époque. Et puis, l'accusation d'enrichissement personnel par pillage d'œuvres d'art ne tient pas davantage, puisqu'il destinait ces trésors au grand

---

* Une semaine plus tard, il dira également à Gilbert : « Il ne faut pas accorder trop de valeur à la vie, mon cher professeur. Tout le monde mourra tôt ou tard, et si j'ai la chance de mourir en martyr, à la bonne heure ! [...] Si mes os sont conservés un jour dans un sarcophage de marbre, ce sera après tout bien plus que ce qui est dévolu au commun des mortels. »

** Tel ceux de Birger Dahlerus, *Sista Forsöket* (*Dernière Tentative*), qui viennent de paraître à Stockholm.

musée de Carinhall, destiné à revenir au Reich après sa mort * !
Quant à tous ces procès-verbaux retraçant ses déclarations les plus
compromettantes, il faut naturellement tenir compte du contexte
et de l'excitation du moment : « Ces messieurs ne comprennent
manifestement pas que lors des réunions, on tient des propos un
peu plus vifs que lors d'un enterrement [48]. » Le fait que ces réunions aient pu être à l'origine de beaucoup d'enterrements paraît
lui échapper complètement – ou lui être parfaitement indifférent... Une fois encore, ce qui frappe chez Hermann Goering,
c'est ce manque total d'empathie. On se souvient du diagnostic
des psychiatres suédois deux décennies plus tôt : « Sentimental
envers les siens, mais totalement insensible aux autres. »

On sait aussi que l'homme est intelligent, hâbleur, domina-
teur, et qu'il est prompt à profiter des faiblesses de son entourage ;
or, celle de ses jeunes gardiens désœuvrés, c'est une inlassable
chasse aux souvenirs. Il est vrai que le colonel Andrus a formellement interdit à ses soldats de parler au détenu, mais s'il n'a pas été
obéi, c'est que tout autographe ou objet ayant appartenu à celui
que les GIs appellent le « Nazi number one » est particulièrement
coté à la bourse des trophées. Moyennant quelques autographes
ou menus objets, les gardiens se montrent donc tout disposés à
rendre au Reichsmarschall déchu quelques petits services. Au
nombre de ces gardiens complaisants, il y a le lieutenant Jack G.
Wheelis, un Texan qui intéresse Goering à double titre : c'est un
passionné de chasse, et il détient la clé de la salle des bagages.
Moyennant quelques souvenirs de valeur **, cet officier à la belle
prestance accepte donc d'apporter au prisonnier quelques objets
usuels tirés des valises bleues enfermées dans la consigne – un
geste apparemment anodin, dont il ne mesure sans doute pas la
portée [49].

Le début de mars 1946 est pour Hermann Goering une période
faste : d'une part, on lui a annoncé que sa femme et sa fille avaient
été libérées de la prison de Straubing et s'étaient installées dans
une petite maison de chasse à Sackdilling, près du château de Veldenstein. L'avocat Stahmer a même pu leur rendre visite et désor-

---

* Ce qui signifie en clair qu'il avait généreusement renoncé à jouir de ces œuvres
d'art dans l'au-delà...

** Notamment un stylo Mont Blanc en or massif, une montre suisse gravée à ses
initiales et un étui de boîte d'allumettes en or, avec aigle de la Luftwaffe en diamants
et croix gammée en rubis...

mais, une correspondance presque normale va pouvoir s'instaurer – ce qui sera pour l'accusé un réconfort inestimable. D'autre part, les journaux parvenus en prison au matin du 6 mars 1946 font leurs gros titres sur le « discours du Rideau de fer » prononcé à Fulton par Winston Churchill. Bien sûr, le vieux lion n'est plus aux affaires et les journaux exagèrent grandement la tonalité anti-soviétique de ses propos, mais pour Goering comme pour les autres prisonniers, tout signe de dissension entre l'Est et l'Ouest représente une lueur d'espoir et une justification *a posteriori* de leurs entreprises : « Je vous l'avais bien dit, ricane Goering lorsque Gilbert vient lui tenir compagnie à l'heure du déjeuner. Vous verrez que j'avais raison ; c'est la vieille politique de l'équi-libre des puissances qui reprend. [...] Voilà que la Russie est trop forte pour eux, et il leur faut à nouveau trouver un contrepoids. Ils vont devoir se débrouiller [50]. »

Enfin et surtout, voici qu'après cinq mois d'attente, le moment approche d'entrer en scène... La Cour entend au préalable les pre-miers témoins de la défense, à commencer par le général Bodens-chatz. Interrogé le 8 mars par maître Stahmer, ce fidèle parmi les fidèles délivre à son maître un magnifique brevet de bonne conduite : Goering ne savait rien au sujet des préparatifs de la Nuit de Cristal, il a tenté d'éviter la guerre en 1939, et d'ailleurs, il a toujours été opposé à la guerre ; il a aidé des Juifs à chaque fois qu'il l'a pu, et a même soustrait aux griffes de la Gestapo un ancien pilote juif de l'escadrille Richthofen ; le Führer ne leur a jamais parlé des camps de concentration *, et ni lui-même ni le *Reichsmarschall* ne savaient ce qui s'y passait. Hélas ! Le contre-interrogatoire du procureur Jackson perturbe quelque peu ce bel ordonnancement : il fait apparaître des hésitations, des contradic-tions, des approximations, des aveux d'ignorance et surtout cette évidence : si Goering a fait des efforts pour extraire des personnes de camps de concentration, c'est donc qu'il savait parfaitement ce qui s'y passait [51]...

---

* Ce n'est pas invraisemblable. L'aide de camp von Puttkammer, qui est resté pendant toute la guerre aux côtés d'Hitler, déclarera à l'auteur que le Führer n'avait même jamais prononcé le mot en présence de son proche entourage ou de ses invités. A l'évidence, ces questions se réglaient directement avec Himmler et Heydrich, et Hitler restait fidèle à un principe maintes fois énoncé : « Ne dire aux gens que ce qu'ils doivent savoir, et au moment où ils doivent le savoir. »

Le témoin suivant est le maréchal Milch, qui aurait bien des raisons de charger son ancien supérieur, mais n'en fera rien : « A mon avis, commence-t-il, Goering était opposé à la guerre. [...] Le 22 mai 1941, à Veldenstein, le Reischsmarschall m'a dit qu'il était absolument impossible de dissuader Hitler de déclencher cette guerre [52]. » Selon Milch, son supérieur n'était pas au courant des expériences de refroidissement conduites à Dachau *, et était catégoriquement opposé aux exécutions de pilotes alliés : « Une fois qu'ils ont été abattus, disait-il, ce sont nos camarades [53]. » Milch confirme également que le plus grand secret était imposé au sujet des camps de concentration, sous peine de mort, et en réponse à une question précise du procureur Jackson, il affirme que tout le monde, y compris Goering, avait peur de la Gestapo. Enfin, Milch pousse l'obligeance jusqu'à déclarer qu'il « ne sait rien au sujet de la collection d'objets d'art de Goering [54] » – ce qui est à l'évidence un très gros mensonge. On notera enfin cet échange savoureux :

« *Jackson* : Je crois que vous avez déclaré lors de l'interrogatoire préliminaire que Goering n'était pas très travailleur. Est-ce exact ?

Milch : J'aurais beaucoup de réticence à répondre à cette question.

Jackson : Bien, je la retire. D'ailleurs, ce n'était pas une question très bienveillante [55] **. »

Les témoins suivants, l'aide de camp Bernd von Brauchitsch et le secrétaire d'Etat Paul Koerner, achèvent de présenter Goering comme un homme essentiellement pacifique et modéré, sans la moindre responsabilité dans les crimes qu'on lui impute. « Pilly » Koerner, l'acolyte de toujours, déclare ne rien savoir lui-même des camps de concentration et du pillage des territoires

---

* Plusieurs raisons peuvent l'expliquer : Milch a été sévèrement maltraité par les Britanniques après sa capture, et cela lui a enlevé toute envie de coopérer avec l'accusation ; par ailleurs, l'ancien secrétaire d'Etat pourrait aisément être inculpé de complicité avec certains des méfaits de Goering (il le sera d'ailleurs par la suite) ; enfin, quel qu'ait pu être le comportement du *Reichsmarschall* à son égard dans les derniers temps de la guerre, Milch n'oublie sans doute pas qu'il l'a protégé de la Gestapo, en dissimulant son ascendance juive.

** Jackson tentera également de faire parler Milch au sujet de son « aryanisation » par Goering, mais ce sera en vain.

occupés *. Son témoignage est si caricatural qu'il ne profite guère à l'accusé – d'autant que le procureur Jackson l'interrompt rapidement par cette question :

« Vous avez été interrogé au centre d'investigation de l'Obersalzberg le 4 octobre dernier par le docteur Kempner, de nos services, n'est-ce pas ?

Kœrner : Oui.

Jackson : Au début de cet interrogatoire, vous avez déclaré que vous ne témoigneriez pas contre votre ancien supérieur, le *Reichsmarschall* Goering, que vous le considériez comme le dernier grand homme de la Renaissance [...], qu'il vous avait donné le plus grand emploi de votre vie, et qu'il serait ingrat et déloyal de votre part d'apporter un témoignage contre lui. Est-ce bien ce que vous avez dit ?

Kœrner : Oui, c'est à peu près ce que j'ai dit.

Jackson : Et c'est encore votre réponse aujourd'hui ?

Kœrner : Oui.

Jackson : Je n'ai plus de questions [56] **. »

Pour Hermann Goering, le 13 mai 1946 est un grand jour ; il va enfin pouvoir jouer ce premier rôle auquel il aspire depuis si longtemps... Pour le rendre plus sublime encore, il a promis à ses coaccusés de prendre toutes les responsabilités sur lui, afin de les en décharger le plus possible. Ce matin-là, le capitaine Gilbert lui rend visite dans sa cellule : « Il donnait des signes de tension nerveuse par de légers tremblements des mains et des tics dans l'expression faciale ; il a commencé à répéter son rôle de seigneur martyrisé, sur le point d'entrer en scène pour le dernier acte :

– Je ne reconnais toujours pas l'autorité de la Cour. Je pourrais dire, comme Mary Stuart, que seule une Cour de mes pairs a compétence pour me juger.

---

* Le procureur soviétique Roudenko, intervenant après Jackson, interpellera rudement Koerner au sujet de ces dénégations. Le témoignage du maréchal Kesselring, intervenant après celui de Koerner, sera également mis en pièces par le procureur-adjoint britannique sir Maxwell-Fyfe.

** A la stupéfaction de Goering, ni son vieux camarade et obligé Bruno Loerzer, ni son médecin Ondarza n'accepteront de témoigner en sa faveur ; ils ne tenaient sans doute pas à se faire remarquer. Par contre, Thomas von Kantzow a écrit le 13 mars une longue lettre à la Cour pour exposer les efforts entrepris par son beau-père pour faire libérer des Juifs scandinaves, et proposé de venir témoigner à Nuremberg. Mais Goering a refusé de le faire citer comme témoin de la défense, sans doute pour ne pas attirer sur lui l'attention des autorités d'occupation.

Il a eu un léger sourire.

— Bien, ai-je répondu, c'était peut-être valable du temps de la souveraineté royale, mais ce qui est en jeu ici, c'est le fondement même du monde civilisé.

— Néanmoins, tout ce qui s'est produit dans notre pays ne vous regarde absolument pas. Si 5 millions d'Allemands ont été tués, c'est aux Allemands de régler l'affaire ; et nos affaires d'Etat ne regardent que nous.

— Si la guerre d'agression et l'assassinat de masse ne concernent personne et ne sont pas des crimes punissables, alors il ne reste plus qu'à se résigner tout de suite à l'extermination de la civilisation.

Goering a haussé les épaules.

— En tout cas, le fait de traîner les dirigeants d'un Etat souverain devant une Cour étrangère relève d'une présomption unique dans l'histoire [57]. »

C'est donc en dignitaire offensé, en acteur de talent et en homme conscient de n'avoir rien à perdre que Hermann Goering se présente à la barre dans l'après-midi du 13 mars. Sa main tremble légèrement, mais il parle d'une voix forte et prend rapidement de l'assurance. En réponse aux questions de maître Stahmer, il décline son identité, parle des mérites de son père, retrace les débuts de sa propre carrière, égrène la liste de ses décorations, puis explique les circonstances de sa rencontre avec Hitler au début de novembre 1922, son rôle dans la formation des SA, son errance après l'échec du putsch de Munich, et enfin son entrée au Reichstag en tant que député du NSDAP. Tout cela est énoncé avec des accents de franchise et d'autorité qui ne manquent pas de frapper l'auditoire. C'est qu'à l'évidence, l'accusé ne cherche pas à minimiser son rôle :

« Je tiens à dire qu'il est exact que j'ai fait tout ce qui était en mon pouvoir pour renforcer le mouvement national-socialiste et le développer, et que j'ai travaillé sans relâche pour le porter au pouvoir [...]. J'ai tout fait pour assurer au Führer la place de chancelier du Reich qui lui revenait de droit. [...]

Stahmer : Quelles ont été vos fonctions après la prise du pouvoir ?

Goering : Président du Reichstag, ce que je suis resté jusqu'à la fin ; dans le Cabinet du Reich, j'ai d'abord été nommé ministre sans portefeuille et commissaire du Reich pour l'Aviation; en Prusse, ministre de l'Intérieur, puis en avril 1933, Premier ministre de surcroît.

Stahmer : Dans votre capacité de ministre de l'Intérieur de Prusse, avez-vous créé la Gestapo et les camps de concentration ?

Goering : Avant notre arrivée au pouvoir, il y avait une police politique en Prusse ; c'était le Département de Police 1A, chargé tout d'abord de réprimer et combattre les nationaux-socialistes, et aussi, en partie, les communistes. Il existait un danger [...] d'actions révolutionnaires de la part des communistes. C'est pourquoi j'avais besoin d'une police politique fiable [...]. Il m'a donc fallu développer cet instrument. La police secrète d'Etat a donc été créée d'abord en Prusse, parce que je n'avais aucune responsabilité pour les autres Etats à l'époque.

Stahmer : Et les camps de concentration ?

Goering : J'avais décidé d'arrêter d'un seul coup tous les fonctionnaires et les chefs communistes. [...] Cela impliquait plusieurs milliers de personnes, car il s'agissait d'arrêter non seulement les fonctionnaires du parti, mais aussi ceux de l'organisation du Front rouge. Il était impossible d'utiliser les prisons à cet effet. [...] C'est pourquoi j'ai dit qu'il fallait dans un premier temps rassembler tous ces hommes dans des camps. [...] A l'époque, j'ai fait officiellement la déclaration suivante : " Bien sûr, au début, il y a eu des excès ; bien sûr, des innocents ont également été mis à mal ici et là ; bien sûr, il y a eu çà et là des corrections, et des actes de brutalité ont été commis. Mais au regard de ce qui s'est produit dans le passé et de l'importance des événements, cette révolution allemande de liberté est la moins sanglante et la plus disciplinée de toutes les révolutions de l'histoire. "

Stahmer : Avez-vous supervisé le traitement des prisonniers ?

Goering : J'ai naturellement donné des instructions pour interdire de telles pratiques [...], car je tenais à ramener certains de ces gens de notre côté et à les rééduquer.

Stahmer : Avez-vous pris des mesures lorsque vous avez été informé de ces excès ?

Goering : Je me suis personnellement intéressé aux camps de concentration jusqu'au printemps de 1934. A l'époque, il y en avait deux ou trois en Prusse. Le témoin Koerner a déjà mentionné le cas de Thälmann, [...] le chef du parti communiste. Je ne sais plus qui m'a informé du fait que Thälmann avait été battu. Je l'ai convoqué chez moi et l'ai soigneusement interrogé. Il m'a dit qu'il avait été battu au cours – et surtout au début – de son interrogatoire. Sur quoi [...] j'ai répondu à Thälmann que je le regrettais, mais j'ai ajouté : " Cher Thälmann, si c'était vous qui aviez pris le pouvoir, je n'aurais sans doute pas été battu, mais vous m'auriez immédiatement fait couper la tête. " Et il en a convenu *. Après quoi je lui ai dit qu'à l'avenir, il devrait se sentir libre de m'informer si lui ou tout autre étaient victimes de mauvais traitements. [...] A cette époque, j'ai également aidé financièrement les familles des internés – et je peux le prouver [58]. »

Goering explique ensuite dans quelles conditions il a fait fermer les « camps sauvages » administrés par le gauleiter de Poméranie Karpenstein, ainsi que par Heines et Ernst, les deux acolytes de Roehm « éliminés lors du putsch ». Pour ce qui est de ses propres camps, il ajoute :

« Il est possible d'interroger des personnes internées dans ces camps en 1933 et au début de 1934, et de leur demander si ce qui s'y passait à cette époque avait le moindre rapport avec ce qui s'y est produit par la suite.

Stahmer : Après la consolidation du pouvoir, avez-vous fait libérer des personnes internées en nombre significatif, et à quelle époque l'avez-vous fait ?

Goering : A Noël de 1933, j'ai ordonné la libération des cas les moins graves, c'est-à-dire des internés les moins dangereux [...]. Cela concernait environ 5 000 personnes. J'ai recommencé en novembre 1934 pour 2 000 prisonniers. A cette époque, pour autant que je me souvienne, un camp a été dissous, ou du moins fermé temporairement. C'était à un moment où personne ne songeait que l'affaire serait examinée par un tribunal international.

Stahmer : Pendant combien de temps avez-vous été responsable de la Gestapo et des camps de concentration, et jusqu'à quelle date ?

Goering : Jusqu'au début de 1934. »

---

* Personne ne saura jamais si Thälmann en avait convenu, mais il est effectivement vraisemblable que Goering aurait été liquidé sur-le-champ en cas de prise de pouvoir des communistes.

L'accusé n'explique pas comment il a pu faire libérer 2 000 prisonniers des camps de concentration en novembre 1934, alors qu'il n'était plus responsable de ces camps après le printemps de cette année-là. Mais son avocat est déjà passé à autre chose :

« *Stahmer* : Vous avez fait mention du putsch de Roehm. Qui était Roehm, et dans quelles circonstances ce putsch s'est-il produit ?

Goering : Roehm était devenu chef des SA, chef d'état-major des SA...

Le Président : Je pense que nous devrions ajourner la séance. Il est déjà 17 heures [59]. »

Comme tous les membres de l'assistance, le jeune avocat Werner Bross a été surpris et impressionné par la prestation de Goering, qui a parlé pendant plus de deux heures sur un ton professoral [60], sans consulter ses notes, sans hésiter et sans se troubler un seul instant *. Il le revoit au parloir en fin d'après-midi : « [Goering] était bien fatigué, mais manifestement satisfait et impatient de se préparer pour le lendemain. Il s'est beaucoup réjoui lorsque je lui ai dit qu'à la suite d'un vote des correspondants de presse de Nuremberg sur la manière de caractériser sa prestation en deux mots, la presse américaine avait câblé : " *Very clever* " (" très habile ") [61]. » C'est bien le même homme que le psychologue Gilbert retrouve dans sa cellule ce soir-là : « Il avait renvoyé son dîner sans y avoir touché, et était assis sur son lit de camp en fumant sa grosse pipe bavaroise. Il a reconnu qu'il était trop énervé pour manger ce soir-là. " Vous devez comprendre qu'après avoir été emprisonné pendant presque un an et être resté assis dans ce prétoire pendant cinq mois sans pouvoir dire un mot, j'étais plutôt tendu — surtout les dix premières minutes. Mais ce qui m'a tracassé, c'était cette satanée main que je ne pouvais empêcher de trembler. " [...] Il était d'humeur plutôt sérieuse, et cherchait quelque consolation dans l'une de ses digressions cyniques et fatalistes. Il a dit que l'homme était le plus grand prédateur de tous, parce que son cerveau lui permettait d'opérer des destructions sur une grande échelle, tandis que les autres animaux de proie se contentaient de tuer lorsqu'ils avaient faim. Il était

---

* Bien entendu, toutes les questions de maître Stahmer avaient été préparées de longue date lors de ses entretiens au parloir avec Goering.

certain que les guerres deviendraient de plus en plus destructrices – c'était le destin. Il régnait une atmosphère de Crépuscule des Dieux dans l'espace confiné de cette sombre cellule. (Il avait demandé au garde de ne pas allumer la lumière.) On pouvait presque l'imaginer en train de débiter ses tirades au son d'une musique de Wagner [62]. »

Les auditions reprennent au matin du 14 mars. Après quelques questions préliminaires de son avocat concernant les règles du parti national-socialiste et le *Führerprinzip*, on en revient à l'affaire Roehm. Cette fois encore, Goering parle entièrement de mémoire : « Roehm voulait à tout prix obtenir le contrôle du ministère de la Défense du Reich. Le Führer refusait catégoriquement. [...] Roehm voulait limoger le plus grand nombre possible de généraux et d'officiers supérieurs. Le Führer et moi-même étions d'un avis exactement opposé. [...] Les gens de Roehm étaient partisans d'une politique plus gauchiste ; ils étaient aussi radicalement opposés à l'Eglise et aux Juifs. [...] Quelques semaines avant le putsch de Roehm, un chef SA subalterne m'avait confié que selon ses informations, une action se préparait contre le Führer et son entourage, afin de remplacer le Troisième Reich au plus tôt par un Quatrième Reich. »

Ayant ajouté que von Schleicher et Strasser étaient étroitement associés à ce complot, et qu'il regrettait profondément l'assassinat « accidentel » de von Schleicher, Goering affirme ensuite : « Le nombre de victimes a été fortement exagéré. Pour autant que je puisse m'en souvenir, il y en a eu 72 ou 76, dont la majorité a été exécutée en Allemagne du Sud. » Ce chiffre global très réduit et cette délocalisation commode sont évidemment destinés à minimiser l'ampleur de la purge conduite en Allemagne du Nord *. Mais non content d'atténuer les faits, Goering veut encore se donner le beau rôle : « Au cours de l'après-midi [du 30 juin], j'ai entendu dire que d'autres gens avaient été abattus, y compris parmi ceux qui n'avaient rien à voir avec la révolte de Roehm. Le Führer est revenu à Berlin ce même soir. Je l'ai appris plus tard

---

* Nous savons déjà à quoi nous en tenir sur cette question : le nombre total de victimes est à multiplier par trois au moins, et les exécutions ordonnées par Goering et Himmler depuis Berlin sont bien plus nombreuses qu'il ne le laisse entendre. Du reste, ni von Schleicher ni Strasser n'ont été abattus en Allemagne du Sud...

dans la soirée ou pendant la nuit *, et le lendemain à midi, je suis allé le trouver pour lui demander d'ordonner immédiatement l'interdiction de toute nouvelle exécution. »

On sait que tel n'était pas exactement le dessein de Goering lorsqu'il s'est rendu à la chancellerie ce jour-là, mais ce grand vantard n'en conclut pas moins en se décernant un brevet de civisme : « Pour en terminer avec le putsch de Roehm, je voudrais insister sur le fait que j'assume la pleine responsabilité des mesures prises contre ces gens – Ernst, Heidebrecht et plusieurs autres ** –, en application des ordres du Führer que j'ai exécutés ou transmis, et même aujourd'hui, je suis d'avis que mon action a été juste et dictée par le sens du devoir [63]. »

Maître Stahmer en vient ensuite à la persécution des Eglises par les autorités nazies, en Allemagne comme dans les territoires occupés, à quoi Goering répond par une nouvelle tirade de grande ampleur : « Je savais qu'au début, en Allemagne, un certain nombre d'ecclésiastiques avaient été envoyés en camp de concentration. Le cas du pasteur Niemöller était de notoriété publique. [...] Mais plusieurs pasteurs et prêtres qui étaient allés très loin dans leurs critiques n'ont pas été arrêtés. » Et dans les territoires occupés, les arrestations se produisaient « moins parce qu'il s'agissait d'ecclésiastiques que parce qu'ils étaient également nationalistes – et par conséquent souvent impliqués dans des actions hostiles aux forces d'occupation [64] ».

Ainsi donc, tout s'éclaire et se justifie... Mais maître Stahmer en vient à la question hautement sensible des persécutions contre les Juifs. Comme on pouvait s'y attendre, son client ne se démonte pas : « Après l'effondrement de l'Allemagne en 1918, les Juifs sont devenus très puissants en Allemagne, dans toutes les sphères de la société, particulièrement dans la politique, le monde intellectuel et culturel, et tout spécialement dans le domaine économique. [...] Il y avait beaucoup de Juifs qui ne faisaient pas preuve de suffisamment de retenue et se faisaient de plus en plus remarquer dans la vie publique. Ils occupaient également une place prépondérante dans la presse [...] et ils attaquaient nos prin-

---

* Ainsi donc, Goering cherche à dissimuler le fait qu'il était présent à l'aéroport pour accueillir le Führer à son retour de Munich. C'est certainement une occultation calculée pour faire passer quelques autres mensonges...

** Bien entendu, Goering ne mentionne ici que les pires truands, dont la disparition ne risque pas d'affliger l'auditoire. Les innocents sont passés sous silence...

cipes nationaux comme nos idéaux. Il en est résulté une forte attitude défensive de notre parti. »

En somme, le parti national-socialiste n'a pas attaqué les Juifs, il n'a fait que se défendre ! D'ailleurs, son véritable but n'était que d'« exclure les Juifs de la sphère politique, puis de la sphère culturelle », et lui-même est intervenu auprès d'Hitler en faveur des « *Mischlinge* », les sang-mêlé ; le Führer aurait même été disposé à se montrer généreux, « mais seulement après la guerre [65] ».

Au sujet de la Nuit de Cristal, l'accusé se montre intarissable : « Ayant entendu dire que Goebbels y avait pris une large part, au moins comme instigateur, j'ai dit au Führer qu'il m'était impossible d'accepter que de telles choses se produisent à ce stade. Je faisais tous les efforts possibles, dans le cadre du plan quadriennal, pour mobiliser l'ensemble du secteur économique. Lors de mes discours à la nation, j'avais demandé que l'on récupère et que l'on utilise le moindre tube de dentifrice usagé, le moindre clou rouillé, le moindre morceau de ferraille. Il n'était pas tolérable qu'un homme sans responsabilités dans ce domaine vienne compromettre ma lourde tâche économique en détruisant tant de valeurs économiques d'une part, et en causant tant de perturbations dans la vie économique d'autre part [66]. »

Ainsi, huit ans après l'événement, Goering n'a toujours rien perçu d'autre que l'aspect économique de cette abomination, qui en annonçait beaucoup d'autres... Mais puisque là encore, il lui faut avoir le beau rôle, ce dignitaire déchu s'empresse d'ajouter : « J'ai rejeté d'autres propositions qui débordaient de la sphère économique, comme les restrictions sur les voyages et la résidence, ou l'exclusion des centres balnéaires. [...] Des adoucissements et des ajustements ont été apportés du fait de mon intervention. »

Et les lois de Nuremberg ? Là, Goering se raidit : « Je veux souligner le fait que, même si j'ai reçu des ordres écrits et oraux du Führer pour promulguer et faire appliquer ces lois, j'en assume l'entière responsabilité. Elles portent ma signature, je les ai émises, j'en suis donc responsable et je n'ai pas la moindre intention de m'abriter derrière un ordre du Führer [67]. »

C'est avec le même orgueil démesuré que Goering assume son rôle dans la reconstitution de la Luftwaffe : « Mon devoir était de l'amener à son plus haut niveau. J'étais responsable de son réarmement, de son entraînement et de son moral. » Lors des campagnes de Pologne et de France, ajoute-t-il, la Luftwaffe a été le « facteur décisif ». En ce qui concerne l'Anschluss, de même, il se déclare « responsable à cent pour cent », même s'il reconnaît que par la suite, l'occupation de Prague en mars 1939 l'a « pris au dépourvu » [68]. Mais le morceau de bravoure est encore à venir :

« *Stahmer* : Une conférence avec le Führer s'est tenue le 23 novembre 1939 ; le procès-verbal de cette conférence se trouve dans le document 789-PS, soumis au tribunal. Pouvez-vous me donner brièvement votre avis sur cette conférence ?

Goering : Le Führer avait réuni les commandants en chef pour les informer de ses ordres au sujet de l'attaque [à l'Ouest]. C'était la pratique habituelle dans de tels cas. Aucun général n'était consulté à ces occasions. [...] Lors de ces conférences, on ne lui demandait même pas s'il approuvait le plan militaire ou non. Si un général avait pu dire : " Mon Führer, je considère que vos propos sont erronés " [...] ou bien " Je n'approuve pas cette politique ", cela aurait défié le sens commun. Ce n'est pas que le général en question aurait été fusillé, c'est simplement que je me serais demandé s'il était sain d'esprit ; car enfin, comment dirigerait-on un Etat si, pendant ou avant une guerre décidée à tort ou à raison par les dirigeants politiques, un général quelconque pouvait voter pour dire s'il allait se battre ou non, si son corps d'armée allait rester l'arme au pied au lieu de s'engager, ou s'il pouvait dire : " Il me faut d'abord consulter ma division " ? Peut-être l'une marcherait-elle et pas l'autre. Et dans ce cas, il faudrait étendre ce privilège au simple soldat ; ce serait peut-être un moyen d'éviter les guerres à l'avenir : il suffirait de demander à chaque soldat s'il veut renter chez lui ou pas [69]... »

Interrogé ensuite au sujet de l'attaque de la Norvège, Goering répond sans hésiter qu'il l'avait désapprouvée « d'abord parce que j'en avais été informé trop tard, et ensuite parce que le plan ne me paraissait pas satisfaisant » ; mais sans doute en vertu des considérations énoncées plus haut, il n'en avait pas moins participé activement à l'entreprise. Au passage, notre maréchal suédophile se targue d'avoir sauvé la patrie de sa chère Carin, en assurant le Führer que « la Suède resterait neutre en toute circonstance » — ce qui rendait son invasion superflue [70]. Là-dessus, le président Lawrence ajourne la séance jusqu'au lendemain.

Il est clair que la prestation de Goering a produit beaucoup d'effet sur ses coaccusés – y compris ceux qui lui étaient le plus hostiles : « C'est le Goering des premiers temps, lorsqu'il était encore sensé », décrète von Papen ; Schacht reconnaît qu'il « n'a dit que la vérité, excepté lorsqu'il a tenté de trouver des justifications aux mesures antisémites ». Speer lui-même concède qu'il « a fait bonne impression sur la plupart des inculpés et des avocats de la défense », tout en s'indignant qu' « un lâche pareil puisse chercher à jouer les héros » [71]. Ce soir-là, en tout cas, l'intéressé confie modestement à Gilbert, entre deux bouffées de sa grosse pipe bavaroise : « Oui, cela a été très éprouvant... Et tout était de mémoire. Vous seriez surpris de voir combien j'avais peu de notes pour me guider [72]. »

L'audition reprend dès le matin du 15 mars ; maître Stahmer ayant d'abord demandé à son client les raisons de l'invasion de la Belgique et de la Hollande, celui-ci répond sans sourciller qu'il « existait des doutes quant à leur neutralité » et que « nous avions reçu des informations fiables selon lesquelles l'armée belge se concentrait le long de la frontière allemande avec toutes ses forces » [73]. Nul doute que la Wehrmacht se soit sentie menacée par la redoutable armée belge, mais Goering en vient rapidement à parler de la France, où « des atrocités ont été commises par la Résistance », tandis que les forces d'occupation ont œuvré à la promotion de l'agriculture française, « notamment en aidant à la mise en valeur des terres en jachère » – un bénéfice trop peu connu de l'occupation allemande en France...

Au début de l'après-midi, Goering est invité à s'exprimer sur l'invasion de la Yougoslavie, les bombardements de Varsovie, de Coventry et de Rotterdam, après quoi on aborde le vif du sujet :

« *Stahmer* : Quelle a été votre attitude au sujet du projet d'attaque de la Russie ?

Goering : J'ai été très surpris au début. [...] Puis j'ai conjuré le Führer de ne pas déclencher de guerre contre la Russie à ce moment-là, ou même peu de temps après. Non que j'aie été guidé par des considérations de droit international ou d'autres choses de ce genre ; mes raisons étaient purement politiques et militaires. [...] Je lui ai dit : " Nous sommes actuellement en guerre contre l'une des plus grandes puissances du monde, l'Empire britannique. Je suis intimement convaincu que tôt ou tard, la deuxième puissance du monde, l'Amérique, va marcher contre nous. [...] En cas de conflit simultané avec la Russie, c'est la troisième puissance du monde qui serait entraînée dans la lutte contre l'Allemagne. Nous nous retrouverions encore seuls contre le monde entier, pour ainsi dire, car les autres nations ne comptent pas. " [...] En outre, si un nouveau front était constitué pour l'attaque de la Russie, une partie considérable de nos forces aériennes, plus de la moitié, voire les deux tiers, devrait être détournée vers l'Est. Dès lors, l'attaque aérienne résolue contre la Grande-Bretagne serait pratiquement interrompue. Tous les sacrifices consentis jusque-là auraient été vains. [...] Bien plus décisif encore était le fait qu'avec un tel déploiement contre la Russie, le plan que j'avais soumis au Führer pour une attaque contre Gibraltar et Suez devrait être abandonné, [...] de même qu'une avance ultérieure vers Casablanca et Dakar [74]. »

Interrogé ensuite au sujet du « Dossier vert », un long document exposant en détail les plans d'une exploitation économique impitoyable des régions russes conquises, Goering ne se démonte pas, et commence par dire qu'« il y a ici et là quelques phrases qui, citées isolément, peuvent donner une fausse impression. » Pour le reste, tout est entièrement justifiable : « Si, une fois entré en guerre contre un pays, on prend possession de son économie, il est naturel que l'on soutienne cette économie uniquement dans la mesure où elle sert les intérêts de son effort de guerre – cela va sans dire. [...] Nos prélèvements sur l'économie russe après la conquête de ces territoires nous paraissaient tout aussi naturels [...] qu'ils l'ont été pour la Russie lorsqu'elle a occupé des territoires allemands, avec cette différence que pour notre part, nous n'avons pas démonté et emporté toute l'économie russe jusqu'au dernier écrou et au dernier boulon, ainsi que cela se pratique actuellement [75] *. »

Répondant aux accusations selon lesquelles la Wehrmacht aurait affamé les populations russes pour assurer sa propre subsistance, Goering déclare que « les troupes ne se nourrissaient pas sur le pays, mais au contraire, la nourriture devait leur parvenir d'Allemagne – y compris la paille et le foin », puis il ajoute :

---

* Allusion ironique au fait que les Soviétiques démontent à l'époque toute l'industrie allemande dans leur zone d'occupation, pour la transporter en URSS.

« D'ailleurs, il n'y a eu de famine qu'à Leningrad. [...] Mais Leningrad était une forteresse assiégée. Dans toute l'histoire de la guerre, je n'ai jamais trouvé à ce jour de cas où les assiégeants fournissaient généreusement des vivres aux assiégés, afin qu'ils puissent résister plus longtemps. [...]

Stahmer : Les confiscations en Russie se limitaient-elles aux propriétés étatiques, ou bien s'étendaient-elles à la propriété privée ?

Goering : J'imagine que pendant l'hiver glacial de 1941-42, des soldats allemands ont **dû** prendre ici et là des chaussures fourrées, des bottes de feutre et des peaux de chèvres à la population, c'est possible, mais pour le reste, il n'y avait pas de propriété privée – elle ne pouvait donc pas être confisquée. »

Mais l'avocat en vient à un sujet plus délicat encore :

« *Stahmer* : Quelle était la signification pour la Luftwaffe du camp de travail de Dora, mentionné par le procureur français ?

Goering : J'ai entendu parler ici pour la première fois du camp de Dora. Bien sûr, je savais qu'il y avait des usines souterraines près de Nordhausen, bien que je ne m'y sois jamais rendu en personne. Je ne sais rien des conditions de travail dans ce camp telles qu'elles ont été décrites, et je crois qu'elles ont été exagérées *. [...] Par contre, il est exact que j'ai réquisitionné des prisonniers de camps de concentration pour l'industrie aéronautique, ce qui est tout à fait naturel, car à l'époque, je ne connaissais pas les conditions qui régnaient dans ces camps. [...] De plus, en fonction de ce que j'en sais aujourd'hui, il me semble qu'il était bien préférable pour eux de travailler et d'être logés dans les usines d'aviation que dans les camps de concentration. Qu'ils aient **eu** à travailler allait de soi, de même que le fait qu'ils travaillaient pour l'industrie de guerre. Mais que ce travail aboutisse à leur liquidation est pour moi un concept nouveau. Il est possible que le labeur ait été épuisant ici ou là. Mais mon intérêt était que les gens travaillent et produisent, non qu'ils soient liquidés [76]. »

---

* L'argument est intéressant : il n'a jamais entendu parler du camp et ne connaît rien des conditions qui y régnaient, mais fort de cette ignorance complète, il estime exagérés les rapports présentés...

C'est d'une logique imparable, et les choses auraient effectivement dû se produire ainsi... Mais la réalité a été toute différente :
Dora, une annexe du camp de Buchenwald située à 6 kilomètres
de Nordhausen, était un réseau de 16 kilomètres de galeries et de
casemates creusées jusqu'à 1 500 mètres de profondeur, où des
milliers de déportés politiques travaillaient jour et nuit à la
construction de V1 et de V2 ; les acides, les gaz de combustion,
les poussières et les vapeurs d'ammoniaque rongeaient les organismes, tandis que les mauvais traitements et l'épuisement faisaient le reste : il y a eu 36 000 morts à Dora *.

Il faut bien mentionner aussi l'un des chefs d'accusation les
plus incriminants :

« *Stahmer* : En mars 1944, 75 officiers de l'air britanniques se
sont évadés du Stalag Luft III ; 50 d'entre eux ont été fusillés par
la SD après avoir été recapturés. L'ordre est-il venu de vous, et
étiez-vous au courant de ce qui allait se faire ?

Goering : Lorsque ces 75 ou 80 officiers d'aviation britanniques
ont tenté de s'échapper au cours des dix derniers jours de mars,
j'étais en congé, ce que je peux prouver. J'ai été informé de cette
évasion un ou deux jours plus tard. [...] Je suis allé voir Himmler,
qui m'a confirmé les exécutions sans donner de chiffres précis, et
m'a dit qu'il en avait reçu l'ordre directement du Führer. [...] J'en
ai parlé personnellement au Führer et lui ai expliqué pourquoi je
considérais que cet ordre était parfaitement injustifiable, et
quelles répercussions il aurait sur mes aviateurs engagés contre
l'ennemi à l'Ouest. Le Führer m'a répondu plutôt violemment
(nos relations étaient déjà extrêmement tendues à cette époque)
que les aviateurs engagés en Russie devaient déjà s'attendre à être
battus à mort en cas d'atterrissage d'urgence, et que les aviateurs
engagés à l'Ouest ne devraient pas jouir de privilèges spéciaux à
cet égard. Je lui ai répondu que les deux choses n'avaient vraiment aucun rapport. »

---

* On ignore si c'est l'orgueil ou l'ignorance qui empêche Goering de faire valoir
que si l'« entreprise » de Dora dépendait nominalement du ministère de l'Air, sa
gestion effective à tous les niveaux était assurée exclusivement par les SS d'Himmler.
Il est vrai le travail n'était guère moins dangereux dans les usines directement
contrôlées par la Luftwaffe ou la Kriegsmarine — même si la maltraitance y était
effectivement plus réduite.

Tout cela est fort bien, mais Goering trahit involontairement son caractère velléitaire et son manque de courage moral lorsqu'il ajoute : « J'ai ensuite dit à mon chef d'état-major de transmettre à l'OKW ma requête tendant à ce que désormais, ces camps ne dépendent plus de nous. Je ne voulais plus rien avoir à faire avec des prisonniers de guerre, pour le cas où de telles choses se reproduiraient [77]. »

Ce Ponce Pilate des temps modernes va encore entreprendre de démontrer son caractère chevaleresque en citant son opposition constante à la tolérance officielle envers les actes de lynchage des pilotes alliés *, puis en faisant valoir qu'en tant qu' « autorité judiciaire suprême de la Luftwaffe », il avait toujours refusé la grâce aux aviateurs allemands coupables de meurtres ou de viols – et invariablement épargné les femmes, quel que soit leur degré de culpabilité. Sur sa lancée, l'orateur inspiré conclut ce long plaidoyer en citant ce qu'il présente comme une phrase de Winston Churchill : « Dans une lutte à la vie et à la mort, il n'y a pas en définitive de légalité [78] **. »

Le lendemain 16 mars, Goering est de nouveau à la barre, cette fois pour répondre aux questions des avocats de plusieurs accusés. En réponse à maître Nelte, le défenseur de Keitel, il va donner un avis serein et circonstancié sur le chef de l'OKW :

« Il va sans dire qu'en cas de conflit entre le Führer et moi-même ou d'autres commandants en chef, le responsable du haut commandement des forces armées était, si je puis dire, piétiné des deux côtés. Il se trouvait pris entre des personnalités plus fortes que la sienne. [...] Sa tâche était sans nul doute difficile et ingrate. Je me souviens qu'il est venu me voir une fois pour me demander si je pouvais lui donner un commandement au front. Tout maréchal qu'il était, il affirmait qu'il se contenterait d'une division, si seulement il pouvait s'échapper. [...]

---

* D'autant que même des pilotes de la Luftwaffe ayant effectué des atterrissages forcés avaient été sévèrement maltraités par erreur... Goering mentionne également ces propos qu'il aurait tenus à Hitler au sujet des pilotes alliés : « Nous, les aviateurs, sommes toujours restés camarades, quelle que soit la violence des combats qui nous opposaient. » Connaissant le personnage et certains épisodes passés, on peut penser qu'il a effectivement dû dire quelque chose de ce genre – avant de s'incliner comme toujours devant les décisions du Führer.

** A notre connaissance, Winston Churchill n'a jamais prononcé une telle phrase.

Nelte : A ce sujet, êtes-vous informé du fait que l'on reprochait au maréchal Keitel d'être incapable de s'affirmer en présence du Führer ?

Goering : Ce reproche lui a été adressé par un grand nombre de commandants en chef d'armées et de groupes d'armées – cela leur était facile, parce qu'ils étaient hors de portée du Führer. Je sais que, surtout après l'effondrement, bien des généraux se sont déclarés d'avis que Keitel avait été l'exemple même du béni-oui-oui. Tout ce que je peux dire, c'est que j'aimerais bien voir quelqu'un qui puisse se vanter aujourd'hui d'avoir été un béni-non-non [79] *. »

Après trois quarts d'heure consacrés à Keitel, Goering va encore répondre ce jour-là aux questions des avocats de Rosenberg, Funk, von Schirach, Dönitz, Jodl, von Papen et Seyss-Inquart. Cette prestation, effectuée sans aucune note, laisse ses auditeurs pantois : Goering se souvient des plus petits détails, donne des noms, des dates, cite de mémoire des documents techniques, corrige des organigrammes complexes et reconstitue des entretiens qui se sont déroulés huit ans plus tôt...

Ce soir-là, le capitaine Gilbert note dans son journal : « Goering était très fatigué, du fait de la tension des trois derniers jours de déposition. Ayant presque conclu sa défense, il méditait sombrement sur sa destinée et s'interrogeait sur le rôle qui lui serait dévolu dans l'histoire. Les considérations humanitaires lui restaient quelque peu en travers de la gorge et il les rejetait cyniquement, dans la mesure où elles risquaient de mettre en péril sa future grandeur. Il soutenait amèrement que l'empire de Gengis Khan, l'Empire romain et même l'Empire britannique ne s'étaient pas construits en s'embarrassant de considérations humanitaires, et pourtant, tous trois s'étaient taillé une place de choix dans l'histoire. J'ai répondu qu'au XXᵉ siècle, le monde était devenu un peu trop civilisé pour considérer la guerre et le meurtre comme des signes de grandeur. Il s'est tortillé, esclaffé, et a rejeté cette idée comme reflétant l'idéalisme sentimental d'un Américain qui pouvait se permettre de telles illusions après que l'Amérique eut conquis un riche espace vital au prix de révolutions, de massacres et de guerres. Il ne tolérerait manifestement pas que des

---

* Goering reconnaît implicitement qu'il n'entre pas non plus dans cette dernière catégorie.

considérations de sentimentalité geignarde compromettent son grand numéro d'entrée au Valhalla [80]. »

En fait, quelles que soient ses forfanteries en public comme en privé, Hermann Goering semble bien avoir conservé quelque espoir d'éviter la peine capitale *. Peut-être même se voit-il dans le rôle d'Hitler, qui avait triomphé de ses accusateurs en 1924 – même si la différence de situation peut difficilement lui échapper. En tout cas, il se doute bien que tout dépendra de sa prestation au cours des quelques jours qui vont suivre... Jusqu'à présent, en effet, il lui a suffi de répondre à des avocats complaisants, qui ne mettaient jamais en doute ses affirmations. Désormais, il va devoir faire face à des procureurs qui passeront impitoyablement au crible toutes ses déclarations, feront usage de centaines de documents incriminants et ne manqueront pas d'exploiter les moindres failles dans son système de défense. Du reste, le premier à l'interroger paraît le plus redoutable : c'est Robert H. Jackson, juge de la Cour suprême et ancien ministre de la Justice des Etats-Unis, qui commence son contre-interrogatoire au matin du 18 mars. Sa première question est assez surprenante :

« *Jackson* : Vous vous rendez sans doute compte du fait que vous êtes le seul homme vivant qui soit capable de nous exposer les véritables buts du parti nazi et les mécanismes internes de sa direction ?

Goering : Je m'en rends parfaitement compte.

Jackson : Dès le début, vous et vos associés avez essayé de renverser – et plus tard vous avez effectivement renversé – la République de Weimar ?

Goering : C'était effectivement ma ferme intention.

Jackson : Et en arrivant au pouvoir, vous avez immédiatement aboli la forme de gouvernement parlementaire en Allemagne ?

Goering : Il nous a semblé qu'elle n'était plus nécessaire. [...]

Jackson : Vous avez établi le *Führerprinzip*, que vous avez décrit vous-même comme étant un système selon lequel l'autorité n'existe qu'au sommet, descend vers le bas et est imposée au peuple, est-ce exact ?

Goering : Pour éviter tout malentendu, j'aimerais expliquer une fois encore brièvement le concept tel que je le conçois [81]... »

---

* Ainsi, le 11 février 1946, il avait dit à l'assistant de son avocat : « Au bout du compte, c'est tout de même ma tête qui est en jeu dans ce procès. »

Voilà qui donne le ton des échanges ; ils font davantage penser à un cours de droit constitutionnel donné par le professeur Goering à un étudiant passablement obtus qu'au contre-interrogatoire d'un homme accusé d'une longue série de crimes. En vérité, on voit mal où Jackson veut en venir, d'autant qu'il ne cesse de poser des questions auxquelles l'accusé a déjà répondu. Ce dernier se permet donc une certaine ironie, en prenant progressivement de l'ascendant sur son accusateur :

« *Jackson* : Je ne peux que répéter ma question [...]. Avez-vous vu à un quelconque moment la nécessité d'une attaque de l'Allemagne contre l'Union soviétique * ?

Goering : Personnellement, je pensais que le danger n'avait pas atteint son maximum à ce stade, et qu'en conséquence, une attaque ne s'imposait peut-être pas encore. Mais ce n'était là que mon opinion personnelle.

Jackson : Et vous étiez à l'époque le numéro deux en Allemagne ?

Goering : Cela n'avait rien à voir avec le fait que j'étais le numéro deux. Il y avait deux points de vue opposés en matière stratégique ; le Führer, qui était le numéro un, voyait un danger, et moi, en tant que numéro deux, si vous tenez à l'exprimer ainsi, je souhaitais voir mettre en œuvre une stratégie différente. Si j'avais pu imposer ma volonté à chaque fois, je serais probablement devenu le numéro un ; mais puisque le numéro un était d'un avis différent et que je n'étais que le numéro deux, son avis devait naturellement prévaloir...

Jackson : Et pourtant, au nom du *Führerprinzip*, si je comprends bien, vous ne pouviez donner aucun avertissement au peuple allemand, exercer aucune pression, ou même démissionner pour préserver votre place dans l'histoire ?

Goering : Il y a là plusieurs questions. J'aimerais répondre à la première...

Jackson : Vous pouvez y répondre séparément si vous le souhaitez.

---

* On se souvient que Goering s'était longuement étendu sur cette affaire lors de la séance du 15 mars. Il est difficile de croire que le procureur Jackson ait été assoupi à ce moment ; dès lors, on comprend mal ses intentions lorsqu'il fait revenir Goering sur cette question.

Goering : Je crois comprendre que la première question était : est-ce que j'ai saisi l'occasion de prévenir le peuple allemand de ce danger ? Je n'en avais pas la possibilité. Nous étions en guerre, et de telles divergences d'opinion sur des questions stratégiques ne pouvaient être rendues publiques durant un conflit. Je pense que cela ne s'est jamais produit dans l'histoire du monde. Deuxièmement, en ce qui concerne l'éventualité de ma démission, je n'en parlerai même pas, car pendant la guerre, j'étais un officier, un soldat, et je n'avais pas à me poser la question de mon accord ou de mon désaccord ; il me fallait servir mon pays. Troisièmement, je n'étais pas homme à abandonner quelqu'un à qui j'avais prêté allégeance, sous prétexte qu'il n'avait pas le même avis que moi. [...] Je n'ai jamais envisagé de me séparer du Führer [82]. »

Le procureur va ensuite interroger Goering sur ses relations avec Schacht, le plan quadriennal, le réarmement, la Gestapo, les SS, la Nuit des Longs Couteaux, l'attentat du 20 juillet, l'annexion de l'Autriche et des Sudètes, mais tout cela paraît bien désordonné, les questions restent complexes, elles doivent être interprétées en trois langues et le sont très imparfaitement, les documents produits comportent de nombreuses erreurs de traduction, Jackson ne comprend pas un mot d'allemand *, Goering répond aux questions en pontifiant de plus belle, et l'on ne voit toujours pas où le juge Jackson veut en venir. Les rares fois où il tente de se montrer offensif, ses interrogations sont si curieusement construites qu'il s'attire invariablement des réponses didactiques, indulgentes, ironiques ou cinglantes de la part d'un accusé qui cherche à mettre les rieurs de son côté :

« *Jackson* : On vous a généralement accusé d'être à l'origine de l'incendie du Reichstag ?

Goering : Cette accusation est venue d'une certaine presse étrangère. Elle ne m'a pas gêné, car elle était sans rapport avec les faits. Je n'avais aucune raison d'incendier le Reichstag. Je n'ai pas regretté que la salle de l'Assemblée ait brûlé, car j'espérais en faire

---

* Goering, lui, comprend assez bien l'anglais, ce qui lui donne toujours une longueur d'avance sur le procureur. Lorsqu'une question est posée en anglais, il faut un certain temps pour qu'elle soit interprétée en allemand, après quoi la réponse en allemand doit être interprétée simultanément en anglais, en français et en russe. Le processus est d'autant plus long que les micros sont capricieux et les circuits électriques très peu fiables...

construire une qui soit plus fonctionnelle. Mais j'ai beaucoup regretté d'être obligé de chercher un autre lieu de réunion pour le Reichstag. Etant dans l'incapacité d'en trouver un, j'ai dû lui céder le bâtiment de mon Opéra Kroll, c'est-à-dire le second Opéra de l'Etat. Or, l'Opéra me semblait beaucoup plus important que le Reichstag [83] *. »

A l'évidence, ce premier contre-interrogatoire se termine nettement à l'avantage de la défense, ainsi que le note ce soir-là le juge suppléant britannique, sir Norman Birkett : « Goering se révèle être un homme très capable, qui perçoit les intentions derrière chaque question pratiquement dès qu'elle est conçue et exprimée. Il a aussi énormément de connaissances, ce qui lui donne sur le procureur l'avantage d'être en terrain familier. [...] Il a donc campé solidement sur ses positions, et l'accusation n'a pas avancé d'un pouce. En tout cas, on n'a pas pas assisté à l'effondrement de Goering qui était attendu ou prédit [84]. » La presse anglo-saxonne sera bien plus catégorique : « Goering a mis Jackson dans sa poche », clame le *New York Post* ; « C'est le nazi qui l'a emporté [85] ! » hurle le *Daily Express*... C'est ce que les juges français et britanniques redoutaient depuis le début : le jugement menace de tourner au forum de propagande nazie **...

La séance du lendemain promet d'être plus favorable encore à l'accusé Goering, puisque c'est au matin du 19 mars que Birger Dahlerus va déposer en tant que témoin de la défense. L'homme d'affaires suédois a écrit sur ses pérégrinations de 1939 un livre qui vient de paraître à Stockholm sous le titre *Sista Forsöket* ***, et maître Stahmer va faire bon usage du livre comme de son auteur pour exposer à la Cour tous les efforts accomplis par Goering pour éviter la guerre. Répondant avec calme et dignité aux questions de l'avocat, Dahlerus fait le récit complet de ses navettes entre Londres et Berlin, avec tous les détails que nous connaissons déjà, et il précise même : « J'avais l'impression que

---

* Ce n'est même pas de l'insolence ; connaissant les vues de Goering sur l'opéra comme sur l'institution parlementaire, on peut être à peu près sûr qu'il exprime là le fond de sa pensée...

** Lors de la réunion des procureurs le lendemain, Jackson se plaindra amèrement du fait que « l'on permette à Goering de poser en héros des nazis », et ajoute même qu'il « a presque eu le sentiment durant l'après-midi qu'il aurait été préférable de fusiller ces hommes sans autre forme de procès. »

*** « Dernière tentative ».

Goering était le membre du gouvernement allemand qui paraissait le plus enclin à œuvrer en faveur de la paix [86]. »

Mais il décrit aussi les états d'excitation nettement patholo-
giques du Führer, notamment lors de l'entrevue du 1er septembre
1939 : « [Hitler] m'a dit qu'il écraserait la Pologne et annexerait
l'ensemble du pays. Goering l'a interrompu pour indiquer que
l'on avancerait seulement jusqu'à des secteurs déterminés. Mais
Hitler était devenu incontrôlable ; il a commencé à crier qu'il
combattrait un an, deux ans, et a fini par dire dans un grand état
d'agitation qu'en fait, il combattrait dix ans [87]. »

Ce n'est plus tout à fait ce que la défense voudrait entendre,
et le tableau se dégrade encore lorsque Dahlerus en vient à décrire
sa dernière entrevue avec Hitler et Goering le 26 septembre :
« Hitler a déclaré qu'il n'était plus disposé à discuter de la question polonaise. La Pologne était occupée, et cela ne regardait plus
la Grande-Bretagne. C'est alors que j'ai compris que son but avait
été de dissocier la Pologne de la Grande-Bretagne, afin de
pouvoir, avec l'assentiment de la Grande-Bretagne, occuper la
Pologne sans risquer d'entrer en conflit avec les Britanniques et
les Français [88]. » Avant la conclusion de la séance du matin, Dahlerus mentionne encore que Goering lui a parlé en juillet 1940
d'une proposition tendant à ce que le roi de Suède s'entremette
pour tenter de réunir les diverses puissances en vue de négociations de paix.

C'est au moment de la reprise de l'après-midi que les choses se
gâtent sérieusement. La parole est à présent au procureur adjoint
britannique sir David Maxwell-Fyfe, gentleman accompli et
redoutable praticien, qui met le doigt sur la plaie dès sa première
question au témoin :

« *Sir David Maxwell-Fyfe* : Monsieur Dahlerus, pouvez-vous
me dire si j'ai correctement compris votre dernière réponse à la
question de maître Stahmer ? Avez-vous bien dit : " C'est alors
que j'ai compris que son but – c'est-à-dire celui de Goering –
avait été de dissocier la Pologne de la Grande-Bretagne, afin de
pouvoir occuper la Pologne avec l'assentiment de la Grande-
Bretagne " ?

Dahlerus : Oui, c'est exact, mais je voudrais dire que j'entendais
par là " le gouvernement allemand, Goering compris ".

Sir David Maxwell-Fyfe : Attendez... Le gouvernement allemand... Je vous remercie. A présent, j'aimerais que vous disiez
très brièvement au tribunal comment il se fait que vous n'en ayez
pas pris conscience plus tôt. »

Alors que Dahlerus se perd quelque peu dans ses explications,
le procureur adjoint de Sa Majesté dévoile ses batteries :

« *Sir David Maxwell-Fyfe* : Goering ne vous a jamais dit que le
22 août, sur l'Obersalzberg, Hitler lui avait confié, ainsi qu'à
d'autres dirigeants allemands, qu'il avait décidé au printemps
qu'un conflit avec la Pologne ne manquerait pas de se produire ?
Il ne vous a pas dit cela, n'est-ce pas ?

Dahlerus : Je n'ai jamais eu la moindre indication ou la moindre
révélation sur des déclarations politiques faites le 11 avril, le
23 mai ou le 22 août.

Sir David Maxwell-Fyfe : Voici le document 798-PS du 22 août
1939. Vous nous avez dit que vous n'aviez jamais entendu parler
du *Fall Weiss* préparé en avril, mais je voudrais que vous nous
éclairiez au sujet de celui-ci : c'est le document L-75 du 23 mai
1939. [Goering] ne vous a jamais révélé qu'Hitler lui avait dit ce
jour-là : " Dantzig n'est pas l'objet du conflit. Le problème est
d'étendre notre espace vital vers l'Est " ? Et il ne vous a pas davantage rapporté ces autres paroles d'Hitler ce jour-là : " Notre tâche
est d'isoler la Pologne. Le succès de cet isolement sera l'élément
décisif " ?

Dahlerus : Il ne m'a jamais rien dit de ce genre.

Sir David Maxwell-Fyfe : Vous a-t-il dit que la décision avait
été prise d'attaquer la Pologne au matin du 26 août ?

Dahlerus : Non, en aucune manière.

Sir David Maxwell-Fyfe : Bon, maintenant, Goering vous a-t-il
dit à un moment ou à un autre pourquoi la date de l'attaque avait
été reportée du 26 au 31 août ?

Dahlerus : Non, il ne m'a jamais rien dit au sujet du plan
d'attaque, ni que son échéance avait été modifiée. [...]

Sir David Maxwell-Fyfe : Goering ne vous a jamais dit à
l'époque où vous étiez envoyé en mission à Londres que tout cela
n'avait pour but que de prévenir une intervention britannique ?

Dahlerus : Absolument pas [89]. »

Le procureur de Sa Majesté va maintenant attaquer sous un
autre angle, en citant des extraits du livre de Dahlerus, traduits en

anglais pour l'occasion. Il commence par la page 47 *, relatant l'entrevue du 27 août avec Hitler : « Sa voix s'était faite beaucoup plus sourde et son comportement devenait tout à fait anormal. Les phrases se succédaient à un rythme saccadé : " S'il y a une guerre, a-t-il dit, je construirai des sous-marins, des sous-marins, des sous-marins, des sous-marins ! ", en élevant le ton chaque fois un peu plus. La voix devenait de moins en moins intelligible, et on finissait par ne plus rien comprendre du tout. Soudain, il s'est redressé, a élevé la voix comme s'il s'adressait à une vaste assemblée, et a hurlé – mais vraiment hurlé : " Je construirai des avions, des avions, des avions, des avions, et j'écraserai mes ennemis ! " » Le procureur passe ensuite à la page 53 : « Depuis le début de notre conversation, sa façon de se comporter envers Goering m'avait déplu. Sa volonté de domination pouvait s'expliquer, mais le fait d'exiger de Goering le degré de servilité obséquieuse dont il faisait preuve à ce moment me paraissait absolument repoussant. » sir Maxwell-Fyfe en vient à la page 76 : « Lors d'une entrevue en octobre de la même année, Goering m'a dit que Ribbentrop avait essayé de faire en sorte que mon avion s'écrase » ; et il conclut en lisant la page 100, qui comporte la description suivante de l'après-midi du 1er septembre 1939, alors que la Pologne venait d'être envahie : « Pour lui – c'est-à-dire Goering – , tout était ordonné selon un plan que plus rien ne pouvait déranger. Il a finalement fait appeler les secrétaires d'Etat Koerner et Gritzbach, les a longuement harangués et a remis à chacun d'eux une épée d'honneur **, en exprimant l'espoir qu'ils la porteraient glorieusement pendant toute la guerre. On aurait dit que tous ces gens étaient pris d'une sorte d'ivresse démente. » Au milieu d'un silence stupéfait, sir David ferme le livre et reprend posément : « Ainsi donc, des trois principaux dignitaires allemands, le chancelier était anormal, le *Reichsmarschall* [...] se trouvait dans un état d'ivresse démente, et le ministre des Affaires étrangères était un assassin en puissance qui voulait saboter votre avion ? » Dahlerus reste silencieux, mais hoche la tête en signe d'assentiment [90]...

---

* Il s'agit de la pagination de l'édition originale suédoise ; l'édition allemande ne paraîtra qu'en 1948, sous le titre *Der letzte Versuch*.

** La traduction anglaise du suédois « *dolk* » est plus qu'approximative : il s'agissait en fait d'une de ces dagues de cérémonie ouvragées, que le maréchal distribuait généreusement autour de lui.

Concentrés sur les paroles du procureur et du témoin, les rédacteurs du procès-verbal n'ont pas prêté attention à ce qui se passait au même moment sur le banc des accusés. C'est qu'au cours des derniers échanges, qui ont mis en évidence le caractère nettement anormal du Führer et l'effrayant degré de servilité de son premier paladin, Goering a été incapable de se maîtriser : « Il se tordait d'indignation sur son siège et tirait sur le fil de ses écouteurs pratiquement jusqu'à le rompre, observe Gilbert, de sorte que l'officier de garde a dû intervenir pour le lui arracher des mains et lui ordonner de se maîtriser [91]. »

Au moment où se déroule cette scène pénible, le procureur Maxwell-Fyfe est en train de demander à Dahlerus : « Tous ces faits sont-ils à l'origine de votre opinion selon laquelle le but du gouvernement allemand, Goering compris, était de séparer la Pologne et la Grande-Bretagne, et d'occuper la Pologne avec le consentement de la Grande-Bretagne ? »

L'avocat de Goering proteste énergiquement : la question n'est pas recevable, car c'est une simple impression qui est demandée au témoin. Mais le président Lawrence rejette l'objection, et Dahlerus finit par répondre : « A l'époque, je pensais pouvoir contribuer à prévenir une nouvelle guerre. [...] Mais si j'avais su ce que je sais aujourd'hui, j'aurais compris que mes efforts n'avaient aucune chance d'aboutir [92]. »

On pourrait difficilement imaginer une déclaration plus compromettante de la part d'un témoin de la défense, et toutes les arguties de Stahmer et Goering réunis ne parviendront pas à restaurer le tableau initial d'un *Reichsmarschall* repeint en ange de la paix. Comme toujours lorsqu'il est embarrassé, Goering s'accroche aux petites erreurs de traduction et au détail trivial : « Il y a dans ce livre des interprétations subjectives citées par le procureur sir Maxwell-Fyfe ; ainsi, j'aurais donné théâtralement à deux collaborateurs des épées, pour leur permettre d'accomplir des actions d'éclat. L'un des récipiendaires supposés de cette épée était mon secrétaire d'Etat Kœrner, qui n'était pas un soldat. J'aurais pu tout au plus lui donner un stylo, puisqu'il était chargé d'élaborer les projets de décrets du plan quadriennal [93]. »

L'humour tombe à plat : comme tous les membres de l'assistance, Goering comprend bien qu'il a perdu la partie, et il s'en montre fort abattu. Mais la journée n'est pas terminée, et lorsque le procureur Jackson reprend son contre-interrogatoire en fin d'après-midi, il trouve un accusé qui n'a perdu ni sa combativité ni sa vivacité d'esprit :

« *Jackson* : Lors de votre déposition, vous avez déclaré que l'occupation de la Rhénanie n'avait pas été planifiée à l'avance.

Goering : J'ai dit : seulement peu de temps à l'avance.

Jackson : Combien de temps ?

Goering : Pour autant que je m'en souvienne, deux ou trois semaines au plus.

Jackson : Bien. J'attire maintenant votre attention sur les minutes de la dixième réunion du comité de travail du Conseil de défense du Reich, document EC-405, délibération du 26 juin 1935, qui comporte la mention suivante : [...] " Etant donné que les complications internationales doivent à tout prix être évitées à l'heure actuelle, tous les préparatifs nécessaires doivent être effectués d'urgence dans le plus grand secret. [...] Ceux-ci incluent en particulier [...] des préparatifs pour la libération du Rhin... "

Goering : Ah, mais non, là vous avez commis une grosse erreur : la phrase dans sa version originale était " préparatifs pour le *dégagement* du Rhin * ". C'est une mesure purement technique qui n'a absolument rien à voir avec la libération de la Rhénanie. Cela signifie qu'en cas de préparatifs de mobilisation, le Rhin ne doit pas être encombré de péniches, de remorqueurs, etc., afin qu'il puisse livrer passage à des transports militaires. [...] Il ne s'agit pas de la Rhénanie, mais seulement du Rhin – le fleuve **.

Jackson : Eh bien, ces préparatifs de mobilisation devaient servir à l'occupation armée de la Rhénanie, n'est-ce pas ?

Goering : Non, c'est tout à fait inexact. Si l'Allemagne s'était trouvée impliquée dans une guerre contre qui que ce soit, disons contre l'Est, alors des mesures de mobilisation auraient dû être

---

* Le traducteur du document a manifestement confondu *Freimachung* et *Befreiung*. Par ailleurs, dans la version française des débats, (TMI, tome IX, p. 539), la nécessité de traduire à la fois l'anglais du procureur et l'allemand de l'accusé a donné ce résultat assez baroque :

« *Jackson* : – "... des préparatifs doivent être effectués... pour la libération du Rhin..."

Goering : – Oh, non, vous faites une grave erreur. Le mot original en allemand signifie préparation pour la libération du Rhin. [...] Le terme libération n'a pas été bien compris par le ministère public. » Le lecteur de la version française pourrait bien ne pas comprendre non plus la différence entre « libération » et « libération ».

** *Rheinstrom* et non *Rheinland*.

prises pour des raisons de sécurité dans l'ensemble du Reich, y compris en Rhénanie démilitarisée. Mais pas dans le but d'occuper ou de libérer la Rhénanie.

Jackson : Vous voulez dire que ces préparatifs n'étaient pas des préparatifs militaires ?

Goering : C'étaient des préparatifs généraux de mobilisation, tels qu'en effectuent tous les pays ; ils n'étaient pas destinés à l'occupation de la Rhénanie. »

L'embarras du juge Jackson est palpable ; Goering n'est pas tombé dans le piège, et la stratégie de l'accusation est en train de faire long feu. Il faut donc à tout prix tenter de sauver la face...

« *Jackson* : Mais ces préparatifs de mobilisation étaient d'une nature telle qu'ils devaient être entièrement dissimulés aux yeux des puissances étrangères ?

Goering : Je n'ai pas souvenir d'avoir lu une publication annonçant à l'avance les préparatifs de mobilisation des Etats-Unis...

{Eclats de rire dans l'assistance.} »

Pour Jackson, déjà quelque peu déstabilisé, c'est l'ironie de trop ; il est pris d'un brusque accès de rage, jette avec fracas ses écouteurs sur la table, et les poings sur les hanches, il lance d'un ton exaspéré :

« Eh bien, je fais respectueusement observer au tribunal que ce témoin n'est pas coopératif *, qu'il ne l'a pas été lors de son interrogatoire, et que cela...

{L'accusé prononce quelques mots qui ne sont pas enregistrés.}

Il est parfaitement futile de perdre notre temps si nous ne pouvons avoir de réponses valables à nos questions...

{L'accusé prononce quelques mots qui ne sont pas enregistrés.}

[...] Il me semble que ce témoin adopte, et a adopté, à la barre comme sur le banc des accusés, une attitude arrogante et méprisante envers un tribunal qui lui donne droit à un procès tel qu'il n'en a jamais accordé à âme qui vive – ni à une âme morte, du reste... Je demande respectueusement à cette Cour d'inviter le témoin à noter ses explications s'il le souhaite, mais de lui intimer l'ordre de répondre à mes questions, en laissant son avocat faire état ultérieurement de ses explications.

---

* Aux termes de la procédure anglo-saxonne, l'accusé est considéré comme un témoin dans son propre procès.

Le président : J'ai déjà notifié la règle générale, qui s'impose à cet accusé comme à tous les autres... A ce stade, nous devrions peut-être ajourner la séance [94]. »

En perdant ainsi son calme devant les reparties de Goering, le juge Jackson s'est pratiquement avoué vaincu – tout comme Goering lui-même avait perdu la partie treize ans plus tôt, en s'emportant lors du procès de Dimitrov. C'est donc la tête haute et le sourire aux lèvres que l'accusé reprend sa place ; il a gagné la première manche la veille, perdu la deuxième en début d'après-midi, et il vient à l'instant de remporter la troisième... Lorsqu'il se rasseoit, tous ses coaccusés tiennent à lui serrer la main, et une journaliste américaine éblouie câble à sa rédaction : « *Goering wins his round* * » ; d'autres télégraphient : « *Goering is fighting back* ** ». De retour en prison, ce grand modeste dit à Werner Bross : « Au bout de quelque temps, Jackson n'arrive plus à soutenir mon regard. Il n'est pas à ma hauteur. » Suivent quelques autres communiqués de victoire, de sorte que Bross, perplexe, notera dans son journal : « Il voyait tout cet interrogatoire comme un combat aérien [95]. »

En ce cas, il n'est pas sorti des zones de turbulences, car l'audience reprend le 20 mars, et l'adversaire va tirer cette fois des obus de gros calibre. Bien que largement désavoué par le juge Lawrence en début de séance ***, le procureur Jackson repart à l'assaut, armé de quelques dossiers très lourds – à commencer par celui des persécutions contre les Juifs. Il cite une bonne dizaine de lois et de décrets promulgués ou signés par Goering entre 1935 et 1941, depuis les tristement célèbres lois de Nuremberg jusqu'au funeste décret du 31 juillet 1941 sur la « solution finale de la question juive », en passant par celui de novembre 1938 imposant aux Juifs une amende d'un milliard de marks. Au sujet de ce

---

* « Goering gagne sa reprise ». Ce commentaire de type sportif paraîtra dans *l'Oakland Tribune* du lendemain.

** « Goering contre-attaque ».

*** *Lawrence* : « C'est sans toute faire trop de cas d'une phrase prononcée par le témoin. [...] Ce n'est pas si important. Chaque pays garde certaines choses secrètes. Il serait certainement plus sage de négliger ce genre de déclaration. L'accusé n'aurait pas dû faire référence aux Etats-Unis, mais c'est une question qu'à mon avis, vous pouvez vous permettre d'ignorer. » Le juge ajoute : « Après avoir donné une réponse directe à la question, [...] l'accusé pourra donner une brève explication. »

dernier, le procureur cite longuement les minutes de la réunion préliminaire du 12 novembre au ministère de l'Air, et en vient inévitablement à lire la terrible apostrophe de Goering à Heydrich : « Si seulement vous aviez tué deux cents Juifs, au lieu de détruire autant de biens matériels ! »

« *Jackson* : Est-ce bien ce qu'il faut lire ?

Goering : Oui, mais cela a été dit dans un moment de colère et d'excitation.

Jackson : Une déclaration sincère dans sa spontanéité, n'est-ce pas ?

Goering : Comme je le disais, ce n'était pas à prendre au sérieux ; c'était l'expression de l'excitation spontanée causée par les événements, par la destruction des biens de valeur et les difficultés qui en découlaient. Bien sûr, si vous vous mettez à ressortir chacune des paroles que j'ai prononcées dans ces milieux au cours des vingt-cinq dernières années, je pourrais vous donner moi-même des exemples de déclarations encore plus radicales. [...]

Jackson : Vers la fin de cette même réunion, vous avez dit : " En punition de leurs abominables crimes, les Juifs allemands dans leur ensemble devront payer une amende d'un milliard de marks. Voilà qui fera l'affaire ! Ces saligauds ne s'aviseront plus de commettre un nouveau meurtre de sitôt. A propos, j'aimerais répéter que je n'aimerais pas être un Juif en Allemagne ! " Est-ce bien cela que vous avez dit ?

Goering : C'est exact, oui.

Jackson : Vous vouliez plaisanter, là aussi [96] ? »

La suite n'est pas moins compromettante ; le procureur Jackson produit une série de documents montrant l'ampleur des pillages d'œuvres d'art effectués en France par l'Einsatzstab Rosenberg au bénéfice de Goering, en citant parmi d'innombrables autres le cas de « vingt-cinq wagons de biens juifs confisqués, appartenant aux collections Rotschild, Seligmann et à une demi-douzaine d'autres, et comprenant des peintures, des meubles, des tapisseries, des parures et des éléments de décoration ». Il est ensuite question des pots-de-vin touchés par le *Reichsmarschall* — à commencer par les 7 millions de marks versés par le cigarettier Reemstma en échange d'une annulation de ses arriérés d'impôts —, puis des déportations de main-d'œuvre russe vers l'Allemagne, d'une proposition de Goering en date du 24 septembre 1942 tendant à former des commandos de braconniers pour lutter contre les partisans soviétiques, avec permission de « tuer, brûler et violer [97] », et enfin d'une recommandation à transmettre à Hitler aux fins de « faire exécuter sur-le-champ les équipages d'avions alliés ayant attaqué sans discrimination les villes, les trains civils en mouvement ou les aviateurs allemands parachutés [98] ».

Contre toutes ces accusations, Goering se défend avec peine, ne trouvant le plus souvent à opposer au procureur que des arguties techniques ou terminologiques : la plupart des œuvres d'art pillées en France ont en fait été achetées, on ne doit pas parler de « travail forcé » mais de « travail obligatoire », il n'a jamais donné l'ordre de brûler des villages, de fusiller des otages ou de violer des femmes, il fallait lire dans le décret du 31 juillet 1941 « solution totale » plutôt que « solution finale », et le procès-verbal de la réunion des 15 et 16 mai 1944 faisant état de sa proposition d'exécuter des pilotes alliés est manifestement erroné sur ce point précis, même s'il est parfaitement exact sur tous les autres...

Pour l'accusé, les choses vont de mal en pis lorsque sir Max-well-Fyfe prend le relais au matin du 21 mars. Le procureur britannique commence par discréditer l'argumentation de Goering qui paraissait la plus solide : celle selon laquelle il aurait été informé trop tard pour empêcher l'exécution des cinquante pilotes britanniques du Stalag Luft III à la fin de mars 1944, parce qu'il était en congé à cette époque. Or, sir Maxwell-Fyfe fait valoir que les exécutions se sont déroulées entre le 25 mars et le 13 avril, ce qui donnait amplement le temps à Goering d'être informé et de mettre fin aux exécutions : « Vous comprenez bien que ce que je vous soumets ici, c'est que cette affaire était connue non seulement à l'OKW, à la Gestapo et à la Kripo, mais qu'elle l'était également de votre directeur des opérations, le général Forster, qui a dit au général Grosch avoir informé le maréchal Milch. [...] Peut-être qu'il était impossible de faire revenir le Führer sur sa décision, c'est votre avis, mais ce que je veux vous faire comprendre, c'est que si tous les officiers que j'ai mentionnés étaient au courant, c'est que vous l'étiez aussi, que vous n'avez rien fait pour empêcher ces hommes d'être exécutés, et partant, que vous avez coopéré à la perpétration de cette infâme série de meurtres [99]. »

Les démarches de Goering en faveur de la paix, déjà fortement discréditées durant l'audition de Dahlerus, sont à nouveau mises en cause, de même que l'attitude des chefs nazis vis-à-vis de la neutralité des Pays-Bas et de la Belgique :

« *Maxwell-Fyfe* : N'est-il pas évident que vous avez toujours su, comme Hitler l'a déclaré le 22 août, que l'Angleterre et la France ne violeraient pas la neutralité des Pays-Bas, et que pour votre part, vous étiez prêt à la violer dès que ce serait dans votre intérêt stratégique et tactique ? N'est-ce pas absolument évident ?

Goering : Pas tout à fait. C'était seulement si la situation politique le rendait nécessaire, et si l'on avait obtenu dans l'intervalle des renseignements sur la position britannique concernant la neutralité de la Hollande et de la Belgique.

Maxwell-Fyfe : Vous dites " pas tout à fait ". C'est sans doute ce que l'on peut obtenir de plus proche d'un assentiment [100]. »

Mais le plus grave est à venir ; ayant fait état du rôle de la Luftwaffe lors de l'agression allemande en Yougoslavie, puis produit des documents incriminants sur l'attitude de Goering en matière de lutte contre les partisans en URSS, le procureur aborde ensuite la question hautement sensible des camps de concentration :

« *Maxwell-Fyfe* : Vous prétendez faire croire au tribunal que vous, qui étiez jusqu'en 1943 le deuxième homme du Reich, vous ne saviez rien au sujet des camps de concentration ?

Goering : Je ne savais rien de ce qui s'y passait et des méthodes qui y étaient utilisées après que j'eus cessé d'en être responsable.

Maxwell-Fyfe : Laissez-moi vous rappeler les preuves qui ont été apportées devant cette Cour : à Auschwitz seulement, 4 millions de personnes ont été exterminées. Vous souvenez-vous de cela ?

Goering : Je l'ai entendu déclarer ici, mais je considère que cela n'a nullement été prouvé — je veux dire le chiffre...

Maxwell-Fyfe : Mettons que ces chiffres — l'un est russe, l'autre allemand —, mettons qu'ils ne soient vrais qu'à cinquante pour cent, qu'il y en ait eu 2,5 millions ; prétendez-vous dire à ce tribunal qu'un ministre ayant vos pouvoirs dans le Reich pouvait ignorer ce qui se passait ?

Goering : Je le maintiens, parce que ces choses-là m'étaient dissimulées. J'ajouterais qu'à mon avis, le Führer lui-même ignorait l'ampleur de ce qui se passait . »

Cette affirmation stupéfiante ouvre une nouvelle brèche, qui est exploitée par l'accusation dès la reprise de l'après-midi :

« *Maxwell-Fyfe* : Je crois que vous avez déclaré devant ce tribunal que jusqu'à la fin, votre loyauté envers le Führer était demeurée immuable. Est-ce exact ?

Goering : C'est exact.

Maxwell-Fyfe : Et vous essayez toujours de justifier et de glorifier Hitler, après qu'il a ordonné le meurtre de ces cinquante jeunes officiers aviateurs au Stalag Luft III ?

Goering : Je n'essaie ni de justifier le Führer Adolf Hitler ni de le glorifier. Je tiens seulement à souligner ici que je lui suis resté fidèle, car je crois qu'il faut rester fidèle à son serment, non seulement pour le meilleur, mais aussi pour le pire, lorsque c'est beaucoup plus difficile. [...]

Maxwell-Fyfe : En tout cas, le Führer, lui, devait être pleinement informé de ce qui se passait dans les camps de concentration, du traitement réservé aux Juifs et aux travailleurs, n'est-ce pas ?

Goering : [...] Pour autant que je le sache, je ne crois pas qu'il en ait été informé.

Maxwell-Fyfe : Vous voulez dire que personne en Allemagne, à part Himmler et peut-être Kaltenbrunner, n'était au courant ? »

A ce stade, le procureur lit à l'accusé un extrait du document 736-D (GB-283), qui est le procès-verbal d'une réunion entre Hitler, Ribbentrop et le régent Horthy en date du 17 avril 1943. Le Führer y déclare entre autres : « Les Juifs [polonais] qui ne pouvaient travailler devaient périr. [...] Il fallait les traiter comme le bacille de la tuberculose. » Et Ribbentrop ajoute : « Les Juifs doivent être exterminés ou déportés dans des camps de concentration ; il n'y a pas d'autre solution. »

« *Maxwell-Fyfe* : Vous avez entendu ce que je viens de vous lire ; c'était en avril 1943. Vous continuez à prétendre que ni Hitler ni vous ne connaissiez cette politique d'extermination des Juifs ?

Goering : Pour corriger le document...

Maxwell-Fyfe : Voulez-vous s'il vous plaît répondre à ma question ? Prétendez-vous toujours que ni Hitler ni vous n'étiez au courant de la politique d'extermination des Juifs ?

Goering : Pour ce qui est d'Hitler, j'ai dit que je ne le croyais pas. Pour ce qui me concerne, j'ai dit que je ne savais pas, même approximativement, dans quelle mesure une telle chose s'était produite.

Maxwell-Fyfe : Vous ne saviez pas dans quelle mesure, mais vous saviez qu'il y avait une politique visant à l'extermination des Juifs ?

Goering : Non, une politique d'émigration, pas de liquidation. J'étais seulement au courant de cas isolés.

Maxwell-Fyfe : Je vous remercie [102]. »

Les murmures désapprobateurs dans la salle montrent que la crédibilité de Goering est nettement entamée au moment où le procureur soviétique Roudenko prend la parole. Il interroge d'abord l'accusé sur les conseillers d'Hitler en matière stratégique, puis sur les préparatifs d'invasion de l'URSS, et enfin sur les plans d'annexion de territoires soviétiques. Concernant ces derniers, il fait état du document 221-L, qui est le procès-verbal d'une conférence tenue le 26 juillet 1941 en présence du Führer. Au cours de celle-ci, il est question d'annexer de vastes régions allant du Caucase jusqu'à l'Oural. Mais l'accusé nie avoir discuté personnellement de ces annexions, et il est prompt à saisir le passage du document qui conforte sa position :

« *Goering* : J'ai tenu à éviter ces interminables discussions. Voici ce qui est écrit ici : " Le *Reichsmarschall* a écarté tout débat prolongé sur ces questions, en insistant sur les points qui paraissaient vitaux pour nos intérêts, tels que l'obtention de denrées alimentaires nécessaires à notre économie, le contrôle des routes, etc. " Naturellement, en cas de victoire, après la signature de la paix, nous aurions de toute façon décidé des annexions qui nous auraient été utiles. Mais à ce moment précis, la guerre n'était pas terminée, c'est pourquoi j'entendais personnellement m'en tenir aux problèmes pratiques. [...]

Roudenko : Je comprends. En l'occurrence, vous considériez que l'annexion de ces régions devrait se faire à un stade ultérieur. Comme vous l'avez dit vous-même, vous auriez saisi ces provinces après la victoire et vous les auriez annexées. Vous n'avez donc pas émis d'objections de principe ?

Goering : Non, simplement, en tant que vieux chasseur, je suivais la règle selon laquelle il ne faut pas vendre la peau de l'ours avant de l'avoir tué.

Roudenko : J'entends bien. Et la peau de l'ours ne devait être vendue que lorsque ces territoires auraient été entièrement saisis, est-ce bien exact ?

Goering : Ce que l'on ferait de la peau ne pouvait se décider valablement qu'après que l'ours eut été tué.

Roudenko : Heureusement, il ne l'a pas été.

Goering : Heureusement pour vous [103]. »

Trève d'humour noir... Le procureur Roudenko sort à présent le document USSR-170, qui est le compte rendu d'une conférence de Goering aux commissaires des régions occupées et aux représentants du commandement militaire le 6 août 1942. Il attire l'attention de l'accusé sur un passage particulièrement éloquent de ses admonestations de l'époque : « Vous n'avez certainement pas été envoyés là-bas pour travailler au bien-être de la population, mais pour pressurer ces territoires au maximum. » Goering, manifestement embarrassé, se réfugie à nouveau dans la chicanerie terminologique : « C'est une mauvaise traduction ; il ne faut pas lire " pressurer au maximum ", mais " extraire le maximum ". » Lorsqu'il est question plus loin de 2 millions d'hommes et de femmes emmenés en Allemagne au titre du travail forcé, Goering préfère à nouveau le terme de « travail obligatoire »... Mais il est réduit au silence lorsque le procureur lui lit le passage suivant de ses déclarations : « J'ai l'intention de piller, et de le faire à fond [104]. » C'est qu'il n'y a pas d'autre traduction possible du verbe « *plündern* »...

Lorsque la séance reprend au matin du 22 mars, Roudenko ne parvient pas à faire admettre à Goering qu'il était au courant de l'exécution des civils récalcitrants, des fusillades d'otages et des mauvais traitements infligés aux soldats soviétiques dans les camps de prisonniers. L'accusé peut d'ailleurs faire valoir, non sans raison, que la Luftwaffe n'avait jamais eu la responsabilité des camps de prisonniers soviétiques. Roudenko passe ensuite assez rapidement sur les exactions commises par les Allemands en Pologne, ce qui est bien naturel de la part du représentant des bourreaux de Katyn, mais l'interrogatoire s'achève sur une féroce passe d'armes lorsqu'il en vient à évoquer la question fondamentale de la responsabilité personnelle de Hermann Goering :

« *Roudenko* : S'il vous a paru possible de coopérer avec Hitler, reconnaissez-vous qu'en tant que deuxième personnage d'Allemagne, vous êtes responsable de l'organisation, à l'échelle nationale, du meurtre de millions d'innocents, indépendamment de la question de savoir si étiez informé de ces faits ou non ? Répondez brièvement par oui ou par non.

Goering : Non, parce que je n'en étais pas informé et que je ne les ai pas ordonnés.

Roudenko : Je souligne que j'ai dit : " Indépendamment de la question de savoir si vous étiez informé de ces faits ou non. "

Goering : Si je n'en étais pas informé, on ne peut m'en imputer la responsabilité.

Roudenko : Vous aviez le devoir de vous informer.

Goering : Je m'expliquerai là-dessus...

Roudenko : Répondez à ma question : aviez-vous le devoir de vous informer, oui ou non ?

Goering : En quoi était-ce mon devoir ? Je connaissais les faits ou je ne les connaissais pas. Vous pouvez tout au plus me demander si je me suis montré négligent en ne cherchant pas à m'informer.

Roudenko : Allons donc ! Des millions d'Allemands savaient que ces crimes se commettaient, et vous, vous n'étiez pas au courant ?

Goering : Je conteste que des millions d'Allemands l'aient su ; cela n'a nullement été établi.

Roudenko : Encore deux questions : Vous avez déclaré au tribunal que le gouvernement d'Hitler avait apporté une grande prospérité à l'Allemagne. En êtes-vous toujours aussi convaincu ?

Goering : Absolument, du moins jusqu'au début de la guerre. L'effondrement n'est venu que de la défaite.

Roudenko : D'où il a résulté que vos actions ont provoqué la destruction politique et militaire de l'Allemagne... Je n'ai plus de questions [105]. »

Après cela, le procureur français Auguste Champetier de Ribes déclare renoncer à interroger Goering, au motif que les auditions précédentes ont clairement établi les faits, sans mitiger le moins du monde la gravité des accusations portées au départ contre l'ancien *Reichsmarschall*. Ce dernier, frustré de devoir quitter la scène, reprend la parole, mais il est rapidement interrompu :

« *Le président* : Le tribunal souhaiterait que vous ne fassiez pas de discours...

Goering : [...] J'ai tout fait pour éviter la guerre, mais après son déclenchement, il était de mon devoir de tout faire pour la gagner...

Le président : Nous vous avons déjà entendu dire cela plus d'une fois, et nous ne souhaitons pas l'entendre à nouveau. [...] L'accusé peut se retirer [106]. »

Le correspondant du *Daily Express* câble aussitôt à sa rédaction : « Les procureurs ont poussé l'ex-maréchal dans ses derniers retranchements. Quand Lord Lawrence suspend l'audience, le visage livide de Goering est couvert de sueur et ses mains tremblent. Il regagne le banc des accusés dans un état de complet épuisement [107]. » C'est possible, mais le « *Nazi number one* », dont la capacité d'autosuggestion est pratiquement illimitée, ressort plutôt satisfait de ses cinq très longues journées d'auditions. C'est ce que constate Gustave Gilbert, qui lui rend visite dans sa cellule ce soir-là :

« Il était franchement en quête d'applaudissements pour sa performance :

— Eh bien, je n'ai pas fait piètre figure, n'est-ce pas ? m'a-t-il dit pour la troisième fois.

— Non, on ne peut pas dire cela.

— N'oubliez pas que j'avais contre moi une coalition des meilleurs juristes d'Angleterre, d'Amérique, de Russie et de France, avec tout leur appareil juridique — et moi, j'étais tout seul * !

Il ne pouvait s'empêcher de s'admirer, et il s'est interrompu un instant pour mieux le faire. [...] Oui, il était fort satisfait de la place qu'il occuperait dans l'histoire.

— Je parie que même les procureurs ont dû admettre que j'avais fait bonne figure, n'est-ce pas ? Vous avez entendu quelque chose à ce sujet ?

Il cherchait une confirmation de son héroïsme médiéval dans l'admiration de ses ennemis. J'ai haussé les épaules [108]. »

Comme on pouvait s'y attendre, cet acteur-né a hautement apprécié sa prestation ! Les moments d'embarras, de contradictions et d'impuissance manifeste devant le flot des pièces à conviction ont été gommés de sa mémoire, pour ne laisser place qu'aux souvenirs de ses succès rhétoriques et des déconvenues de

---

* Goering a déjà oublié le rôle de maître Stahmer, qui n'est pourtant pas mince...

l'adversaire ; et puis enfin, il a fait la une des journaux du monde entier pendant près d'une semaine, il a reçu des lettres d'encouragement des quatre coins de l'Allemagne occupée *, et il a même réussi à impressionner ses compagnons de captivité **— auxquels il dira sans excès de modestie : « Si vous faites tous moitié aussi bien que moi, ce sera un succès [109] ! »

Dès le lendemain, Gilbert rend visite à Emmy et Edda Goering dans leur petite maison forestière de Sackdilling. Il les trouve heureuses de leur liberté retrouvée, en dépit de conditions d'existence très rudimentaires ; mais Emmy n'en est pas moins fort amère :

« — Dieu sait ce que mon mari a sacrifié par loyauté envers le Führer. Il a perdu sa santé, sa fortune et sa première femme à cause de ce putsch en 1923. Il a toujours soutenu Hitler. Il l'a aidé à prendre le pouvoir. Et tout ce qu'il a reçu en guise de reconnaissance, c'est un ordre d'arrestation et d'assassinat – pour lui et pour mon enfant aussi !

— Je trouve stupéfiant, dit Gilbert, qu'il persiste encore aujourd'hui à proclamer sa loyauté, en dépit de tout ce qui s'est produit, et du fait que le monde entier sait à présent qu'Hitler était un meurtrier. Est-ce que tout cela ne le relève pas de son serment de fidélité ?

— Bien sûr, bien sûr, a-t-elle répondu en se tordant les mains. Oh, si seulement je pouvais lui parler cinq minutes ! Rien que cinq minutes !

— Tout ce que je peux imaginer, ai-je suggéré, c'est qu'il dit cela uniquement par défi, face à un tribunal étranger.

— C'est cela, c'est exactement cela ! Il est si honteux de voir tant d'Allemands dire qu'ils n'ont jamais soutenu Hitler, qu'ils étaient forcés d'entrer au parti ; il y a tant d'hypocrisie que c'en est écœurant ! Et il veut montrer que lui, au moins, il ne retourne pas sa veste comme un lâche.

— Mais cela le fait apparaître sous un jour regrettable. Il justifie même maintenant les politiques d'Hitler. N'y a-t-il aucune

---

* L'avocat d'Albert Speer rapportera même avoir entendu l'homme de la rue gratifier Goering de « *Mordskerl* » – « sacré gaillard ». La plupart des audiences du tribunal de Nuremberg étaient retransmises à la radio, dans une Allemagne encore très imparfaitement dénazifiée.

** Speer lui-même admirera la performance, tout en regrettant amèrement que Goering ne se soit pas réveillé trois ans plus tôt...

limite à cette fidélité de Nibelung ? Il doit au peuple allemand et
à lui-même d'exposer cette culpabilité.

– Bien sûr ! Le peuple allemand doit savoir ! [Hermann] a
détesté Hitler pour ce qu'il a fait. Mais il est si fanatique lorsqu'il
s'agit de loyauté. C'est la seule chose sur laquelle nous sommes en
désaccord – un homme qui aurait assassiné mon enfant ! [Elle s'est
mise à suffoquer, et la colère se reflétait dans ses yeux.][...]

– Vous connaissez mon mari, ce n'est pas un homme obsédé
par la haine. Il ne cherchait qu'à jouir de la vie, et à laisser les
autres en jouir. Hitler, c'était autre chose. [...] Il n'était pas
comme cela au début ; il a dû devenir fou vers la fin [110]. »

Gilbert repart bien décidé à faire usage de la prise de
conscience d'Emmy Goering pour tenter d'influencer son époux.
Le lendemain 24 mars, il lui rend visite dans sa cellule, lui remet
une lettre de sa femme et une carte postale de sa fille, après quoi il
lui raconte sa visite à Sackdilling :

« – Nous avons beaucoup parlé de votre loyauté envers Hitler,
et de la façon dont il a fini par ordonner votre arrestation et votre
exécution – ainsi que celle d'Edda...

– Oh, répond Goering, je ne crois plus que c'est Hitler lui-
même qui a envoyé cet ordre. C'était l'œuvre de ce sale porc de
Bormann. [...]

– Votre épouse était au désespoir en évoquant votre loyauté
aveugle envers le Führer, après toutes les épreuves et les ordres de
meurtre. Elle a dit : " Oh, si seulement je pouvais le voir cinq
minutes. "

– Ah, oui, je sais. [Il a souri avec indulgence.] Elle peut
m'influencer pour beaucoup de choses, mais s'agissant de mon
code d'honneur, *rien* ne peut m'en détourner. [...] Dans la vie d'un
homme, lorsque des principes fondamentaux sont en jeu, ce n'est
pas l'affaire d'une femme. » Et Gilbert d'en déduire : « J'avais la
réponse à ma question : le sens des valeurs égoïstico-médiéval de
Goering s'étendait à son attitude " chevaleresque " envers les
femmes, qui dissimulait son aspect narcissique derrière une
façade d'indulgence protectrice et condescendante, imperméable
aux valeurs humanitaires féminines [111]. »

Telles sont les conclusions du psychologue ; l'historien, lui,
aurait pu rappeler au triste paladin du Führer que la chevalerie
médiévale avait cessé d'exister depuis cinq siècles au moins...

XVII

Naufrage

Cinq mois entiers vont encore s'écouler avant que Hermann Goering ne revienne à la barre. Pendant tout ce temps, il va devoir écouter les dépositions des autres accusés et de leurs témoins, les questions de leurs procureurs et les plaidoyers de leurs avocats. Pour cet incorrigible fanfaron, c'est une dure épreuve à plus d'un titre : la captivité le déprime, l'inaction lui pèse, sa famille lui manque, l'éloignement de l'avant-scène lui est insupportable, et le besoin de commander reste pour lui une seconde nature. On va donc le voir s'improviser tour à tour critique, conseiller, adjudant et censeur de ses vingt compagnons d'infortune, mais aussi metteur en scène de son propre personnage pour le bénéfice de ses gardiens, de ses avocats et de ses quelques visiteurs...

Il y en a justement un nouveau ; c'est le psychiatre Leon Goldensohn, successeur du major Kelley, qui lui rend visite depuis quelques semaines et prend des notes à partir du 15 mars 1946 : « Hermann Goering, écrit-il ce jour-là, est d'humeur changeante – généralement enjoué, mais parfois aussi très sombre ; il est enfantin dans ses attitudes et s'efforce toujours de jouer pour la galerie. Son uniforme de cellule est très sale et la cellule elle-même n'est pas très propre non plus. [...] Toute question générale qui lui est posée au sujet du procès déclenche une tempête de chicanes : " Cette foutue Cour – c'est une stupidité. Pourquoi est-ce qu'ils ne me laissent pas prendre toute la responsabilité, en renvoyant ces minus – Funk, Fritzsche, Kaltenbrunner ? Je n'avais même jamais entendu parler de la plupart d'entre eux

avant d'entrer dans cette prison ! Que m'importe le danger ? J'ai
envoyé des soldats et des aviateurs à la mort contre l'ennemi —
pourquoi aurais-je peur ? Comme je l'ai dit à la Cour, je suis seul
responsable lorsqu'il s'agit des actes officiels du gouvernement,
mais pas des programmes d'extermination. " » Lorsque Goldensohn lui demande s'il éprouve encore du ressentiment envers le
Führer qui a ordonné son exécution, Goering répond simplement : « Non, c'était pendant les dernières heures et il se trouvait sous pression. Si j'avais pu le voir en personne, les choses se
seraient passées autrement [1]. »

Quoi qu'il en soit, l'influence de l'ancien *Reichsmarschall* se
fait encore sentir sur la suite du procès ; même privé de contact
avec les autres dirigeants nazis pendant les repas et la promenade, il s'arrange pour persuader Rudolf Hess de renoncer à se
présenter à la barre le 24 mars. C'est que les déclarations de
Hess, dont la santé mentale donne des inquiétudes, auraient pu
nuire à l'image du défunt Führer — ou aux intérêts de son très
vivant dauphin... Ribbentrop, l'accusé suivant, s'étant fait porter
malade, Goering clame triomphalement devant le psychologue
Gilbert : « Eh bien ! Je ne peux tout de même pas assurer la
défense de tout le monde ! [...] Je ne peux pas leur donner ma
fermeté et mon courage — ni même un bon coup de pied au cul
pour les stimuler ! Hahahahahaha ! » Après la déposition du
témoin de Hess, Ernst Bohle *, dont les dénégations concernant
les activités d'espionnage de son organisation ont été mises en
pièces par le procureur adjoint britannique Griffith-Jones, Goering se fait une joie de commenter la partie : « Moi, j'aurais su
m'y prendre avec cet Anglais ! Je lui aurais dit :" Bien sûr que
nous avions des espions à l'étranger — et alors ! " De toute façon,
j'ai dit à Hess qu'ils n'utilisent que des procureurs de second
rang pour interroger ses témoins, pas les grands chefs ! » Certes :
les « grands chefs » sont réservés aux accusés de premier plan
— et à l'un d'entre eux en particulier... Et lorsque Ribbentrop
se présente enfin à la barre le 29 mars, Goering commente sa
performance avec toute la morgue du grand professionnel :
« C'est d'un ennui mortel ! Je lui ai dit que s'il voulait s'en tirer
avec ce genre de numéro interminable, il fallait qu'il le rende

---

* Chef de l'*Auslandsorganisation* du parti, qui regroupe les Allemands de l'étranger.

intéressant – comme je l'ai fait moi-même [2] *! » L'orgueil de Hermann Goering est décidément sans limites...

Il va bientôt en rencontrer : dès le 6 avril, l'interrogatoire du maréchal Keitel fait apparaître que le chef de l'OKW a transmis au procureur une lettre reconnaissant Hitler comme « responsable d'actions terroristes et illégales [3] », ce qui est une nouvelle brèche dans le front uni constitué par Goering pour maintenir la « légende d'Hitler ». La faille suivante s'ouvre neuf jours plus tard, lorsque le colonel Rudolf Hoess, qui témoigne dans le procès de Kaltenbrunner, reconnaît sans difficultés avoir fait exterminer 2,5 millions de Juifs dans le camp d'Auschwitz, indique précisément la manière dont il s'y est pris, et confirme qu'il s'agissait bien d'un *Führerbefehl* – un ordre du Führer [4]. Le 18 avril, enfin, l'avocat d'Hitler et ancien gouverneur général Hans Frank élargit quelque peu la brèche en direction de Goering, lorsqu'il déclare ironiquement à la barre au sujet des exterminations : « Contrairement aux gens de l'entourage du Führer qui ne savaient rien de ces choses, je dois dire que nous qui étions plus indépendants, nous en avions beaucoup entendu parler en écoutant les émissions de l'adversaire et en lisant la presse ennemie et neutre [5]. »

Mais ce n'est rien encore comparé à la déposition du témoin de l'ancien ministre de l'Intérieur Frick ; il s'agit de Hans Bernd Gisevius, ce membre de l'opposition secrète à Hitler qui a vu tant de choses au cours des années trente, et qui vient même d'en faire le récit complet dans un ouvrage intitulé *Kampf bis zum Letzten* **. Gisevius commence à témoigner dans l'après-midi du 24 avril, et pour l'accusé Goering, ses déclarations seront catastrophiques à plus d'un titre : l'ancien fonctionnaire de la Gestapo et du ministère de l'Intérieur décrit les premiers mois du pouvoir nazi et le rôle de Goering dans la gestion de la police politique de Prusse, qu'il décrit comme « un repaire de truands » ; il évoque « Columbia House », la prison privée de la Gestapo, puis les méfaits du très machiavélique Rudolf Diels, ainsi que les scrupules du criminologue Arthur Nebe, chargé par

---

* Autre conseil d'expert à Rosenberg : « N'aie pas peur de Roudenko. S'il te pose une question délicate, tu gagnes du temps en disant que la traduction n'est pas bonne, ou quelque chose comme ça. Tu as vu comment j'ai fait avec Jackson ! »
** Edité en Suisse l'année suivante sous le titre *Jusqu'à la lie.*

Goering en août 1933 d'organiser la disparition de Gregor Strasser « au moyen d'un accident de voiture ou de chasse ». Interrogé ensuite sur le « putsch de Roehm » en juin 1934, Gisevius déclare d'emblée que le terme est impropre : il faudrait plutôt parler d'un « putsch Himmler-Goering », dont il entreprend d'exposer toutes les péripéties [6].

Pendant ce temps, à l'extrémité droite du banc des accusés, on voit Goering gigoter, chuchoter ostensiblement et faire des signes de dénégation, ce qui provoque des mouvements d'amusement, d'impatience ou d'hostilité parmi ses voisins. Soudain, Gisevius s'interrompt pour faire état de pressions qui ont été exercées sur lui le matin même, par l'intermédiaire de l'avocat de Goering : maître Stahmer aurait tenté de l'intimider pour l'empêcher de parler de « faits concernant le mariage de von Blomberg ». Stahmer tente de se justifier en alléguant qu'il s'agissait seulement de respecter la mémoire de l'ancien ministre de la Guerre, récemment décédé, mais Gisevius réagit violemment : « En fait, tout cela n'a rien à voir avec le mariage de von Blomberg, mais plutôt avec le rôle qu'y a joué l'accusé Goering. Je sais parfaitement pourquoi Goering ne veut pas que je parle de cette affaire. Je considère que c'est la chose la plus infâme qu'il ait jamais faite, et il se dissimule derrière une façade chevaleresque en prétendant vouloir protéger la mémoire d'un défunt, alors qu'en réalité, il cherche seulement à m'empêcher de témoigner au sujet d'une question importante, à savoir l'affaire Fritsch [7]. »

Il y a un mouvement d'indignation dans la salle, et le président Lawrence doit donner de la voix pour obtenir le silence. Gisevius reprend donc le récit de sa lutte silencieuse contre la Gestapo, depuis le ministère de l'Intérieur où il a pu trouver refuge sous la protection de Frick et de Daluege. Mais c'est déjà l'heure de la pause, et le président suspend la séance.

Durant l'interruption, plusieurs accusés expriment bruyamment leur dégoût, à commencer par le général Jodl, qui s'exclame : « Voilà donc qu'une porcherie était pire que l'autre ! C'est une honte pour les honnêtes gens qui se sont laissés entraîner de bonne foi dans cette *Schweinerei* *! » Par contre, Frick, Speer et Fritzsche expriment discrètement leur satisfaction, tandis que Schacht dit à Gilbert : « Que pensez-vous de cette sale

---

* « Saloperie ».

affaire d'intimidation ? C'est tout de même une belle preuve de fourberie de sa part. » On devine aisément de qui il s'agit, et Gilbert note dans son journal : « Depuis l'extrémité opposée du banc des accusés, Goering nous a lancé un regard furibond. Après quoi il a tenté de faire baisser la tension qui régnait autour de lui en dénonçant le témoin comme un traître, qu'il n'avait jamais vu auparavant *. Il ne cessait de répéter : " De toute ma vie, je n'ai jamais entendu parler de ce témoin – il ment effrontément ! Frick essaie de me faire porter le chapeau pour ce qu'il a fait ! " [8]. »

A la reprise de séance, Gisevius poursuit le récit de son combat solitaire, et déclare qu'il a rencontré Schacht alors qu'il rassemblait des preuves contre Himmler et Heydrich. A cette époque (1935), Schacht croyait encore à l'intégrité d'Hitler et de Goering, tandis que Gisevius n'avait plus la moindre illusion à cet égard : « Schacht voyait en Goering un homme fort et un conservateur que l'on devrait utiliser pour faire pièce à la terreur de la Gestapo et de l'Etat. Je l'ai prévenu que Goering était le pire de tous, précisément parce qu'il se dissimulait derrière le masque du conservateur appartenant à la classe moyenne. Je l'ai imploré de ne faire aucune place à Goering dans sa politique économique, car cela ne pourrait que mal finir. On peut dire beaucoup de choses en faveur de Schacht, mais pas qu'il est un bon psychologue. C'est seulement au cours de l'année 1936 qu'il s'est aperçu progressivement que Goering, loin de le soutenir contre le parti, soutenait au contraire les éléments radicaux du parti contre lui [...]. C'est alors qu'il a commencé à considérer non seulement Himmler, mais aussi Goering, comme extrêmement dangereux [9]. »

Lorsque la séance s'achève, Goering se lève et tente de haranguer les accusés et les avocats de la défense. Il résiste aux gardes qui tentent de lui faire quitter le banc des accusés, et pour finir, il faut pratiquement l'entraîner de force et le pousser dans l'ascenseur. Son véritable visage commence à être exposé à la face du monde, et il ne le supporte pas...

Le réquisitoire va se poursuivre dès le lendemain 25 avril : Giseviusparle longuement de la collusion de Goering avec

---

* Nous savons déjà que pour Goering, le fait qu'il n'ait jamais vu le personnage constitue une preuve manifeste de son insignifiance.

Himmler et Heydrich lors des machinations ayant abouti au limogeage de von Blomberg et de von Fritsch au début de 1938 ; il décrit ses intrigues pour pousser von Blomberg à épouser une prostituée, ses efforts pour le compromettre ensuite aux yeux du Führer, sa complicité dans le sordide complot visant à faire accuser von Fritsch d'homosexualité, et enfin ses manœuvres dilatoires pour faire enterrer l'affaire lorsqu'elle menace de se retourner contre ses instigateurs. Tout cela est bien peu reluisant de la part d'un homme si soucieux de son image, et chacun comprend dès lors pourquoi il a tenté la veille de réduire Gisevius au silence... Continuant sur sa lancée, ce dernier brosse le portrait d'un arriviste sans scrupule, essentiellement occupé à cumuler les pouvoirs et à entasser les richesses : « Goering était de plus en plus absorbé par ses transactions et ses collections d'art à Carinhall, de sorte qu'il participait rarement à une conférence sérieuse. [...] Brauchitsch, par exemple, pensait que l'on pourrait établir un régime de transition avec Goering à sa tête. Notre groupe a toujours refusé de se rapprocher de cet homme-là, ne serait-ce que pour une heure [10]. »

L'interrogatoire du témoin par le juge Jackson produit d'autres révélations embarrassantes, notamment en ce qui concerne l'incendie du Reichstag ; Gisevius le présente comme une initiative de Goebbels, dont Goering avait bien été informé au préalable – tout comme il était au courant de la liquidation ultérieure de certains des dix hommes de main de la SA ayant participé au forfait... Après cela, Gisevius revient sur les purges de la Nuit des Longs Couteaux, dont il a été le témoin direct au plus haut niveau [11].

Pour Goering, la journée du 25 avril s'achève donc aussi mal que la précédente, mais il ne renonce pas pour autant à plastronner : « *Ach !* Ce n'est qu'un colporteur de nouvelles à sensation ; il exhume toutes les rumeurs qui ont circulé depuis dix ans ! » Il y a malgré tout la tentative d'intimidation, qui est jugée très sévèrement – surtout chez les militaires. Dönitz lui-même dit à Raeder : « C'était stupide de la part de Goering de dire à son avocat de faire une chose pareille » ; et Keitel de renchérir : « Il aurait dû savoir que la chose s'ébruiterait » [12]. Pour ces glorieux soldats, c'est davantage la tactique que l'éthique de l'ancien *Reichsmarschall* qui est à condamner...

Le lendemain, Gisevius, interrogé à nouveau par le juge Jackson, reparle des SA, des camps de concentration, de la pusillanimité des généraux et des vices du *Reichsmarschall* ; à ce sujet, il cite même les confidences de Herbert Goering, le cousin de Hermann, qu'il connaissait de longue date : « Herbert, de même que ses frères et sœurs, m'avaient prévenu plusieurs années auparavant du désastre qui s'abattrait sur l'Allemagne si jamais un homme tel que leur cousin Hermann Goering accédait à un quelconque poste de responsabilité, si insignifiant soit-il. Ils m'avaient décrit beaucoup de traits de caractère de l'accusé qui devaient nous devenir familiers par la suite, à commencer par sa vanité, son désir de paraître, son irresponsabilité et son manque de scrupules, qui pouvait même l'amener à marcher sur des cadavres pour parvenir à ses fins [13]. »

Lorsque enfin Gisevius quitte la barre en cette fin de matinée du 26 avril, il est clair que l'image de Hermann Goering a été très sensiblement écornée — même et surtout aux yeux de ses compagnons de captivité, ce qui est sans doute l'aspect le plus désastreux de toute l'affaire. Lors de la pause du déjeuner, il tente de se faire oublier et évite le regard des autres prisonniers, qui font eux-mêmes de gros efforts pour ne pas le voir. Il est vrai que Schacht, Speer, Fritzsche, Frank et von Papen lui étaient hostiles depuis le début ; mais voilà qu'il perd beaucoup de son influence sur Ribbentrop et Rosenberg, que Keitel, Jodl, Raeder et Dönitz prennent leurs distances, et que même le servile von Schirach, le fébrile Sauckel et le timide Funk commencent à se montrer réservés. Après tout, quels conseils un homme aussi discrédité que Goering pourrait-il désormais donner à ses compagnons pour organiser leur défense ? Bien sûr, il reste Kaltenbrunner, Streicher et Hess, mais le premier ne laisse pas d'inquiéter, le deuxième est universellement méprisé et le troisième a manifestement perdu l'esprit...

L'interrogatoire de l'antisémite pathologique Julius Streicher sera très bref, car ses écrits passés le condamnent aussi sûrement que ses déclarations présentes. C'est ensuite Hjalmar Schacht qui est appelé à la barre, et l'ancien ministre des Finances du Reich a d'excellentes raisons de connaître Hermann Goering. Mais dans cette affaire, Schacht n'est pas témoin : il est accusé, et sa première préoccupation est de montrer qu'il est innocent des charges retenues contre lui – notamment celle d'avoir financé la politique d'agression d'Hitler. Voulant trop bien faire, il se présente comme un ennemi de toujours du parti nazi, un contempteur d'Hitler et un adversaire opiniâtre de sa politique de réarmement. C'est évidemment excessif, et ses coaccusés, qui savent parfaitement à quoi s'en tenir, prennent assez mal la chose. Lors des auditions du 30 avril et du 1er mai, les militaires montrent ouvertement leur réprobation, et l'on perçoit en réaction un certain regain de sympathie pour Goering – qui aau moins revendiqué courageusement ses actions et ses convictions. L'intéressé est prompt à exploiter ce retour du balancier; il s'esclaffe bruyamment en pleine audience, prend ses voisins à témoin et lance à la cantonade : « Quel culot ! » ; « Ecoutez-le mentir ! ». Aux avocats assis devant lui, il clame pendant la pause : « Schacht ment ! Il ment ! Il ment ! J'étais là moi-même quand Hitler a dit qu'il nous fallait plus d'argent pour l'armement, et Schacht a répondu : " Oui, il nous faut une grande armée, une grande marine et une grande aviation " [14]. »

De fait, le contre-interrogatoire de Schacht par le procureur Jackson au cours des deux jours qui suivent permet d'établir que ce grand résistant au nazisme a beaucoup œuvré en faveur du réarmement allemand jusqu'à son départ du ministère de l'Economie, qu'il arborait avec ostentation la svastika d'or du parti nazi – auquel il a versé chaque année une contribution volontaire de 1 000 marks –, qu'il a prononcé un discours particulièrement obséquieux à l'occasion de l'anniversaire du Führer le 21 avril 1937 *, et qu'il a pris quelques initiatives antisémites assez peu glorieuses **, dont il s'était soigneusement abstenu de faire état lors de sa déposition [15].

En entendant tout cela, Goering est secoué d'un énorme rire ; mais toute son hilarité va disparaître dès le lendemain 3 mai, car ce matin-là, le procureur Jackson lit un long extrait du procès-verbal d'interrogatoire préliminaire de Schacht, conduit cinq

---

* Comportant ce passage éloquent : « Avec la passion sans limites d'un cœur ardent et l'instinct infaillible d'un véritable homme d'Etat, Adolf Hitler a conquis l'âme du peuple allemand. »

** Notamment en signant, comme ministre des Finances, une loi interdisant aux Juifs de recevoir une habilitation à négocier des devises étrangères. Le procureur Jackson citera également un extrait de son discours de Königsberg : « Les Juifs doivent comprendre que leur influence a disparu pour de bon. »

mois plus tôt par le major Tilley : « *Schacht* : Je n'ai jamais accepté d'ordres de la part de Goering, et je ne l'aurais jamais fait, parce qu'il était totalement ignare en matière d'économie, alors que moi, j'en avais au moins quelques notions. Tandis que j'ai qualifié Hitler d'amoral, je ne puis que considérer Goering comme un être immoral et criminel. Bien que doté par la nature d'une certaine jovialité, qu'il mettait à profit pour promouvoir sa popularité, c'était l'homme le plus égocentrique qu'on puisse imaginer. La prise de pouvoir politique n'a été pour lui qu'un moyen de s'enrichir et de vivre dans l'opulence. Les succès des autres suscitaient son envie ; son avidité était sans limites. Sa prédilection pour les bijoux, l'or et les objets de luxe était incroyable. Il ignorait la camaraderie. Il n'avait que des amitiés utiles, et encore étaient-elles superficielles. Les connaissances de Goering dans tous les domaines dont un membre du gouvernement se devait d'être informé étaient inexistantes, particulièrement en économie. Pour toutes les affaires économiques que lui avait confiées Hitler à l'automne de 1936, il n'avait pas la moindre compétence, bien qu'il ait créé une vaste machinerie administrative et abusé outrageusement de ses pouvoirs en tant que responsable suprême de l'économie. »

Voilà un portrait extraordinairement ressemblant, ce qui le rend plus dévastateur encore... Mais en fait, c'est surtout la suite qui va atteindre de plein fouet l'orgueilleux sybarite : « Son apparence personnelle était si théâtrale qu'on ne pouvait la comparer qu'à celle de Néron. Une dame qui avait pris le thé avec sa seconde femme racontait qu'il était apparu vêtu d'une sorte de toge romaine, avec des sandales constellées de pierres précieuses, d'innombrables bagues en diamant aux doigts, et l'ensemble du corps couvert de bijoux, sans parler du maquillage et du rouge à lèvres [16]. »

Une tempête de rire balaie le prétoire, tandis que Goering se trémousse sur son siège en grommelant : « Ce n'est pas un endroit pour évoquer de pareilles choses. [...] Je ne sais pas pourquoi il a ressorti ça... Il ne perd rien pour attendre [17] ! » Mais le contre-interrogatoire se poursuit, et en fin de matinée, Schacht va faire un aveu de taille :

« En 1938, je ne pensais pas encore à assassiner Hitler, mais j'admets que par la suite, j'ai dit que s'il n'était pas possible de faire autrement, nous devrions le tuer, si c'était possible.

Jackson : Vous avez dit " nous devrions le tuer ", ou bien " quelqu'un d'autre devrait le tuer " ?

Schacht : Si j'en avais eu l'occasion, je l'aurais tué moi-même. C'est pourquoi je vous demanderais de ne pas me faire comparaître devant un tribunal allemand pour tentative d'assassinat, car en ce sens, je suis naturellement coupable. »

A ces mots, Goering se redresse, fusille Schacht du regard, puis se prend la tête entre les mains. Manifestement affecté par cet aveu de trahison contre le Führer suprême, Goering n'entend pas la fin de l'échange, qui tourne à la confusion du procureur :

« *Jackson* : Eh bien, quelles qu'aient été vos activités, elles n'ont jamais été suffisamment ouvertes pour que les dossiers étrangers en France, dont vous dites qu'ils ont été examinés par la Gestapo, en aient conservé la trace, n'est-ce pas ?

Schacht : Oui, je ne pouvais pas l'annoncer dans les journaux au préalable [18]. »

Ce soir-là, le capitaine Gilbert, qui rend visite à Goering dans sa cellule, peut mesurer tout l'impact des salves tirées au cours de la journée : « Goering se plaignait de migraines, et il m'a demandé de dire au docteur allemand de lui donner des cachets. Il paraissait hagard, déprimé, et Schacht était manifestement à l'origine de ses maux de tête. " Quel imbécile ! Bah ! Il espérait sans doute sauver sa peau en m'attaquant – mais vous avez vu où ça l'a mené. Ce que je fais dans ma propre maison ne regarde que moi. Mais je ne pensais pas qu'un homme de son intelligence serait assez stupide pour s'abaisser de la sorte. D'ailleurs, je ne mets pas de rouge à lèvres " [19]... »

Pourtant, quelles que soient l'ampleur de la dépression et la violence des migraines, l'intelligence de l'homme reste constamment en éveil : « A la réflexion, il a estimé que les témoignages de Schacht et de Gisevius offraient un excellent moyen de créer une nouvelle légende du coup de poignard dans le dos pour expliquer la guerre et la défaite : " Je comprends maintenant pourquoi les Polonais étaient aussi insolents devant nos exigences en 1939. Ces traîtres leur avaient dit que s'ils faisaient front, il y aurait une révolution en Allemagne. Sans un tel encouragement, nous aurions probablement pu régler l'affaire pacifiquement entre nous, et il n'y aurait pas eu de guerre. " Les sourcils froncés et les narines dilatées, il a exhalé tout son mépris pour les plans de

Schacht d'attaquer Hitler et de saboter la guerre : " Vous croyez que j'aurais laissé un procureur étranger me demander si je revendiquais la gloire d'avoir contribué à la défaite de mon pays ? Plutôt mourir ! " La conversation s'est encore poursuivie un temps, mais Goering a soigneusement évité de parler des scandales de von Blomberg et de von Fritsch, ou de sa tentative d'intimidation du témoin dans le prétoire [20]. »

La chose peut se comprendre. En fait, Goering, écœuré par les révélations qui s'accumulent au sujet de ses turpitudes passées et de ses intrigues présentes, cherche une diversion en s'intéressant à l'actualité du moment. Les nouvelles concernant l'aggravation des tensions Est-Ouest le passionnent tout particulièrement, et il s'en ouvre le 11 mai au jeune avocat Werner Bross : « Ou bien les puissances occidentales essaient d'unifier l'économie de leurs trois zones d'occupation et d'offrir aux populations une vie supportable, ou bien les masses adopteront le communisme comme étant le moindre mal, et alors il n'y aura plus qu'une solution : la république socialiste soviétique allemande. [...] Une guerre contre l'Union soviétique est inévitable, si les puissances occidentales tentent d'unifier leurs trois zones d'occupation et d'en faire un état tampon contre l'URSS. Elles auront alors besoin d'une personnalité suffisamment forte pour rallier les Allemands. A ce moment-là, on repensera à moi ! Mais malheureusement, je serai mort [21]... » Ainsi, malgré tout ce qui vient de se passer, Goering n'a pas renoncé à s'imaginer en homme providentiel !

Le « Nazi number one » et principal accusé de Nuremberg est loin de soupçonner les sourdes rivalités qui divisent ceux qui sont chargés de le juger comme ceux qui ont mission de le garder *. Mais parmi les nouvelles du tribunal que Goering sollicite avidement, l'une au moins est de nature à le faire réfléchir : les trente-deux journalistes américains accrédités à Nuremberg ont pour

---

* Elles sont en effet considérables : depuis novembre 1945, les dissensions internes à la Cour au sujet de l'utilisation des témoins ont forcé le départ du général Donovan, conseiller de l'accusation ; les crimes passés de l'Union soviétique ont posé des problèmes insolubles aux procureurs occidentaux chargés de dresser les actes d'accusation ; le psychiatre Kelley, trop bavard avec la presse et enclin à utiliser les documents de la Cour et les notes de ses collègues à des fins personnelles, a été renvoyé aux Etats-Unis ; le colonel Andrus, s'estimant victime de tracasseries mesquines de la part son supérieur le général Watson, a été plusieurs fois au bord de la démission. Et la liste n'est pas exhaustive...

habitude de faire des pronostics sur le verdict qui sera prononcé à l'encontre de chacun des accusés. Or, le 12 mai, Werner Bross lui apporte les derniers résultats de ce sondage très officieux : par trente-deux voix sur trente-deux, il est prédit que Goering sera déclaré coupable et condamné à mort... « J'en ai informé Goering à sa demande, sur quoi il m'a instamment demandé les scores de ses coaccusés, que j'ai été incapable de lui donner exactement. Pour finir, il a dit d'une voix sinistre qu'il aurait peut-être mieux fait de se tirer une balle dans la tête en août 1945. Après tout, ce qu'il faisait ici n'avait plus vraiment de sens [22]. »

Pourtant, la suite des entretiens montre que Goering n'a absolument rien appris sur les événements des sept dernières années : la guerre contre la Pologne était « préventive », l'échec devant Moscou à la fin de 1941 s'expliquait par le fait que les généraux allemands n'avaient pas suivi le « plan d'attaque génial du Führer * », ce dernier n'était pas tenu informé des « mesures individuelles » pour la liquidation des Juifs, et l'offensive des Ardennes, « dernière idée vraiment géniale d'Hitler », a bien failli inverser le cours de la guerre [23] ! Ainsi, la « légende du Führer » peut perdurer, et il entrera un jour dans l'histoire aux côtés de son fidèle paladin. Pour Goering, l'espoir de l'immortalité fait vivre...

Mais lorsque l'on redescend sur terre, la vie reste bien désagréable ; car après la comparution de Schacht vient celle des amiraux, Dönitz et Raeder. Tous deux s'en tiennent à la ligne générale – l'Allemagne était entourée d'ennemis et devait se défendre, les officiers supérieurs avaient le devoir d'obéir aux autorités suprêmes –, mais Raeder commence à dévier quelque peu en reconnaissant que le Führer « l'a trompé quant à ses intentions pacifiques », et « s'est montré déraisonnable » après 1941. Goering se désintéresse de ces doux euphémismes, plaisante avec ses voisins, somnole et bâille ostensiblement ; mais il est réveillé en sursaut lorsque le procureur britannique commence son contre-interrogatoire au matin du 20 mai. C'est que, comme son

---

* Consistant selon lui à isoler Moscou par des offensives concentriques en direction du nord-est et du sud-est de la capitale, à partir de Leningrad et de Rostov. Même avec le recul, Goering s'obstine à négliger les facteurs de distance, de climat, d'état du terrain, d'approvisionnement, d'endurance des hommes, de résistance des matériels et de capacité de contre-offensive ennemie – exactement comme son défunt maître cinq ans plus tôt...

homologue américain Robert Jackson, sir David Maxwell-Fyfe est enclin à faire état des procès-verbaux d'interrogatoires préliminaires, et celui de Raeder comprend un mémorandum détaillé sur les causes de la défaite allemande, que l'amiral a rédigé à Moscou le 28 août 1945 *. Or, sir David entreprend d'en lire de substantiels extraits en séance, et voici que le passé de Goering le rattrape à nouveau :

« *Maxwell-Fyfe* (*lisant*) : « Au début de l'année 1938, j'ai eu personnellement connaissance d'une affaire qui, même si elle ne concernait pas la marine, m'a amené à perdre confiance, non seulement en Goering, mais aussi en la sincérité du Führer. La situation dans laquelle s'est trouvé von Blomberg du fait de son mariage malheureux rendait intenable sa position en tant que commandant en chef. J'en suis arrivé après coup à la conclusion que Goering avait tout fait pour prendre la place de von Blomberg en tant que commandant en chef de la Wehrmacht. Il a favorisé le mariage parce que cela permettait d'écarter von Blomberg du poste [...]. J'ai appris par des allusions ultérieures que Goering l'avait déjà fait suivre dans le passé. » N'est-ce pas là ce que vous avez dit ?

Raeder : A Moscou, immédiatement après l'effondrement, j'ai rédigé ce document dans les conditions qui régnaient là-bas...

Maxwell-Fyfe : Tout ce que je veux savoir, c'est si vous avez dit la vérité.

Raeder : Oui, j'ai écrit ces notes, et il est vrai que j'ai pensé après coup que Goering aurait pu favoriser ce mariage [...]. Il est vrai aussi que Goering voulait devenir commandant en chef des forces armées, mais le Führer l'en a empêché.

Maxwell-Fyfe : Et vous avez bien dit, concernant l'incident von Fritsch : " J'étais convaincu que Goering avait prêté la main à cette affaire bien manigancée, car pour parvenir à ses fins, il lui fallait éliminer tout successeur possible à von Blomberg ? " Vous souvenez-vous avoir dit cela ?

Raeder : Je ne m'en souviens pas à présent, mais je pense que c'était mon opinion à l'époque [24]. »

A l'évidence, Raeder, lui-même sur la sellette, est devenu très réticent à charger un autre accusé. Mais si les paroles volent, les

---

* Document présenté à la Cour sous la référence USSR-460

écrits restent, et dans l'après-midi, c'est le procureur adjoint soviétique Pokrovski qui va reprendre le mémorandum de Raeder et en lire un nouveau passage, plus désastreux encore pour l'ancien *Reichsmarschall* :

« *Pokrovski* (*lisant*) : " La personne de Goering a eu un effet funeste sur les destinées du Reich allemand. Il se caractérisait principalement par une vanité inimaginable et une ambition incommensurable, un goût prononcé pour la démagogie et l'exhibition, une fausseté, un manque de sens des réalités et un égoïsme qui n'étaient restreints par aucune considération des intérêts de l'Etat ou du peuple. Il se distinguait par son avidité, sa prodigalité et son comportement aussi efféminé que peu militaire. Je suis persuadé qu'Hitler avait pris conscience très tôt de ses traits de caractère, mais qu'il s'en servait lorsque cela lui était utile et le chargeait constamment de nouvelles tâches, afin de l'empêcher de devenir dangereux [25]. " »

Pokrovski ne lit pas la suite, mais l'ensemble du document étant ensuite communiqué aux avocats, chacun peut y lire également ce passage : « Au début, il a feint de se montrer coopératif et amical envers la marine, mais il en est rapidement venu à faire preuve à son égard d'une intense jalousie, à imiter les meilleures productions de la marine ou à les lui retirer pour en doter la Luftwaffe, tout en critiquant et en rabaissant les personnels de la marine derrière leur dos. »

Venant après les témoignages de Gisevius et de Schacht, et surtout conçu en termes étonnamment semblables, ce document constitue un redoutable brûlot, qui porte au prestige de Goering un coup décisif. Nul n'en est plus conscient que l'intéressé, qui s'abstient de paraître à la séance du lendemain. Léon Goldensohn le trouve ce matin-là dans sa cellule, boitant légèrement et se plaignant d'une sciatique [26]. Il ne sortira pas davantage les jours suivants, sans doute autant pour éviter d'entendre les dépositions de Raeder et de von Schirach * que pour se soustraire au regard de ses compagnons de prétoire. Tel est également l'avis du psychologue Gilbert, qui note le 26 mai : « Goering boude toujours

---

* Lors de son audition du 24 mai, von Schirach a violemment dénoncé les persécutions antisémites, et en a rendu Hitler directement responsable. C'est un échec cuisant pour Goering, qui exerçait encore deux mois plus tôt un fort ascendant sur l'ancien chef des Jeunesses hitlériennes.

dans sa cellule, en se plaignant de sciatique et de trahison à la fois. [...] Le major Goldensohn et moi-même sommes d'avis que, même s'il a été privé de drogue, il est loin d'être guéri de sa dépendance et reste un homme faible, qui se raccroche à des conduites de fuite devant l'échec et de protection de l'égo. L'aumônier Gerecke a pratiquement abandonné tout effort pour inculquer un peu de crainte de Dieu à cet arrogant païen [27]. » Pourtant, le païen en question tient essentiellement à écrire une lettre à Edda pour son huitième anniversaire, et l'on peut y lire entre autres : « Du fond de mon cœur, je prie le Dieu tout-puissant de veiller sur toi et de t'assister. » Il y joint une carte à son épouse pour la rassurer : « Ce que les journaux écrivent à notre sujet nous est suprêmement indifférent. Ne te laisse jamais abattre pour si peu. Je suis resté alité trois jours avec une sciatique de la jambe droite, et je comprends maintenant ce que tu as dû ressentir *. Je t'embrasse avec un amour passionné. Ton Hermann [28]. »

Goering reparaît au tribunal le 3 juin pour entendre la déposition du général Jodl, et au moment où l'ancien chef de la section des opérations de l'OKW se présente à la barre, Goering murmure à son voisin Rudolf Hess : « Eh bien, c'est ma dernière chance » — ce qui semble indiquer qu'il n'a pas perdu tout espoir. De fait, Jodl s'en tient au départ à la ligne de Dönitz, en invoquant la défense de l'Allemagne, le devoir d'obéissance du soldat, et la honte qui s'attache à toute tentative de trahison ou d'assassinat [29] ; il confirme même au passage que Goering a protesté violemment auprès du Führer lors de l'exécution des officiers évadés du Stalag Luft III [30]. Mais il y a pendant les quatre jours d'interrogatoire des références à l'« honnêteté incorruptible du véritable officier de la Wehrmacht », à la « moralité de certaines personnes », à la « sale politique » et au « manquement à la parole d'honneur » qui n'échappent pas à Goering et le rendent morose. Au soir du 6 juin, il explose devant le capitaine Gilbert : « Parole d'honneur ? Quand les intérêts d'une nation sont en jeu ? Peuh ! Quand un Etat a une chance d'améliorer sa situation du fait de la faiblesse d'un voisin, vous croyez qu'il va s'arrêter à des considérations minables de parole donnée ? » Gilbert l'interrompt : « Ce

---

* Emmy avait elle-même souffert cruellement d'une sciatique quelques mois plus tôt.

sont justement ces interminables querelles d'intérêts nationaux mesquins qui conduisent à des guerres. C'est pour cela que tous les hommes d'Etat honorables espèrent que l'ONU... – Ach, nous pissons sur votre ONU ! Vous croyez qu'il se trouve un seul d'entre nous pour la prendre au sérieux un seul instant ? Il n'y a que votre bombe atomique qui tient les Russes en respect [31]. »

A cet égard aussi, Goering est donc resté le même : un peu de sagacité, beaucoup de duplicité et une totale amoralité. Une fois les atteintes à son image, la dépression et la sciatique oubliées, il semble retrouver toute sa morgue – ainsi que Franz von Papen le constatera peu avant de se présenter à la barre. Au soir du 8 juin, l'ancien vice-chancelier s'en ouvre avec indignation au capitaine Gilbert, qui note : « Von Papen m'a dit que Goering l'avait pris à partie après l'audition de samedi à la Cour. Je lui en ai demandé la raison. " L'un de mes documents montrait que j'avais été en relations avec les conjurés du 20 juillet. J'étais censé ouvrir des négociations – enfin, bref, Goering m'a demandé si j'allais oser attaquer le Führer et justifier le complot pour l'assassiner. Eh bien, je lui ai répondu : ' Goering, je vous faisais une grande confiance, en tant qu'ancien officier et homme de bonne famille, et je croyais que si jamais Hitler allait trop loin, vous alliez le prendre par la peau du cou et le jeter dehors. Je pensais que vous aviez de l'énergie et des principes, et des milliers d'autres étaient comme moi. ' Voilà ce que je lui ai dit. Et vous savez ce qu'il m'a répondu ? ' J'aurais bien fait quelque chose, mais il me fallait trois psychiatres pour certifier qu'il avait perdu l'esprit. ' Sur quoi je lui ai dit : ' Mon cher Goering, il vous fallait donc trois docteurs pour voir qu'Hitler menait le pays à sa perte ? ' Quelle insanité ! Nous attendions vraiment beaucoup de lui, vous savez. Mais lorsqu'il s'est mis à se couvrir de bijoux, à prendre de gros pots-de-vin à droite et à gauche, à négliger ses devoirs alors que l'Allemagne était saignée à blanc... " Von Papen a levé les bras dans un geste de désespoir méprisant [32]. »

Il est encore question d'insanité au matin du 13 juin, lorsque l'avocat de von Papen, interrogeant l'ancien ministre des Affaires étrangères autrichien Guido Schmidt sur les prémices de l'Anschluss, obtient la réponse suivante : « Je me souviens que Schuschnigg, avant de partir pour son entrevue [avec Hitler sur l'Obersalzberg], m'a dit qu'il aurait sans doute été préférable d'envoyer à sa place le professeur Wagner-Jauregg, qui était le meilleur psychiatre de Vienne [33]. » Une telle atteinte à la « légende du Führer » déplaît foncièrement à Goering, qui s'en prend violemment à von Papen dès l'interruption de midi, en présence du capitaine Gilbert :

« — Comment osez-vous laisser parler ainsi d'Hitler ? N'oubliez pas qu'il a été notre chef d'Etat !

— Le chef de l'Etat nazi, a répliqué von Papen en colère. Un chef d'Etat qui a assassiné 6 millions d'innocents !

— Non, vous ne pouvez pas dire que c'est Hitler qui en a donné l'ordre, a dit Goering d'un air renfrogné.

— Ah bon ? Alors qui a ordonné ces assassinats de masse ? a demandé sur un ton de défi von Papen, rouge d'indignation. C'est vous ?

Goering, plutôt décontenancé, a marmonné : " Non, non... Himmler. " Il a paru troublé lorsque les autres accusés sont sortis du prétoire en passant devant lui sans même le regarder. Lors du déjeuner, von Papen s'est mis à maugréer contre le culot du " gros " qui tentait de lui dicter ce qu'il devait dire pour dissimuler la culpabilité des nazis. Speer, Fritzsche et von Schirach se sont mis à rire en constatant que l'hypocrisie et les tentatives hégémoniques de Goering étaient même rejetées par le timide diplomate von Papen. [...] Dans l'autre salle à manger, Keitel et Frank s'entretenaient de la manière dont Hitler avait trahi l'honorable tradition de la Wehrmacht [34]. » Décidément, le « front uni » pour défendre la mémoire du Führer se lézarde à vue d'œil...

Il va bientôt s'écrouler. Le 18 juin, vers la fin de son audition, von Papen révèle ses démarches auprès des diplomates étrangers pour tenter de mettre fin à la guerre, ainsi que ses contacts avec les conjurés du 20 juillet, qui avaient envisagé de le nommer ministre des Affaires étrangères après la chute d'Hitler ; il ne mâche pas ses mots en parlant du Führer : « Le fait de déclencher la guerre est le plus grand crime et la plus grande folie commis par Hitler », ou encore : « Hitler est le plus grand escroc que j'aie jamais vu de ma vie ! » [35]. Pour Goering, ce sont autant de coups de poignard au cœur, et il ne cesse de s'agiter sur son banc en grondant : « Menteur ! », « Traître ! », « Lâche ! », « C'est absolument faux ! » [36]. Von Papen n'en poursuit pas moins sa déposition, et Goering, écœuré, montre ostensiblement qu'il se désintéresse de la suite des échanges *, en désignant à Dönitz une petite interprète blonde qu'il trouve fort à son goût [37]. Mais le temps des plaisanteries touche à sa fin, car la comparution d'Albert Speer va bientôt lui porter l'estocade...

Lorsqu'il se présente à la barre au matin du 19 juin 1946, l'ex-ministre de l'Armement et grand architecte du Reich commence par une déclaration qui fait sursauter l'assistance : « Si Hitler avait eu des amis, j'aurais certainement été l'un de ses amis intimes [38]. » Mais la suite prend la forme d'un terrible réquisitoire qui, trois jours durant, va secouer brutalement le banc des accusés : « En mars 1945, j'ai compris qu'Hitler voulait détruire délibérément tous les moyens de survie de la population si la guerre était perdue... Il considérait que la défaite était due au fait que le peuple allemand avait failli, sans jamais se remettre lui-même en question... »

Après quoi, en une seule phrase, Speer rejoint la cohorte de ceux qui avaient envisagé de se débarrasser du Führer : « En février 1945, j'avais demandé qu'on me fournisse du nouveau gaz de combat pour assassiner Hitler, Bormann et Goebbels [39]. »

Ce n'est pas tout : Speer avoue avoir pris des mesures pour contrer les ordres d'Hitler, en empêchant le sabotage des usines et la destruction des ponts lors de l'avancée des troupes américaines à l'Ouest. Sur quoi il ajoute ces mots terribles pour les dignitaires nazis en général, et pour l'un d'entre eux en particulier : « Les morts de cette dernière période [avril 1945] seront les accusateurs du responsable de ce combat, Adolf Hitler. Le peuple allemand est resté loyal à Hitler jusqu'à la fin, mais Hitler l'a trahi délibérément, en tentant de le jeter à jamais dans l'abîme. »

Et son avocat ayant évoqué la question du serment d'allégeance à Hitler, Speer répond : « Il y a une allégeance qui s'impose à tous : c'est l'allégeance envers son propre peuple. Ce devoir-là vient avant tous les autres [40]. » Autant pour Goering, qui ne connaît de loyauté qu'envers un seul homme. Mais pour

---

* Elle n'est pourtant pas sans intérêt : le procureur Maxwell-Fyfe va mener la vie dure à von Papen, notamment en lui demandant d'expliquer pourquoi il avait accepté de continuer à servir Hitler, alors que ses secrétaires venaient d'être assassinés par les nazis.

l'ancien *Reichsmarschall*, le pire est encore à venir, car le procureur Jackson demande ensuite à Speer s'il était présent dans le bunker l'après-midi du 23 avril, lorsque le Führer a reçu le télégramme fatal...

« *Speer* : En recevant de Bormann la copie du télégramme de Goering à Ribbentrop, Hitler a dit qu'il savait depuis longtemps que Goering avait échoué, qu'il était corrompu et drogué. J'en ai été ébranlé, car il me semblait que si un chef d'Etat savait cela depuis si longtemps, il était irresponsable de sa part de laisser un tel homme en fonction, alors que la vie de tant de gens en dépendait. Mais [...] Hitler a poursuivi par ces mots : " Malgré tout, il n'a qu'à négocier la capitulation. " [...] En fait, il a dit sur un ton détaché : " De toute façon, peu importe qui le fait ", exprimant ainsi tout son mépris pour la nation allemande [41]. »

Comme si tout cela ne suffisait pas, Speer rapporte la confrontation de 1943 entre Goering et Galland, lorsque ce dernier, ayant informé le *Reichsmarschall* du fait que des chasseurs escortaient désormais les bombardiers alliés jusqu'à Aix-la-Chapelle, s'était vu intimer l'ordre de n'avoir rien vu... Au cours de la dernière séance du 21 juin, il y a aussi cet échange entre le procureur et Speer, qui dit en dit très long en très peu de mots :

« *Jackson* : Est-il exact qu'au moment où vous vous débattiez pour obtenir de la main-d'œuvre destinée à la production d'armements, Goering utilisait cette main-d'œuvre pour rassembler et transporter de l'art destiné à ses collections privées ?

Speer : Il n'avait pas besoin de beaucoup de main-d'œuvre pour cela.

Jackson : Eh bien, le petit nombre de travailleurs disponible était très précieux, n'est-ce pas ?

Speer : Les œuvres d'art étaient précieuses, pas les travailleurs.

Jackson : Pour Goering ?

Speer : Oui [42]. »

Goering, si insupportable lors des auditions précédentes, a écouté tout cela en silence, et à l'issue de l'interrogatoire du 21 juin, il quitte la salle sans mot dire. C'est que Speer lui pose un problème insoluble : voilà un technicien qui avait brillamment réussi dans ce domaine industriel où le maître du plan quadriennal avait lamentablement échoué ; un proche d'Hitler resté dans ses bonnes grâces jusqu'à la fin tout en l'ayant trahi,

alors que Goering avait été condamné par ce même Hitler, tout
en lui étant resté fidèle jusqu'au bout ; un homme qui vient de
révéler à la face du monde tout le mal que le vénéré Führer pensait de son dévoué second et premier paladin ; un confident
d'Hitler qui a proclamé que les devoirs envers le peuple allemand passaient avant la loyauté envers son Führer ; enfin, un
dignitaire du Reich qui connaissait par le menu l'invraisemblable réseau de corruption et d'enrichissement personnel du
Reichsmarschall, mais avait choisi de n'en rien dire. Il y aurait là
de quoi assommer des hommes plus assurés encore que Hermann
Goering...

Parmi ses compagnons de captivité, en tout cas, chacun
convient qu'il a perdu la partie. Au déjeuner, von Papen déclare
avec satisfaction : « Le gros est fini ! Vous vous rendez compte ?
Ordonner instamment à un officier de cacher la vérité ! » Pendant ce temps, dans l'autre salle à manger, von Schirach, Fritzsche et Speer saluent la fin de la « légende Goering-Hitler »... Il
est vrai qu'au soir du 21 juin, l'ancien numéro deux du Reich
confie au médecin de la prison que ce jour a été « le plus noir de
sa vie [43] * ». Le psychologue Gilbert, qui lui rend visite dans sa
cellule au cours du week-end, trouve un homme accablé, mais
qui cherche toujours à faire bonne figure : « " [Speer] n'avait pas
à traiter Hitler de meurtrier – d'accord, je sais ce que vous allez
dire ; c'est la vérité. Mais enfin... il aurait pu au moins le dire
différemment. Moi, quand je prête serment d'allégeance, je ne
peux le violer. Et ça n'a pas été facile, croyez-moi ! Essayez un
peu d'être le prince héritier pendant douze ans – en étant toujours loyal envers le roi, en désapprouvant beaucoup de ses politiques sans rien pouvoir y faire, et en sachant qu'à tout moment,
vous pouvez devenir roi à votre tour, avec l'obligation de gérer la
situation au mieux. Mais je n'aurais jamais pu comploter derrière son dos pour lui balancer du gaz de combat, lui coller des
mallettes piégées sous les fesses, ou d'autres lâches astuces de ce
genre. Tout ce que j'aurais pu faire dans l'honneur, c'était de
rompre ouvertement – lui déclarer franchement que je renonçais
à mon allégeance, et vider la querelle...

---

* Ce qu'il ne faut pas prendre trop au sérieux : on sait que c'est chez Goering
une expression familière.

— Vous voulez dire le gifler avec votre gant et le provoquer en duel ? " ai-je interrompu.

— Jeter mon gant à ses pieds ! " a-t-il corrigé aussitôt, en indiquant par là que j'avais correctement interprété ses fantasmes chevaleresques, mais que je m'étais trompé de siècle [44]. »

Notre héros déchu songe-t-il à ce moment qu'il était peut-être dangereux d'avoir trop joué dans les châteaux médiévaux durant son adolescence ? Non : Hermann Goering n'a jamais aimé s'attarder sur son passé, et il pense seulement que la déposition de Speer va l'obliger à modifier de fond en comble sa ligne de défense, dans un discours final dont il attend beaucoup...

C'est l'avocat de Goering, maître Stahmer, qui plaide en premier le 4 juillet. Son discours, aussi long qu'éloquent, va s'étaler sur deux jours ; toute la vie de son client y est passée en revue, ses efforts en faveur de la paix sont à nouveau soulignés, les charges qui pèsent sur lui sont successivement rejetées ou minorées : il n'a rien pu changer aux ordres d'Hitler, ses camps de concentration n'étaient destinés qu'à la rééducation — à la différence de ceux qui ont suivi —, l'honneur d'aviateur du *Reichsmarschall* l'a obligé à protester contre l'exécution des pilotes alliés évadés, il faudrait chercher ailleurs les responsables du massacre de Katyn *, et un homme connu pour avoir déclaré « C'est moi qui décide de qui est juif et qui ne l'est pas » ne peut à l'évidence avoir été un fanatique de l'antisémitisme. La péroraison est tout aussi habile : « Le Führer et le serment qu'il lui avait prêté étaient pour lui la substance même de son existence. Mais sa loyauté a provoqué sa perte ; son monde s'est écroulé. Il a certainement reconnu bien des erreurs passées, mais il n'a pas fait preuve de la repentance que beaucoup attendaient. En cela, il reste également loyal envers lui-même. [...] A une époque qui reste menacée par le chaos, la valeur positive d'une telle loyauté ne saurait être ignorée [45]. »

Durant les jours qui suivent, alors que se succèdent les plaidoiries des avocats, les nouvelles venues de l'extérieur s'infiltrent dans la cellule 5, provoquant tour à tour chez Goering le ravissement et l'abattement. Parmi les premières, il y a les appels qui se multiplient à l'Ouest en faveur d'une réunification écono-

---

* Une mention ajoutée à la demande de Goering, et expressément calculée pour embarrasser les Soviétiques.

mique des zones d'occupation allemandes, ainsi que le dernier
livre violemment antisoviétique de l'ambassadeur William Bullitt * ; parmi les secondes, il y a ce gros titre du journal militaire
américain *Stars and Stripes* : « *GOERING HAD PLOT TO HIDE
50 MILLIONS* » — par quoi il faut comprendre que le *Reichsmarschall* avait tenté de placer 50 millions de dollars aux Etats-
Unis à la veille de la défaite...

Mais Goering n'aura guère le temps de méditer sur ces péchés
véniels, car à partir du 26 juillet, les procureurs prononcent leur
réquisitoire final contre l'ensemble des accusés, et l'ancien
Reichsmarschall y occupe une place de choix. Intervenant en premier, le procureur Jackson ne mâche pas ses mots : « Le rôle
vaste et varié de Goering a été celui d'un militariste mâtiné de
gangster. Il a fourré partout sa grosse patte ; il a utilisé ses nervis
SA pour hisser sa bande au pouvoir ; pour consolider ce pouvoir,
il a manigancé l'incendie du Reichstag, fondé la Gestapo et créé
les camps de concentration. Il avait autant de talent pour massa-
crer les opposants que pour fabriquer des scandales destinés à
écarter les généraux récalcitrants ; il a développé la Luftwaffe et
l'a lancée contre ses voisins sans défense ; il a été en tête de ceux
qui ont harcelé les Juifs pour les forcer à quitter le pays ; en
mobilisant la totalité des ressources économiques de l'Allemagne, il lui a permis de mener une guerre qu'il avait largement
contribué à planifier. Après Hitler, il a été l'homme qui unissait
les activités de tous les accusés en un effort commun [46]. »

Le procureur britannique sir Hartley Shawcross, qui prend la
parole le lendemain, ne sera pas en reste : « Il ne fait aucun
doute que les accusés se sont rendus coupables et complices de
crimes si effroyables qu'à leur seule évocation, l'imagination se
trouve saisie d'horreur. [...] Pour tous ces faits, la responsabilité
qui incombe à Goering est indéniable. Derrière une trompeuse
façade de bonhomie, il a été parmi les grands architectes de ce
régime satanique. Qui, en dehors d'Hitler, était mieux informé
des événements et avait davantage de moyens pour en influencer
le cours ? La conduite des affaires dans l'Etat nazi, la montée en

---

* *The Great Globe Itself* (C. Scribner's, New York, 1946). L'ambassadeur Bullitt,
pourtant un vieil ami de Roosevelt, y dénonce entre autres l'aide de prêt-bail
accordée à l'URSS, et propose la formation d'une fédération antisoviétique d'Etats
démocratiques européens, incluant également « autant de pays qu'il sera possible
de soustraire à l'emprise de l'Union soviétique ».

puissance de la machine de guerre, l'agression calculée, les atrocités – rien de tout cela ne se produit spontanément ou sans la coopération la plus étroite entre les titulaires des diverses fonctions de l'Etat. Les hommes ne peuvent avancer en territoire étranger, presser la détente, lâcher leurs bombes, construire les chambres à gaz et rassembler les victimes sans être organisés et commandés pour cela. Tous ceux qui font partie de la chaîne de commandement nécessaire à l'accomplissement de tels actes sont impliqués dans ces crimes perpétrés systématiquement à l'échelle nationale. [...] Il vient un temps où l'on doit choisir entre sa conscience et son chef. Aucun de ces hommes qui ont décidé d'abandonner leur conscience en faveur du monstre qu'ils ont eux-mêmes créé ne peut maintenant se plaindre d'être accusé d'avoir été complice des méfaits de ce monstre[47]. »

Sir Hartley poursuit son réquisitoire en lisant le témoignage poignant d'un homme qui a assisté à l'exécution massive perpétrée à Doubno * le 5 octobre 1943 par l'un des effroyables *Einsatzkommandos* d'Himmler : « Sans hurler ni pleurer, les gens se sont déshabillés, se sont rassemblés par familles, se sont embrassés, se sont dit adieu et ont attendu le signal d'un autre SS qui se tenait au bord de la fosse, le fouet au poing. [...] Un père tenait par la main un garçon d'environ dix ans et lui parlait doucement ; l'enfant retenait ses larmes. Le père désignait le ciel du doigt, il caressait la tête de l'enfant et semblait lui expliquer quelque chose. A ce moment, le SS qui se trouvait devant la fosse a crié quelque chose à son camarade, qui a compté environ vingt personnes et leur a ordonné de passer derrière le monticule. [...] Puis j'ai entendu une série de détonations. »

Le procureur britannique achève son réquisitoire en se tournant vers les juges : « Lorsque vous rendrez votre sentence, gardez cette histoire à l'esprit, non pas dans un esprit de vengeance, mais dans la ferme intention d'empêcher que de telles choses se reproduisent. Le père, souvenez-vous, désignait le ciel du doigt et semblait dire quelque chose à son fils[48]. »

Sur les bancs des accusés, l'embarras est palpable ; certains s'essuient le front, d'autres se mordent les lèvres, froncent les sourcils ou font mine de s'absorber dans la lecture de leurs dossiers. Les procureurs français et soviétique prennent ensuite le

---

* En Ukraine, au nord-est de Lvov.

relais et confirment les réquisitoires de leurs homologues anglo-saxons. Seul le fait que Hermann Goering ait substantiellement contribué à la défaite du Troisième Reich n'est à aucun moment retenu contre lui... Mais de toute façon, l'intéressé n'écoute déjà plus ; il prend un plaisir pervers à récapituler toutes les accusations portées contre ses compagnons par les procureurs américain et britannique, et à constater qu'il a été mentionné quarante-deux fois dans le réquisitoire du procureur Jackson – soit bien davantage que le détesté Hjalmar Schacht[49] ! N'est-ce pas la confirmation de son statut d'accusé privilégié ?

Le procès va se prolonger un mois encore, car sept institutions nazies doivent encore être jugées en tant qu'organisations criminelles *. Goering va donc s'isoler dans sa cellule durant les cinq semaines qui suivent, plaisanter avec ses gardes, son avocat et son médecin, préparer son dernier discours et écrire des lettres tendres à sa famille. Emmy est venue à Nuremberg, mais elle n'a pas été autorisée à voir son époux et est repartie tristement pour Sackdilling. Le 31 août, enfin, par une chaleur torride, Goering pénètre à nouveau dans le prétoire pour faire sa déclaration finale. Comme toujours, il a le privilège de s'exprimer en premier : « Dans leurs réquisitoires, les procureurs ont considéré que les déclarations des accusés n'avaient pas la moindre valeur. [...] L'accusation voit dans le fait que j'aie été le deuxième personnage du Reich une preuve que tout ce qui s'est produit devait m'être connu. [...] Nous avons entendu dire encore et encore que les pires crimes étaient voilés du secret le plus épais. Je déclare expressément que je condamne formellement ces terribles meurtres de masse, et que je ne peux absolument pas les comprendre. Mais je voudrais dire clairement une fois encore devant ce haut tribunal que je n'ai jamais, à aucun moment, ordonné le meurtre d'une seule personne, ni décrété ou toléré d'autres atrocités, tant que j'avais le pouvoir ou les informations nécessaires pour les empêcher. [...] Je n'ai pas voulu la guerre, je ne l'ai pas déclenchée, j'ai tout fait pour l'empêcher au moyen de négociations. Lorsqu'elle a éclaté, j'ai tout fait pour assurer la victoire. [...] Je n'ai été guidé que par l'amour ardent de mon

---

* Dont la Gestapo, le SD, la SS, le Cabinet du Reich, l'état-major de l'armée et l'OKW. Seules les trois premières seront reconnues comme criminelles.

peuple, et le désir de lui apporter le bonheur et la liberté. Que le Tout-Puissant et le peuple allemand m'en soient témoins [50]. »

Il va s'écouler encore un mois avant que les accusés ne soient fixés sur leur sort. C'est en effet à partir du 2 septembre 1946 que les quatre juges Biddle, Lawrence, Donnedieu de Vabres et Nikitchenko se réunissent dans la plus grande discrétion pour décider des sentences ; le processus sera long et ardu, car il y a vingt et un cas à examiner, les opinions des hauts magistrats divergent considérablement, leurs points de vue évoluent au fur et à mesure des discussions, et au terme de l'article 4 de la charte de Londres, toute condamnation ne peut être prononcée que par une majorité de trois contre un – le partage des voix à deux contre deux signifiant l'acquittement. C'est pourtant dans le cas de Goering qu'il y aura le moins de désaccords : pratiquement sans discussion, les juges le reconnaissent coupable des quatre chefs d'accusation, et le 10 septembre, ils se prononcent à l'unanimité pour la peine capitale [51]. Les cas des vingt autres accusés seront bien plus âprement débattus *.

Pendant que les juges délibèrent ainsi, les règles strictes de la prison sont suffisamment assouplies pour que Goering puisse s'entretenir librement avec ses codétenus, et il affecte un détachement et une assurance qui en énervent plus d'un [52]. Les familles ont également reçu l'autorisation de rendre visite aux accusés, mais elles ne pourront les voir qu'une demi-heure par jour, derrière des grillages et des vitres. Emmy retourne donc à Nuremberg le 12 septembre avec sa fille et sa sœur, et elle revoit son époux pour la première fois depuis dix-sept mois : « Que n'aurais-je donné pour pouvoir l'embrasser ! Comme cette vitre et ce grillage étaient odieux ! Mon mari, très maître de lui, m'a dit : " Note tout ce que tu veux me dire ou me demander. Je le ferai aussi. Sinon, pendant ce temps si court, on oublie trop de choses importantes... " La deuxième fois, nous avons pu parler un peu plus librement. Evidemment, le soldat américain qui se tenait près de mon époux me dérangeait. Il devait également y

---

* Notamment parce que le juge soviétique Nikitchenko est fermement partisan de les pendre tous, tandis que le juge français Donnedieu de Vabres ne veut pas d'acquittements, tout en demandant invariablement des sentences plus modérées que ses trois collègues... Les sentences les plus difficiles à prononcer seront celles de Schacht, Speer, Dönitz et von Schirach.

en avoir un à mes côtés, mais le pasteur Gerecke m'accompagnait, ce qui était un grand réconfort [53] *. »

Le 29 septembre, dernier jour de visite, Emmy reçoit la permission de rester une heure entière avec son époux. Elle décide de la partager avec sa sœur, l'infirmière Christa, la servante Cilly et Paula, la sœur préférée de Hermann. Les vingt dernières minutes d'entretien seront pour elle et sa fille Edda : « Peu avant de devoir partir, j'ai dit à mon mari timidement, mais avec malgré tout un petit espoir au cœur : " Est-ce que tu ne crois pas, Hermann, que nous serons un jour tous les trois réunis en toute liberté ? " Alors, il s'est rembruni : " Tu ne sembles pas te rendre compte que nous sommes jugés ici d'après le droit anglais, et qu'on a même établi de nouvelles lois tout exprès pour nous. " [...] Il s'est tu un moment, puis il a ajouté : " Emmy, je t'en supplie : n'aie plus aucun espoir. " Les adieux ont été durs. Nous avons dû signer un engagement de quitter Nuremberg sans délai [54]. »

C'est que le tribunal va rendre son verdict à partir du lendemain 30 septembre. Ce matin-là, le palais de justice est cerné par des chars et des cars de police, les magistrats sont amenés en voitures blindées, les contrôles d'identité à l'entrée sont renforcés et les moindres serviettes minutieusement fouillées **. Les accusés sont conduits par petits groupes dans le prétoire, Goering arrivant seul et en dernier, vêtu de son éternel uniforme gris clair passablement défraîchi. La Cour va consacrer toute la journée à la lecture des attendus du jugement, en commençant par une longue évocation historique des origines de la guerre et du nazisme ; mais il faudra attendre le lendemain 1er octobre au matin pour que les juges en viennent à l'énoncé des responsabilités individuelles... A tout seigneur, tout honneur : c'est Goering qui passe en premier. Le président Lawrence lit posément : « Depuis le moment où il est entré au parti en 1922 et a pris le commandement des SA, Goering a été le conseiller, l'agent actif

---

* Lors de cette deuxième entrevue, Emmy transmet une demande de leur valet Robert Kropp : pour pouvoir retrouver un emploi, il a besoin d'une attestation... certifiant qu'il n'a jamais été membre du parti nazi ! Goering, manifestement sensible à l'humour de la situation et sans doute heureux de pouvoir encore exercer un pouvoir, signera obligeamment le document...

** Des rumeurs avaient fait état d'une possible attaque d'éléments extérieurs pour délivrer les prisonniers.

d'Hitler et l'un des principaux chefs du mouvement nazi. En tant qu'adjoint politique d'Hitler, il a été en grande partie à l'origine de l'accession au pouvoir des nationaux-socialistes en 1933 ; il a été chargé de consolider ce pouvoir et de développer les forces armées allemandes. Il a fondé la Gestapo et créé les premiers camps de concentration, qu'il a cédés à Himmler en 1934 ; il a dirigé la purge contre Roehm la même année, et orchestré les sordides machinations ayant abouti à chasser de l'armée von Blomberg et von Fritsch [...]. Il a été le personnage principal, et même le dirigeant, de l'Anschluss autrichien... La veille de l'invasion de la Tchécoslovaquie et de l'absorption de la Bohême et de la Moravie, lors d'une conférence entre Hitler et le président Hacha, il a menacé de bombarder Prague si Hacha refusait de se soumettre. [...] Il a commandé la Luftwaffe lors de l'attaque de la Pologne et lors de toutes les guerres d'agression qui ont suivi. [...] Le dossier est rempli des aveux de Goering concernant sa complicité dans l'utilisation de travailleurs esclaves. [...] Il a établi des plans visant à la spoliation du territoire soviétique bien avant le déclenchement de la guerre contre l'URSS. [...] Goering a persécuté les Juifs, particulièrement après les émeutes de novembre 1938, non seulement en Allemagne, où il a fait prélever une amende d'un milliard de marks, mais encore dans les territoires conquis. Ses propos de l'époque comme ses récentes dépositions indiquent que son intérêt était avant tout économique – s'emparer de leurs biens et les exclure de la vie économique de l'Europe. [...] Bien que leur extermination ait été l'œuvre d'Himmler, Goering était loin d'être désintéressé ou inactif à cet égard, nonobstant ses protestations à la barre. [...] Aucune circonstance atténuante ne peut être invoquée en sa faveur. Il a été souvent – on pourrait presque dire toujours – l'élément dynamique du parti, immédiatement après Hitler. Il a été le promoteur des guerres d'agression, comme chef politique et comme chef militaire. Il a dirigé le programme de travail forcé et a été l'instigateur des mesures de persécution contre les Juifs et d'autres races, tant en Allemagne qu'à l'étranger. Tous ces crimes, il les a franchement reconnus. Sur certains points précis, les témoignages peuvent différer, mais dans l'ensemble, les aveux de Goering sont largement suffisants pour permettre d'établir sa culpabilité. Cette culpabilité est unique dans son ampleur. Rien, dans son dossier, ne peut servir d'excuse à cet homme. »

Et le juge de conclure : « La Cour déclare l'accusé Goering coupable des crimes visés par les quatre chefs de l'acte d'accusation [55]. »

Goering reste imperturbable. On passe ensuite à Hess, Ribbentrop, Keitel, Kaltenbrunner, Rosenberg, Frank et Funk, mais lorsque le juge Biddle en vient à Schacht et annonce qu'aucun chef d'accusation n'a été retenu contre lui, Goering arrache ses écouteurs dans un geste d'écœurement et les jette devant lui. Pourtant, il lui faut attendre la fin de la séance, et il entend le juge prononcer également l'acquittement de von Papen et de Fritzsche. En sortant du prétoire, l'ancien président du Reichstag Hermann Goering se retourne vers l'ex-chancelier Franz von Papen et lui dit : « Félicitations ! Vous êtes libre – je n'en avais jamais douté [56]... »

A 15 heures ce même après-midi, les accusés retournent un par un dans la salle d'audience pour entendre prononcer leur sentence. Goering, appelé en premier, sort de l'ascenseur et s'immobilise derrière le box, encadré de deux gardes casqués de blanc. Un troisième lui tend les écouteurs, il les ajuste et le président commence : « Accusé Hermann Wilhelm Goering, sur la base des chefs d'accusation... » Mais il doit s'arrêter, car Goering fait signe que la transmission est défectueuse et qu'il n'entend pas l'interprétation. Tandis que les techniciens s'affairent, Goering et le juge Lawrence se font face en silence [57]. Enfin, le circuit est rétabli, et le président reprend : « Accusé Hermann Wilhelm Goering, sur la base des chefs d'accusation retenus contre vous, le Tribunal militaire international vous condamne à la peine de mort par pendaison [58]. » Au bout d'un instant, la phrase fatale se fait entendre en allemand dans l'écouteur : « *Tod durch den Strang.* » Goering reste un moment immobile sous le regard de l'assistance silencieuse, s'incline légèrement, dépose ses écouteurs, se retourne et est emmené par les gardes *.

---

* Les autres verdicts : Ribbentrop, Keitel, Kaltenbrunner, Rosenberg, Frank, Frick, Streicher, Sauckel, Jodl et Seyss-Inquart sont condamnés à mort ; Funk, Hess et Raeder, à la prison à vie ; von Schirach et Speer, à vingt ans ; von Neurath à quinze ans ; Dönitz à dix ans ; Schacht, von Papen et Fritzsche sont acquittés.

Le capitaine Gilbert, voyant Goering rentrer dans sa cellule le visage pâle et les yeux exorbités, s'enquiert de la sentence. « " La mort ", m'a-t-il répondu en se laissant tomber sur son lit de camp. Il s'est saisi d'un livre en affectant l'indifférence, mais ses mains tremblantes, ses yeux humides et sa respiration haletante montraient qu'il était au bord de la crise de nerfs. Pour finir, il m'a demandé d'une voix sourde de le laisser seul un moment. [...] Lorsqu'il s'est suffisamment repris pour pouvoir parler, il a dit qu'il s'attendait naturellement à une condamnation à mort, et qu'il était heureux de n'avoir pas été condamné à la prison à vie, qui ne permet pas de devenir un martyr. Mais il n'y avait plus la moindre trace de forfanterie dans sa voix. Il semblait enfin prendre conscience du fait que la mort n'a rien de drôle, dès lors qu'il faut y passer soi-même [59]. »

XVIII

Adieux à la scène

Les verdicts une fois prononcés, le palais de justice s'est vidé et la prison a changé d'aspect. Les sept condamnés à des peines de prison ont été transférés à l'étage supérieur, les trois acquittés ont été libérés *, et il ne reste plus au rez-de-chaussée que les onze détenus promis au gibet quinze jours francs après la sentence. Le colonel Andrus a fait durcir les consignes de sécurité, interdire la promenade et les douches, menotter les prisonniers lors de leurs passages au parloir, changer les literies, renforcer la censure, multiplier les contrôles et les fouilles : le jour venu, il faudra livrer les prisonniers au bourreau en parfait état...

Hermann Goering occupe toujours la cellule 5, tout au fond du couloir de la mort. Il a quatre jours pour faire appel de la sentence auprès du Conseil de contrôle allié, mais il a prié son avocat de n'en rien faire. Maître Stahmer n'en a pas moins introduit un recours le 4 octobre pour que la peine de son client soit commuée en détention à vie, ou à défaut pour qu'il soit fusillé. A l'appui de sa requête, cet avocat zélé a fait valoir les excellents états de service de Goering pendant la Grande Guerre, ses efforts en faveur de la paix, le fait qu'il n'existe pas le moindre document établissant qu'il ait été au courant de l'extermination des Juifs, et enfin que les faits reprochés à Goering étaient de nature politique plutôt que criminelle [1]. Pendant ce temps, l'intéressé, qui a repris sa posture de défi, dit au coiffeur de la prison : « Eh bien, qu'ils me pendent ! De toute manière,

_____

* Et aussitôt arrêtés par la police allemande.

ce sont de piètres tireurs. C'est peut-être pour cela qu'ils ne veulent pas nous coller au mur [2] ! » Mais ce qui est sans doute le plus vexant pour l'orgueilleux Homme de fer, c'est qu'une fois retombée l'agitation médiatique, ses compatriotes, ayant bien d'autres préoccupations, se désintéressent rapidement de son sort.

Le 5 octobre, Hermann remet son alliance à maître Stahmer pour qu'il la transmette à Emmy. Mais contre toute attente, celle-ci reçoit la permission de rendre visite une dernière fois au prisonnier le 7 octobre. Il n'y aura guère d'intimité, car Emmy reste séparée de son époux par un grillage et une glace, tandis que Hermann est menotté à son garde et entouré de trois soldats armés de mitraillettes. Il demande d'emblée : « Comment Edda a-t-elle réagi à la sentence ? Sait-elle ce qui va m'arriver ? » Emmy répond qu'elle s'est engagée à ne jamais rien cacher à sa fille, et que celle-ci lui a dit : « Maman, ne sois pas si triste. Peut-être que nous n'aurons pas longtemps à vivre non plus, alors nous serons tous bientôt avec Papa ; et là-haut, il n'y aura pas de grillage et de vitre entre nous [3] ! » A ces paroles, le visage du père s'éclaire : « Ma petite Edda ! J'espère que la vie ne sera pas trop dure pour elle. Mon Dieu, quel soulagement ce serait de mourir, si je vous savais protégées et préservées. » Vers la fin de l'entretien, Emmy demande : « Crois-tu vraiment qu'ils te fusilleront ? », à quoi Hermann répond : « Tu peux au moins être certaine d'une chose : ils ne me pendront pas [4] ! »

La décision du Conseil de contrôle se fait attendre, et Goering se morfond dans sa cellule. Il lit et écrit beaucoup, reçoit la visite du docteur Pflücker, de l'aumônier Gerecke, du lieutenant Wheelis et bien sûr du capitaine Gilbert : « Goering n'avait plus le cœur à rire, note-t-il. Il était allongé sur son lit de camp, épuisé et démoralisé. Lors de nos conversations, il se raccrochait toujours faiblement à son idée de légende héroïque, comme un enfant qui garderait à la main les restes d'un ballon éclaté. Quelques jours après le verdict, il m'a demandé à nouveau ce que les tests psychologiques avaient révélé de sa personnalité – particulièrement celui de la tache d'encre –, car cela le préoccupait depuis longtemps. Cette fois, je le lui ai dit : " Pour être franc, ces tests ont montré que vous avez un esprit vif et entreprenant, mais qu'il vous manque le courage d'assumer réellement vos responsabilités. Vous vous êtes trahi par un petit geste lors du test de la tache d'encre. " Goering a froncé anxieusement les sourcils. " Vous vous souvenez de la carte avec la tache rouge ? Eh bien, les névrotiques morbides hésitent souvent devant cette carte, après quoi ils disent qu'il y a du sang dessus. Vous avez hésité, mais vous n'avez pas dit que c'était du sang. Vous avez essayé de l'effacer du doigt, comme si vous pensiez pouvoir essuyer le sang d'un petit geste. C'est ce que vous avez fait pendant tout le procès – en enlevant vos écouteurs à chaque fois que les preuves de votre culpabilité devenaient trop insupportables. Et c'est aussi ce que vous avez fait pendant toute la guerre, en chassant les atrocités de votre esprit par la drogue. Voilà où est votre culpabilité. Je suis d'accord avec Speer : vous êtes moralement lâche *. " Goering m'a lancé un regard courroucé et s'est tu un moment. Puis il a dit que ces tests psychologiques n'avaient aucune valeur, et qu'il se moquait complètement de ce que disait cet escroc de Speer [5]. »

Le 9 octobre, à Berlin, le Conseil de contrôle allié s'est réuni pour statuer sur les recours, et les a tous rejetés **. Goering ne semble pas en avoir été informé avant le 11 octobre. Ensuite, il s'est remis à écrire avec application, sans trop prêter attention aux hurlements en provenance de la cellule de Sauckel, aux articles des journaux à sensation annonçant l'imminence de leurs exécutions ***, aux ronflements des moteurs de camions amenant les potences et aux coups de marteau des ouvriers qui s'affairent dans le gymnase.

Les nouvelles vont vite en prison, et le condamné apprend que l'exécution aura lieu le 16 octobre à 1 heure du matin. Au soir du 15 octobre, il demande au pasteur Gerecke la communion et la bénédiction de l'Eglise luthérienne, mais l'aumônier refuse, au motif que Goering n'a pas donné le moindre signe de repentance

---

* On se souvient qu'un psychiatre suédois était parvenu exactement à la même conclusion deux décennies plus tôt : « Manque de courage moral fondamental. »

** Jodl avait également demandé à être fusillé plutôt que pendu ; Sauckel et Keitel avaient fait présenter une requête en commutation de peine, de même que Raeder, mais ce dernier en sens inverse : il préférait le peloton d'exécution à l'emprisonnement à vie... Le ministre des Affaires étrangères Bevin avait fait savoir au représentant britannique siégeant au Conseil de contrôle que toute modification des peines prononcées à Nuremberg n'était pas souhaitable.

*** Avec des interviews du bourreau, le sergent John Wood, représenté tenant son nœud coulant en main, et annonçant qu'il se fera un plaisir tout particulier de pendre Hermann Goering.

ou d'une quelconque foi en Dieu... Vers 20 heures, le lieutenant John W. West se présente pour l'inspection quotidienne, qui est particulièrement stricte ce soir-là : « Tous ses effets personnels ont été fouillés, ses draps ont été retirés du lit et secoués, le matelas a été retourné, on n'a rien trouvé », rapporte le lieutenant, qui ajoute que Goering « paraissait très heureux et parlait d'abondance » [6].

Après son départ, le prisonnier s'allonge tout habillé sur son lit de camp et s'absorbe dans un livre de bibliothèque intitulé *Les Oiseaux migrateurs d'Afrique.* Peu avant 21 heures, il se lève, met de l'ordre dans sa cellule, revêt son pyjama, se couche, ramène les couvertures sur sa poitrine et paraît somnoler. A 21 h 30, le docteur Pflücker pénètre dans sa cellule pour lui donner son somnifère habituel, s'entretient avec lui pendant trois minutes *, lui serre la main et ressort. Lors du changement de la garde à 22 h 30, le soldat Harold F. Johnson voit Goering allongé réglementairement sur le dos, les deux mains bien visibles sur la couverture. A 22 h 40, il le voit se tourner vers le mur, puis, après deux minutes environ, reprendre sa position initiale. Mais à 22 h 47, le soldat remarque que le corps du prisonnier se raidit et qu'une sorte de souffle étranglé s'échappe de ses lèvres. Johnson alerte le sergent de garde, qui pénètre dans la cellule en même temps que le pasteur Gerecke, suivi du docteur Pflücker et du lieutenant de service. Ils doivent tous se rendre à l'évidence : Hermann Goering est à l'agonie. Le docteur Pflücker sent son pouls faiblir, puis disparaître ; son visage prend une teinte gris-vert, puis ses traits se figent. En repoussant la couverture pour sentir les battements du cœur, le docteur trouve dans la main gauche du mourant une enveloppe contenant plusieurs feuilles de papier pliées et une douille de laiton, calibre 9 mm, qui a manifestement servi de réceptacle à une ampoule de cyanure. Le médecin militaire américain, Charles J. Roska, arrivé vers 23 heures, trouve en effet des débris de verre dans la bouche du cadavre, après avoir senti dans la cellule une forte odeur d'amande amère.

Hermann Goering, cet homme si bavard dans la vie, a tenu à le rester après sa mort ; l'enveloppe contient quatre

---

* Il est accompagné du lieutenant Arthur McLinden qui, comme la plupart des autres gardes, ne comprend pas un mot d'allemand.

lettres *, dont la première est adressée au colonel Andrus, sa bête noire, qu'il avait surnommé « le capitaine des pompiers » en raison du casque étincelant qu'il arborait en permanence. Cette lettre est manifestement conçue comme un magistral pied de nez ; il y affirme avoir eu *trois* capsules de cyanure lors de sa capture : la première lui avait été confisquée à Mondorf ; il avait toujours gardé la deuxième sur lui, sans que les fouilles la révèlent jamais ; la dernière se trouvait encore dans son nécessaire de toilette, dissimulée dans un pot rond contenant de la crème pour la peau. Et il conclut : « Aucune des personnes chargées des fouilles n'est responsable, car il aurait été presque *impossible* de trouver les capsules. Cela aurait été *un pur hasard*[7] **. »

La deuxième lettre, rédigée sur papier à en-tête du « *Reichsmarschall* du Grand Reich allemand », est adressée au Conseil de contrôle allié et conçue en ces termes :

« Je vous aurais laissés me fusiller sans difficultés ! Mais il est impossible de pendre le *Reichsmarschall* allemand ! Pour l'honneur de l'Allemagne, je ne peux le permettre. En outre, je n'ai nullement l'obligation morale de me soumettre à la justice de mes ennemis. J'ai donc choisi la mort du grand Hannibal. Je savais depuis le début que je serais condamné à mort, ayant considéré le jugement comme un acte purement politique imposé par les vainqueurs. Mais au nom de mon peuple, je voulais être jugé et je m'attendais au moins à ce que l'on ne me refuse pas de mourir en soldat. Devant Dieu, mon peuple et ma conscience, je me considère comme innocent des charges qu'un tribunal ennemi a fait peser sur moi[8]. »

La troisième lettre est pour l'aumônier :

« Cher Pasteur Gerecke !

Pardonnez-moi, mais il m'a fallu agir *ainsi* pour des raisons politiques. J'ai longuement prié mon Dieu et je sens que ce que

---

* Les dépositions des témoins sont contradictoires sur plusieurs points, à commencer par le nombre d'enveloppes retrouvées : le docteur Pflücker et le pasteur Gerecke en mentionnent une seule, le chef des gardes, le capitaine Robert B. Starnes, se souvient d'en avoir vu deux, dont une portait le nom de Goering.

** Il y a un post-scriptum : « Le Docteur Gilbert m'a annoncé que le Conseil de contrôle avait rejeté la pétition en faveur d'un changement du mode d'exécution, pour me permettre d'être passé par les armes. »

je fais est juste. (Je me serais laissé fusiller.) Je vous prie de réconforter ma femme, de lui dire que ceci n'était pas un suicide ordinaire, et qu'elle peut être assurée que malgré tout, Dieu m'accueillera dans sa miséricorde.

Que Dieu protège ceux qui me sont les plus chers !

Que Dieu continue à vous bénir, cher Pasteur ! Votre Hermann Goering [9]. »

La dernière lettre est bien sûr pour son épouse :

« Mon seul amour,

Après avoir mûrement réfléchi et prié Dieu avec ferveur, j'ai décidé d'entrer moi-même dans la mort, afin de ne pas laisser mes ennemis m'exécuter. J'étais toujours disposé à accepter la mort devant un peloton d'exécution, mais le *Reichsmarschall* de l'Allemagne ne peut se permettre d'être pendu. En outre, ce meurtre devait s'accomplir comme un spectacle, en présence de la presse et des caméras. (Pour les actualités, je suppose.) La sensation avant tout. Mais moi, je veux mourir dans le calme et sans publicité. Ma vie s'est terminée à l'instant même de notre dernier adieu. Depuis lors, je suis rempli d'une paix merveilleuse, et je considère la mort comme une suprême libération. Je considère comme un signe de Dieu qu'il m'ait permis pendant tous ces mois d'emprisonnement de conserver le moyen de me libérer du tumulte de ce monde, et que ce moyen n'ait jamais été découvert. Dans sa charité, Dieu m'a ainsi épargné une fin amère * [10] »

A l'évidence, cet arrogant païen s'était créé une divinité sur mesure...

On constate en tout cas que ces quatre lettres, aussitôt confisquées par l'armée américaine, sont datées du 11 octobre, ce qui ajoute une énigme à toutes les autres : en admettant qu'elles ne soient pas antidatées, comment de telles missives ont-elles pu échapper aux nombreuses fouilles des derniers jours ? Et surtout, comment Goering s'est-il procuré l'ampoule de cyanure ?

---

* La lettre se termine ainsi : « Toutes mes pensées sont avec toi, avec Edda et avec tous mes amis bien-aimés ! Les derniers battements de mon cœur marqueront notre grand et éternel amour. Ton Hermann. »

L'argument selon lequel il l'aurait toujours gardée dans sa cellule ne tient pas : elle aurait inévitablement été découverte pendant ses quatorze mois de captivité. L'ampoule fatale ne venait sans doute pas de l'extérieur de la prison *, car la douille qui l'abritait était rigoureusement identique à la troisième, qui sera effectivement trouvée après la mort de Goering dans le nécessaire de toilette indiqué – lui-même contenu dans une des valises bleues enfermées dans la salle des bagages. L'hypothèse la plus vraisemblable est donc qu'un officier ayant accès à cette salle – très probablement le lieutenant Wheelis – en a extrait la deuxième capsule, également dissimulée dans une des valises, et la lui a remise au dernier moment **. Mais l'exacte vérité ne sera sans doute jamais connue.

A 1 heure au matin du 16 octobre 1946, les dix autres condamnés sont pendus haut et court dans le gymnase de la prison, Joachim von Ribbentrop bénéficiant de la priorité concédée *in extremis* par son vieux rival Hermann Goering. A 2 h 40, tout est terminé. Les dix dépouilles sont rassemblées dans une pièce attenante et inspectées par les représentants des quatre puissances, qui signent les certificats de décès ; elles sont ensuite photographiées pour les archives de l'armée américaine, enveloppés dans des toiles à matelas, puis mises en bière avec les cordes ayant servi à les pendre ***.

C'est ensuite seulement que Hermann Goering est amené sur un brancard, recouvert d'une couverture de l'armée. Après inspection, son corps est également photographié – le cliché faisant apparaître un œil fermé et l'autre ouvert –, puis mis en bière comme les autres. Tous les couvercles sont scellés, et peu avant 4 heures du matin, les onze caisses sont chargées dans plusieurs camions bâchés, qui les transportent sous bonne escorte vers un crématorium de Munich ****. Des jeeps armées de mitrailleuses

---

* Des années après la guerre, de nombreux officiers et soldats américains se sont accusés ou vantés d'avoir fait parvenir le poison à Goering. Aucun de ces témoignages tardifs n'est vraiment digne de foi.

** Le lieutenant Wheelis décédera en 1954 sans avoir donné de plus amples explications.

*** Etant donné la chasse au souvenir effrénée qui sévit à l'époque, il s'agit de faire disparaître tous objets pouvant intéresser les collectionneurs.

**** La rumeur, longtemps entretenue, selon laquelle les cadavres auraient été brûlés dans le four crématoire d'Auschwitz est entièrement dénuée de fondement.

ferment la marche, afin d'indiquer discrètement aux journalistes que leur présence n'est pas souhaitée...

A l'arrivée, les corps sont à nouveau inspectés par des représentants des quatre puissances, chargés de certifier qu'il n'y a eu aucune substitution en chemin. La crémation va durer toute la journée, sans que les employés de l'établissement sachent à qui ils ont affaire. Vers 18 heures dans la soirée du 16 octobre 1946, une grande urne funéraire est chargée dans un camion qui se dirige vers le quartier de Solln, au sud de Munich. C'est là, à une centaine de mètres du numéro 25 de la Heilmannstrasse, que les cendres mêlées de onze dignitaires du Troisième Reich sont dispersées dans les eaux du Conwentzbach, un petit affluent de l'Isar [11].

Notes

I. Féodalité

1. G. M. Gilbert, « Hermann Goering, amiable psychopath », in *The Journal of Abnormal and Social Psychology*, vol. 43, n° 2, avril 1948, p. 211.
2. R. Manvell et H. Fraenkel, *Goering*, Greenhill, Londres, 2005, p. 22.
3. G. M. Gilbert, « Hermann Goering, amiable psychopath », *op. cit.*, p. 211.
4. A. Lee, *Goering, Air Leader*, Duckworth, Londres, 1972, p. 12.
5. C. Bewley, *Hermann Göring and the Third Reich*, Devin-Adair, New York, 1962, p. 21.
6. L. Mosley, *The Reich Marshal*, Doubleday, New York, 1974, p. 7.
7. E. Gritzbach, *Hermann Goering, Werk und Mensch*, Eher Verlag, Munich, 1938, p. 151.
8. W. Maser, *Hermann Göring, Hitlers janusköpfiger Paladin*, Editions Q, Berlin, 2000, p. 15.
9. L. Mosley, *The Reich Marshal*, *op. cit.*, p. 7.
10. *Id.*, p. 10.
11. *Ibid.*
12. *Id.*, p. 13.
13. BA-MA, MSg. 1/13, *Dienstlaufbahnzeugnis über Oberleutnant Hermann Göring*, 13 février 1920.
14. R. Manvell et H. Fraenkel, *Goering, op. cit.*, p. 27.

II. Les chevaliers du ciel

1. W. Maser, *Hermann Göring, Hitlers Janusköpfiger Paladin*, *op. cit.*, p. 22; E. Gritzbach, *Hermann Göring*, *op. cit.*, p. 160.
2. BA-MA, MSg 1/13, *Dienstlaufbahnzeugnis, op. cit.*
3. E. Gritzbach, *Hermann Goering, op. cit.*, p. 160; L. Mosley, *The Reich Marshal, op. cit.*, p. 17-18.
4. BA-MA, MSg 1/13, *Dienstlaufbahnzeugnis, op. cit.*
5. W. Frischauer, *The Rise and Fall of Hermann Goering*, Houghton Mifflin, Boston, 1951, p. 17.
6. BA-MA, MSg 1/13, *Dienstlaufbahnzeugnis, op. cit.*
7. L. Mosley, *The Reich Marshal, op. cit.*, p. 18.
8. *Id.*, p. 21.
9. G. Knopp, *Göring, eine Karriere*, Bertelsmann, Munich, 2006, p. 21.
10. D. Irving, *Göring*, MacMillan, Londres, 1989, p. 33-34.
11. E. Butler et G. Young, *Marshal without Glory*, Hodder & Stoughton, Londres, 1951, p. 22-23.
12. BA-MA, MSg 1/13, *Dienstlaufbahnzeugnis, op. cit.*
13. E. Gritzbach, *Hermann Göring, op. cit.*, p. 163.

14. G. Knopp, *Göring, eine Karriere,* op. cit., p. 24.
15. E. Gritzbach, *Hermann Göring,* op. cit., p. 164-165.
16. E. Butler et G. Young, *Marshal without Glory, op. cit.,* p. 26.
17. BA-MA, MSg 1/13, *Dienstlaufbahnzeugnis, op. cit.*
18. W. Frischauer, *The Rise and Fall of Hermann Goering, op. cit.,* p. 22-23.
19. L. Mosley, *The Reich Marshal,* op. cit., p. 39-40.
20. W. Frischauer, *The Rise and Fall of Hermann Goering, op. cit.,* p. 26.
21. E. Butler et G. Young, *Marshal without Glory, op. cit.,* p. 30-31.
22. E. Gritzbach, *Hermann Göring,* op. cit., p. 171; W. Frischauer, *The Rise and Fall of Hermann Goering,* op. cit., p. 27-28.
23. K. Bodenschatz, *Jagd in Flanders Himmel,* Knorrundt Hirth Verlag, Munich, 1935, p. 208.
24. *Ibid.,* p. 143.
25. E. Gritzbach, *Hermann Göring,* op. cit., p. 173-174.
26. E.P. Hoyt, *Goering's War,* Robert Hale, Londres, 1990, p. 33.
27. W. Bross, *Gespräche mit Goering,* Arndt Verlag, Kiel, 2003, p. 198.

III. Errances

1. W. Bross, *Gespräche mit Göring,* op. cit., p. 199.
2. *Ibid.*
3. *Id.,* p. 32.
4. *Id.,* p. 200.
5. B. Fontander, *Göring och Sverige,* Rabén och Sjögren, Kristianstad, 1984, p. 16.
6. L. Mosley, *The Reich Marshal,* op. cit., p. 56-57.
7. R. Manvell et H. Fraenkel, *Goering,* op. cit., p. 39-40.
8. B. Fontander, *Göring och Sverige,* op. cit., p. 19.
9. *Ibid.*
10. W. Bross, *Gespräche mit Göring,* op. cit., p. 208.
11. *Id.,* p. 209-210.

12. *Id.,* p. 210.
13. F. von Wilamowitz-Möllendorf, *Carin Göring,* Martin Warneck, Berlin, 1940, p. 52-53.
14. W. Bross, *Gespräche mit Göring,* op. cit., p. 210-211.
15. B. Fontander, *Göring och Sverige,* op. cit., p. 24.
16. *Ibid.,* p. 27-28.
17. D. Irving, *Göring, op. cit.,* p. 42.
18. A. Lee, *Goering, Air Leader,* Hippocrene, New York, 1972, p. 212.
19. L. Mosley, *The Reich Marshal,* op. cit., p. 61.
20. E. Göring, *An der Seite meines Mannes,* K.W. Schütz, Göttingen, 1967, p. 111.
21. W. Maser, *Hermann Göring, Hitlers janusköpfiger Paladin, op. cit.,* p. 45.
22. E. Butler et G. Young, *Marshal without Glory, op. cit.,* p. 42.
23. G.M. Gilbert, « Hermann Goering, amiable psychopath », *op. cit.,* p. 216.
24. IMT (International Military Tribunal), vol. IX, p. 236.
25. *Id.,* p. 237.
26. *Id.,* p. 237-238.

IV. Révélation

1. A. Hitler, *Mein Kampf,* Eher Verlag, Munich, 1942, p. 472.
2. H. Schacht, *Account Settled,* Weidenfeld, Londres, 1949, p. 206.
3. K.G. Lüdecke, *I Knew Hitler,* Jarrolds, Londres, 1938, p. 22-23.
4. E. Hanfstaengl, *Hitler, the Missing Years,* Arcade, New York, 1994, p. 35.
5. K.G. Lüdecke, *I Knew Hitler, op. cit.,* p. 78.
6. *Ibid.,* p. 129.
7. F. von Wilamowitz-Möllendorff, *Carin Göring, op. cit.,* p. 56.
8. E. Hanfstaengl, *Hitler, the Missing Years, op. cit.,* p. 72.
9. *Ibid..*
10. J. Toland, *Adolf Hitler,* Ballantine, New York, 1977, p. 188-189; E. Hanfstaengl, *Hitler, the Missing Years, op. cit.,* p. 41, 64-65, 74.

11. F. Wagner, *The Royal Family of Bayreuth*, Eyre & Spottiswoode, Londres, 1948, p. 9.

12. G.M. Gilbert, *The Psychology of Dictatorship*, op. cit., p. 93.

13. B. Fontander, *Göring och Sverige*, op. cit., p. 47.

14. *Ibid.*

15. E. Hanfstaengl, *Hitler, the Missing Years*, op. cit., p. 72-73.

16. J. Wyllie, *The Warlord and the Renegade*, Sutton, Londres, 2006, p. 48.

17. IMT, vol. IX, op. cit., p. 238.

18. *Ibid.*

19. BA, NS 20 /10, Oberkommando der SA, Kleine Erwerbungen NSDAP.

20. L. Mosley, *The Reich Marshal*, op. cit., p. 74.

21. E.P. Hoyt, *Goering's War*, op. cit., p. 38.

22. E. Deuerlein, *Hitler, eine politische Biographie*, Munich, 1969, p. 53.

23. E. Hanfstaengl, *Hitler, the Missing Years*, op. cit., p. 86.

24. J. Toland, *Adolf Hitler*, op. cit., p. 178.

25. A. Bullock, *Hitler, a Study in Tyranny*, Penguin, Londres, 1974, p. 96-97.

26. E. Hanfstaengl, *Hitler, the Missing Years*, op. cit., p. 83.

27. *Id.*, p. 88.

28. I. Kershaw, *Hitler*, vol. 1, Penguin, Londres, 2001, p. 201.

29. *Id.*, p. 204.

30. H. Schacht, *My First Seventy-Six Years*, Allan Wingate, Londres, 1955, p. 179.

31. L. Mosley, *The Reich Marshal*, op. cit., p. 82.

32. G. Franz-Willing, *Putsch und Verbotszeit der Hitlerbewegung*, Preussisch Oldendorf, 1977, p. 64.

33. E. Hanfstaengl, *Hitler, the Missing Years*, op. cit., p. 92.

34. IMT, vol. IX, op. cit., p. 239.

35. F. von Wilamowitz-Möllendorff, *Carin Göring*, op. cit., p. 63.

36. E. Hanfstaengl, *Hitler, the Missing Years*, op. cit., p. 92.

37. *Id.*, p. 96-97.

38. *Der Hitler-Prozess*, Deutscher Volksverlag, Munich, 1924, cité par J. Tolland, *Hitler*, op. cit., p. 106-107.

39. E. Hanfstaengl, *Hitler, the Missing Years*, op. cit., p. 99.

40. K.G. Lüdecke, *I Knew Hitler*, op. cit., p. 160-161.

41. O. Strasser, *Hitler et moi*, Grasset, Paris, 1940, p. 50.

42. I. Kershaw, *Hitler*, vol. 1, op. cit., p. 207 ; J. Toland, *Hitler*, op. cit., p. 107-108.

43. E. Hanfstaengl, *Hitler, the Missing Years*, op. cit., p. 101.

44. K.G. Lüdecke, *I Knew Hitler*, op. cit., p. 163.

45. R. Hanser, *Putsch !*, P.H. Wyden, New York, 1970, p. 356.

46. K. Heiden, *Der Führer*, Houghton & Miffllin, Boston, 1944, p. 193.

47. R. Hanser, *Putsch !*, op. cit., p. 362.

48. E. Ludendorff, *Auf dem Weg zur Feldherrnhalle*, Ludendorffs, Munich, 1938, p. 65.

49. *Protokoll des Hitler-Prozesses*, in J. Toland, *Adolf Hitler*, op. cit., p. 228.

50. R. Manvell et H. Fraenkel, *Goering*, op. cit., p. 405, note 4.

51. F. von Wilamowitz-Möllendorff, *Carin Göring*, op. cit., p. 67.

52. *Id.*, p. 69.

53. *Ibid.*.

V. Descente aux Enfers

1. K. Lüdecke, *I Knew Hitler*, op. cit., p. 172.

2. E. Hanfstaengl, *Hitler*, op. cit., p. 110.

3. J. von Wilamowitz-Möllendorf, *Carin Göring*, op. cit., p. 72-73.

4. K. Lüdecke, *I Knew Hitler*, op. cit., p. 174.

5. J. von Wilamowitz-Möllendorf, *Carin Göring*, op. cit., p. 74.

6. *Id.*, p. 77.

7. *Id.*, p. 81.

8. *Id.*, p. 86.

9. *Id.*, p. 92-93.

10. *Der Hitler-Prozess*, cité dans A. Bullock, *Hitler*, op. cit., p. 115-117.

11. J. von Wilamowitz-Möllendorf, *Carin Göring, op. cit.,* p. 96-97.

12. BAK, NS 26 / 1225, Hauptarchiv der NSDAP, Personalakte Göring.

13. K. Lüdecke, *I Knew Hitler, op. cit.,* p. 216.

14. E. Hanfstaengl, *Hitler, op. cit.,* p. 114.

15. La photo dédicacée est reproduite dans J. von Wilamowitz-Möllendorf, *Carin Göring, op. cit.,* p. 108.

16. *Id.,* p. 103.

17. D. Irving, *Göring, op. cit.,* p. 69.

18. M. Palumbo, « Goering's Italian exile », in *Journal of Modern History* n° 50, 1978, publie une bonne partie de cette correspondance ; elle ne laisse aucun doute sur le fait que le Duce a refusé de rencontrer Goering durant toute la période de mai 1924 à mars 1925. Lorsque sera publiée en 1938 une hagiographie de Goering minutieusement revue par l'intéressé, on n'y trouvera pas la moindre indication d'une rencontre avec Mussolini au cours de cette période, mais seulement la mention du fait que Goering « s'est livré à une étude approfondie du fascisme » durant son séjour à Rome. (E. Gritzbach, *Hermann Goering, op. cit.,* p. 126.)

19. L. Mosley, *The Reich Marshal, op. cit.,* p. 104.

20. B. Fontander, *Göring och Sverige, op. cit.,* p. 83.

21. D. Irving, *Göring, op. cit.,* p. 79.

22. E. Butler et G. Young, *Marshal without Glory, op. cit.,* p. 72.

23. B. Fontander, *Göring och Sverige, op. cit.,* p. 97.

24. *Id.,* p. 97-98.

25. G. Knopp, *Göring, eine Karriere,* Bertelsmann, Munich, 2006, p. 38.

26. B. Fontander, *Göring och Sverige, op. cit.,* p. 99.

27. *Id.,* p. 102-103.

28. *Id.,* p. 104.

29. *Id.,* p. 106.

30. *Id.,* p. 105-106, ainsi que E. Butler et G. Young, *Marshal without Glory, op. cit.,* p. 74-75.

31. D. Irving, *Göring, op. cit.,* p. 88.

32. B. Fontander, *Göring och Sverige, op. cit.,* p. 109.

33. *Id.,* p. 106.

34. W. Paul, *Hermann Göring, op. cit.,* p. 72.

35. W. Bross, *Gespräche mit Göring, op. cit.,* p. 264.

36. BAK, NS 26 / 1225, Hauptarchiv der NSDAP, Personalakte Göring.

VI. Résurrection

1. E. Hanfstaengl, *Hitler, op. cit.,* p. 142.

2. R. Manvell et H. Fraenkel, *Goering, op. cit.,* p. 406, note 3.

3. L. Mosley, *The Reich Marshal, op. cit.,* p. 115.

4. W. Frischauer, *The Rise and Fall of Hermann Goering, op. cit.,* p. 58-59.

5. K. Heiden, *Der Führer,* Gollancz, Londres, 1944, p. 238.

6. E. Hanfstaengl, *Hitler, op. cit.,* p. 143.

7. O. Strasser, *Hitler et moi,* Grasset, Paris, 1940, p. 106.

8. G. Knopp, *Göring, eine Karriere,* Bertelsmann, Munich, 2006, p. 44.

9. E. Hanfstaengl, *Hitler, op. cit.,* p. 143.

10. F. von Wilamowitz-Möllendorff, *Carin Göring, op. cit.,* p. 118.

11. H. Göring, *Der Aufbau einer Nation,* Zentralverlag der NSDAP, Berlin, 1934, p. 35.

12. F. von Wilamowitz-Möllendorff, *Carin Göring, op. cit.,* p. 120 et 127-128.

13. WO 208 / 4170, CSDIC (U.K.), CS/1967, Oberstleutnant Killinger, 22/5/45.

14. D. Irving, *Göring, op. cit.,* p. 94.

15. F. Thyssen, *I Paid Hitler,* Hodder & Stoughton, Londres, 1941, p. 131.

16. F. von Wilamowitz-Möllendorff, *Carin Göring, op. cit.,* p. 120.

17. B. Fontander, *Göring och Sverige, op. cit.,* p. 116.

18. E. Hanfstaengl, *Hitler, op. cit.,* p. 144.

19. D. Irving, *Göring, op. cit.,* p. 95.

20. H. Schacht, *My First Seventy-Six Years, op. cit.,* p. 279.

21. E. Frölich (éd.), *Die Tagebücher von Joseph Goebbels,* Teil I, Bd. 2/I, K.G. Saur, Munich, 1995, p. 57.

22. F. Thyssen, *I Paid Hitler, op. cit.,* p. 131.

23. W. Bross, *Gespräche mit Goering, op. cit.,* p. 151.

24. I. Kershaw, *Hitler,* vol. I, *op. cit.,* p. 339.

25. F. von Wilamowitz-Möllendorff, *Carin Göring, op. cit.,* p. 138-139.

26. *Id.,* p. 140-141.

27. W. Paul, *Hermann Göring, op. cit.,* p. 82 ; B. Fontander, *Göring och Sverige, op. cit.,* p. 137.

28. F. von Wilamowitz-Möllendorff, *Carin Göring, op. cit.,* p. 143-144.

29. B. Fontander, *Göring och Sverige, op. cit.,* p. 138.

30. BA-MA, N 42 / 25, Nachlass Schleicher, NSDAP 1924-1932.

31. O. Wagener, *Hitler aus nächster Nähe,* Arndt Verlag, Kiel, 1987, p. 227 et 314-315.

32. K. Lüdecke, *I Knew Hitler, op. cit.,* p. 321-322.

33. E. Frölich (éd.), *Die Tagebücher von Joseph Goebbels,* Teil I, Bd. 2/I, *op. cit.,* p. 349-350 et 378.

34. D. Irving, *Göring, op. cit.,* p. 100.

35. F. von Wilamowitz-Möllendorff, *Carin Göring, op. cit.,* p. 140.

36. L. Mosley, *The Reich Marshal, op. cit.,* p. 140-141.

37. *Id.,* p. 143.

38. B. Fontander, *Göring och Sverige, op. cit.,* p. 141.

39. L. Mosley, *The Reich Marshal, op. cit.,* p. 143.

40. E. Hanfstaengl, *Hitler, op. cit.,* p. 173.

41. L. Mosley, *The Reich Marshal, op. cit.,* p. 145.

42. *Id.,* p. 144.

43. E. Hanfstaengl, *Hitler, op. cit.,* p. 171.

44. E. Fröhlich (éd.), *Die Tagebücher von J. Goebbels,* Teil I, Bd. 2/I, *op. cit.,* p. 82, 125, 147, 256, 278 et 295.

45. E. Göring, *An der Seite meines Mannes,* K.W. Schültz, Göttingen, 1967, p. 29-32.

46. L. Mosley, *The Reich Marshal, op. cit.,* p. 150.

47. F. von Papen, *Memoirs,* Andre Deutsh, Londres, 1952, p. 208.

48. D. Irving, *Göring, op. cit.,* p. 105.

49. F. von Papen, *Memoirs, op. cit.,* p. 208-209.

50. M. H. Sommerfeldt, *Ich war dabei, die Verschwörung der Dämonen,* Drei Quellen Verlag, Darmstadt, 1949, p. 16.

51. *Id.,* p. 17-18.

VII. Sanglante ascension

1. F. von Papen, *Memoirs, op. cit.,* p. 257.

2. NA, RG 332 (MIS-Y) Box # 49, BAOR, Interrogation report of Rudolf Diels, 15/2/46.

3. L. Mosley, *The Reich Marshal, op. cit.,* p. 163-164.

4. *Id.,* p. 164.

5. J. Goebbels, *Vom Kaiserhof, op. cit.,* 15/2/33.

6. IMT, vol. IV, p. 533, doc. 2324-PS.

7. M. H. Sommerfeldt, *Ich war dabei, op. cit.,* p. 26-28.

8. *Ibid.*

9. *Id.,* p. 28-30.

10. A. Bullock, *Hitler, op. cit.,* p. 259.

11. W. Paul, *Hermann Göring, op. cit.,* p. 112.

12. BAK, R 43 II / 1151, Reichsluftfahrtsministerium, p. 26, Niederschrift über die Ministerbesprechung von 28 April 1933 ; R 43 II / 1151a, RLM, Personalangelegenheiten des Ministers, p. 3, Ernennungsurkunde vom 5 Mai 1933.

13. E. Hanfstaengl, *Hitler, op. cit.,* p. 199-200.

14. IMT, vol. XII, *op. cit.,* p. 167.

15. *Id.,* p. 167-168.

16. D. Kahn, *Hitler's Spies,* Arrow Books, Londres, 1980, p. 169-171.

17. E. Frölich (éd.), *Die Tagebücher von Joseph Goebbels, op. cit.,* Teil I, bd. 2/ III, p. 211.

18. M. H. Sommerfeldt, *Ich war dabei*, *op. cit.*, p. 55.

19. L. Mosley, *The Reich Marshal*, *op. cit.*, p. 192-193; W. Frischauer, *The Rise and Fall*, *op. cit.*, p. 94-95.

20. E. Hanfstaengl, *Hitler*, *op. cit.*, p. 203.

21. E. Frölich, (éd.), *Die Tagebücher von Joseph Goebbels*, *op. cit.*, Teil I, bd. 2/III, p. 292-293.

22. E. Hanfstaengl, *Hitler*, *op. cit.*, p. 246.

23. L. Mosley, *The Reich Marshal*, *op. cit.*, p. 208.

24. *Völkischer Beobachter*, 2 janvier 1934.

25. C. Messenger, *Hitler's Gladiator*, Brassey's, Londres, 2001, p. 58.

26. *Frankfurter Rundschau*, 14 mai 1957.

27. H. Holborn, (éd.), *Republic to Reich*, Pantheon, New York, 1972, p. 235.

28. H.B. Gisevius, *Jusqu'à la lie*, vol. 1, Calmann-Lévy, Paris, 1948, p. 212.

29. J. Toland, *Adolf Hitler*, *op. cit.*, p. 461.

30. *Id.*, p. 462.

31. *Frankfurter Rundschau*, 14 mai 1957.

32. H.G. Seraphim (éd.), *Das politische Tagebuch Alfred Rosenbergs*, DT Verlag, Munich, 1964, p. 46.

33. M. Gallo, *La Nuit des Longs Couteaux*, Tallandier, Paris, 2007, p. 295.

34. F. von Papen, *Memoirs*, *op. cit.*, p. 315.

35. *Id.*, p. 316.

36. NA, RG 332 (MIS-Y) Box # 49, BAOR , Interrogation report of Rudolf Diels, 15/2/46.

37. W. Bross, *Gespräche mit Göring*, *op. cit.*, p. 18; D. Irving, *Goering*, vol. 1, *op. cit.*, p. 153.

38. H.B. Gisevius, *Jusqu'à la lie*, vol. 1, *op. cit.*, p. 172-175.

39. D. Irving, *The Rise and Fall of the Luftwaffe*, Little, Brown, Boston, 1973, p. 41.

40. H.B. Gisevius, *Jusqu'à la lie*, vol. 1, *op. cit.*, p. 178.

41. M. H. Sommerfeldt, *Ich war dabei*, *op. cit.*, p. 76; K. Heiden, *Hitler, das Leben eines Diktators*, *op. cit.*, p. 106.

42. H.B. Gisevius, *Jusqu'à la lie*, vol. 1, *op. cit.*, p. 179-180.

43. C. Messenger, *Hitler's Gladiator*, *op. cit.*, p. 60.

44. H.G. Seraphim (éd.), *Das politische Tagebuch Alfred Rosenbergs*, *op. cit.*, p. 46.

45. J. Toland, *Adolf Hitler*, *op. cit.*, p. 469.

46. H.B. Gisevius, *Jusqu'à la lie*, vol. 1, *op. cit.*, p. 183-186.

47. D. Irving, *The Rise and Fall of the Luftwaffe*, *op. cit.*, p. 41.

48. H.B. Gisevius, *Jusqu'à la lie*, vol. 1, *op. cit.*, p. 187.

VIII. Le vertige des sommets

1. W. Frischauer, *The Rise and Fall of Hermann Goering*, *op. cit.*, p. 99.

2. L. Mosley, *The Reich Marshal*, *op. cit.*, p. 185.

3. D. Irving, *The Rise and Fall of the Luftwaffe*, *op. cit.*, p. 29.

4. D. Irving, *Goering*, *op. cit.*, p. 130.

5. BA-MA, Lw.104, Bericht über die Befragung des Generalobersten Stumpff, 22/11/54, Prof. Suchenwirt, p. 1.

6. R. Overy, *Goering*, *op. cit.*, p. 38.

7. H. Faber (éd.), *Luftwaffe, an analysis by former Luftwaffe generals*, Sidgwick & Jackson, Londres, 1979, p. 33.

8. W. Bross, *Gespräche mit Göring*, *op. cit.*, p. 70-71.

9. L. Mosley, *The Reich Marshal*, *op. cit.*, p. 224; R. Manvell et H. Fraenkel, *Goering*, *op. cit.*, p. 148.

10. ADAP, C III/2, n° 507, p. 942, Erlass des Führers und Reichkanzlers, 27/2/35.

11. BA-MA, Lw.104, Bericht über die Befragung des Generalobersten Stumpff , 22/11/54, Prof. Suchenwirt. p. 2.

12. E. Hanfstaengl, *Hitler*, *op. cit.*, p. 212.

13. BA-MA, Lw.104, Bericht über die Befragung des Generalobersten Stumpff am 22/11/54, *op. cit.*, p. 1.

14. A. François-Poncet, *Souvenirs d'une ambassade à Berlin*, Flammarion, Paris, 1946, p. 226.

15. NA, RG 238, Box 210, report of interrogation nr. 5779, Gen. der Flieger Ulrich Kessler, 20/9/45, p. 2.

16. H.J. Rieckhoff, *Bluff ou Atout ?* Marguerat, Lausanne, 1947.

17. BA-MA, Lw 104, Generaloberst a.D. Bruno Loerzer über Milch, 8/2/55, p. 1 (Suchenwirt).

18. D. Irving, *The Rise and Fall of the Luftwaffe, op. cit.*, p. 42.

19. *Ibid.*

20. B. von Lossberg, *Im Wehmachtführungsstab*, Nölke Verlag, Hambourg, 1950, p. 9.

21. P. Schmidt, *Hitler's Interpreter*, MacMillan, New York, 1951, p. 32.

22. BAK, ZSg 133 / 27, Messerstmitch papers, p. 9.

23. B. Fontander, *Göring och Sverige, op. cit.*, p. 151-155.

24. S. Martens, *Hermann Göring, erster Paladin des Führers, op. cit.*, p. 38.

25. DBFP, 1919-1939, vol. 2/5, p. 674.

26. DGFP, Ser.C, vol. 3, p. 596, Ambassador von Hassel to Auswärtiges Amt, 8/11/34.

27. S. Martens, *Hermann Göring, erster Paladin des Führers, op. cit.*, p. 32.

28. *Id.*, p. 44 et 61.

29. BA-MA, Nachlass L. Beck, N 28 /1, Aufzeichnung Schindlers über Gespräch mit Blomberg, 22/2/35.

30. S. Martens, *Hermann Göring, erster Paladin des Führers, op. cit.*, p. 54.

31. O.H. Bullitt (éd.)., *For the President, Personal and Secret*, Houghton Mifflin, Boston, 1972, p. 123.

32. P. Schmidt, *Hitler's Interpreter, op. cit.*, p. 29-30.

33. ADAP, C III/1, nr° 263, p. 501-503, von Heeren an A.A., 22/10/34, Belgrad.

34. FO 371/ 18882, « *An seine Königliche Hoheit Prinz von Wales, London* », 13/6/35 ; sir Eric Phipps to H.G., 15/6/35.

35. P. Schmidt, *Hitler's Interpreter, op. cit.*, p. 53.

36. NA, RG 238, Box 210, report of interrogation nr. 5779, Gen. der Flieger Ulrich Kessler, 20/9/45, p. 2.

37. D. Irving, *Göring, op. cit.*, p. 174.

38. S. Martens, *Hermann Göring, erster Paladin des Führers, op. cit.*, p. 98.

39. AA, Pol . Abt., Geheimakten 1920-1936/Russland Po.3, Französischrussischer Ostpaktvorschlag, Bd. 10.

40. E. Fröhlich (éd.), *Die Tagebücher Hermann Goerings, op. cit.*, Teil I, Bd 3/I, p. 99, 120, 126, 137, etc.

41. W. Baumbach, *Zu spät ? Aufstieg und Untergang der Deutschen Luftwaffe*, Richard Pflaum Verlag, Munich, 1949, p. 31.

42. IMT, vol. IX, *op. cit.*, 93.

43. BAK, R 26/35, p. 4, Führer Erlass vom 4 April 1936, « Ernennung zum Devisen und Rohstoffkommissar ».

44. H. Schacht, *My First Seventy-Six Years, op. cit.*, p. 370.

45. CCAC, Christie Papers, CHRS 1/5, note manuscrite : « *Meeting with Goering* », 28/7/37, p. 9.

46. R. Overy, *Goering, op. cit.*, p. 16.

47. E. Frölich, (éd.), *Die Tagebücher Joseph Goebbels, op. cit.*, Teil I, Bd. 4, p. 86.

48. H. Schacht, *My First Seventy-Six Years, op. cit.*, p. 370.

49. W. Frischauer, *The Rise and Fall, op. cit.*, p. 128.

50. F. Thyssen, *I Paid Hitler, op. cit.*, p. 181-186.

51. H. Frank, *Im Angesicht des Galgens*, Munich, 1953, p. 403.

52. E. Gritzbach, *Hermann Goering, op. cit.*, p. 109.

53. F. Thyssen, *I Paid Hitler, op. cit.*, p. 201 ; W. Frischauer, *The Rise and Fall, op. cit.*, p. 96.

54. H.B. Gisevius, *Jusqu'à la lie, op. cit.*, p. 42.

55. W. Bross, *Gespräche mit Göring, op. cit.*, p. 56.

56. A. Speer, *Erinnerungen*, Ullstein Verlag, Frankfurt / Main, 1969, p. 49.

57. *Id.*, p. 49-50.

58. E. Lange, *Der Reichsmarschall im Kriege,* Curt E. Schwab, Stuttgart, 1950, p. 90.

59. V. Knopf et S. Martens, *Görings Reich, Selbstinszenierung in Carinhall,* Ch.Links, Berlin, 1999, p. 51-72.

60. FO 371/ 18879, ambassador Phipps to Sir John Simon, 22/3/35 ; DBFP, vol. XII, Tel. N° 285.

61. E. Göring, *An der Seite meines Mannes, op. cit.,* p. 118.

62. L. Mosley, *The Reich Marshal, op. cit.,* p. 219.

63. A. François-Poncet, *Souvenirs d'une ambassade à Berlin, op. cit.,* p. 277.

64. P. Schmidt, *Hitler's Interpreter, op. cit.,* p. 55.

65. A. François-Poncet, *Souvenirs d'une ambassade à Berlin, op. cit.,* p. 265-266.

66. C. Bewley, *Hermann Goering, op. cit.,* p. 188.

67. A. François-Poncet, *Souvenirs d'une ambassade à Berlin, op. cit.,* p. 273.

68. R. Manvell et H. Fraenkel, *Goering, op. cit.,* p. 136.

69. E. Hanfstaengl, *Hitler, op. cit.,* p. 229.

70. R. Coulondre, *De Staline à Hitler,* Hachette, Paris, 1950, p. 217.

71. G. Haase, *Die Kunstsammlung des Reichsmarschalls Hermann Göring,* Quintessenz Vg., Berlin, 2000, p. 11.

72. M.H. Sommerfeldt, *Ich war dabei, op. cit.,* p. 48.

73. E. Goering, *An der Seite meines Mannes, op. cit.,* p. 130.

74. W. Frischauer, *The Rise and Fall, op. cit.,* p. 102.

75. R. Manvell et H. Fraenkel, *Goering, op. cit.,* p. 157.

76. H.B. Gisevius, *Jusqu'à la lie, op. cit.,* p. 41.

77. G. Knopp, *Göring, eine Karriere, op. cit.,* p. 69.

78. W. Frischauer, *The Rise and Fall, op. cit.,* p. 101.

79. *Id.,* p. 102.

IX. L'engrenage

1. E. Goering, *Goering,* Presses de la Cité, Paris, 1963, p. 164.

2. C. Bewley, *Hermann Göring, op. cit.,* p. 200.

3. R. Overy, *Goering, op. cit.,* p. 73.

4. A. François-Poncet, *Souvenirs d'une ambassade à Berlin, op. cit.,* p. 274.

5. E. Hanstaengl, *Hitler, op. cit.,* p. 231.

6. B. Fromm, *Blood and Banquets,* Cassell, Londres, 1943, p. 127.

7. E. Hanfstaengl, *Hitler, op. cit.,* p. 271.

8. W.L. Shirer, *Berlin Diary,* Alfred Knopf, New York, 1941, p. 36.

9. E. Goering, *Goering, op. cit.,* p. 168.

10. H.B. Gisevius, *Jusqu'à la lie,* vol. I, *op. cit.,* p. 299.

11. Sur l'ensemble de l'affaire, voir surtout H.B. Gisevius, *Jusqu'à la lie,* vol. I, *op. cit.,* p. 296-337.

12. BA-MA, Lw.104, Bericht über die Befragung des Obersten a.D. Nikolaus von Below, 26/7/54 (Suchenwirt).

13. L.A. Bezymensky, *Generale ohne Maske,* DMV, Berlin-Est, 1963, p. 109.

14. IFZG, ZS 562, déposition du général von Falkenhorst.

15. B. von Lossberg, *Im Wehrmachtsführungsstab,* Nölke Verlag, Hambourg, 1950, p. 11 ; W. Warlimont, *Inside Hitler's Headquarters,* Weidenfeld, Londres, 1964, p. 10.

16. BA-MA, Lw.104, Bericht über die Befragung des Generals der Flieger a.D. W. Kreipe, 26/11/54 , p. 2 (Suchenwirt).

17. TMI, T. XXV, doc. 386-PS ; DGFP, Series D, vol. 1, p. 29-39, doc. 19, Hossbach Minutes, 5/11/37.

18. *Ibid.*

19. D. Irving, *The Rise and Fall, op. cit.,* p. 54.

20. *Id.,* p. 54-55.

21. BA-MA, Lw.104, Bericht über die Befragung des Generalfeldmarschalls Milch betreffend seiner Zusammenarbeit mit Udet, 13/9/55 (Suchenwirt), p. 1.

22. *Id.*, p. 1-2.

23. D. Irving, *The Rise and Fall, op. cit.*, p. 52.

24. CCAC, Christie Papers, CHRS 1/ 5, *Notes from a conversation with Goering*, 3/2/37, and *Report of a meeting with Goering*, 28/7/37.

25. P. Schmidt, *Hitler's Interpreter, op. cit.*, p. 78.

26. FO 371 / 20736, Halifax Diary, 20/11/37 ; *Times*, 28/5/1973.

27. N. Henderson, *Failure of a Mission*, Putnam's, New York, 1940, p. 76.

28. P. Stehlin, *Témoignage pour l'Histoire*, Laffont, Paris, 1964, p. 51.

29. *Id.*, p. 60.

30. *Id.*, p. 63.

31. E. Göring, *An der Seite meines Mannes, op. cit.*, p. 130.

32. P. Schmidt, *Hitler's Interpreter, op. cit.*, p. 73.

33. W.L. Shirer, *Berlin Diary*, Knopf, New York, 1941, p. 76.

34. PAC, MG 26, J 13 Mackenzie-King Diary, June 29, 1937, p. 621-624.

35. D. Irving, *Göring, op. cit.*, p. 192.

36. R. Manvell et H. Fraenkel, *Goering, op. cit.*, p. 173-179.

37. N. Henderson, *Failure of a Mission, op. cit.*, p. 124.

38. R. Manvell et H. Fraenkel, *Goering, op. cit.*, p. 185.

39. L. Mosley, *The Reich Marshal, op. cit.*, p. 240-241.

40. C. Bewley, *Hermann Göring, op. cit.*, p. 240.

41. R. Manvell et H. Fraenkel, *Goering, op. cit.*, p. 194-195.

42. BA-MA, Nachlass Beck, N.28/3, Bemerkungen zu den Ausführung des Führers, 28/5/38.

43. B. von Lossberg, *Im Wehrmachts-führungsstab, op. cit.*, p. 14.

44. P. Stehlin, *Témoignage pour l'Histoire, op. cit.*, p. 94.

45. D. Irving, *Goering*, vol. 1, *op. cit.*, p. 230.

46. *Id.*, p. 232-233.

47. *Id.*, p. 230.

48. ADAP, D, VII, Anhang H (I) p. 240, Wiedemanns Aufzeichnung über sein Gespräch mit Hitler.

49. P. Stehlin, *Témoignage pour l'Histoire, op. cit.*, p. 82.

50. P. von Donat in *Deutsches Adelsblatt* n° 6, 15 juin 1971.

51. A. François-Poncet, *Souvenirs d'une ambassade, op. cit.*, p. 326.

52. FNSP, Archives Daladier, 4 DA 19 Dr 3, n° 327, Rapport du général Vuillemin, 2 septembre 1938, p. 25 ; DDF, 2ᵉ série, t. X, n° 537, 2/9/38.

53. *Id.*, compte rendu des conversations du général Vuillemin avec le chancelier Hitler et le maréchal Goering le 18 août 1938 au cours de son voyage en Allemagne, 23 août 1938, p. 2-3 ; DDF, 2ᵉ série, t. X, n° 444, 23/8/38.

54. C.J. Burckhardt, *Ma mission à Dantzig*, Fayard, Paris, 1961, p. 191.

55. U. von Hassel, *Vom andern Deutschland*, Atlantis, Zürich, 1946, p. 18.

56. N. Henderson, *Failure of a Mission, op. cit.*, p. 162.

57. W. Bross, *Gespräche mit Göring, op. cit.*, p. 118.

58. A. Kube, *Pour le Mérite und Hakenkreutz*, R. Oldenbourg, Munich, 1986, p. 300-301.

59. W.L. Shirer, *Berlin Diary, op. cit.*, p. 141-142.

60. N. Henderson, *Failure of a Mission, op. cit.*, p. 164.

61. A. François-Poncet, *Souvenirs d'une ambassade, op. cit.*, p. 327.

62. N. Henderson, *Failure of a Mission, op. cit.*, p. 167.

63. U. von Hassel, *Vom andern Deutschland, op. cit.*, p. 24.

64. N. Henderson, *Failure of a Mission, op. cit.*, p. 168.

65. P. Schmidt, *Hitler's Interpreter, op. cit.*, p. 107.

66. A. François-Poncet, *Souvenirs d'une ambassade, op. cit.*, p. 328.

67. P. Schmidt, *Hitler's Interpreter, op. cit.*, p. 107.

68. A. François-Poncet, *Souvenirs d'une ambassade, op. cit.*, p. 328.

69. P. Schmidt, *Hitler's Interpreter,* *op. cit.,* p. 107.

70. A. François-Poncet, *Souvenirs d'une ambassade, op. cit.,* p. 328.

71. *Id.,* p. 330.

72. P. Schmidt, *Hitler's Interpreter, op. cit.,* p. 110-111.

73. P. Stehlin, *Témoignage pour l'Histoire, op. cit.,* p. 103.

74. A. François-Poncet, *Souvenirs d'une ambassade, op. cit.,* p. 332.

75. P. Schmidt, *Hitler's Interpreter, op. cit.,* p. 110.

76. P. Stehlin, *Témoignage pour l'Histoire, op. cit.,* p. 103.

77. A. François-Poncet, *Souvenirs d'une ambassade, op. cit.,* p. 332.

78. G.M. Gilbert, *Nuremberg Diary, op. cit.,* p. 91.

X. Au bord du gouffre

1. P. Schmidt, *Hitler's Interpreter, op. cit.,* p. 112.

2. *Id.,* p. 114.

3. *Ibid.*

4. DBFP, Series 3, vol. III, n° 403, 6/12/38, p. 388.

5. U. von Hassel, *Vom andern Deutschland, op. cit.,* p. 35; D. Irving, *Goering,* vol. I, *op. cit.,* p. 246.

6. *Id.,* p. 38.

7. E. Göring, *An der Seite meines Mannes, op. cit.,* p. 69.

8. W. Bross, *Gespräche mit Göring, op. cit.,* p. 36-39, 189-191.

9. F. Thyssen, *I Paid Hitler, op. cit.,* p. 221.

10. B. Fontander, *Göring och Sverige, op. cit.,* p. 259.

11. F. Thyssen, *I Paid Hitler, op. cit.,* p. 167.

12. U. von Hassel, *Vom andern Deutschland, op. cit.,* p. 39.

13. E. Göring, *An der Seite meines Mannes, op. cit.,* p. 47-48. Voir également une version légèrement différente parue quatre ans plus tôt : E. Goering, *Goering, op. cit.,* p. 52-53.

14. H. Schacht, *My First Seventy-Six Years, op. cit.,* p. 368.

15. R. Coulondre, *De Staline à Hitler,* Hachette, Paris, 1950, p. 216-217.

16. MAE, T. 4351, Coulondre à Bonnet, 1ᵉʳ décembre 1938.

17. AA, Pol. Abt. II/ Po g Tschechoslowakei, Bd. 12, Vermerk U.St.S., 5/12/38.

18. FO 371/22965, Minute by Sir Ivone Kirkpatrick, 20/2/39.

19. H. von Kotze (éd.), *Heeresadjudant bei Hitler 1938-1943,* DVA, Stuttgart, 1974, p. 34-39.

20. W. Frischauer, *The Rise and Fall of Hermann Goering, op. cit.,* p. 154.

21. R. Coulondre, *De Staline à Hitler, op. cit.,* p. 240.

22. ADAP, D, IV, n° 456, p. 509, Weiszäcker an Mackensen (Rom), 5/3/39.

23. D. Irving, *Goering,* vol. 1, *op. cit.,* p. 256.

24. *Ibid.*

25. IMT, vol. IX, p. 107.

26. N. Henderson, *Failure of a Mission, op. cit.,* p. 297.

27. A. François-Poncet, *Souvenirs d'une ambassade à Berlin, op. cit.,* p. 336.

28. P. Schmidt, *Hitler's Interpreter, op. cit.,* p. 122-123.

29. DGFP, Series D, vol. 4, p. 81-82, Göring-Mastny, 17/10/38.

30. *Idem,* p. 82-3, Göring-Durcansky, 16/10/38.

31. W. Gorlitz (éd.), *The Memoirs of Field-Marshal Keitel,* W. Kimber, Londres, 1965, p. 77-78.

32. *Id.,* p. 78.

33. *Id.,* p. 78-79.

34. P. Schmidt, *Hitler's Interpreter, op. cit.,* p. 123-124.

35. *Id.,* p. 124.

36. W. Gorlitz (éd.), *The Memoirs of Field-Marshal Keitel, op. cit.,* p. 80.

37. L. Mosley, *The Reich Marshal, op. cit.,* p. 250.

38. P. Schmidt, *Hitler's Interpreter, op. cit.,* p. 125.

39. *Ibid..*

40. L. Mosley, *The Reich Marshal, op. cit.,* p. 252.

41. G. Ciano, *Diario 1939-1943,* Rizzoli, Milan, 1963, p. 91-92.
42. *Id.,* p. 92.
43. ADAP, D/VI, Dok. 211, p. 219.
44. IWM, Bx. 156, Interrogation of Hermann Goering, 11/10/45, p. 2-3.
45. W. Hubatsch (éd.), *Hitlers Weisungen für die Kriegführung 1939-1945,* Bernard und Graefe Vg, Francfort-sur-le-Main, 1962, p. 17.
46. DBFP, 3 V, Appendix I, p. 801.
47. R. Overy, *Goering, op. cit.,* p. 83.
48. H. von Kotze, *Heeresadjudant bei Hitler 1938-1943, op. cit.,* p. 32; W. Frischauer, *The Rise and Fall of Hermann Goering, op. cit.,* p. 162.
49. BA-MA, Wi I F 5 /115, Teil 2, p. 3, « Wehrwirtschaftliche Erfolge des Jahres 1938 ».
50. B. von Lossberg, *Im Wehrmachtführungsstab, op. cit.,* p. 24.
51. R. Overy, *Goering, op. cit.,* p. 87.
52. BA-MA, Lw 104, Bericht über die Befragung des Oberst. a.D. Bernd von Brauchitsch, 19/11/56, p. 2 (Suchenwirt).
53. IMT, vol. XXVII, p. 160, 14/10/38.
54. R. Overy, *Goering, op. cit.,* p. 74.
55. BA-MA, Lw 104/5, Generaloberst a.D. Kurt Student über Generaloberst Hans Jeschonnek, 12/3/55, p. 2 (Suchenwirt).
56. B. von Lossberg, *Im Wehrmachtführungsstab, op. cit.,* p. 23.
57. D. Irving, *The Rise and Fall of the Luftwaffe, op. cit.,* p. 65-67.
58. *Id.,* p. 67-68.
59. *Id.,* p. 64.
60. BA-MA, RL 7/42, LfKdo 2 FüAbt Nr. 7093/39, gK Chefs vom 13/5/1939.
61. G.M. Gilbert, *Nuremberg Diary, op. cit.,* p. 14.
62. G. Ciano, *Diario 1939-1943, op. cit.,* p. 117.
63. ADAP, D, VI, n° 433, p. 479, Besprechung am 23 Mai 1939, Schmundt-Aufzeichnung; DGFP, Series D, vol. 6, doc. 079-L, p. 576-580.

64. N. Henderson, *Failure of a Mission, op. cit.,* p. 235-236.
65. *Ibid.*.
66. S. Martens, *Hermann Göring, Erster Paladin des Führers, op. cit.,* p. 185-186.
67. DBFP, series 3, vol. V, Annex to (i), p. 736-738.
68. *Id.,* p. 737.
69. D. Irving, *Goering,* vol. 1, *op. cit.,* p. 266.
70. DBFP, series 3, vol. VI, Appendix III (iv), p. 741.
71. *Id.,* Appendix IV (ii), p. 749.
72. *Id.,* p. 750.
73. U. von Hassel, *Vom andern Deutschland, op. cit.,* p. 67.
74. NCA, vol. VI, p. 718-731.
75. H. Boog, *Die deutsche Luftwaffenführung 1939-1945,* DVA, Stuttgart, 1982, p. 44-45; N. von Below, *At Hitler's Side,* Greenhill, Londres, 2001, p. 24.
76. W. Frischauer, *The Rise and Fall of Hermann Goering, op. cit.,* p. 161.
77. W. Shirer, *The Rise and Fall of the Third Reich, op. cit.,* p. 517.
78. R. Manvell et H. Frankel, *Goering, op. cit.,* p. 211.
79. C. Bekker, *Angriffshöhe 4000,* Gerhard Stalling Verlag, Oldenburg, 1964, p. 18.
80. P. Stehlin, *Témoignage, op. cit.,* p. 162-163.
81. B. Dahlerus, *Der letzte Versuch,* Nymphenburger Verlag, Munich, 1987, p. 18-19.
82. *Id.,* p. 48-49.
83. G. Ciano, *Diario 1939-1943, op. cit.,* p. 157-158.
84. B. von Lossberg, *Im Wehrmachtführungsstab, op. cit.,* p. 31-32.
85. DBFP, 3/VII, Appendix III (iv), p. 553.
86. FO 800 / 317 H, *Record of Events before the War,* 21/8/39.
87. A. Speer, *Erinnerungen, op. cit.,* p. 176.
88. ADAP, D, VII, n° 192, p. 170, Aufzeichnung der ersten Hitler-Ansprache am 22 Aug. 1939; IMG, vol.

XXVI, p. 338-344, Doc. 798-PS. Egalement reproduit en annexe dans B. Dahlerus, *Der letzte Versuch, op. cit.*, p. 192-198.

89. N. Henderson, *Failure of a Mission, op. cit.*, p. 269-270.

90. W. Gorlitz (éd.), *The Memoirs of Field-Marshal Keitel, op. cit.*, p. 89.

91. D. Irving, *Goering*, vol. 1, *op. cit.*, p. 274.

92. B. Dahlerus, *Der letzte Versuch, op. cit.*, p. 55.

93. E. Halifax, *Fulness of Days*, Collins, Londres, 1957, p. 209.

94. DDI, vol. VIII, p. 46, Le chargé d'affaires de l'ambassade d'Italie Magistrati au ministre des Affaires étrangères Ciano, Berlin, 16 août 1939.

95. W. Gorlitz (éd.), *The Memoirs of Field-Marshal Keitel, op. cit.*, p. 88-89.

96. NCA, vol. VIII, p. 534-535, Doc. TC-90.

97. W. Warlimont, *Inside Hitler's Headquarters, op. cit.*, p. 27.

98. H. von Kotze (éd.), *Heeresadjutant bei Hitler, op. cit.*, p. 59.

99. B. Dahlerus, *Der letzte Versuch, op. cit.*, p. 64-65.

100. *Id.*, p. 68-69.

101. *Id.*, p. 73-74.

102. *Id.*, p. 74.

103. *Id.*, p. 75.

104. *Id.*, p. 82-84.

105. CAB 23/100, Cabinet 44 [39], Annex p. 2, 27/8/39.

106. B. Dahlerus, *Der letzte Versuch, op. cit.*, p. 86.

107. *Id.*, p. 87.

108. *Id.*, p. 90.

109. *Id.*, p. 94-95.

110. N. Henderson, *Failure of a Mission, op. cit.*, p. 278.

111. DBFP, series 3, vol. VII, doc. 349, 402, 406.

112. B. Dahlerus, *Der letzte Versuch, op. cit.*, p. 111.

113. *Id.*, p. 113.

114. N. Henderson, *Failure of a Mission, op. cit.*, p. 284-285.

115. B. Dahlerus, *Der letzte Versuch, op. cit.*, p. 115.

116. *Id.*, p. 118.

117. N. Henderson, *Failure of a Mission, op. cit.*, p. 289-290.

118. E. Göring, *An der Seite meines Mannes, op. cit.*, p. 11-14.

119. B. Dahlerus, *Der letzte Versuch, op. cit.*, p. 132.

120. *Id.*, p. 135.

121. *Id.*, p. 137.

122. DBFP, Series 3, vol. VI, doc. n° 664, 2/9/39.

123. *Hansard*, 2/9/1939.

124. F. Kersaudy, *Winston Churchill*, Tallandier, Paris, 2001, p. 315-317.

125. N. Henderson, *Failure of a Mission, op. cit.*, p. 299.

126. P. Schmidt, *Hitler's Interpreter, op. cit.*, p. 158.

127. B. Dahlerus, *Der letzte Versuch, op. cit.*, p. 144.

128. *Id.*, p. 146.

129. *Id.*, p. 147-148.

130. A. Speer, *Erinnerungen, op. cit.*, p. 180.

131. P. Schmidt, *Hitler's Interpreter, op. cit.*, p. 158.

XI. L'ivresse de vaincre

1. B. von Lossberg, *Im Wehrmachtführungsstab, op. cit.*, p. 38.

2. W. Warlimont, *Inside Hitler's Headquarters, op. cit.*, p. 32.

3. W. Görlitz, *The Memoirs of Field-Marshal Keitel, op. cit.*, p. 94.

4. D. Irving, *Goering*, vol. II, Albin Michel, Paris, 1991, p. 291.

5. *Id.*, p. 292.

6. G. Knopp, *Göring, eine Karriere, op. cit.*, p. 130.

7. B. von Lossberg, *Im Wehrmachtführungsstab, op. cit.*, p. 44.

8. E. Frölich (éd.), *Die Tagebücher Joseph Goebbels, op. cit.*, Teil I, bd. 7, p. 92, 4/9/39.

9. S. Martens, *Hermann Göring, Erster Paladin des Führers, op. cit.*, p. 201.

10. L. Mosley, *The Reich Marshal, op. cit.*, p. 264.

11. FO 371/23097, Ogilvie Forbes to Sir A. Cadogan, 24/9/39.

12. FO 371/ 16448, ambassador Cecil Dormer to Sir Alexander Cadogan, 25-26/9/39.

13. *Id.*, Memorandum by Sir Alexander Cadogan, non daté, sans doute du 28 ou du 29 septembre 1939.

14. D. Dilks, *The Diaries of Sir Alexander Cadogan, op. cit.,* p. 220.

15. I. Kershaw, *Hitler,* vol. II, Penguin, Londres, 2001, p. 265; N. von Below, *At Hitler's Side, op. cit.,* p. 41.

16. W. Warlimont, *Im Hauptquartier der Deutschen Wehrmacht,* Bernard & Graefe, Munich, 1962, p. 51 (la traduction anglaise dans *Inside Hitler's Headquarters* n'est pas fiable pour ce passage).

17. H. Greiner, *Die Oberste Wehrmachtführung,* Limes Verlag, Wiesbaden, 1951, p. 58.

18. D. Irving, *The Rise and Fall of the Luftwaffe, op. cit.,* p. 83, note 1.

19. H.J. Rieckhoff, *Bluff ou Atout, op. cit.,* p. 100.

20. *Id.,* p. 118-119.

21. C. Bekker, *Angriffshöhe 4000, op. cit.,* p. 76-79.

22. F. Hesse, *Das Spiel um Deutschland,* List, Munich, 1953, chap. 5.

23. FRUS 1939 / I, p. 512; Langer et Gleason, *The Challenge to Isolation,* Harper, New York, 1952, p. 247-249.

24. A. Bullock, *Hitler, op. cit.,* p. 556-557.

25. M. Domarus (éd.), *Hitler, Reden und Proklamationen,* bd. II/1, Würzburg, 1962, p. 1395.

26. Parliamentary Debates, House of Commons, 13/10/39.

27. H. von Kotze, *Heeresadjutant bei Hitler, op. cit.,* p. 26, 37, etc.

28. U. von Hassel, *Vom andern Deutschland, op. cit.,* p. 90.

29. *Id.,* p. 91.

30. S. Hedin, *Ohne Auftrag in Berlin,* Internationaler Universitätsverlag, Tübingen, 1950, p. 48.

31. F. von Papen, *Memoirs, op. cit.,* p. 458-459.

32. FO 371 / 23099, Unsigned minute, Most secret, 26/10/39.

33. H. Krausnick (éd.), *Helmuth Groscurth, Tagebücher eines Abwehroffiziers,* DVA, Stuttgart, 1970, p. 390.

34. F. von Schlabrendorff, *Officiers contre Hitler,* Self, Paris, 1948, p. 37; H.B. Gisevius, *Jusqu'à la lie,* vol. II, op. cit., p. 159.

35. E. Frölich (éd.), *Die Tagebücher Joseph Goebbels, op. cit.,* Teil I, bd. 7, p. 184, 7/11/39.

36. H. von Kotze, *Heeresadjutant bei Hitler, op. cit.,* p. 69.

37. IMT, vol. IX, p. 311.

38. S. Martens, *Hermann Göring, Erster Paladin des Führers, op. cit.,* p. 214.

39. U. von Hassel, *Vom andern Deutschland, op. cit.,* p. 117.

40. SUA, HP 39 A , Brev von Rosen-Sandler, 8/12/39, et Richert-Soderblom, 9/12/39.

41. W. Gross, *Gespräche mit Göring, op. cit.,* p. 130.

42. A. Kesselring, *A Soldier's Record, op. cit.,* p. 48-49.

43. W. Baumbach, *Aufstieg und Untergang, op. cit.,* p. 59-60.

44. FO 800/322, C. Howard-Smith, Copenhagen, to FO, 23/1/40.

45. S. Martens, *Hermann Göring, Erster Paladin des Führers, op. cit.,* p. 219.

46. P. Schmidt, *Hitler's Interpreter, op. cit.,* p. 169.

47. DGFP, Series D, vol. 8, p. 856-857, 5/3/40.

48. S. Welles, *A Time for Decision, op. cit.,* p. 132.

49. B. Lemay, *Erich von Manstein, le stratège de Hitler,* Perrin, Paris, 2006, p. 134-138.

50. IFZG, ZS 979, « Vernehmung Admiral Krancke », 15/6/48.

51. BA-MA, KTB-SKL, Teil A, 1000/7, Lagebesprechung beim Chef SKL, 15 mars 1940.

52. IFZG, Nürnberg Dok. PS.1796, « *Notizen Kriegstagebuch Major Deyhle* », p. 6, 15/1/40.

53. F. Halder, *Kriegstagebuch,* Bd. III, Kohlhammer, Stuttgart, 1962, p. 77.

54. TMI, vol. XXVIII, PS 1809, p. 409, 1/3/40.

55. *Id.*, p. 411.
56. *Id.*, p. 412.
57. H. Greiner, *Die Oberste Wehrmachtführung, op. cit.*, p. 81.
58. F. Kersaudy, *Churchill contre Hitler, Norvège 1940*, Tallandier, Paris, 2002, p. 204-205.
59. B. von Lossberg, *Im Wehrmachtführungsstab, op. cit.*, p. 67.
60. G. Hägglöf, *Diplomat*, Bodley Head, Londres, 1971, p. 142-143.
61. SUA, HP 39 A och 39 D / Norge, P.M. av Heidenstam 16/4 ; Beck-Friis 17-18/4 ; Brev Richert-Hägglöf 18/4/40.
62. *Ibid.*
63. W.M. Carlgren, *Svensk Utrikespolitik*, Allmänna Förlaget, Stockholm, 1973, p. 167, note 68.
64. *Ibid.*, p. 167.
65. T. Osterkamp, *Avant tout pilote de chasse*, France-Empire, Paris, 1955, p. 195.
66. G. Hägglöf, *Diplomat, op. cit.*, p. 147.
67. R. Nordling, *Mémoires du consul de Suède*, Complexe, Paris, 2002, p. 58.
68. J. Toland, *Adolf Hitler, op. cit.*, p. 828.
69. V. Knopf et S. Martens, *Görings Reich, Selbstinszenierung in Carinhall, op. cit.*, p. 160-162 ; E. Lange, *Der Reichsmarschall im Kriege*, Curt E. Schwab, Stuttgart, 1950, p. 56-61.
70. W. Warlimont, *Inside Hitler's Headquarters, op. cit.*, p. 91.
71. *Id.*, p. 98.
72. H. von Kotze, *Heeresadjutant bei Hitler, op. cit.*, p. 80.
73. B. von Lossberg, *Im Wehrmachtführungsstab, op. cit.*, p. 81.
74. N. von Below, *At Hitler's Side*, Greenhill, Londres, 2001, p. 61.
75. F. Halder, *Hitler als Feldherr*, Münchener Dom Verlag, Munich, 1949, p. 30.
76. A. Kesselring, *A Soldier's Record, op. cit.*, p. 58.
77. H. von Kotze, *Heeresadjutant bei Hitler, op. cit.*, p. 81.
78. D. Irving, *The Rise and Fall of the Luftwaffe, op. cit.*, p. 91.

79. W. Bross, *Gespräche mit Goering, op. cit.*, p. 47.
80. A. Galland, *Die Ersten und die Letzten*, Flechsig, Würzburg, 2007, p. 74.
81. A. Lee, *Goering, Air Leader*, Hippocrene, New York, 1972, p. 86.
82. N. von Below, *At Hitler's Side, op. cit.*, p. 64.
83. H. Greiner, *Die Oberste Wehrmachtführung, op. cit.*, p. 111.
84. W. Warlimont, *Inside Hitler's Headquarters, op. cit.*, p. 102.
85. A. Kesselring, *A Soldier's Record, op. cit.*, p. 61.
86. L. Mosley, *The Reich Marshal, op. cit.*, p. 277.
87. H. Greiner, *Die Oberste Wehrmachtführung, op. cit.*, p. 111.
88. H. von Kotze, *Heeresadjutant bei Hitler, op. cit.*, p. 83.
89. D. Irving, *Goering*, vol. II, *op. cit.*, p. 312.
90. H. Greiner, *Die Oberste Wehrmachtführung, op. cit.*, p. 113.
91. D. Irving, *Goering*, vol. II, *op. cit.*, p. 314.
92. *Ibid.*
93. E. Lange, *Der Reichsmarschall im Kriege*, Curt E. Schwab, Stuttgart, 1950, p. 43.
94. D. Alfieri, *Deux Dictateurs face à face, op. cit.*, 1946, p. 140.
95. V. Knopf et S. Martens, *Görings Reich, Selbstinszenierung in Carinhall, op. cit.*, p. 108-114.
96. SUA, HP 39 F. Dahlerus rapport 28/7/40, samt Domös anteckningar 30/7/40 och brev von Post – Söderblom 27/7/40.
97. A. Kesselring, *A Soldier's Record, op. cit.*, p. 65.
98. A. Speer, *Erinnerungen, op. cit.*, p. 188.
99. W. Warlimont, *Inside Hitler's Headquarters, op. cit.*, p. 113.
100. *Id.*, p. 111.
101. N. von Below, *At Hitler's Side, op. cit.*, p. 69.
102. C. Burdick et H.A. Jacobsen, *The Halder Diary, op. cit.*, p. 241-245.

103. N. von Below, *At Hitler's Side,* *op. cit.*, p. 70.

104. *Id.,* p. 69.

105. C. Burdick et H.A. Jacobsen, *The Halder Diary, op. cit.*, p. 241-245.

106. N. von Below, *At Hitler's Side,* *op. cit.*, p. 70.

107. D. Dempster et D. Wood, *The Narrow Margin : The Battle of Britain,* Londres, 1969, p. 123.

108. R. Manvell et H. Fraenkel, *Goering, op. cit.*, p. 247.

109. D. Alfieri, *Deux Dictateurs face à face, op. cit.*, p. 100.

110. T. Osterkamp, *Avant tout pilote de chasse, op. cit.*, p. 260.

111. D. Dempster et D. Wood, *The Narrow Margin, op. cit.*, p. 248-9.

112. A. Lee, *Goering, Air Leader,* *op. cit.*, p. 93.

113. E. Lange, *Der Reichsmarschall im Kriege, op. cit.*, p. 63.

114. T. Osterkamp, *Avant tout pilote de chasse, op. cit.*, p. 287.

115. S. Martens, *Hermann Göring, Erster Paladin des Führers, op. cit.*, p. 232 ; D. Irving, *The Rise and Fall of the Luftwaffe, op. cit.*, p. 101.

116. A. Galland, *Die Ersten und die Letzten, op. cit.*, p. 92.

117. *Id.,* p. 96-97.

118. D. Irving, *Göring, op. cit.*, p. 291.

119. H.B. Gisevius, *Jusqu'à la lie,* t. II, *op. cit.*, p. 185.

120. A. Kesselring, *A Soldier's Record, op. cit.*, p. 70-71.

121. *Id.,* p. 77.

122. B. von Lossberg, *Im Wehrmacht-führungsstab, op. cit.*, p. 91.

123. *Führer Conferences on Naval Affairs, 1939.* Conference of 21 July 1940.

124. W. Frischauer, *The Rise and Fall, op. cit.*, p. 196.

125. S. Martens, *Hermann Göring, Erster Paladin des Führers, op. cit.*, p 232.

126. C. Bekker, *Angriffshöhe 4000, op. cit.*, p. 212-213.

127. S. Martens, *Hermann Göring, Erster Paladin des Führers, op. cit.*, p. 233.

128. L. Mosley, *The Reich Marshal,* *op. cit.* p. 284.

129. BA-MA, Lw 104, Bericht über die Befragung des Generalstabsrichters Dr. Freiherr von Hammerstein, 25/9/55, p. 4-5 (Suchenwirt) ; D. Irving, *The Rise and Fall of the Luftwaffe, op. cit.*, p. 102.

130. A. Kesselring, *A Soldier's Record, op. cit.*, p. 81.

131. L. Mosley, *The Reich Marshal,* *op. cit.* p. 284.

132. A. Kesselring, *A Soldier's Record, op. cit.*, p. 75.

133. W. Frischauer, *The Rise and Fall, op. cit.*, p. 203.

134. N. von Below, *At Hitler's Side,* *op. cit.*, p. 70.

135. W. Frischauer, *The Rise and Fall, op. cit.*, p. 202.

136. L. Mosley, *The Reich Marshal,* *op. cit.* p. 282.

137. W. Frischauer, *The Rise and Fall, op. cit.*, p. 199-200.

138. *Id.,* p. 200.

139. Interview du contre-amiral K.J. von Puttkamer par l'auteur, Munich, 4 août 1974.

140. W. Warlimont, *Inside Hitler's Headquarters, op. cit.*, p. 115.

141. H. von Kotze, *Heeresadjutant bei Hitler, op. cit.*, p. 88.

XII. Un saut dans l'inconnu

1. T. Osterkampf, *Avant tout pilote de chasse, op. cit.*, p. 296.

2. H. Greiner, *Die Oberste Wehrmacht-führung, op. cit.* p. 143-144.

3. D. Irving, *The Rise and Fall of the Luftwaffe, op. cit.*, p. 109.

4. D. Irving, *Goering,* vol. II, *op. cit.*, p. 321.

5. W. Frischauer, *The Rise and Fall of Hermann Goering , op. cit.*, p. 210.

6. Hillgruber, *Hitlers Strategie, Politik und Kriegführung, op. cit.*, p. 189-190 ; R. Manvell et H. Fraenckel, *Goering, op. cit.*, p. 253 ; L. Mosley, *The Reich Marshal, op. cit.*, p. 294.

7. NA, RG 407, Box 1954, MID, Information from Reichmarschall

Hermann Goering, obtained at 7th Army Interrogation Center, 19-21 May 1945, p. 3.

8. N. von Below, *At Hitler's Side, op. cit.*, p. 75-76.

9. H. von Kotze, *Heeresadjutant bei Hitler, op. cit.*, p. 91.

10. W. Bross, *Gespräche mit Göring, op. cit.*, p. 16.

11. IMT, vol. IX, p. 385.

12. A. Galland, *Die Ersten und die Letzten, op. cit.*, p. 101.

13. H. Greiner, *Die Oberste Wehrmachtführung, op. cit.* p. 145.

14. D. Irving, *The Rise and Fall of the Luftwaffe, op. cit.*, p. 120.

15. *Ibid.*

16. BA-MA, Lw 104, Bericht über die Befragung des Generalstabsrichters Frhr. von Hammerstein, 25/9/55, p. 5 (Suchenwirt).

17. R. Overy, *Goering, op. cit.*, p. 105.

18. D. Irving, *The Rise and Fall of the Luftwaffe, op. cit.*, p. 110.

19. H. von Kotze, *Heeresadjutant bei Hitler, op. cit.*, p. 89-90.

20. *Id.*, p. 90.

21. WO 208 / 4178, GRGG 318, CSDIC reports, June 1945, p. 7.

22. H. Greiner, *Die Oberste Wehrmachtführung, op. cit.*, p. 146.

23. D. Irving, *Goering*, vol. II, *op. cit.*, p. 332-333.

24. *Id.*, p. 333.

25. C. Burdick et H.A. Jacobsen, *Halder Diary, op. cit.*, p. 292-298.

26. A. Hillgruber, *Hitlers Strategie, Politik und Kriegführung, op. cit.*, p. 363.

27. W. Hubatsch, *Hitlers Weisungen für die Kriegführung, op. cit.*, p. 96.

28. WO 208/4175, Student interrogation GRGG354, August 45.

29. IMT, vol. XXXII, p. 220, doc. 1456-PS.

30. D. Irving, *The Rise and Fall of the Luftwaffe, op. cit.*, p. 117.

31. R. Manvell et H. Fraenkel, *Goering, op. cit.*, p. 253.

32. P. Schmidt, *Hitler's Interpreter, op. cit.*, p. 229-230.

33. N. von Below, *At Hitler's Side, op. cit.*, p. 90-91.

34. H. von Kotze, *Heeresadjutant bei Hitler, op. cit.*, p. 99.

35. N. von Below, *At Hitler's Side, op. cit.*, p. 93-94.

36. W. Frischauer, *The Rise and Fall of Hermann Goering , op. cit.*, p. 219.

37. B.H. Liddell Hart, *Les généraux allemands parlent*, Stock, Paris, 1948, p. 175-176.

38. D. Irving, *The Rise and Fall of the Luftwaffe, op. cit.*, p. 121.

39. B.H. Liddell Hart, *Les généraux allemands parlent, op. cit.*, p. 177.

40. W.S. Churchill, *The Second World War*, vol. III, Cassell, Londres, 1950, p. 226-234.

41. H. von Kotze, *Heeresadjutant bei Hitler, op. cit.*, p. 102.

42. N. von Below, *At Hitler's Side, op. cit.*, p. 97.

43. C. Burdick et H.A. Jacobsen, *Halder Diary, op. cit.*, 17 mars 1941.

44. H. Greiner, *Die Oberste Wehrmachtführung, op. cit.* p. 295.

45. *Id.*, p. 290.

46. W. Warlimont, *Inside Hitler's Headquarters, op. cit.*, p. 132.

47. A. Galland, *Die Ersten und die Letzten, op. cit.*, p. 122-123.

48. L. Mosley, *The Reich Marshal, op. cit.*, p. 299-300.

49. D. Irving, *Goering*, vol. II, *op. cit.*, p. 345.

50. A. Lee, *Goering Air Leader*, Duckworth, Londres, 1972, p. 128.

51. IMT, vol. III, p. 4-7; vol. IV, p. 75-76; vol. VI, p. 151-154.

52. N. von Below, *At Hitler's Side, op. cit.*, p. 102.

53. D. Irving, *The Rise and Fall of the Luftwaffe, op. cit.*, p. 122; *Goering*, vol. II, *op. cit.*, p. 352.

54. SUA, HP 39 A, Brev Richert-Boheman, 16/6/41.

55. FDR, PSF Bx 34, File Biddle 1937/410, Biddle to FDR, 20/6/41.

56. E. Göring, *An der Seite meines Mannes, op. cit.*, p. 204.

57. J. Erickson, *The Road to Stalingrad*, Cassell, Londres, 2000, p. 98.

58. D. Irving, *The Rise and Fall of the Luftwaffe, op. cit.,* p. 123.

59. BA-MA, Lw 104/5, Bericht über die Befragung des Gen. Lt. A.D. Josef Schmid, 23/11/55, p. 2 (Suchenwirth).

60. W. Warlimont, *Inside Hitler's Headquarters, op. cit.,* p. 173.

61. D. Irving, *Goering,* vol. II, *op. cit.,* p. 355.

62. A. Lee, *Goering Air Leader, op. cit.,* p. 121.

63. IMT, vol. IV, p. 79; vol. IX, p. 250.

64. D. Irving, *The Rise and Fall of the Luftwaffe, op. cit.,* p. 130.

65. W. Baumbach, *Aufstieg und Untergang, op. cit.,* p. 35.

66. BA-MA, Lw 104, Bericht über die Befragung des Gerneralmajors a.D. Hermann Ploch , 8/3/55, p. 6 (Suchenwirt).

67. R. Overy, *Goering, op. cit.,* p. 164-189; W. Baumbach, *Aufstieg und Untergang, op. cit.,* p. 77-78; H.J. Rieckhoff, *Bluff ou Atout ? op. cit.,* p. 182.

68. I. Kershaw, *Hitler,* vol. 2, *op. cit.,* p. 399.

69. A. Galland, *Die Ersten und die Letzten, op. cit.,* p. 134.

70. C. Schröder, *Er war mein Chef,* Langen Müller, Munich, 1989, p. 113-114.

71. H. von Kotze, *Heeresadjutant bei Hitler, op. cit.,* p. 107.

72. I. Kershaw, *Hitler,* vol. 2, *op. cit.,* p. 410-411.

73. H. von Kotze, *Heeresadjutant bei Hitler, op. cit.,* p. 109.

74. P.E. Schramm (éd.), *Kriegstagebuch des OKW,* vol. I, Francfort, 1961, p. 1055-1059.

75. D. Irving, *Goering,* vol. II, *op. cit.,* p. 359.

76. H. von Kotze, *Heeresadjutant bei Hitler, op. cit.,* p. 110.

77. P.E. Schramm (éd.), *Kriegstagebuch des OKW,* vol. I, *op. cit.,* p. 1062.

78. H. von Kotze, *Heeresadjutant bei Hitler, op. cit.,* p. 111.

79. W. Hubatsch, *Hitlers Weisungen für die Kriegführung, op. cit.,* p. 150-152.

80. B.H. Liddell Hart, *Les généraux allemands parlent, op. cit.,* p. 193.

81. B. von Lossberg, *Im Wehrmachtführungsstab, op. cit.,* p. 137.

82. *Id.,* p. 121-122.

83. H. von Kotze, *Heeresadjutant bei Hitler, op. cit.,* p. 111.

84. B. von Lossberg, *Im Wehrmachtführungsstab, op. cit.,* p. 133.

85. NA, RG 407, Box 1954, MID, Information obtained from Reichmarschall Hermann Goering, at 7th Army Interrogation Center, 19-21 May 1945, p. 4.

86. L. Mosley, *The Reich Marshal, op. cit.,* p. 303.

87. *Id.,* p. 303-304.

88. D. Irving, *The Rise and Fall of the Luftwaffe, op. cit.,* p. 124-134.

89. BA-MA, Lw 104, Bericht über die Befragung des Gerneralmajors a.D. Hermann Ploch , 8/3/55, p. 7.

90. L. Mosley, *The Reich Marshal, op. cit.,* p. 307.

91. A. Kesselring, *A Soldier's Record, op. cit.,* p. 105-108.

92. F. Kurowski, *Balkenkreuz und Roter Stern,* Dörfler, Eggolsheim, 2006, p. 181-187.

93. ADAP, D, XIII/2, p. 744-754, Aufzeichnung Schmidts über das Gespräch zwischen Reichsmarschall Göring und Marschall Pétain am 1 Dez. 1941.

94. R. Tournoux, *Pétain et la France,* Plon, Paris, 1980, p. 340.

95. A. Galland, *Die Ersten und die Letzten, op. cit.,* p. 145.

96. W. Warlimont, *Inside Hitler's Headquarters, op. cit.,* p. 207.

97. F. Kurowski, *Balkenkreuz und Roter Stern, op. cit.,* p. 123.

XIII. Turbulences

1. U. von Hassel, *Vom andern Deutschland, op. cit.,* p. 258.

2. F. Halder, *Hitler als Feldherr,* Münchener Dom-Verlag, Munich, 1949, p. 45.

3. *Id.*, p. 46.

4. B.H. Liddell Hart, *Les généraux allemands parlent, op. cit.*, p. 210.

5. E.P. Hoyt, *Goering's War, op. cit.*, p. 151.

6. *Ibid.*.

7. H.G. Rieckhoff, *Bluff ou Atout ?, op. cit.*, p. 313.

8. *Id.*, p. 99.

9. G.M. Gilbert, *Nuremberg Diary, op. cit.*, p. 74.

10. D. Irving, *The Rise and Fall, op. cit.*, p. 165.

11. H.J. Rieckhoff, *Bluff ou Atout ?, op. cit.*, p. 182.

12. W. Schellenberg, *The Labyrinth,* HarperCollins, Londres, 1984, p. 199.

13. E. von Manstein, *Verlorene Siege, op. cit.*, p. 244-245 ; B. Lemay, *Erich von Manstein,* p. 234-239.

14. A. Speer, *Erinnerungen, op. cit.*, p. 198.

15. J.B. Duroselle, *L'Abîme 1939-1945,* Imprimerie nationale, Paris, 1982, p. 339.

16. G. Ciano, *Diario,* vol. II, *op. cit.*, 1963, p. 130-132.

17. *Id.*, p. 98.

18. BA-MA, Lw 104, Bericht über Befragung des Dozenten Dr. Ramon Ondorza, 29/4/56, p. 6 (Suchenwirt).

19. U. von Hassel, *Vom andern Deutschland, op. cit.*, p. 236.

20. A. Speer, *Erinnerungen, op. cit.*, p. 210-211.

21. W. Schellenberg, *The Labyrinth, op. cit.*, p. 254.

22. A. Speer, *Erinnerungen, op. cit.*, p. 292.

23. W. Frischauer, *Hermann Goering, op. cit.*, p. 231-232.

24. *Id.*, p. 232.

25. N. von Below, *At Hitler's Side, op. cit.*, p. 148.

26. KTB der OKW *in* H. Greiner, *Die oberste Wehrmachtführung, op. cit.*, p. 402.

27. *Voïenno-Istoritcheski journal,* n° 9, 1963, p. 80 (Interrogatoire de Goering par une délégation soviétique, 17/6/45, Bad Mondorf).

28. I. Kershaw, *Hitler,* vol. II, *op. cit.*, p. 530.

29. B.H. Liddell Hart, *Les généraux allemands parlent, op. cit.*, p. 221.

30. D. Irving, *Goering,*vol. II, *op. cit.*, p. 394.

31. A. Speer, *Erinnerungen, op. cit.*, p. 259.

32. R. Gehlen, *The Gehlen Memoirs,* Collins, Londres, 1972, p. 70.

33. H. von Kotze, *Heeresadjutant bei Hitler, op. cit.*, p. 130.

34. D. Irving, *Goering,*vol. II, *op. cit.*, p. 393.

35. V. Knopf et S. Martens, *Görings Reich, Selbstinszenierung in Carinhall, op. cit.*, p. 80-81.

36. A. Speer, *Erinnerungen, op. cit.*, p. 232.

37. L. Mosley, *The Reich Marshal, op. cit.*, p. 319.

38. R. Manvell et H.C. Fraenckel, *Goering, op. cit.*, p. 270.

39. D. Irving, *The Rise and Fall of the Luftwaffe, op. cit.*, p. 173.

40. G. Ciano, *Diario,* vol. II, *op. cit.*, p. 229-230.

41. ADAP, E, IV, n° 98, p. 176, Aufzeichnung Schmidts über das Gespräch zwischen Göring und Mussolini am 23 oct. 1939.

42. G. Ciano, *Diario,* vol. II, *op. cit.*, p. 240.

43. N. von Below, *At Hitler's Side, op. cit.*, p. 158.

44. A. Speer, *Erinnerungen, op. cit.*, p. 261.

45. N. von Below, *At Hitler's Side, op. cit.*, p. 159.

46. M. Kehrig, *Stalingrad, Analyse und Dokumentation einer Schlacht,* DVA, Stuttgart, 1974, p. 163.

47. D. Irving, *Goering,*vol. II, *op. cit.*, p. 401-402.

48. L. Mosley, *The Reich Marshal, op. cit.*, p. 323-324.

49. M. Kehrig, *Stalingrad, Analyse und Dokumentation einer Schlacht, op. cit.*, p. 220.

50. A. Speer, *Erinnerungen, op. cit.*, p. 262.

51. H. von Kotze, *Heeresadjutant bei Hitler, op. cit.*, p. 139.

52. C. Bekker, *Angriffshöhe 4000, op. cit.*, p. 360.

53. H. von Kotze, *Heeresadjutant bei Hitler, op. cit.*, p. 139.

54. C. Bekker, *Angriffshöhe 4000, op. cit.*, p. 360.

55. KTB der OKW *in* H. Greiner, *Die oberste Wehrmachtführung, op. cit.*, p. 424.

56. A. Speer, *Erinnerungen, op. cit.*, p. 262-263.

57. H. von Kotze, *Heeresadjutant bei Hitler, op. cit.*, p. 139.

58. KTB der OKW *in* H. Greiner, *Die oberste Wehrmachtführung, op. cit.*, p. 425-427.

59. E. von Manstein, *Verlorene Siege, op. cit.*, p. 344-351.

60. E. Frölich (éd.), *Die Tagebücher von Joseph Göbbels*, Teil II, bd. 6, *op. cit.*, p. 365.

61. D. Young, *Rommel*, Fayard, Paris, 1962, p. 201.

62. *Ibid.*

63. D. Irving, *Goering*, vol. II, *op. cit.*, p. 405.

64. D. Young, *Rommel, op. cit.*, p. 201-202.

65. D. Irving, *Goering*, vol. II, *op. cit.*, p. 406.

66. G. Ciano, *Diario*, vol. II, *op. cit.*, p. 251-252.

67. D. Young, *Rommel, op. cit.*, p. 202.

68. A. Speer, *Erinnerungen, op. cit.*, p. 263.

69. P. Schmidt, *Hitler's Interpreter, op. cit.*, p. 260-261.

70. D. Alfieri, *Deux Dictateurs face à face, op. cit.*, p. 290.

71. G. Ciano, *Diario*, vol. II, *op. cit.*, p. 256-257.

72. D. Irving, *The Rise and Fall..., op. cit.*, p. 178.

73. KTB der OKW *in* H. Greiner, *Die oberste Wehrmachtführung, op. cit.*, p. 433.

74. A. Beevor, *Stalingrad*, Fallois, Paris, 1999, p. 338.

75. *Id.*, p. 339.

76. D. Irving, *The Rise and Fall..., op. cit.*, p. 185-186.

77. H.J. Rieckhoff, *Bluff ou Atout ?, op. cit.*, p. 182.

78. *Id.*, p. 190.

79. *Id.*, p. 190-192.

80. B.H. Liddell Hart, *Les généraux allemands parlent, op. cit.*, p. 230.

81. N. von Below, *At Hitler's Side, op. cit.*, p. 160.

82. B.H. Liddell Hart, *Les généraux allemands parlent, op. cit.*, p. 230-231.

83. A. Beevor, *Stalingrad, op. cit.*, p. 368.

84. D. Irving, *The Rise and Fall..., op. cit.*, p. 194.

85. *Id.*, p. 197.

86. W. Frischauer, *Hermann Goering, op. cit.*, p. 233.

87. D. Irving, *Goering*, vol. II, *op. cit.*, p. 411.

88. H. von Kotze, *Heeresadjutant bei Hitler, op. cit.*, p. 143.

89. E. von Manstein, *Verlorene Siege, op. cit.*, p. 395.

XIV. Chute libre

1. E. Lange, *Der Reichsmarschall im Kriege, op. cit.*, p. 163.

2. D. Irving, *Goering*, vol. II, *op. cit.*, p. 412-414.

3. *Id.*, p. 402.

4. W. Frischauer, *Goering, op. cit.*, p. 233.

5. W. Warlimont, *Inside Hitler's Headquarters, op. cit.*, p. 310.

6. NA, RG 407 Box 1954, MID, Information obtained from Reichmarschall Hermann Goering, at 7th Army Interrogation Center, 19-21 May 1945, p. 4.

7. W. Warlimont, *Inside Hitler's Headquarters, op. cit.*, p. 312.

8. B. Lemay, *Erich von Manstein, op. cit.*, p. 360.

9. H. Greiner, *Die Oberste Wehrmachtführung, op. cit.*, p. 440.

10. R. Manvell et H. Fraenkel, *Goering, op. cit.*, p. 268.

11. G. Perrault, *L'Orchestre rouge*, Fayard, Paris, 1967, p. 86.

12. H.B. Gisevius, *Jusqu'à la lie*, t. II, *op. cit.*, p. 158-159.

13. J. von Ribbentrop, *De Londres à Moscou*, Grasset, Paris, 1948, p. 41.

14. A. Speer, *Erinnerungen*, *op. cit.*, p. 272.

15. *Id.*, p. 276-277.

16. *Id.*, p. 277.

17. *Id.*, p. 275.

18. N. von Below, *At Hitler's Side*, *op. cit.*, p. 199.

19. D. Irving, *The Rise and Fall of the Luftwaffe*, *op. cit.*, p. 198.

20. *Id.*, p. 202.

21. D. Irving, *Goering*, vol. II, *op. cit.*, p. 418-419.

22. D. Irving, *The Rise and Fall of the Luftwaffe*, *op. cit.*, p. 200.

23. W. Frischauer, *Goering*, *op. cit.*, p. 237.

24. W. Schellenberg, *The Labyrinth*, *op. cit.*, p. 254.

25. WO 208/4170, SRGG 1206 (c), 12/5/45, CSDIC Report of conversation, General der Flieger Förster.

26. A. Speer, *Erinnerungen*, *op. cit.*, p. 278.

27. D. Irving, *Goering*, vol. II, *op. cit.*, p. 424-425.

28. A. Galland, *Die Ersten und die Letzten*, *op. cit.*, p. 349.

29. N. von Below, *At Hitler's Side*, *op. cit.*, p. 172-173.

30. E. Fröhlich (éd.), *Die Tagebücher von Joseph Goebbels*, Teil II, Bd. 8, p. 545.

31. D. Irving, *Goering*, vol. II, *op. cit.*, p. 429.

32. *Id.*, p. 430.

33. E. Dollmann, *The Interpreter*, Hutchinson, Londres, 1967, p. 214-215.

34. E. Fröhlich (éd.), *Die Tagebücher von Joseph Goebbels*, Teil II, Bd. 9, p. 109.

35. A. Speer, *Erinnerungen*, *op. cit.*, p. 297.

36. *Ibid.*

37. BA-MA, RW 47 / 25, Heft 15, Lagebesprechung vom 26 Juli 1943.

38. E. Fröhlich (éd.), *Die Tagebücher von Joseph Goebbels*, Teil II, Bd. 8, p. 529.

39. A. Galland, *Die Ersten und die Letzten*, *op. cit.*, p. 236-237.

40. *Id.*, p. 238-239.

41. D. Irving, *The Rise and Fall of the Luftwaffe*, *op. cit.*, p. 231.

42. H. von Kotze, *Heeresadjutant bei Hitler*, *op. cit.*, p. 142.

43. ULLC, Donovan Nuremberg Trial Collection, vol. 14, Interrogation Summary n° 8, Condemnation of Goering by Hanna Reitsch, HQ, US Forces in Austria, USDIC, 16 November 1945.

44. BA-MA, Lw 104, Bericht über die Befragung des Dozenten Dr. Ramon Ondorza betreffend Hermann Goering, 29/4/56, p. 6. (Suchenwirt).

45. D. Irving, *Goering*, vol. II, *op. cit.*, p. 438.

46. BA-MA, Lw 104/5, Bericht über die Befragung des Gen. d. Fl. a.D. von Seidel, Bonn, 13/12/54, p. 1-2 (Suchenwirt).

47. BA-MA, Lw 104/5, Bericht über die Befragung der Frau Lotte Kersten, Bayreuth, betreffend Generaloberst Hans Jeschonnek, 15/4/55, p. 6 (Suchenwirt).

48. N. von Below, *At Hitler's Side*, *op. cit.*, p. 176.

49. BA-MA, Lw 104/5, Oberstleutnant a.D. Leuchtenberg über Jeschonneks Selbstmord, 4/2/55 (Suchenwirt).

50. J. Goebbels, *Journal 1943-1945*, *op. cit.*, p. 251.

51. E. Lange, *Der Reichsmarschall im Kriege*, *op. cit.*, p. 174.

52. A. Speer, *Erinnerungen*, *op. cit.*, p. 302.

53. E. Fröhlich (éd.), *Die Tagebücher von Joseph Goebbels*, Teil II, Bd. 9, p. 473.

54. A. Speer, *Erinnerungen*, *op. cit.*, p. 302-303.

55. *Id.*

56. A. Galland, *Die Ersten und die Letzten*, *op. cit.*, p. 226.

57. D. Irving, *The Rise and Fall of the Luftwaffe*, *op. cit.*, p. 242 ; 246.

58. E. Lange, *Der Reichsmarschall im Kriege*, *op. cit.*, p. 164-165 ; A. Galland, *Die Ersten und die Letzten*, *op. cit.*, p. 250-251.

59. E.P. Hoyt, *Goering's War*, *op. cit.*, p. 178.

60. A. Galland, *Die Ersten und die Letzten, op. cit.,* p. 249.

61. D. Irving, *Goering,* vol. II, *op. cit.,* p. 448-449.

62. J.C. Fest, *Les Maîtres du IIIe Reich,* Grasset, Paris, 1965, p. 26.

63. T. Osterkamp, *Avant tout pilote de chasse, op. cit.,* p. 305.

64. D. Irving, *The Rise and Fall of the Luftwaffe, op. cit.,* p. 243.

65. WO 208 / 4178, GRGG 318, CSDIC, GG Report on general Karl Bodenschatz, June 1945.

66. L. Mosley, *The Reich Marshal, op. cit.,* p. 334.

67. NA, RG 407, Box 1954, MID, Information obtained from Reichmarschall Hermann Goering, at 7th Army Interrogation Center, 19-21 May 1945, p. 4.

68. D. Irving, *Goering,* vol. II, *op. cit.,* p. 454.

69. A. Speer, *Erinnerungen, op. cit.,* p. 250.

70. D. Irving, *The Rise and Fall of the Luftwaffe, op. cit.,* p. 257.

71. A. Galland, *Die Ersten und die Letzten, op. cit.,* p. 353.

72. D. Irving, *Goering,* vol. II, *op. cit.,* p. 455.

73. W. Frischauer, *Goering, op. cit.,* p. 241.

74. A. Galland, *Die Ersten und die Letzten, op. cit.,* p. 247.

75. *Id.,* p. 274-275.

76. D. Irving, *The Rise and Fall of the Luftwaffe, op. cit.,* p. 277.

77. H.J. Rieckhoff, *Bluff ou Atout ?, op. cit.,* p. 300.

78. A. Speer, *Erinnerungen, op. cit.,* p. 334-335.

79. H. Guderian, *Panzer Leader,* Futura, Londres, 1974, p. 445.

80. J. Goebbels, *Journal 1943-1945, op. cit.,* p. 384 ; 396.

81. A. Lee, *Goering Air Leader, op. cit.,* p. 166.

82. J. Goebbels, *Journal 1943-1945, op. cit.,* p. 415 ; 422.

83. N. von Below, *At Hitler's Side, op. cit.,* p. 199.

84. E. Göring, *An der Seite meines Mannes, op. cit.,* p. 210-211.

85. N. von Below, *At Hitler's Side, op. cit.,* p. 184.

86. D. Irving, *The Rise and Fall of the Luftwaffe, op. cit.,* p. 270.

87. W. Frischauer, *Goering, op. cit.,* p. 248.

88. D. Irving, *The Rise and Fall of the Luftwaffe, op. cit.,* p. 272-274.

89. A. Galland, *Die Ersten und die Letzten, op. cit.,* p. 281.

90. D. Irving, *The Rise and Fall of the Luftwaffe, op. cit.,* p. 281.

91. *Id.,* p. 284.

92. W. Baumbach, *Aufstieg und Untergang der Deutschen Luftwaffe, op. cit.,* p. 73.

93. A. Speer, *Erinnerungen, op. cit.,* p. 357.

94. W. Frischauer, *Goering, op. cit.,* p. 242.

95. J. Goebbels, *Journal 1943-1945, op. cit.,* p. 420, 437, 446.

96. E. Göring, *An der Seite meines Mannes, op. cit.,* p. 213.

97. E.P. Hoyt, *Goering's War, op. cit.,* p. 182-183.

98. E. Fröhlich (éd.), *Die Tagebücher von Joseph Goebbels,* Teil II, Bd. 12, p. 418.

99. N. von Below, *At Hitler's Side, op. cit.,* p. 203.

100. *Id.,* p. 204.

101. E. Fröhlich (éd.), *Die Tagebücher von Joseph Goebbels,* Teil II, Bd. 12, p. 520.

102. P. Schmidt, *Hitler's Interpreter, op. cit.,* p. 275-276.

103. H. Guderian, *Panzer Leader, op. cit.,* p. 341.

104. J. Goebbels, *Journal 1943-1945, op. cit.,* p. 537.

105. *Id.,* p. 545-546.

106. *Id.,* p. 554.

107. H. Guderian, *Panzer Leader, op. cit.,* p. 445.

108. *Voïenno Istoritchskii Journal,* 1963/9, p. 87 (Audition du maréchal Goering par une commission soviétique, 17/6/45).

109. *Ibid.*

110. BA-MA, Lw 104, Bericht über die Befragung des Generalstabsrichters Dr. Frhr. von Hammerstein, 25/9/55, p. 3 (Suchenwirt).

111. J. Goebbels, *Journal 1943-1945*, *op. cit.*, p. 564-565.

112. N. von Below, *At Hitler's Side*, *op. cit.*, p. 214.

113. A. Speer, *Erinnerungen*, *op. cit.*, p. 360-361.

114. *Id.*, p. 416.

115. J. Goebbels, *Journal 1943-1945*, *op. cit.*, p. 612.

116. WO 208 / 4170, SRGG 1251 (c) Milch / Sperrle conversation. Information received 20/5/45.

117. D. Irving, *Goering*, vol. II, *op. cit.*, p. 478.

118. W. Frischauer, *Goering*, *op. cit.*, p. 247.

119. D. Irving, *Goering*, vol. II, *op. cit.*, p. 484-485.

120. E. Fröhlich (éd.), *Die Tagebücher von Joseph Goebbels*, Teil II, Bd 13, p. 289.

121. D. Irving, *Goering*, vol. II, *op. cit.*, p. 482.

122. B.F. von Loringhoven, *Dans le bunker de Hitler*, Perrin, Paris, 2005, p. 112.

123. A. Galland, *Die Ersten und die Letzten*, *op. cit.*, p. 327.

124. D. Irving, *Goering*, vol. II, *op. cit.*, p. 485-486.

125. BA-MA, Lw 104, Bericht über die Befragung des Generals d. Fl. a.D. Werner Kreipe, 26/11/54, p. 1 (Suchenwirt).

126. D. Irving, *Goering*, vol. II, *op. cit.*, p. 487-488.

127. ULLC, Donovan Nuremberg trial collection, Interrogation summary n° 8, Hanna Reitsch on Goering, p. 7.

128. B.F. von Loringhoven, *Dans le bunker de Hitler*, *op. cit.*, p. 75.

129. J. Erickson, *The Road to Berlin*, Grafton, Londres, 1985, p. 566.

130. J. Steinhoff, *The Final Hours*, Nautical & Aviation, Baltimore, 1985, p. 58-59.

131. WO 208/ 4170, SRGG 1229 (c), Report on conversation by Generalleutnant Galland, 16/5/45.

132. A. Galland, *Die Ersten und die Letzten*, *op. cit.*, p. 337.

133. WO 208/ 4170, SRGG 1229(c), Report on conversation by Generalleutnant Galland, 16/5/45.

134. J. Steinhoff, *The Final Hours*, *op. cit.*, p. 34-35.

135. A. Galland, *Die Ersten und die Letzten*, *op. cit.*, p. 338.

136. A. Brecker, *Paris, Hitler et moi*, Presses de la Cité, Paris, 1970, p. 176-178.

137. E. Fröhlich (éd.), *Die Tagebücher von Joseph Goebbels*, Teil II, Bd 14, p. 327-332.

138. A. Galland, *Die Ersten und die Letzten*, *op. cit.*, p. 332-333.

139. A. Speer, *Erinnerungen*, *op. cit.*, p. 423.

140. *Ibid.*

141. W. Warlimont, *Inside Hitler's Headquarters*, *op. cit.*, p. 483-484.

142. E. Goering, *An der Seite meines Mannes*, *op. cit.*, p. 216-217.

143. *Id.*, p. 215-216.

144. K. Koller, *Der letzte Monat*, Norbert Wohlgemuth Verlag, Mannheim, 1949, p. 95-96.

145. D. Irving, *Goering*, vol. II, *op. cit.*, p. 497.

146. B.F. von Loringhoven, *Dans le bunker de Hitler*, *op. cit.*, p. 132.

147. E. Fröhlich (éd.), *Die Tagebücher von Joseph Goebbels*, Teil II, Bd 15, *op. cit.*, p. 63.

148. E.P. Hoyt, *Goering's War*, *op. cit.*, p. 185.

149. W. Frischauer, *Goering*, *op. cit.*, p. 250.

XV. Atterrissage forcé

1. H. Guderian, *Panzer Leader*, *op. cit.*, p. 411.

2. E. Fröhlich (éd.), *Die Tagebücher von Joseph Goebbels*, Teil II, Bd. 15, p. 191.

3. J. Steinhoff, *The Final Hours*, *op. cit.*, p. 103-109.

4. A. Galland, *Die Ersten und die Letzten, op. cit.,* p. 339.

5. *Ibid.*

6. WO 208/4170, CSDIC, GG Report, SRGG 1226 (c), 16/5/45 Generalleutnant Galland, p. 3.

7. F. Gilbert (éd.), *Hitler Directs his War,* Charter, New York, 1950, p. 173-174.

8. E. Fröhlich (éd.), *Die Tagebücher von Joseph Goebbels,* Teil II, Bd. 15, p. 322.

9. A. Speer, *Erinnerungen, op. cit.,* p. 434.

10. *Ibid.*

11. A. Lee, *Goering Air Leader, op. cit.,* p. 195.

12. E. Fröhlich (éd.), *Die Tagebücher von Joseph Goebbels,* Teil II, Bd. 15, p. 369.

13. D. Irving, *Goering,* vol. II, *op. cit.,* p. 501.

14. W. Frischauer, *Goering, op. cit.,* p. 252.

15. IMT, vol. XVI, p. 491.

16. CPA, File of Canadian mil. HQ, Special interrogation report, Field marshal Gerd von Rundstedt, 1/2/46, p. 11.

17. E. Fröhlich (éd.), *Die Tagebücher von Joseph Goebbels,* Teil II, Bd. 15, p. 478.

18. *Id.,* p. 425.

19. *Id.,* p. 383, 484.

20. C. Schröder, *Er war mein Chef,* Herbig, Munich, 1985, p. 209.

21. A. Kesselring, *A Soldier's Record, op. cit.,* p. 285.

22. W. Görlitz, *The Memoirs of Field Marshal Keitel, op. cit.,* p. 263-264.

23. IMT, vol. IX, p. 14.

24. H. Guderian, *Panzer Leader, op. cit.,* p. 421-422.

25. B. Freytag von Loringhoven, *Dans le bunker de Hitler, op cit.,* p. 149.

26. E. Fröhlich (éd.), *Die Tagebücher von Joseph Goebbels,* Teil II, Bd. 15, p. 679.

27. A. Kesselring, *A Soldier's Record, op. cit.,* p. 297.

28. K. Koller, *Der letzte Monat, op. cit.,* p. 13.

29. *Id.,* p. 11-15.

30. V. Knopf et S. Martens, *Görings Reich, Selbstinszenierung in Carinhall, op. cit.,* p. 128.

31. W. Lüdde-Neurath, *Les Derniers Jours du Troisième Reich,* Berger-Levrault, Paris, 1963, p. 24.

32. A. Speer, *Erinnerungen, op. cit.,* p. 477.

33. K. Koller, *Der letzte Monat, op. cit.,* p. 16.

34. A. Speer, *Erinnerungen, op. cit.,* p. 477.

35. K. Koller, *Der letzte Monat, op. cit.,* p. 18.

36. A. Speer, *Erinnerungen, op. cit.,* p. 477-478.

37. N. von Below, *At Hitler's Side, op. cit.,* p. 235.

38. W. Frischauer, *Goering, op. cit.,* p. 253.

39. K. Koller, *Der letzte Monat, op. cit.,* p. 21-23.

40. *Id.,* p. 28-29.

41. *Id.,* p. 31.

42. *Id.,* p. 36.

43. *Id.,* p. 37.

44. *Id.,* p. 37-38.

45. E. Evans (Ernst Engländer), « Göring- beinahe Führer », *Interavia,* 1 / 5, août 1946, p. 16.

46. WO 208 / 4170, CSDIC, GG Report, SRGG 1284 (c), General der Flieger Koller, 6/6/45, p. 1.

47. *Id.,* p. 2.

48. BA-MA, RL 1/5, Abschriftensammlungen zu den Vorgängen April / Mai 1945 ; Tel. Görings an Jodl, 23/4/45.

49. K. Koller, *Der letzte Monat, op. cit.,* p. 40.

50. *Id.,* p. 38-40.

51. E. Göring, *An der Seite meines Mannes, op. cit.,* p. 241-242.

52. p. 483.

53. *Id.,* p. 485.

54. *Ibid.*

55. E. Evans (Ernst Engländer), « Göring- beinahe Führer », *loc. cit.,* p. 16.

56. A. Speer, *Erinnerungen, op. cit.,* p. 485-486.

57. W. Frischauer, *Goering, op. cit.,* p. 257.

58. A. Speer, *Erinnerungen, op. cit.,* p. 486.

59. H.R. Trevor-Roper, *The Last Days of Hitler,* Macmillan, Londres, 1947, p. 152-153.

60. W. Frischauer, *Goering, op. cit.,* p. 258; E. Evans (Ernst Engländer), « Göring- beinahe Führer », *loc. cit.,* p. 16.

61. E. Göring, *An der Seite meines Mannes, op. cit.,* p. 243.

62. W. Frischauer, *Goering, op. cit.,* p. 259.

63. K. Koller, *Der letzte Monat, op. cit.,* p. 43.

64. *Id.,* p. 44-45.

65. E. Göring, *An der Seite meines Mannes, op. cit.,* p. 244.

66. *Id.,* p. 251.

67. *Ibid.*

68. ULLC, Donovan Nuremberg Trial Collection, vol. 14, Interrogation summary n° 8, Condemnation of Goering by Hanna Reitsch, 16/11/45, p. 2; IMT, vol. XVI, p. 554-555.

69. K. Koller, *Der letzte Monat, op. cit.,* p. 60-61.

70. *Id.,* p. 61.

71. D. Irving, *Goering,* vol. I, *op. cit.,* p. 17.

72. W. Frischauer, *Goering, op. cit.,* p. 271-272.

73. WO 208 / 4170, GG Report, SRGG 1342, (c), General der Flieger Kreipe reading von Brauchitsch's original notes, 4/8/45, p. 1.

74. Dr. Brausse, « Ich sollte Hermann Göring erschiessen », *Revue* n° 8, 16 octobre 1951.

75. SUA, HP 39 D / Norge, Bernadottes anteckningar om samtal under vistelse I Tyskland 29/3-8/4/45.

76. K. Koller, *Der letzte Monat, op. cit.,* p. 79.

77. Dr. Brausse, « Ich sollte Hermann Göring erschiessen », *loc. cit.*

78. W. Warlimont, *Inside Hitler's Headquarters, op. cit.,* p. 516.

79. H.R. Trevor-Roper, *The Last Days of Hitler, op. cit.,* p. 194-195.

80. E. Göring, *An der Seite meines Mannes, op. cit.,* p. 255.

81. K. Koller, *Der letzte Monat, op. cit.,* p. 80.

82. BA-MA, Lw. 104, Bericht von General der Flieger a.D. Paul Deichmann, 30/9/55.

83. WO 208 / 4170, GG Report, SRGG 1342, (c), General der Flieger Kreipe reading von Brauchitsch's original notes, 4/8/45, p. 2.

84. *Id.,* p. 90.

85. E. Butler et G. Young, *Marshal without Glory, op. cit.,* p. 234.

86. D. Irving, *Goering,* vol. I, *op. cit.,* p. 20- 21.

87. R.I. Stack, « Capture of Goering », in *The T- Patcher,* février 1977, p. 5.

88. K. Koller, *Der letzte Monat, op. cit.,* p. 98.

89. R.I. Stack, « Capture of Goering », *loc. cit.,* p. 5.

90. E. Göring, *An der Seite meines Mannes, op. cit.,* p. 257.

91. H.L. Bond, « We captured Hermann Goering », *Saturday Evening Post,* 5 janvier 1946.

92. R.I. Stack, « Capture of Goering », *loc. cit.,* p. 5.

93. K. Koller, *Der letzte Monat, op. cit.,* p. 99.

94. W. Frischauer, *Goering, op. cit.,* p. 268-269.

95. K. Koller, *Der letzte Monat, op. cit.,* p. 99.

96. *T-Patch,* 36th Division News, vol. 4, Special Edition, 8 mai 1945.

97. R.I. Stack, « Capture of Goering », *loc. cit.,* p. 7.

98. *Ibid..*

99. W. Frischauer, *Goering, op. cit.,* p. 269.

100. E. Göring, *An der Seite meines Mannes, op. cit.,* p. 259.

101. D. Irving, *Goering,* vol. II, *op. cit.,* p. 517.

102. .W. Frischauer, *Goering, op. cit.,* p. 269.

103. *Id.,* p. 270.

104. LC, Manuscript Division, Spaatz box 21, Interrogation or Reich Marshall Hermann Goering, 10/5/45, p. 1-10.

105. *New York Times,* 12 mai 1945.

106. E. Evans (Ernst Engländer), « Göring – beinahe Führer », *loc. cit.,* p. 14.

107. NA, RG 407, Box 1954, MID, Information from Reichsmarschall Hermann Goering, obtained at 7th Army Interrogation Center, 19-21 May 1945, 30/5/45, p. 1.

108. D. Irving, *Göring, op. cit.,* p. 469.

109. W. Frischauer, *Goering, op. cit.,* p. 273.

110. *Id.,* p. 272.

111. *Id.,* p. 273.

112. R. Manvell et H. Fraenkel, *Goering, op. cit.,* p. 328.

113. D.M. Kelley, *22 Cells in Nuremberg,* W.H. Allen, Londres, 1947, p. 48.

114. *Id.,* p. 49-50.

115. A. Speer, *Erinnerungen, op. cit.,* p. 504.

116. PS 2828, 25 juin 1945, *in* W. Bross, *Gespräche mit Göring, op. cit.,* p. 290-291.

117. NA, ACSI ID Files, n° 364812, Interrogation by Major K.W. Hechler, 25/7/45.

118. PS 2828, 25 juin 1945, *in* W. Bross, *Gespräche mit Göring, op. cit.,* p. 305-306, 310-311.

119. W. Frischauer, *Goering, op. cit.,* p. 275.

120. L. Mosley, *The Reich Marshal, op. cit.,* p. 356.

121. D. Irving, *Goering,* vol. II, *op. cit.,* p. 524.

122. *Id.,* p. 534.

123. F. von Papen, *Memoirs, op. cit.,* p. 543-544.

XVI. Baroud d'honneur

1. A. Speer, *Errinerungen, op. cit.,* p. 509.

2. D. Irving, *Göring, op. cit.,* p. 483.

3. G.M. Gilbert, *Nuremberg Diary, op. cit.,* p. 4.

4. *Id.,* p. 12.

5. *Id.,* p. 8.

6. L. Mosley, *The Reich Marshal, op. cit.,* p. 364; D.M. Kelley, *22 Cells in Nuremberg, op. cit.,* p. 51.

7. *Id.,* p. 62.

8. G.M. Gilbert, *Nuremberg Diary, op. cit.,* p. 12-13.

9. D.M. Kelley, *22 Cells in Nuremberg, op. cit.,* p. 59.

10. G.M. Gilbert, *Nuremberg Diary, op. cit.,* p. 15-16; 31.

11. H. Springer, *Das Schwert auf der Waage,* K.Vowinckel Verlag, Heidelberg, 1953, p. 59.

12. IMT, vol. II, p. 96.

13. *Id.,* p. 129.

14. G.M. Gilbert, *Nuremberg Diary, op. cit.,* p. 39.

15. D.M. Kelley, *22 Cells in Nuremberg, op. cit.,* p. 57.

16. A. Speer, *Errinerungen, op. cit.,* p. 513.

17. E. Faure, *Mémoires,* vol. II, Plon, Paris, 1984, p. 25.

18. T. Taylor, *The Anatomy of the Nuremberg Trials,* Alfred A. Knopf, New York, 1992, p. 177-178.

19. G.M. Gilbert, *Nuremberg Diary, op. cit.,* p. 49.

20. IMT, vol. II, p. 446-477.

21. C. Wighton et G. Peis, *Les Espions de Hitler,* Fayard, Paris, 1965, p. 300.

22. G.M. Gilbert, *Nuremberg Diary, op. cit.,* p. 50.

23. *Id.,* p. 51.

24. *Id.,* p. 63.

25. *Id.,* p. 66.

26. *Id.,* p. 67-68.

27. *Id.,* p. 70.

28. IMT, vol. IV, p. 315-331.

29. G.M. Gilbert, *Nuremberg Diary, op. cit.,* p. 101.

30. IMT, vol. IV, p. 358-365.

31. G.M. Gilbert, *Nuremberg Diary, op. cit.,* p. 102-103.

32. *Id.,* p. 104-105.

33. *Id.,* p. 107, 113.

34. IMT, vol. IV, p. 532-542.

35. *Id.,* p. 545-556.

36. W. Bross, *Gespräche mit Göring, op. cit.,* p. 14-15.

37. IMT, vol.VII, p. 60 ; 67.

38. *Id.,* p. 90.

39. *Id.,* p. 95.

40. *Id.,* p. 180, 185.

41. *Id.,* p. 253.

42. G.M. Gilbert, *Nuremberg Diary, op. cit.,* p. 147.

43. *Id.,* p. 154-155.

44. *Id.,* p. 155-156.

45. *Id.,* p. 162.

46. W. Bross, *Gespräche mit Göring, op. cit.,* p. 52.

47. *Id.,* p. 53.

48. *Id.,* p. 100.

49. G. Knopp, *Göring, eine Karriere,* C. Bertelsmann, Munich, 2006, p. 225.

50. G.M. Gilbert, *Nuremberg Diary, op. cit.,* p. 183.

51. IMT, vol. IX, p. 8-22.

52. *Id.,* p. 48.

53. *Id.,* p. 52.

54. *Id.,* p. 128.

55. *Id.,* p. 83.

56. *Id.,* p. 165.

57. G.M. Gilbert, *Nuremberg Diary, op. cit.,* p. 193.

58. IMT, vol. IX, p. 253-258.

59. *Id.,* p. 260.

60. L'enregistrement de ses déclarations peut être écouté dans : « *Göring im Kreuzverhör* », Polar Film, 2006 (3 CD, 220 mn).

61. W. Bross, *Gespräche mit Göring, op. cit.,* p. 137.

62. G.M. Gilbert, *Nuremberg Diary, op. cit.,* p. 194.

63. IMT, vol. IX, p. 265-267.

64. *Id.,* p. 270-271.

65. *Id.,* p. 273-274.

66. *Id.,* p. 276.

67. *Id.,* p. 277.

68. *Id.,* p. 295-300.

69. *Id.,* p. 310.

70. *Id.,* p. 315-316.

71. G.M. Gilbert, *Nuremberg Diary, op. cit.,* p. 197 ; 201.

72. *Id.,* p. 198.

73. IMT, vol. IX, p. 317-318.

74. *Id.,* p. 345.

75. *Id.,* p. 349.

76. *Id.,* p. 353.

77. *Id.,* p. 356.

78. *Id.,* p. 363.

79. *Id.,* p. 370.

80. G.M. Gilbert, *Nuremberg Diary, op. cit.,* p. 202.

81. IMT, vol. IX, p. 417-418.

82. *Id.,* p. 427.

83. *Id.,* p. 431.

84. R. Manvell et H. Fraenkel, *Goering, op. cit.,* p. 363.

85. J.-M. Varaut, *Le Procès de Nuremberg,* Perrin, Paris, 2002, p. 153.

86. IMT, vol. IX, p. 462.

87. *Id.,* p. 470.

88. *Id.,* p. 473.

89. *Id.,* p. 478-479.

90. *Id.,* p. 481.

91. G.M. Gilbert, *Nuremberg Diary, op. cit.,* p. 204.

92. IMT, vol. IX, p. 487.

93. *Id.,* p. 494.

94. *Id.,* p. 504-507.

95. W. Bross, *Gespräche mit Göring, op. cit.,* p. 143, 147.

96. IMT, vol. IX, p. 531-532, 543-544.

97. *Id.,* p. 546-563.

98. *Id.,* p. 568.

99. *Id.,* p. 593.

100. *Id.,* p. 602.

101. *Id.,* p. 610-612.

102. *Id.,* p. 616-618.

103. *Id.,* p. 626-627.

104. *Id.,* p. 629.

105. *Id.,* p. 651-652.

106. IMT, vol. IX, p. 656.

107. J.-M. Varaut, *Le Procès de Nuremberg, op. cit.,* p. 171.

108. G.M. Gilbert, *Nuremberg Diary, op. cit.,* p. 208.

109. *Id.,* p. 206.

110. *Id.,* p. 212-214.

111. *Id.,* p. 216.

XVII. Naufrage

1. R. Gellately (éd.), *The Nuremberg Interviews,* Alfred Knopf, New York, 2004, p. 101-102.

2. G.M. Gilbert, *Nuremberg Diary*, *op. cit.*, p. 218-219, 226.
3. IMT, vol. X, p. 625.
4. IMT, vol. XI, p. 397.
5. IMT, vol. XII, p. 17.
6. *Id.*, p. 168-174.
7. *Id.*, p. 179.
8. G.M. Gilbert, *Nuremberg Diary*, *op. cit.*, p. 293-294.
9. IMT, vol. XII, p. 189-190.
10. *Id.*, p. 249.
11. IMT, vol. XII, p. 252.
12. G.M. Gilbert, *Nuremberg Diary*, *op. cit.*, p. 296.
13. IMT, vol. XII, p. 262.
14. *Id.*, p. 310.
15. *Id.*, p. 563-589.
16. IMT, vol. XIII, p. 6-7.
17. G.M. Gilbert, *Nuremberg Diary*, *op. cit.*, p. 314-315.
18. IMT, vol. XIII, p. 31-32.
19. G.M. Gilbert, *Nuremberg Diary*, *op. cit.*, p. 317.
20. *Id.*, p. 318.
21. W. Bross, *Gespräche mit Göring*, *op. cit.*, p. 168.
22. *Id.*, p. 176.
23. *Id.*, p. 188-194.
24. IMT, vol. XIV, p. 172-174.
25. *Id.*, p. 224.
26. R. Gellately (éd.), *The Nuremberg Interviews*, *op. cit.*, p. 103.
27. G.M. Gilbert, *Nuremberg Diary*, *op. cit.*, p. 355-356.
28. D. Irving, *Göring, a Biography*, *op. cit.*, p. 498.
29. IMT, vol. XV, p. 382, 508.
30. *Id.*, p. 418.
31. G.M. Gilbert, *Nuremberg Diary*, *op. cit.*, p. 370.
32. *Id.*, p. 375-376.
33. IMT, vol. XVI, p. 152.
34. G.M. Gilbert, *Nuremberg Diary*, *op. cit.*, p. 378.
35. IMT, vol. XVI, p. 327-337.
36. G.M. Gilbert, *Nuremberg Diary*, *op. cit.*, p. 387.
37. *Id.*, p. 393.
38. IMT, vol. XVI, p. 429.
39. *Id.*, p. 489; 492.
40. *Id.*, p. 499-503.

41. *Id.*, p. 530-531.
42. *Id.*, p. 533.
43. G.M. Gilbert, *Nuremberg Diary*, *op. cit.*, p. 398.
44. *Id.*, p. 400-401.
45. IMT, vol. XVII, p. 549-550.
46. IMT, vol. XIX, p. 414.
47. *Id.*, p. 514.
48. *Id.*, p. 528.
49. G.M. Gilbert, *Nuremberg Diary*, *op. cit.*, p. 422.
50. IMT, vol. XXII, p. 365-367.
51. T. Taylor, *The Anatomy of the Nuremberg Trials*, *op. cit.*, p. 560.
52. L. Mosley, *The Reich Marshal*, *op. cit.*, p. 381.
53. E. Göring, *An der Seite meines Mannes*, *op. cit.*, p. 299-300.
54. *Id.*, p. 301-302.
55. IMT, vol. XXII, p. 523-526.
56. F. von Papen, *Memoirs*, *op. cit.*, p. 570.
57. T. Taylor, *The Anatomy of the Nuremberg Trials*, *op. cit.*, p. 598.
58. IMT, vol. XXII, p. 587.
59. G.M. Gilbert, *Nuremberg Diary*, *op. cit.*, p. 433-434.

XVIII. Adieux à la scène

1. NA, FRC, RG # 260, Box 115, OCCWC Files, Dr. Otto Stahmer to Control Council for Germany, 4/10/46.
2. J.M. Varaut, *Le Procès de Nuremberg*, *op. cit.*, p. 388.
3. E. Göring, *An der Seite meines Mannes*, *op. cit.*, p. 305.
4. *Id.*, p. 306.
5. G.M. Gilbert, *Nuremberg Diary*, *op. cit.*, p. 435.
6. L. Mosley, *The Reich Marshal*, *op. cit.*, p. 389.
7. T. Taylor, *The Anatomy of the Nuremberg Trials*, *op. cit.*, p. 620-621; D. Irving, *Göring, op. cit.*, p. 505-506 (traduction plus conforme à l'original allemand).
8. *Id.*, p. 506.
9. *Ibid.*
10. *Id.*, p. 507.
11. W. Maser, *Hermann Göring, Hitlers janusköpfiger Paladin*, *op. cit.*, p. 467.

Sources

ARCHIVES

Allemagne

AA (Auswärtiges Amt) Ministère des Affaires étrangères, Bonn/Berlin
BAK (Bundesarchiv, Koblenz) Archives fédérales, Coblence
BA-MA (Bundesarchiv-Militärarchiv, Freiburg) Archives militaires, Fribourg
IFZG (Institut für Zeitgeschichte, München) Institut d'Histoire contemporaine, Munich

Canada

APC (Archives publiques du Canada), Ottawa

Etats-Unis

FDR (Franklin D. Roosevelt Library) Hyde Park, New York
LC (Library of Congress, Washington)
NA (National Archives, Washington)
ULLC (University Law Library, Cornell)

France

FNSP (Fondation nationale des Sciences politiques), Paris
MAE (Ministère des Affaires étrangères), Paris

Grande-Bretagne

CCAC (Churchill College Archive Center), Cambridge
FO (Foreign Office), The National Archives, Kew
IWM (Imperial War Museum), Londres
PREM (Prime Minister's Papers), The National Archives, Kew
WO (War Office), The National Archives, Kew

Suède

SUA (Svenska Utrikesdepartementets Arkiv), ministères des Affaires étrangères, Stockholm

DOCUMENTS PUBLIÉS

ADAP : *Akten zur deutschen auswärtigen Politik*, Serie C, 1933-1937, Göttingen, 1971 ; Serie D, 1937-1941, Baden-Baden/Göttingen, 1950 ; Serie E, Bd. I-II, Göttingen, 1969

DBFP : *Documents on British Foreign Policy*, 2 nd Series, vol. 4-18 ; 1930-1937 ; 3 rd Series, vol. 1-9, E.L. Woodward & R. Butler, Edit., HMSO, Londres, 1946-1982

DGFP : *Documents on German Foreign Policy*, 1918-1945, Series C, vol ; 1-6 ; Series D, 1-13, HMSO, Londres, 1949-1964

DDF : *Documents diplomatiques français*, 2ᵉ série, T. III à XII

DDI : *I Documenti Diplomatici Italiani*, Ser. 8-9, 1935-1943, Ministero degli Affari esteri, Roma, 1954

IMT : International Military Tribunal, American edition, « *Blue Set* », vol. I – XXII, Nuremberg, 1947

KAG : *Keesings Archiv der Gegenwart*, 1931-1945, Wien / Essen, 1932-1949

NCA : *Nazi Conspiracy and Aggression*, IMT, American edit., « *Red Set* », vol. I – VII, USGPO, Washington, 1947

Bibliographie sélective

Principales biographies de Hermann Goering

BEWLEY, Charles, *Hermann Göring and the Third Reich,* Devin-Adair, New York, 1962 [Ouvrage étonnamment partial d'un diplomate irlandais, qui trouve une justification à la plupart des actions de Goering. Bewley a par contre bénéficié de l'accès à beaucoup de documents familiaux].

BUTLER, Ewan & Young, Gordon, *Marshal without Glory,* Hodder-Stoughton, Londres, 1951 [Un bon résumé de la carrière du *Reichsmarschall,* avec les documents disponibles à l'époque].

FONTANDER, Björn, *Göring och Sverige,* Rabén och Sjögren, Stockholm, 1984.

–, *Görings Sverige : en Hatkärlek,* Carlsson, Stockholm, 2008 [Goering et la Suède. Une documentation très riche, uniquement disponible en suédois].

FRISCHAUER, Willi, *The Rise and Fall of Hermann Goering,* Houghton-Mifflin, Boston, 1951 [Une des premières biographies complètes de Goering, par un journaliste munichois qui a vécu de près les événements qu'il relate. Précieux pour les interviews de l'entourage et de nombreux témoins].

GRITZBACH, Erich, *Hermann Göring, Werk und Mensch,* Zentral Verlag der NSDAP, Berlin, 1938 [Biographie hagiographique de commande].

HOYT, Edwin P., *Goering's War,* Robert Hale, Londres, 1990 [Un résumé en 200 pages de l'action du chef de guerre Goering].

IRVING, David, *Göring, a Biography,* Macmillan, Londres, 1989 (*Goering,* vol. 1 et 2, Albin Michel, Paris, 1991) [D'une extraordinaire richesse documentaire. Fait l'impasse sur certaines périodes, notamment celle de Nuremberg].

KNOPP, Guido, *Göring, eine Karriere,* C. Bertelsmann, Munich, 2006 [Parcours rapide et « médiatique »].

KUBE, Alfred, *Pour le Mérite und Hakenkreuz,* R. Oldenburg Verlag, Munich, 1986 [D'un sérieux impeccable, centré sur l'action politique et diplomatique de Goering avant 1939].

LEE, Asher, *Goering Air Leader,* Duckworth & Co., Londres, 1972 [Goering comme chef de la Luftwaffe. Un concentré d'intelligence, à tous les sens du mot].

MANVELL, Roger & Fraenkel, Heinrich, *Goering,* Hennerton / Greenhill, Londres, 1962, réédit. 2005 [Vaut surtout pour ses interviews. Bien des erreurs sur les faits et les dates].

MARTENS, Stephan, *Hermann Göring, « Erster Paladin des Führers » und « Zweiter Mann im Reich »,* F. Schöningh, Paderborn, 1985 [Remarquable étude, centrée sur la période 1933-1939].

MASER, Werner, *Hermann Göring, Hitlers janusköpfiger Paladin,* Editions Q, Berlin, 2000 [Manifestement un produit dérivé de sa grande œuvre sur Hitler].

MOSLEY, Leonard, *The Reich Marshal,* Doubleday, New York, 1974 [Correspondant de presse britannique à Berlin dans les années trente, Mosley a personnellement connu son sujet, ainsi que beaucoup de membres de son entourage. Quantités d'erreurs de détail dans les dates, les lieux et les descriptions].

OVERY, Richard, *Goering,* Routledge, Londres, 1984 [Abondamment documenté, principalement économique].

PAUL, Wolfgang, *Hermann Göring,* Bechte Verlag, Esslingen, 1983 [Ouvrage de vulgarisaton, par un journaliste allemand de talent].

Témoignages directs

ALFIERI, Dino, *Due Dittatori di Fronte,* Rizzoli Editore, Milan, 1948 (*Deux dictateurs face à face, 1939-1943,* Ed. du Cheval ailé, Genève, 1948).

BAUMBACH, Werner, *Zu spät ? Aufstieg und Untergang der deutschen Luftwaffe,* Richard Pflaum, Munich, 1949.

BELOW, Nicolaus von, *Als Hitlers Adjutant 1937-45,* Hase und Koehler, Mayence, 1980 (*At Hitler's Side,* Greenhill, Londres, 2001).

BODENSCHATZ, Karl, *Jagd in Flanderns Himmel,* Knorr und Hirth, Munich, 1938.

BROSS, Werner, *Gespräche mit Göring,* Arndt-Verlag, Kiel, 2003.

BURCKHARDT, Carl J., *Meine Danziger Mission,* Fretz & Wasmuth, Zürich, 1946 (*Ma mission à Dantzig,* Fayard, Paris, 1961).

CIANO, Galeazzo, *Diario,* vol. I – II, Rizzoli Editore, Milan, 1963 (*Journal politique,* vol. I et II, La Baconnière, Neuchâtel, 1948).

COULONDRE, Robert, *De Staline à Hitler,* Hachette, Paris, 1950.

DAHLERUS, Birger, *Der letzte Versuch,* Nymphenburger Verlag, Munich, 1973.

DIELS, Rudolf, *Lucifer ante Portas,* Interverlag, Zürich, 1949.

DIETRICH, Otto, *12 Jahre mit Hitler,* Isar Verlag, Munich, 1955 (*Hitler,* H. Regnery, Chicago, 1955).

DILKS , David (éd.), *The Diaries of Sir Alexander Cadogan*, Cassell, Londres, 1971.

DODD, William E., *Ambassador Dodd's Diary*, Harcourt, New York, 1941.

DODD, Martha, *Through Embassy Eyes*, Harcourt, New York, 1939.

DÖNITZ, Karl, *Zehn Jahre und zwanzig Tage*, Athenäum, Bonn, 1958 (*Memoirs*, Weidenfeld, Londres, 1959).

EDEN, Anthony, *The Eden Memoirs, The Reckoning*, Cassell, Londres, 1965.

FABER, Harold (éd.), *Luftwaffe, an analysis by former Luftwaffe generals*, Sidgwick & Jackson, Londres, 1979.

FONTANDER, Björn (éd.), *Carin Göring skriver hem*, Carlsson, Stockholm, 2009.

FRANÇOIS-PONCET, André, *Souvenirs d'une ambassade à Berlin*, Flammarion, Paris, 1946.

FRÖHLICH, Elke (éd.), *Die Tagebücher von Joseph Goebbels*, Saur, Munich, 1995, Teil I, Bd 1-9; Teil II, Bd. 1-15.

GALLAND, Adolf, *Die Ersten und die Letzten*, Flechsig, Würzburg, 2007.

GEHLEN, Reinhard, *Der Dienst*, Hase, Mayence, 1971 (The *Gehlen Memoirs*, Collins, Londres, 1972).

GILBERT, Gustave M., *Nuremberg Diary*, Da Capo, New York, 1995.

GISEVIUS, Hans Bernd, *Bis zum bittern Ende*. Bd.I & II, Rütter & Loening, Zurich 1946-1948 (*Jusqu'à la lie*, vol. I et II, Calmann-Lévy, Paris, 1948).

GÖRING, Emmy, *An der Seite meines Mannes*, K.W. Schültz, Göttingen, 1967 (*Goering*, Presses de la Cité, Paris, 1963).

GÖRLITZ, Walter (éd.), *Generalfeldmarschall Keitel, Verbrecher oder Offizier ?* Musterschmidt-Verlag, Göttingen, 1961 (*The Memoirs of Field Marshal Keitel*, W. Kimber, Londres, 1965).

GREINER, Helmuth, *Die oberste Wehrmachtführung, 1939-1943*, Limes Vg, Wiesbaden, 1951.

GROSCURTH, Helmuth, *Tagebucher eines Abwehroffiziers 1938-1940*, éd. Helmut Krausnick et Harold C. Deutsch, DVA, Stuttgart, 1970.

GOLDENSOHN, Leon, *The Nuremberg Interviews*, A. Knopf, New York, 2004.

GUDERIAN, Heinz, *Erinnerungen eines Soldaten*, Kurt Vowinckel, Heidelberg, 1951, (*Panzer Leader*, Futura, Londres, 1974).

HÄGGLÖF, *Diplomat*, Bodley Head, Londres, 1971.

HALDER, Franz, *Hitler als Feldherr*, Münchener Dom-Verlag, Munich, 1949.

HALDER, Franz, *Kriegstagebuch. Tägliche Aufzeichnungen des Chefs des Generalstabes des Heeres 1939-42*, Hans-Adolf Jacobsen (éd.), 3 tomes, Stuttgart, 1962-64.

HANFSTAENGL Ernst, *Hitler: The Missing Years*, Arcade, New York, 1994.

HASSEL, Ulrich von, *Vom andern Deutschland*, Atlantis Verlag, Zürich, 1946.

HEDIN, Sven, *Ohne Auftrag in Berlin*, Internationaler Universitätsverlag, Tübingen, 1950.

HENDERSON, sir Nevile, *Failure of a Mission*, Putnam's, New York, 1940.

HILLGRUBER, Andreas (éd.), *Staatsmänner und Diplomaten bei Hitler, 1939-1941*, Bernard & Graefe, Frankfurt am Main, 1967 (*Les Entretiens secrets de Hitler*, Fayard, Paris, 1969).

KELLEY, Douglas M., : *22 Cells in Nuremberg,* W.H. Allen, Londres, 1947.

KESSELRING, Albert, *Soldat bis zum letzten Tag,* Athenäum, Bonn, 1953 (*A Soldier's Record,* W. Morrow, New York, 1954).

KOLLER, Karl, *Der letzte Monat,* Norbert Wohlgemuth Verlag, Mannheim, 1949.

KOTZE, Hildegard von (éd.), *Heeresadjutant bei Hitler 1938-1943, Aufzeichnungen des Majors Engels,* DVA, Stuttgart, 1974.

LANGE, Eitel, *Der Reichsmarschall im Kriege,* Curt E. Schwab, Stuttgart, 1950.

LIDDELL HART, sir Basil H., *The Other Side of the Hill,* Cassell, Londres, 1948 (*Les généraux allemands parlent,* Stock, Paris, 1948).

LORINGHOVEN, Bernd Freytag von, *Dans le bunker de Hitler,* Perrin, Paris, 2005.

LOSSBERG, Bernhard von, *Im Wehrmachtführungsstab,* Nölke Verlag, Hambourg, 1950.

LÜDDE-NEURATH, Walter, *Les Derniers Jours du IIIe Reich,* Berger-Levrault, Paris, 1963.

LÜDECKE, Kurt G., *I Knew Hitler,* Jarrolds, Londres, 1938.

MANSTEIN, Erich von, *Verlorene Siege,* Athenäum-Verlag, Bonn, 1955.

MÖLLER, Horst et AYCOBERRY, Pierre (éds.), *Joseph Goebbels, Journal,* 4 volumes, Tallandier, Paris, 2005-2009.

OSTERKAMP, Theo, *Durch höhen und tiefen jagt ein Herz,* Vowinckel, Heidelberg, 1950 (*Avant tout pilote de chasse,* France-Empire, Paris, 1955).

PAPEN, Franz von, *Der Wahrheit eine Gasse,* Paul List Verlag, Munich, 1952 (*Memoirs,* Andre Deutsch, Londres, 1952).

RAEDER, Erich, *Mein Leben,* tomes 1 et 2, Schlichtenmayer, Tübingen, 1956 et 1957, (*Ma Vie,* France-Empire, Paris, 1965).

RIECKHOFF, Herbert-Joachim, *Trumpf oder Bluff, 12 Jahre deutsche Luftwaffe,* Genève, 1945 (*Bluff ou Atout,* Marguerat, Lausanne, 1947).

ROSENBERG Alfred, *Das politische Tagebuch Alfred Rosenbergs aus den Jahren 1934/35 und 1939/40,* Hans-Günther Seraphim (éd.), Musterschmidt, Munich, 1956.

SCHACHT, Hjalmar, *76 Jahre meines Lebens,* Kindler & Schiermeyer, Wörishofen, 1953.

SCHELLENBERG, Walter, *The Labyrinth,* Da Capo, New York, 2000.

SCHIRACH, Baldur von, *Ich glaubte an Hitler,* Gruner & Jahr, Hambourg, 1967 (*J'ai cru en Hitler,* Plon, Paris, 1968).

SCHLABRENDORFF, Fabian von, *Offiziere gegen Hitler,* Europa Verlag, Zürich, 1948 (*Officiers contre Hitler,* Self, Paris, 1948).

SCHMIDT, Paul, *Statist auf diplomatischer Bühne 1923-1945,* Athenäum, Bonn, 1949 (*Hitler's Interpreter,* Macmillan, New York, 1951).

SCHWERIN von KROSIGK, Lütz Graf, *Memoiren,* Seewald Verlag, Stuttgart, 1977.

SOMMERFELDT, Martin Henry, *Ich war dabei. Die Verschwörung der Dämonen 1933-1939,* Drei Quellen Verlag, Darmstadt 1949.

SPEER, Albert, *Erinnerungen,* Propyläen Verlag, Berlin, 1969 (*Inside the Third Reich,* Macmillan, Londres, 1970).

SPRINGER, H., *Das Schwert auf der Waage, Hans Fritzsche über Nürnberg,* K. Vowinckel, Heidelberg, 1953.

STEHLIN, Paul, *Témoignage pour l'Histoire,* Laffont, Paris, 1964.

STEINHOFF, Johannes, *In letzter Stunde, Verschwörung der Jagdflieger,* Paul List, Munich, 1974 (*The Final Hours, a German jet pilot plots against Goering,* Nautical & Aviation, Baltimore, Maryland, 1985).

STRASSER, Otto, *Hitler und ich,* Asmus, Konstanz, 1948 (*Hitler et moi,* Grasset, Paris, 1940).

TAYLOR, Telford, *The Anatomy of the Nuremberg Trials,* A. Knopf, New York, 1992.

THYSSEN, Fritz, *I Paid Hitler,* Hodder & Stoughton, Londres, 1941.

WAGENER, Otto, *Hitler aus nächster Nähe,* Arndt Verlag, Kiel, 1987.

WARLIMONT, Walter, *Im Hauptquartier der deutschen Wehrmacht 1939-1945,* Bernard & Graefe, Francfort-sur-le-Main, 1962 (*Inside Hitler's Headquarters,* Weidenfeld, Londres, 1964).

WELLES Sumner, *The Time for Decision,* Harper, New York, 1944.

WILAMOWITZ-MÖLLENDORF, Fanny Gräfin von : *Carin Göring,* Martin Warneck, Berlin, 1940.

Etudes sur le contexte historique

BARTZ, Karl, *Swastika in the Air,* William Kimber, Londres, 1956.

BAUMBACH, Werner, *Aufstieg und Untergang der deutschen Luftwaffe,* Hannovre, 1955 (*The Life and Death of the Luftwaffe,* Coward-McCann, New York, 1960).

BEEVOR, Anthony, *Stalingrad,* A. Cooper, Londres, 1998 (De Fallois, Paris, 1999).

BEKKER, Cajus, *Angriffshöhe 4000,* Deutscher Bücherbund, Stuttgart, 1964.

BEZYMENSKY, *Generale ohne Maske,* DMV, Berlin-Est, 1963.

BOOG, Horst, *Die deutsche Luftwaffenführung, 1935-1945,* D.V.A., Stuttgart, 1982.

BOOG, Horst, *Luftkriegsführung im zweiten Weltkrieg,* E.S. Mittler & Sohn, Hambourg, 1993.

BROSZAT, Martin, *L'Etat hitlérien,* Paris, Fayard, 1985.

BULLOCK, Alan : *Hitler, a study in tyranny,* Odhams, Londres, 1952.

CALIC, Edouard, *Himmler et son empire,* Stock, Paris, 1965.

COLVILLE, John, *The Fringes of Power,* Hodder & Stoughton, Londres, 1985.

D'ALMEIDA, Fabrice, *La Vie mondaine sous le nazisme,* Perrin, Paris, 2006.

DALLIN, Alexander, *Deutsche Herrschaft in Russland, 1941-1945,* Droste Verlag, Düsseldorf, 1955.

DELPLA, François, *Hitler,* Grasset, Paris, 1999.

DEMPSTER, Derek & WOOD, Derek, *The Narrow Margin, The Battle of Britain,* Arrow Books, Londres, 1969 (*La Bataille d'Angleterre, la victoire de la RAF,* France-Empire, Paris, 1969).

DUROSELLE, Jean-Baptiste, *La Décadence, 1932-1939,* Imprimerie nationale, Paris, 1979.

DUROSELLE, Jean-Baptiste, *L'Abîme, 1939-1945*, Imprimerie nationale, Paris, 1982.

FABER, Harold, *Luftwaffe, a History,* Times Books, Maryland, 1977.

FEST, Joachim C., *Les Maîtres du IIIe Reich,* Grasset, Paris, 1965.

FEST, Joachim C., *Hitler,* Gallimard, Paris, 1976, 2 vol.

GALLO, Max, *La Nuit des longs couteaux,* Tallandier/Texto, Paris, 2007.

GILBERT, Felix, *Hitler Directs his War,* O.U.P., Oxford, 1950.

HAASE, Günther, *Die Kunstsammlung des Reichsmarschalls Hermann Göring,* Edition Q, Berlin, 2000.

HAFFNER, Sebastian, *Un certain Adolf Hitler,* Grasset, Paris, 1987.

HEIDEN, Konrad, *Der Führer,* Houghton & Mifflin, Boston, 1944.

HILLGRUBER, Andreas, *Hitlers Strategie, Politik und Kriegführung, 1940-1941,* Bernard & Graefe, Munich, 1982.

HUSSON, Edouard, *Heydrich et la solution finale,* Perrin, Paris, 2008.

IRVING, David, *The Rise and Fall of the Luftwaffe,* Little, Brown, Boston, 1973.

JÄCKEL, Eberhard, *Hitlers Weltanschauung,* DVA, Stuttgart, 1969 (*Hitler idéologue,* Gallimard, Paris, 1973).

KAHN, David, *Hitler's Spies,* Arrow Books, Londres, 1980.

KERSAUDY, François, *Churchill contre Hitler,* Tallandier, Paris, 2002.

KERSHAW, Ian, *Hitler,* vol. I et II, Penguin, Londres, 1998-1999 (*Hitler,* Flammarion, Paris, 1999-2000).

KNOPF, Volker & MARTENS, Stefan, *Görings Reich, Selbstinszenierung in Carinhall,* Weltbild, Augsbourg, 2009.

KUROWSKI, Franz, *Balkenkreuz und Roter Stern, Der Luftkrieg über Russland, 1941-1945,* Dörfler, Eggolsheim, 2006.

LEE, Asher, *The German Air Force,* Duckworth, Londres, 1947.

LELEU, Jean-Luc, *La Waffen SS,* Perrin, Paris, 2007.

LEMAY, Benoît, *Erich von Manstein,* Perrin, Paris, 2006.

LEMAY, Benoît, *Rommel,* Perrin, Paris, 2009.

MESSENGER, Charles, *Hitler's Gladiator,* Brassey's, Londres, 1988.

O'DONNELL, James P., *The Berlin Bunker,* Dent & Sons, Londres, 1979.

PEUSCHEL, Harald, *Die Männer um Hitler,* Droste, Düsseldorf, 1982.

READ, Anthony, *The Devil's Disciples,* Pimlico, Londres, 2004.

REUTH, Ralf Georg, *Goebbels, eine Biographie,* Piper, Munich, 1990.

SCHRAMM, Percy Ernst, *Hitler, the man and the military leader,* Quadrangle, Chicago, 1971.

TIPPELSKIRCH, Kurt von, *Geschichte des zweiten Weltkrieges,* Athenäum, Bonn, 1956.

TOLLAND, John, *Adolf Hitler,* Ballantine, New York, 1977.

TOOSE, Adam, *Ökonomie der Zerstörung, Die Geschichte der Wirtschaft im Nationalsozialismus,* Siedler, Munich, 2007.

TREVOR-ROPER, Hugh R., *The Last Days of Hitler,* Macmillan, Londres, 1947.

VARAUT, Jean-Marc, *Le Procès de Nuremberg,* Perrin, Paris, 2002.

WIEVIORKA, Annette, *Le Procès de Nuremberg,* Liana Lévi, Paris, 2006.

YOUNG, Desmond, *Rommel,* Fayard, 1962.

Annexe

PRINCIPAUX CHASSEURS 1939-1945

Allemagne

Messerschmitt Me *Bf* 109

Messerschmitt Me *Bf* 110

Focke-Wulf FW 190

Messerschmitt Me 262 à réaction

Grande-Bretagne

Spitfire

Hurricane

Etats-Unis

Thunderbolt P 47

Mustang P 51

Yakovlev Yak 1

Lavochkine La 5

PRINCIPAUX BOMBARDIERS 1939-1945

Bombardiers en piqué

Junkers 87 Stuka (Allemagne)

Ilyouchine Stormovik (URSS)

Bombardiers moyens allemands

Junkers Ju 88

Heinkel He 1[11]

Dornier Do 17

PRINCIPAUX BOMBARDIERS 1939-1945

Bombardiers alliés

Lourds

Lancaster (GB)

Halifax (GB)

B17 Flying Fortress (US)

B24 Liberator (US)

Moyens

B26 Marauder (US)

Index

(Les noms d'Hitler et de Goering, apparaissant très fréquemment,
ne figurent pas dans cet index.)

Cet ouvrage a été composé par Firmin Didot

Impression réalisée par

BRODARD & TAUPIN

La Flèche (Sarthe)
pour le compte des Éditions Perrin
11, rue de Grenelle
Paris 7ᵉ
en mars 2010

Imprimé en France
Dépôt légal : octobre 2009
N° d'éditeur : 2549 – N° d'impression : 57100